剑 桥 科 学 史

第七卷

现代社会科学

《剑桥科学史》第七卷,介绍了18世纪以来关于社会科学(包括行为科学和经济科学)的概念、实践、制度和意识形态的历史。对于社会知识的历史发展,包括它的哲学假设、它的社会和学术组织,以及它与科学、医学、政治、官僚机构、宗教和各种专业知识领域的关系,作者们提供了新颖的和综合性的说明。全书共43章,探讨了塑造社会科学的各种流派和传统、社会科学的主要学科(心理学、经济学、社会学、人类学、政治学、地理学、史学和统计学)的成就以及国际上关于东欧、亚洲、非洲和拉丁美洲的社会科学的评论。对社会科学进入政府、企业、教育、文化以及社会政策等领域的研究,也是本卷论述的特点之一。本书是一部关于社会科学的一般文化史,它对社会科学诸学科参与开创现代世界的活动进行了分析。本书的撰稿人都是他们各自领域中世界一流的学者,参与了现代编史学和方法论的论战,而且都提出了他们自己独到的见解。

西奥多·M. 波特是洛杉矶加利福尼亚大学历史系科学史教授。他的著作有:《统计思想的兴起,1820～1900》(*The Rise of Statistical Thinking, 1820—1900*, 1986),《相信数字:追求科学和公众生活中的客观性》(*Trust in Numbers: The Pursuit of Objectivity in Science and Public life*, 1995),另外,他还与人合著了《概率王国:概率如何改变了科学和公众生活》(*The Empire of Chance: How Probability Changed Science and Everyday Life*, 1989)。

多萝西·罗斯是约翰斯·霍普金斯大学阿瑟·O. 洛夫乔伊历史学讲座教授。她的著作有:《G. 斯坦利·霍尔:作为预言者的心理学家》(*G. Stanley Hall: The Psychologist as Prophet*, 1972),《美国社会科学的起源》(*The Origins of American Social Science*, 1991),另外,她还主编了《人文科学中现代主义的冲击,1870～1930》(*Modernist Impulses in the Human Sciences, 1870—1930*, 1994)。

第七卷翻译委员会

王维，男，1939年生，江苏武进人，中国社会科学院哲学研究所研究员。1965年毕业于北京大学地质地理系（六年制），同年进入哲学研究所。1981年至1983年为日本东京大学理学部科学史—科学哲学研究室研修生。1990年至1992年在日本早稻田大学社会科学研究所任外国人研究员，与该所所长峰岛旭雄教授进行合作研究。主要研究方向：科学哲学、科学思想史、比较文化思想史。主要研究成果：发表各类论文60余篇。专著有：《待揭之谜》（合著），河南人民出版社，1978；《地球的形状——人类对它认识的历史》，科学出版社，1980；《坂田昌一科学哲学论文选》（译著），新知识出版社，1984；《地质学大争论》（合译），西北大学出版社，1991；《科学基础论》，中国社会科学出版社，1996；《地学哲学对谈录》，地质出版社，1996；《20世纪西方的马克思主义思潮》（合著），首都师范大学出版社，1999；《人　自然　可持续发展》，首都师范大学出版社，1999；《学习型组织之路》，上海三联书店出版社，2003；《百科全书式的学者——邹伯奇》，广东人民出版社，2007。

鲁旭东，中国社会科学院哲学研究所《世界哲学》编辑部主任、副主编，多年从事科学哲学、科学社会学和科学史的编辑和翻译工作。已出版的译著有：《自然科学的哲学》（合译），生活·读书·新知三联书店，1987；《科学中的革命》（合译），商务印书馆，1998；《科学知识与社会学理论》，东方出版社，2001；《局外人看科学》，东方出版社，2001；《法拉第传》（合译），商务印书馆，2002；《爱因斯坦全集》第5卷（合译），湖南科学技术出版社，2002；《科学社会学》（合译），商务印书馆，2003；《科学社会学散译》，商务印书馆，2004；《基督教世界科学与神学论战史》，广西师范大学出版社，2006；《科学究竟是什么》，商务印书馆，2007；另外还发表数十篇哲学方面的译文。

剑桥科学史

总主编

戴维·C. 林德博格

罗纳德·L. 南博斯

第一卷

《古代科学》(*Ancient Science*)

亚历山大·琼斯和利巴·沙亚·陶布主编

第二卷

《中世纪科学》(*Medieval Science*)

戴维·C. 林德博格和迈克尔·H. 尚克主编

第三卷

《现代早期科学》(*Early Modern Science*)

凯瑟琳·帕克和洛兰·达斯顿主编

第四卷

《18 世纪科学》(*Eighteenth-Century Science*)

罗伊·波特主编

第五卷

《现代物理科学与数学科学》(*The Modern Physical and Mathematical Sciences*)

玛丽·乔·奈主编

第六卷

《现代生物科学和地球科学》(*The Modern Biological and Earth Sciences*)

彼得·J. 鲍勒和约翰·V. 皮克斯通主编

第七卷

《现代社会科学》(*The Modern Social Sciences*)

西奥多·M. 波特和多萝西·罗斯主编

第八卷

《国家和国际语境下的现代科学》(*Modern Science in National and International Context*)

戴维·N. 利文斯通和罗纳德·L. 南博斯主编

戴维·C. 林德博格是美国威斯康星-麦迪逊大学科学史希尔戴尔讲座荣誉教授。他撰写和主编过12本关于中世纪科学史和现代早期科学史的著作,其中包括《西方科学的起源》(*The Beginnings of Western Science*, 1992)。之前,他和罗纳德·L. 南博斯共同编辑了《上帝和自然:基督教遭遇科学的历史论文集》(*God and Nature: Historical Essays on the Encounter between Christianity and Science*, 1986),以及《科学与基督教传统:12个典型例子》(*Science and the Christian Tradition: Twelve Case Histories*, 2003)。作为美国艺术与科学院的院士,他获得了科学史学会的萨顿奖章,同时他也是该学会的前任会长(1994～1995)。

罗纳德·L. 南博斯是美国威斯康星-麦迪逊大学科学史和医学史希尔戴尔和W. 科尔曼讲座教授,自1974年以来一直在该校任教。他是美国科学史和医学史方面的专家,已撰写或编辑了至少24部著作,其中包括《创世论者》(*The Creationists*, 1992)和《达尔文主义进入美国》(*Darwinism Comes to America*, 1998)。他是美国艺术与科学院的院士和科学史杂志中的旗舰刊物《爱西斯》(*Isis*)的前任主编,并且曾担任美国教会史学会会长(1999～2000)和科学史学会会长(2000～2001)。

剑桥科学史

第七卷

现代社会科学

（第2版）

主编
［美］西奥多·M. 波特（Theodore M. Porter）
［美］多萝西·罗斯（Dorothy Ross）

第七卷翻译委员会　翻译

中原出版传媒集团
中原传媒股份公司

大象出版社

·郑州·

图书在版编目(CIP)数据

现代社会科学 /(美) 波特 (Porter,T. M.), (美) 罗斯 (Ross,D.) 主编; 第七卷翻译委员会译. — 2版. — 郑州 : 大象出版社, 2021. 6
(剑桥科学史; 第七卷)
ISBN 978-7-5711-1054-3

Ⅰ. ①现… Ⅱ. ①波… ②罗… ③第… Ⅲ. ①社会科学-科学史-世界 Ⅳ. ①C091

中国版本图书馆 CIP 数据核字(2021)第 094907 号

剑桥科学史 · 第七卷

现代社会科学

XIANDAI SHEHUI KEXUE

[美]西奥多 · M. 波特 [美]多萝西 · 罗斯 主编

第七卷翻译委员会 翻译

出 版 人 汪林中
责任编辑 刘东蓬 李光洁 耿晓谕
责任校对 崔琴波 裴志力 张春霞
书籍设计 美 霖

出版发行 大象出版社(郑州市郑东新区祥盛街 27 号 邮政编码 450016)
发行科 0371-63863551 总编室 0371-65597936
网 址 www.daxiang.cn
印 刷 洛阳和众印刷有限公司
经 销 各地新华书店经销
开 本 787 mm×1092 mm 1/16
印 张 45
字 数 1240 千字
版 次 2021 年 6 月第 2 版 2021 年 6 月第 1 次印刷
定 价 438.00 元

若发现印、装质量问题,影响阅读,请与承印厂联系调换。
印厂地址 洛阳市高新区丰华路三号
邮政编码 471003 电话 0379-64606268

目　录

撰稿人简介

XVii

米切尔·G. 阿什是奥地利维也纳大学的现代史教授，柏林高级研究所研究员，也是柏林－勃朗登堡科学与人文学院的正式成员。他出版的有关德国和美国的现代心理学史和现代科学史方面的著作有《德国文化中的格式塔心理学(1890～1967)：整体论与追求客观性》(*Gestalt Psychology in German Culture, 1890—1967: Holism and the Quest for Objectivity*, 1995)。

乔治·巴朗目前是纽约福特基金会的项目官员。他为本卷撰写的那一章，是他在国家与社会研究中心(CEDES)任高级研究员和在布宜诺斯艾利斯大学任教授时写的，这两个机构都在阿根廷。他最近的著作是《高等教育改革政策与拉丁美洲的大学》(*Politicas de reforma de la education superior y la universidad latinoamericana*, 2000)。

罗伯特·C. 班尼斯特是宾夕法尼亚大学斯沃思莫尔学院历史系舒伊尔讲座(荣誉)教授。他的著作有：《雷·斯坦纳德·贝克：一个进步论者的精神与思想》(*Ray Stannard Baker: The Mind and Thought of a Progressive*, 1965)，《社会达尔文主义：科学与神话》(*Social Darwinism: Science and Myth*, 1979)，《社会学和科学主义：美国对客观性的追求(1880～1940)》(*Sociology and Scientism: The American Search for Objectivity, 1880—1940*, 1987)，以及《杰西·伯纳德：一个女权主义者的产生》(*Jessie Bernard: The Making of a Feminist*, 1991)。

埃拉扎尔·巴坎是克莱尔蒙特研究生院文化研究系主任和历史与文化研究教授。他一共有六本著作，其中包括：《民族的内疚：归还和有关于历史上的不义行为的谈判》(*The Guilt of Nations: Restitution and Negotiating Historical Injustices*, 2000)，《现代主义和尚古主义》(*Modernism and Primitivism*, 2001, 希伯来语)，以及《科学种族主义的退却》(*The Retreat of Scientific Racism*, 1993)。

* 每页边的旁码为原书页码，其所在行对应原书页起始行。“索引”及“人名译名索引”中条目的对照页码即为本书旁码。——责编注

安德鲁·E.巴谢伊是伯克利的加利福尼亚大学的历史学教授和该校日本研究中心主任。他的论著包括《日本帝国的政府和知识分子》(*State and Intellectual in Imperial Japan*, 1988, 日译本,1996),以及《战后的社会政治思考(1945～1990)》(Postwar Social and Political Thought, 1945—1990),载于《现代日本思想》(*Modern Japanese Thought*, Bob Tadashi Wakabayashi 主编,1998)。

约翰·卡森是密歇根大学历史系的助理教授。他的论著包括:《关心问题与关注心灵:19世纪心理学的知识与主题》(Minding Matter/Mattering Mind: Knowledge and the Subject in Nineteenth-Century Psychology),载于《生物学和生物医学的历史和哲学研究》(*Studies in the History and Philosophy of the Biological and Biomedical Sciences*),30(1999),第345～第376页,《陆军甲种测验、军队高级军官和军队智力调查》(Army Alpha, Army Brass, and the Search for Army Intelligence),载于《爱西斯》(*Isis*),84(1993),第278页～第309页。目前,他正在撰写一部题为《制造智力问题:人类差异的文化建构(1750～1940)》(*Making Intelligence Matter: Cultural Constructions of Human Difference, 1750—1940*)的著作。

特雷尔·卡弗是英国布里斯托尔大学的政治经济学教授。他近年来的著作包括《马克思以后的恩格斯》(*Engels after Marx*, 与曼弗雷德·斯蒂格合著,1999)和《后现代的马克思》(*The Postmodern Marx*, 1998)。目前,他正在撰写一本论述政治理论中的人的著作。

帕塔·查特吉是加尔各答社会科学研究中心主任,也是纽约哥伦比亚大学的人类学访问教授。他的著作包括《民族主义思想与殖民世界》(*Nationalist Thought and the Colonial World*, 1986)和《国家及其碎片》(*The Nation and Its Fragments*, 1993)。他是《底层研究》(*Subaltern Studies*)杂志的创办者之一。

阿兰·德罗西埃是法国国家统计学和经济学研究所(INSEE)的统计学家。他的研究领域是官方及科学统计学的产生与应用的历史和社会学。他的著作《大数政治学:统计推理的历史》(*The Politics of Large Numbers: A History of Statistical Reasoning*)于1998年出版了英译本。

詹姆斯·法尔是明尼苏达大学的政治学教授。他是《历史上的政治学》(*Political Science in History*, 1995)和《风纪与历史》(*Discipline and History*, 1993)的主编,同时也写了一些关于社会科学哲学和政治思想史研究的文章。

埃伦·菲茨帕特里克是新汉普郡大学的历史学教授。她的著作有:《历史的记忆:书写美国的过去(1880～1980)》(*History's Memory: Writing America's Past, 1880—1980*, 2002)、《无止境的改革运动:女社会科学家与累进的改革》(*Endless Crusade: Women So-*

cial Scientists and Progressive Reform, 1990）和《现代美国》（*America in Modern Times*, 与艾伦·布林克利合著，1997）。同时，她还主编了一些著作和论文集。

简·戈尔斯坦是芝加哥大学的现代欧洲史教授，她同时也是该校科学概念研究与历史研究委员会的成员。她的著作包括：《慰藉与分类：19 世纪法国精神病学专业》（*Console and Classify: The French Psychiatric Profession in the Nineteenth Century*, 1987），《福柯与历史写作》（*Foucault and the Writing of History*, 1994），以及《后革命自身：1750～1850年法国的竞争心理学》（*The Post-Revolutionary Self: Competing Psychologies in France, 1750—1850*, 即将出版）。

柯兰君是柏林自由大学东亚研究所汉学研究助理教授。她的著作《中国社会学史》（*Geschichte der chinesischen Sozioligie*）出版于 1992 年。她最近的研究涉及到中国的国内移民，以及中国发展项目的社会评价方法论。

约翰·海尔布伦是巴黎欧洲社会学中心的社会学家，同时也是荷兰乌得勒支大学的副教授。他的著作包括《社会理论的兴起》（*The Rise of Social Theory*, 1995）和《社会科学的兴起与现代性的形成》（*The Rise of the Social Sciences and the Formation of Modernity*, 与拉尔·马格努松、布若昂·维特罗克共同主编，1990）。

苏珊·赫布斯特是西北大学政治学系主任和教授。她是最近出版的《解读舆论：参政者如何看待民主进程》（*Reading Public Opinion: How Political Actors View the Democratic Process*, 1998）的作者，并且与人合著了一本跨学科的教科书——《舆论》（*Public Opinion*, 1999）。目前，她正在撰写一本描述从 1920 年到 1960 年流行文化中的美国公众观点的著作。

埃伦·赫尔曼是俄勒冈大学的历史学副教授，也是《美国心理学传奇：专家时代的政治文化》（*The Romance of American Psychology: Political Culture in the Age of Experts*, 1995）的作者。目前，她正在撰写一本关于儿童收养和现代人类学的著作。

大卫·A. 霍林格尔是伯克利的加州大学普雷斯顿·霍奇基史学讲座教授。他的著作包括《科学、犹太教徒与世俗文化：20 世纪美国思想史研究》（*Science, Jews and Secular Culture: Studies in Twentieth-Century American Intellectual History*, 1996）。

杰罗米尔·詹诺查克是布拉格查尔斯大学的心理学教授。他从 1990 到 1991 年在行为科学高级研究中心任研究员，并且是《实践与知识》（*Practice and Knowledge*, 1963）、《社会交往》（*Social Communication*, 1968）、《联合行动与交流》（*Joint Activity and Communication*, 1984）的作者，还与人合著了《社会心理学的方法》（*Methods of Social Psychology*, 1986）和《心理地图》（*Psychological Atlas*, 1993）。

亚当·库珀是伦敦布鲁内尔大学的社会人类学教授。他的著作包括:《原始社会的发明》(*The Invention of Primitive Society*, 1988),《人类学家与人类学:现代英国学派》(*Anthropologists and Anthropology: The Modern British School*, 1996, 第3版),《在人类学家中》(*Among the Anthropologist*, 1999),《人类学家的说明》(*The Anthropologists' Account*, 1999)。

迈克尔·E. 莱瑟姆在福德汗姆大学教历史。他是《作为意识形态的现代化:美国社会科学与肯尼迪时代的"国家建设"》(*Modernization as Ideology: American Social Science and "Nation Building" in the Kennedy Era*, 2000)的作者。他的研究探索的是美国思想史和文化史与美国对外关系之间的联系。

哈里·利贝尔松是《德国社会学的命运与乌托邦(1870～1923)》(*Fate and Utopia in German Sociology, 1870—1923*, 1988)和《贵族的遭遇:欧洲旅行者与北美印第安人》(*Aristocratic Encounters: European Travelers and North American Indians*, 1998)的作者。他是厄巴纳-尚佩恩的伊利诺斯大学的历史学教授。

伊丽莎白·伦贝克是普林斯顿大学历史学教授。她是《精神病学的说服力:现代美国社会中的知识、性别和权力》(*The Psychiatric Persuasion: Knowledge, Gender, and Power in Modern America*, 1994)的作者,曾主编过一些文集和一本早期心理分析个案史。目前,她正致力于研究1920年前美国心理分析实践史。

彼得·米勒是伦敦经济与政治学院的管理会计学教授。他在会计学、管理和社会学等领域发表的著作有:《统治与权力》(*Domination and Power*, 1987),以及一些合编的作品:《精神病学的力量》(*The Power of Psychiatry*, 1986),《福柯效应:治理术研究》(*The Foucault Effect: Studies in Governmentality*, 1991)和《作为社会实践和制度实践的会计学》(*Accounting as Social and Institutional Practice*, 1994)。

玛丽·S. 摩尔根是伦敦经济学院的经济学史教授,同时也是阿姆斯特丹大学的经济学哲学和经济学史教授。在她的作品中,尤其值得一提的是《计量经济学思想的历史》(*The History of Econometric Ideas*, 1990)。目前,她正在撰写一部作为建模科学的经济学在20世纪发展的著作。

安托万·皮康是哈佛大学研究生设计学院的建筑和技术史教授。他著有《启蒙运动时代的法国建筑师和工程师》(*French Architects and Engineers in the Age of Enlightenment*, 1988, 1992年译成英文)和《现代工程师的发明:1747～1851年的桥梁和公路学院》(*L'Invention de l'Ingenieur Moderne: L'Ecole des Ponts et Chaussees, 1747—1851*, 1992)。目前他正在写有关圣西门运动史的著作和技术与乌托邦之间关系的著作。

西奥多·M. 波特就职于加利福尼亚大学洛杉矶分校,是该校历史系科学史教授。他的著作包括:《统计思想的兴起,1820～1900》(*The Rise of Statistical Thinking, 1820—1900*, 1986),《相信数字:追求科学和公众生活中的客观性》(*Trust in Numbers: The Pursuit of Objectivity in Science and Public Life*, 1995)。目前,他正在写一本关于卡尔·皮尔森早期生涯的书。

朱莉·A. 托本是哈佛研究生教育学院的教授。她著有《创造现代的大学:知识分子的转变与道德的边缘化》(*The Making of the Modern University: Intellectual Transformation and the Marginalization of Morality*, 1996),目前正在撰写题为《校园反叛:20 世纪 60 年代的政治和美国的大学》(*Campus Revolts: Politics and the American University in the 1960s*)的著作。

雅克·雷韦尔是巴黎社会科学高级研究学院的历史学教授。他的研究领域是欧洲 16 世纪到 19 世纪的文化史以及编年史。他的著作包括《在巴黎消失的孩子》(*The Vanishing Children in Paris*, 与 A. 法尔热合著,1988),《法国史》(*Histoire de la France*, 与 A. 比尔吉埃合著,4 卷本,1989～1993),《升级游戏》(*Jeux d'échelles*, 1996)以及《历史:法国过去的历程》(*Histories: French Construction of the Past*, 与里恩·亨特合著,1996)。

玛丽-克莱尔·罗比克,地理学家,是法国国家科学研究中心(CNRS)的研究负责人,并且受聘于城市地理学实验室(巴黎),她与人合作编辑了《面对世界的地理学家:国际地理学协会和国际地理学大会》(*Géographes face au monde: L'Union géographique internationale et les congrès internationaux de géographie*, 1996),《保罗·韦达尔·白兰士的法国地理图表:形式的迷宫》(*Le Tableau de la géographie de la France de Paul Vidal de la Blache: Dans le labyrinthe des formes*, 2000),《1870～1945 年从业的地理学家:国土、著作和城市》(*Géographes en pratiques, 1870—1945: Le terrain, le livre, la Cité*, 2001)。

罗莎琳德·罗森堡是巴纳德大学历史系的安·惠特尼·奥林讲座教授。她是《超越分离的领域:现代女性主义的思想根源》(*Beyond Separate Spheres: Intellectual Roots of Modern Feminism*, 1982)和《分裂的生活:20 世纪的美国妇女》(*Divided Lives: American Women in the Twentieth Century*, 1992)的作者,同时还写了一些关于性别、法律和比较女性主义的文章。目前她正致力于撰写一部题为《改变主题:哥伦比亚的妇女和性别的发现》(*Changing the Subject: Women at Columbia and the Invention of Gender*)的著作。

多萝西·罗斯是约翰斯·霍普金斯大学阿瑟·O. 洛夫乔伊历史学讲座教授。她的著作有:《G. 斯坦利·霍尔:作为预言者的心理学家》(*G. Stanley Hall: The Psychologist as Prophet*, 1972),《美国社会科学的起源》(*The Origins of American Social Science*,

1991),她还主编了《人文科学中现代主义的冲击,1870～1930》(*Modernist Impulses in the Human Sciences, 1870—1930*, 1994)。

阿兰·鲁西隆是巴黎国家科学研究中心的政治学研究员。他曾作为法国经济、司法与社会资料研究中心的副主任,在埃及生活了几年,而作为雅克·贝尔克中心的主任,他在摩洛哥也生活过。他的主要关注点是社会改革及其相关问题以及阿拉伯游记。

玛格丽特·沙巴斯是不列颠哥伦比亚大学的哲学教授。她是《数字统治的世界:杰文斯和数理经济学的兴起》(*A World Ruled by Number: Jevons and the Rise of Mathematical Economics*, 1990)的作者,并且在《爱西斯》(*Isis*)、《政治经济学史》(*History of Political Economy*)、《对话》(*Dialogue*)、《科学史和科学哲学研究》(*Studies in History and Philosophy of Science*)、《公共事务季刊》(*Public Affairs Quarterly*)等杂志上发表了多篇文章。她即将出版的著作有《古典经济学中的自然:牛顿时代的经济》(*Nature in Classical Economics: Oeconomies in the Age of Newton*, 与尼尔·德马基合编)和《休谟的政治经济学》(*Hume's Political Economy*)。

欧文·希科恩是南非开普敦大学的社会人类学高级讲师。他关于南非政治文化的研究成果包括主编的两本书:《赞比亚的民主:对第三共和国的挑战》(*Democracy in Zambia: Challenges for the Third Republic*, 1996)和《南非的国体与立宪》(*State and Constitutionalism in Southern Africa*, 1998)。目前,他的研究兴趣是移民、全球化与南非的仇外情绪。

伊丽娜·希罗金娜是俄罗斯科学院科学与技术史研究所的高级研究员。她是《对文学天才的诊断:1880～1930年俄罗斯精神病学的文化史》(*Diagnosing Literary Genius: A Cultural History of Psychiatry in Russia, 1880—1930*, 2002)的作者。

xxii

基思·特赖布于1976年至2000年在基勒大学教社会学和经济学,同时,在1979年至1985年期间,他在海德堡大学和哥廷根的马克斯·普朗克历史研究所担任亚历山大·冯·洪堡研究员。他是《论土地、劳工和经济学》(*Land, Labor and Economic Discourse*, 1978)的作者,并写了两本论述德国经济学的著作:《管理经济》(*Governing Economy*, 1988)和《经济秩序策略》(*Strategies of Economic Order*, 1955)。他是《经济职业:1930～1970年英国的经济学与经济学家》(*Economic Careers: Economics and Economists in Britain, 1930—1970*, 1998)的主编,并且翻译了威廉·亨尼斯的《马克斯·韦伯的人类科学》(*Max Weber's Science of Man*, 2000)。

斯蒂芬·特纳是坦帕的南佛罗里达大学的研究生研究指导教授和哲学系主任。他是《社会科学方法论研究:迪尔凯姆、韦伯与19世纪的成因、可能性和行动问题》

(*The Search for a Methodology of Social Science: Durkheim, Weber, and the Nineteenth-Century Problem of Cause, Probability, and Action*, 1986)的作者,与人合著了《马克斯·韦伯:作为社会思想者的律师》(*Max Weber: The Lawyer as Social Thinker*, 1994),《马克斯·韦伯和理性与价值的争论:哲学、道德、政治学研究》(*Max Weber and the Dispute Over Reason and Value: A Study in Philosophy, Ethics, and Politics*, 1984),《不可能的科学:美国社会学的制度分析》(*The Impossible Science: An Institutional Analysis of American Sociology*, 1990)。最近,他编辑了《韦伯的剑桥同事》(*Cambridge Companion to Weber*, 2000)。

彼得·瓦格纳是意大利佛罗伦萨欧洲大学研究所的社会政治理论教授,也是沃里克大学的社会学教授。他近来的著作包括:《社会科学的历史与理论:不是所有的固体都化为气体》(*A History and Theory of the Social Sciences: Not All That Is Solid Melts into Air*, 2001),《理论化现代性:社会理论中的不可避免性与可达性》(*Theorizing Modernity: Inescapability and Attainability in Social Theory*, 2001)和《劳动与国民:法国和德国交叉的历史》(*Le travail et la nation: Histoire croisée de la France et de l'Allemagne*, 合编,1999)。

约翰逊·肯特·赖特是亚利桑那州大学研究生跨学科人文学项目研究的副教授和指导教师。他是《18 世纪法国的古典共和主义者:马布利的政治思想》(*A Classical Republican in Eighteenth-Century France: The Political Thought of Mably*, 1997)的作者,同时还撰写了一些现代早期编年史和现代编年史的论文。

艾琳·简斯·约是格拉斯哥斯特拉斯克莱德大学的社会文化史教授。她的著作包括《作为社会调查人的亨利·梅休》(Henry Mayhew as a Social Investigator),载于《不知名的梅休》(*The Unknown Mayhew*, 与 E. P. 汤普森合编,1971),以及《社会科学的争论:性别和阶级的关系和陈述》(*The Contest for Social Science : Relations and Representations of Gender and Class*, 1996)。

xxiii

总主编前言

1993 年,亚历克斯·霍尔兹曼,剑桥大学出版社的前任科学史编辑,请求我们提供一份科学史编写计划,这部科学史将列入近一个世纪以前从阿克顿勋爵出版十四卷本的《剑桥近代史》(*Cambridge Modern History*, 1902～1912)开始的著名剑桥史系列。因为深信有必要出版一部综合的科学史并相信时机良好,我们接受了这一请求。

虽然对我们称之为"科学"的事业发展的思考可以追溯到古代,但是直到完全进入20 世纪,作为专门的学术领域的科学史学科才出现。1912 年,一位比其他任何个人对科学史的制度化贡献都多的科学家和史学家、比利时的乔治·萨顿(1884～1956),开始出版《爱西斯》(*Isis*),这是一份有关科学史及其文化影响的国际评论杂志。12 年后,他帮助创建了科学史学会,该学会在 20 世纪末已吸收了大约 4000 个个人会员和机构成员。1941 年,威斯康星大学建立了科学史系,这也是世界范围内出现的众多类似计划中的第一个。

自萨顿时代以来,科学史学家已经写出了有一座小型图书馆规模的专论和文集,但他们一般都回避撰写和编纂通史。一定程度上受剑桥史系列的鼓舞,萨顿本人计划编写一部八卷本的科学史著作,但他仅完成了开头两卷,结束于基督教的诞生(1952,1959)。他的三卷本的鸿篇巨制《科学史导论》(*Introduction to the History of Science*, 1927～1948),与其说是历史叙述,不如说是参考书目的汇集,并且未超出中世纪的范围。距《剑桥科学史》(*The Cambridge History of Science*)最近的科学史著作,是由勒内·塔顿主编的三卷(四本)的《科学通史》(*Histoire générale des sciences*, 1957～1964),其英译本标题为 *General History of the Sciences*(1963～1964)。由于该书编纂恰在 20 世纪末科学史的繁荣期前,塔顿的这套书很快就过时了。20 世纪 90 年代罗伊·波特开始主编那本非常实用的《丰塔纳科学史》(*Fontana History of Science*)(在美国出版时名为《诺顿科学史》),该书分为几卷,但每卷只针对单一学科,并且都由一位作者撰写。

xxiv

《剑桥科学史》共分八卷,前四卷按照从古代到 18 世纪的年代顺序安排,后四卷按主题编写,涵盖了 19 世纪和 20 世纪。来自欧洲和北美的一些杰出学者组成的丛书编纂委员会,分工主编了这八卷:

第一卷:《古代科学》(*Ancient Science*),主编:亚历山大·琼斯,多伦多大学;利巴·沙亚·陶布。

第二卷:《中世纪科学》(*Medieval Science*),主编:戴维·C. 林德博格和迈克尔·H. 尚克,威斯康星-麦迪逊大学。

第三卷:《现代早期科学》(*Early Modern Science*),主编:凯瑟琳·帕克,哈佛大学;洛兰·达斯顿,马克斯·普朗克科学史研究所,柏林。

第四卷:《18 世纪科学》(*Eighteenth-Century Science*),主编:罗伊·波特,已故,伦敦大学学院维康信托医学史中心。

第五卷:《现代物理科学与数学科学》(*The Modern Physical and Mathematical Sciences*),主编:玛丽·乔·奈,俄勒冈州立大学。

第六卷:《现代生物科学和地球科学》(*The Modern Biological and Earth Sciences*),主编:彼得·J. 鲍勒,贝尔法斯特女王大学;约翰·V. 皮克斯通,曼彻斯特大学。

第七卷:《现代社会科学》(*The Modern Social Sciences*),主编:西奥多·M. 波特,加利福尼亚大学洛杉矶分校;多萝西·罗斯,约翰斯·霍普金斯大学。

第八卷:《国家和国际与境下的现代科学》(*Modern Science in National and International Context*),主编:戴维·N. 利文斯通,贝尔法斯特女王大学;罗纳德·L. 南博斯,威斯康星-麦迪逊大学。

我们共同的目标是提供一个权威的、紧跟时代发展的关于科学的记述(从最早的美索不达米亚和埃及文字社会到21 世纪初期),使即便是非专业的读者也感到它富有吸引力。《剑桥科学史》的论文由来自有人居住的每一块大陆的顶级专家写成,"勘定关于自然与社会的系统研究,不管这些研究被称作什么("科学"一词直到 19 世纪初期才获得了它们现在拥有的含义)"。这些撰稿者反思了科学史不断扩展的方法和论题的领域,探讨了非西方的和西方的科学、应用科学和纯科学、大众科学和精英科学、科学实践和科学理论、文化背景和思想内容,以及科学知识的传播、接受和生产。乔治·萨顿不大会认可这种合作编写科学史的努力,而我们希望我们已经写出了他所希望的科学史。

戴维·C. 林德博格

罗纳德·L. 南博斯

xxvii

致　谢

本卷诸章的首次介绍，是在编者组织的两次工作会议上，一次是在加利福尼亚大学洛杉矶分校的克拉克图书馆的会议，另一次是在华盛顿市伍德罗·威尔逊国际学者中心的会议，这两次会议都对协调本书的规划和共同主题的展开给予巨大帮助。我们感谢克拉克图书馆和威尔逊中心所提供的后勤帮助。在使这些活动成为可能的财政支持方面，我们要感谢斯宾塞基金会、加利福尼亚大学洛杉矶分校的17世纪和18世纪研究中心以及国家科学基金会（拨款批号SBR-9703894）。本卷的编辑顾问是查尔斯·卡米克、玛丽·弗纳、亨里卡·库克里克、理查德·奥尔森、彼得·赖尔、罗杰·史密斯和唐纳德·温奇。对于他们帮忙审阅论文并提出非常有价值的修改建议，我们表示感谢。

西奥多·M. 波特

多萝西·罗斯

1

导论：社会科学史的写作*

西奥多·M.波特　多萝西·罗斯

我们如何写作社会科学史呢？甚至社会科学这个名称本身就有一些问题。在英语中，“人的科学”、“道德科学”、“道德与政治科学”、“行为科学”以及“人学”中的许多名称都曾经是社会科学的最初的名称和不同的叫法。这些名称的演变反映了这个广义的主题的不确定本质。无论将这些名称包含还是排除在社会科学之外，都有可能是一种冒犯。其中许多名称都具有漫长而又冲突的历史。

以“道德科学”的演变为例。约在 1770 年“道德与政治科学”传入法国，1795 年这个名称被奉为法国研究院中二级学科的正式称号（以前的科学院是一级学科），这一直持续到 1803 年拿破仑出现，开始重组这个批评家的阵地。直到 1832 年得以恢复，道德与政治科学的官方机构相应地变得保守，强调哲学和个体道德。约翰·斯图尔特·密尔是奥古斯特·孔德的“社会学”的崇拜者，在他的 1843 年的一篇具有持久影响力的论逻辑的论文中，有一部分旨在通过及时地将物理科学中推演和概括的方法应用于道德科学，从而来补救道德科学的落后状态。在密尔著作的一个德语译本中，“道德科学”翻译成了精神科学，这不是第一次使用这个德语词，但却最有影响。它指的是“精神（Geist）科学”，Geist 可以译为英语的“精神（spirit）”或“思想（mind）”。在德国，这是一个标准的名称，一直持续到 20 世纪。由于不同于自然科学，道德科学的研究具有道德和精神的特征，所以这也不足为奇。

英语和法语更注重科学知识的连续性。其中，18 世纪大卫·休谟就认为，政治学可以是一种科学。特别是在启蒙时期的苏格兰，“政治经济学”就是力图从道德和历史维度理解人类社会的尝试的一部分。它在 19 世纪早期得到普遍的认同，并由于其对统治艺术的贡献而受到赞赏。通用的德语词“国家经济”更清楚地表现了这种政治的维度，然而法语中用“社会经济”取而代之的举措则多少蕴含了对纯粹政治的不满。“社会科学”也具有同样的特征，仅在法国大革命前夕这个词才传入法国，首先就在法国流行起来了。这表达了一个日益普遍的观点，政治学是以某些更深层的东西为条件的。社会科学的目的就在于，以一种既不将政治还原到个体的、心理学的维度，也不还

* 为方便读者查找，脚注中的参考文献保留了原文，紧随在译名后的括号中。在不影响读者理解的情况下，省略了原文章名的双引号，用正常体表示；书名，期刊，用斜体表示。（正文中也依此例）——责编注

原到国家和政府领域的方式，来理解进步的力量及其不稳定性。在这个方面，社会科学为科学地研究人的领域提供一个永久的模式。

在英语中，现在用作复数的“社会科学（social sciences）”在19世纪晚期首先出现在美国，直到现在日常用法中依然在广义上使用这个术语。但是，任何语词或短语，只要试图命名差异如此之大的领域都注定要引起争议。在某一时期内，社会知识似乎并不要求这种综合性的标签，因为它被统一在一个单一的领域内。这就是孔德的“社会学”的观点，在19世纪后期一些人也以同样的方式构想“人类学”。新近以来，“社会科学”所面临的挑战完全来自于那些想摆脱此标签的人。心理学家最不喜欢这个术语，当他们经常被迫与生物学家为伍，或者不得不与社会学家和人类学家相提并论时，他们至少想用一个与此并列的名称。“行为科学”这个词于20世纪中叶在北美流行起来，但在欧洲却不同。事实上，行为主义的对象很少能称之为社会的对象，而且在20世纪后期由于它赞同强调这种差异的认知和生理学观点而走向了衰落。经济学也不能直接被看做是一种社会科学，经济学家经常要求一个更高级的名称来代表他们的领域。“社会的、行为的和经济科学”已经开始作为一个官方的称谓出现了。我们只有增加“政治的”、“文化的”、“人口统计学的”和“历史的”等等这些术语，用来涵盖被排除在专业化的学院之外的，而且既不属于人文科学，也不属于自然科学和数学的那些大学学科。而这实际上是对分类学的任意横行割裂。

法语提供了一种有吸引力的选择，即“科学人文主义（Sciences humaines）”或“人文科学”。这个术语至少可以追溯到17世纪，在启蒙时期它基本和人的科学同义，后来变成了一个非常通用的名称，而且在法语中是一直被认可的，尽管它在英语中已经正式成了一种男人至上主义的体现。人文科学在20世纪50年代重新流行起来，特别受到乔治·康吉扬和乔治·古道夫的青睐。他们用这个术语来代表广义的哲学研究传统，这个传统体现了一种人文主义的设想，提供了一种不同于技术至上的专家们的工作的另一种选择，这能够更好地控制自我，而这些专家们的确分裂了自己，割裂了人的领域[1]。米歇尔·福柯采用了这个名称，但盲目地将之与专业化的、行政化的知识形式联系起来。“人文科学”这个术语在英语中的广泛使用主要得因于福柯在人文主义学术领域的超凡影响。罗杰·史密斯将之用作一个综合性的历史著作的名称，强调与社会思想和研究这个广泛领域相联系的心理学历史。[2] 至少在英语中“人文科学”这个词涵盖了一种类型的学者，其中大多数与“人文科学家”这样的称谓无关，如果存在这样的称谓的话。这个概念的出处

〔1〕 Claude Blanckaert,《社会科学史、原理与时代划分》（L'Histoires des science de l'homme. Principes et périodisation），以及Fernando Vidal，《社会科学：条目并列的百科全书》（La ‘science de l' homme: Désirs d' unité et juxtapositions encyclopédiques），见于《社会科学史：问题的思路及其要素》（*L'Histoire des sciences de l'homme: Trajectoire, enjeux et questions vives*，）Claude Blanckaert, Loïc Blondiaux, Laurent Loty, Marc Renneville 和 Nathalie Richard 编（Paris: L'Harmattan, 1999），第23页～第60页，第61页～第78页。

〔2〕 Roger Smith，《丰塔纳人类科学史》（*The Fontana History of the Human Sciences*, London: Fontana Press, 1997, 在美国翻译为《诺顿人类科学史》）。

被进行了错误的界定,精神病学、心理学以及人种论是这个学科的核心领域。语言、文学、艺术和音乐研究通常被包含在内,广义的医药领域占据了它的边缘地带。然而,更多的数学领域,特别是经济学有时却被看做非人文科学而被排除在外。

尽管"人文科学"这个术语自有其魅力,但我们不打算在这本书里采用这个概念。我们也同时抵制各种衍生术语的诱惑。如果我们承认,而且的确强调社会科学的差异性,那么也就会认识到至少从文化和知识维度所体现出来的社会科学的家族相似性。这本书的核心目标之一就是通过不止一篇论文,至少一系列相互交叉的论文来表明,横贯历史我们看到的是什么。如果在一篇文章中难做到这一点,那么我们会通过一系列的文章做到的。因此,我们在题目中只选用了一个限定词"社会的"来做修饰语,不仅仅是为了省笔墨。

"科学"这个词也有问题,长期以来,科学被认为包含了实验和概念的严谨性以及方法论的清晰性这样的标准。尤其在20世纪的英语中,具有科学的地位就意味着要具有自然科学的某种基本相似性,这甚至通常被社会科学家看做"真正"科学的内核,在时间上和逻辑上具有优先性和典范性。然而,从历史的角度来看,这似乎是出于某种误解而造成的。尽管长期以来,科学就包含了不同于圣经启示录的自然或人文知识,尽管在中世纪神学具有科学的地位,而对生物的研究、对运动着的物质的研究却没有这样的地位。在17世纪和18世纪,形形色色的名称被应用于自然科学的不同分支或维度,包括"自然哲学"、"自然史"、"实验物理学"、"混合数学"。特别在英语中,"科学"概念模糊不清以致无法使用,直到1800年"科学"被看做系统知识探求的标准名称。19世纪初期的社会科学具有同样的命运。在1830年几乎没有人怀疑政治经济学是一种科学,即使批评者也是从其他方面对之进行攻击。与神学一样,政治学也有充分的理由成为科学;因此,将早期的社会学、人类学以及统计学等这些领域归于同一个旗帜下,这并没有什么不合适。在德语中,知识学被赋予更严格的要求,但与英语中的内涵多少有些不同。在德语中,典型的科学是语言学、语言和文学研究,其科学性源自于与一个重要的学科领域的联系,及其严谨的和学术化的使用方法。这种分类一直被沿用到19世纪晚期,开始通过否认以上这些学科的科学资格来挑战其研究领域。当然,在英语中对"科学"这个语词的使用比其他语言更合理。

也是在19世纪晚期,出现了对"科学"概念进行更严格界定的可能性,而关于社会知识地位的争论卷入了定义"科学"概念的核心。来回顾一下现代科学哲学起源中社会科学的作用。19世纪20年代,孔德投入了大量的精力来界定科学的方法和科学的历史进步。他的目的是宣布社会学的发现,并确定其立足点。他坚决反对社会科学应当采用和天文学、物理学或者生理学一样的方法。然而,同时他确定了知识的等级,从其构成来讲社会科学要依赖于所有以前形成的科学。尽管他宣称社会知识的包容性,但他仍然使得科学具有某种特殊性和唯一性。他认为,在17世纪之前没有物理科学,在拉瓦锡之前没有真正的化学。生理学的起源更是新近的事情,而如果去掉虚假的谦虚，科学社会学的奠基者是孔德自己。神学和形而上学并不属于真正意义上的科学，而是它们的先祖和对立面。法律、文学、修辞学从来没有占据这片真空地带。因此，当孔德建构了他的哲学来维护社会学和确定其在科学中的地位时，他同时也坚持一种高度严格意义上的“科学”，这是社会科学不能轻易满足的一种标准。

实际上，自然科学也不能充分地符合哲学的规范。但孔德的思想后来得到了密尔的回应和发展，强调这样的思想，即科学代表了一种方法论的理想，这却是社会科学没有完全认识到的。在学术和公众场合讨论科学时，包括对科学史的讨论，社会科学通常都被看做是一种模棱两可的代表，部分原因在于社会科学是一种边缘化的学科。我们可能会提出不同的看法。社会科学在某种程度上是一种科学的自我幻觉。科学的双重性在于它既包括工程学和医学也包括社会科学，这体现了科学的实用性，同时也体现了在更广阔的文化中的多重意义。它们通常不太抽象，富有实用性，由此界定了科学的界限。这些应用和推广时而为科学的卫道士所信奉，时而被他们所回避。多少由于其绝对的边缘性，社会科学很严肃地对待科学的理想，而且即使这种理想如所描述的那样未能实现，它也保持了一定的规范力。例如，“科学的方法”尤其为那些追求“真正的”科学的控制力和确定性的社会科学家们所青睐。对自然科学方法的讨论也多少受到这些社会讨论的影响和规范，尽管科学家们通常使用这种方法去解释为什么社会学科不是科学的。历史学家们和科学哲学家们通常会正确地坚持，在实际的科学实践中找不到类似一种严格的或者统一的方法，但是他们也并不认为这种讨论是不合理的。这有助于提高科学的威望，塑造科学的特征，并且有时构成了科学的良知。

排除法传统上曾是史学写作中的一种有影响的特征。由自然科学家写作的科学史常常完全地忽略了社会学科。科学哲学史通常是首先着手研究最成功的领域，这一部分就充当了其余学科的典范。到了20世纪60年代，新兴的专业科学史家开始用貌似更具包容性的方式重新建构这个领域。他们并不认为科学不断进步的论述是必然正确的，尽管这曾经为其无数先辈所信奉。他们希望自然地对待他们的主题，从而避免将其奉为一种特权的种类。这也就开始意味着，通过历史主义的视角看待科学，将其看做一种社会建构，和研究其他的社会建构一样来研究科学。尤其是自20世纪70年代以来，历史学家通常对科学持一种更加批判性的观点，这比科学家自己的批判更司空见惯。许多人想理解科学的有效性，这种有效性是与共享的前提和具体共同体的实际以及社会实践相关的，而不再将其看做是永恒的和超验的真理。他们尤其对人类学史家乔治·W.斯托金对科学的辉格式解释感到不满[3]。以此类推，这个名称源自于英国政治历史中的一种自鸣得意的观点，赫伯特·巴特菲尔德对其特征进行了广泛而深入的研究。科学的辉格主义观点认为，与我们当前的知识相一致的发现是自然的

〔3〕 George W. Stocking, Jr.,《论行为科学编史学中“当代主义”和“历史主义”的局限》(On the Limits of ‘Presentism’ and ‘Historicism’ in the Historiography of the Behavioral Sciences, 1965)，见于他的《种族、文化与进化：人类学史文选》(*Race, Culture, and Evolution: Essays in the History of Anthropology*, New York: Free Press, 1968)，第1页～第12页。

和值得称颂的,从而谴责那些偏见和误解,因为它们引导科学家们相信了我们现在认为是错的观点。自20世纪60年代以来,常规的实践开始避免这种目的论的科学进步观,而坚持认为所谓的说明的"对称性"。

然而,如果不总是在理论上的话,科学史的写作继续在实践中,承认传统对科学的等级划分。20世纪60年代以前,科学史家们的工作主要是对中世纪或近代的天文学、机械学和光学的研究,这通常被认为是现代科学的起源。20世纪六七十年代的科学史的写作将现代物理科学提升到了显要位置,70年代以后生物学史开始盛行。像应用和工程科学一样,社会科学逐渐地开始被收入科学史,当然也只是部分地展现了科学的特征。社会科学的这种从属地位在编史学中被重现,社会科学通常被看做没有严格意义上的科学更高级。 6

托马斯·S.库恩的著作《科学革命的结构》(*Structure of Scientific Revolutions*, 1962)既有助于助长也有利于消除这种分裂。库恩注意到,正是多少由于社会科学缺乏一致性使得他认识到自然科学中存在的范式,也就是保障和限制科学的规范实践的理论和实践的统一框架。然而库恩后来模糊了他以前划分的这个明确的界限,他对科学的历史构造的特别展现同时激发了对社会科学的研究[4]。

在社会学和科学史中的"内在主义"的和"外在主义"的分析法之间的争论对于社会科学的确立具有重要的意义。在20世纪70年代这一阶段,"外在主义"通常要强调科学机制的发展,将其看做研究科学思想的另一种方式。有意思的是,在"外在主义"者的说明中被讨论的机制都是科学的机制,而且通常被看做是自发的。因此,这也就意味着对科学进行一种更狭义的理解,这也就试图将社会科学排除在科学之外,这不同于一些古老的知识史中体现出的将科学概念和宽泛的哲学理念相联系的做法。库恩的名字经常被外在主义者用在这种显然扯不清的争论中,而且他们的狭隘视角也从库恩的作品中获得了支持,因为其著作关注科学共同体的特征而没有详细阐述这些共同体与更宽泛的知识和政治流派的关系,这与库恩的意愿越来越背道而驰。到20世纪80年代,"外在主义"越来越可能地运用社会因素解释对新的科学真理论断的接受。但是,大多数这种"新的"科学社会学的倡导者寻求某种比社会科学的"社会建构"更重要的东西,这通常被以相关的术语所批判。他们的纲领日益趋向于将微观的实验观看做是一种特殊的话语体系,看做他们自己的特殊的实践文化阵地。这使得究竟谁是"内在主义"者成为了一个问题。

社会科学史现在根据科学史学会中的人文科学史论坛写作,由于其密切关注方法和思想,其细致的语境化,其成功地展现了社会科学的重要性,通过将备受关注的历史分析引入更广阔的历史问题而成功地避免了纯粹逻辑研究的严格限定,社会科学史为此而著名。社会科学史的研究并不限于社会科学。许多关于我们所说的文化和科学 7

[4] Thomas Kuhn,《科学革命的结构》(*The Structure of Scientific Revolutions*),第2版,增补版(Chicago: University of Chicago Press, 1970),第viii页,附言;Gary Gutting编,《范式与革命:托马斯·库恩的科学哲学的评价及其应用》(*Paradigms and Revolutions: Appraisals and Applications of Thomas Kuhn's Philosophy of Science*, Notre Dame, Ind.: University of Notre Dame Press, 1980)。

敏感性方面的最杰出的工作都已经包括了社会科学史。马尔萨斯、达尔文和社会达尔文主义在历史研究中也已经探讨了自然和社会研究的共同语境或共同的文化，能源科学和经济学，统计思想和定量方法的进展，实验工具和精确的理念，实证主义和客观性都是一些很著名的例子。[5]

科学史家并不是唯一写作社会科学历史的人。从事社会科学研究者是最早的本学科的史学家，尽管历史的目标要从属于社会科学的目标。写作历史通常是进行学科自我界定时的一种训练，将现代学科与经过筛选的先祖联系起来，将一定类型的学科实践合法化。许多类似的文本获得了相当好的历史声望，而且保存了一些有用的作品，如埃德温·G. 波林的《实验心理学史》(*History of Experimental Psychology*, 1929, 1957)，约瑟夫·熊彼特的《经济分析史》(*History of Economic Analysis*, 1954)，约瑟夫·多尔夫曼的五卷本的《美国文明中的经济意识》(*The Economic Mind in American Civilization*, 1946—1959)。这些作品仍然承袭了辉格式前提，只有制度派学者多尔夫曼将经济观念联系到了深层的政治和文化背景中。对于社会科学家漠视自己的历史的状况，他们几乎没有使之有任何改进，而这尤其是美国社会科学反历史化的后果之一。

一个具有历史意义的新潮流出现在20世纪60年代，这是由一些非学科主流的社会科学家所引导的，并且创办了有关心理学史和经济学史方面的杂志和大学研究中心。临床心理学家们构成了从历史维度对心理学进行研究的核心。在这时罗伯特·I. 华生创办了《行为科学史杂志》(*Journal of the History of the Behavioral Sciences*, 1965)，建立了一个独立的美国心理学学会(1966)的分支机构，在新罕布什尔大学成立了一个研究项目(1967)[6]。长期以来一直是历史经济学中心的杜克大学的经济学家们，与一群刚好开始进行经济思想史的新闻简报的英国历史学家们一起合作创立了《政治经济学史》(*History of Political Economy*, 1969)杂志。他们有意识地选用了"政治经济"这个术语来与战后经济学的狭隘的科学研究相对立，他们极力在一个非历史化和绝对的技术统治时代强调历史的价值[7]。这种工作的历史特征很不同于随后社会学中的原创性

8

[5] Robert Young,《达尔文的隐喻：在维多利亚文化中自然的地位》(*Darwin's Metaphor: Nature's Place in Victorian Culture*, Cambridge: Cambridge University Press, 1970); M. Norton Wise,《著作与废品：19世纪英国的政治经济学和自然哲学》(Work and Waste: Political Economy and Natural Philosophy in Nineteenth-Century Britain)，见于《科学史》(*History of Science*), 27 (1989)，第263页～第301页，第391页～第449页；以及28 (1990)，第221页～第261页；Theodore M. Porter,《统计思想的兴起，(1820～1900)》(*The Rise of Statistical Thinking, 1820—1900*), Princeton, N. J.: Princeton University Press, 1986); Jill Morawski 编,《美国心理学实验的兴起》(*The Rise of Experimentation in American Psychology*, New Haven, Conn.: Yale University Press, 1988); Ruth Benschop 和 Douwe Draaisma,《追求精确：19世纪末心理学中心智与机器的标度》(In Pursuit of Precision: The Calibration of Minds and Machines in Late Nineteenth-Century Psychology)，见于《科学年报》(*Annals of Science*), 57 (2000)，第1页～第25页。

[6] Mitchell G. Ash,《一门学科的自我表达：在教育和学术之间的美国心理学史》(The Self-Presentation of a Discipline: History of Psychology in the United States between Pedagogy and Scholarship)，载于《学科史的功能及其作用》(*Functions and Uses of Disciplinary Histories*), Loren Graham, Wolf Lepenies 和 Peter Weingart 编(Boston: D. Reidel, 1983)，第143页～第189页。

[7] Crawfurd D. W. Goodwin, Joseph J. Spengler 和 Robert S. Smith:《序言》;《罗伯特·悉尼·史密斯，1904～1969》；以及 A. W. Coats,《经济学史研究中的优先权》(Research Priorities in the History of Economics) 都见于《政治经济学史》(*History of Political Economy*)，第1卷(1969年春)，第1页～第18页。

的历史特征[8],这种变化是从对适用于当前理论和实践的因素进行非历史化的研究,到知识史、科学史与科学社会学所倡导的复杂的研究议程。

这些社会科学学科母体很快就被新一代的专业历史学家所渗透和扩展。乔治·W.斯托金曾是一位先锋人物,一位研究美国种族思想的青年历史学家,他深深地着迷于人类学史。心理学也吸引了相当多的历史天才,而且历史辩护和具体社会科学知识的交叉提升了学术水平。像斯托金这样的历史学家,像加拿大的库尔特·丹齐格这样的心理学家可以说完全变成两栖学者了[9]。

大多数专业历史学家尽管开始对社会科学感兴趣,却很少愿意与具体的社会科学进行对话,而更乐意关注历史专业和公众领域的讨论。社会科学作为一个历史性的话题出现,主要是因为它们对战后美国的社会、统治和文化的影响[10]。与技术统治的专家意见和科学论断一样,社会科学也是继20世纪60年代的激进主义之后的"揭发"情绪的既定目标。在社会科学事业中,历史学家找到了专业的自我兴趣、实施"社会控制"的强烈愿望、结构性分类和对知识的制度性约束[11]。直到20世纪80年代福柯的工作开始关注人文科学在推崇理性的过程中所运用的强制性[12]。尽管一种批判的立场仍然存在,但这些观点已经被许许多多历史学家吸纳进历史的话语中,为了更广泛的解释的目的,历史学家将社会科学的工作纳入了他们的工作之中。 *9*

在将一个新的批判维度引入社会科学史中时,专业历史学家并不孤立。所有参与这一特殊领域者都受到了近几十年来控制人文和社会科学的自省的影响,一切学科中的知识论断都受到了怀疑[13]。历史上社会科学家们的反思兴趣部分地是这种更广泛的自省运动的一个方面,这促使社会科学家们努力要把握他们各自领域的历史特征。这种历史学科总是和社会科学相似而且有时它们还是同盟者,它们十分认真地对待对客观性和叙事策略的追求。历史主义曾经被看做是这种新的理智运动的哲学基础,但

[8] 自1978年至1987年,时断时续出版了《社会学史杂志》(*Journal of the History of Sociology*)。《凯龙》和《行为科学史杂志》(JHBS)诚邀所有社会科学(方面的投稿),但一直在这些杂志上出现的只有社会学和人类学以及心理学(等学科)。作为国际社会学联合会的组成部分,社会学史研究委员会及其通讯也吸引了美国和欧洲的学者。

[9] 尤见 Stocking,《种族、文化与进化》(*Race, Culture, and Evolution*),序言和第1章;又见 Danziger,《建构主体》(*Constructing the Subject*), Cambridge: Cambridge University Press, 1990),前言和绪论。

[10] 早期的代表作品是 Mark H. Haller 的《优生学:美国思想中的遗传论者的态度》(*Eugenics: Hereditarian Attitudes in American Thought*, New Brunswick, N. J.: Rutgers University Press, 1963);John C. Burnham 的论文集见于《通向美国文化之途》(*Paths into American Culture*, Philadelphia: Temple University Press, 1988);Nathan G. Hale, Jr.,《弗洛伊德与美国人:1876～1917年间美国精神分析的开端》(*Freud and the Americans: The Beginnings of Psychoanalysis in the United States, 1876—1917*, New York: Oxford University Press, 1971)。

[11] 这方面的一部完善的先锋作品是 Mary O. Furner 的《辩护与客观性:1865～1905年间美国社会科学专业化中的危机》(*Advocacy and Objectivity: A Crisis in the Professionalization of American Social Science, 1865—1905*, Lexington: University Press of Kentucky, 1975)。

[12] 例如参见 Nikolas Rose,《心理学的复杂性:1869～1939年的英国心理学、政治学和社会》(*The Psychological Complex: Psychology, Politics and Society in England, 1869—1939*, London: Routledge, 1985)。

[13] 参见 Quentin Skinner 编的《人文科学中的宏大理论的回归》(*The Return of Grand Theory in the Human Sciences*, Cambridge: Cambridge University Press, 1985)。

这并没有限制专业历史学家对经验的建构[14]。的确，历史学家们通常使用从社会科学中借用的概念和分析，运用由社会科学发展而来的现代性叙事来建构他们自己的故事。在最广泛的意义上，社会科学历史促使反思成为历史学家们和社会科学家们在他们自己的工作中相互使用的一种方法。

我们对这些理智工具的复杂性和时间性有了自己的把握和高度认识，这样，就可以相当自豪地切入本书的任务了。正如本书的工作表明，社会科学中的历史工作现在有了一些充足而有力的效仿模型。然而，这个领域的作者们并不总是相互熟悉，可能一些直到最近才发现他们一直写作的东西只是一些散文片断。我们认为社会科学史并不仅仅是一种残余的种类，其对象具有一种文化的一致性，其追求的目标对于历史很重要。我们从不同的背景对作者进行分类，鼓励他们认真对待社会科学的方法和知识内容，而同时也考虑建构社会科学的方法，以及由更广泛的文化所建构的方法。这些论文体现了在这些目标之间进行的不同的平衡，当然这也是其任务所在。

10

我们计划在这本书里关注整体的平衡和研究范围，而不只是各部分的特征和全面性。当然，全面是不可能的。这本书的四个部分关注不同的范围和时期。第一部分关于社会科学的起源，主要研究欧洲；第二部分是现代学科；第三部分是阐明社会科学的更广义的社会重要性的案例研究，基本是基于美国的研究。因为在这些章节里不可能平均地分配世界上的许多其余部分，我们就将社会科学的国际化作为独立的一部分，其中包括了东欧、亚洲、非洲、拉丁美洲。这些作者自己也来自许多学科，尽管大多的工作领域在历史和科学史。一些主题，如现代学科的发展，主要来自美国的历史作品，而其他的主题，尤其是关于1870以前这个时期的，反思英国、法国和其他欧洲的学术传统。社会科学的国际化需要从全世界的角度进行历史理解，而且社会科学史的整个领域日益进行着这样的工作。

这卷《剑桥科学史》没有也不能是一本收集了清晰地界定社会科学界限的介绍性文章的论文集。我们知道，没有哪一个单个或集体作者的作品要展现这样一种广义的社会科学史观。在此收录的论文探讨了近三个世纪以来许多国家的社会科学史，关注了它们的知识和方法、起源和发展的背景，以及它们改造世界的实践。我们的总体目标在于，不要将社会科学当做一个对知识组织或现代性管理的一个自然的和必要的解决方式，而是看做许多关于历史性偶然的、逻辑变量的，不断变化的，备受争议的，但在世界中具有影响力的问题。我们也不认为这本书反思了确定的社会科学研究领域，而是一个暂时性的、不断变化的对话结果，我们也希望通过这本书进一步推进这些工作。

（袁捷　译　李红　校）

[14] Hayden White，《形式的内容：叙述话语与历史表征》（*The Content of the Form: Narrative Discourse and Historical Representation*, Baltimore: Johns Hopkins University Press, 1987）；Peter Novick，《崇高的梦：客观性问题与美国的历史专业》（*That Noble Dream: The "Objectivity Question" and the American Historical Profession*, Cambridge: Cambridge University Press, 1988）。

第一部分

19 世纪晚期的社会科学

2

社会研究的类型与对象：从启蒙运动到1890年

西奥多·M. 波特

“社会科学”一词于18世纪即将结束时进入西方词汇，首先出现在美国和法国。进入19世纪一段时间后，它的许多早期热心者就渴望建立一门单独统一的社会科学，它与至1900年为止正在形成的多学科是完全不同的。我们可能很想将社会科学的历史构想为一个促进专门化的持续过程，就像自然科学史经常被构想为各学科从曾经统一的哲学中接二连三分离出来的过程一样。但这样一种理解对于自然知识和社会知识都是不能令人满意的，尤其是这种理解的缺陷中包括它赋予纯理智生活，即**思辨生活**以超越于实际科学生活干预和约束的特权。最初，社会科学就旨在既理解世界又支配和改变世界。它不是仅从人的头脑中涌现出来的，而且也来自于人的身体（它既来自于哲学，也来自于法律、医学、政治、行政管理和宗教）。它在思想和机构两方面一直是多种多样的。

不过，把社会科学看成是哲学的一部分的观点仍然比最具影响的相反观点，即学科上的辉格主义，具有某些确凿的优势，在后者看来，现代知识各领域仿佛永远是连贯一致的专业工作。严格的学科史支持（即使它不要求）一种狭隘的视角，这种视角没有给广泛的文化理解留下任何机会。它还可能导致相当荒谬的观点，以至于把亚里士多德当成了第一位心理学家、第一位人类学家，当成了最早的社会学家、经济学家和政治学家之一。亚里士多德单独一人能具备那么多的素质吗？然而，尽管他不是政治学家，他却无疑有一门政治学；而即使他的哲学涵盖了人类的（以及自然的）许多领域，他也未把样样事情都收入单独一部大全著作中。我们需要在理智的统一和学科的碎片之间找到一种平衡，将其作为思考现代专业出现之前诸世纪的社会知识的方法。

本书第一部分涉及直至19世纪末的一段时期，这一时期的社会科学即使不是杂乱无章，也缺少恰当规定的制度结构。本章介绍了大约从1700年至这种学科规划开始时欧洲和北美的社会科学。它旨在首先对社会科学的早期历史，以及使这一历史似乎成为可能和必然的比较广泛的历史变化，提供一个不严格的阶段划分。本章从启蒙运动时期论起，在这一时期，关于自然和理性的讨论往往本着批判和改革的精神开始更加系统地运用于“人”和社会。1789年的法国革命标志着一个重要的转变，在此转

14

变中,社会进步似乎更加有力、更加咄咄逼人起来,开启了对近代科学思考中的新问题。此外的另一个转变对于社会科学实践尤其重要,它大致发生于19世纪30年代这十年中,那时工业化的经济和社会变化已经变得人人可见,而社会科学不但作为理解这个新时代问题的工具,而且也作为处理这些问题的工具而出现了。于是本章根据当时对作为正反两方面模式都很重要的自然科学的理解,进而探讨对社会科学进行界定的方式。本章以简要地考察社会科学中"学科"和"专业"两词的意义在19世纪七八十年代如何变化作为结束。

近代早期的"人的科学"

虽然在19世纪前还没有任何社会科学学科存在,但却存在着关于政治、财富、见识、遥远民族等的思想和实践的公认的欧洲传统。既然我们在这里既对学术知识感兴趣,也对实践的、政治的生活感兴趣,那么,我们谈一下它们的各种类型或各种论说,并了解到不论在词语上还是在行为上都存在争论,也许是最恰当的办法。与我们诸社会科学相对应的那些类型(与这些社会科学)是不同的。近代早期关于人类获得知识的能力或理想政体的论著,与有关货币制度、政治算术,或远方民族的体征和习惯的著作大不相同。我们所说的"人类学"许多都是在游记和医书中看到的。直至启蒙运动后期医学著作家引发了关于大脑的争论之前,思维和理解主要是哲学的题目。政治著作既可以是法律和历史著作,也可以是哲学著作,但它们很少被分解为基本哲学,即使当它们涉及到明确的形而上学和认识论假设时也是如此。

15 如果我们不太在意错置了年代,那么,也许可以认为下列诸项是与近代早期作家所说的"人"有关的某些重要讨论的确切对象,它们是:人口、经济、国家、身体、心灵、习惯。其中每一项都与自然哲学的一个或几个论题密切相关,没有任何一个与政治、宗教或道德的推理截然划分开来。在18、19世纪,即使在欧洲范围内,社会研究的类型是非常多变的,并且复杂地互相联系在一起。一方面,它们往往紧密重叠。一个人如果不考察经济、政府和习惯,他就无法撰写关于18世纪乃至19世纪人口问题的著作。关于思维和人类行为的假设和信念被用来支持各种政治制度,用来说明经济运作。几乎任何对人的解释,至少在18世纪以前,都假定了一种对圣经的创世故事以及罪孽和得救学说的理解。

而且,社会科学的主题也未简单明了地划分开来。即使在欧洲,科学的类型往往主要根据争论的领域来界定,如同根据关键的方法和学说上的一致性来界定一样;这些类型依不同地区而异,有时还陷入对立。在经济研究中,英国的"政治经济学"与法国的"重农主义"有所不同,与德国的"官房经济学"完全不同。"心理学"主要是在德国地域上使用的一个术语,它与英国关于感觉和反省的著作不相合,如同莱布尼兹的哲学与洛克或牛顿的哲学不相合一样。德国和意大利的统计学,即对国家的经验研究,非常不同于对政治的研究,后者是关于应当如何治理国家的比较有哲学意味的论述。到了1800年,统计学已开始被人口数字所充斥,那时,它已成为"政治算术"的事务,即将人口数字提升为衡量统治质量的指数,并经常对这些数字作神学的解释。关于不同民族习惯的描写与对各民族风气的了解紧密联系在一起,也常常与对他们的身体的了解紧密联系在一起,而这些构成了人类学的主题。

如我们在序言中所讨论的,即使现在,"社会科学"也是一个未定的范畴,一个有争议的范畴。三个世纪以前,它是少有争议的,部分原因是它那时更不确定:那时不存在任何"社会科学"那样的主题,以使那些讨论能列于其下,并成为它们的宏大方法论抱负的指向。我们用"社会的"一词来称谓的那些知识形式并不因而是对立的,因为它们的对象和方法是大相径庭的。尽管那时的出版物是分开的,而且各学科之间的相互影响与现在一样丰富和令人关注,却并不妨碍那些百科全书式的智者认真从事其中两门或多门学科的研究。只是在18世纪,"人的科学"、"精神科学"或"精神与政治科学"* 的观念才开始将这些各种各样的研究重新组合——将它们结合成一个从而可以进行争论的家庭。也就是在这个时候,尤其是在法国和苏格兰,全面概括的"哲学史"或关于"文明"之进步的自然史创立了。作为科学的恰当对象的社会观念从这一传统中发展起来。我们的历史由这一时期开始了。 16

启蒙时代的经济学、人口学和国家学

"启蒙运动"通常是指反对教会权威和贵族政治,拥护"自然"与"理性"的批判和改革运动。根据这一特性的逻辑,这同一时期社会科学的兴起被认为是几乎不可避免的。[1] 不过,这取决于某些细微的定义问题。即使按照19世纪的标准,大部分启蒙运动的社会作品都显得明快而通俗,而不是深奥的、科学的。这不仅仅是说那时没有各种专业结构——任何大学学位课程都不提供精神科学方面的正式训练和文凭。在18世纪,这些东西即使在"自然哲学"方面也是少见的。不过,至少自然科学还有自己的学院和学会,有自己的一批专家,有自己的刊物,而在1789年法国革命前,这样的东西在社会科学中是没有的。启蒙运动的人的科学主要是大众的或官僚政治的研究,而不是专门化的研究。

如果一定要将社会科学定义为专门的、技术性的研究,那不但与时代不符,而且也太小题大做了。社会科学的诞生与自由的政治活动和公众领域的发展有很大关系。启蒙运动作为一个理智的社会的运动,它依赖于日益自由的公开讨论,依赖于思想传

* 这里的moral(英文)和morale(法文)都是形容词,主要意为"道德的"、"道德上的"、"符合道德的"等,但在17、18世纪,这个词不只用于道德的意义上,而是涵盖了与自然科学(主要是物理学)不同的、与人的活动和行为有关的一切方面,一般可译为"精神的",以与关于物体的自然科学相区别——译者注。

[1] Peter Gay,《启蒙运动:一种说明》第2卷:《自由科学》(*The Enlightenment: An Interpretation*, vol. 2: *The Science of Freedom*, New York: Knopf, 1969)。

播的机制。固然18世纪的大多数男人和妇女都未受过教育,只有少数人接触到启蒙运动的思想,然而,至18世纪末,一群有学识的公众已经在欧洲的主要国家出现了。法国的"哲学家"和数学家孔多塞(1743～1794)将古登堡发明印刷机说成是进步史上的一个单独事件,因为它使知识可以毫发无损地发展。出版界从来没有像他那个时代那样繁忙过,从来未拥有如此广泛的读者。报纸的发展对于打开公共空间特别有意义。咖啡馆、沙龙、共济会会馆之类的新场所也为相对自由地讨论各种问题和事件提供了机会。新生的精神科学是这同一个世界的组成部分。

不过,人们并非全都对此感到惬意。文化历史学家在追寻那历史的目标,即对启蒙运动与法国大革命的联系作令人信服的说明时,对18世纪末书籍和杂志的发行,尤其是在法国的发行,有强烈的兴趣。他们发现,由夏尔-路易·孟德斯鸠(1689～1755)、让-雅克·卢梭(1712～1778),乃至伏尔泰(1694～1778)那样的人所写的不朽的政治哲学和社会科学著作,销量相对较少,而早期的轰动小说和各种下流报纸的作品却拥有广泛的读者。[2] 对政治社会学的寻求意味着努力超越对激情和愚昧的诉诸。"哲学家们"将这门科学看成是传播"光明",他们的许多作品都是为一些挑选出来的读者(不是专家读者,而是那些受到启蒙的读者)而写的。在某些方面,为发展一种社会科学语言而设计的行动是为了削弱纯政治意志的权威,并用某种更超脱、更客观的东西来代替它:既维护人类的自由,又使它服从于理性的标准。极端一点说,孔多塞的"选举与司法判决数学"是独具特色的,它承认舆论的要求,同时制定了各种机制,以确保舆论会导致合理的而非教条的或武断的决定。[3]

17

如果以为启蒙运动社会理论的可靠性仅仅或主要依赖于它与数学和自然科学的相似性,那就错了。在约翰·洛克(1632～1704)和卢梭之类作家的政治著作中,以及在美国和法国革命的重要文献中,对"自然权利"的肯定,与其说归功于笛卡尔或牛顿的自然规律,不如说归功于与公正的政治秩序有关的"自然法"道德学说。孟德斯鸠经常被描述为社会学的创立者,或至少是社会理论的创立者,虽然他对自然科学尤其生理学很感兴趣,但他所发生的疑问主要出自不同的原由。他受过法律方面的训练,并以律师为职业。唐纳德·R.凯利写道:社会科学的先驱者"与其说是迟迟将视线从天上转移到人类社会的宇宙论者,而毋宁说是……面对人类社会困境的法律制定者"[4]。

[2] Roger Chartier,《法国革命的文化根源》(*The Cultural Origins of the French Revolution*, Durham, N. C. : Duke University Press, 1991)。

[3] Keith Michael Baker,《发明法国革命:论18世纪法国的政治文化》(*Inventing the French Revolution: Essays on French Political Culture in the Eighteenth Century*, Cambridge: Cambridge University Press, 1990),第98页,第153页～第166页,第189页;Peter Wagner,《确定性与秩序,自由与偶然性:作为经验主义政治哲学的社会科学的诞生》(Certainty and Order, Liberty and Contingency: The Birth of Social Science as Empirical Political Philosophy),见于《社会科学的兴起与现代性的形成:1750～1850年背景下的概念变化,1996年科学社会学年鉴》(*The Rise of the Social Sciences and the Formation of Modernity: Conceptual Change in Context, 1750—1850, Sociology of the Sciences Yearbook, 1996*), Johan Heilbron, Lars Magnusson 和 Bjorn Wittrock 编,(Dordrecht: Kluwer, 1998),第241页～第263页。

[4] Donald R. Kelley,《人类的尺度:西方法律传统中的社会思想》(*The Human Measure: Social Thought in the Western Legal Tradition*, Cambridge, Mass. : Harvard University Press, 1990)。

不过,这些法律制定者并没有失去理论资源。自然法比在特定地方根据传统宣布的那种法——"成文法"意味着更多的东西:它代表了一种不可改变的理想,一个由人性中引出的责任和权力的体系。在近代初期的欧洲,荷兰政治家雨果·格老秀斯,德国和瑞典统治者的顾问塞缪尔·普芬多夫,17世纪80年代为推翻不义君主而制定出哲学原理的洛克,已经最引人注意地培育了这样的体系。这些人对自然秩序与社会秩序的类比有深刻印象,他们试图将人性理解成某种普遍的东西。他们希望以这种方式为17世纪动乱中的政治社会提供一个普遍的框架。他们的工作在孟德斯鸠时代的法国变得广为人知,孟德斯鸠的《论法的精神》(*Spirit of the Laws*, 1748)不仅要说明自然法(它被设想为普遍的)与处处大相殊异的成文法的关系,而且要说明它与成文法的"精神"的关系。[5] 于是,孟德斯鸠不顾他所主张的道德普适主义,或者说正由于他的道德普适主义,使得他以所谓社会学的方式考察和说明特定地区的习惯和实践。

18

虽然具有道德取向的自然法不同于不受人类目的支配的自然规律的信念,但它们往往是交叉的。格老秀斯将他的同时代人伽利略的几何学当做道德推理的模式,而当安尼-罗伯特-雅克·杜尔哥(1727~1781)向法国国王路易十六强调像上帝那样实行根据普遍规律的统治术的时候,他显然同时吸取了两种传统。政治经济学也是既包含自然主义,也包含自然正义。亚当·斯密(1723~1790)很有影响地证明,规则对于调节经济或确保产品的质量标准并不是必要的。在商品制度下,正当个人为促进自己的利益而工作的时候,他也服务于公共利益。这个公式是从法国对放任自由经济的论证中引出来的,它涉及到与神学解释的背离,后者将劳动看成是必然有罪的,是亚当堕落的后果。于是,同业行会对学徒制和工匠业细则的坚持,逐渐被对另一种秩序的关注所取代,这种秩序是由自利行为和社会习惯造成的。[6]

斯密的工作也削弱了对"道德经济学"的论证,比方说,这种"道德经济学"会限制物品短缺时的物价,保证无产劳动者的生活。斯密和大卫·休谟(1711~1776)是苏格兰启蒙运动中的政治经济学家,他们为商品社会辩护,反对基督教的乌托邦式的共同财产,也反对将有道德的古代共和国连同其自由独立的农民公民理想化。虽然他们贬低经济事务中政治干预的必要性,但他们的著作与道德问题有深刻的关系。共和制传统指望将遥远过去的简单社会作为德行的样板,而他们反对这种传统,认为古代部落是不开化的、野蛮的。社会进步出现在与一系列经济制度相联系的阶段上;斯密将这些阶段确定为狩猎、放牧、农业,最后是商业。他们论证说,现代商品经济不但给富人带来了好处,也给穷人带来了好处。财富的增长不但没有破坏,而且促进了谨慎和诚

19

〔5〕 Johan Heilbron,《社会理论的兴起》(*The Rise of Social Theory*),Sheila Gogol 译,(Minneapolis: University of Minnesota Press, 1955)第96页~第99页;也见于 Richard Olson,《神化了的科学与被蔑视的科学:西方文化中科学的历史意义》(*Science Deified and Science Defied: The Historical Significance of Science in Western Culture*, Berkeley: University of California Press, 1990),第5章。

〔6〕 William Sewell,《法国的工作和革命》(*Work and Revolution in France*, Cambridge: Cambridge University Press, 1980)。

实那样的道德美德。[7]

当然,另有一些人反对那些有关商业利益的论证,而我们应当谨防将"经济学"或"社会科学"专与那些指望市场经济自身调节机制的学说等同起来。很多学说都怀疑"自然秩序"的恰当性,反而将开发各种指导和激励生产的手段作为目标。在18世纪处理经济问题的许多可选的模式中,这里特别值得注意的是官房经济学。官房经济学首先是德国的一个学说,特别与提高国库岁入量的措施有关。正如同时对生物物种和民族进行考察的计划往往将人种论作为其组成部分(一个著名的例子:它推动了俄罗斯向西伯利亚的殖民)一样,[8]官房经济学也将经济学与科学和工业领域结合起来。不但资产和交易被纳入其范围,矿业和农业也被纳入其范围。官房经济学家与大多数经济学家一道都认为,只有自然是真正生产性的,因此通过商业而产生财富在他们看来就像是炼金术。[9]他们的工作就是提供怎样促进繁荣和怎样向繁荣征税的知识和建议。虽然他们经常出版教科书和小册子,但他们的作品与其说是为一般读者写的,不如说是为官僚和统治者读者写的。[10]

官房经济学在许多方面以北欧启蒙大学的实践的、功利主义的转向为特征。这种行政推动不仅仅在于对社会科学的运用,而且是塑造社会科学的强大力量。它为技术方法和形式化专门知识的发展提供了大量的机会。近代早期人口的定量研究有时被冠以"政治算术"之名,到18世纪末,它已经发展成高等数学式的研究了。当然,数学家所提出的国营彩票和养老金计划则往往被忽视了。对死亡率的研究,以及对天花预防注射的潜在益处的研究,也有较大影响,这在某种程度上也许因为这些研究结果被提供给比较广泛的公众,而不是只提供给君主,而且可以根据这些结果采取分散行动。法国大革命前的最后几十年间,法国的数学家与行政官员的一个联盟用最先进的数学概率工具估计法国的人口。当然,公务员和官僚(那时与现在一样)对理论思考不如对数据资料那样感兴趣。不过,与有特权的专家在相对封闭的社会空间中工作,对他们是很适宜的。在行政保密情况下发展起来的这种人口概率估计,在19世纪大都被放

20

[7] Istvan Hont 和 Michael Ignatieff 编,《财富与美德:苏格兰启蒙运动中政治经济学的形成》(*Wealth and Virtue: The Shaping of Political Economy in the Scottish Enlightenment*, Cambridge: Cambridge University Press, 1983),尤见 Hont, Ignatieff, John Dunn, John Robertson 和 J. G. A. Pocock 所写章节;Albert O. Hirschman,《激情与利益:为胜利前的资本主义作政治论证》(*The Passions and the Interests: Political Arguments for Capitalism before Its Triumph*, Princeton, N. J.: Princeton University Press, 1977)。

[8] Han F. Vermeulen,《欧洲和美国的人种论与民族学的起源和制度化,1771～1845》(Origins and Institutionalization of Ethnography and Ethnology in Europe and the USA, 1771—1845),见于 Han F. Vermeulen 和 Arturo Alvarez Roldán,《野外作业与脚注:欧洲人类学史研究》(*Fieldwork and Footnotes: Studies in the History of European Anthropology*, London: Routledge, 1995),第39页～第59页。

[9] Pamela Smith,《炼金术商业:神圣罗马帝国的科学与文化》(*The Business of Alchemy: Science and Culture in the Holy Roman Empire*, Princeton, N. J.: Princeton University Press, 1994)。

[10] Keith Tribe,《统治经济:德国经济论述的变革,1750～1840》(*Governing Economy: The Reformation of German Economic Discourse, 1750—1840*, Cambridge: Cambridge University Press, 1988);David Lindenfeld,《实践的想象:19世纪德国的国家学》(*The Practical Imagination: The German Sciences of State in the Nineteenth Century*, Chicago: University of Chicago Press, 1997);Franco Venturi,《18世纪改革家》(*Settecento riformatore*),7卷本。(Torino: G. Einaudi, 1969—1990)第1卷由 R. Burr Litchfield 翻译为英语《第一危机》(*The First Crisis*, Princeton: Princeton University Press, 1989)。

弃了，这时，大部分官方数字必须被公布出来。[11]

启蒙时代的心灵科学、生理科学和文化科学

18 世纪的“人的科学”首先是与现在所说的心理学问题，即那时所说的“人性”问题联系在一起的。罗杰・史密斯在其范围广泛的“人类科学”史中写道：“对 18 世纪人性的引证，与对《圣经》中上帝的引证有些相似：人性是其他一切事情所围绕的主题。”[12]该主题与自然哲学有密切联系，这尤其因为它所追求的主要目标之一是理解人类获得与运用经验知识的能力。伏尔泰在《关于英国的信》(*Letters on England*, 1733)中将牛顿的成就理解为证明了培根的方法——以经验而非数学演绎为根据的科学方法的正确。在《关于英国的信》中，伏尔泰还收入了论洛克的《人类理解论》(*Essay Concerning Human Understanding*, 1690)的一章。虽然洛克不是宗教怀疑论者，但他仍然寻求对人性作自然主义的说明。因而，有意义的是，他谈论心灵而不是灵魂，他将心灵描述为实质上有塑造力的，它用感觉和反省来形成它的观念。心灵在人出生时像一块白板，因此，人由于所受教育而成为善的或恶的，并不受原罪的约束。于是，《人类理解论》既为系统的学校教育提供了理论基础，也为启蒙运动中反对教会的道德和制度权力的斗争提供了武器。

21

如简・戈尔斯坦所证明的，洛克的心理学在英国和法国为启蒙运动“哲学家”所广泛接受，它构成了进一步研究的基础。在各种最有兴趣的挑战中，包括寻求以某种方式对尚未被社会所塑造和腐蚀的原始人性的探讨。这一计划与同样出自洛克(也出自他之前的托马斯・霍布斯)的一种有影响的政治理论形式有联系，这种政治理论假定在已经建立了社会的“社会契约”之前有一个“自然状态”。政治哲学家对它所包含的是一个令人羡慕的自由状态(卢梭)，还是令人厌恶的一切人反对一切人的斗争(赫伯斯)进行争论。人们也可以对知觉能力的发展发出询问。丹尼斯・狄德罗(1713～1784)在《关于盲人的信》(*Letter on the Blind*, 1749)中很想知道，当一个盲人突然有了视力，他是否能从视觉上区分立方体和球体。更令人感兴趣的是要知道，如果人们完全是在社会之外成长起来的，他们如何行动和思想。18 世纪在森林和荒原发

[11] Lorraine Daston,《启蒙运动中的古典概率》(*Classical Probability in the Enlightenment*, Princeton, N. J. : Princeton University Press, 1988); Andrea Rusnock,《生物政治学：启蒙运动中的政治算术》(Biopolitics: Political Arithmetic in the Enlightenment), 见于《启蒙欧洲的科学》(*The Sciences in Enlightened Europe*), William Clark, Jan Golinski 和 Simon Schaffer 编, (Chicago: University of Chicago Press, 1999), 第 49 页～第 68 页; Eric Brian,《国家的测量：18 世纪的行政官员与测量员》(*La Mesure de l'État: Géomètres et administrateurs au XVIIIe siècle*, Paris: Albin Michel, 1994); Eric Brian,《18 世纪末法国的数学、行政改革和社会科学》(Mathematics, Administrative Reform and Social Sciences in France at the End of the Eighteenth Century), 见于《社会科学的兴起》(*Rise of the Social Sciences*), Heilbron, Magnusson 和 Wittrock 编, 第 207 页～第 224 页; Alain Desrosières,《大数政治学：统计推理史》(*The Politics of Large Numbers: A History of Statistical Reasoning*, Cambridge, Mass. : Harvard University Press, 1998)。

[12] Roger Smith,《丰塔纳人类科学史》(*The Fontana History of the Human Sciences*, London: Fontana Press, 1997), 第 216 页。在美国翻译为《诺顿人类科学史》(*The Norton History of the Human Sciences*)。

现了许多所谓的野孩或野人,对他们的考察将这个重要问题清楚显现出来。尽管仍十分有限,欧洲人毕竟越来越多地接触到类人猿,这为他们思考这些动物是否具有学习语言和进行推理的人类能力提供了机会。探险家们被远方民族的习惯,尤其被他们认为充满异域情趣的性习俗所深深吸引。甚至在该世纪末,曾为研究人性进行探险的法国人类观察者协会仍然认为,最原始条件下的人性是一律的。[13]

在18世纪的精神科学中,人种学说几乎没有任何地位。法国启蒙运动在19世纪的批判中得到了唯物主义的名声,这是一个非常虚假的、完全不准确的指责。虽然从洛克的某些比较激进的追随者开始,有时将唯物主义心理学发展成政治或宗教批判,但这一情况是边缘性的。18世纪末,对醉酒和性过度的医学解释,以及对犯罪和精神错乱的医学或刑罚学的治疗,已从身体转移到心灵或精神——这是一个反唯物主义的动向。[14] 在法国,孔狄亚克对人类感觉能力的分析于18世纪末被医学家们所接受,他们特别对精神能力的物质性感兴趣,即对大脑感兴趣。这一运动大约在1800年至1815年的拿破仑时期达到顶峰,与对心灵和道德的生理、文化研究联系在一起。不过,这与其说是唯物主义的,不如说更近于活力论的,因为有生命的物质不是惰性的,而是自我组织的,充满着生命和精神。[15]医学处于启蒙运动后期对数学的反抗的中心,并支持18世纪中期由布丰伯爵和狄德罗开创的生命科学。医学研究与道德研究的结合也许仍是1789年人的科学最富进取的形态,那时,它的问题由于法国大革命的爆发而变得更加紧迫得多。随后几十年间,医学研究与道德研究的联盟得到特别的保护,并在社会科学的范围内发生了意义深远的转变。

22

革命年代的社会科学, 1789～1830年

主要的法国"哲学家"几乎都没有活到1789年。数学家孔多塞是科学院常务秘书,他或许可以被称作大革命时期启蒙运动的代言人。这是一个朝不保夕的角色。伏尔泰、孔狄亚克、杜尔哥、达朗贝尔和狄德罗都在1778年至1784年间去世了。历史学家经常认为,启蒙运动在法国大革命爆发之前若干年就在衰落,甚至已经结束了。在1789年之后政治极端化的氛围中,像伏尔泰或狄德罗那样以诉诸普遍理性为基础

[13] 同上,第7章～第8章;George W. Stocking, Jr.,《种族、文化与进化:人类学史文选》(*Race, Culture and Evolution: Essays in the History of Anthropology*, New York: Free Press, 1968),第2章;Sergio Moravia,《18世纪人的科学》(*La Scienza dell'uomo nel Settecento*, Bari: Guis Laterza & Figli, 1970)。

[14] Roy Porter,《启蒙运动中的医学和人类科学》(Medical Science and Human Science in the Enlightenment),见于《发明人类科学:18世纪的领域》(*Inventing Human Science: Eighteenth Century Domains*), Christopher Fox, Roy Porter 和 Robert Wokler 编,(Berkeley: University of California Press, 1955)第53页～第87页,尤其见第73页～第74页;又见本卷 Gary Hatfield,《再造心灵科学:作为自然科学的心理学》(Remaking the Science of Mind: Psychology as Natural Science),第184页～第231页;Graham Richards,《精神机器:心理学观念的起源和后果,*1600—1850*》(*Mental Machinery: The Origins and Consequences of Psychological Ideas, 1600— 1850*, Baltimore: Johns Hopkins University Press, 1992),第135页。

[15] Moravia,《人的科学》(*Scienza dell'uomo*);Martin S. Staum,《卡巴尼斯:法国革命中的启蒙与医学哲学》(*Cabanis: Enlightenment and Medical Philosophy in the French Revolution*, Princeton, N. J. : Princeton University Press, 1980)。

的经历几乎是不可能的。不过,有些工作于18世纪80年代的年轻知识分子,也许被当做不同环境下启蒙运动的代言人而留在人们的记忆中。近来有些历史学家已经强调跨越1789年分界的理智连续性。[16]这些都是重要的和真实的。就社会科学的制度和实践的历史而言,19世纪30年代的十年标志了一个更具决定性的转变。不论怎样,法国革命对于社会科学的意识形态意义是无与伦比的。由于不受约束的激情威胁到政治的稳定,因此激起了广泛的危机感。社会科学变得更加紧迫了,而且往往更意识形态化,它回顾过去或期盼科学,以便理解现代性岌岌可危的境况似乎是怎样的。

虽然启蒙运动"哲学家"不赞成专权行为,但他们的许多人仍然对君主专制抱有良好的看法,因为只要能说服国王,君主专制就展现出立即改革的前景。孔多塞正以这种方式将法国革命实际看成是一个无与伦比的机会,而且积极参与革命的政治活动。他在是否处死路易十六之类的问题上反对激进的雅各宾派,并对过度的民主感到忧虑。他寻求一种以相对广泛参与为基础的政治制度,这种参与将把像他自己那样有教养的人和科学家放在负责的位置上。他设想了一个建立在自然与社会科学基础上的国家。科学将成为以精英科学院为最高机构的普遍教育制度的核心,科学还将构成行政管理的基础。他拟定了一个庞大的统计机构的规划,这个机构是与一个可计算的、由自由独立公民组成的社会相适合的。此后,由于国家活动建立在充分信息和理性方法的基础上,国家就自然而然地促进了公共利益。[17]

23

到了1800年,上述那些愿望对许多人来说似乎已成为狂热的乌托邦。实际上,早在1790年,埃德蒙·伯克就在他的《关于法国革命的反思》(*Reflections on the Revolution in France*)中用这样的说法打消了那些愿望。伯克将法国革命说成是由不负责任的人、肤浅的思想家所引起的社会机构(国家)猝变的结果,而社会机构的自然发展通常是缓慢的、渐进的。半个世纪后,阿历克西·德·托克维尔(1805～1859)将法国革命的过激行为归因于孤立的知识分子,即没有实际治理经验的人的影响。这在某种意义上是对社会科学的指控,至少是对乌托邦式的社会科学的指控。例如,孔多塞就沉醉于乌托邦主义中,在躲避罗伯斯庇尔的恐怖专政和公安委员会的同时,他写下了著名的《人类精神进步史概述》(*Sketch of a Historical Picture of the Progress of the Human Spirit*)。它描述了一个在知识进步的推动下,经十个阶段的单线发展的故事,其中最近而最辉煌的阶段,恰恰是以正在追捕他的那场革命为标志的。

孔多塞的历史解释,如安托万·皮康撰写的章节所表明的那样,基本是一部启蒙运动文献,是理智转变的组成部分,它将乌托邦("乌有之乡")从(遥远的)空间某处转移到时间,即或近或远的将来去了。这种作品类型是由孔多塞的老师杜尔哥约于1750年采用的,其影响表明了历史物力论的新含义;历史物力论在19世纪仍然存在并且盛

〔16〕 Heilbron, Magnusson 和 Wittrock 编,《社会科学的兴起》(*Rise of the Social Sciences*)。

〔17〕 Keith Baker,《孔多塞:从自然哲学到社会数学》(*Condorcet: From Natural Philosophy to Social Mathematics*, Chicago: University of Chicago Press, 1975),第57页,第200页,第207页,第262页,第272页,第303页。

行起来，不过经常以我们可称之为“辩证的”非线性方式。这里的关键人物是克洛德·亨利·圣西门（1760～1825），他是一位曾在美国与乔治·华盛顿共同作战，后来支持法国革命的贵族机会主义者（事实上，他利用革命之机通过经营教会地产而致富）。1793年，他取了农民名字博诺姆，但这并未使他免入牢狱，尽管他活着逃了出来。后来他在巴黎用于培养一批精英技术专家的新综合技术学校附近建了房舍。在那里，由于他的人格和赞助的吸引，形成了一个由才华横溢的青年数学研究者组成的团体，他们已无心在动荡的年代里追求牢固的意义。

24

圣西门不赞成旧制度，也不想回到旧制度。他用所谓的“有机的”、“批判的”时期来构想现代史。他认为，中世纪教会，连同它的公有社会的风气，以及它对精神知识和科学知识的统一，支撑了一个值得赞赏但不能持久的社会秩序。在15世纪，欧洲进入了一个四分五裂的、个人主义的时代。新教以及而后市俗批判的兴起，标志着旧秩序的死亡。法国革命将旧秩序最终消灭了，留下了一个精神空虚的状态。一个新的有机秩序必定出现，在此秩序下，社会道德将会战胜个人主义道德而恢复其首要地位。圣西门宣称这一新秩序的不可避免性，同时致力于创建这个新秩序。他最初将科学，后来又将工业组织，最后将“新基督教”确定为该秩序的基础。圣西门主义者否定批判时期可怕的无政府状态，这种无政府状态只有被当做为更美好的未来扫清道路的必要破坏阶段，才能被证明是正当的。[18]

当然，还有一些人对革命能够成为任何美好事物的预兆表示怀疑。虽然将理想的未来想象成完全回到过去的那些人，是很少在科学的旗帜下前进的，但另外一些人则为了理解和控制近代的无约束冲动而寻找社会科学。这在某些情况下也是圣西门的理想，即使其表述是乌托邦式的。奥古斯特·孔德（1798～1857）是另一位来自综合技术学校的新人，是圣西门的最著名、最叛逆的追随者，早在19世纪20年代，他就在描写新科学秩序中宗教不可缺少的作用了。人（尤其是女人），实质上不是冷酷的、理性的，而是有灵性的、情绪化的。孔德终于在他的“人道教”中给男人及女人提供了一个尊崇的对象，提供了一个节日和纪念日的历法。他明确将个人自由作为个人身上的负担和社会的无序力量而抛弃。如彼得·瓦格纳所说，这一时期的社会科学与其说表达了近代的自由和偶然性，不如说试图驾驭它们。[19] 即使在1776年被当做胜利之年而庆祝的美国，政治经济学家也忧心忡忡地看待欧洲的经验，希望美洲的这个共和国能够避免旧世界特有的社会争斗。虽然自由是一件好事，也不得不将它限制在一定的范围内。

〔18〕 Frank E. Manuel,《巴黎的预言家》(*The Prophets of Paris*, Cambridge, Mass.: Harvard University Press, 1962); Frank E. Manuel and Fritzie P. Manuel,《西方世界中的乌托邦思想》(*Utopian Thought in the Western World*, Cambridge, Mass.: Harvard University Press, 1979)。

〔19〕 Peter Wagner,《确定性与秩序，自由与偶然性：作为经验主义政治哲学的社会科学的诞生》(Certainty and Order, Liberty and Contingency: The Birth of Social Science as Empirical Political Philosophy)，见于《社会科学的兴起》(*Rise of the Social Sciences*), Heilbron, Magnusson 和 Wittrock 编，第241页～第263页。

法国由工程师从事行政管理的传统规定了19世纪社会与经济科学强大传统的轨迹。托克维尔将法国革命说成是在旧制度下已经很明显的集权化倾向的一次加速;而将社会问题当做要解决的问题的学者和工程师们的分析风格,则成为这一连续性(其各种方式之一)的例证。[20] 革命后的计划和经济分析日益落在综合工艺工程师的肩上。大约在19世纪中期,矿业高级精英会的弗雷德里克·勒普莱提出了一种方法,这种方法建立在对本国矿工、手工艺者和劳工的经济状况作出把握的详细的专题论著的基础上。雇主和当地贵族可以将这种信息当做施舍和组织工作的指导。这种社会科学就像一套实用的工具,而不是乌托邦的幻想。那些拥护在科学前提下合理施政的人利用了他们在革命时期可能利用的各种机会,尽管最终他们并未取得很大的成功。拿破仑战争的后几年,尤其是1815年后,法国的君主制复辟了,新的保守秩序被强加给欧洲,上述理想的影响大大削弱了。这一理想在19世纪20年代,尤其在法国和英国,在更朴素的统计学的外表下,开始慢慢恢复起来。

各种崇高理想向乏味的官僚政治的转变可以从激进功利主义的发展历程中得到证明。杰里米·边沁的最重要的纲领性小册子恰恰发表于1789年。趋乐避苦是人的本性,这是启蒙伦理学的一个通常说法,边沁借鉴这一说法,并借鉴追求"最大多数人的最大幸福"的功利主义伦理准则,提出了一个毫不妥协的理性主义的改革纲领。他的任务是废除习惯和传统,克服包围在这些传统和习惯周围的困惑,以有利于一切能促进普遍福利的事情。边沁的宏伟计划吸引了一批追随者,即哲学的激进分子,他们的这个称号使人们对他们的雄心壮志的程度有了某种概念。詹姆斯·密尔是最有影响的追随者之一,他用如下论证使边沁皈依民主:统治阶级决不会制定有利于全体人民的计划,除非民众有选举权。这不是来世的行动,而是一个有鲜明口号的注重实效的运动,有时它是自觉反乌托邦的。许多激进分子,包括密尔及其更著名的儿子约翰·斯图尔特·密尔(1806～1873)在内,都赞成托马斯·罗伯特·马尔萨斯的论点,后者教导说,人口无情地以几何级数增长,在贫困和痛苦的压力变得过于严重之前,需求可以抑制人口的增长。哲学激进分子压倒一切的愿望就是制定为各种动机所支持的法律,这些动机是非常充分的,它们使每个人都在自利的引导下,以促进集体幸福的方式行事。边沁的计划包括将逮捕和定罪的概率考虑在内的对惩罚的周密计算,这些惩罚对于克服各种特定的犯罪诱惑是必要的。哲学激进主义作为由埃德温·查德威克之类的新一群官僚专家所推动的有成效的改革计划,于19世纪30年代作为英国发展中的重要组成部分,进入了它的兴盛期。

[20] Brian,《国家的测量》(*Mesure de l'État*); Antoine Picon,《现代工程师的创造:桥梁与公路学校,1747～1851》(*L'Invention de l'ingénieur modern: L'Ecole des Ponts et Chaussées, 1747—1851*, Paris: Presses de l'Ecole Nationale des Ponts et Chaussées, 1992)。

对社会变革与经济变革的控制，1830～1880 年

1830 年到 1848 年间，欧洲主要国家面临新的紧迫的社会问题。虽然当时的经济史学家一般将英国工业革命的开端追溯到 18 世纪，通常至 1760 年左右，但对这一年代的确定仍需用事后智慧来认识。即使亚当·斯密时代的某些比较敏锐的英国经济观察者承认他们的时代是促进繁荣的时代，也没有人会在其中看出任何惊人的变化，更不用说革命的变化了。早在 19 世纪初，机器的改进已经变得十分明显，足以引起卢德派的愤怒，他们将工业力量看成是对劳动者的工作的掠夺。马尔萨斯时代和大卫·李嘉图(1772～1823)时代的政治经济史学家仍然是悲观的，但蒸汽机和其他替代劳力的机器给了他们某种希望。我们称作英国工业化的那些变化只是在 1815 年之后才开始明显起来的。当拿破仑战争将要结束时，当欧洲贸易再次展开，英国的工业力量开始改造和打乱欧洲大陆经济，尤其是在纺织品贸易方面。法国、德国和低地国家*工业化的起步通常认为是从铁路建设开始的，不早于 1830 年。

在英国，19 世纪 30 年代是“社会问题”的十年。至 1840 年，社会问题在欧洲大陆也变得紧迫了。经济变革带来了经济混乱。它包括大量人口从农庄流向城市，有时还伴有大规模的种族流动，如爱尔兰人移居英格兰那样。多变的工作模式改变了家庭的安排，将妇女和儿童吸引到工厂和矿井里去。1832 年，霍乱流行病席卷欧洲。城镇的肮脏、犯罪和疾病似乎成为对良好秩序的威胁，尤其是在那种动荡的政治形势下。英国人摆脱了压抑，拥护 19 世纪 30 年代的改革。法国的 1830 年革命用立宪君主取代了波旁家族后裔统治的旧制度，而同年的比利时革命使比利时摆脱尼德兰而独立。不论怎样，在法国，1830 年后的公民权是非常有限的，在英国，1832 年的“大改革”也只是有节制地扩大了公民权。罢工和群众运动表达出许多工人对他们的新环境的不满。英国面临着 19 世纪 30 年代末至 40 年代初的革命的可能性，而欧洲大陆各国则经历了 1848 年的实际革命。

27

19 世纪初，尤其是约 1830 年至 1850 年间，英国社会改革的功利主义精神标志着与 18 世纪后期尤其在苏格兰发展起来的历史化观点的背离。[21]这种背离在法国则远没有那样明显；而在德国，如肯特·莱特撰写的章节所表明的，历史主义在整个革命时期一直残存，而后前所未有地盛行起来，尤其表现为新德国各研究大学中发展起来的历史学科。不过，心灵科学为 19 世纪初的道德与政治争论提供了一个大体上非历史的框架。如简·戈尔斯坦撰写的章节所强调的，这些争论在部分上是与启蒙运动相连续的。洛克和孔狄亚克的联想主义观点为英国功利主义者的心理学、边沁和密尔父子

* 低地国家(the Low Countries)，指荷兰、比利时、卢森堡三国——译者注。

[21] J. W. Burrow，《进化与社会：维多利亚社会理论研究》(*Evolution and Society: A study in Victorian Social Theory*, Cambridge: Cambridge University Press, 1970)。

的心理学,以及与脑生理学联合在一起的法国精神科学思潮的心理学做了限定;法国的这一精神科学思潮亦被称作**意识形态**,它将启蒙运动晚期的主要承诺延伸到拿破仑时期。

颅相学在19世纪初发展成为一个相当可观的运动,它首先包括了一个更加激进的物质化的发展。戈尔斯坦讨论了这一运动的不断变化的政治反响,从19世纪20年代对基督教灵魂学说表示怀疑的颠覆性脑科学,到19世纪40年代的更普遍而更少威胁性的自我改进的语言。在某些方面,尽管它的理论基础完全不同,但它的发展历程与18世纪80年代已经流行起来的催眠术的发展历程是相似的。至19世纪中期为止,这两者有时是结合在一起的,被占卜算卦的流浪演说家所传播。颅相学与催眠术都与宗教、政治和专业作家的主要问题相合。两者都是在英国绅士、法国院士与德国教授的公认科学的边缘成长起来的,两者都失去了上层"科学人士"的信任,因为它们的呼吁削弱了社会等级制度。它们的流行最终被看成是公众对科学的理解中的缺陷,有时被看成是一种社会危险,对它们要用更好的科学来控制。

精神科学像其他形式的社会知识一样,可以作为调节管理的工具来配置。法国哲学家米歇尔·福柯最有力地强调了社会科学的这一方面,它是理解这一时期社会科学历史的中心因素。[22] 如杨美兰在她撰写的章节中所证明的那样,社会科学并非自动地为杰出的科学家、改革家和官员所控制,而是被争夺的,而且往往是非常有力地加以争夺的。作为取代绅士科学的工人阶级科学,既有社会科学也有自然科学,在1830年之后的几十年中盛行起来。这里存在着人口管理问题的另一方面——为社会科学的斗争也是为社会权力的斗争。总的来说,它是一个不平等的斗争,劳动人民处于相当不利的地位。但他们似乎表现出的对社会秩序的威胁,赋予社会科学的理智问题以重要的意识形态的面貌:也许不但应向劳动人民讲授基督教的教理问答,还应当向他们讲授政治经济学的教理问答。这种忧虑在绅士和专业人士中激发了推进有效社会知识的运动,与其说他们把工人阶级看成是社会科学的创造者,不如说把他们看成是社会科学的恰当对象。

28

于是,在19世纪的第三个四分之一世纪的中期,社会科学首先作为对那一时期动乱的自由主义的、改革主义的回答而发展起来。与其说它自发地面对政府和城市生活,不如说它是在20世纪大学中才变成那样的。正如玛格丽特·沙巴斯所论证的那样,某些有影响的政治经济学著作是相对孤立的、分析的,在英国及其他地方,雇用了少量的但日益增多的政治经济学家在大学从事教学。在德国大学中,"国民经济学"和统计学是互相重叠的专业,与国家学或"国家学说"有联系,但很少归于其下。在英国,在英国科学促进会1831年成立后的两年内,统计学(以及后来的政治经济学)被划归

[22] Michel Foucault,《纪律与惩罚:监狱的诞生》(*Discipline and Punish: The Birth of the Prison*, Alan), Sheridan 译(New York: Vinrage Books, 1979)。

为它的一个部门。但它的会议对于自然科学家来说政治性太强、争议太多,而对于这个较大机构的任务来说,“统计经济学”一直被认为是边缘性的。不论是否在大学,不论在哪个国家,那些声称继承了政治经济学、社会科学、统计学或国家学和政治学的人,都几乎一律不变地从事改革、管理和政治活动的实际工作。社会科学本身不是一个职业,而是一个仁慈的活动,或从事某个其他职业或职务的一种方式。

统计学在许多方面都是19世纪中叶特有的社会科学。虽然它的理论抱负不像政治经济学或孔德的“社会学”那样大,但这实际上使它与流行的科学观点,尤其是英国的观点,更加一致起来。统计学是坚决以经验为依据的。大约在1830年至1850年间,人们根据它使用数字,于是将它定义为定量的社会科学。只在偶尔的情况下,如在比利时天文学家和统计学家阿道夫·凯特莱(1796～1874)的方案中,统计学是与数学概率相联系的。统计学家明确优先采用经验数据而不是理论的或数学的公式,这是为了迎合官僚用户和对政治感兴趣的中产阶级读者。

许多统计数字汇编都是官方完成的。有几个欧洲国家追随瑞典(1749)和美国(1790),于1800年前后进行了基本人口普查。19世纪30年代,欧洲许多主要国家(而非美国)建立了人口普查常设处。与贸易、工业、卫生、征兵、犯罪有关的各统计局大约在同时也建立起来了。这些努力几乎就是社会科学史的一部分,这不仅因为它们提供了必不可少的数据来源,而且因为它们的领导者在解释那些数字时常常起主动作用——这往往意味着,比方说,对公共教育或更高的卫生水平进行宣传。

29

还存在着一些私人统计机构,包括19世纪30年代在英国风行一时的市政统计会。这些统计机构大部分在几年内就垮掉了,但在伦敦和曼彻斯特的那些机构幸存下来,并最终得到成功,就像1839年在波士顿建立的一家美国统计会那样。也许因为是第一批献身于社会科学的长期协会,它们进入世界舞台是有点犹豫不决的。在伦敦,统计学家们非常担心统计学会变成政治性的,于是他们通过了一个著名的自律条例:统计学应当是一门事实科学;“其首先的、最本质的规则”是“排除意见”。[23] 这并不是早期技术专家治国论的无畏主张,而是在无法达到的客观性理想面前所做出的谦卑姿态。他们的科学感,以及某些人的官方职务的要求,都没有阻止“统计学家”发出进行某些改革的强烈呼吁。曼彻斯特统计会首先参与了这第一个工业城市的市政改善工作,很自信地发挥了作用。

这两家英国统计会在与它们的研究对象有关的研究方面是比较可靠的。它们或它们的代理人挨家挨户地走访,调查劳动人民、贫民、罪犯和移民的生活。如杨美兰所表明的,这些调查被用来从上述事实观察这些人,以记载他们的行为,发现使他们对自

[23] Michael Cullen,《维多利亚早期英国的统计运动:经验主义社会研究的基础》(*The Statistical Movement in Early Victorian Britain: The Foundations of Empirical Social Research*, New York: Barnes and Noble, 1975); Theodore M. Porter,《统计思想的兴起,1820 ～1900》(*The Rise of Statistical Thinking, 1820—1900*, Princeton, N. J.: Princeton University Press,1986)。

己的行为更负责任的方法。这也许就是19世纪剩下的时间及此后社会科学最具活力的使命,不仅在英国是如此,在欧洲和北美的许多地方也是如此。

当然,机构的形式随自愿捐助制度和教授行动主义的不同而大相殊异,前者在英国和美国最为突出,后者在德国尤为强大。经验主义研究(是统计学的特色,但不限于统计学)也是(英国)全国社会科学促进协会(NAPSS)的中心任务,该机构吸引了包括授爵贵族和政府部长在内的一批尊贵会员;从1857年起,它活动了约30年。在19世纪晚期,一个连锁的法国机构集团兴盛起来,其中大多数与"矿业与桥梁道路"(国家民用工程团)之类著名团体的高级官员有联系。巴黎统计会(成立于1860年)是其中最早的机构之一。这些机构的领导很可能与NAPSS一样有势力,而且实际上更有效率。桥梁工程师和社会改革家埃米尔·企松是勒普莱的追随者,他几乎参与了所有这些机构。美国社会科学协会是NAPSS的美国版本,它成立于1865年,但它从来就没有真正成功过。后来20年,社会科学在美国成为一件非常重要的事情,大学教授和市政改革机构担任了领导角色。[24]

30

殖民地社会科学在19世纪也成为一项重要工作。殖民地的管理者通过信件和出版物,发展出一种他们有时能将其付诸实践的人类学。[25] 例如在印度,英国尝试进行在国内决不会被容许的干预;而殖民地居民,像工人阶级居民那样,处于抵制统计学家调查的可怜地位。殖民地社会科学的显著(即使是讽刺的)成就,是将形形色色的印度种姓制度还原为一系列统一的、正式的分类。[26]

从理智上说,统计学与政治经济学有最密切的联系。在广义上,19世纪初英国和法国的统计学家在努力理解和医治工业化社会的弊病时,认为市场的合法性和自由企业的合法性是理所当然的。不过,在由让·巴蒂斯特·萨伊,而首先是由李嘉图所规定的传统中,抽象经济学几乎不需要经验数字。政治经济学家并没有抛弃他们的论题的道德和政治维度。而在法国和英国,政治经济学与自由化措施相联系,即放弃国家对生产、劳工和贸易的限制,不信任像贫困救济之类用来缓和社会不平等结果的制度。马尔萨斯论证说,慷慨的贫困救济是反作用的,由于它鼓励缺乏抚养手段地区的婚姻和生育,因而加剧了痛苦生活的程度。有些福音派信徒虽然对此表示怀疑,但他们仍

[24] Lawrence Goldman,《英国人的一个特色:19世纪英国的社会科学协会及社会学的缺失》(A Peculiarity of the English: The Social Science Association and the Absence of Sociology in the Nineteenth-Century Britain),见于《过去与现在》(*Past and Present*),第114页,以及第133页～第171页;Sanford Elwitt,《捍卫第三共和国:法国的资产阶级改革,1880～1914》(*The Third Republic Defended: Bourgeois Reforms in France, 1880—1914*, Baton Rouge: Louisiana State University Press, 1986);Thomas Haskell,《专业社会科学的诞生:美国社会科学协会与19世纪的权威危机》(*The Birth of Professional Social Science: The American Social Science Association and the Nineteenth-Century Crisis of Authority*, Urbana: University of Illinois Press, 1977);Dorothy Ross,《美国社会科学的起源》(*The Origins of American Social Science*, Cambridge: Cambridge University Press, 1991)。

[25] David Hoyt,《原始之浮现:社会福利、殖民地管理与人种学讨论,1870～1914》(The Surfacing of the Primitive: Social Welfare, Colonial Management, and Ethnographic Discourse, 1870—1914, 哲学博士论文, University of California at Los Angeles, 1999)。

[26] 见本书中Partha Chatterjee所撰章节;亦见Bernard S. Cohn,《南亚的人口普查、社会结构和客观化》(The Census, Social Structure, and Objectification in South Asia),见于他本人所著《历史学家中的人类学家及其他论文》(*An Anthropologist among the Historians and Other Essays*, Delhi: Oxford University Press, 1987),第224页～第225页。

宁可将自由放任的严酷性作为神圣苦修的一种形式。[27] 不论怎样，托马斯·卡莱尔那样的批评家谴责古典政治经济学是"沉闷的科学"。这门科学的苛刻性，以1834年的新济贫法为例，常常被归咎于它对演绎的严格依赖，这种依赖并不因关注经验事实和人类生活而削弱。

31

19世纪70年代初，政治经济学开始用数学的方式改写，从这时起，像统计学家和经济学家威廉·斯坦利·杰文斯（1835～1882）那样的作家会论证说，经济学应当是数学的，因为它的资料是定量的。但杰文斯的数理经济学与李嘉图的数理经济学相比，并没有为插入资料提供更多的机会。在19世纪三四十年代，某些资本主义批评家欣赏李嘉图的风格，因为它有毫不妥协的逻辑，似乎揭示了资本主义制度的根本不公正。在此意义上，卡尔·马克思也是李嘉图学派的人，尽管他像其他为工人阶级读者写作的通俗经济学家一样，为了揭示资本主义的不道德，为了维护一个根本不同的经济制度，而调用李嘉图的假设。[28] 相比之下，中产阶级社会改革家在方法论的基础上批判古典政治经济学。他们得到某些自然科学家的加盟，在后者看来，献身于具有经验和实验精确性的道德体系，比逻辑或数学的严格性更重要。科学上的反对意见往往支持政治上的反对意见。威廉·维赫维尔是伦敦统计学协会的创始人之一，是一位有影响的自然主义者和科学哲学家，他不遗余力地支持他的朋友理查德·琼斯在经验的基础上建立政治经济学的努力。对古典政治经济学爱恨交加或更加不利的情感，本来就是创建统计会的理由之一。[29]

在德国，尤其是在1870年统一之后，经济学与统计学走到了一起。经济学与统计学的联合是以彻底抛弃德国人所谓的**自由贸易主义**的李嘉图古典理论为先决条件的，它有利于支持统计经济学的更具历史性的研究。这一活动的通常所在地是由古斯塔夫·施穆勒领导的社会政策协会。虽然它的某些成员在官方统计机构中任职，但其最杰出的成员是教授。对他们来说，学术上的见解与热情的鼓吹是完全相容的，至少直到20世纪初马克斯·韦伯对他们在客观性名义下的改良主义进行批判时是如此。19世纪反对他们的人将他们称作**讲坛社会主义者**或教授社会主义者。他们在某些方面使基思·特赖布撰写的章节中所讨论的将经济理智当做国家实践工具的德国启蒙理想永存不朽。不过，这些教授比他们18世纪的前辈有更大的独立性，他们的作品在政

32

[27] Donald Winch,《财富与贫困：英国政治经济的理智史，1750～1834》（*Riches and Poverty: An Intellectual History of Political Economy in Britain, 1750—1834*, Cambridge: Cambridge University Press, 1996）; Boyd Hilton,《赎罪的时代：福音派教义对社会与经济思想的影响，1785～1865》（*The Age of Atonement: The Influence of Evangelicalism on Social and Economic Thought, 1785—1865*, Oxford: Clarendon Press, 1988）。

[28] Noel W. Thompson,《人民的科学：剥削与危机的通俗政治经济学》（*The People's Science: The Popular Political Economy of Exploitation and Crisis*, Cambridge: Cambridge University Press, 1984）。

[29] Theodore Porter,《严格性与实践性：19世纪经济学中对立的量化观念》（Rigor and Practicality: Rival Ideals of Quantification in Nineteenth-Century Economics），见于《经济学思想中的自然图像：从牙齿和爪子中理解的市场》（*Natural Images in Economic Thought: Markets Read in Tooth and Claw*）Philip Mirowski 编，（Cambridge: Cambridge University Press, 1994），第128页～第170页；Lawrence Goldman,《英国"社会科学"的起源：政治经济学、自然科学和统计学，1830～1835》（The Origins of British "Social Sciences": Political Economy, Natural Science and Statistics, 1830—1835），见于《历史杂志》（*Historical Journal*），26（1983），第587页～第616页。

治上更坦率。他们那个时代的重大问题是19世纪末以从来未有的步伐前进的德国工业主义所造成的社会混乱。与之俱来的是群众性的工人阶级政党出现了,俾斯麦关于男子普选权的办法使这成为可能,但此后十多年工人阶级政党又被官方禁止。

如特雷尔·卡弗撰写的章节所表明的,德国的社会民主不仅适合于马克思主义政党,也与作为社会科学的马克思主义的核心相适应。马克思本人开展了对他那个时代社会变化的一系列探讨——哲学的探讨、历史的探讨和经济的探讨。1848年革命失败后,他越来越转向经济学,至1867年《资本论》第一卷出版时,他已经阐发了关于资本主义内在不可避免的崩溃的若干论证。同时,他大力分析英国官方的统计报告,他认为这些报告的完整性几乎是理所当然的。他还积极参与组织国际工人运动。与工人政党结成联盟的知识分子,尤其在德国,将马克思主义发展成一个自立的社会科学传统。虽然大多数历史经济学家反对由社会民主的代表者提出的激进解决办法,但他们并非不受其批判的影响。他们对社会主义对政治秩序的威胁也有深刻印象,他们希望通过明显可觉察的社会改良办法来消除这种威胁。于是,他们支持代表农民和工人的国家行为,包括社会保险和组织工会权。在某些方面,他们是福利国家或"社会国家"的有理智的缔造者。他们反对似乎反映着古典经济学和激进社会主义的意识形态极端主义的东西,赞同统计的和历史的研究,以便让经验来决定哪些干预是有效的。

历史经济学家发展出一种语言和一套概念,为的是将他们的科学(Wissenschaft)形式与自然科学(Naturwissenschaft)作对比。后者代表了决定论(缺失个人或政治的力量),代表了无时间的一律性而非历史的变化。他们无情地谴责凯特莱将统计学变成"社会物理学"的宏愿及其不可改变的"统计律"是误入歧途。[30] 因而他们将社会科学理解为与自然科学是对立的,遵循了如约翰·海尔布伦所讨论的向18世纪回归的传统。不过,他们所抛弃的是机械学而不是生物学。生命科学与数理物理学相比,似乎不是那么严格决定的,与专家的指导和改造比较一致。一般来说,对社会科学的科学模式的确定,不但是理智的决定,也是政治和意识形态的决定。

社会科学中的自然主义与反自然主义

33

"社会"一词在19世纪获得了它在18世纪所不具有的含义。社会思想者着手将社会理解成一个动态的、渐进的、可能易变的、在某方面比国家更根本的实体。凯特莱的德国批评家论证说,他试图根据"一般人"的特点来理解社会,就好像个人的品质直接变成了一个民族的特征,是犯了根本的错误。他们也拒绝他关于社会的自然规律的"机械"看法,这一看法没有为有效的社会改革留下任何余地。这些反对意见在某种意义上是弄错了,因为凯特莱不会错误地将他的科学看成是理性进步的工具。他们只是

[30] Porter,《统计思想的兴起》(*Rise of Statistical Thinking*),第162页~第192页,第240页~第255页。

被他的机械类比所激怒。在19世纪的进程中，将社会与物理学相混淆已变得越来越不可接受，尤其在德国更是如此。

与此相反，新古典经济学的崛起，尤其在英国和美国，标志着对历史主义的放弃和对作为一种科学模式的机械论的认可。由于古典政治经济学基本学说的单纯性，所以它总显得能用数学公式来处理。19世纪70年代初，当曼彻斯特的杰文斯和洛桑的里昂·瓦尔拉斯通过他们的边际效用理论而做到这一点时，他们依赖于物理的理解和类比。尤其是瓦尔拉斯，他在推演经济学中的普遍均衡数学时，非常严格地遵循他数十年前当学生时学到的机械学。[31]

心理学从自然和哲学模式的更复杂领域中显露出来。在18世纪，大卫·休谟和大卫·哈特莱都以牛顿的术语来论述心灵。在19世纪，由古斯塔夫·西奥多·费希纳(1801～1887)宣布的“心理物理学”形成了一门新的实验室学科的基础。他的目的是形而上学的，即通过确立人的感觉与物理刺激相联系的规律，摧毁心物二元论。他不是将机械世界重构为某种外在的东西，而是重构为与心灵不可分割地联系在一起的人类经验元素。作为一种实验纲领，心理物理学终于得到由威廉·冯特(1832～1920)首先发展起来的一种新实验室的支持。他的实验室挤满了电机和生理仪器，除了用于检测实验对象区分不同的重量、颜色和亮度的能力外，还检测其反应时间和基本思想过程的持续时间。冯特常常被称作科学心理学的缔造者，他为一代美国研究者确定了这一领域。虽然许多人被争取到测量伦理学一边来，但仍然有少数人，指望用物理学为心理学理论提供基础。[32]

34

生物学而非物理学，是19世纪新生社会科学的关键参照点。诚然生物学不是单一的事物，而是多重的事物，而且在这一时期的生物学仍然是初级的——正如社会科学的情况一样，生物学各学科主要是在19世纪末美国的大学中设立起来的。此外，社会科学与生物学在方法和类比上的交流是双向的。决不能将社会科学的形成说成仅仅是生物学发展的结果，这里的情形是以各种各样的方式、在各种各样的层次上互相适应、互相区别。

人类学，尤其在法国，是1800年前后几十年间“人的科学”各主要学科之一，它很容易将生物科学与精神科学结合起来。对身体、心灵和习俗的研究据认为导致了一些补充结论。医学是这一研究计划的核心，而在19世纪初，医生为社会科学提出了各种各样的医疗方案。有一个方案是从将政治秩序比作人体的古代比喻中引出的，它包含了一种社会生理学。另一方案与19世纪三四十年代的公共卫生工作相结合，从事法国人所说的“公共卫生学”。有一成功的杂志是以《公共卫生年鉴》(*Annales d'hygiène publique*)为名发行的，它声称其宗旨不仅仅要促进严格而言的公共卫生，而且要与犯罪

〔31〕 Philip Mirowski，《热而不是光：作为社会物理学的经济学，作为自然经济学的物理学》(*More Heat than Light: Economics as Social Physics, Physics as Nature's Economics*, Cambridge: Cambridge University Press, 1989)。

〔32〕 Smith，《丰塔纳人类科学史》，第14章。

和贫困之类的社会疾病作斗争。这一努力与生理学的努力不同,它是与当时的统计学运动联系在一起的。

奥古斯特·孔德也许是对那时的科学独一无二博学的人,他热烈赞扬 19 世纪初的新生理学,尤其是扎维埃·毕夏(1771～1802)的工作。约翰·海尔布伦撰写的章节探讨了这一关联。毕夏及其同代人乔治·卡巴尼斯要求从实验上证明活物体的生命力应当不需要机械科学的计算。他们大胆地论证说,生理学是与一类特别现象有关的,它应当独立于物理学。同时,毕夏将这种医学理解说成是社会生理学这门社会科学的恰当基础。这个论证并不是单纯的还原的;毕夏的意图是要证明社会同样是关于无生命自然的数理科学所不及的。孔德将这一新生理学作为模式用于他自己的计划。他将其命名为"社会学"的这门科学同样不依赖于此前已经出现的那些比较容易的科学。他为各门自主科学的等级分类作了论证,该分类次序是根据时间按复杂性从低到高依次排列的:数学、天文学、物理学、化学、生理学、社会学。根据孔德所说,毕夏的错误是没有将他要求生理学进行的同样考察推广到社会学。 35

如斯蒂芬·特纳的论文所表明,孔德是一位重要而有影响的科学哲学家,尤其是一位重要而有影响的社会科学哲学家。他对社会的理解至少在反对机械论的意义上是生机论的,并因而与对有机体的生物学理解保持相似。孔德关于数学对于社会科学的价值的怀疑主义,以及他对孔多塞顺理成章的批判,就是这种观点的一个表现。他论证说,数学适合于不太复杂的科学,诸如物理学,但不适合于生理学,对社会学几乎毫无用处。他还反对统计数字的经验主义运用:虽然当社会学理论已经阐明了它的根本概念之后,可以想象数字也许是有用的,但是数字不能提供使社会学最初成为科学的手段。他将他的同时代人和对手凯特莱所说的"社会物理学"当做"纯粹的统计学"而置之不理。尽管如此,他仍无法阻挡统计学融入他声称他所发现的那门科学,即社会学。[33] 最值得注意的是,在 19 世纪 90 年代,埃米尔·迪尔凯姆将统计学当做对自杀的社会学研究的基础。不过,迪尔凯姆保持了孔德的社会观点的生机论倾向,他像孔德也会做的那样,在能对数字做出解释之前,坚持恰当的社会学分类。迪尔凯姆还利用了孔德从 19 世纪初医学中借来的规范医学与病理医学之间的根本区分,将它作为对整个社会的健康进行评价的基础。[34]

简·戈尔斯坦撰写的章节对孔德的模糊的心理学观点作了分析。孔德偏爱颅相学,也即偏爱对心灵的生理学探讨,他的这种偏爱在某种意义上是还原论的,但在其背后是虔诚的反个体主义,这反映出他的这样一种理解,即社会就像一个有机体一样。他还因几种理由而讨厌政治经济学,其中一个理由在于他的如下信念(或可称之为整体论的信念),即社会科学不应当被分裂成块。密尔在许多方面是孔德的赞赏者,但他

[33] Ian Hacking,《驯服偶然》(*The Taming of Chance*, Cambridge: Cambridge University Press, 1990)。

[34] Georges Canguilhem,《论规范的和病理的》(*On the Normal and the Pathological*, 1943), C. R. Fawcett 译,(Dordrecht: Kluwer, 1978)。

不同意孔德的这一观点，他赞成把政治经济学看成是一门特殊科学，它只与人类行为的一个重要方面即追求个人利益有关。孔德激发起英国政治经济学的一个历史学派，它与德国的历史学派大致是同时代的。它的成员要求把经济领域理解成一个更广泛的社会科学的一部分，而不是将它归结为关于生产、消费和贸易的抽象命题。

各种进化理论设定了生物学与社会科学相互作用的另一个重要领域，这个领域带来了相当不同的政治反响。整个19世纪，从让－巴蒂斯特・拉马克到埃姆斯特・海克尔及其他人，生物进化论与其说是机械论的，不如说是目的论的，因为它包含了物种向更完善发展的目的论的进程。在19世纪末的社会进化论者中，这种理解的影响仍比查尔斯・达尔文的自然选择理论的影响大，即使在此之前《物种起源》（*Origin of Species*, 1859）一书已经使"进化"受到科学上的尊重。19世纪末典型的社会进化论者是赫伯特・斯宾塞，他将生物学的和社会的进步看成是与一个更普遍的规律，即同质的物质变得越来越复杂和异变的趋势相类似的情况。达尔文本人特别强调他对自然选择机制的发现，这一机制不需要自然中的设计和目的。在达尔文走向成熟并系统阐述其理论期间，即从19世纪20年代末至30年代，主要的经典历史学术观点是将对自然选择的发现与英国资本主义社会的严酷联系在一起，与马尔萨斯的社会学说的无情联系在一起。[35] 达尔文确实从马尔萨斯的人口理论中学到了某种至关重要的东西。不过，在19世纪的社会理论中，自然选择学说只是一个朴实无华的角色，实际上即使在生物学中也没有得到广泛的支持。

生物进化对于社会人类科学的更大意义，确切地说，在于它为人类文化的生物学解释提供的可信性。虽然在这件事中它不是推动力量，但是它确实提供了许多人发现能满意说明人类种族差异的一个框架。与它相联系的最重要学说之一是人种学说。如埃拉扎尔・巴坎在他撰写的章节中所证明的，虽然人种语言可以追溯到启蒙运动，但那时它是一个比较含糊的概念，未与经验和文化的结果截然区分开来。19世纪初种种因素的共同作用使人种学说凸显出来，它尤其成为反对越来越强烈的道德谴责以捍卫美国南部奴隶制的一种努力。与宣讲全人类共同血统（人类同源论）的《圣经》相反，人类起源的多源论发展起来了。为了支持种族差异学说，或有时如凯特莱那样为了对它进行挑战，统计学对于称重和测量的推动作用在对人体的测量研究中，通常是对人颅骨的测量研究中，也显现出来。19世纪30年代，因家庭背景的影响而成为人类同源论者的达尔文对人类种族发生兴趣，将其作为一个物种随时间推移而出现生物差异的例证。后来他相信他的进化论以对共同血统论的支持而将这个问题一锤定音，但它并不排除各种族中存在重大差异的可能性。

民族志的主要资料来源之一，如哈里・利贝尔松撰写的章节所表明的，是对远方

[35] Robert Young，《达尔文的隐喻：自然在维多利亚文化中的地位》（*Darwin's Metaphor: Nature's Place in Victorian Culture*, Cambridge: Cambridge University Press, 1985）。

民族的游历描述。对这一来源的科学性的断定由于法国、美国和英国的“人种学”协会的建立而得到加强,这些协会都是在1840年后几年内成立的。在德国也有从事民族志著述的强大传统。人种学家阐发了对于劳动的等级划分,这种划分一直沿用到约1900年,在这期间,只有来自该领域观察者的报告才被看做是原始材料之类的东西。虽然杰出的人种学家未被禁止游历,但他们通过更加书卷气的活动,如收集各种出版物和通信,并将它们综合起来以说明原始民族的生活、传说、宗教信念的样式和婚姻形式,来赢得他们的地位。这与最初那些自然科学形成了对照,其中以地质学为明显,对地质学来说,仅仅进行观察和收集材料仍属于低级阶段的工作,它还要求其杰出成员经常到野外去,弄清重要地点的地层情况。民族志著作的倾向一般是恩赐而同情的。民俗学者收集欧洲与世隔离的农村居民的情形,以便将这一逐渐消失的生活方式的某些痕迹保存下来,与此相似,当欧洲人的勘察、贸易、征服和殖民使土著民族受到生物学或文化灭绝的威胁的时候,民族志就与努力保存土著民族,或至少保存他们的遗迹联系在一起了。

37

早期人种学家还对他们所研究的民族的身体特征感兴趣,但将生物特征确定为首要特征的动向是后来才出现的。大约1860年在巴黎和伦敦几乎同时形成的所谓“人类学”协会中这一动向被非常尖锐地表现出来。在那些年中,“人类学”一词开始用来指对“人”的特定生物学的研究。人类学协会的成立与《物种起源》的出版在时间上的一致多半是巧合,因为大多数“人类学家”都反对达尔文,而他的某些杰出的支持者,包括托马斯·亨利·赫胥黎在内,都活跃于英国人类学协会中。广泛的文化人种学和那种狭隘的种族主义人类学继续争斗了约20年。当它们在英国走到一起时,主要是依据人种学家的主张,尽管是在人类学的名义下。[36] 19世纪末还标志着严厉的种族隔离和等级制学说的兴起。这种种族主义是“社会达尔文主义”所意味的观点的重要部分;虽然它那里几乎没有达尔文主义特有的东西,但它是以生物学的方式表述的,有时是用关于通过竞争而进化发展的语言来表述的。

方法论方面的著作,诸如迪尔凯姆关于社会学那样的著作,促使现代读者们猜想,专业社会科学的诞生意味着一个自主的社会领域的创立,甚至意味着社会、经济、文化和思想各独立领域的创立。对生物学还原论的有组织的反抗在某些情况下确实是重要的,但生物学在19世纪末的社会科学中有巨大的威望和影响,它的意义不仅仅是进化生物学或生理学的“影响”问题。更重要的是,它是以生物学理论、社会理论和实践相混合的方式表现出来的,比如像赫伯特·斯宾塞的进化社会学,弗朗西斯·高尔顿通过生育选择来改进人类的优生运动,即弗朗茨·博厄斯为捍卫人类学而奋力反对的种族主义,拉马克学说中的西格蒙德·弗洛伊德的精神分析因素等。这些新理论也卷

38

〔36〕 George W. Stocking, Jr.,《维多利亚时代的人类学》(*Victorian Anthropology*, New York: Free Press, 1987); Laurent Mucchielli,《社会的发现:法国社会学的诞生》(*La Découverte du social: naissance de la sociologie en France*, Paris: Editions la Découverte, 1998)。

入了政策斗争中。在 19 世纪末,生物学最常被用于支持保守的、杰出人物统治论的见解,而不是站在社会变化和改革方面。

学科化的介入:专业人员和改革家

本导论如同第一部分中的其他章节一样,强调各种社会科学传统之间的相互关系,强调它们与自然科学的联系的重要性,而首要的是强调它们在改革、管理和意识形态中的实践作用。如果论文的篇幅更长一些,也许会更多关注与法律、宗教和哲学有关的社会科学。这样做的部分目的是要颠覆关于这一历史的不合时代的写作实践,即把该历史写成好像是如下情况:对社会、思想、文化和经济的研究一直就是在明显的思想和实践传统中进行的,这些传统发展成当今我们所熟悉的各领域。多萝西·罗斯为第二部分写的导论表明,现代学科的形成即使在 20 世纪也是逐渐的,有时是非连续的。不过,这里提出的话题不能被概括为一场反对学科的斗争,好像直至 19 世纪末的社会知识是松散的、非系统的。我确实提倡一种历史主义的研究,这种研究承认社会知识变化着的结构、界线、目标和实践。而这种历史主义同样适用于研究当代性较强的知识,不论这知识被怎样学科化了,我们应同样把它理解为一个更大的文化、理智、政治、行政的历史的一部分。第一部分各章,以及本书从头至尾,都是从广泛的视角考察社会科学,以便将内部和外部、知识和社会联系起来,最终模糊它们之间的界线。从这一观点看,即使当社会科学的学科划分看起来几乎无法穿透的时候,它也存在某种统一:各门社会科学共同加入到某种更为广泛的东西中。

社会科学各学科不是在"颓废的"*美国发明的。人们可能怀疑是否曾有任何领域像德国的统计科学那样为它的独立性而担忧。即使在 C. G. A. 克尼斯于 1850 年发表他关于《作为自主科学的统计学》(*Statistics as an autonomous science*, *selbständige Wissenschaft*)的纲领性著作之前,以及此后更晚一些,大量出版物都在询问:我们怎样界定和实践这门科学,才能使它值得享有独立的存在?当然,这种反思性作品在很大程度上是由这门学科形成时的不完善、不稳定引起的,由对它的界定的普遍不一致引起的。然而,统计学必定是一门专门科学,它有自己的对象和方法。19 世纪德国大学教授职位的设置几乎都要求有这门科学。[37] 第三共和国统治下的法国地理学的形成,以及 1870 年后英国政治经济学的形成,也有助于揭示如下事实:多萝西·罗斯这里所说的"学科规划"并不是美国独有的,也不是 19 世纪 80 年代发明的。不过,这些科学中的每一个(不论它们的实践者多么强烈渴望创造一个与众不同的教学和研究领域)都

39

* fin-de-siècle,原意为"世纪末的"——译者注。

[37] Theodore Porter,《没有法律的社会:社会科学及对德国统计学的重新解释》(Lawless Society: Social Sciences and the Reinterpretation of Statistics in Germany),见于《或然的革命》(*The Probabilistic Revolution*),第 1 卷:《历史中的观念》(*Ideas in History*),Lorenz Krüger, Lorraine Daston 和 Michael Heidelberger 编(Cambridge, Mass.: MIT Press, 1987),第 351 页~第375 页。

被设计成在国家生活中发挥重要作用。向内看与向外看并不是不一致的。这些学科有助于给社会知识以可靠性，有助于培养可能对经济学和政治学至关重要的技术方法。

最后，19世纪末美国的社会科学发展有某种与众不同的，甚至可能是划时代的东西。美国新的研究大学的规模是前所未有的，而它的传统的精英人才相对薄弱，这就允许社会科学在那里呈现独一无二的结构和作用。然而，在那时，由于广为相似的原因，即使欧洲人并不追随、有时还积极反对美国社会科学制度化的方式，欧洲的社会科学的重要性也在增长。有实效的社会科学似乎不可避免地要应对19世纪末“第二次工业革命”巨大的经济、社会和政治变化，这些变化在德国和美国尤其是决定性的。社会科学，不论是大学内的还是大学外的，都与移民问题、城市贫困问题、工业劳动力问题、民众激进主义问题、经济波动问题密切相关。如阿兰·多贝索所论证的，福利国家与社会科学的各种新论据和新形式一同发展起来。虽然社会科学与西方现代性之间的联系也许在西方之外（如在日本和中国）被最敏锐地认识到，但这一看法是一个基本的看法。对于社会科学正逐步形成的方法和理智内容，及其变化着的制度形式，历史学家不仅仅或主要将它们看成是一系列内在的理智发展，而且将它们看成与已经对整个世界发生影响的一系列更为重大的变化有关。

（周晓亮　译）

3

40

社会思想与自然科学

约翰·海尔布伦

在影响现代社会科学形成的传统知识中，自然哲学和自然科学都起了重要的作用。在许多重要方面，这个新兴的学科也汲取了包括人文主义哲学、法律知识、政治读本、基督教神学、旅行报道和文学与道德文章在内的养料。然而，自然科学给现代社会科学提供了一组具有持久影响的模式，这一模式超越了联想式类推和解说式隐喻。这些影响在启蒙时期到19世纪最后30年间显得尤为突出，而这段时间也正是本文论述的范围。[1]

自然主义与道德哲学

在18世纪，新的自然哲学作为最可靠的和最权威的知识体系出现在欧洲。当然不可避免地是人们也认为它与政治思想和道德哲学密切相关。作为最基本的形态，它追寻的是自然规律和自然法则，而不是超自然的力量。如果把自然主义的观点用在道德哲学的领域中，则大概体现一个类似的观点：它考虑到了从基督教教义转向非宗教的模式，并且能够提供了可信的知识，通过这些知识，我们可以避免得出16、17世纪“怀疑论危机”这种相对论性质的推论。[2]

41

现代自然法则最早由雨果·格老秀斯(1583～1645)提出，它根植于自然主义对人性和人类社会知识探索的传统中。它在整个17世纪和18世纪的大部分时间里给国家和社会问题的解决提供了一个卓越的总体框架。像托马斯·霍布斯(1588～1679)和塞缪尔·普芬多夫(1632～1694)这样的自然法则理论家就提出了关于道德责任和政治义务的详尽体系，这个体系建立在人类本性的那些永久性特征之上，对自卫本能

[1] 全面的论述参见 Christopher Fox, Roy Porter 和 Robert Wokler 所编的《创造人类科学》(*Inventing Human Science*, Berkeley: University of California Press, 1995)；Roger Smith,《丰塔纳人类科学史》(*The Fontana History of the Human Sciences*, London: Fontana Press, 1997)在美国翻译为《诺顿人类科学史》(*The Norton History of the Human Sciences*)；Johan Heilbron, Lars Magnusson 和 Björn Wittrock 所编的《社会科学和现代性结构的兴起》(*The Rise of the Social Sciences and the Formation of Modernity*, Dordrecht: Kluwer, 1998)。

[2] Richard Popkin,《从爱拉斯谟到笛卡尔的怀疑主义的历史》(*The History of Scepticism From Erasmus to Descartes*), 修订版(Berkeley: University of California Press, 1979)。

的关注就是这样的例子。有时候，与自然法学相联系的是诸如政治经济学、政治算术、公共财政学等各种形式的学科，这些学科出现在早期现代国家的建立过程中。道德性文章主要是关注包括道德和行为方式在内的个人事情，而不是政府和法律，它也代表了另一个知识流派。人性论为细化道德和政治规范提供了一个概念性基础，然而直到启蒙时期，这并没有促使人们认识到对社会和政治现实以外事实进行研究的必要性。

尽管人们经常谈到自然哲学，但他们所说的既不一致也不矛盾。提到自然科学时，人们经常用机械来做比喻，并把世界想象成一个有序运转的机器，但这并没有排除把世界作为有机体的比拟。一些自然哲学的提倡者坚持认为观察和经验是第一位的，但其他一些人却更注重理性推论。度量和数量对某些人来说是必不可少的科学方法，但许多人却不这样认为。因此，即使现代早期的这些观点都处于一个共同的自然主义框架之下，它们也很难在方法和内容上保持一致性。

如果启蒙时期是社会科学形成的时期，那么这主要是因为一群非宗教知识分子明确声称，他们有权分析任何与已存的权威和正式法规无关的问题，并且他们也在有效地利用着这些权力，然而对此人们是有争议的。政治、道德、经济等方面文章的日益繁荣以某种早被自然法则体系遗弃了的方式，向人们展示了这些非宗教主义者对事实证据和细节的依赖。它的一个革新信号就是引进新的术语来取代曾称之为道德哲学或自然法学之类的称号。“道德和政治科学”这样的表达，最早出现在 18 世纪 60 年代的法国物理学者中间。此时，“社会的”和“社会”这两个词也在法国和苏格兰流行起来。在革命时期，“社会科学” 这种表达方法也在西耶士、孔多塞和其他 1789 协会成员的著作中被创造出来。总的来说，它是指宽泛意义上的包括政府和法律在内的科学。直到 30 年之后这个术语才正确地用英语翻译为“社会科学”(取代了“道德科学”)，德语国家引进这个术语的时间要更晚一些。[3]

42

自然科学与社会思想

自然科学对社会科学的重要意义主要体现在三个典型的趋向上。每一个趋向都冠以一种特别的理智策略，都是与自然科学相关的一个特殊阶段。

第一种趋向是企图建构一种直接来源于或建立在自然科学之上的社会学科。它的目的是把自然科学的方法和它的概念化的模式照搬到社会科学的领域。这样尝试中的一些来自于数学和力学方面的原理，其他的则来自于生命科学。在 18 世纪的后

〔3〕 Keith Michael Baker,《启蒙与社会制度：概念史注释》(Enlightenment and the Institution of Society: Notes for a Conceptual History)，见于《文化历史中的主要趋势》(*Main Trends in Cultural History*)，Willem Melching 和 Wyger Velema 编 (Amsterdam: Rodopi, 1994)，第 95 页～第 120 页；Brian W. Head,《法国社会科学的起源，1770～1800》(The Origins of “La science sociale” in France, 1770—1800)，见于《澳大利亚法国研究学报》(*Australian Journal of French Studies*)，19 (1982)，第 115 页～第 131 页；Johan Heilbron,《社会理论的兴起》(*The Rise of Social Theory*, Cambridge: Polity Press, 1995)。

几十年中这两种尝试开始有了关联，并产生了一个主要的学术上的争议。约翰·斯图亚特·密尔在19世纪60年代说，所有关于政府和社会的思考都打上了这两种理论冲突的烙印。在力学概念中，人类制度被看做与蒸汽机引擎和脱粒机没有实质性的区别。这种思维模式是原子论式的，并且从机械发明的原理来看，这种模式是基于理性设计的计划基础之上的。这种理性主义—机械论的思想与根据有机进化论而阐发的思想相对立。在后者看来，社会制度是自然产生并成长的，社会科学被看做是自然历史的一个分支而不是社会工程学的分支。[4]

第二种趋向来自于对自然科学和它在认知论结果上的不同。启蒙运动的后期，生命科学中活力论作为一种潮流的兴起对整个科学有着至关重要的影响，它致力于对单一自然哲学概念的替换。在自然哲学的废墟上产生了生命体与非生命体之间的基本分歧，后来在反映新兴科学规律的层面上也存在分歧。一旦生物学与物理学相区分，作为一个总体意义上的生命科学，这个潜在的争议就可能转向自然科学领域。由于生物学已经与化学和物理学相区分，这样奥古斯特·孔德也把社会学从生物学中区分开来。社会科学对孔德来说是一个相对独立的学科，它有自己的主题和特殊的研究方法。所以自然科学规律之间的差异性给社会科学的科学化提供了另一种选择，并且反对对现存科学学科的效仿，赞成探索每一门科学自有的科学法则。尽管这种方法属于自然科学主义的范畴，但它绝对是旗帜鲜明的简化论者。

43

第三种趋向是作为反对人文科学中自然主义的流行范式的代表。它的这些内容或通过人文主义或通过文化来详细论述，这些论述使自然科学在坚持机械学原理和临时模式的同时变成了批评主义的目标。

尽管这三种趋向在时间上有所重叠，但总体说来它们是前后相继的。道德和政治论述的科学模式出现在规则差异性之前，而规则差异性反过来又位于文化科学或精神科学的完全反模式详述之前。然而更新的趋向不能简单地代替它的前任，但它可以服务于拓宽认识论意义上的可能性范围。

尽管道德哲学这个科学概念没有明显地限用在英格兰、苏格兰和法国等范围之内，但是在这些地方它却是用得最多的。它最远可以追溯到大约1770年到1830年的法国，那时巴黎是欧洲的科学之都。"社会数学"、"社会力学"、"社会物理学"、"社会生理学"等这些关于社会科学的名称就是在这几年内在法国创造出来的。关于差异性的第二个趋向特别是以生命科学中的生机理论潮流为基础的，它在许多国家出现过，却是在法国被系统地阐述的。在法国，活力论在生物学和社会学领域都有特别的影响。文化主义者的对抗运动在好几个国家兴起，但在德国影响最大。德国的科学自然主义反对者在学术的萧墙内对自然主义进行反驳，然而英国和法国对自然科学的批判

[4] John Stuart Mill，《代议制政府研究》(*Considerations on Representative Government*, 1861)，见于《功利主义、自由、代议制政府》(*Utilitarianism, Liberty, Representative Government*, London: Everyman's Library, 1964)；Werner Stark，《社会思想的基本形式》(*The Fundamental Forms of Social Thought*, London: Routledge, 1962)。

则多在文学作品中,远离学术的范畴。为了反对把所看到的都作为自然科学的反历史简化论,他们发展了一套基于正确文化科学基础之上的解释或解释方法论。

道德理论与政治理论的科学模式

在这三个趋向中,科学化是最古老的和真正主要的。[5] 早期的例子可以追溯到科学革命开始的时候,格老秀斯敬佩伽利略并尽力在他的自然法则体系中遵循数学理想模式,托马斯·霍布斯运用几何学的推理方式来对相关联的个体进行力学上的定义,而所有这些个体都是由他们所关心的个人利益所驱动。牛顿主义是道德世界里自然科学的一股新的驱动力。牛顿又成了 18 世纪道德和政治论文中提到的人物之一,这些变革是由苏格兰的道德哲学家和法国的哲学家领导的。对苏格兰来说,道德哲学是作为必然的实验科学来看待。不管怎样,这也是当时大卫·休谟(1711~1776)提倡的观点,那时他把《人性论》(*Treatise on Human Nature*, 1739—1740)“叙述为把推理实验方法用到道德学科领域的一次尝试”。他的这种抱负不完全是新奇的,他也不是牛顿式的道德科学的唯一代表,但他为许多同伴起了模范带头作用。在一个与 1707 年的英格兰联盟的非政治化国家中,超越古典政治学理论边界的方法具有很大的吸引力。

苏格兰哲学家分析认为政治学和法学基本是依靠经济结构和相应的道德模式以及行为方式的。他们认为相互联系的四个历史阶段是,从狩猎开始到放牧阶段,再到农业阶段,最后是商业阶段。这种从野蛮到文明的发展方式,成为亚当·斯密的商业社会理论,亚当·弗格森的《论市民社会的历史》(*An Essay on the History of Civil Society*, 1767)和约翰·米勒的《阶层区别的起源》(*The Origin of the Distinction of Ranks*, 1771) 三者的共同背景。[6]

对于亚当·斯密(1723~1790)和休谟来说,对现代文明社会进行这样的历史设计是站在他们认为的科学立场上,他们都反对把一种假定的“自然状态”作为论辩的基础,因为其中已经蕴涵了作为人类制度基础的契约协议。休谟认为没有理由相信在社会存在之前会存在这样的一种状态。作为一个纯粹的假设建构,这种观点和经验科学的规则是不相容的。而且在他看来,契约和其他法律规则必定是一种传统性而不是自然性。

[5] Theodore M. Porter,《自然科学与社会理论》(Natural Science and Social Theory),见于《现代科学史指南》(*Companion to the History of Modern Science)*, Robert C. Olby, Geoffrey N. Cantor, John R. R. Christie 和 M. J. S. Hodge 编(London: Routledge, 1990),第 1024 页~第 1043 页;Richard Olson,《社会科学的出现,1642 ~ 1792》(*The Emergence of the Social Sciences, 1642—1792*, New York: Twayne, 1993);I. Bernard Cohen 编,《自然科学和社会科学》(*The Natural and the Social Sciences*, Dordrecht: Kluwer, 1994);Sabine Maasen, Everett Mendelsohn 和 Peter Weingart 编,《作为社会学的生物学,作为生物学的社会学:隐喻》(*Biology as Society, Society as Biology: Metaphors*, Dordrecht: Kluwer, 1995)。

[6] Gladys Rryson,《人与社会》(*Man and Society*, Princeton, N. J.: Princeton University Press, 1945);Ronald Meek,《社会科学与无知的野蛮人》(*Social Science and the Ignoble Savage*, Cambridge: Cambridge University Press, 1976);Istvan Hont 和 Michael Ignatieff 编,《财富与美德》(*Wealth and Virtue*, Cambridge: Cambridge University Press, 1983)。

休谟认为,如果人的科学真是经验的,那么我们就不能超越经验。“因此我们必须仔细观察人类生活,从中积累这门学科的经验,当它们出现在这个普通的世界中时,我们要接受它们”。“当我们非常明智地在这个世界中收集这些经验并对它们进行比较时,我们可以由此建立一种科学模式,在确定性上它不一定不如其他科学模式,而在实用性上它却远高于其他对人类社会的理解模式”。[7] 对休谟来说,人类历史是与道德哲学相联系的,而经验是与自然哲学相联系的。这些观点使人们很少再对自然状态和自然规则进行考虑,而把目光转向了人类社会的历史科学。因而它的一个中心议题是关心社会进步的可能性,解释社会的相对进步与落后。这也是亚当·斯密在他的《国富论》(*Wealth of Nations*, 1776)中的中心话题,这促使亚当·弗格森(1723～1816)和其他的人建构了公民社会的历史,并将其作为在社会状态下人的自然历史。他们的这些努力是希望发展一种理解历史的全新的观点:穿越时间的不断积累和进步的运动。

按照苏格兰人的观点,许多哲学缺乏像社会哲学那样恰当的标准。对此有异议的主要是孟德斯鸠(1689～1755)。就像休谟所提出的一样,孟德斯鸠的代表作《论法的精神》(*De l'esprit des lois*, 1748)受到广泛的称赞,他提出“法律也应该给政府体制、思潮、宗教、商业和每一个社会情况等等提供连续的参考”。[8] 他不进行从初始原理开始的演绎推论,而是小心地揭示政府与国家“基本精神”之间的联系。这种展示出来的精神由包括物质上的和道德上的许多因素促成。由于孟德斯鸠的调查是如此的周详,考虑到亚当·斯密是道德科学上的牛顿,所以约翰·米勒(1735～1801)称他为道德科学上的贵族培根。孟德斯鸠、休谟与亚当·斯密和其他许多人突破了自然法则传统的核心特征,崇尚他们所捍卫的经验和科学方法。由于更集中地关注思潮、商业、道德、政府等因素之间的相互依赖,启蒙理论家开始对政治和宗教的中心地带进行挑战,“社会”与“社会的”概念更准确地用来代表道德和政治范围的扩大。

物理学模式与生理学模式

启蒙时期的其他成果以一种更特别的方式吸引着自然科学,用来源于物理科学或生命科学的语言使社会学的世界概念化。这些方法在旧的政治体制掌权的最后十年中在法国变得非常突出,在革命期间和革命后也非常流行。使用这些方法的动力来自于由安尼-罗伯特-雅克·杜尔哥(1727～1781)首倡的改革政策,那时他担任1774年至1775年间的总理。哲学家和数学家M. J. A. 安尼克劳斯·德·卡里塔·孔多塞侯爵(1743～1794)是他的主要科学顾问,许多自然哲学家也投入到使法国现代化的行

[7] David Hume,《导论》(Introduction),见于《人性论》(*A Treatise of Human Nature*), Lewis A. Selby-Bigge 编(Oxford: Clarendon Press, 1978)。

[8] David Hume,《人类理智和道德原理研究》(*Enquiries Concerning Human Understanding and Concerning the Principles of Morals*), Lewis A. Selby-Bigge 编(Oxford: Clarendon Press, 1902),第197页。

政改革和计划中。孔多塞强调采用科学的方法分析国事的重要性。他指出，道德科学必须与自然科学“采用同样的方法”，“应该使用准确而凝练的语言，应当达到相当的水平”。[9]

对于孔多塞，概率演算为他提供了达到这个目的的途径，他最先运用数学技术来分析投票过程和司法判决。在1793年，他在最后的一系列有关算术应用于道德和政治科学的其中一篇论文中，呼吁建立一个新的科学分支“社会数学”。皮埃尔·西蒙·拉普拉斯（1749～1827），作为孔多塞在科学院的亲密同事和对手继续了他有关《概率分析概论》（*Traite analytique des probabilities*, 1812）的工作。一些拉普拉斯学院的成员也继续这一项目，但他们的工作方式很快使他们陷入困境。然而，有一个人非常成功地继承了社会数学这一项目的方向，这个人就是阿道夫·凯特莱（1796～1874）。

1823年，在巴黎停留期间，凯特莱，这位比利时天文学家和统计学家与拉普拉斯学派的人相识。返回布鲁塞尔后，凯特莱建立了一个与他在巴黎研究时相似的天文台，并且逐步地把他的注意力转向了统计学，并解释了由国家统计局收集的高速增长的数据。由于这些数据属于传统的政治代数，所以它们超越了税收和人口的局限，进入到道德和社会事务的领域。大约在1820年到1850年之间产生的所谓的统计学狂热引发了对这些数据的规律性的新信念。似乎在具体事件和个人行为的明显多元化之下，将能找到令人吃惊的稳定模型。[10]

在这些方面，凯特莱举出了更多强有力的例证。从巴黎邮局未投递的信到个人的最冲动和不规则的行为，他发现在总比率上到处存在着令人吃惊的规律。自杀和谋杀的统计结果是范式的，它们具有规律的行为说明它们是具有永恒规律的。凯特莱认为，统计学可以使社会科学以一种“社会机械学”或“社会物理学”的方式出现，并且认为这是建立在稳定的平均数上的。多样性是微不足道的，它仅仅是按照天文学家的错误规则来安排的。通过把人的科学缩减到一般人、平均人的科学，他发现统计规律可以与天体力学的那些规律相比。当历史学家亨利·托马斯·巴克尔（1821～1862）在他的广泛流传的著作《英国文明史》（*History of Civilization in England*, 1857）中提出了道德世界的“正义规则”时，他已牢记了凯特莱的统计决定论。

47

功利主义哲学家们不同于社会数学家，他们使用一种与物理科学模式化了的相同方法进行推论。他们从一个简单的、明确的原理开始，从一个公理开始，从理论和政治结果的演绎推论开始。克洛德-阿德里安·爱尔维修（1715～1771）在他的著作《精

[9] Condorcet,《欢迎会致辞》(Discours de réception, 1782)，见于《孔多塞选集》(*Oeuvres de Condorcet*, Paris: Firmin Didot Frères, 1847—1849)第1卷；Keith M. Baker,《孔多塞：从自然哲学到社会数学》(*Condorcet: From Natural Philosophy to Social Mathematics*, Chicago: University of Chicago Press, 1975)；Éric Brian,《国家的测量：18世纪的行政官员与测量员》(*La mesure de l'État*, Paris: Albin Michel, 1994)。

[10] Thodore M. Porter,《统计思想的兴起，1820～1900》(*The Rise of Statistical Thinking, 1820—1900*, Princeton, N. J.: Princeton University Press, 1986)，以及《相信数字》(*Trust in Numbers*, Princeton, N. J.: Princeton University Press, 1995)；Alain Desrosières,《大数政治学：统计推理史》(*La politique des grands nombres*, Paris: La Découverte, 1993)。

神论》(*De l'esprit*, 1758)中对孟德斯鸠著作的过分复杂化进行了批评性的回答,他认为自利是道德世界重心的等价物和所有人类行为的特点。同样,杰里米·边沁(1748～1832)和詹姆斯·密尔(1773～1836)也相信需要这样一个基础政治与社会理论方面的出发点,密尔把政府事务的复杂化看做非完美化的一个"永恒标志"。

功利主义者的基本信条是利益和效用:人类追求欢乐,逃避痛苦,因此人类的行为通常是由与这些信条结合的思想和情感引导的。边沁在他的《道德与立法原则导论》(*Introduction to the Principles of Morals and Legislation*, 1789)中说:自然把人类放在了"痛苦和欢乐这两个至高无上的君主"统治之下。这种观点不仅仅是描述性的。正如埃利·阿莱维所提出的那样,功利主义者的道德观几乎像作为规则看待的经济心理学一样。而且,他们的行为模式对个体和对整个政策是同等有效。所有的人都应当推进幸福的增长,加速痛苦的减少。这样建立在"大多数人的大多数幸福"原则基础上的道德代数为评估公共制度提供了手段。

18 世纪的许多作家对怎样发展这种思维模式提出了建议。在 19 世纪早期,边沁和密尔使功利主义进入了一场为改革而发起的知识运动,也就是"哲学激进主义"。他们提出了各种各样的改革方案,比如边沁的臭名昭著的监狱模式即圆形监狱。作为对痛苦和欢乐进行量化的倡议者,功利主义者对教会的设立和传统权威提出了批评,普遍反对多数对少数的统治。[11] 尽管他们涉猎广泛,涉及伦理学、联想心理学、法学和哲学,但他们对演绎推论和自然类推方法的偏好主要集中在政治经济学中,威廉·斯坦利·杰文斯把这个领域描述为"有用和自利的方法"。

仿效自然科学的另一种方式来自于生命科学。这种倾向慢慢地变成了主流,甚至使得经典力学的典范作用黯然失色。生命科学提供了两个独立的思维传统:医学和自然历史。人的科学的医学项目已经由朱利安·奥弗雷·德·拉美特里(1709～1751)非常坚决地宣布,他的声名狼藉的著作《人是机器》(*L'hommemachine*, 1747)是最早克服身体与灵魂两重性的作品之一。人的意识和行为必须从人的身体结构和物质需要上来解释,而不是运用非物质的概念。在 18 世纪的最后几十年间,许多作者对此类思想进行了重建,许多人怀疑医学唯物主义者,因为他们似乎否认灵魂的存在,但他们的思想还是受到了读者的广泛关注。在 19 世纪的头十年里,颅相学说盛行于欧洲,这也证明了医学心理模式的流行。

蒙彼利埃的物理学家保罗·约瑟夫·巴特兹,特别是他的著作《社会科学的新元素》(*Nouveaux éléments de la science de l'homme*, 1778)造就了影响显著而久远的医学传统,巴特兹(1734～1806)与哈曼·布尔哈维和拉美特里提出的力学概念进行了决裂。他提倡把活力说作为人的科学的基础。皮埃尔-简-乔治·卡巴尼斯(1757～1808)

[11] Elie Halévy,《哲学激进主义的发展》(*The Growth of Philosophic Radicalism*, London: Faber and Faber, 1928); Stefan Collini, Donald Winch 和 John Burrow,《高尚的政治学》(*That Noble Science of Politics*, Cambridge: Cambridge University Press, 1983)。

是这个革命时代法国杰出的医学家，他系统地吸收了巴特兹的观点。尽管在传统上医学家们关心的是人类健康和疾病，但卡巴尼斯认为医学为人类科学的全部领域提供了一个科学基础。数学在这里是无用的，因为思想、感情和激情的多变性不允许对它们进行量化。在一系列的著名的演讲中，卡巴尼斯梳理了脑现象的生物学基础，并出版了一本名为《人的肉体与道德之间关系演讲集》(*Rapports du physique et du moral de l'homme*, 1802)的书。[12]

卡巴尼斯从这个原理中得出人是感官动物，接收外部映象和内部映象。外部映象经过处理变成思想，内部映象形成直觉。感情通常来自于两者的综合。这里没有一个是机械性的，它们依靠的是身体的结构组织，依靠的是器官的运动和相互的影响。卡巴尼斯按照年龄、性别、气质、习惯和风气、气候区分他的模型。包括职业特殊性在内的对习惯和风气的强调，使人们支持蒙彼利埃传统式的对人类生活环境的持续关注。在革命的年代里，这些环境的变化可能产生的影响就是特殊利益方面的。

卡巴尼斯的心理生理学这一研究项目是思想家工作的基石，他们是一群温和的革命性知识分子。[13] 哲学家安托万-路易-克洛德·德斯蒂·德·特拉西(1754～1836)提议将哲学转变为思想的科学，即他所谓的意识形态的科学。古老的形而上学应当用更严谨的科学名称来替换，卡巴尼斯的生物医学理论为此提供了基础。思想家还认为卡巴尼斯的工作对于教育和卫生保健的改革有着至关重要的影响。人类观察者学会隶属于思想家，是一个学术性的学会，它的目标是“观察人类的生理、智力和道德”。它的主要成员是医生、自然主义者和探险家(拉马克、居维叶、卡巴尼斯、皮内尔、布甘维尔也属于这个学会)。人类解剖学和生理学是他们的人种学必不可少的部分。布鲁塞斯在复位期间使巴特兹和卡巴尼斯的综合性著作《社会科学》(*Science de l'homme*)得以延续，奥古斯特·孔德用它来抵御精神哲学家的进攻。最后，它在19世纪中期以后逐渐萎缩，这时一系列的新兴学科像精神病学、公共卫生学、生理人类学、人种学等等取代了它的位置。

从更深的意义上讲，“组织”的概念有更多的内涵。把有机体看做是组织化了的形体，看做与无理性的机械物体相区别的形体，表明研究它们的组织是分析的基本方法。自然科学家和医学家的这种思想也被克洛德·亨利·圣西门(1760～1825)所接受，他宣称人类社会也是一个有机体。社会科学应当转变为社会“生理学”，它的定义应为“社会组织科学”。在生理学的框架内，圣西门从有机的历史阶段中区分出关键的阶

[12] Elizabeth A. Williams,《物质与道德》(*The Physical and the Moral*, Cambridge: Cambridge University Press, 1994); Stephen Jay Gould,《人的误判》(*The Mismeasure of Man*, New York: Norton, 1981)。

[13] Sergio Moravia,《理论家的沉思》(*Il pensiero degli idéologues* , Firenze: Nuovo Italia, 1974); Marc Regaldo:《理智背景:哲学旬刊,1794～1807》(*Un milieu intellectuel: la Décade philosophique, 1794—1807*, Paris: Champion, 1976); Jean Copans 和 Jean Jamin 编,《法国人类学的起源》(*Aux origines de l'anthropologie française*, Paris: Le Sycomore, 1978); Robert Wokler,《圣·西门与从政治学到社会科学的发展历程》(Saint-Simon and the Passage from Political to Social Science), 见于《近代欧洲政治理论的语言》(*The Languages of Political Theory in Early Modern Europe*), Anthony Pagden 编(Cambridge: Cambridge University Press, 1987)。

段,组织的特征表现为有机体的各阶段和紧迫性的关键阶段。

这种思想的基本特征是把社会想象成一个生理学的过程。这暗示着它是一个自发的和自然的状态,而政府除了进行一种医务监督似的服务外很少起作用,法律则被比拟为公共卫生学。这种非政治倾向与拿破仑时期的思想家的政治孤立主义有关,那时许多人从他们的官位上被赶下来。他们的杂志《哲学旬刊》(*Décade philosophique*)最后在1807年停办。毫无疑问,生理学家的构想对这些人有特别的吸引力,但现在已经不再是政治的中心,不再强烈地把他们的工作作为是立法者的科学。

50

进化思想

社会进化论经常被认为是来自于生物进化论,这绝对是误解,特别是在达尔文的《物种起源》出版以前的阶段。从启蒙运动后期到19世纪最后的几十年间,生物理论和社会学理论在大部分情况下有着共同的情境。[14] 生命科学里的进化论思想对人类科学的贡献和对生物科学的贡献是一样的。

长期以来,对进步性变革的理解主要根源于通常所谓的"哲学"史,这个传统的核心概念是进步性和完美性。[15] "进步"这个概念是在17世纪后期所谓的古代派和现代派发生冲突的时候确定的。现代派认为,新自然哲学证实了人类的进步性,尽管在文学和艺术领域进步很难凭肉眼看到,但科学和技术的进步却是显而易见的。这是伯纳德·德·方特纳耳和弗兰西斯·培根的观点。启蒙运动期间,这一观点被杜尔哥发扬光大,而孔多塞在他的遗作《人类历史进步纲要》(*Esquisse d'un tableau historique des progrès de l'esprit humain*,1795)中对这一观点进一步做了详细的说明。这部著作是通过知识进步赞扬人类完美性的一首颂歌。作为启蒙时期一个主人公的遗著,它是理解圣西门和孔德进步学说的基本参考书目,并激励托马斯·罗伯特·马尔萨斯(1766~1834)写了强烈反对乌托邦式的论文集《论人口原理》(*Essay on the Principles of Population*, 1798)。

马尔萨斯抨击孔多塞对完全不确定性所持的乐观态度,他认为自然规律的运行也可能导致穷困和饥荒,而不仅仅是进步。由于人的性欲驱使,人口会以几何级数增长,而食物只能以代数倍数增长。这种人口和食物结构的失衡使贫穷、饥荒成为人类的正常状态。马尔萨斯的人口规律在19世纪的许多辩论会中反复出现,它也为达尔文的

[14] Robert Young,《达尔文的隐喻》(*Darwin's Metaphor*, Cambridge: Cambridge University Press, 1985); Peter J. Bowler,《进化论:理念的历史》(*Evolution: The History of an Idea*, Berkeley: University of California Press, 1984); Robert J. Richards,《达尔文与心灵和行为进化论的出现》(*Darwin and the Emergence of Evolutionary Theories of Mind and Behavior*, Chicago: University of Chicago Press, 1987); George W. Stocking, Jr.,《维多利亚人类学》(*Victorian Anthropology*, New York: Free Press, 1987)。

[15] Richard F. Jones,《古代与现代》(*Ancients and Moderns*, St. Louis, Mo.: Washington University Press, 1936); Jean Dagen, *L'histoire de l'esprit humain dans la pensée française de Fontenelle à Condorcet*, Paris: Klincksieck, 1977)。

自然选择理论提供了线索。

启蒙运动后期的社会学著作也加速了自然史的历史化过程。布丰不顾林奈的收集和分类原则，写了大量的关于地理学和宇宙论的东西，并对生命有一个更为历史性的理解。在《自然时代》(*Les époques de la nature*)这部著作中，他把地球和它的居住者的历史发展视为自然史的统一规则。他认为自然史学家在这方面应该追从“民间史学家”，他的这部作品有着巨大的影响，特别是对拉马克的物种演变的研究。年代学被引进到自然史上来，历史发生的序列成为了组织自然世界数据的指导性原则。 51

自然史的新概念进一步加强了社会科学的历史化。在19世纪，宽泛意义上的发展理论或进化理论变成了社会科学的流行模式。美国和法国革命之后，为了回应工业化的不断进步和城市的扩大，社会理论开始重点关注这些不可逆转改变发生的原因和结果。阿历克西·德·托克维尔、奥古斯特·孔德、卡尔·马克思、赫伯特·斯宾塞、亨利·托马斯·巴克尔和亨利·萨姆奈·梅因都抓住了现代社会的历史特征，包括它的变化规律和未来发展方向。从这一意义来说，尽管他们不是真正的进化论者，但都是进化论思想家。

19世纪进化论最杰出的代表和最博学的知识分子是赫伯特·斯宾塞(1820～1903)，[16]他是达尔文起源论之前的进化论者，他做了大量的工作使“进化”这个术语大众化，使所有自然进程中的普遍命名取得了进步。从一个胚胎的成熟到人类社会的发展以及太阳系的演化，所有的事物都是从简单到复杂的继承性超越。换句话说，进化就是从不连贯的同质到连贯的不同质的自然而必需的变化过程。因为差异导致高水平的综合和协调，所以进化论实际上是进步同义词。把进步看做是“有益的必要性”的这种乐观的观点不只有一个来源。发展意味着差异性的进步的观点把亚当·斯密的劳动分工和谐论与卡尔·恩斯特·冯·贝尔的胚胎学结合起来(卡尔·恩斯特·冯·贝尔曾经使用过同质和异质这两个术语)。

这样，斯宾塞进化论观点的范围要比孔德的社会学理论和达尔文的生物学理论的范围更广。他的观点中有关于宇宙规律的理论，这形成了他的包含所有理论在内的综合哲学体系。进化论的宇宙哲学要点集中在《进步：法则及其原因》(*Progress: Its Law and Cause*, 1857)一文中，并且在他的《第一原则》(*First Principles*, 1862)中被系统地阐述。接下来还有一系列的多卷著作，在这些著作中作者把这种进化论的模型成功地用在了许多领域：生物学、心理学、社会学、伦理学等。

斯宾塞的社会学思想完全体现在系统的语言上，我们能从他的社会学的研究中找到。社会有机体的特性既不来自于神圣的上帝也不来自于伟大的规则制定者，它们是社会有机体不断成长的结果。斯宾塞和他之后的许多有机体论者进行了严密的推论 52

〔16〕 John D. Y. Peel,《赫伯特·斯宾塞：社会学家的思想历程》(*Herbert Spencer: The Evolution of a Sociologist*, London: Heineman, 1971); Mike Hawkins,《欧美思想中的社会达尔文主义(1860～1945)》(*Social Darwinism in European and American Thought, 1860—1945*, Cambridge: Cambridge University Press, 1997)。

并得出结论:人类社会和其他的有机体之间有着紧密的联系。

按照斯宾塞的理论,社会变革是前后相连的,特别是从军事社会向工业社会的过渡。在第一种类型的社会中,使之成为整体的力量来自于一个控制中心,而在后一个社会里,它是基于劳动分工基础上的合作,是个体自发的作用。对于斯宾塞来说,市场是先进结合类型的主要模型,因为相信社会变革是自然的和不断进步的,所以他强烈鼓吹自由主义政治。尽管他的这种自由主义的姿态被认为是所谓的社会达尔文主义(相当地不清晰),但是他的这一观点并不是建立在自然选择的机械主义基础之上的,而是被认为具有有效的结果。斯宾塞的政治信仰在于相信自然的增长和进化的作用,并不认同自然选择或者不适者灭亡。

认识论的区分

生命科学的发展与对机械模式的基本批评最后导致了另外一种社会科学科学化模式的兴起。以机械的比喻来表达并认为存在处于一系列链条中的自然一元论观点,倾向于让位给生命体与无生命体、物质与生命的二分法。生命有机体的共同特性最后定义为“生物学”意义上的物体。这是在 18 世纪 90 年代创造的一个术语。作为一个生命科学的总称,生物学整合了先前相区分的各领域,诸如植物学、动物学和医学等。这些学科现在也更清晰地与“物理学”区分开来,而“物理学”这个术语也具有了一个新的、范围更窄的意义。

这种分化的过程使自然哲学这个概念的一元性开始减弱,尤其是活力论者为他们学科的独立反对机械而且简约的程序,在化学和物理方面拉普拉斯学院就是一个最好的例子。然而,大约在 19 世纪初有了一个明显的转变,拥有众多分支且比较统一的自然哲学分裂为许多科学学科:数学、物理、化学和生物。包含如“自然”和“理性”等的词汇较少出现了。哲学本身也逐渐成为了一个学科——只是一个学科。有了前面对体系知识一个总的理念的理解,哲学现在被重新定义为一个带有先验分析目的(康德)的专业,或者是为了分析思想(也见于德斯蒂·德·特拉西的观念),或者如奥古斯特·孔德所说的仅仅是一个“综合的专业”。

53

这种区分和学科分化过程完全改变了启蒙运动遗留下来的东西,并且带来了在科学上如何以一种全新的方式来进行统一和区分的问题。这是孔德的《实证主义哲学教程》(*Cours de philosophie positive*, 1830—1842)的中心问题。奥古斯特·孔德(1798～1857)以其将人类知识的发展过程划分为三个时期的思想而闻名:神学、形而上学和科学。在确定的或者说是科学的时期,知识仅仅与规律和与规律类似的规则有关。因为这些规律是“相似性与继承性的关系”,不可能是实证的知识,既不确定事物的固有本质(本质、实质),也不关涉第一因和终极因。对规律的研究是实证科学的共同特征,人们对孔德的记忆也一般是他对变化规则的疑惑以及他不相信已经发现了人类社会的规律。

然而,这样的认定局限性太大了,从某种程度上来说具有误导性。孔德的实证主义中实际所包含的科学区分性的理论比一致性的理论要多。[17] 这种区分理论实际上是对如生物和社会科学等领域也包括近来从拉普拉斯的研究中分离出来的在热、光和电物理方面的发展的回应。基于在艾克技术学院数学科学方面的训练,孔德也获得了生命科学中的大部分的知识。他希望在分化的时代发展包含范围很广的科学理论。这种理论将会为社会科学提供一个适当的基础,且为政治和道德改造提供一个可靠的基础。

简言之,实证主义的要义在于,各门科学的抱负就是揭示未知的规律,尽管要通过多种方式伴之以不同的方法。考虑到实证科学实际的不同,因而不可能被简化成一种类型——正如拉普拉斯主义者所宣称的,既不是机械学也不是如一些生物学家所想的一般心理学的一些形式。每一个基础科学并不是有统一的模式和单一的方法,而是有其自己的方法和研究程序——而且也必须是这样,因为它们的学科的问题有极大的复杂性。天文学关注地理学和天体力学。物理学更是复杂而缺乏统一性的科学:它不可能简化为机械学,尽管物理现象(光、热、电、磁)可以简单到用力学来描述。化学研究分子级的物质的化合和分解;除了机械学和物理学的规律外,这些过程都被叫做“化学亲和力”。生物学研究不能用力学和化学亲和力来解释,因为它主要依赖于它们复杂的结构组织。当然,人类社会是这当中最复杂的。

54

科学包含的复杂性越来越多,而其一般性则越来越少。整个实证主义哲学的主要问题是如何以这种眼光来看待最近科学方面的发展。与当前的观点相反,实证主义的中心思想既不是科学如何与形而上学划清界限,也不是如何为科学的一致构建一种逻辑的和方法论的基础。孔德的分析有不同的目的。他用大量的细节解释为什么并且如何在不同的科学中流行使用不同的方法:物理学上是实验的方法,生物学上是比较的方法,社会学上是历史的方法。

结果,孔德有力地反驳了在生物学和社会学领域应用机械学。然而在化学领域,机械学仍然有一些有限的应用,在生物学领域“极大数量的变异”现象和“无规则的可能性的影响”使得数学技巧毫无用处。这种观点,主要是从如扎维埃·毕夏(1771～1802)等活力论者那里借鉴过来的,更有决定性的是应用于社会科学领域。孔德因此也反对孔多塞的社会数学,并且讽刺凯特莱的社会物理“仅仅是统计学”。

为了强调我们现在称之为科学的相对独立性,孔德详细阐述了一个具有创造性的也确实是开创性的科学区分的理论。他主要反对简化论者。对于社会科学来说这样的观点在他早期的笔记里就已形成了。社会科学并不是作为自然科学的一个分支被

〔17〕 Heilbron,《社会理论的兴起》(*Rise of Social Theory*);Mary Pickering,《奥古斯特·孔德:一个知识分子的传记》(*Auguste Comte: An Intellectual Biography*)第1卷(Cambridge: Cambridge University Press, 1993)。

发现的,而毋宁说是间接地效仿生物学的典范而蓬勃发展的。生物学是一门独特的生命科学:它的独特性既表现为对自然科学的特殊理解,又是对社会科学的目的和要求重新概念化的一种活动。正如活力论者为生物学所做的,孔德在学科本质的独特性和不可简化性的基础上建立了社会学。因为人类有学习的能力,知识的进步是人类社会发展的基础,并且三阶段理论是社会学的核心。每一个历史阶段有它自己的问题和可能性;政治和教育改革必须基于每个特定阶段的要求。

不同于孔德的其他贡献(不论是哲学的还是政治的),他的科学分化理论对法国的生物学和社会学的形成有重大影响。[18] 生物学学会(1848 年)的纲领在孔德对生命科学的解释的激励下,被他的学生查里斯·罗宾草拟出来。埃米尔·迪尔凯姆(1858～1917)的社会学同样也遵循了孔德的原则。迪尔凯姆提出的公式是一种社会因素必须由其他社会因素(而不是通过生物学和心理学方面的因素)来解释,它是一种更具有经验主义思想的孔德式的差异认识论的解释。

文化主义与社会科学

自然科学的承诺和威望并不总是处于没有异议的状态,对人类社会的自然主义理解的反向运动在 19 世纪变成了一股知识性的力量。回想起来,维柯和赫尔德可以看做是这个方向上的先锋。[19] 在詹巴蒂斯塔·维柯(1668～1744)的《新科学》(*La scienza nuova*, 1725)这部著作中,他建立了一种从基本意义上区分于主要模式的人类历史科学。通过吸收文艺复兴时期的知识和自然法学的知识,维柯开始创立一种"世界国家"意义上的历史科学,在他创立的这个学科中,文化形式占有重要的地位。维柯认为,像诗歌、神话、语言、法律等形式的文化不是先天存在的,而是人创造的。非常明显的是,因为他们是人造的,所以从某种意义上来说,我们对这些知识的理解比对自然科学知识的理解更深刻、更真实。根据这样的观点,维柯提出对人类历史上主要时代进行理解,并且倡导用一种新的科学来说明这种理解。他在提出的这些观点中暗示了对现存知识框架结构进行一次真正的革命,即从此以后人类科学将建构知识的大厦。

然而,维柯的作品受到了长期的冷落。但约翰·戈德弗里特·赫尔德(1744～1803)在德国历史科学和语言学界却变得非常有影响。他的四卷本著作《关于人的哲学思想》(*Ideen zur Philosophie der Geschichte der Menschheit*, 1784—1791)在人们对人类社会新的理解上做出了主要贡献。每一个社会、每一个民族都有特定的文化内涵,民族精神是通过习俗、神话、民间故事等形式表现的。人类科学的任务是揭示这

[18] Georges Canguilhem,《科学哲学史》(*Études d'histoire et de philosophie des sciences* , Paris: Vrin, 1983),第 61 页～第 98 页;W. M. Simon,《19 世纪欧洲的实证主义》(*European Positivism in the Nineteenth Century*, Ithaca, N. Y.: Cornell University Press, 1963)。

[19] Isaiah Berlin,《维柯与赫尔德》(*Vico and Herder*, London: Hogarth Press, 1976) 和《人性的扭曲》(*The Crooked Timber of Humanity*, London: John Murray, 1990)。

种内涵的特殊性,特别是从语言上呈现出来的特殊性。

尽管赫尔德本人没有以这种方式考虑,但他的著作却对新兴的从文化层面上来理解人类社会的观点做出了贡献,并且这种理解由于浪漫主义的反作用而得到加强。夏多布里昂对诗歌敏感性和宗教敏感性的称颂是对科学新赢得的权威的强烈反抗,是对他视为科学家专制规则的强烈反对。同样的质疑来自于柯勒律治和华兹华斯,来自于由托马斯·克莱尔在《裁缝哲学》(*Sartor resartus*,1831)中所创立的讽刺模式。像博纳尔这样的保守理论学家把道德科学的再定义讽刺为解剖学与生理学的“分支”,他们认为文学和科学之间的“战争”已经爆发了。[20]

56

但是,对自然主义模式的批评并不总是直接反对科学的。赫尔德的著作和德国自然哲学运动鲜明地反对机械主义和经验主义一样,并不反对自然主义的本质。只是在19世纪中叶,作为自然科学竞争对手的自然哲学出现了分裂,与自然主义规则相容的替代物才出现。它的发起人之一是历史学家约翰·古斯塔夫·德罗伊森,他综合了历史学知识和文本翻译解释学。这种综合旗帜鲜明地反对英法关于历史科学需要法律式规范的观点,成为定义人类科学新概念的一个起点。[21] 威廉·狄尔泰(1833～1911)在其著作《精神科学导论》(*Einleiting in die Geisteswissenschaften*,1883)中提出了经典的论述,威廉·文德尔班(1848～1915)和海因里希·李凯尔特(1863～1936)对它进行了进一步的拓展。他们的著作构建了包含精神科学和自然科学在内的二分法,反对把翻译和解释分别作为以具体科学和以法律为基础的那些基本不同的科学方法来看待。典型的文化科学和解释科学通过对自然科学本身所保持的力量的挑战,使社会科学产生了一系列的问题。正如马克斯·韦伯(1864～1920)和格奥尔格·西美尔所承认的,这些问题不是自然主义的,而是文化主义的。

(袁　捷　译)

[20] Wolf Lepenies,《文学与科学之间》(*Between Literature and Science*), R. J. Hollingdale 译(Cambridge: Cambridge University Press, 1988)。

[21] Manfred Riedel,《说明还是理解?》(*Erklären oder Verstehen?*Stuttgart: Klett-Cotta, 1978)。

4

57

成因、目的论与方法

斯蒂芬·特纳

在19世纪30年代和40年代的方法论著作中所确立的社会科学模型形成了一种理想,这种理想已经延续到21世纪初叶了。自那时以来的作者不得不对社会科学表示歉意,因为他们未能把这一理想的科学模型变为现实,未能根据它重新解释社会科学的成功,或者构造出一些不同的与它相对照的社会科学观念。这种理想来源于两个密切相关的文本,即奥古斯特·孔德(1798～1857)的《实证哲学教程》(*Cours de Philosophie Positive*)[1]和约翰·斯图尔特·密尔(1806～1873)的《逻辑体系》(*A System of Logic*)。[2]这些文本的正面的成就在于,澄清"规律"这个概念在社会科学论题上的应用。而它们的负面影响则在于,尽一切可能从对社会领域的研究中排除目的论思维(诉诸目的或"终极因"的解释)的作用。

本章的主题是,在孔德和密尔时代以前和这个时代期间,成因和目的论等观念的重新建立,以及它在20世纪初叶,在几个刚刚有轮廓的专门化社会科学学科的思维中的后果。这里所要考察的讨论主要集中在因果解释的充分性这个问题上,尤其是不诉诸目的是否能够解释某个特定的事实这一疑问。作为对这个疑问的回应,这种新观念的辩护者们试图用新的术语取代旧的术语,例如,用"功能"取代"目的"。虽然他们并非总能说清楚他们的目的何在,但他们确实在现代对社会科学方法的讨论中确立了一些术语。

58

规律的两种模型

关于社会科学的方法论著作,从传统的有关自然规律的理论的原则中,建立了一种对社会进行理论探讨的目的论模式或目的模式。从教会政治思想家理查德·胡克

〔1〕 Auguste Comte,《第一哲学:实证哲学教程》(*Philosophic Première: Cours de philosophie positive*), Michel Serres, François Dagonet 和 Allal Sinacet 编(Paris: Hermann, 1975);《奥古斯特·孔德的实证哲学》(*The Positive Philosophy of Auguste Comte*), Harriet Martineau 译(New York: Calvin Blanchard, 1855)。

〔2〕 John Stuart Mill,《推理和归纳的逻辑体系》(*A System of Logic Ratiocinative and Inductive*, 1843), 见于《文集》(*Collected Works*), J. M. Robson 编(Toronto: University of Toronto Press, 1974)。

(1553～1600)的著作中,可以找到旧的观念中的关键思想,即谈到“自然规律……我们有时是指上帝为每一个受造物安排并使之持续下去的活动方式”。每一个人或物都被假设具有某种反映神或自然的目的的本质。“命运”这个术语用来表示这样一种过程,由于这一过程,目的包含在人或物的本性之中了。正如胡克引用希波克拉底的话所指出的那样:“万物无论大小,都完成了命运已经确定的任务。”“自然力”完成这些任务是“无意识的”;对于自主的行为者来说,规律就是要完成一些任务的“一种严肃的命令”,而他们被创造出来正是为了完成这些任务。[3]这种区别标志着人与自然的分界。

关于自然规律理论的形而上学认为,世界是由不同的生物和客体组成的,它们的本质使它们趋向于实现更高的目的。对目的更进一步的分层回答了这个问题:“为什么事物 x 存在?”万物明显的“特征”就是受造之物具有目的的一个证据。这个模型既可以应用于自然界也可以应用于社会,可以用来思考人类与万物在本质属性方面的差异,以及他们在受自然规律支配的方式方面的差异。

这种形式的解释最终被两个逻辑困难削弱了。第一个困难是它具有循环性。这种解释是以这样一种方式实现的,即把某种特殊的状态,例如健康、和谐、安宁、稳定、完美、全面发展或增长等,当做一种内在的目标,亦即当做对其活动要加以解释的人或物的本质的一部分。这种任务或目标是这种属性所固有的,而这一根本属性则说明人或物所做的就是要完成这一任务或实现这一目标。但问题并不是这么简单。并非所有的橡子都长成了橡树;只有在许多条件得到满足的情况下,它们才会长成橡树。因此,这种“真正的目的”只是一种**可能的**结果或趋向,而这种结果或趋向事实上与不需要外在原因的其他可能结果是不同的。

人们往往可能会诉诸许多可能的解释来说明某种原因为何没能导致某种结果。事实上,某种事物的“本质”以及因而它的真正目的,只能从理论上确定,换句话说,只能用不可观察的事实来确定。因此,科学革命以后的时期中关于“终极因”的许多讨论,都集中在人们是否能够辨别根本属性或根本目的这个问题上。很典型的是,有人对可见的显性本质或目的与只能从理论上认识的隐性目的进行了区分。[4]揭示了隐性目的,就等于揭示了上帝强加给自然的有目的的秩序。勒内·笛卡尔(1596～1650)评论说:“认为我自己能够查明上帝难以琢磨的目的是非常轻率的。”[5]圣奥古斯丁的神学信徒们对这种观点做出了回应。[6]但是,如果更为宏大的、有目的的宇宙秩序是可知

59

〔3〕 Richard Hooker,《规律》(*Laws*),见于《理查德·胡克著作集(附艾萨克·沃尔顿关于他的生平的说明)》(*The Works of Mr. Richard Hooker with an Account of His Life and Death by Isaac Walton*),第1卷,第7版,John Keble 牧师编,R. W. Church 牧师和 F. Paget 牧师修订(Oxford: Clarendon Press, 1888),第1部,第3章,第2节,第206页～第208页。

〔4〕 参见 Pierre Cassendi,见于《笛卡尔哲学著作集》(*The Philosophical Writings of Descartes*),第2卷,John Cottingham, Robert Stoothoff 和 Dugald Musdoch 译(Cambridge: Cambridge University Press, 1984),第215页。

〔5〕 同上,第39页。

〔6〕 Leszek Kolakowski,《上帝什么也不欠我们:简评帕斯卡的宗教与詹森主义的精神》(*God Owes Us Nothing: A Brief Remark on Pascaal's Religion and on the Spirit of Jansenism*, Chicago: University of Chicago Press, 1998)。

的,那么,即使那些隐性的目的也是可以理解和识别的。

第二个困难涉及到“终极因”与其他原因之间的关系,尤其是“终极因”与亚里士多德所谓的“动力因”之间的关系。在这一模式中,“终极因”、目的或任务并非是“动力因”的竞争对手,正如亚里士多德本人已经指出的那样,它们是**通过**“动力因”而起作用的。[7]据我所知,大卫·休谟(1711～1776)关于因果认识的例子中有一个可以作为这一点的例证,这是一个以经验为基础的例子,即面包是有营养的。[8]如果面包没有营养,亦即,如果它没有“动力因”的作用,那么它就不能达到滋养的目的。不过,“终极因”对“动力因”的依赖关系并非是完全可以互换的,对于“动力因”来说,不存在这样的循环问题。通常认为,为了完善我们对“动力因”所推动的过程的理解,“终极因”是必要的,但这种“完善”也可以看做是多余的。也就是说,这两种因果作用形式的不对称,允许人们排除“终极因”,但不能排除“动力因”。

只是在科学革命以后的时期,“终极因”才逐渐从标准的关于物理世界的科学图景中移走。人们所采取的第一个步骤是,证明“终极因”起不到任何解释效用,因为它们不能为“动力因”或规律增加任何说明。牛顿有一条准则:附加的原因除非对于解释现象而言,既是真实的又是充分的,否则,这些原因不会得到承认;18世纪的一些著名人物如托马斯·里德(1710～1796)曾热心提倡这一准则[9],这一准则使得上述主旨更加明确了。[10]然而,物理学家们在直接论证把“终极因”从自然界完全排除出去时,非常小心谨慎。不过,笛卡尔是一个例外,他描述说,“终极因在物理学中是毫无用处的”[11]。

60

启蒙时代的目的论

在18世纪,目的论解释和目的论世界观受到了日益增大的压力,这种变化在很大程度上是终极因的激增和“滥用”导致的一种结果。尤其是在德国,当神学有可能失去对教会的控制时,目的论思维就导致了一些虽然看似合乎逻辑但却很滑稽的结论。例如,哲学家克利斯蒂尔·沃尔夫(1679～1754)相当详尽地论证说,在太阳普照下,人们可能更倾向于走出户外,在街上或田地里从事他们的工作。[12] 伏尔泰(1694～1778)

[7] Aristotle,《亚里士多德著作集》(*The Works of Aristotle*),David Ross 翻译并编辑(Oxford: Clarendon Press, 1930),《物理学》(*Physica*),第2卷,195a,《论动物的构造》(*De Partibus Animalium*),第5卷,642a。

[8] David Hume,《人类理智研究和道德原则研究》(*Enquiries Concerning the Human Understanding and Concerning the Principles of Morals*),第2版,L. A. Selby-Bigge 编(Oxford: Clarendon Press, 1902),第4节,第2部分,第37页。

[9] Larry Laudan,《英国的方法论思想》(British Methodological Thought),见于他的《科学与假说:科学方法论史论》(*Science and Hypothesis: Historical Essays on Scientific Methodology*, Dordrecht: D. Reidel, 1981),第92页。

[10] Reid,《论人的理智能力》(Essays on the Intellectual Powers of Man),见于《神学博士托马斯·里德著作集》(*Works of Thomas Reid, D. D.*),第6版,William Hamilton 编(Edinburgh: Maclachan and Stewart, 1785),第1卷,第235页。

[11] 《笛卡尔哲学著作集》(*Philosophical Writings of Descartes*),第2卷,第39页,也可参见第258页。

[12] Christian Wolff,《德国神学》(Deutsche Theology, 1725),见于《全集》(*Gesammelte Werke*, New York: Hildesheim, 1962),第1卷,第74页～第75页。

曾嘲笑过未指明的一本当时的著作,因为该书认为,“海洋被赋予了潮汐运动,这样船只进港可能就更容易了”[13]。

启蒙思想家们从几个不同的方面,投入到反对这些令人怀疑的论证的工作之中。他们普遍承认,目的论在过去被滥用了。但是,这样一种观念给他们留下了深刻的印象,即**只有**从目的论上,并且只能根据某种无法还原为机械论的内在原则或本质才能理解有机物;而且在他们的政治推理中,他们直接依赖于这种用固有目的来表征的人类天性的观念。甚至大多数自然主义的**哲学著作**,都是出于习惯、不自觉地按照目的论的方式来描述历史的自然进程的。他们谈到确保这一进程具有必然性的“力”,并且强调,社会科学的规律与物理学和生物学的规律是基本相似的。[14]

最终敢于与困难进行搏斗的哲学家是伊曼纽尔·康德(1724～1804),在他事业的初期,他是目的论物理世界的热情支持者,但逐渐地,他拒绝了这种观点。他关于“普遍史”的观点更为谨慎;他拒不承认具有目的论的作用的实在性,但却竭力主张,只能把历史理解为一种目的论的过程。康德怎么会有这样两种思维方式呢?他在他成熟的著作中阐明了这样一种论点:目的论解释往往都是循环解释,因此,从认识论上讲,它们是有别于机械论规律的。在其《判断力批判》(*The Critique of Judgement*)中,他提出了这样一个问题:作为一个整体,一个有机物是否可以像一个机械系统那样用某种纯粹的偶然模式来解释?他论证说,不能这样。这种当时“不充足”而且后来仍不充足的论证,成了支持目的论说明的一个基本论点。不过康德那时论证说,恰当地讲,目的这个概念只能用于有理智的生物的自由行动:当我们把它用于有机物时,我们这样做仅仅是在比喻或类比的意义上使用它的,也就是说,**仿佛**它们是有目的的。他引入了这样一种观念:“有机的自然产物是这样的,在其中每一部分都彼此互为手段和目的。”[15]但是在这里,“手段”和“目的”仅仅是一些用于类比的术语。因此,康德对于(机械的因果意义上的)成因与目的论的冲突的解决办法,就是把它们归于不同的思想范畴。辨认自然界中的目的,要求我们超越感觉世界,亦即超越我们可能会受观察和试验束缚的世界。目的是与作为有理智的生物的**我们**有关的问题,而不是某种物理世界本身的问题。[16]孔德通过使这种洞见具有历史意义而把它变得更为极端:他把目的论思维归类于思想的历史发展的一个阶段,他描述说,这个阶段是毫无必要的,甚至是倒退的。

61

[13] Voltaire,《哲学词典》(*Philosophical Dictionary*, 1764), H. I. Woolf 译(New York: Knopf, 1924),第 133 页～第 135 页。

[14] Frank E. Manuel 和 Fritzie P. Manuel,《西方的乌托邦思想》(*Utopian Thought in the Western World*, Cambridge, Mass.: Harvard University Press, 1979)。

[15] Immanuel Kant,《判断力批判》(*The Critique of Judgement*), James Creed Meredith 译(Oxford: Clarendon Press, 1928),第一部分,第 66 节,第 24 页～第 26 页。

[16] Kant,《判断力批判》,第一部分,第 68 节,第 26 页～第 27 页。

取代目的论

孔德是一个自觉的革命者。他认为,他自己要通过把终极因转入社会科学,来完成把它从自然科学中排除出去的计划。“实证哲学有别于古代哲学之处……毋宁说就在于它拒绝对所有成因的探究,无论是初始因还是终极因;它的研究只限于探讨构成自然规律的那些永恒的关系”[17]。对于孔德来说,这意味着要从所有科学中彻底排除神学—形而上学的概念——尤其是有目的的世界的概念,无论这些概念采取什么形式,也无论它们是明显的抑或是隐蔽的。他善于查出那些含有目的论意义的用法,并且系统地用实证法则来取代它们,他也因此成为了一位著名的思想家。他的计划在规模上是空前的,而且他一直不懈地推进这一计划。

孔德的社会学思想的核心,亦即他的三阶段律,本身就包含着排除终极因的思想。像孔德的著作中的其他思想一样,这种法则背后的思想并不是他独创的。安尼－罗伯特－雅克·杜尔哥(1727～1781)在对物理学的发展的说明中已经提出了其基本思想:

> 在认识到物理事实彼此之间的联系以前,猜想它们是由有理智的、看不见的并且是与我们相似的存在导致的,是再自然不过的事了……当哲学家认识到这些神话的荒谬的时候……他们梦想用一些抽象的措词,用本质和能力来说明现象,而这些实际上什么也解释不了,人们从它们那里进行推论,就仿佛它们是真实的存在物似的。只是到了不久以前,通过观察物体彼此的机械作用,才推论出其他一些假说,对这些假说,数学可以对之加以阐明,经验可以对之进行验证。[18]

62

孔德把科学进行了分类,并且论证说,每一个科学领域都是连续地通过三个阶段而发展的,通过这些,他使这种推论得到了改善,并使其范围极大地扩充了。这三个阶段的第一个是迷信或万物有灵论阶段,他把这一阶段称之为神学阶段,以诉诸“虚幻的实体”为标志。随之而来的是中间阶段,他把它称之为形而上学阶段,在这一阶段,解释诉诸的是抽象的实体或力,例如“动力”(或者“成因”本身,或其他任何非严格意义上的永恒的关系)等。最后是实证阶段,在这一阶段这些思想都会被排除,完全具有预见性的定律构成了那个领域中被认为是科学的整体。

物理学的大部分已经进入了实证阶段:例如,人们不再问什么“导致”了引力,这恰恰是因为人们认识到,对这样的问题的回答不可避免地要么是神学的,要么是形而上学的。生物学还没有完全进入这个阶段,在这里还充斥着终极因以及其他常常是以隐蔽的形式存在的伪解释。社会科学离从伪解释中解放出来就更为遥远了。孔德把这种解放当做是他自己的任务。

[17] Harriet Martineau,《奥古斯特·孔德的实证哲学》(*The Positive Philosophy of Auguste Comte*, New York: Calvin Blanchard, 1858),第799页。

[18] 引自Frank E. Manuel和Fritzie P. Manuel,《乌托邦思想》(*Utopian Thought*),第848页～第849页,注释23。

实证阶段这一概念是一种具有强大批判力的工具。它导致了对尚未进入这一阶段的那些科学中的科学概念的疑问。“生命”或“有机物”是否是形而上学概念？是否可以取代这些概念，或者更恰当地说，它们是否可以摆脱它们的形而上学内涵？这些都是孔德在说明这些领域的发展时极为关注的问题，而在他的《教程》中，这些说明占据了很大篇幅。尤其令他感兴趣的是假说和虚构，这在一定程度上是由于当时有关光的波动理论的争论，在这场争论中，他是一个积极的参与者。他论证说，在科学的某个探索阶段，运用假说甚至虚构常常是必要的，但他坚持认为，假说最终还是得靠感性证据来支持。

孔德因此想象，科学是由一系列可以被证实的理论论点构成的。他认为，在社会学中理论论点和辅助性假说起着很大作用。在社会科学中，没有很容易就可以获得并且是无可置疑的规律。但是，孔德提出了一种新的确立这些规律的方法。人们首先会从选出的个案和事例中做出概括。随后，人们会把这些基于少数个案的概括与一些更具普遍性的思想结合在一起，由此而做出的分析比单纯用简单归纳或演绎所能做出的分析更为复杂。这种策略可以处理例外的情况：一般性观念形成了基本定律；这样，就可以构造二级定律，它们可以用来说明应用初级定律时的例外或条件。他把这种方法与他的启蒙时代的前辈们的方法进行了对比，这些前辈们在论证进步的必然性时所依据的理由是，有利于进步的力量超过了阻碍它的力量，因而最后会占上风。与此不同的是，孔德对前进的**条件**进行了理论阐述。

63

密尔一下子就领会了孔德的这种普遍策略的意义所在，他把这种策略命名为“反演绎法”。密尔描述说，这种方法：

> 尤其适用于复杂的史学和统计学问题：这种方法与更为普通的演绎方法的不同之处就在这一点上——即它不是用普遍推理得出其结论，并且用一些特别的经验（例如，物理学的演绎分支中的自然秩序）来证实这些结论，而是通过整理一些特别的经验，并且通过确定它们是否是那些有可能从已知的普遍原理中得来的经验来证实它们，从而得出它的概括。[19]

在所引的这段话中，“史学和统计学”这个短语是非常关键的，因为对于密尔来说，这些术语几乎就是社会科学那些棘手的复杂的事实材料的象征。这种应付复杂性的“反演绎法”的基本策略，既是一种简化策略，也是一种选择策略，密尔认为，这二者都是社会科学的特点。

在处理这些问题时，密尔竭力避免使结论看起来像是从他自己的一个论点中自然而然地得出的那样。他论证说，相对的国民财富不能根据因果关系来确定——这不是因为因果律对差异没有制约作用，而是因为差异的复杂性。复杂性的一个主要根源在

[19] John Stuart Mill,《自传及文学随笔》(*Autobiography and Literary Essays*)，第 1 卷，见于《文集》(*Collected Works*)，J. M. Robson 编(Toronto: University of Toronto Press, 1974)，第 219 页。

于:在具有这类复杂性的一个事例中,有许多原因产生了微不足道的结果,它们对整体有影响,但无法以任何实际的方式把它们总计在一起:

> (这些)各自独立的原因的结果……混合在一起,而且被其他原因同源的和极为相似的结果掩盖了起来……其中有些原因的结果会相互抵消,还有些结果会融合在结果的总体之中,难以辨别……(因此)要想通过观察来探索任何固定的关系往往有着难以克服的困难。[20]

无法担保反演绎法会在这类事例中产生结果;如果原因总是以复杂的混合物的形式出现,那么也就无法确认首先决定着那些因果关系的是哪些规律。密尔还认识到,因果关系本身也许从本质上讲就是不可化解的难题。

64 不过,密尔认为,在**某些**个案中,我们能够把原因分离出来,并且确定结果的关系形式及其结合方式。这样,统计学就给复杂性问题带来了希望,这种希望即:在**许多**个案中我们也许能够辨认出主要的因果关系,并且得出决定着它们的"近似的概括",然后根据那些有妨碍作用的原因来说明例外。因此,在密尔看来,社会科学类似于潮汐科学,决不可能将其归纳为一种普遍性理论。尽管这些主要结果是可以理解的,而且根据这些主要结果做出预见既是可能的也是有价值的,但是,这些预见并非是以那些不同种类的次要原因为条件的。

经济学尽管具有演绎的形式,但却可以将其看做是经验科学,因为尽管它的定律无法做出令人满意的预见,但这些定律是牢固地建立在内省心理学基础之上,并且得到了诸如政府所提出的经济政策等自然的试验的支持。不过,由于经济现象受到许多非经济原因的影响,因而,经济学以及社会科学中的其他科学只能是非精确科学。

目的论的多种形式

对社会科学界的因果描述的抵制是强烈的,但却有分歧,而且是与不同的哲学潮流联系在一起的,其中包括德国的唯心主义运动,它反对因果观念所隐含的决定论。解释更为缜密的方法论著作往往是与更广泛的文化问题联系在一起,在德国,尤其是与国家主义联系在一起。德国的作者们经常抨击法国的实证主义,在经济学方面,则抨击英国的"自由贸易主义(Manchestertum)"。然而,反自然主义、反经验主义和反实证主义,并不意味着反对任何系统的或严格意义上的社会探索。即使形式明显的目的论思维也并非总是与社会科学相对立的。经验性的社会探索可能而且时不时地被理解为,是针对上帝创世的隐蔽的目的论秩序的。我们已经提到过的目的论最极端的"滥用者"之一克利斯蒂尔·沃尔夫,为约翰·彼得·聚塞米尔希编纂的统计学著作写

〔20〕 Mill,《逻辑体系》,第3部,第10章,第443页。

了前言，该书允诺，要通过生与死的统计来揭示神圣秩序。[21]一个世纪之后，德国历史学派的经济学既是一种目的论的学科，在威廉・罗舍尔那里甚至还是有神论的，同样也肯定是“科学的”学科，而且它对史学知识和经济学知识的本质的问题进行了探索。为什么目的论思维与孔德和密尔所期望的相反，不仅继续存在，而且仍然是社会科学中一个很有生命力的组成部分呢？

在启蒙运动以后，目的论以三种主要形式继续存在着：（可用于例如个人行动的）表示目的的术语的残留物、有机类比以及历史目的论。后者有时是指这样一种信念，即特定的国家有特定的发展道路；有时又是指这样一种观念，即历史具有一种可以识别的方向和目的。历史相对主义产生于这样一种观念：这些差异包括了思想领域，因此，没有单一的思想发展道路；相反，不同历史时期和不同民族传统的人民有着根本不同的世界观。 65

每一个民族或每一种文化都有其内在本质，因而各自都有其特有的思想命运或思想发展道路，这种观念在启蒙运动时期人们对它的反应中，例如在约翰・戈德弗里特・赫尔德（1744～1803）和约翰・格奥尔格・哈曼（1730～1788）的著作中，就已经出现了。从有关命运的目的论观念中，可以找出有关根本的文化差异的事例。从1860年到1920年期间，非常有影响的新康德主义运动在德语世界中对哲学起着支配作用，这种运动根据一些基本的假设，把这些区别理解为差异。由于这些假设是不可证明的，这就导致了相对主义的主张。而相对主义，尤其是在马克斯・韦伯的著作中，又与方法论问题联系在一起。

有机类比

有机类比导致了大量混乱，因为它所运用的语言既可以从因果关系上解释，亦可以从目的论上解释。前面已经讨论过成因与目的论之间的不对称性，以及这样一种普遍的方法论考虑，即在一种说明中不应当包含任何多余的东西，而成因与目的论的这种不对称则意味着，一个成功的因果解释会使目的论说明变为多余的东西。孔德在反对目的论的斗争中进行了多方面的尝试，其中包括运用非目的论的术语去理解和说明这样一些现象：在目的论的辩护者们看来，这些现象是目的的不可消除性的铁证。他和密尔试图证明，诸如“一致”这样的概念可以从因果关系上来理解，而且可以用例如“谐和”这样一个物理学术语来取代目的论观念。[22]这种努力的一个结果是，把有机类

[21] 《从人类的出生、死亡和繁衍的变化中证明神的秩序》（*Die göttliche Ordnung in den Veranderungen des menschlischen Geschlechts aus der Geburt, dem Tode und der Fortpflanzung desselben erwiesen*, Berlin, 1741）。参见 Jacob Viner，《神意在社会秩序中的作用》（*The Role of Providence in the Social Order*, Princeton, N. J.: Princeton University Press, 1972）。

[22] Stephen Turner，《社会科学方法论研究：迪尔凯姆和韦伯与19世纪的原因、可能性和行动问题》（*The Search for a Methodology of Social Science: Durkheim, Weber, and the Nineteenth-Century Problem of Cause, Probability, and Action*, Dordrecht: D. Reidel, 1986），第22页～第27页，以及第53页。

比和关于“功能”的讨论变成了双方共享的财富。在随后的那个时期，一些重要的思想家如赫伯特·斯宾塞(1820～1903) 和迪尔凯姆最终难以归类。他们二人都有力地拒绝了目的论，但他们又都利用了目的论者使用的许多术语，并且指出，可以从因果关系上来理解这些术语。因而他们有可能使用有机类比，以便回避对有机物的说明是否必然是目的论的这一问题。对他们是否是无意识地滑向目的论推理的这一问题有争论，是合情合理的。无论如何，斯宾塞基本是无意识的。他在他自己的《社会静力学》(*Social Statics*)中评论说：“关于人类和社会的进化，到处都出现了一种居主导地位的信念。还出现了这样一种信念，即进化……是由条件的影响范围和环境的作用决定的。而且人们更进一步……承认，生物和社会的进化的事实，遵循着同一规律。”[23]但是他对这一规律的讨论与条件的影响范围没有多少关系，但却与“力的普遍原则”有很大关系。[24]这些使这一普遍原理得到了加强，即那种进程是“通过连续的分化从简单向复杂的进化”[25]。

在这个语境中，“进化”是一个非常模糊的术语：它是表示目的论的术语还是表示因果关系的术语？对此感到困惑是有充分理由的。正如斯宾塞的解释者在谈到他的《社会静力学》时所说的那样，他“似乎认为社会地位是以前就存在的某种安排的实现，并且不断声称，那些事先就可确定其结果的过程(如一个胎儿的发育成熟)与那些事先不可确定其结果的过程(如社会化或社会进化)具有同一性”[26]。斯宾塞随意使用了诸如“要素”和“本质”这样的术语(尽管显然，他只不过认为这种用法更符合常情)。当他把他的概括的经验例外，当做是与社会的“本质”无关的“偶然”事实时，他似乎甚至陷入了目的论者的循环论问题之中。[27]其他使用这种类比的作者，也未能解决他的混乱。

在19世纪中叶法国对科学的讨论中，占主导地位的是“活力论”问题。这种学说认为，生命是有目的的，而且不能还原为机械论解释。甚至非常有影响的生理学家克劳德·伯纳德也在他的笔记中写道，“人们必须在形式上是唯物论者，在心灵上是活力论者”[28]。在法国，机体论问题是难以回避的。法国社会学的奠基人埃米尔·迪尔凯姆既仔细研读了孔德和斯宾塞的著作，也仔细研读了非常关注成因和目的论的德国心理学家和法学家的著作。在哲学上指导他的，是一位试图维持对自然界的目的论理解的思想家埃米尔·布特鲁。[29] 因此，迪尔凯姆对涉及目的论的用语的意义非常敏感，

[23] Herbert Spencer,《科学、政治和思辨文集》(*Essays Scientific, Political and Speculative*)，第2卷(New York: Appleton, 1901)，第137页。

[24] 同上，第138页。

[25] Herbert Spencer,《选集》(*Selected Writings*)，J. D. Y. Peel 编(Chicago: University of Chicago Press, 1972)，第40页。

[26] J. D. Y. Peel,《导言》(Introduction)，见于 Spencer,《选集》，第 xxxviii 页。

[27] 同上，第 xxxviii 页～第 xxxix 页。

[28] Francisco Grande 和 Maurice B. Visscher,《克劳德·伯纳德与实验医学》(*Claude Bernard and Experimental Medicine*, Cambridge, Mass.: Schenkman, 1967)，第119页。

[29] Émile Boutroux,《自然规律的偶然性》(*The Contingency of the Laws of Nature*)，Fred Rothwell 译(Chicago: Open Court, 1920)，第193页～第194页。

尤其是对用机械论解释来说明整体上似乎有目的的现象是否可能这个问题非常敏感。这并不奇怪,他对因果思想的信奉是显而易见的。不过他也尝试从因果关系来说明一些复合的现象,而且断断续续地使用了社会与有机物的类比。

在其说明对社会制度的"维护"的一段评论中,迪尔凯姆的意图表现得很清楚。迪尔凯姆利用了一个我们看得出是来自康德的概念:康德曾谈到过目的和手段的互易性,而迪尔凯姆则指出:"如果进行更深入的分析,因果的(这种)互易性也许就能提供一种生命的存在尤其是持续所暗示的调节方法。"[30]因此,迪尔凯姆倡导对社会有机体进行因果解释。他还付出了相当多的努力,用非目的论的方法重新定义例如"常态的"和"病态的"等概念,并且使用了诸如"功能"这样的词语以取代"目的",从因果关系上对这些词语进行了解释。

迪尔凯姆对方法论讨论的新贡献出自他在不可还原性问题上的转变,这个问题源于孔德对一个学科不可还原为另一个学科的强调,在法语环境中已经有了很长的历史。迪尔凯姆不得不承认,"社会事实"不仅不能还原为个体的自成一类的事实,而且其精神属性也是不可还原的。很典型的是,在同时代一些很有影响的人例如德国的费迪南德·滕尼斯(1855～1936)那里,如此论点直接导致了这样的主张,即社会是一种有目的的存在。而迪尔凯姆得出的结论却是,"集体意识"和个体意识都受这样一些规律制约,它们不仅不能彼此还原,而且不能还原为其他科学例如生物学的规律。

决策和意向性:韦伯与边际效用论者

人类有目的的观念,有了一种不同的发展方向,它使得为表示意图的用语和意图不可还原为成因而辩护的人们,转向了一种不同的方法论传统。从历史上讲,该传统根源于决定论和自由意志问题。以人类自由为基础的最著名的方法论是解释学,亦即这样一种思想:对行动的理解在方法论上类似于对文本的解释,就像意图类似于意味那样。这些观念的思想背景是异常丰富的,其中包括康德的自由意志观念、圣经解释"学"、哈曼的非理性主义、根源于罗马法的行动的合法概念,甚至还有密尔本人在对社会科学的说明中流露出的一种不安。

密尔假设,理由就是原因,对理由是可以反省的。这里所讨论的历史的奇特性之一在于,这种现在不太受重视的观念竟然成了他的社会科学关系模型的基础,与孔德相反,这种模型把心理学当做一门基础科学。[31]不过,心理学的因果关系概念的充分发展,偏离了理由即原因这一概念。这个问题以一种特别的形式直接产生于经济学本身,但问题只是随着经济学中的边际革命才变得明显起来。古典经济学基本上不关心

68

[30] Durkheim,《社会学方法的规则》(*Rules of Sociological Method*),第144页。

[31] Robert C. Scharf,《实证主义以后的孔德》(*Comte after Positivism*, Cambridge: Cambridge University Press, 1995)。

选择和决策，或者把这个问题与“合理性”联系在一起。它的注意力集中在生产要素和商品方面，以及调节食品需求的马尔萨斯力和生产的自然困难所导致的各种约束方面。[32] 很容易把这些解释为原因。边际革命的结果是，把人们的注意力转移到个人选择上。同时代的评论者们，如以论述康德的《判断力批判》作为其学位论文的托尔斯坦·凡勃伦，认识到这等于是无视科学中反对目的论的普遍浪潮，而返回到目的论思维。[33]

不过，这样一种对选择、自由意志和意向性的强调，可能会在方法论上导致两种不同的取向。其中的一种趋向于构造经济因素的抽象模型。边际效用论者把个人当做是理性主体，他们追求自己选择的目的，他们各自的决策导致了总体的平衡模式。这样，边际效用论者就在个体层次上假定了一种特别的抽象化的目的论，以解释市场的目的论属性。这一策略既对声称要说明现实的这种模型的应用提出了疑问，而且也对目的论的理论阐述的循环性提出了疑问。也许，经济选择依赖于文化。如果是这样，对于作为历史探索主体的人的精神世界的历史认识，就需要直观的洞见，这种观念是反对抽象化的，但却是赞同历史相对主义的。

在德国思想界，马克斯·韦伯的重要性可以与迪尔凯姆在法国思想界的重要性相媲美，他在其方法论著作中对这些观念进行了全面的批判和综合。他感到怀疑的是，即使人们可以有“一种社会生活的精神基础的‘化学’，而不是其力学”，它对“我们认识历史上已知的文化或其任何阶段例如资本主义的发展和文化意义”是否有什么重要性？[34] 他的回答是否定的，因为诸如“资本主义”这样的术语具有文化的特性。

69

韦伯把“文化”理解为“世界的无限发展中的一个有限的部分，即人类使之具有了意义和重要性的部分”。不同的文化或时期，会使不同的有限部分具有不同的“意义和重要性”。社会科学的那些疑问本身就是问题，从询问“什么对于我们或者从我们的观点是有意义的或重要的”时刻起，它们就开始出现了。因此，社会科学所探索的“文化现实的知识”，“往往是对特定观点的认识”。[35] 不过，韦伯也曾论证说，社会科学是涉及因果性关系的科学，因而必然要运用抽象，这就导致了他的多元立场。他拒绝目的论思维，并且不遗余力地要根除它，他猛烈抨击德国历史学派经济学的目的论阐述，以及国家和法律等集合概念所隐含的目的论。但同时，他又为根据人的意向对他所谓的有意义的社会活动的说明进行辩护。

作为一名训练有素的律师，韦伯指出，法律上关于责任的推理具有因果性，并且论证道，更确切地说，这种推理与从文化观点中产生的实际的历史问题是相关的，而且足以解决这类问题。应当用这种方式来理解这些问题的因果特性：因果性或责任的确定

[32] John Stuart Mill,《政治经济学原理》(*Principles of Political Economy*), W. J. Ashley 编(London: Longmans, Green, 1929)。

[33] Thorstein Veblen,《为什么经济学不是一门进化的科学?》(Why Is Economics Not an Evolutionary Science? 1898), 见于《维布伦随身读》(*The Portable Veblen*), Max Lerner 编(New York: Viking Press, 1948), 第 215 页～第 241 页。

[34] Max Weber,《社会科学方法论》(*The Methodology of the Social Sciences*), Edward A. Shils 和 Henry A. Finch 翻译并编辑(New York: Free Press, 1949), 第 75 页。

[35] 同上，第 81 页。

并不需要科学定律;它们只需要对某类相似个案的判断,并排除某种已知的、可能会降低结果产生的可能性的条件。这种推理可以应用于例如新教对资本主义的兴起的贡献这样的问题,当然,在这一个案中,这种推理也许必然是假设性的。但是,这个模型也允许对通常的有目的的行为的说明既是意向性说明,同时又是因果性说明。通过说明(行为是其组成部分的)事件的结果是可理解的,或者它作为一种特殊的行动是有意义的,就可以确定意向的属性。而通过确认因果责任可能会有某种导致结果的可能性,就可以说明这种责任。[36]

在韦伯的社会科学解释模型中,因果的和"有意义的"或有目的的考虑,至少原则上讲,是与受概率检验的解释等同的。在实践中,解释,尤其是根据事情的进展对解释进行检验的任务,占据着主导地位。对行动最有意义的解释,是与一定程度的预测概率相一致的。但是,在历史分析中像在法庭上一样,许多关于动机的假设与事实不符。因此,韦伯对因果分析的意向说明,起到了提高解释地位的作用。

目的论的持续

反对目的论说明的斗争对社会科学产生了具有深远意义的影响,但它们并非是孔德所预期的结果。从科学中消除目的论因素的计划实行起来困难重重,也许,始终如一地贯彻下去是不可能的。因此毫不奇怪,成因和目的论问题在社会科学中依然存在。不过它有了多种形式,例如在社会科学的方法论文献中对"实证主义"和科学主义的持续批判,以及(彼此都来源于早期对因果规律模型的反应的)解释方法与计量方法之间的冲突等。至少,社会科学中的一种重要潮流施特劳斯主义,已经涉及到了对自我意识的重新陈述,以及对笛卡尔时代为目的论所提出的论据的更新。 70

即使这些争论不再使用早期反对目的论的斗争的语言,它们往往离它也不远。今天,社会科学方法论最专门的一个领域,即人工智能在确定什么时候统计关系具有"结构性"这一问题上的应用,就是关于从整体上讲数学标准究竟能否从相关性中区分成因这一争论的一个场所——孔德可能会很热衷于参与这一辩论。甚至斯宾塞思想中出现的复杂情况,在当今也有其类似物。例如,合理选择理论在社会科学中具有鲜明的目的论色彩,但它却在进化论生物学中寻求一种非目的论的基础,也许,这本身就具有目的论的特性。一个人的目的论是否合理抑或仅仅是一种循环这一问题,现在通常是根据"反馈机制"的存在来陈述的。具有讽刺意味的是,伏尔泰既可能会承认这种论点,也可能会为了回避这种机制的起源问题的实质而拒绝它。

(鲁旭东 译)

[36] 同上,第167页~第175页。

5

71

空想社会主义与社会科学

安托万·皮康

在19世纪,空想社会主义往往被解释为本质上是一种政治现象。对于它要创建一门关于人类与社会的新科学的雄心壮志,几乎没有哪个评论家予以认真对待。然而,创建这样一门科学却是圣西门、傅立叶、欧文及其信徒的基本主张之一,他们把对社会的科学理解看做是对它进行改造的一个先决条件。

在19世纪与20世纪交替时期,埃米尔·迪尔凯姆是最早强调空想社会主义对社会科学出现具有重要作用的人之一。[1]他把奥古斯特·孔德的导师圣西门看做是社会学的真正奠基者。自迪尔凯姆时代以降,空想社会主义对于社会科学的诞生的重要性得到了广泛的承认。[2]然而,这种作用难以精确估价。毕竟,空想社会主义继承了18世纪人们对人与社会的反思的成果。这些反思又应感谢一些论述社会组织的乌托邦著作的一种悠久传统,该传统起源于托马斯·莫尔于1516年出版的《乌托邦》(*Utopia*)。[3] 究竟在多大程度上,圣西门、傅立叶和欧文突破了启蒙运动及其乌托邦成分,并且标志着社会思想的一个新纪元呢?

进行更彻底的探讨的另一个理由,在于乌托邦社会主义者对社会科学所下的定义。虽然他们意欲摆脱哲学传统,但他们的科学思想却仍然浸透着哲学甚至形而上学的观念。圣西门、傅立叶和欧文的学说远远超出了我们当代社会科学的范围,回想起来,他们的学说是作为一种反常的混合物出现的:它既有才华横溢的直觉,也有过分的

72

简单性;既有创新思想,也有偏见。鉴于这些学说具有多重意义,而且它们所提出的问题范围甚广,因此,把它们的贡献归之于导致了例如社会学和人类学这样的学科的出现,或者对诸如奥古斯特·孔德和约翰·斯图尔特·密尔这样的人物产生了影响,未免过于简单化了。借用马克思和恩格斯在他们的《共产党宣言》(*Manifesto of the*

〔1〕 Émile Durkheim,《社会主义的定义、起源与圣西门学说》(*Le Socialisme; sa définition, ses débuts; la doctrine saint-simonienne*, Paris: F. Alcan, 1928)。

〔2〕 Barbara Goodwin,《社会科学与乌托邦:19世纪的社会和谐模型》(*Social Science and Utopia: Nineteenth-Century Models of Social Harmony*, Sussex: Harvester, 1978)。

〔3〕 Frank E. Manuel 和 Fritzie P. Manuel,《西方的乌托邦思想》(*Utopian Thought in the Western World*, Cambridge, Mass.: Harvard University Press, 1979)。

Communist Party）中使用的术语，无论圣西门、傅立叶还是欧文，都不仅仅是作为“科学社会主义”的先驱而出现的。更确切地说，必须把空想社会主义与社会科学的关系放在 19 世纪文化史的更大框架内加以考察。

启蒙运动的遗产

虽然欧文乐于承认 18 世纪的哲学对他的思想的影响，圣西门和傅立叶却常常把他们的学说描述为是对启蒙运动缺陷的反应。然而，圣西门专注于一部新的百科全书，傅立叶则热衷于牛顿的相互作用定律，这些说明他们都受惠于 18 世纪，正如欧文关于个人的完善性的信念一样，这种信念是他在阅读爱尔维修的著作时所得到的启示。尤为重要的是，空想社会主义者们把创建一门关于人类与社会的科学的雄心壮志继承了下来。正如杜尔哥和孔多塞这样的哲学家说明，并且被他们思想的主要支持者、那些思想家们继续重申的那样，这种雄心壮志是启蒙运动的重要遗产之一。

发展和人类共同进步的概念，是这个遗产的另一个关键部分。它意味着，要把历史重新解释为是一个从文明最初的起点到达它现在这样的复杂程度的历程。而现在则是通往更辉煌的未来的前厅。在 1750 年出版的《对人类精神的连续进步的哲学描述》（*Tableau philosophique des progrès successifs de l'esprit humain*）和 1751 年出版的《论普遍史和人类精神的进步》（*Discours sur l'histoire universelle et sur les progrès de l'esprit humain*）中，杜尔哥已经把历史构想为发展。在法国大革命期间，孔多塞在其《人类精神进步史梗概》（*Esquisse d'un tableau des progrès de l'esprit humain*）中，把这一概念加以扩充，并对它进行了系统的阐述。[4]《梗概》是在孔多塞 1794 年去世后不久出版的，该书在呼唤人类未来的智慧和幸福的同时，也为圣西门提出了一项议程，而圣西门开始其学术生涯时，本意就是要完成孔多塞的那幅浩大的历史画卷。

在 18 世纪，把社会当做是人与人的自愿契约这一设想，与空想社会主义者对社会关系的有机构想之间，有着更为复杂的传承关系。尽管看起来似乎是矛盾的，但这两种想象都假设社会组织具有很高的可塑性。法律协议的专横和生活的适应能力都是对这种灵活性的反应。圣西门、傅立叶和欧文确信，可以根据不同的模式对社会加以塑造，这种信念也是对启蒙运动的一种证明。傅立叶的共产制公社（Phalansteries）和欧文的新和谐公社（Harmonies）这类社会实验假定，人类的制度、法律以及习惯，是极具多样性的，旅行家们的说明为这种认识提供了佐证，而哲学家们，例如狄德罗在其 1772 年出版的《布干维尔岛旅行补记》（*Supplément au voyage de Bougainville*）中，则对这种认识进行了理论阐述。这部书虽然带有讽刺的语气，但其乌托邦色彩很明显，尤其是在

73

〔4〕 Keith M. Baker，《孔多塞：从自然哲学到社会数学》（*Condorcet: From Natural Philosophy to Social Mathematics*, Chicago: University of Chicago Press, 1975）。

他对波利尼西亚人的性自由的关注方面。

这种形式的乌托邦在18世纪后半叶处于繁荣时期，在这一时期它展现出了一些新的特色。其中一种特色是对普遍性的笃信。大多数以前的乌托邦著作都强调理想社会的特殊性，而不是它的普遍性。乌托邦派的创始人托马斯·莫尔，用分别表示“没有”和“地方”的两个希腊词 ou 和 topos 来命名他的理想国。从字面意义上看，乌托邦是哪里也找不到的地方。莫尔的乌托邦并没有被当做一个肯定的例子，而是作为对现有社会秩序的一种批判。唯有这个目的能够解释，为什么像莫尔这样一个狂热的天主教徒，会让他的乌托邦公民具有如此之多异教徒的习惯。通过对普遍性的追求，18世纪的乌托邦开始获得了一种新的意义。这些空想的社会改良计划开始描述一些在全世界都可以效法的模式。在这种转变中，启蒙运动以后的人类学关于人类身体和道德地位普遍平等的观点起了重要作用。既然无论在哪里，人的基本需求和能力是相同的，那么，乌托邦可能确实具有普遍性。[5]

从特殊性向普遍性、从哪里都找不到到任何地方皆可行的这种转变的一个重要结果是，乌托邦逐渐进入了历史角色之中。[6]以前，人们把各种乌托邦描述为属于当代领域，而现在，人们常常转而把它们划归到未来，作为人类发展的终极阶段。在1770年出版的《2440年》(*L'An* 2440)中，塞巴斯蒂安·梅西耶通过对未来巴黎的描述展示了这种趋向。20年以后，勒蒂夫·德·拉布雷东仿效梅西耶出版了《2000年》(*L'An* 2000)。这种面向未来的趋向在孔多塞的大西岛乌托邦(Atlantide)那里达到了顶峰。大西岛乌托邦这个名称会使人想起培根的《新大西岛》(*New Atlantis*)，它描绘了人类在哲学家宽阔的历史轨道中将要达到的终极阶段。

从旨在建立一门关于人类与社会的科学，到旨在把乌托邦重新定义为一种普适模型，启蒙运动对空想社会主义者的影响不应低估。圣西门、欧文和傅立叶是否是首创者呢？他们的首创性不仅是一个有关思想和观点的问题，而且也是一个关于道德情感的问题。这些空想社会主义的创始人们的共同倾向是，采取一种预言的口吻。

74

新黄金时代的先知

空想社会主义的这三位奠基人克洛德·亨利·圣西门(1760～1825)、罗伯特·欧

[5] Michèle Duchet,《人类学与启蒙运动时代的历史：布丰、伏尔泰、卢梭、爱尔维修、狄德罗》(*Anthropologie et histoire au siècle des Lumières: Buffon, Voltaire, Rousseau, Helvétius, Diderot*, Paris: Robert Laffont, 1971)。

[6] 参见 Jean Marie Goulemot,《历史领域——论17世纪～18世纪的历史和革命》(*Le Règne de l'histoire: Discours historiques et révolutions XVIIe—XVIIIe siècle*, Paris, 1975; new edition Paris: Albin Michel, 1996)，尤请参见第263页～第294页。

文(1771～1858)和夏尔·傅立叶(1772～1837),彼此有着很大差异。[7]第一位出身贵族,其他两位来自平民家庭。在转而进行不动产投资之前,圣西门是一名军官并参加了美国独立战争。法国大革命结束时,他破产了,只能靠做职员维持生计。这三个人中的唯一的英国人欧文,在走入英国和美国的社会改造行列之前,是一位领导新拉纳克工厂的成功的工厂主。而傅立叶在其大部分生涯中都是一个不显眼的店员。

不过,最重要的是,由他们这三个互不相同的人提出来的关于最终社会组织的不同观念。圣西门所考虑的是大型单纯的工业化社会,对这种社会要把它当做是由工人组成的和平军队来管理,欧文和傅立叶的建议则与他不同,他们提倡的是有严格限制的农业社会。按照设想,欧文的新和谐公社的居民过的是相当有节制的生活,而傅立叶的共产制公社的居民则可以享受各种快乐。

在把人类现在的悲惨状况与其未来的幸福生活相比较,与受他们之原则引导的新的最终的黄金时代相比较时,圣西门、欧文和傅立叶从未采用过相同的预言口吻。像与他们同时代的浪漫主义的哲学家和作家一样,这些空想社会主义的创始人们能够透过现在的薄雾和阴影看到隐约闪现的未来。[8]不过,他们的预见灵感,也是他们对19世纪初叶欧洲社会的悲观看法的一种产物。启蒙时代的哲学家们的沉思,停留在一般来说比较抽象的事物上,与他们不同的是,圣西门、欧文和傅立叶深刻意识到的是他们时代的种种不幸。法国大革命和英国工业革命所导致的政治变迁和社会变迁,在这种对当代的悲观主义的评价中表现得尤为明显。在空想社会主义者眼中,关于人类与社会的科学不仅是一种思想的挑战,而且是一项非常重要的防止社会混乱的成就。

75

阶级、历史与社会科学

对于黄金时代,圣西门、欧文和傅立叶所描绘的图景是大相径庭的,究其根源,他们对人类有不同的看法。除了傅立叶对人类激情的极为丰富和恰当的研究以外,这些看法在某种程度上仍然是不成熟的。尽管圣西门在其学术生涯开始之时撰写了《论人的科学》(*Memoire sur la science de l'homme*),指出这样一门科学应当以维克达济尔氏、卡巴尼斯和毕夏的当代医学研究为基础,但他从未提出过一个明确的关于人的概念。从他的著作所提供的各种线索来判断,他似乎把人解释为本质上是一种能动的创造物,人的天性和人的这种能动性的程度,在不同人身上会有很大差异。圣西门的人类

〔7〕 Frank E. Manuel,《亨利·圣西门的新世界》(*The New World of Henri Saint-Simon*, Cambridge, Mass.: Harvard University Press, 1956); Frank Podmore,《罗伯特·欧文传》(*Robert Owen: A Biography*, London: Allen and Unwin, 1906); Serge Dupuis,《空想社会主义者罗伯特·欧文(1771年～1858年)》(*Robert Owen: Socialiste utopique 1771—1858*, Paris: CNRS, 1991); Simone Debout,《夏尔·傅立叶的乌托邦》(*L'Utopie de Charles Fourier*, Paris: Payot, 1979); Jonathan Beecher,《夏尔·傅立叶:幻想家和他的世界》(*Charles Fourier: The Visionary and His World*, Berkeley: University of California Press, 1976)。

〔8〕 Paul Bénichou,《先知的时代:浪漫主义时期的学说》(*Le Temps des prophètes: Doctrines de l'âge romantique*, Paris: Gallimard, 1977)。

学绝不是平等主义的。而与之相对照的是，个体之间理论上的平等却是欧文的一项根本原则，尽管他的新和谐公社是严格分等的。这导致他强调人通过适当的教育改变自己命运的能力，虽然这一建议从未得到详尽的阐述。

人的完善不是傅立叶的议题。他自吹是个导师，因而不需要尝试改变自己。对于傅立叶而言，这意味着要研究对人类有推动作用的各种激情。傅立叶的“激情动力学”热衷于数字，编制了精致的人类倾向目录，而且往往具有煽动性，它是一项从一个崭新的科学视角对人类进行探索的雄心勃勃的尝试。

尽管他们关于人类的观点相互矛盾，这些空想社会主义者们一致承认社会组织具有有机的特性。这意味着一种与18世纪不同的社会观。在18世纪，社会被定义为仅仅是个体的集合。在法国，大革命所导致的政治上的不稳定似乎的确证明，在个人主义中不可能找到一种持久的社会秩序。在英国，因工业革命而导致的不断增加的社会紧张状况，也暗示着同样的结论。因而，重建一种有机的社会秩序，成了圣西门、欧文和傅立叶的首要任务。

在对个人主义缺陷进行批判方面，这些空想社会主义者并不是孤立的。保守的思想家如约瑟夫·德·梅斯特和路易斯·德·波纳德也都持有这种观点。不过，这些人求助的是超验的宗教和人类学原则，以及上帝和家庭，而圣西门、欧文和傅立叶关注的中心是不同的社会阶级。阶级并不是一个全新的概念。例如，孔多塞在他的《梗概》中已经把它用在牧师身上了。但是，以前这个概念处在哲学家的视角的边缘，而现在，它获得了一种根本性的价值。

尽管圣西门对各种社会阶级的表征仍然是不准确的，但正是在他的著作中，它们扮演着最关键的角色。对社会阶级（例如实业家阶级，他把他们定义为“许多致力于有益的生产的人的总和”）的思考，使他摆脱了18世纪关于心理因素与社会因素之间不变的相互作用的信念。这样，一门完全以对集体的功能和行为的研究为基础的新科学，就成为了可能，他以前的门徒奥古斯特·孔德后来把这样一门科学称之为社会学。与对社会功能和社会阶级的强调相伴而行的，是一种复兴的对历史的兴趣。18世纪的作者例如孔多塞所关注的是个人能力，而与个人能力形成对照的是，社会阶级的特征是由历史决定的。这门新的社会科学是以历史知识为基础的。它的雄心是要解读在人类历史中起作用的演化规律，以及新的黄金时代的降临所隐含的规律。

76

孔多塞主要关心的是科学和技术的持续进步，而空想社会主义者们却是把辨别一系列的有机的阶段，例如前基督教的古代社会和中世纪等，作为自己历史观的基础。按照圣西门的观点，那些阶段分为若干个社会和文化的不确定和不稳定时期。对于他来说，宗教改革运动就是这样一种时期，它导致了18世纪的批判哲学、基督教的毁灭并且最终导致了法国大革命。他所宣布的黄金时代，会使社会文化的动荡走向终结，取而代之的是一种新的有机的秩序。在许多方面，孔德的实证阶段也扮演着类似的角色。

空想社会主义者们对社会阶级的强调,无疑是马克思把他们看做"科学社会主义"的先驱的最重要的理由。马克思同他们一样,对社会持有一种以阶级斗争为基础的动态的观点。圣西门、欧文和傅立叶敏锐地意识到了早期工业化社会与日俱增的冲突。他们并没有把阶级斗争看做是一个不安全和动荡的时期的暂时特性,而看做是历史发展的动力因素。他们所选择的预言的语气,在一定程度上就是这种信念的一个结果。像他们一样,马克思也强调经济组织与社会组织之间的密切关系。与马克思主义的无产阶级的胜利相仿,空想社会主义者的黄金时代也是建立在对生产的根本性改革基础之上的。不过,与马克思主义学说不同的是,这种改革不是由无产阶级发起的。19 世纪第一个真正的共产主义的乌托邦,是后来的蒂耶纳·卡贝(1788～1856)提出来的。[9]相反,圣西门、欧文和傅立叶仍然笃信这样一种观念,即社会变迁是以某个社会精英的领导作用为基础的。马克思和恩格斯在《共产党宣言》中严厉批判了这种精英观,由于这种观点具有专家统治论的意味,后来 20 世纪的自由主义者们也对它进行了谴责。

77

走向人道教

在这些将要成为社会科学之基础的概念和命题的出现过程中,空想社会主义者所起的作用,肯定不会使我们漠视他们的学说的那些过激的特点,例如,他们试图用一种新的宗教取代基督教。虽然在圣西门的早期著作中,宗教并不具有显著的地位,但在他去世的那年出版的他的《新基督教》(*Nouveau Christianisme*)中,宗教却显得极为重要。[10]至于欧文,他在其晚年变成了一个唯灵论者。在 19 世纪初的空想社会主义中,宗教因素仍是一个很重要的方面。圣西门的信徒、欧文的信徒以及傅立叶的信徒进行过各种创建新教派的尝试,在这一方面,他们比他们的导师更为激进。尽管这种新宗教常常从天主教的僧侣制度和其富有感染力的仪式中获得启示,但它避开了对某个遥远的上帝的崇拜,因而有别于基督教。人类及其成就(或者,就圣西门而言,人类与世界的其余部分的泛神论联系)将会取代以前的基督教中的神。

在很大程度上,创建一门人道教的计划,是建立一种新的有机的秩序、重建一种超越个人差异和利益的纯正社会这一雄心的一个结果。这样一个目标仅仅凭借诉诸理智是无法实现的,因为绝大多数人不仅受他们的头脑支配,而且也受他们的心灵支配。

[9] Jules Prudhommeaux,《伊卡利亚与它的创始人艾蒂安·卡贝:对实验社会主义探索的贡献》(*Icarie et son fondateur Etienne Cabet: Contributtion à l'étude du socialisme expérimental*, Paris: Édouard Cornély, 1907); Christopher H. Johnson,《法国的乌托邦共产主义:卡贝和伊卡利亚公社社员(1839 年～1851 年)》(*Utopian Communism in France*: *Cabet and the Icarians, 1839—1851*, Ithaca, N. Y.: Cornell University Press, 1974)。

[10] Henri Desroche,《圣西门的〈新基督教〉的起源和结构》(Genèse et structure du *Nouveau Christianisme* saint-simonien),为 Henri De Saint-Simon 的《新基督教》(*Le Nouveau Christianisme et les écrits sur la religion*) 所写的导言(Paris: Le Seuil, 1969),第 5 页～第 44 页。

在刚刚进入19世纪时，夏多布里昂就在其《基督教的神》(*Génie du Christianisme*)中清晰地阐明了这种观点。按照空想社会主义者的观点，精英人物具有普遍和抽象的理解能力，而一般的人们具有的是更多凭借直观和情感的能力，这二者之间的裂痕唯有宗教能够弥补。然而，有效地把一种新的社会信条作为确保社会惯例的一种手段来传播，并非仅仅是一个利害攸关的问题。从某种更深远的意义上讲，这也是一个协调人类的理智天性和情感天性的问题。奥古斯特·孔德最初忽视了这个目标，在孔德于1842年左右与克洛蒂尔德·德·沃相遇之后，这一目标起到了较大的作用。像圣西门、欧文和傅立叶以及他们的信徒们一样，这位实证主义的创始人于是也开始了从他的哲学向一种宗教的转向。[11]

文化的统一性也是利害攸关的，这种统一性正在受到精密科学与其他类型的文化产品之间日益加大的裂痕的危害。孔多塞在其《梗概》中，强调了在特定的社会中，宗教信仰、科学知识的状态以及各种文化成就之间的联系。在法国大革命结束时，在夏尔·迪皮伊的《论各种信仰的起源》(*De l'Origine de tous les cultes*)中也可以看到同样的思路。空想社会主义者对宗教的关注，是他们恢复文化的根本统一这一抱负的一种表现，而这种统一性是像例如中世纪这样井然有序的时期的一种特征。在这方面，可以证明，孔德比他的那些喜欢空想的先驱们更为现实。实证主义从未打算把各种类型的知识归并到某种单一的科学知识体系之中。[12]

78

尽管创建一门新宗教的尝试被19世纪末和20世纪初的社会科学放弃了，但空想社会主义者们又一次预见到了社会科学家所关心的最根本的问题。在从传统社会向工业社会转变的过程中，紧密联系的社区被比较松散的社会关系体系取代了，而这又成了从费迪南德·滕尼斯到埃米尔·迪尔凯姆的社会学所关心的一个主要问题。像圣西门、欧文和傅立叶的著述一样，在迅速增加的社会学文献中，弥漫着一种朦胧的对这一过程中所失去的东西的怀旧之情。[13]此外，宗教、文化和社会组织间的关系也成了社会学的一个主要课题。如果说马克斯·韦伯的《新教伦理与资本主义精神》(*Protestant Ethic and the Spirit of Capitalism*)从根本上讲受惠于德国的历史学派的经济学，[14]那么埃米尔·迪尔凯姆的《宗教生活的基本形式》(*Les Formes élémentaires de la vie religieuse*)，更多地应该感激通过奥古斯特·孔德传承下来的空想社会主义遗产。

在一个工业化的世界中，精确科学及其技术应用逐渐取代了宗教，而成为精神合理性的最终来源，在这样的世界中尽管对情感的诉诸不多，但人们可能更想知道，社会

[11] Mary Pickering,《奥古斯特·孔德思想传记》(*Auguste Comte: An Intellectual Biography*)，第1卷(Cambridge: Cambridge University Press, 1993)。

[12] Annie Petit,《实用主义的好运和厄运：奥古斯特·孔德及其早期门徒著作中的科学哲学和科学政策(1820～1900)》[Heurs et malheurs du positivisme: Philosophie des sciences et politique scientifique chez Auguste Comte et ses premiers disciples (1820—1900), PhD dissertation, Université de Paris l-Sorbonne, 1993]。

[13] Robert A. Nisbet,《社会学传统》(*The Sociological Tradition*, New York: Basic Books, 1966)。

[14] Wilhelm Hennis,《马克斯·韦伯问题》(*La Problématique de Max Weber*, Tübingen, 1987; French translation Paris: PUF, 1996)。

科学是否并不打算充当纯粹的科学理性与情感之间的调解者。而在19世纪初叶,这恰恰是空想社会主义者试图占据的位置。把科学的严密与情感的满足结合在一起这一愿望,依然是社会科学所关心的一个问题。[15]

教育、家庭和性别的重塑

对于空想社会主义者而言,科学与行动是密切结合在一起的。在涉及有关诸如教育、家庭和性别等话题时,这种联系尤为紧密。在谈到教育和家庭时,欧文和傅立叶比圣西门更为激进,因为他们提出了一种儿童集体教育法,这种方法有可能会削弱传统的家庭结构。按照傅立叶的学说,这种结构会被一种顾及各种人类情欲的表达方式的性生活进一步削弱。最奇怪的是,傅立叶在其《恋爱的新世界》(*Nouveau monde amoureux*)中表述的这种观点遭到了他的信徒们的普遍拒绝,但却在19世纪30年代初期对圣西门主义者产生了深远的影响。

79

妇女解放,是声称追随圣西门、欧文和傅立叶的第二代乌托邦思想家们关心的一个主要问题。然而,大部分受空想社会主义吸引的妇女,不久就会因她们的男性同志们受其事业约束这一浅薄表现而大失所望。而在作为一种社会政治运动的女权主义出现的过程中,起到根本性作用的是以前的圣西门主义、欧文主义和傅立叶主义的女信徒们。[16]

集体教育和妇女解放,是一个更大的议程,即彻底重新塑造社会关系中的一部分。与空想社会主义者对个人主义的谴责相一致的是,这种重塑意味着,对于那些可能有碍于真正的集体精神形成的情感——从父母灌输的社会偏见到排他的爱,要予以抑制或者至少要将其削弱。这样一种议程是否是集权主义的?许多作者对此进行过争论,其中包括弗里德里希·冯·哈耶克和汉娜·阿伦特,他们常常把空想社会主义者的思想与20世纪共产主义的纲领联系在一起。[17]许多国家的现实政体延续了数十年,要把

[15] Wolf Lepenies,《文学与科学之间:社会学的兴起》(*Between Literature and Science: The Rise of Sociology*, Cambridge: Cambridge University Press, 1999)。

[16] Maria Teresa Bulciolu,《圣西门学派与妇女:关于妇女在圣西门社会中的角色史的笔记和文献(1828～1833)》(*L'Ecole saint-simonienne et la femme: Notes et documents pour une histoire du rôle de la femme dans la société saint-simonienne 1828—1833*, Pise: Goliardica, 1980); Carol A. Kolmerten,《乌托邦中的妇女:美国欧文主义公社中的性别意识形态》(*Women in Utopia: The Ideology of Gender in the American Owenite Communities*, Bloomington: Indiana University Press, 1990); Bernadette Louis 主编,《圣西门书信集:与昂热利克·阿尔诺和卡罗利娜·西门的通信(1833～1838)》[*Une Correspondance saint-simonienne: Angélique Arnaud et Caroline Simon (1833—1838)*, Paris: Côté-femmes éditions, 1990]; Benoîte Groult,《波利娜·罗兰或自由怎样落到妇女头上》(*Pauline Roland ou comment la liberté vint aux femmes*, Paris: Robert Laffont, 1991); Michèle Riot-Sarcey,《论妇女自由:致全球女士(1831～1832)》[*De la Liberté des femmes: Lettres de dames au Globe (1831—1832)*, Paris: Côté-femmes, 1992]; Michèle Riot-Sarcey,《面临妇女考验的民主:关于权力的三种批判形态(1830～1848)》(*La Démocratie à l'épreuve des femmes: Trois figures critiques du pouvoir 1830—1848*, Paris: Albin Michel, 1994)。

[17] Hannah Arendt,《集权体制》(*Le Systéme totalitaire*, 1951, French translation Paris: Le Seuil, 1972),第72页;Friedrich A. Von Hayek,《科学的反革命》(*The Counter-Revolution of Science*, 1952, new edition New York: Free Press of Glencoe; London: Collier-Macmillan, 1955); George Iggers,《权威崇拜:圣西门主义者的政治哲学》(*The Cult of Authority: The Political Philosophy of the Saint-Simonians*, The Hague: M. Nijhoff, 1958; reprinted, 1970)。

那些从未大量应用于这些政体上的学说加以比较并得出结论是很困难的。不过，把圣西门、欧文和傅立叶以及他们的信徒们所采取的自由主义的语气，与成熟的东欧和亚洲的共产主义的严格戒律加以比较，肯定会使人们大吃一惊。

由于空想社会主义的奠基者们或者他们的嫡传弟子们并没有把自由作为一种根本价值加以借助，这种自由主义的语气就更令人惊讶。他们认为，适当的社会组织会使个人的能动性变为多余的东西。他们的社会科学本质上是决定论的，因此，这种社会科学会排斥政治学及其折中办法，排斥经济自由主义以及它对自我中心主义的鼓励，并消除它所造成的痛苦的痕迹。在这方面，他们的科学与孔多塞的观念迥然不同，80因为后者允许人类的自由意志和行动。他们的科学首先在欧洲出现，而在美国，欧文和傅立叶有许多追随者，无论是在欧洲还是在美国，空想社会主义的历史的一个显著标志是，在决定论的历史观与更为积极的对人之作用的评价之间，反复出现某种冲突。

社会实验与失败

在回顾时，了解到 19 世纪初欧洲和美国社会存在的紧张关系，圣西门学说、欧文学说和傅立叶学说的广泛影响似乎很容易理解。但是，这种成功的程度却使许多与他们同时代的人感到吃惊。在临终时，圣西门身旁只有几个朋友。而在 19 世纪 30 年代初期，在圣阿蒙・巴尔扎和普罗斯珀・昂方坦的领导下，圣西门主义曾经吸引过数以百计的工程师、律师和医生，更不用说有数以千计的工人在巴黎、里昂、梅斯和图卢兹聆听圣西门主义者进行宣传了。[18]与和他思想类似的这位长者相比，欧文更为幸运，他能够看到他的思想在英格兰和美国的传播。而傅立叶主义的兴起更为引人注目。到了 19 世纪 40 年代，它在法国已经非常有影响，而美国傅立叶主义的历史，大约从布鲁克农场（Brook Farm）的合作社向共产制公社理想的转变开始。在随后的若干年中，在美国各地都可以看到许多共产制公社。[19]

圣西门主义者、欧文主义者和傅立叶主义者仿效他们的导师，致力于社会实验，他们试图创造一些新的生活和工作条件。然而，大多数这类尝试都是短命的。无论是像圣西门主义者那样，把工人阶级组织成受一种新型的神权政治管理的和平军队，还是像欧文主义者和傅立叶主义者那样，建立和谐的自给自足的农业合作社，这样一些综

[18] Sébastien Charléty,《圣西门主义史（1825 ～1864）》（*Histoire du saint-simonisme 1825—1864*, Paris: P. Hartmann, 1931）; Henri René D' Allemagne,《圣西门主义者（1827 ～1837）》（*Les Saint-simoniens 1827—1837*, Paris: Gründ, 1930）; 也可参见以“圣西门主义与工业的赌注（Saint-simonisme et pari pour l'industrie）”为主题的 5 期《经济与社会》（*Economies et sociétés*）杂志：第 4 卷，第 4 期、第 6 期、第 10 期；第 5 卷，第 7 期；第 7 卷，第 1 期（1970 ～1973）; Jean Walch,《圣西门主义文献目录》（*Bibliographie du saint-simonisme*, Paris: Vrin, 1967）; Philippe Régnier,《圣西门主义研究现状》（De l'Etat présent des études saint-simoniennes），见于 Jean René Derré 主编的《论圣西门主义与圣西门主义者》（*Regards sur le saint-simonisme et les saint-simoniens*, Lyon: Presses universitaires de Lyon, 1986），第 161 页～第 206 页。

[19] Carl J. Guarneri,《空想家的抉择：19 世纪美国的傅立叶主义》（*The Utopian Alternative: Fourierism in Nineteenth-Century America*, Ithaca, N. Y.: Cornell University Press, 1991）。

合性计划都缺乏可行性,除此之外,还有其他一些因素也可以说明这一系列失败的原因。就圣西门主义的情况而言,这种运动固有的模棱两可性起到了某种作用。由于其关于银行体系现代化和铁路建设的计划,圣西门的信徒们不仅引起了空想家们对一个新奇而美好的世界的梦想,而且还吸引了像银行家埃米尔·佩雷尔和伊萨克·佩雷尔以及工程师和企业家保兰·塔拉博这样注重实际的人。[20]这样,圣西门主义既为社会主义也为将在第二帝国时期发展的独裁式的资本主义勾勒出了轮廓。这一运动的双重性所导致的冲突是难以克服的。

81

更为概括地说,空想社会主义的引人之处就在于其允诺十分符合其时代的渴望,尤其符合这种愿望,即使新的社会经济竞争与重建集体主义和利他主义的价值观相适应。但是对这些愿望的追求,也可以采取更传统的诸如政治运动这样的方式,而一旦这一点变得明朗化,乌托邦运动就开始迅速衰落。例如在法国,19 世纪 40 年代后期,共和党也能吸引许多以前的乌托邦主义者。在美国也出现了类似的过程,在这里,傅立叶主义逐渐失去了其作为一种替代政治行动主义的可行方案的适当性。

在其巅峰时期,空想社会主义运动强调实践问题,而忽视了它们的奠基者们的科学抱负。这种忽略在美国尤为明显,在这里,公社的创办耗费了大部分可以利用的资源。创建一门关于人类与社会的新科学仍然是一种公认的目标。在空想社会主义运动失败之后,它们以前的一些成员参与了为此目标而创建的科学社团。例如在法国,前圣西门主义者古斯塔夫·德·艾希塔尔成为了成立于 1839 年的人种学学会活跃的会员。[21] 1865 年,马萨诸塞州的人道主义改革家弗兰克·桑伯恩创办了美国社会科学联合会,在该组织中美国以前的傅立叶主义者也扮演了类似的角色。[22]一般而言,他们对这种事业的贡献仍然是适度的。也许,相对于作为一种直接的启示来源来说,空想社会主义作为一个反例所起的作用更大。它的失败似乎特别证明了把反思与行动分开的必要性。在迪尔凯姆和韦伯以后,诸如社会学这样的学院派科学与改革主义的行动主义的分离,对社会科学的进一步发展起到了引导作用。[23]

空想社会主义者们真的是 19 世纪社会科学的奠基者吗?答案依然模棱两可。一方面,圣西门、欧文及其追随者们致力于这样一些问题,如人类的集体史,以及对作为功能体系的社会和实现这些功能的阶级的研究,为奥古斯特·孔德及其实证社会学铺平了道路。他们对阶级斗争的关注对马克思产生了启示作用。另一方面,他们对社会

82

〔20〕 Bertrand Gille,《19 世纪的法国银行业》(*La Banque en France au XIXe siècle*, Genève: Droz, 1970);R. B. Carlisle,《圣西门主义者、罗思柴尔德家族与铁路》(Les Saint-simoniens, les Rothschild, et les chemins de fer),见于《经济与社会》,第 5 卷(1971),第 1185 页～第 1214 页;Jean Walch,《圣西门主义者与交通途径》(Les Saint-Simoniens et les voies de communication),见于《技术文化》(*Culture technique*),19(1989),第 285 页～294 页。

〔21〕 W. H. Chaloner 和 B. M. Ratcliffe,《一个法国社会学家看英国:古斯塔夫·德·艾希塔尔与 1828 年的不列颠协会》(*A French Sociologist Looks at Britain: Gustave d'Eichtal and British Society in 1828*, Manchester: Manchester University Press, 1977),第 148 页。

〔22〕 Guarneri,《空想家的抉择》,第 400 页。

〔23〕 Antoine Savoye 和 Bernard Kalaora,《被遗忘的创始者:社会科学最初的作用和继承者》(*Les Inventeurs oubliés: Le Play et ses continuateurs aux origines des sciences sociales*, Seyssel: Champ Vallon, 1989)。

科学的出现的实际贡献仍然是有限的。他们对社会的表征,基于的是一般的假设,而不是更为专门的资料,例如研究和调查中的个案等。从整体上看,人们可能倾向于把空想社会主义解释为我们当代的社会科学的前历史阶段,而不是严格意义上的它们的历史的早期阶段。或许,在提出削弱宗教的社会纽带作用及其社会重要性这样的问题时,圣西门、欧文和傅立叶只是为社会学提出了一个议程,而不是回答了它的问题。

如果以一种更为积极的方式评价空想社会主义所起的作用,人们可能会注意到,它所提出的问题超出了正在出现的社会科学的范围。例如,圣西门的信徒很关心网络概念的出现。他们的反思远远超出了当时正在发展的运输网络的概念,他们倾向于把社会本身解释为一系列相互联系的网络。[24]圣西门主义者对例如西方与东方的关系这样的全球问题也很感兴趣,他们并没有想当然地认为欧洲比世界的其他部分优越。[25]傅立叶对性解放的兴趣可能成了后来的社会科学家的一个重要课题。20 世纪 60 年代对圣西门和傅立叶的著作的重新发现,在很大程度上就是这种发展的一个结果。

最后,空想社会主义者的学说(例如圣西门的宇宙论和傅立叶的宇宙论)不受拘束的特性,[26]或许也可以结合到这种积极的评价之中。沃尔特·本雅明曾打算撰写一部关于 19 世纪的巴黎的著作,但未完成,在他为撰写此书所做的笔记中,有关于圣西门主义者和傅立叶主义者的资料。[27]这本书旨在证明资本主义及其隐含的合乎经济原则的过程,包含着某种神话的、几乎是梦幻的成分。在工业革命的前夕,空想社会主义也许就是这种神话成分的最好的表达方式之一,在正在出现的社会科学中也渗透着这种乌托邦思想。可以纳入那些最有创意的神话之列的,如果不是灵魂转世,那么,或许就是对进步的崇拜、对绝对积极的社会事实的信仰,以及对可以说明人类未来的永恒的历史规律的信仰了。

(鲁旭东　译)

[24] 参见 Pierre Musso,《电信与网络哲学:圣西门之后的悖论》(*Télécommunications et philosophie des réseaux: La Postérité paradoxale de Saint-Simon*, Paris: PUF, 1997)。

[25] Magali Morsy 编,《圣西门主义者与东方:走向现代性》(*Les Saint-simoniens et l'Orient: Vers la Modernité*, Aix-en-Provence: Edisud, 1989); Philippe Régnier,《埃及的圣西门主义者(1833 ～1851)》[*Les Saint-simoniens en Egypte (1833—1851)*, Cairo: Amin F. Abdelnour, 1989]; Ghislaine Alleaume,《开罗的综合技术学校及其学生:19 世纪埃及技术精英的形成》(L'Ecole polytechnique du Caire et ses élèves: La Formation d'une élite technique dans l'Egypte du XIXe siècle, PhD dissertation, Université de Lyon II, 1993)。

[26] Michel Nathan,《傅立叶主义者的天堂:天国的居民与灵魂再生》(*Le Ciel des fouriéristes: Habitants des étoiles et réincarnations de l'âme*, Lyon: Presses Universitaires de Lyon, 1981)。

[27] Walter Benjamin,《19 世纪的首都巴黎:旅行手册》(*Paris capitale du XIXe siècle: Le Livre des passages*, Frankfort, 1982; French translation Paris: Cerf, 1989)。

6

18 世纪和 19 世纪的社会调查

83

艾琳·简斯·约

耶稣基督诞生之时，正是玛利亚和约瑟夫在路上去接受为征税而进行的帝国人口普查统计之时。[1] 从古至今，国家在社会调查工作中一直积极主动。到 16 世纪，根据《牛津英语词典》（*The Oxford English Dictionary*），"调查"一词的意思是：由国家实施的对财产、储备和人口的清查，目的是增加国家收入，供养军事力量。然而，自 17 世纪开始，逐渐产生了一系列出于不同目的的人口研究，调查活动也开始转到其他社会组织手中，并在 19 世纪得以确立。时至今日，热心的志愿者和政府官员一样都开始关注统计数字，不仅因为这些事实有利于国家，而且因为这些表格化的事实能够描述"国家现状"，并常常"着眼于该国的未来发展"。[2]

本章将研究大规模的定量社会调查历史中某些关键性的发展和中断，主要以英法两国为对象。一些研究者已从导致真正科学的现代调查的概念上和方法论上的发现出发，讲述了这一历史。而我则要考察在当时已被认为是科学的社会研究的历史实践，我主张这些调查研究是由社会需要而形成的，即使像统计方法这样表面上中立的领域也是如此。[3] 本章将从法国革命时期对人口普查的引入开始，以第一次世界大战时期人口普查转向专业化而结束。本章认为，调查的焦点集中在诸如工人阶级和穷人这样的群体上，他们被看做是国家富裕的重要指标，有时我们也能瞥见来自他们自身观点的回应。

84

视觉是"调查"不可或缺的部分。调查（survey）早期的同义词是 surview（surveu），

[1] John Rickman，《关于英国人口普查的效用和便利的思考》（Thoughts on the Utility and Facility of Ascertaining the Population of England, 1796），见于 David V. Glass，《统计人口：18 世纪的人口争议与英国的人口普查和人口统计的发展》（*Numbering the People: The Eighteenth-Century Population Controversy and the Development of Census and Vital Statistics in Britain*, Farnborough: Saxon House, 1973），第 III 页。

[2] John Sinclair 爵士的人口定义，见《以统计研究为基础建立的一种政治经济学编码》（*A Code of Political Economy, Founded on the Basis of Statistical Inquiries*, Edinburgh, 1821），第 xii 页；Alain Desrosières，《大数政治学：统计推理史》（*La Politique des Grands Nombres: Histoire de la Raison Statistique*, Paris: Éditions La Découverte, 1993），第 28 页～第 29 页，以及第 35 页～第 36 页。

[3] 关于编史学的争论，参见 Martin Bulmer, Kevin Bales 和 Kathryn Kish Sklar 编，《历史角度的社会调查，1880～1940》（*The Social Survey in Historical Perspective*, 1880—1940, Cambridge: Cambridge University Press, 1991），第 1 章，第 62 页～第 63 页。

它包含了视野内的位置和一种权力关系。观察者位于有一定高度和距离的地方，在那里，他们会获得一种整体上的综观，这确实是权威性的视野，会成为发号施令的必备条件。但调查并不是原罪，永远因其历史起源而堕落。实际上，社会调查的重要方面之一就是围绕所有类型的探究而出现的活跃的争议。在其19世纪的涵义中，社会调查作为一种经验的、定位于行动的科学，其对象是幸福和改善，并且是社会科学的重要部分。就此而言，调查是富有争议的活动。[4]

古代和现代的人口调查

最早的调查类型是人口调查，对人口调查的需要，自18世纪以来在英国和法国就日益迫切，而其原因却相反。米歇尔·福柯注意到，现代国家将合法性建立在保障生命的权力之上，而非借助战争或死刑以死亡相逼迫。[5] 这种对人口的生命力的关注共经历了两个发展阶段。在法国大革命之前，来自宗教和政治经济的假说会合在一起，强调的是人口规模。无论是天主教神学还是新教神学，都把《创世纪》(*Genesis*)中的神谕在字面上理解为"生养众多"，这种观点体现在约翰·彼得·聚塞米尔希牧师的《神谕》(*Die Göttliche Ordung*, 1741)中。无论是强调贸易重要性的重商主义者，还是强调土地价值的重农主义者都认为，人口众多是至关重要的。这样一来，计算人口和评估其成长模式的需要就日趋紧迫，不过执行这项任务却困难重重。

旧政权的调查往往会遭到来自反对高税收者的抵抗，有时也来自反对"凌辱上帝"的"不虔敬的数字统计"者的抵抗。[6] 这种调查的结果还被看做国家机密，极少被透露。1697年由德·博维尔公爵主持的调查被泄露，随后在1709年塞巴斯蒂安·德·沃邦对此加以总结，并事实上一成不变地使用了近50年。该调查认为法国人口规模是不变的或在下降。从那时起，深深根植于法国人心中的人口停滞或人口不足的神话就一直保持下来。[7] 在英国则发生了一场关于1666年伦敦大火之后和1688年光荣革命之后人口是增还是减的争论。这促使像威廉·配第(1623～1687)爵士这样的人口统计学的先驱思想家们，运用被配第称作"政治算术"的新调查方法来计算人口增长(也许是从挪亚和大洪水时代开始计算)。[8]

85

渴望统计人口的热衷者和官员必须依靠他们自己的聪明才智以取代全面的信息。

〔4〕 参见 Eileen Yeo，《社会科学争论：性别与阶级的关系及其代表》(*The Contest for Social Science: Relations and Representations of Gender and Class*, London: Rivers Oram, 1996)，第x页～第xi页。

〔5〕 Michel Foucault，《性史》(*The History of Sexuality*)第1卷：《导论》(*An Introduction*, 1976)，R. Hurley 译(Harmondsworth: Penguin, 1981)，第136页。

〔6〕 Fernand Faure，《法兰西》(France)，见于《统计学史：在不同国家的发展与进步》(*The History of Statistics: Their Development and Progress in Many Countries*)，John Koren 编(New York: Macmillan, 1918)，第258页～第259页。

〔7〕 Albert Soboul，《法国革命时期的文化》(*La Civilisation et la Revolution Française*, Paris: Arthaud, 1970)，第1卷，第6章；Faure，《法兰西》，第250页～第255页；Jacques Dupaquier，《法国人口史》(*Histoire de la Population Française*, Paris: PUF, 1988)，第2卷，第30页～第43页。

〔8〕 William Petty，《政治算术文选》(*Several Essays in Political Arithmetick*, 1755, London: Routledge, 1992)。

在这一时期,调查者不愿意使用各种类型的样本和乘数,以得出关于全国状况的结论。在法国,教区的牧师们把人口统计数据报告给地方官员,这些官员就在所选的教区进行调查,计算出过去六年出生数的平均值与教区人口总数的比率,然后用法国出生总数乘这个比率,从而确定全国人口数量。[9] 在英国,计算结果基于纳税者名单或死亡报表。英国的这些记录的缺陷太显而易见了,以至于在 1753 年和 1758 年,议会通过法案,批准年度人口调查和整理全国人口调查数据,但二者皆以失败告终。反对者攻击这种行为是试图“骚扰和麻烦帝国的每一个家庭”。威廉·桑顿爵士把该法案严厉斥责为是对“英国最后剩下的自由的彻底颠覆”,并警告说,他要把任何一个调查员“浸入洗马池里,使其受到惩罚”。[10]

然而,到 18 世纪末,在这两个国家中,事态的发展方向是逐渐克服那种抵制倾向。在法国,启蒙哲学家(和他们的反对者)都认为,“在其统治下公民人数繁殖和增长得最多的政府,无疑是最好的政府”(卢梭语)。但他们认为,正是由于旧制度的堕落才导致了人口的急剧下降。让 - 雅克·卢梭(1712～1778)严厉谴责了现代道德,他以女人为批评目标,说她们“把繁殖人类的乐趣变成为对人类的残害。这个习惯,再加上其他使人口减少的种种原因,已经向我们宣告了欧洲来日的命运”。他督促“统计专家”对旧制度的崩溃开始倒计时。[11]

法国革命之后,绝大多数国家都废除了对统计数据的保密。这是一个至关重要的转折点。那些以“理性”而非“传统”为权威之基础的国家,开始依赖这种近来被称作“知识基础”的东西。他们为了制定政策、监督执行而搜集经验信息,并且广泛征求公众意见,并把对检查的公开讨论既作为政府的开放风格的证据,也作为对公众福祉的承诺的证据,而在民主国家中,还作为代表人民、对人民负责的证据。正是为了确保国会席位的平等分配,美国宪法要求从 1790 起,每十年进行一次人口普查。在意大利,对于尚需统一进程来实现的理论上的国家,人口统计甚至能够让它具有一些现实性。由恩斯特·恩格尔博士发明的普鲁士已有的详细调查体系,在 1871 年为德意志帝国所统一的各州、市进一步效法。[12]

不管共和制和君主制如何更迭,就在各个政府都在试图保护自己、揭露前政府的

[9] Eric Brian,《国家的测量:18 世纪的几何学家和行政管理者》(*La Mesure de l'Etat: Administrateurs et Géomètres aux XVIIIe Siècle*, Paris: Albin Michel, 1994)。

[10] 引自 Glass,《统计人口》(*Numbering the People*),第 20 页。

[11] Jean Jacques Rousseau,《爱弥尔》(*Emile*),或《论教育》(*On Education*, 1762),A. Bloom 译(Harmondsworth: Penguin, 1991),第 14 页,以及《社会契约》(The Social Contract),见于《社会契约》(*Social Contract*),Ernest Barker 编(Oxford: Oxford University Press, 1947),第 280 页。

[12] Gianfranco Poggi,《现代国家及其进步观念》(The Modern State and the Idea of Progress),见于《进步及其问题》(*Progress and Its Discontents*), Gabriel A. Almond, Martin Chodorow 和 Roy Harvey Pearce 编(Berkeley: University of California Press, 1982),第 346 页～第 347 页;Michael Lacey 和 Mary Furner,《社会调查、社会知识与国家》(Social Investigation, Social Knowledge and the State),见于他们的《英美国家的社会调查》(*The State and Social Investigation in Britain and the United States*, Cambridge: Cambridge University Press, 1993),第 5 页～第 7 页;Silvana Patriarca,《数字与国家地位:19 世纪意大利的统计学写作》(*Numbers and Nationhood: Writing Statistics in Nineteenth-Century Italy*, Cambridge: Cambridge University Press, 1996),第 6 页～第 7 页;Ian Hacking,《驯服偶然》(*The Taming of Chance*, Cambridge: Cambridge University Press, 1990),第 18 页,第 20 页。

缺陷时，一股统计学的热潮在法国涌现。1801 年，统计总局建立起来，内务部长 J. A. 查普塔开始着手人口和资源总数的普查，由统计总局的官员负责实施。于是，这些官员在统计调查中得到训练，同时他们也与即将掌权者熟悉起来。拿破仑统治下的国家需要赢得信任，这一点影响了对整套方法的选择。有人建议从样本出发进行推理，展开更具有数学化的实践，但遭到拒绝。因为这种方法只涉及巴黎少数职业调查员，这就带有秘密使用和滥用中央权力的嫌疑。况且，不仅监督全国性改革的影响是非常重要的，而且让地方精英参与国家建设计划也同样重要。然而，地方上的资本家、地主和职业人士却都不愿意他人过问自己的“专有”领域。结果，普通百姓就成了详细调查的可接受对象。[13]

87 在英国，由于法国革命的影响，调查者们也把调查的目光集中到了贫穷的劳动者身上，但是对他们的人口出生率却有不祥的预兆。在拿破仑战争的十年间，由于为争夺食物而发生的大范围暴乱、剧烈的激进活动、爱尔兰的叛乱以及海军舰队的兵变，使得统治阶级的警报逐步升级。有时在政治上争执不休的贵族和中产阶级，现在也为了国家的稳定，紧密地纠结起来了。为对局势进行分析和对政治上进行掌控，政府采取了紧急措施。1798 年，牧师托马斯·马尔萨斯，这位政治经济学、人口统计学的开拓者，发表了《论人口原理》(*An Essay on the Principles of Population*)，他对当时正流行的关于人口数量的神学智慧和乐观的启蒙信仰(例如孔多塞对进步的信念)提出了挑战。马尔萨斯认为，自然法则，也就是上帝行为所依照的普遍法则，使得人口增长快于食物供应，从而刺激那些天生懒散的人使他们变得积极。对马尔萨斯来说，不受抑制的人口增长会引发全国性的灾难。若要补救人口和维系生存之间的不平衡，关键在于穷人要发扬在道德上节制生育的能力。在 1803 年，马尔萨斯无情地宣称：谁要是“养活不了自己的孩子，他们一定会饿死”。[14] 这种令人震惊的观点虽然不容易被接受，但是却引起了正处于政治混乱的环境中的贫穷劳动者的焦虑，促使国家对人口普查有了新的需要，而这样的普查实际上在 1801 年就开始进行了。

社会统计学与十足的热衷者：1830～1850 年

政府的和志愿的调查工作以空前的规模猛增，这成了充满统计热情的时代。在 1833 年，法国统计总局恢复运作，并且从 1836 年开始负责执行每五年一次的人口普查，其核心是家庭和家眷，并且不再使用样本或乘数。科学、道德和政治研究院及其政治和统计经济部门也得以恢复。在英国，新的国家机构也开始出现，包括贸易委员会

[13] Marie-Noëlle Bourguet,《描述、计算与核算：拿破仑时期的统计学争论》(Décrire, Compter, Calculer: The Debate over Statistics during the Napoleonic Period)，见于《可能的革命》(*The Probabilistic Revolution*)，Loreni Krüger, Lorraine Dalston 和 Michael Heidelberger 编(Cambridge, Mass.: MIT Press, 1987)，第 1 卷，第 309 页～第 311 页。

[14] Thomas Robert Malthus,《论人口原理》(*An Essay on the Principles of Population*, 1797)，《再论》(*Second Essay*, 1803)，Patricia James 编(Cambridge: Cambridge University Press, 1989)，第 1 卷，第 205 页；第 2 卷，第 105 页。

的统计部门(1833)、注册登记办公室(1837);研究团体也建立起来,如在 1834 年成立的伦敦统计协会(后改为皇家统计学会)。“让演讲中的数字面对计算出来的数字的挑战这一趋势”,令伦敦人兴高采烈。[15] 这与其说与或然论的估计有关,倒不如说更常与全面的综合调查有关。对数学统计最有影响力的主持者,比利时学者兼政府统计学家阿道夫·凯特莱(1796～1874),最终也没有实践他自己提倡的方法。他假定社会的合法性质,并敦促创立一种社会物理学,利用定量方法去发现和表述那些法则。由于他对社会动荡深感恐惧,例如 1830 年剧变期间,军队曾侵入他的观察台,让他亲历了这种动荡,所以他探索的是能够抵挡革命所释放的各种动乱力量的规律性,即自然的恒力。[16]

88

(自 1827 年以来公布的)法国犯罪统计的一致性使他相信,大范围的规律性在每个社会领域都占主导地位,而且统计法则即便对特定个人而言是失败的,但当它们运用于群体时,则是成功的:“个体的数量越多,个人的意志就越容易被湮没于一系列取决于普遍原因的普遍事实之中,而正是根据这些原因,社会才得以存在和保存。”[17] 他在其最著名的理论模型“常人”(*l'homme moyen*)这一形式中,实现了平均数。这个抽象的存在物是指在特定国家中所有人的属性的平均值,这是国家特性的典型范例,类似于物理学中的重心。当考虑大量事例时,平均值的偏差必将自身抵消。这个平均值是意义重大的类型,并具有物理特性(易于测量)和终生发展的道德特性(更成问题)。凯特莱主张,用犯罪人数除以人口数,极易计算出常人道德。然而,尽管他这样宣称,但他在统计工作中却从未使用过数学,相反,他把对社会秩序的要求转化成更普通的工作:对事实进行收集、分类,并使之相互关联。[18]

志愿调查工作的高潮还有这样的特点:致力于彻底调查。这种调查不是把注意力集中到那些对国家特点的研究上,而是集中到社会病理学和阶级冲突这些紧迫议题上。在法国、英国和美国,这一时期非政府性调查的显著特征,是把目光集中到大城市的混乱无序的问题上。尤其在 1830 年到 1848 年间,法国的调查工作把目光集中到现在被称作下层阶级的身上,这在当时被称作**大城市人口中的危险阶级**——这是 H. A. 弗雷热博士的经典研究著作(1840)的标题。医生们围绕在《公共卫生年鉴》(*Annales d'Hygiene Publique*, 1829—1853)的周围,就像英国的统计学家一样,被 1832 年流行的霍乱动员起来。他们把社会设想成一个有机系统,并使用有关健康和疾病的医学语言,认为霍乱还有其他症状,与政治分裂和道德败坏一样,是社会机体无序的征兆。为诊断出社会疾病的多重症状而展开的调查,也扩展到亚历山大·帕朗·迪沙特莱历时

89

〔15〕《伦敦统计学会杂志》(*Journal of the Statistical Society of London*),1(1839),第 8 页;Bertrand Gille,《17 世纪法国统计史的起源,1870》(*Les Sources Statistiques de l'Histoire de France des Enquêtes du XVIIe siècle à 1870*, Geneva: Librairie Droz, 1964)。

〔16〕Theodore M. Porter,《统计思想的兴起》(*The Rise of Statistical Thinking*, Princeton, N. J.: Princeton University Press, 1986)。

〔17〕Quetelet (1832)引自同上,第 52 页。

〔18〕Desrosières,《政治学》(*Politique*), 第 206 页及第 3 章。

15年之久的对巴黎卖淫现象的调查(1836),他所倡导的遏止运动要清除社会机体中的阻塞,如阴沟里的死尸和污物,包括从卖淫者体内排出的腐臭的排泄物。路易·维莱姆医生发表了两卷本的《科隆丝毛厂工人阶级的精神和身体状况》(*Tableau de l'État Physique et Moral des Ouvriers Employé dans les Manufactures de Coton, de Laine et de Soie*, 1840),该书描述道:最贫穷的工人住在里尔的地下室里,不像人样,而且被不加区别地"堆积"在"不洁的床上"。他的观点与詹姆斯·凯伊-沙特沃斯医生对霍乱的看法极为相似。后者在1832年对曼彻斯特棉花工人的研究,连同他在地方统计协会的活动,一起帮助人们把关注的焦点从工业场景中转出。[19]

在英国,自1833年以来出现的城市统计协会(在美国波士顿和纽约皆有相关协会),基本上是由正在兴起的地方资产阶级人士组成;只有伦敦协会是按照法国或美国的模式,以专业成员为主导。英国统计学家以地方政治权威自居,因为他们在地方劳动人口中展开科学研究和服务,这一点尤其是通过他们的社会调查表现出来。地方协会在其部分时间内扮演着初期市议会的角色,搜集市民的统计数据。但其大量时间则用于对地方工人阶级的居住状况进行大规模调查,以期改善他们的条件。[20] 尽管调查中有4102户家庭"低于店主级别",其中包括在杜肯菲尔德、斯泰利布里奇和阿施顿·安德·莱恩的所有此类家庭,但曼彻斯特协会还是向未到访的所有工人阶级成员道歉。这毫无疑问是抽样调查。其完整性是强制性的,不仅要确保可靠性,而且作为为社会服务和取证的手段,实现了(供管理用的)对全局的综观。

这些调查关注的是"道德的和理智的统计",而不是贫穷。调查者强调有关住房供给的事实,因为他们认为这对道德秩序有意义,例如房间数、床位数,以及房间内的人口数。与法国人一样,英国的调查员们认为过分的拥挤和混乱是对无序的有力证明,尤其是在睡眠安排方面,不对其性别、年龄、家庭成员加以区分,就将其"不加区分地"混合在一起。尽管他们承认没有问及工资和工作条件的问题,因为他们已经察觉到,人们对这些调查主题"有误导或怨恨调查的倾向",但是他们仍然坚持询问人口与床位的比率,这也引起了同样的抵制。[21] 他们选择的这些问题反映出他们在致力于自由放任主义的经济学,这种经济学禁止对工业系统施加干涉,也反映了他们对工人阶级联盟的敌视,尤其是对破坏经济规律的工会的敌视。然而,他们却十分关心社会风纪,通过提供教堂和学校,并敦促政府资助教育来施加影响。

90

〔19〕 James Kay-Shuttleworth,《曼彻斯特纺织工人阶级的道德和物质状况》(*The Moral and Physical Condition of the Working Classes Employed in the Cotton Manufacture in Manchester*, 1832, London: Cass, 1970);Villermé,《情景》(*Tableau*),第1卷,第83页;Alexandre Parent-Duchâtelet,《19世纪时期巴黎的人口》(*La Prostitution à Paris au XIXe Siècle*, 1836),Alain Corbin编(Paris: Le Seuil, 1981),第12页~第14页;调查活动见Gérard LeClerc,《对人的观察:社会调查史》(*L'Observation de l'Homme: un Histoire des Enquêtes Sociales*, Paris: Le Seuil, 1979);Yeo,《争鸣》,第63页。

〔20〕 他们的调查也可见于Yeo的文章,载于《争鸣》(*Contest*),第64页~第76页。

〔21〕 曼彻斯特统计学会,《关于1834年、1835年和1836年扩大生产区工人阶级的状况的报告》(*Report... on the Condition of the Working Classes in an Extensive Manufacturing District in* 1834, 1835, *and 1836*, London: James Ridgway, 1838),第14页;从James Kay到Thomas Chalmers,曼彻斯特统计学会附录,曼彻斯特中心图书馆,第4条款;布里斯托统计学会,《第二届年会年报》(*Proceedings of the Second Annual Meeting*, Bristol, 1838),第10页。

他们也支持科学的慈善事业。自法国革命时期以来,基于像汉纳·莫尔(1745～1833)这样的福音主义者所首创的模式,对乡村和城市的工人阶级的家庭事务的监控变得极为普遍。马尔萨斯派主义者托马斯·查尔默斯牧师(1780～1847)更加强了这一趋势。他作为基督教的政治经济学家,对英美两国慈善事业的影响长达一个世纪。1820 年,查尔默斯在他的格拉斯加教区开展了一项著名的实验:依靠执事定期造访穷人家庭,并行使"严格研究的特权,记录每一个申请救济者的状况"。[22] 他的这项工作效仿的是德国埃伯费尔德制度,在该制度中,人人都是访问者。女性在英美的"穷人科学"中扮演了重要角色,尤其是在 1869 年创立的慈善组织协会,她们完善了社会福利工作的调查方法,后来又协助建立了有关社会工作的职业培训。监视和调查一样,正如特写与全景一样,都是从多个方向重构穷人生活的动力带来的连续后果。

一些有争议的事件

并不出乎预料的是,有些被详细调查的对象公开地对调查活动提出了质疑。早期的社会主义运动拒绝把城市居住状况和性行为优先看做是紧迫问题,而代之以推进对"真正有用的知识"的收集。他们的"社会科学"既批判地分析了资本主义制度,也为取而代之的"新的道德世界"描绘了蓝图,这幅蓝图为促进多数人的幸福而重新构造了社会制度和经济制度。社会主义者攻击统计学家,说他们把时间浪费在"以图表和数字形式吃力地展示一些事实,而这些东西总的来说,又是众所周知的"。社会主义者、工会、互助会(互助保险团体)以及(鼓动普选的)宪章派人士,都在为各自的目的收集着统计数据。1839 年,宪章派在各地区进行的人口普查,问及一些有关家庭共同工资、生活费用等问题,他们认为这些主题对幸福生活来说是非常重要的,而这些幸福恰恰被统计学家们所忽视。[23]

由于这些出自工人阶级的新视角,一种新型关系开始产生,并在短时间内在一定程度上由亨利·梅休(1812～1887)纳入了中产阶级的统计领域。他在 1849 年和 1850 年首次展开了有关贫困的调查,他认为在工业体系和贫穷之间有因果关系。于是,他从低工资是贫穷的关键原因这样一个假设开始,设计出一种方法,即在工会中采访有代表性的工人,进而又发明了一种复杂的计算工资的方法,这种方法把诸如失业这样的问题也考虑进去。他严肃地对待被访者的观点,同时他也承认工人和雇主之间

〔22〕 Thomas Chalmers,《为适当地管理穷人实行取消贫民救济税的教区体系的充分性》(*On the Sufficiency of the Parochial System, without a Poor Rate, for a Right Management of the Poor*, Glasgow: William Collins, 1824),第 110 页;Yeo,《争鸣》(*Contest*),第 8 页～第 9 页,第 66 ～第 67 页,讨论了科学的慈善事业。

〔23〕 David Rowe,《宪章运动的代表大会与地区》(The Chartist Convention and the Regions),见于《经济史评论》(*Economic History Review*),第 2 版(1969),第 22 卷,第 58 页～第 59 页,第 71 页～第 72 页;市政府统计委员会,《关于利兹城市及其居民的状况的报告》(Report upon the Condition of the Town of Leeds and of Its Inhabitants),见于《伦敦统计学会杂志》(Journal of *the Statistical Society of London*),2(1839);《北方之星》(*Northern Star*),6(13 Feb. 1841)。

有不同的偏见:"工人自然倾向于设想自己的所得少于实际的应得,而雇主则倾向于设想工人已得到的比实际应得的要多。"[24]

"真正"的工人阶级暂时引起了法国调研人员的注意。在19世纪40年代,这样的抱怨日益增多:志愿调查者和政府调查者都对像劳动条件等这样真正有用的事实漠不关心。例如:在1830年到1847年间,由商业部长主持断断续续展开的**工业调查**,也只是从实业家那里征求信息,试图以此追踪经济景气。在1848年的政治氛围中,社会主义者迫使国民议会下来展开以巴黎劳动者的工作和生活条件为核心的调查。作为回应,巴黎商会展开了一项针锋相对的调查,发表了《巴黎工业统计,1847～1848》(*Statistique de l'Industrie à Paris, 1847—1848*)。这些由商人、制造商和经济学家组成的精英团体意在对工业资本主义的影响提供另一种分析。该《统计》并没有把工人描绘成受资本家剥削的对象,相反,倒把小家庭企业既看成是生产单位,又看成是道德发展的母体。在家庭里,妇女不仅作为约束性力量,也作为阶级秩序的象征(当她们待在家里的时候)起着作用。这一"打着科学报告的幌子,实则是与社会主义者辩论的答复",在第二帝国严格的审查制度下,是唯一允许发表的调查。[25]

在英国,政府的调查工作越来越以全面、客观的面目出现。职业化的公务员,如埃德温·查德威克(1800～1890)认为,只有公允无私的国家公务员,才能协调公私利益。查德威克想让不偏不倚的调查团体去收集有权威性的事实,以便作为立法的依据。这样,政府调查员在收集更多事实的同时也就加强了法律。[26] 在查德威克的监督之下,1832年到1846年间,上百位皇家调查委员会成员调查了一些关键问题,如不同工业门类中妇女儿童状况和城镇健康状况。调查员"像传染病一样弥漫开来"。在英国和法国,国内人口普查逐渐成为常规,尤其在1851年以后。与此同时,各宗主国也在估计着其逐渐成长起来的海外帝国领土的形势。最野心勃勃的调查是十年一度的印度人口普查,该普查以增加效率和改革福利为名,开始于1871年。[27] 所有这一切的国家手段把权威和中立的外表都赋予这些通常有争议性的知识。例如,19世纪中叶的英国人口普查把以家庭为基础的妇女视为生产工人,但是到1881年,又开始把她们划归具有依赖性的、不具生产能力的"无业阶级"——在20世纪的转折点上,西方世界所有女权

92

[24] 见 Eileen Yeo,《作为社会调查者的梅休》(Mayhew as a Social Investigator),载于《未知的梅休》(*The Unknown Mayhew*),E. P. Thompson 和 Eileen Yeo 编(London: Merlin, 1971),第153页,第54页～第64页。

[25] Joan Scott,《统计的代表性工作:商会对1847～1848年巴黎进行工业统计的政治学》(Statistical Representations of Work: The Politics of the Chamber of Commerce's Statistique de L'Industrie à Paris, *1847—1848*),见于《在法国工作:代表、意义、组织与实践》(*Work in France: Representations, Meaning, Organization and Practice*),Steven Kaplan 和 Cynthia Koepp 编(Ithaca, N. Y.: Cornell University Press, 1986),第354页～第363页;Hilde Rigaudias-Weiss,《1830年到1848期间法国工人调查》(*Les Enquêtes Ouvrières en France entre 1830 et 1848*, Paris: PUF, 1936)。

[26] Yeo,《争鸣》(*Contest*),第76页～第78页。

[27] Beverly,《孟加拉人口普查报告,1872》(*Report on the Census of Bengal, 1872*),第1部分,第1页,见 Hacking,《驯服偶然》(*Taming of Chance*),第17页,关于法国、美国和其他帝国政权。

主义者都对此痛加驳斥。[28]

也许最为强烈的回应是针对大英帝国的调查的。早期的印度人口普查不仅引起了人们对高税收和军队征兵的普遍恐慌,而且也让印度人怀疑,调查的真正目的是为英国士兵找老婆。[29] 结果,有些地方就在人口普查开始前的一夜,爆发了"结婚热"。还有些地方,年轻姑娘装扮成年纪较大的女人被送回乡下,或者根本就不承认家里有姑娘。同样令人为难的是种姓等级制度的问题,进行人口普查的官方当局要求调查种姓等级关系(尽管在全国按什么标准来划分仍有诸多困难),并且按"社会上的优先性"为之划分了等级。民族主义者抱怨道,这实质上加剧了种姓间的对抗,暴露了分而治之的明显企图。英国人虽然津津乐道于他们君王般的权力,可以决定对种姓等级的这种划分,但他们最后终于发现,别人也能为他们自身的利益而遵守规则,就像印度族群为了取得更好的位置,开始四处游说一样,因为这些位置会在工作方面直接受益。[30] 另一种重要的反应发生在印度和菲律宾,人们用当地的戏剧形式回应人口普查。在拉合尔,一部题为《人口普查》(*Census*)的喜剧家喻户晓,它讽刺了一位接受没有报酬的工作的普查者,拿一些流言蜚语来搞笑,如通过杀死多余的人而使性别达到平衡,此外,该剧还嘲讽了类似这样的行为:热衷于调查的人在自己家里的活物上数苍蝇。在菲律宾,人口普查不仅直接受到了游击队员的挑战,而且还受到了一种民族主义的通俗闹剧的挑战,该剧描述了女人国及其爱国者受到了来自美国的外来男性闯入者的威胁。[31]

93

19 世纪中期的专门技术和工人阶级

在 19 世纪中期,国家垄断了大规模的社会调查。志愿者的工作是由专家(也包括女性)主导的,专家们将调查定义为改善论(meliorist)的社会科学分支。在英国,服务于公共卫生的医生、致力于改革的律师、贫民窟的牧师以及女慈善家们,都把自己视为社会疾病的不可或缺的诊断者,这些疾病分布在卫生、感化院以及道德科学领域,也包括教育。与处理工业和劳动问题的社会经济学一样,这些领域构成了许多机构的部门划分,如英国的全国社会科学促进会(1857 年)、以布鲁塞尔为基地的国际社会科学促

[28] Desley Deacon,《政治算术:19 世纪澳大利亚的人口普查与不独立女性的结构》(Political Arithmetic: The Nineteenth-Century Australian Census and the Construction of the Dependent Woman),《符号》(*Signs*), 2:1(1985),第 29 页～第 32 页。

[29] Dandapani Natarajan,《百年印度人口普查》(*Indian Census through a Hundred Years*, New Delhi: Registrar General, 1971),第 285 页～第 286 页,以及第 283 页、第 294 页。

[30] 同上,第 287 页及第 305 页～第 306 页,Bernard S. Cohn,《人口普查、社会结构与南亚的反抗》(The Census, Social Structure and Objectification in South Asia),见于他的《历史学家中的人类学家及其他文选》(*An Anthropologist among the Historians and Other Essays*, Delhi: Oxford University Press, 1987),第 242 页～第 250 页。

[31] Vincent Raphae,《白色的爱:美国殖民地菲律宾的监督和民族主义的反抗》(White Love: Surveillance and Nationalist Resistance in the U. S. Colonization of the Philippines),见于《美帝国主义的文化》(*Cultures of United States Imperialism*), Amy Kaplan 和 Donald Pease 编(Dutham, N. C.: Duke University Press, 1993),第 204 页～第 214 页;Natarajan,《印度人口普查》(*Indian Census*),第 294 页。

进会(1862 年)、美国社会科学协会(1865 年),并有助于让人们关注在 1855 年到 1881 年间举行的 8 次国际统计学大会。如此的创举导致了更为国际性的合作和标准化的活动。这些协会本身不经常从事调查,而是接受来自各方专家就社会问题和救治"实验"而提供的信息,这就是说,这些专家是来自国家和志愿组织(包括工人运动)中负管理职责的人。

在这些团体内,通常流行着工人阶级的有分歧的观点。一方面,存在着"正在消亡和危险的"阶级。借用公共健康的和生物学的比喻,它们被诋毁为"邪恶的污物"或"残渣"。这些穷人通常是城市贫民,有的是一些无家可归者,他们是这种新的救治科学特殊关注的对象。另一方面,还有"真正"的工人阶级,他们部分地以工会组织中的成员身份为特征,而这些组织现在得到了宽容的关注。在运行良好的社会体系中,工会和资本家能够通过协商达成一致,这样的体系必要时在仲裁机构的帮助下,刺激信息需求,而这些信息能够促进达成一致的进程。英国社会科学协会只开展过一次调查,即对行业协会和罢工(1860)的调查,还曾为一项工业调查(作为 1871 年人口普查的一部分)而极力游说。在美国统计学会和社会科学联合会的杰出人物卡罗尔·D. 赖特(1840～1909)的领导下,麻省劳动统计局(1869)开始收集有关工资和预算的资料。

94

尽管在某些社会科学团体内开始了阶级合作的新时代,然而,工人阶级对获得公民权日益强烈的要求和工人日益高涨的战斗性,引起了其他阶级深深的焦虑。在英法两国,调查工作的中心也有相伴而生的发展。与凯特莱对平均数的关注相对立的,是一种新的兴趣,既关注类型的变化和多样性,也关注杰出的少数派。生物学的思潮有助于形成这一工作事项,尤其是在 1859 年达尔文的《物种起源》出版之后。不过,英法的政治背景(环境)也有助于这个中心的转变。

在英国,围绕 1867 年的改革法案出现了令人忧虑的争论,因为该法案给少数工人以选举权,这引起了关于"堕入黑暗"和保存社会精英以防消失的真正的恐惧。弗朗西斯·高尔顿爵士主要的优生学著作《遗传天才》(*Hereditary Genius*)于 1869 年问世。同年,马修·阿诺德的《文化与无政府状态》(*Culture and Anarchy*)也问世了。高尔顿(1822～1911)把受过教育的职业阶级确定为生物学意义上的优越血统,关乎伟大国家的命脉。他利用后来被称为钟形"标准"的曲线,把注意力集中在变化的本质和结果上,尤其是天才和庸人这两个极端。然而,曲线凸起的部分却遭到了高尔顿的蔑视:"一些十足的民主派也许还自鸣得意地看待那群庸才,但对其他绝大多数人而言,他们根本没有吸引力。"[32]

在法国,1871 年的巴黎公社虽然很快夭折,却使甚至像埃米尔·迪尔凯姆这样的

[32] Francis Galton,《会长致辞》(President's Address),见于《人类学学会杂志》(*Journal of the Anthropological Institute*),18(1889),第 407 页;也可参见他的《人种繁衍的可能改良》(The Possible Improvement of the Human Breed, 1901 Huxley Lecture),见于他的《优生学文选》(*Essays in Eugenics*, London: Eugenics Education Society, 1909),第 8 页～第 11 页,第 19 页～第 20 页;以及他的《遗传天才:对其法则及其结果的研究》(*Hereditary Genius: An Inquiry into Its Laws and Consequences*, 1869),第 2 版(London: Macmillan, 1892)。

进步论者久久难忘，此后，那些有政治和文化权力的人都感到了一种空前的需要，要把社会再次置于那些可信赖的精英的控制之下。1876 年，阿道夫·贝蒂荣在一篇有影响的关于“统计学中的平均数理论”的文章中，向凯特莱发动了激烈攻击。他逐渐破坏了常人概念在社会分析中的有用性，认为我们几乎无法发现源于数学的常人特征。他还发表了高尔顿式的言论，认为常人不能够体现出道德的理想和理智的完美的信念；相反，他认为，常人不过是“一类庸人”罢了。[33] 这篇文章是对凯特莱声誉的盖棺论定。

然而，法国人却需要更多工人阶级的后代，无论他们多么粗俗而平庸。对人口下降的长期哀叹在 1871 年战争失利，并将阿尔萨斯割让给德国之后，变得越发“喧闹”了。1896 年，这种悲叹达到了极致。当时的统计数字显示：死亡数超过了出生数。贝蒂荣的儿子雅克，一位医生兼统计学家，在 1896 年协助创立了法国人口增长国家联盟，同时还创立了一门叫人口统计学的新科学。[34] 在英国，优生学家竭力促进经过选择的生育战略，但对绝大多数社会分析家来说这太极端了，与此相反，他们支持一门新学科，即社会卫生学，既强调环境的重要性，也强调发展中的民族活力的遗传性。

95

国际竞争/国际比较，1880～1915 年

在 19 世纪后期，由于西方国家之间在经济上的竞争和帝国主义的竞争都达到了白热化的地步，因此，无论在国内还是国外，追求劳动者的体力效能成了一种顽念。对工人的战斗性和对贫民窟的人或移民这些所谓的“社会渣滓”的恐惧则更为人熟悉，而由于贫穷导致的社会犯罪，以及国内种族退化的可能性，更加剧了这一恐惧。对国家的竞争力而言，人口的活力被认为是至关重要的，因此，现在就产生了真正的原动力，去比较那些在相互竞争的各个国家中的工人阶级状况。这种强烈的关切最终导致了社会调查技术在方法体系上的突破。

1886 年，查尔斯·布思开始进行**伦敦人生活和劳动状况**的大型调查，他没有采用“典型性方法”，即当时被称作抽样调查的方法，而是选择了全面调查法。布思是利物浦轮船公司的所有者，他与那些曾创办过统计学会并创立挨户调查法的生意人，既有着思想上的，也有着实际上的亲缘关系。[35] 巧克力生产商西博姆·朗特里 1899 年检验布思在约克郡的调查结果时，在发现布尔战争期间许多新兵不合格之后，整个国家越来越被体力效能所困扰。朗特里运用了新的营养科学，确定了预算中的“贫困线”，即“仅仅在体力效能的状态上”维持家庭的必要条件。朗特里想把约克郡作为国家全

〔33〕 Bernard-Pietre Lécuyer,《生命和社会统计中的概率：凯特莱、法尔和贝蒂荣》(Probability in Vital and Social Statistics: Quetelet, Farr, and the Bertillons)，见于《概率的革命》(*Probabilistic Revolotion*)，Krüger, Daston 和 Heidelberger 编，第 1 卷，第 330 页～第 331 页。

〔34〕 Karen Offen,《法兰西的人口递减、民族主义和女性主义》(Depopulation, Nationalism, and Feminism in Fin-de-Siècle France)，《美国历史评论》(*American Historical Review*)，89(1984)，第 658 页～第 659 页。

〔35〕 Bulmer,《社会调查》(*Social Survey*)，Kevin Bales 和 E. P. Hennock 所写的章节。

景的指挥棒,但他断言的"英国有25%～30%的城镇人口处于贫困状态",却不能令颇有影响力的体质改善联合委员会信服(根据1904年的报告)。[36]

96

这根指挥棒反过来由政府和大学的统计学家这些专业人士接了过来。他们发展了抽样调查法以凸现国家的全景,且便于国际比较。1895年以来,在国际统计学会(1883年成立)中,如挪威统计局的负责人安德斯·N.凯尔这样一批知名人士研究解决了典型调查法的问题。[37] 由于美国劳动统计局(1885年成立)确立了国际性统计模式,与劳动和贫困"问题"相关的统计改革是最快的。在卡罗尔·D.赖特的指导下,美国劳动统计局在1860年至1891年期间,进行了虽然一度误导但却连续的系列调查,对象是平均工资和零售价格。[38] 1891年,在法国商业部内成立了法国劳工办公室,该办公室开展了一系列对工资、失业、罢工、生活状况的调查,并按照弗雷德里克·勒普莱的传统,调查了传统的家庭预算。在英国,随着赫伯特·列维林·史密斯(1864～1945)的到来,劳工部获得了新的复杂技术。史密斯曾在牛津大学研究数学,后转到汤因比馆从事社会服务运动,并加入查尔斯·布思的调查团队。他雇佣了训练有素的统计学家,设计了100多个英国城镇的指数,使英国的实际工资与欧洲和美国相对应的工资之间的比较成为可能。他们运用这些指数,表明城市间变化的幅度,以及在一定时间内的变化。

在英国,把典型性方法运用到社会统计中的关键人物是数学家阿瑟·L.鲍利(1869～1957),他发明了随机抽样技术,运用数学中的概率论和标准差测试以计算误差范围。这就使快速且相对便宜的比较性地方研究成为可能,然后亦可再与政府指标相比较,在国家全景中确定自己的位置。他调查了雷丁、北安普敦、瓦灵顿和斯坦利地区5%的工人阶级家庭,在《生计与贫穷》(*Livelihood and Poverty*, 1915)一书中做出了开创性的国家状况分析。[39] 鲍利还以另一种方式开创了新的局面。作为一名在伦敦经济学院和雷丁大学的统计学教师,他的学术地位使他能够开设统计学的培训课,促进了社会统计学的专业化。

[36] E. P. Hennock,《1880～1920年间城市贫穷的测算:从大都市到国家》(The Measurement of Urban Poverty: From the Metropolis to the Nation, 1880—1920),见于《经济史评论》(*Economic History Review*),第2版,40(1987),第215页～第216页;Seebohm Rowntree,《贫穷:城镇生活研究》(*Poverty: A Study of Town Life*, London: Macmillan, 1900);Yeo,《梅休》(Mayhew),第88页～第95页。

[37] Alain Desrosières,《部分与整体的关系:如何概括?代表性样品的史前史》(The Part in Relation to the Whole: How to Generalise? The Prehistory of Representative Sampling),见于《社会调查》(*Social Survey*),Bulmer, Bales和Sklar编,第232页;Roger Davidson,《怀特霍尔宫与爱德华和新近维多利亚时期英国的工人阶级问题:对官方统计和社会控制的研究》(*Whitehall and the Labour Problem in Late-Victorian and Edwardian Britain: A Study in Official Statistics and Social Control*, London: Croom Helm, 1985),第4章。

[38] Mary Furner,《认识资本主义:工业革命时期的公共调查和劳工问题》(Knowing Capitalism: Public Investigation and the Labor Question in the Long Progressive Era),见于《国家与经济知识:美国和英国的经验》(*The State and Economic Knowledge: The American and British Experiences*),Mary Furner和Barry Supple编(Cambridge: Cambridge University Press, 1990),第253页～第254页。

[39] Arthur L. Bowley,《生计与贫穷》(*Livelihood and Poverty*, London: Bell, 1915);Hennock,《测量》(Measurement),第220页～第223页。

女性与社会调查

97

对贫穷和种族品质的关注,加上专业化的趋向,都显示出有助于女调查员的证据,在英美两国尤然。在 19 世纪中期,人们就曾认为,女人具有特殊的品性——直觉的理解力、生活的道德方面的亲和力、对个体和实际行为的充满爱心的责任心,根据劳动共享的原则,这些品性应该被添加到男人的抽象理智中,以及设计和领导大规模的制度和改革的能力上。[40] 在女性看来,如果把爱的法则引入科学,就会产生一种"有立体感的观点",也才会引起真正的社会进步。有时候她们把自己构想为社会的母亲,以家庭问题为己任,在必要时她们通过主动的社会工作提供对孩子的再次养育。在向 20 世纪转折之时,随着母亲和孩子在国家议事日程上步入较高的地位,女调查员能够从事调查工作了,而这一工作现在被认为对国家来说意义重大。此外,她们还能够主张培训,以便使社会调查和社会工作更有成效。这样,她们就为妇女开辟了新的职业化道路。

调查的焦点集中在女工和母亲身上。起源于妇女工会运动的英国妇女产业公会,展开了一系列有关工业状况的调查,最著名的调查结果《已婚妇女的工作》(*Married Women's Work*, 1915)得出了与正统观念相左的结论:在非常贫困的家庭中,劳动妇女比依赖性的已婚母亲更能养活好自己的孩子。[41] 费边社妇女组织进行了一项长达五年的调查,对象是大约 40 位波蒙塞的家庭主妇,她们用《大约每周一英镑》(*Round About a Pound a Week*, 1912—1913)的收入安排每周的预算,其结论是"用这笔钱维持男工的体力,并养活健康的孩子,这些都是这些母亲必须做的",但这是不可能做到的。[42] 在美国,城市中邻里间的社会服务活动是进行调查的原动力。在芝加哥,《赫尔家族地图与资料》(*Hull House Maps and Papers*, 1895)包含的调查结果划定了地方选区的种族、民族、社会和经济等方面的范围(参见第 35 章)。与此相反,英国的女性社会工作者抵制调查活动,而支持通过社会福利机关的调研进行的精细的描述,而这似乎是对个人服务的更为直接的表达。[43]

受过大学教育的美国女性,如伊迪丝·阿博特,一位社会工作培训的先驱人物,就

[40] Yeo,《争鸣》(*Contest*),第 5 章和第 9 章;William Leach,《真爱与完美的联合:女性主义的性革命与社会》(*True Love and Perfect Union: The Feminist Reform of Sex and Society*, London: Routledge, 1981);Kathryn Kish Sklar,《弗洛伦斯·凯利与国家的工作:1830～1900 年间妇女政治文化的兴起》(*Florence Kelley and the Nation's Work: The Rise of Women's Political Culture, 1830—1900*, New Haven, Conn.: Yale University Press, 1995),第 69 页～第 70 页。

[41] Clementina Black 编,《已婚妇女的工作:妇女工业委员会的调查报告》(*Married Women's Work: Being the Report of an Enquiry Undertaken by the Women's Industrial Council*, London: Bell, 1915),第 7 页;Ellen Mappen,《援助工作中的妇女:1889～1914 年间的妇女工业委员会》(*Helping Women at Work: The Women's Industrial Council, 1889—1914*, London: Hutchinson, 1985)。

[42] Maud Pember Reeves,《大约每周一英镑》(*Round About a Pound a Week*, 1913, London: Virago, 1979),第 145 页。

[43] Dorothy Keeling,《拥挤的楼梯:利物浦社会工作回忆》(*The Crowded Stairs: Recollections of Social Work in Liverpool*, London: National Council of Social Service, 1961),第 114 页。

动员历史的和经济的分析家具体表明劳动妇女所受的压迫。英国费边妇女组织采用了比较方法，她们坚信，妇女研究这些紧急的问题并非是“科学地凭自己的兴趣的，可利用的材料是由男调查员带着他自己那种不可避免的性别偏见而给出的”。如梅布尔·阿特金森这样的费边派学者试图在经济史学科的分界线上找到发源地，致力于开启新的思想领域：“在工人看来，本国的经济史由于对女工只字未提，无疑跟没写一样。”[44]

然而，和男调查员一样，绝大多数女调查员很少把被调查者的观点纳入其工作中。当然，这也有例外。赫尔家族的简·亚当斯（1860～1935）认为，女人对社会调查的真正贡献是起着参与性的解释者的作用。她们能把一些社会群体的文化解释给另一些社会群体，尤其是牵涉权力关系中当事双方的党派观点，例如工人和资本家、市政当局和种族社区。[45] 在英国，妇女合作协会秘书长玛格丽特·列维林·戴维斯（1861～1944）发明了一种自我代表（self-representation）的调查实践。虽然她不断被要求给出关于她组织的看法，但她却试图引出组织成员的观点，并使用全面问卷调查，要求被调查者提供自己的解释和看法。她的著作《母性：劳动妇女来信》（*Maternity: Letters from Working Women*, 1915）也许就是这种实践最为人熟知的例子。[46]

专业化与社区自学

如此一来，当钟摆朝专业化方向摆动时，民粹主义者在第一次世界大战前这段时间也是雄心勃勃。英国的市民调查运动，与美国社会调查运动中较为专家式领导的方式类似，旨在使当地市民致力于研究并规划自己的城市。英国调查运动的主要理论家帕特里克·格迪斯（1854～1932），建立了自己的总部，并起了个恰当的名字——全景塔，由于地势较高，可以俯瞰爱丁堡。格迪斯拒斥了这样的观点，即一切权力都系于这样的“监视”，相反，他说他只是采纳了亚里士多德关于城市的理想，即城市应能够一下子一览无遗。当地人要从历史和生态学方面研究自己的社区，并参与到“适当的社会调查”中去，调查“人们的职业和实际收入，人们的家庭预算和文化水平”。这一研究将以在当地的展览达到高潮，展览中会使用包括图像和地图在内的视觉辅助，以展示调查结果和适合未来发展的各种选择。

格迪斯不仅自己热衷于这种“概观纵览”，而且他还想招募大家都实行这种观察方式。他认为，原先被排除在公共生活之外的人，如工人、妇女、学童，都有着特殊的贡

[44] 费边妇女社，《1908～1911年间的三年工作》（*Three Years Work, 1908—1911*, London: Fabian Society, 1911），第12页。

[45] Dorothy Ross，《性别化的社会知识：民主对话、简·亚当斯和社会科学的可能性》（Gendered Social Knowledge: Domestic Discourse, Jane Addams, and the Possibilities of Social Science），见于《性别与美国社会科学》（*Gender and American Social Science*），Helene Silverberg 编（Princeton, N. J.: Princeton University Press, 1998）。

[46] 妇女合作协会，《母性：劳动妇女来信》（*Maternity: Letters from Working Women*, 1915），M. Llewelyn Davies 编（London: Virago, 1978）；也可参见 Yeo，《争鸣》（*Contest*），第266页～第267页。

献。格迪斯谈道："对我们所有人而言，最重要的是我们自己越来越多地成为调查员。"[47]然而，这种观点被真正的专业化削弱了，它公开地向这种观点提出挑战。在英国，对格迪斯做出最积极响应的包括地方当局、教师以及职业城市规划员。在美国，调查更多的是依赖专家指导，志愿的助手也倾向于是其他的专业人士而非"普通市民"。[48] 这一缓慢但绝非单向的过程使得社会统计学和社会调查变成了专业化的活动，由在政府、市场研究、大学岗位上的训练有素的专家们所承担，这是 20 世纪的一个过程。而正如我们所看到的，19 世纪的特点在于更大范围的社会群体和机构的参与，这使社会调查成为充满争议的知识政治学中十分显著的部分。

（张宇　译　李红　校）

[47] Patrick Geddes,《关于市民博物馆与其联合学会的一个提议性的计划》[A Suggested Plan for a Civic Museum (or Civic Exhibition) and Its Associated Studies]，见于《社会学文选》(*Sociological Papers*, 1906)，第 203 页；也见于他的《进化中的城市》(*Cities in Evolution*, 1915)，新编和修订版，(London: Williams and Norgate, 1949)，第 157 页、第 86 页、第 122 页；Martin Bulmer,《社会调查运动的衰落与美国经验社会学的兴起》(The Decline of the Social Survey Movement and the Rise of American Empirical Sociology)，见于《社会调查》(*Social Survey*)，Bulmer，Bales 和 Sklar 编，第 295 页～第 297 页。

[48] Stephen Turner,《匹兹堡调查与调查运动：专门知识史片断》(The Pittsburgh Survey and the Survey Movement: An Episode in the History of Expertise)，见于《匹兹堡调查：20 世纪初的社会科学与社会改革》(*Pittsburgh Surveyed: Social Science and Social Reform in the Early Twentieth Century*)，Maurine Greenwald 和 Margo Anderson 编(Pittsburgh: University of Pittsburgh Press, 1996)，第 37 页～第 39 页。

7

100

科学民族志与科学旅行，1750～1850年

哈里·利贝尔松

18世纪后期至19世纪中叶这段时期，在科学民族志的著作史上是独具特色的时代。技术的变化与政治的变化这双重的构架清晰地区分出这个时代的开端。在技术方面，数学和科学仪器制造上的进步使扬帆万里的环球精确航行变得便利。[1] 在政治方面，这一时代始于英国在七年战争中战胜法国（在北美战场，则是法国与印第安人的战争），1763年签署的巴黎条约正式确认了英国的胜利。这一竞争的结果引发了两个强大势力之间的新一轮争夺，它们在极其广阔的、那时仍未完美绘制的太平洋区域，将彼此之间的竞争进行到底。

靠国家资助的英法航海很快出发了，去搜寻地球遥远的另一边通往亚洲途中的停靠站。路易·安东尼·德·布甘维尔（1729～1811），这位数学天才曾在英法两国的北美霸权争夺战中的灾难性的终结阶段，参加了蒙卡尔姆的远征军，后来领导了1766年至1769年的环球航行。在英国方面，詹姆斯·库克（1728～1779），一位在纽芬兰以土地测量员和水道测量员而出名的人物，分别自1768～1771年、1772～1775年、1776年直至在夏威夷去世，共领导了三次科学航海。这些以及18世纪后期其他的“科学航海”都是通过提供岛屿位置及海岸线的精确制图，服务于帝国的目的的，而这只是那些冒着生命危险、在顶着狂风巨浪的冒险旅行中，奔赴天涯海角的航海官员和科学家所取得的最卓越的成就之一。[2] 101 在法国大革命和拿破仑时代，除了像博丹在1800～1803年的著名航海旅行之外，在科学和政治上控制太平洋地区的追求已逐渐减退。随着1815年之后欧洲大陆恢复了和平，科学航海的新阶段开始了。为了贸易和殖民地，俄国与美国的远程航海者开始与法英竞争。俄罗斯帝国已把其领土扩张到堪察加半

[1] Marie-Noëlle Bourguet 和 Christian Licoppe，《航海、测量与仪器：启蒙世纪中新的世界体验》（Voyages, mesures et instruments: une nouvelle expérience du monde au siècle des lumières），载《年鉴》（*Annales*），52（1997），第1115页～第1151页。

[2] Bernard Smith，《欧洲视野与南太平洋》（*European Vision and the South Pacific*），第2版，（New Haven, Conn.: Yale University Press, 1985）；Lynn Withey，《发现之旅：库克船长与太平洋探险》（*Voyages of Discovery: Captain Cook and the Exploration of the Pacific*, Berkeley: University of California Press, 1989）；更一般性的文献，见 David P. Miller 和 Peter H. Reill 编，《帝国的视野：航海、植物学与自然的表象》（*Visions of Empire: Voyages, Botany, and Representations of Nature*, Cambridge: Cambridge University Press, 1996）；Nicholas Jardine, James A. Secord 和 Emma C. Spary 编，《自然史的各种文化》（*Cultures of Natural History*, Cambridge: Cambridge University Press, 1996）。

岛,并且也派出了科学探险队,即从 1803～1806 年亚当·克鲁森斯坦恩(1770～1846)率领的内德实达号和内瓦号的世界航行。美国没有配备一支堪与之相比的海军航队,但刘易斯和克拉克探险队(1804～1806 年)也同样雄心勃勃,要运用最新的科学知识,绘制出大片未知地区,并将其开发为殖民地;这次航行与布甘维尔、库克和克鲁森斯坦恩的航行一样,是一系列由政府资助的科学探险中的第一次。[3] 这些航行堪与当今的外层空间航行媲美,乃是一场既为声望亦为财富的竞赛。与此同时,私人旅行家也开始了科学旅行。其中最重要的是亚历山大·冯·洪堡(1769～1859),他的精心准备及精确的观察方法为 19 世纪其他旅行者树立了榜样。[4]

我们可以把 1750 年到 1850 年的时期大致定义为在科学民族志与科学旅行历史上的统一时代,而这一定义又通过承接启蒙运动与浪漫主义时期,超越了文化史的常规范畴。不过这些范畴仍然是有用的,它们在旅行的描述方面仍有重叠之处:一方面,对土著民族的原始的带有浪漫色彩的同情,以及对异域的渴望,歪曲了 18 世纪末的各种报道;另一方面,对科学方法和经验的准确性的启蒙兴趣仍然延续到 19 世纪前半期。当时整个时代的特点就是启蒙意识与浪漫主义的敏感性之间的渗透延伸。

知识的网络

如果我们设想那些训练有素的专家只是简单地收集信息,并带回本土,那么我们就把民族志知识的获取过程简化得面目全非了。而这样看待他们或许更为准确:他们是在临时生成的知识网络当中工作,这网络在世界各地编织而成,其中的许多纽结支持着他们已发表的报告。[5] 像在太平洋地区的"新"地方,最初的短暂接触很快就让位于对岛屿地图的系统绘制和创造关于大洋洲各民族的标准化的知识体系。

102

民族志中专门化的实例使知识网络的意义有了彻底的转向,因为它们不仅传递着关于"野蛮人"的知识,而且也与这种知识的产生密不可分。欧洲人对于这些民族(以及我们今天关于其历史所能了解的一切)的设想,都与从大都市到外围地区有节奏的来回律动而形成的这种知识网络不可分割。旅行者所知道的东西依赖于他们与之交谈的土著,他们所能报道的东西也取决于资助人和国内的听众。他们并非独立的活动者,而是中介。[6]

〔3〕 William H. Goetzmann,《探险与帝国:征服美国西部的探险者与科学家》(*Exploration and Empire: The Explorer and the Scientist in the Winning of the American West*, New York: Knopf, 1966)。

〔4〕 Michael Dettelbach,《洪堡式的科学》(Humboldtian Science),载 Jardine, Second 和 Spary 编,《自然史的各种文化》(*Cultures of Natural History*),第 287 页～第 304 页。

〔5〕 参见 Bruno Latour,《行为的科学:如何遵循科学家和工程师研究社会》(*Science in Action: How to Follow Scientists and Engineers through Society*),第 6 章(Cambridge, Mass.: Harvard University Press, 1988);另见 Mary Louise Pratt,《帝国之眼:旅行写作与跨文化形成》(*Imperial Eyes: Travel Writing and Transculturation*, London: Routledge, 1992)。

〔6〕 Richard H. Grove,《未成熟的帝国主义:1600～1860 年间的殖民扩张、热带岛屿乐园和环境保护主义的起源》(*Green Imperialism: Colonial Expansion, Tropical Island Edens, and the Origins of Environmentalism, 1600—1860*, Cambridge: Cambridge University Press, 1995)。

在国内,一些学术团体也帮着组织航海活动,如英格兰的皇家学会(成立于1660年)和美国的哲学协会(成立于1768年)。爱好科学的企业家曾推荐有资格的科学家成为航海活动中的一员,这些企业家包括参加过库克的第一次航行的约瑟夫·班克斯(1743～1820),从自己前往南美的航行中返回后的亚历山大·冯·洪堡,以及哥廷根大学的解剖学教授约翰·弗里德里希·布鲁门巴赫(1752～1840)。[7] 君主与政府为旅行提供了船只和批文,并准许他们在正式返航后享有发表报道的特权。传教士团体(如不从国教派的福音派信徒),把对上帝之国的信仰与对英国文明的优越性的信仰结合在一起,形成了强有力的意识形态热忱,感染着派出的使者。例如,传教士关于南非的报告就把向欧洲公众提供的世俗性描述与公众对非洲的想象混合在一起。[8] 除了要吸引有阅读能力的公众之外,科学家还必须粉饰自己对航海的描述,以便为他们的资助者提供恰当的宣传。一位叛逆的科学家,约翰·莱因霍德·福斯特(1729～1798),就由于没遵守这种规则,而不被允许为库克的第二次航海撰写报道。尽管这种非难很少如此严厉,但也说明这些科学家并不是在没有政治和经济约束的氛围中写作的。[9]

一旦这些旅行者开始航行,他们就会遇到新的依赖形式。船队无情的纪律和由那些粗鲁的家伙组成的队伍本身常常就是一场民族志的冒险。船员会破坏标本与仪器,船长则会怀疑那些不能完全融入船员等级中的科学家不尊重他们的权威。在船员们到达了太平洋各民族居住地时,科学家们就可以考虑谁是更好的同伴,到底是船上的欧洲人还是在岛上碰到的当地人?博物学家、文学家阿德尔伯特·冯·查米索(1781～1838),厌恶俄国海员的粗鲁,并在1815年至1818年科学航海中遭到了鲁瑞克号船长的嘲讽,因而他更喜欢夏威夷岛上的贵族和密克罗尼西亚珊瑚岛的居民。[10]

103

当科学家在"野外"的时候,其依赖性并没有减少,只是有所改变,因为他们需要与提供信息的人和向导合作。在北美,皮货贸易经济形成了一个猎人与商人混杂的世界,商人们穿梭于美国土著和来自欧洲的美国人之间。萨卡加维亚(约1786～1812)是刘易斯和克拉克的向导,一直被以令人伤感的方式加以描绘,虽然她的作用有时被夸大了,但她却是当地向导整体的典型代表,正是他们使欧洲人穿越未知陆地与海洋

[7] John Gascoigne,《约瑟夫·班克斯与英国启蒙:有用的知识与政治文化》(*Joseph Banks and the English Enlightenment: Useful Knowledge and Political Culture*, Cambridge: Cambridge University Press, 1994);以及《为帝国服务的科学:约瑟夫·班克斯、英国革命时期的英国政府与科学的作用》(*Science in the Service of Empire: Joseph Banks, the British State and the Uses of Science in the Age of Revolution*, Cambridge: Cambridge University Press, 1998);Hans Plischke,《约翰·弗里德里希·布鲁门巴赫对其时代的航海探险旅行的影响》(*Johann Friedrich Blumenbachs Einfluss auf die Entdeckungsreisenden seiner Zeit*, Abhandlungen der Gesellschaft der Wissenschaften zu Göttingen, Philologisch-Historische Klasse, Dritte Folge, Nr. 20),Göttingen: Vandenhoeck & Ruprecht, 1937)。

[8] Jean 和 John Comaroff,《论启示与革命:基督教、殖民主义与南非的觉醒》(*Of Revelation and Revolution: Christianity, Colonialism, and Consciousness in South Africa*),第1卷,(Chicago: University of Chicago Press, 1991)。

[9] James E. McClellan III,《重组的科学:18世纪的科学学会》(*Science Reorganized: Scientific Societies in the Eighteenth Century*, New York: Columbia University Press, 1985);Michael E. Hoare,《不老练的哲学家:约翰·莱因霍德·福斯特(1729～1798)》(*The Tactless Philosopher: Johann Reinhold Forster, 1729—1798*, Melbourne: Hawthorn Press, 1976)。

[10] Adelbert von Chamisso,《1815～1818年间鲁瑞克号罗曼热屋探险队的环球旅行》(*A Voyage around the World with the Romanzov Exploring Expedition in the Years 1815—1818 in the Brig Rurik*, 1836),Henry Kratz 编辑并翻译(Honolulu: University of Hawaii Press, 1986)。

的活动成为可能。[11] 旅行者们也不得不考虑到当地领袖的要求。例如,画家兼作家乔治·加特林(1796～1872)曾为北美土著做了生动的全面调查,他曾激怒过密苏里流域上游曼丹族的印第安武士,当时他在画一个毫无价值的村庄,还没有注意到他们。[12] 波利尼西亚的政治精英们以东道主的各种技巧来感化和影响科学家:尽快讨好这些外来的不速之客,并满足他们对女人、水和食物的需求,他们是太平洋乐园这一欧洲神话的共同创造者。欧洲人冒险相信这个神话,正如同恩惠号(the Bounty)*的叛乱者所发现的那样,当他们冒险登上塔希提岛时,才发现没有大炮的支持,已身陷当地敌对武装的交叉火力之下了。[13] 因为欧洲人猜想土著会毫无反抗地屈服于帝国意志,然而这种猜想却低估了当地政权的反抗力量。

因此,18世纪后期和19世纪早期的民族志并不只是记录了旅行者们对所见事物的印象。相反,他们掌握的是包括世界各地演员在内的多面戏剧,所有这些人都在力争控制"真相"——在陌生民族中遭遇的"真相"。

104

知识的叙述

在由大都市和周边地区组成的地理网络的扩张中,科学家不仅是中介者,而且是思想独立的知识分子,他们能就所见所闻形成自己的观点,实际上,有时也会发展出一种信念,即他们在向欧洲公众见证世界历史性的事件。把旅行者与其同时代的政治最为直接地联系起来的恰当评论模式是关于解放的话语。在法国大革命之前,欧洲社会是按出生次序排列的等级组织起来的,并具有等级变化的流动性,从英国社会的灵活划分,到欧洲大陆为法律所强制的等级制度,以及俄国那种近乎奴隶制度般的农奴制,皆是如此。在18世纪末期,整个欧洲的思想家们都在争论等级制度的对错,并且思考自然状态中的人是否能生活在平等状态下,这种平等状态如果得以恢复,就将把尊严

〔11〕 James P. Ronda,《活动在印第安人中的刘易斯和克拉克》(*Lewis and Clark among the Indians*, Lincoln: University of Nebraska Press, 1984); Richard White,《中间地带:1650～1815年间大湖区的印第安人、帝国统治和共和国》(*The Middle Ground: Indians, Empires, and Republics in the Great Lakes Region, 1650—1815*, Cambridge: Cambridge University Press, 1991)。

〔12〕 George Catlin,《北美印第安人》(*North American Indians*, 1841), Peter Matthiessen 编(New York: Penguin, 1989),第112页;最初发表为《1832年～1839年在北美最野蛮的印第安人部落的八年旅行期间关于北美印第安人的礼仪、习惯及其状况的信件与笔记》[*Letters and Notes on the Manners, Customs, and Conditions of the North American Indians Written during Eight Years' Travel (1832—1839) amongst the Wildest Tribes of Indians of North America*]。

* 1787年英国海军总部为执行一次特殊任务而购买了这艘恩惠号商船。它要绕世界半圈才能到达塔希提岛,在那里攫取廉价商品,再将它们运往西印度群岛。在那里的英国庄园主用这些廉价品作为工人的食物。恩惠号在离开英国10个月之后到达塔希提岛。这艘船在塔希提岛停留5个月,在此期间威廉·布拉尔船长允许44名船员中的大部分人在岸上居住。当他们要返回英国的时候,很多人都想留在岸上和他们在当地找到的爱人生活在一起。离开塔希提岛两周后,恩惠号大副福莱切尔·克利斯敦和其他水手们一道驾驶这艘船。船上的44人当中只有12人站在克利斯敦一边,然而船长的反对者们把船开回了塔希提岛。在那里克利斯敦丢下其他船员而把他们的妻子和女朋友接上船。之后他们开走了恩惠号以躲避英国政府的追捕。最后反对者们在皮特卡姆港安顿下来。他们在那里居住了25年都没有被发现。恩惠号被埋在一个港湾里,人们称之为恩惠湾——译者注。

〔13〕 Greg Dening,《布拉尔先生的粗话:恩惠号上的激情、权力与剧院》(*Mr. Bligh's Bad Language: Passion, Power and Theatre on the Bounty*, Cambridge: Cambridge University Press, 1992)。

增加到多数人身上，并终结享有权柄的少数人的腐败统治。

法国启蒙**哲学家**利用旅游著作来支持对国内政权和海外殖民统治的批评。其中最著名的著作有让-雅克·卢梭（1712～1778）的《论人类不平等的起源和基础》（*Discourse on Inequality*,1775）。尽管这本书出版后，它引发的争论经常使它被简化，但此书既宣称人生而平等，也承认在科技发达、国家统治的社会中，不平等是不可避免的。卢梭为了寻找社会演进的早期阶段关于社会组织的经验证据，转而借助旅行者的报道。[14] 狄德罗（1713～1784）的《布甘维尔航海补遗》（*Supplement to Bougainville's Voyage*, 1796）也同样杰出。[15]布甘维尔关于被称为"新塞西拉岛"的塔希提岛的报道，成为文坛上引起轰动的讨论主题。狄德罗把它看做是对欧洲人的性道德观进行功利主义批判的起点，在他的批判中，基督教在性欲方面的禁忌将让位于哺育健康、聪明的人口的优生学计划。更广泛地说，启蒙**哲学家**利用旅行文献指出了自然状态中人的政治德性，批判了特权阶层的滥用权力。他们的目标常常是改良主义的。例如，伏尔泰在《老实人》（*L'Ingénu*, 1767）中把外来的视角用作矫正欧洲社会的缺陷，而欧洲社会根本的优越地位还从未被怀疑过。[16]

首次前往太平洋地区的科学旅行者，意识到他们有机会验证卢梭式的观念，即原住民社会是自然的、平等主义的。但回来的时候，他们又成了怀疑者，把一个个警戒性的事件告诉其同时代人。布甘维尔记载了他曾被塔希提岛人表面上的平等所迷惑，不料竟逐渐觉察到，其社会实际上是高度分层的社会。[17] 而对此更深入的考察是乔治·福斯特（1754～1794）对库克的第二次环球航行的描述，他在船上充任其父的助手。船只在群岛间游荡，而福斯特则把太平洋地区视为一类社会科学的实验室，在人类各种统治形式中比较着资源和气候的影响。他的著作《环球航行》（*Voyage Round the World*, 1777），见证了从共和政体的纯洁到贵族政体的腐败的循环过程。福斯特赞赏马克萨斯人平等主义的纯朴，但对塔希提岛人的堕落感到遗憾，因为后者已堕落为由贵族武士精英所统治的殖民开发的等级制度。[18] 在他返回欧洲时，既带回了关于人类社会多样性的深入了解，也带回了对共和制不可动摇的信仰。

从地球的这一端到那一端，旅行者纷纷评论了奴隶制，为它的恐怖故事找到了广

105

[14] Jean-Jacques Rousseau,《论人类不平等的起源和基础》（*A Discourse on Inequality*）, Maurice Cranston 译（New York: Penguin, 1984）。

[15] Denis Diderot,《布甘维尔航海补遗》（*Supplément au Voyage de Bougainville*）, Herbert Dieckmann 编（Geneva: Droz, 1955）；特别参见 Dieckmann 的导言，第 xxxix 页。Peter Jimack,《狄德罗：布甘维尔航海补遗》（*Diderot: Supplément au Voyage de Bougainville*, London: Grant and Cutler, 1988）。

[16] Voltaire,《老实人》（*Zadig/L'Ingénu*）, John Butt 译（New York: Penguin, 1964）；Michèle Duchet,《人类学与启蒙运动时代的历史：布丰、伏尔泰、卢梭、爱尔维修、狄德罗》（*Anthropologie et histoire au siècle des lumières: Buffon, Voltaire, Rousseau, Helvétius, Diderot*, Paris: Maspero, 1971）。

[17] Louis-Antoine de Bougainville,《环球航行……1771）》（*A Voyage Round the World... 1771*）, J. R. Forster 译（Amsterdam: Da Capo, 1967）。

[18] Georg Forster,《著作集》（*Werke*）, 第 1 卷：《环球航行》（*A Voyage Round the World*, Berlin: Akademie-Verlag, 1968）；Claus-Volker Klenke, Jörn Garber 与 Dieter Heintze,《跨文化视角中的乔治·福斯特》（*Georg Forster in interdisziplinärer Perspektive*, Berlin: Akademie-Verlag, 1994）。

泛的国际读者群。其中最畅销的书是约翰·加布里尔·施代德曼(1744～1797)写的《镇压苏里南黑人起义的五年远征记》(*Narrative of a Five Years Expedition against the Revolted Negroes of Surinam*, 1796),该书把施代德曼对他勉强参加苏里南内战(从前的奴隶与奴隶主之间的战争)的描述,与他和一个女奴之间的爱情故事,以及对该地区自然与经济的科学观察,交织在一起。[19] 另一个关于奴隶制的畅销评论是奥兰达·厄奎亚诺(约1750～1797)的自传。厄奎亚诺是几内亚土著,被虏后卖作奴隶,但最终获得自由,并成为英国的知名作家。他写出了自己的生命历程,好似一部皈依故事,其修辞之妙既适合让他自己迎合英国读者,也适合让自己在读者面前显得更加人性化。[20] 旅行者对奴隶制和欧洲殖民主义在其他方面的泛滥的报道为艾贝·雷诺(1713～1796)《东西印度群岛的哲学性的历史》(*Philosophical History of the Two Indies*, 1770)提供了经验证据。这本书不是雷诺一人所著,而是后期启蒙运动的代表人物通力合作的结果,其中包括狄德罗。书中猛烈批判了欧洲殖民主义,以普遍人权的名义坚持不懈地谴责奴隶制。[21] 而对奴隶制的争论直到1789年仍然没有结束,旅行者热心地报道着奴隶制,有人支持,也有人反对,直到它在英、法殖民地及美国被废除。当时俄国探险队的游记也同样为奴役人类的罪恶愤愤不平。俄美公司系由政府资助的皮货机构,他们为了利用土著人的狩猎技巧,绑架了阿留申群岛土著以及其他土著。船长和科学家们屡次揭露过这种暴行。克鲁森斯坦恩(前面已提到过,是俄国首次环球航行的指挥官)和乔治·亨利奇·冯·朗斯多夫(1774～1852,船队的医生),以及其他有学识的旅行者都对俄国监工的野蛮行径惊骇不已。[22] 这些观察家是保守主义改革者,认为纠正他们所看到的这些罪行,是符合俄罗斯帝国的自身利益的。

106

18世纪后期和19世纪早期,大批妇女出国。她们的著述未必都对土著居民有所启蒙或报以同情。詹尼特·肖是一位富有的苏格兰女人,她在1774年和1775年在英属西印度群岛旅行时,把种植园奴隶制度融合到了整个热带岛屿的审美活动当中。[23] 但也有一些女性利用海外经历来反思国内状况。例如,一些来到中东的女旅行者,与

[19] John Gabriel Stedman,《施代德曼的苏里南:18世纪奴隶社会的生活》(*Stedman's Surinam: Life in an Eighteenth-Century Slave Society*),编者导言,Richard Price和Sally Price编(Baltimore: Johns Hopkins University Press, 1992)。最初发表为《镇压苏里南黑人起义的五年远征记》(*Narrative of a Five Years Expedition against the Revolted Negroes of Surinam*)。

[20] Olaudah Equiano,《奥兰达·厄奎亚诺一生的有趣故事:作者自述》(*The Interesting Narrative of the Life of Olaudah Equiano, Written by Himself*), Robert J. Allison编(1789)(Boston: Bedford Books/St. Martin's Press, 1995)。

[21] Guillaume-Thomas Raynal,《设在两印的欧洲机构与商业的哲学和政治史》(*Histoire philosophique et politique desétablissemens et du commerce des européens dans les deux Indes*),10卷(Geneva: Pellet, 1780); Michèle Duchet,《狄德罗与两印历史,或圣经断片》(*Diderot et L'histoire des Deux Indes, ou l'Écriture Fragmentaire*, Paris: Nizet, 1978)。

[22] A. J. von Krusenstern, *Reise um die Welt in den Jahren 1803, 1804, 1805 und 1806 auf Befehl seiner Kaiserlichen Majestät Alexander des Ersten auf den Schiffen Nadeshda und Newa*... St. Petersburg: Schnoorschen Buchdruckerey, 1811,第2卷,第113页～第121页;G. H. von Langsdorff, *Bermerkungen auf einer Reise um die Welt in den Jahren 1803 bis 1807*, Frankfurt am Main: Friedrich Wilmans, 1812,第2卷,第11页,第31页,第55页,第63页～第64页;V. M. Golovnin,《1817～1819年间乘堪察加号环游世界》(*Around the World on the Kamchatka, 1817—1819*, 1822), Ella L. Wiswell译,John J. Stephan撰写前言(Honolulu: University of Hawaii Press, 1979),第xxix页。

[23] Elizabeth A. Bohls,《1716～1818年间的妇女旅行作家与美学语言》(*Women Travel Writers and the Language of Aesthetics, 1716—1818*, Cambridge: Cambridge University Press, 1995),第46页～第65页。

男性同伴不同的是她们被获准进入穆斯林家庭的妇女居住区，尽管男性旅行者描述了父权专制，但在她们离开时，还是对穆斯林妇女的独立留下了深刻的好印象，并且明确意识到了自己在国内所受的限制。[24] 为了正确评价在解放时代独立的女性旅行者的重大意义，我们应该把那次旅行称为社会实践和写作准备。对女性来说——对男人也一样——离开父母和配偶，在国外闯荡，取得成功，无疑是为父系权威画了一个令人耳目一新的休止符。[25]

1789 年之后，旅行著作的政治重心有所转换。**平等**开始成为受到强烈批判的主题。随着共和政体在欧洲的真正建立，根源于法律上人人平等的社会不再是人们思考的东西了。曾经讲述自然人性的各种道德寓言的沙龙客，如今也不得不在自己的生活中对付民主革命或好或坏的结果。一些法国革命中的流亡者记载了他们亲自去北美经历了一番之后，对它的失望。弗朗索瓦·勒内·德·夏多布里昂（1768～1848）曾是驻巴黎的年轻中尉，热衷于激进的后期启蒙思想，他在回忆录中记载了他于 1791 年到达美国不久，对早期罗马共和国重生的幻想是如何破灭的。[26] 康斯坦丁–弗朗索瓦·德·沃内（1757～1820）是吉伦特派的支持者，在被雅各宾派监禁的 13 个月里，反思了自己的革命信念；他在流亡美国之后，写了一篇揭穿美国印第安人真相的文章，目的是打压**启蒙哲学家**的气焰，因为后者把印第安人理想化为天生的共和派。所谓平等主义的"原始"民族究竟是好是坏，仍然是后来几代人争论的主题，但总的来说，既抑制了自由派，也抑制了 18 世纪反对把"自然人"理想化的保守旅行家。[27] 人类制度的平等理想的影响，后来引起了查尔斯·达尔文的评论，这些评论见于他 1839 年的《贝尔格号旅行记》。达尔文把火地岛居民的野性与贫穷归因于他们坚持要平等分享财产与权力，他认为正是这一点抑制了高级文化的形成。[28]

107

正当原住民族的所谓平等主义越来越成问题的时候，1789 年之后的旅行作家与思想家发展出对**自由**的新评价。原住民的猎人–武士被认为保留了古代希腊、早期罗马和条顿森林民族的古老德性。这是对原住民的古老解释。米歇尔·德·蒙田（1533～1592）在其《论食人部落》（*On Cannibals*）一文中就提出了这样的观点。[29] 18 世纪，亚当·弗格森（1723～1816）也讨论了这个主题，他在《论市民社会的历史》（*An Essay on the History of Civil Society*, 1767）中也指出了南美原住民的尚武精神，他担心他

[24] Billie Melman,《妇女的各种取向：1718 ～1918 年间英国与中东妇女的性征、宗教与工作》（*Women's Orients: English Women and the Middle East, 1718—1918—Sexuality, Religion, and Work*, Ann Arbor: University of Michigan Press, 1992），第 2 部分。

[25] 参见 Dennis Porter,《鬼魂出没的旅途：欧洲旅行作品中的欲求与越轨》（*Haunted Journeys: Desire and Transgression in European Travel Writing*, Princeton, N. J. : Princeton University Press, 1991）。

[26] François-René de Chateaubriand,《身后回忆录》（*Mémoires d'outre tombe*），Maurice Levaillant 和 Georges Mouliner 编（1849, Paris: Gallimard, 1951），第 1 卷，第 220 页。

[27] Constant-François de Volney,《著作集第四卷：美国气候与土壤表》（*Oeuvres*, vol. 4: *Tableau du climat et du sol des États-Unis d'Amérique. . .*），第 4 版（1803）（Paris: Parmantier, 1825），第 371 页～第 463 页。

[28] Charles Darwin,《贝尔格号旅行记》（*Voyage of the Beagle*, 1839），Janet Browne 与 Michael Neve 编（New York: Penguin, 1989），第 184 页。

[29] Michel de Montaigne,《论文集》（*Essays*, 1595），J. M. Cohen 译（New York: Penguin, 1958），第 105 页～第 119 页。

们会在商业社会的物质生产进程中,丧失祖先那种坚忍不拔的精神。[30] 不过,在 1800 年之后,这一主题又重新得到强调,其动机是复杂的,既包括对古代特权阶层的民主水准的怨恨,也包括对商业和工业影响的恐惧。阿历克西·德·托克维尔(1805～1859)在《美国的民主》(*Democracy in America*,1835)第一卷中,独具匠心地运用了这一自由概念。他凭借自己的亲身观察和对从塔西陀到詹姆斯·芬尼莫尔·库博的著作的解读,把美国印第安人描绘为献身于个人自由的猎人的典范。托克维尔既把这一主题用作理想,也用作警告:他钦佩印第安武士的德性(并厌恶殖民者和政府对待他们的方式);但他也认为,他们没法适应资产阶级那一套沉闷乏味的循规蹈矩,而这一点应该作为另一类武士精英的警示,即他的贵族同僚。[31]

108

比较的方法

1750～1850 年这一时期的一个普遍特点是寻求有效的**比较调查方法**。欧洲人收集了有关原住民的与日俱增的大量"科学"报道。对大量混乱不堪的头盖骨、服装、词汇、冒险故事、经济报告以及其他纪念品进行评估并非易事。科学家与旅行者尝试了若干相互竞争的框架,用于进行跨越空间的比较,以期梳理清楚新发现的人类社会的多样性。福柯认为,对结构性原则的探求是 1800 年之后科学的广泛特征。[32] 我们还可以注意到,在 19 世纪和 20 世纪之交以后,某种原始的专业化开始出现,展开收集和比较工作的学会也开始形成。新成立的地理学会对土著社会有特殊的兴趣。在这些学会中,第一个于 1821 年在巴黎成立,随后是 1830 年在伦敦、1832 年在柏林成立的学会。我们对这些组织缺乏详细研究,但即便草草浏览一番其早期成员名单与出版物,也可以显示出它们乃是为当时的显要人士建立的组织,把贵族、政府要员、将军及顶尖科学家汇集在一起。这些成员的兴趣广泛,从自然资源勘察到文化与语言探究,无所不窥。[33] 到了巴黎和伦敦的人种学学会成立(分别于 1839 年和 1843 年)的时候,对土

[30] Adam Ferguson,《论市民社会的历史》(*An Essay on the History of Civil Society*, Edinburgh: Millar and Caddel; London: Kincaid and Bell, 1767),第 143 页;Fania Oz-Salzberger,《启蒙的转译:18 世纪德国的苏格兰市民话语》(*Translating the Enlightenment: Scottish Civic Discourse in Eighteenth-Century Germany*, Oxford: Clarendon Press, 1995)。

[31] Alexis de Tocqueville,《美国的民主》(*Democracy in America* , 1835—40, New York: Harper and Row, 1988),第 316 页～第 339 页,以及《蛮荒之地两星期》(A Fortnight in the Wilds),载于其《美国之旅》(*Journey to America*), George Lawrence 译, J. P. Mayer 编,与 A. P. Kerr 合作修订(Garden City, N. Y.: Doubleday, 1971),第 350 页～第 403 页;Harry Liebersohn,《贵族式的遭遇:欧洲旅行者与北美印第安人》(*Aristocratic Encounters: European Travelers and North American Indians*, Cambridge: Cambridge University Press, 1998)。

[32] Michel Foucault,《物之序》(*The Order of Things*, 1966, New York: Vintage, 1973),第 221 页,第 263 页～第 294 页。

[33] 关于地理学会,见《地理学会学报》(*Bulletin de la Société de Géographie 1822—*);以及 Dominique Lejeune,《19 世纪法国的地理学会与殖民扩张》(*Les sociétés de géographie en France et l'expansion coloniale au 19. siècle*, Paris: Albin Michel, 1993),第 9 页～第 45 页。关于皇家地理学会,见《伦敦皇家地理学会学报》(*The Journal of the Royal Geographical Society of London 1832—*);Ian Cameron,《走向最遥远的地球之端:皇家地理学会 150 年的世界探险》(*To the Farthest Ends of the Earth: 150 Years of World Exploration by the Royal Geographical Society*, New York: Dutton, 1980)。关于德国的地理学会,见《柏林地理学会年度概览》(*Jährliche Übersicht der Thäatigkeit der Gesellschaft für Erdkunde in Berlin 1834—*)。

著社会的比较研究兴趣已经开始具体化了。[34]

109

从各种不同的角度看，旅行家与待在国内的学者都试图通过创立一门人种科学，来研究土著居民。约翰·卡斯巴尔·拉瓦特(1741～1801)勾勒了一种“相面术”科学，试图从人的面部及其他生理学特征推断出其心理学特征。尽管相面术从未受到相当的尊重，却表达了旅行家通常隐含的普遍信念，即认为应该从外部面貌去判断异族的特征与文化，例如，他们是否穿着整洁，是否干净，是否神态骄人，抑或是否符合欧洲人对人体美的看法。[35] 对科学旅行有比较直接的影响的是约翰·弗里德里希·布鲁门巴赫(1752～1840)，他从世界各地收集了大量的头盖骨，并尝试从中研究出人种分类。他在《论人的自然多样性》(*On the Natural Variety of Man*, 1775 年第 1 版，1781 年第 2 版)一文中区分了五种类型：其中标准的“高加索”人，介于蒙古人、埃塞俄比亚人与美国人之间；在第 2 版中还包括了旅行家从太平洋地区新发现的礼物——马来西亚人。布鲁门巴赫并不认为这些都是一成不变的种族，但作为探索性的区分，可以解释为因气候及其他环境因素所导致的差异。[36] 他对人体类型的分类，在人类统一性方面，即当时关于人类是起源于同一祖先(人类同源说)，还是有不同起源(多元发生说)的争论，亦有所贡献。布里斯托的外科医生 J. C. 普里查德(1786～1848)，生于教友派家庭，深受人类同源说的宗教信仰的熏陶。他在《人体史研究》(*Researches into the Physical History of Man*, 1813)中就为人类多样性的同源论解释进行了辩护。在此后的岁月里，普里查德又增加了民族志的材料，充实了他的著作，以维护自己的观点，反击日益自信的多元发生论者的逆流。[37]

环境保护论者更直接地分析了造成显型与社会结构的差异的外部因素。亚历山大·冯·洪堡依靠福斯特一类人和 18 世纪的其他先驱，为研究某地区的总体生活条件提供了一个极有影响力的模型。该模型始于对气候学区域的研究，然后从自然资源和政治条件，扩展到对某个特殊民族特征的全方位的了解。[38] 19 世纪中叶之后，洪堡

110

的影响力逐渐减弱了。但在 19 世纪 80 年代，现代人类学的创始人之一，弗朗茨·博

[34] George W. Stocking Jr.,《维多利亚时代的民族志》(*Victorian Anthropology*, New York: Free Press, 1987)，第 243 页～第 245 页。

[35] Johann Caspar Lavater,《面相学：知人与博爱的提升》(*Physiognomik. Zur Beförderung der Menschenkenntniss und Menschenliebe*, 1783)，4 卷本(Vienna: Sollinger, 1829)；Mary Cowling,《作为人类学家的艺术家：维多利亚时代艺术的类型与特征表现》(*The Artist as Anthropologist: The Representation of Type and Character in Victorian Art*, Cambridge: Cambridge University Press, 1989)。

[36] Gascoigne,《约瑟夫·班克斯与英国启蒙》(*Joseph Banks and the English Enlightenment*)，第 149 页～第 158 页；Johann Friedrich Blumenbach,《论人的自然多样性》[*On the Natural Varieties of Mankind* (*De Generis Humani Varietate Nativa*) … 1836]，Thomas Bendyshe 编辑并翻译(New York: Bergman, 1969)。

[37] James Cowles Prichard,《人体史研究》(*Researches into the Physical History of Man*, 1813)，George W. Stocking, Jr. 编(Chicago: University of Chicago Press, 1973)；Stocking,《维多利亚时代的民族志》(*Victorian Anthropology*)，第 48 页～第 53 页。

[38] Janet Browne,《世俗的方舟：生物地理学史研究》(*The Secular Ark: Studies in the History of Biogeography*, New Haven, Conn.: Yale University Press, 1983)。

厄斯(1858～1942)承认他与洪堡在思想上的密切关系。[39] 生存论为研究土著社会与文化提供了另一种方法。托马斯·马尔萨斯(1766～1834)在分析人口增长的生存约束的名著《论人口原理》(*Essay on the Principles of Population*, 1798年第1版)的第4版中,广泛关注了塔希提岛居民及世界各地的土著民族。[40] 苏格兰哲学家,如弗格森和卡姆斯(1696～1782)勋爵,与法国的安尼-罗伯特-雅克·杜尔哥(1727～1781)和卢梭一道,把"野蛮人"归于猎人的范畴之中,并基于这种经济活动说明了"野蛮人"生活的其他方面,尤其是政治制度。他们通常考虑的是北美印第安人(而在印第安人中则通常是易洛魁人),或认为他们是具有斯巴达精神的值得钦佩的民族,或认为他们具有应被谴责的所谓残忍与惰性的品性。他们注意到生产过程与财产关系,并且把"野蛮人"纳入社会进化论中,在这个意义上,生存论先于对原住民社会的马克思主义分析。[41]

1800年之后,最显著的成就之一是比较语言学的发展。研究报告从印度又追溯到欧洲,表明拉丁语和希腊语都与梵语有着结构上的密切关系。弗里德里希·施莱格尔(1772～1829)沿着威廉·琼斯(1746～1794)的早期著作继续前进,撰写了《论印度人的语言与智慧》(*On the Language and Wisdom of the Hindus*, 1808)。他将比较语言学方法公之于众,认为它能挖掘出不同民族的史前关系。[42] 数十年后,这个浪漫派的顶尖成果之一便是威廉·冯·洪堡(1767～1835)的论文《论语言》(*On Language*, 1836),[43]不过如果没有旅行者的帮助,包括帮他了解南美印第安语的兄弟亚历山大·冯·洪堡,以及帮助他了解夏威夷语的阿德尔伯特·冯·查米索,他是写不出这样的作品的。威廉·冯·洪堡的论文证实了当时许多尚未解决的悬念。一方面,他要探索人类的标准语言,并在印欧语族中找到了;另一方面,他以浪漫主义的态度欣赏语言的多样性,因为这种多样性丰富了人类表达的可能性。而后者后来被爱德华·萨皮尔(1884～1939)以及其他语言相对主义者所采纳。他们指出,北美印第安人和其他土著语言,在表达和认知能力上不同于甚至在某些方面要优于西方语言。[44]

111

到了19世纪中期,欧洲人科学旅行的条件已经得到极大改善。但在19世纪20年代后期以及整个30年代,环球航行仍然是罕见而危险的冒险活动。托马斯·库克在

[39] Smith,《欧洲视野》(*European Vision*); Franz Boas,《地理学研究》(The Study of Geography, 1887),载于《种族、语言与文化》(*Race, Language, and Culture*, Chicago: University of Chicago Press, 1982),第639页～第647页。

[40] Thomas Malthus,《论人口原理》(*An Essay on the Principle of Populations ...*),2卷本,第4版,(London: J. Johnson, 1807)。

[41] Ronald Meek,《社会科学与卑贱的野蛮人》(*Social Science and the Ignoble Savage*, Cambridge: Cambridge University Press, 1976)。

[42] Friedrich Schlegel,《论印度人的语言与智慧》(*Über die Sprache und die Weisheit der Indier. Ein Beitrag zur Begründung der Altertumskunde*), E. F. K. Koerner编,Sebastiano Timpanaro撰写导言(Amsterdam: Benjamins, 1977)。

[43] Wilhelm von Humboldt,《论语言:人类语言结构的多样性及其对人类精神发展的影响》(*On Language: The Diversity of Human Language-Structure and Its Influence on the Mental Development of Mankind*, 1836), Peter Heath译,Hans Aarsleff撰写导言(Cambridge: Cambridge University Press, 1988)。

[44] John A. Lucy,《语言的多样性与思想:语言相对主义假设的重构》(*Language Diversity and Thought: A Reformulation of the Linguistic Relativity Hypothesis*, Cambridge: Cambridge University Press, 1992); Roger Langham Brown,《威廉·冯·洪堡的语言相对性构想》(*Wilhelm von Humboldt's Conception of Linguistic Relativity*, The Hague: Mouton, 1967)。

19 世纪 40 年代组织了到苏格兰的旅行，而到 19 世纪 70 年代，他的公司能够为英国中产阶级提供第一流的环球旅行，乘客们能享受舒适的、可预期的假日旅行，也能欣赏到只有极少数勇士才能看到和描述的奇观。[45] 海洋航行的这一转变是英国以及其他欧洲经济体的大规模工业化的一部分，并在 1851 年著名的水晶宫展中得以展现。随着观察者的认识所带来的伟大成果，欧洲人与土著民族的技术差距越来越大，后来终于变成了巨大的鸿沟。欧洲人的技术优势引起了一种幻觉，认为欧洲人属于不同的种族，而且原住民与他们之间的裂隙难以逾越。[46] 政治也和技术一样，用来改变民族志学者们的假定。对于欧洲大陆的人们来说，1848 年革命改变了欧洲的政治氛围，并随之改变了他们对非欧洲人的看法。被规划好的对个人自由的渴望，以及浪漫主义时代对世界各民族天真的宽容已经消失；相反，欧洲进入了工业化与**现实政治**的时代。19 世纪中叶之后，人们对世界范围内进步的信仰逐渐褪色，取而代之的是从北欧人向各殖民地民族逐步递减的种族等级观念。

然而，这些改变也给可回溯至浪漫主义时代的另一种引人关注的东西带来了新的意义。在 18 世纪后期，对原住民族的讨论集中在平等问题上，而在 19 世纪早期则集中在自由问题上。但革命的三色旗上的第三项——博爱——又如何呢？浪漫派继续了这一话题，关注着将人类作为诸文化共同体凝聚在一起的方式。威廉・冯・洪堡对语言的沉思为像赫曼・施坦泰尔（1823～1899）和莫里茨・拉扎鲁斯（1824～1903）之类的德国民族心理学思想家提供了范式，他们为了理解语言如何形成民族的社会心理，既关注原住民，亦留心古典。知识分子对传统欧洲的社会秩序的崩溃与阶级分裂的增长趋势忧心忡忡，并促使他们越来越重视对共同体问题的研究，并在费迪南德・滕尼斯（1855～1936）的《共同体与社会》（*Community and Society*, 1887）和埃米尔・迪尔凯姆（1858～1917）的《宗教生活的基本形式》（*The Elementary Forms of the religious Life*, 1912）中达到高潮。[47] 浪漫主义者把共同体的问题留给了后世的社会科学家，后者要继续关注遥远的时代与地区，以实现欧洲人的理想。

112

（张宇　译　李红　校）

[45] James Buzard,《惯例：1800 年～1918 年间欧洲的旅游、文学及其文化之路》（*The Beaten Track: European Tourism, Literature, and the Ways to Culture, 1800—1918*, Oxford: Clarendon Press, 1993），第 48 页～第 64 页。

[46] Stocking,《维多利亚时代的民族志》，第 1 页～第 6 页。

[47] Ferdinand Toennies,《共同体与社会》（*Community and Society*），Charles P. Loomis 译（New York: Harper and Row, 1963）；Emile Durkheim,《宗教生活的基本形式》（*The Elementary Forms of Religious Life*），Karen E. Fields 译并撰写导言（New York: Free Press, 1995）。

8

历史与历史主义

113

约翰逊・肯特・赖特

历史学在现代社会科学中占据了独一无二的位置，它是第一个具有稳定的专业形式的学科。19 世纪早期在德国引入了现代学院式编史学的基本规则。到 19 世纪末，格奥尔格・巴托尔得・尼布尔和里奥伯特・冯・兰克的模式在西欧和美国已经得到了广泛的传播和效仿，从而建立起固定的学科制度模式。然而，历史学在社会科学中的特殊地位不仅仅是先后次序的问题。因为在整个社会科学的影响下，编史学在迈向科学的途中伴随而生的是可行的历史哲学（或一系列类似的哲学），这些哲学宣称它们提供的历史性解释和理解是独一无二的。

回顾历史，直到 20 世纪早期，这些历史哲学和历史意识形态才第一次结合起来，被纳入同一个名称之下——"历史主义"。迄今为止，尽管这个词已经有百年的历史，但是它的广泛使用却是始于恩斯特・特洛尔奇。在第一次世界大战之后，恩斯特・特洛尔奇引用这个词来描绘他所看到的上个世纪的整个图景，强调了**变更**与**发展**在人类世界中的决定性地位。与体现了自然科学概况的自然主义不同，特洛尔奇断言历史主义导致了反科学的怀疑论与相对主义，它将处于"危机"之中。[1] 十年之后，弗里德里希・梅尼克为这个词做出了稍微不同的释义。追溯它的起源到约翰・G. 冯・赫尔德和 约翰・沃尔夫冈・冯・歌德，弗里德里希・梅尼克看到他们强调将实在性、唯一性和个体性作为历史主义的核心。如果他关于传统的看法比特洛尔奇的观点更积极的话，那么他也同样会将历史主义与自然—科学的理解模式严格地区分开来。特洛尔奇认为"历史主义的兴起将是西方思想界发生的最伟大的智力革命之一"[2]。事实上，随着 20 世纪中期以后这个词的广泛使用，一些人开始批评历史主义与任何真正科学的模式都是不相容的。这种观点在卡尔・波普尔的《历史主义的贫困》（*The Poverty of Historicism*, 1957）中发展到了极致，他在书中批判了"反对自然主义"和"赞同自然主

114

〔1〕 Ernst Troeltsch,《历史主义及其问题》（*Historismus und seine Probleme*, Tübingen: J. C. B. Mohr, 1922）和《历史主义的危机》（Die Krisis des Historismus），见于《新观察》（*Die Neue Rundschau*），33（1922），第 572 页～第 590 页。

〔2〕 Friedrich Meinecke,《历史主义：一种新历史观的兴起》（*Historism: The Rise of a New Historical Outlook*），J. E. Anderson 和 H. D. Schmidt 译（London: Routledge, 1972），第 liv 页。

义”的历史主义，指责前者是“目的论”和“整体论”的，而后者则以虚幻的发展“规律”为基础提出了历史预测概念。

年代误置、不确定性与辩论术在这个领域的积极应用，都导致有些人认为“历史主义”的概念简直应该被体面地安葬了。事实上，对于任何试图说明编史学在18、19世纪的社会科学中的地位的尝试，这一术语都起着不可或缺的作用。因此，围绕历史、历史主义及其那个时代的社会科学，本章将着重提出以下两个论断：首先，本章否认那种普遍的观点，即认为历史主义是19世纪的特有现象，它产生于对非历史的启蒙进行的浪漫主义反叛。与新近的学术理论一致，历史主义在此被赋予了一种更宽泛的谱系，具有更直接地与启蒙相联系的学术渊源。其次，本章强调整个18、19世纪历史主义与社会科学概念之间的密切关联，二者之间有那种合二为一的趋同张力。这种张力的彻底破裂（即世纪之交“历史主义的危机”），其意义在于它标志着一个时代的终结。

18世纪：前提

在清除了源于经典和基督教传统的较陈旧的历史主义解释方法之后，现代编史学和历史主义理论的最初出现才成为可能。科学革命中提出的时空观的普及彻底摧毁了基督徒所谓的“普遍历史”的观念。博秀艾在1681年发表的《论普遍历史》（*Discourse on Universal History*）成为这个传统的最后一部代表作。另一方面，在希腊—罗马式编史学传统的影响下，历史主义解释方法的确定也是一个十分复杂和漫长的过程。即使近代欧洲曾涌现出一批具有新古典特色的编史学传统，也没有出现直接驳斥希罗多德、修西德底斯、波利比奥斯和塔西陀传统的理论。马基雅维利及其18世纪的追随者的作品忠实地重现了古代编史学的主要结构特征：集中研究政治体制变革方面的大规模变化的循环理论；目击者证实的方法论依据；将不变的“人性”作为一个重要解释原则的哲学信仰。比如詹姆斯·哈林顿在其著作《大洋国》（*Commonwealth of Oceana*, 1656）中，着重强调历史中的经济决定论和源于培根的经验证据标准，从而表明，在现代社会科学的引导下，即使有这些限定，古典的共和传统究竟能发展到何种程度。然而，历史学研究中的真正历史主义路径的出现必然要背离古典编史学原则。

115

首先，我们从历史变迁的问题谈起。是什么推动了反对政治体制循环运转的古典理论的运动？长期以来，人们传统地认为18世纪第一次出现的关于历史的主流变化和进步的观念应该是基督教的拯救和救赎概念的“世俗化”。然而，无论这种极少涉及精确的机制和传达手段的“世俗化论点”具有多强的说服力，17世纪欧洲都的确出现了一种解释漫长的历史发展的一种全新的语言。特洛尔奇与梅尼克后来都宣称历史主义是产生于对西方自然法传统的反抗，这个传统中每一个具体代表（如亚士里多德主义、斯多葛学派、托马斯主义和近代理论），都无一例外地坚信人类的性格特征是永恒不变的，并在此基础上提出一系列永恒的规则。然而具有讽刺意味的是，新近的理论几乎完全颠覆了这种关系。因为现在看来,自然法的传统并非历史主义的阻力,事实上它是历史主义产生的一个温床。塞缪尔·普芬多夫(1632～1694)是最关键性的人物,他将其前辈雨果·格老秀斯看做自然法学的"现代"学派的创始人,旨在抨击蒙田和查荣的道德和认识论的怀疑主义。普芬多夫调和了格老秀斯的乐观主义和霍布斯提出的实在论,历史性地考证了人类的自然"社会性"与不同阶段的财产制度之间的联系。[3] 在17世纪末所倡导的概念在之后的18世纪得到了广泛传播,最主要是通过吉恩·巴贝拉克(1674～1744)的译作得到传播的,他将洛克的比较激进的英国自然法也融入了传统中。从这一层面来看,自然法的"现代"理论提供了某种类似启蒙社会思想的深层结构的东西,形成了18世纪后半期关于历史发展的重要的阶段理论的基础。

迄今为止,最为重要的是"四阶段"理论,它一旦突破自然法学的束缚就会出现,法国卓越的艺术家和苏格兰思想家就对其进行了完善的表述。[4] 最早的论述出现于18世纪50年代法国人杜尔哥、魁奈、爱尔维修和古热的著作和苏格兰人达尔林普尔和卡姆斯的著作中。而关于这一理论的思想集中体现在苏格兰大师的杰作之中:亚当·弗格森的《论公民社会的历史》(*An Essay on the History of Civil Society*, 1767)、约翰·米勒的《等级差别的起源》(*The Origin of the Distinction of Ranks*, 1771)和亚当·斯密的《国富论》(*Wealth of Nations*, 1776)。尽管他们各有不同,但是他们在其著作中都表达了共同的信念,即经济的"生存方式"是社会生活的决定性要素,而且普遍认为这些生活方式是经过一些具体的、进步的阶段而不断进化的。斯密的一个观点是:"第一,捕猎时期;第二,畜牧业时期;第三,农业时期;第四,商业时期。"这一过程可以解释为两个层面。"四阶段"理论家一般一开始都以理性主义或人性的功利主义观念为基础对个体行为进行**意向性**解释,继而在集体层面提出一种本质上的**因果**解释。根据这种解释,这些集体行为产生了任何个体或群体无意识的后果,尤其是从一种模式向下一个模式的过渡时。在弗格森著名的规则中,这个结果是"真正人类行为的结果,而不是任何人类有意识的行为的结果"。[5] "四阶段"理论在各个方面都发挥了重要的作用,阐明了推进经济学、社会学和人类学分离的原因。事实上,在米勒看来,这一理论产生了早期的性别社会学研究。但它并不只是拘泥于这一领域,18世纪后半叶出现了许多关于这类推测历史的重要范例。从18世纪50年代卢梭的《论人类不平等的起源和基础》(*Discourse on Inequality*)中对文明的强烈控诉,到康德在《从世界主义者角度看普遍历

116

〔3〕关于"近代"自然法学传统参见 Richard Tuck,《"近代"自然法理论》(The"Modern"Theory of Natural Law),见于《近代欧洲的政治理论语言》(*The Languages of Political Theory in Early Modern Europe*), Anthony Pagden 编(Cambridge: Cambridge University Press, 1987),第99页～第119页;关于 Pufendorf 参见 Istvan Hont,《交际和商业语言:塞缪尔·普芬多夫与"四阶段"理论的理论基础》(The Language of Sociability and Commerce: Samuel Pufendorf and the Theoretical Foundations of the "Four Stages"Theory),同上,第253页～第276页。

〔4〕Ronald L. Meek,《社会科学与卑贱的野蛮人》(*Social Science and the Ignoble Savage*, Cambridge: Cambridge University Press, 1976); Perer Stein,《法律的演变:一种观念史研究》(*Legal Evolution: The Story of an Idea*, Cambridge: Cambridge University Press, 1980)。

〔5〕Adam Ferguson,《论公民社会的历史》(*An Essay on the History of Civil Society*), Fania Oz-Salzberger 编(Cambridge: Cambridge University Press, 1995),第119页。

史的观点》(*Idea for a Universal History from a Cosmopolitan Perspective*),以及 18 世纪 90 年代孔多塞的《人类思想进步的历史图景概览》(*Sketch for a Historical Tableau of the Progress of the Human Mind*)中对文明的热情捍卫。

这些阶段发展理论以多种方式成为启蒙的社会思想的主要成果,而且它对现代社会科学也做出了持久的贡献。如果像 M. 曼德尔鲍姆给出的著名定义那样,将历史主义看做"这种信念,即对任何现象本质的充分理解以及对其价值的正确评价,都要通过考虑到发展过程中其所处的位置和所扮演的角色来获得",[6]那么这就成为了奠基性的文本。但是,这只是考虑到了成熟的历史主义的一个要素。那么被格奥尔格·伊格尔斯称为"历史主义观点的核心"又怎么样呢? 这种论断假设"自然现象和历史现象之间是存在本质区别的,这就要求一种不同于自然科学方法的社会和文化科学方法"。[7] 由于法国和苏格兰著名的阶段理论家没有将自然和历史做出严格的区分,这就要求一种完全不同的用于说明人类领域的变化和发展的方法论。相反地,阶段理论家的代表性发展是扩展基于牛顿模式的解释模式,将普遍的"规律"和"原则"应用到具体的因果机制证明上,将自然规律应用到人类世界。尤其是四阶段理论成为了社会世界的基本"运动规律"的一个发现。那么,我们在哪里能够找到另一种历史主义的渊源呢? 即强调历史说明具有**不同**特征的历史主义。

117

自然法学恰巧也提供了一个得以展开这一主题的语境。然而,在这种情况下,真正创造性的成就体现在对自然法理论进行边缘性批判的特殊表现中。回顾起来最重要的人物当数那不勒斯法学家詹巴蒂斯塔·维柯(1668～1744),他一生致力于欧洲知识分子外围生活的不确定性的研究,提出了一种关于"民族的本质"的"新科学"。乍看起来,似乎标志着一种倒退。从对现代自然法学的一种神学批判开始,维柯提出了一个"理想的永恒的历史"的模式(即古罗马历史的程式化的重述),其结果是一种历史变更的循环理论。然而,这种貌似倒退的纲领的核心是一种革命性的方法论原则。从笛卡尔主义者出发接受了科学的统一体理论,维柯随后反其道而行之,他认为历史说明不仅具有不同于自然科学说明的自主性,而且由于其知识的确定性,它更具有自身的优越性。关键思想体现在维柯"真实和虚构实际上是可以相互转化的"著名论断之中,人类事件适合于一种"从内部"理解的另一种模式,这是一种超越自然科学界限的模式。这种历史解释的语用论是基于普遍人性的假定的。然而,其实际效果是对自然科学模式的**可塑性**的一种新的强调。《新科学》真正要强调的是社会生活形式的绝对多样性,就像不同社会都要经历维柯所说的每个阶段那样。

直到一个世纪后的古典历史主义时期,《新科学》才引起人们的重视,人们以一种

〔6〕 Maurice Mandelbaum,《历史、人与理性:19 世纪思想研究》(*History, Man, and Reason: A Study in Nineteenth-Century Thought*, Baltimore: Johns Hopkins University Press, 1971),第 42 页。

〔7〕 Georg G. Iggers,《德国人的历史概念:从赫尔德至今的民族历史思想传统》(*The German Conception of History: The National Tradition of Historical Thought from Herder to the Present*),修订版,(Middletown, Conn.: Wesleyan University Press, 1983),第 4 页～第 5 页。

非凡的热情重新发现和赞赏这一理论，而其主题在18世纪也完全不过时。在《新科学》最后一版发表的四年后，孟德斯鸠（1689～1755）出版了《论法的精神》（*On the Spirit of Laws*），这立即被公认为是那个时期最伟大的政治学和社会学思想著作。孟德斯鸠将一切法（包括神学的、自然的、行为的和社会的）都界定为“源自事物本质的必然关联”，他形式上遵循笛卡尔主义，但在实践中立即抛弃了这一哲学主张，因为“理智世界远不像物理世界那样可以被控制……其原因在于具体的理性存在都受到其本质的限定，因此容易犯错误；而且它们是在自身中依据其本质而行动的”。[8] 对于旨在解释人类法的“精神”的非理性及其作用的具体的**人类**科学来说，这是一个基本原理。以此为基础，孟德斯鸠提出了关于三种“政府形式”（共和政体、君主政体和君主专制）的一个普遍分类法，每一个政体是由一个主观的“原则”（美德、荣誉和恐惧）所决定。最引人注目的是，这种分类法具有鲜明的地理决定论的整体理论特征，将“君主专制”划归东方所特有。其背景从侧面反映了对从古典时期有德行的共和制到近代欧洲商业君主制的过渡的历史说明，这种说明以阶段理论的一个早期版本为基础。但是，《论法的精神》的总体影响绝对不亚于维柯的杰作，其中提出了一种新的社会科学模式，一种对整个人类种族及其差别富有同情心的认知模式。

卢梭与孟德斯鸠一样试图为人性的多样性进行一种更广义的界定，并且提出一种把握人性差别的新方法。然而，在推进这一关于历史发展的新概念时，成果最为显著、影响最为深远的理论并没有产生于法国的启蒙运动，而是出现在德国的启蒙思潮中。约翰·戈德弗里特·赫尔德（1744～1803）提出的思辨的历史哲学在这个方面做出了突出贡献。同维柯一样，赫尔德也假定了人性具有普遍的共性，但是，他更强调人性在不同的地理、政治和文化环境中基本的可塑性。他自己的哲学人类学的出发点就是对法国启蒙运动提出的“官能心理学”的偏颇性的激烈抨击。对于赫尔德来说，人类的个体以及他们所形成的集体都是独一无二的整体，彼此之间都具有本质的区别。同时，人性的根本同一性确保了历史变化对于赫尔德及其他十分熟悉其理论的阶段理论家来说都具有指导性作用。但是，当赫尔德将政治国家和道德民族（而不是经济模式或结构）看做是发展的主题来研究时，他并没有理论先驱。他也提出了一个新的发展构想，将源自当代有机生物学的有机论模式和这种论断结合起来，后者认为随着时间的流逝人类集体朝着前所未有的更大的自我确定性前进。这种有关人类作用理论的方法论结果，最终就形成了一种解释学的纲领，要求历史学家们通过创造性地“进入其主观经验和动机来重新把握历史对象的唯一性和多样性”。

事实上，赫尔德的历史哲学的理论要旨为历史学家们的实践提供了一个理论上的准则。实际上，19世纪古典历史主义的所有理论在18世纪末期已经出现了，比如十分

[8] Montesquieu，《论法的精神》（*The Spirit of the Laws*），Anne M. Cohler, Basia Carolyn Miller 和 Harold Samuel Stone 译（Cambridge: Cambridge University Press, 1989），第4页。

普遍的关于时间长河中的变化和发展的理论、人文科学所独有的解释学理解的方法论等。但是，综观那个时代的现行编史学，即使在最高级的理论中，也没有包含对这些要素的真正综合，没有体现在历史实践本身中发生基本变化的能力。18 世纪后半叶的确看到了叙述性历史百花齐放的状态。那一时期代表性的著作有：伏尔泰的《路易十四的时代》(*The Century of Louis XIV*, 1751)和《论习俗》(*Essay on Customs*, 1754)、大卫·休谟的《英格兰历史》(*History of England*, 1754—1762)、威廉·罗伯逊的《国王查理五世统治的历史》(*History of the Reign of the Emperor Charles V*, 1769)、《美国的历史》(*History of America*, 1777)以及爱德华·吉朋的《罗马帝国的衰落》(*The Decline and Fall of the Roman Empire*, 1776—1788)。从两个方面看，这些著作都至少可被称为原历史主义作品。什么使得在同时代的人眼里，伏尔泰、休谟、罗伯逊和吉朋的"哲学"著作是原历史主义的呢？一方面，他们创造性地利用了分别源自孟德斯鸠、古典共和主义传统、早期的阶段理论家的关于发展的理论；另一方面，他们史无前例地利用原始资料，包括现在越来越容易得到的欧洲以外的资料。一种旨在大规模地解释和依赖对最广阔的、最遥远的资料的利用的新编史学的理论开始出现了。

然而，这些历史学家并没有坚信历史解释代表一种不同于自然科学的具有特权的或者唯一的解释社会世界的模式。原因之一是他们坚持传统的"人性"概念。这一点通常被夸大，似乎他们认为"人性"是固定不变的。在他们的作品中思想仍然被看做是解释者，而不像维柯和赫尔德那样的历史主义者的路径那样将其看做解释对象。不足为奇的是，在 18 世纪后半期的德国，在莱布尼兹和赫尔德的直接影响下，首先迈出了将编史学真正专业化的第一步。特别是，创立于 1737 年的新哥廷根大学拥有一批包括约翰·克里斯多夫·加特罗和奥古斯特·路德维希·施勒策在内的杰出的历史学家。他们打破了编史学自身研究的平衡，第一次形成了两种相互对立的成熟的历史主义：一种特别强调要掌握过去的原始记录，这为坚持历史现象独特性和个体性的哲学信念所支撑；而另一种一直关注将这些资料整合为对长期发展的因果说明。他们将源自于孟德斯鸠和阶段理论家的地理决定论和结构决定论的机械论引入到以赫尔德的作品为代表的更具"精神性"的作用形式中。[9]

120

兰克革命：古典历史主义

然而，要将这种实践转化为一种持久和可再生的模式就要求另一种不同的历史语境。在法国革命的激发下，席卷欧洲的政治和意识形态的混乱的直接结果导致了编史学和历史主义学说的完全"现代化"。值得一提的是，曾败在拿破仑手下的普鲁士国王

[9] Peter Hanns Reill,《德国启蒙运动与历史主义的兴起》(*The German Enlightenment and the Rise of Historicism*, Berkeley: University of California Press, 1975)。

提出了“改革时代”,一种引人注目的试图从上而下将普鲁士政策和社会现代化的主张。威廉·冯·洪堡(1767～1835)推动了从普通大众到大学教育系统的改革,他的重要贡献是于1810年主持创立了新柏林大学。然而,他对历史的贡献不只是制定了保护体制的条款。柏林大学在19世纪上半叶的编史学革命中的核心地位,可以追溯到由洪堡理论化了的具体科学模式,这与大学的结构有直接的关联。在此,“科学”即知识学,既指涉及学术研究和学习的集体事业,其复数形式也指对此做出贡献的具体学科。不能根据它们所产生的知识的确定性或价值,也不能根据从事该研究的人员的尊严来区分知识的等级。但是,洪堡的确在自然科学与“历史的”或“人文的”科学之间做出了特定的方法论区分。后者与前者一样都依赖于经验证据。然而,根据历史资料的具体特征(包括对统一整体、个体和集体生活的记录)和非理性在人类实践中的重要作用,可以对人文科学进行区分。他们的正确方法是从客观的历史事实出发,借助具体的直觉理解或说明来把握人文科学的相互联系、必然性和意义。“关于一切发生的事情的真理都要求考虑到以上提到的关于每一事实的无形要素,而且历史的编纂者都必须牢记这一点”。[10]

这种方法论规则赋予历史以解释和综合的功能,在其影响下柏林聚集了一群杰出的学者。其中当然包括G. W. F.黑格尔,他一生殚精竭虑地致力于根据哲学的规范统一一切“科学”的尝试,这种工作完全可以被概括为哲学的或“理智的”历史主义。[11]然而同时在柏林兴起的撰写历史中的变革却与黑格尔的宏伟规划相去甚远。的确,当时著名历史学家里奥伯特·冯·兰克(1795～1886)的主要目标恰恰就是建立作为学术事业的编史学的“自主性”,以使其免于还原为其他学科,特别是还原为哲学的厄运。在发表了他的第一本主要著作《从1494年至1535年拉丁和日耳曼民族的历史》(*Histories of the Latin and Teutonic Nations from 1494 to 1535*)之后,兰克于1825年才到达柏林。他在书中所宣称的方法论革命,即一种新的原始资料批判主义,当然不止兰克一个人提出过。其基本模型是直接来源于古典哲学、圣经批判论和法史学的相关学科。他还高度赞扬了格奥尔格·巴托尔得·尼布尔,尼布尔在迁往波恩的莱茵兰大学之前,曾经在早期的柏林大学做过报告。他的《罗马史》(*Roman History*, 1811～1812)成为现代研究古罗马的奠基之作,其中的某些论述使其成为现代实证编史学的第一部著作。

兰克的成就首先在于,他将古典哲学和法学研究中的批判主义方法扩展到近代欧洲史领域内。他将自己最初的声望和在柏林获得的教授席位首先归功于《从1494年至1535年拉丁和日耳曼民族的历史》的第二卷,他首次阐明了叙述意大利战争的方法论。他在书中批判性地评论了以前历史学家们的工作,在圭恰迪尼和马基雅维利之间

121

[10] Wilhelm von Humboldt,《历史撰写者的任务》(On the Tasks of the Writer of History),见于《洪堡著作全集》(*Gesammelte Schrifien*, Berlin: B. Behr, 1903—1936),第4卷,第35页～第36页,引证于Iggers,《德国人的历史概念》(*The German Conception of History*),第60页。

[11] Michael Forster,《黑格尔的精神现象学思想》(*Hegel's Idea of a Phenomenology of Spirit*, Chicago: University of Chicago Press, 1998),第3部分。

安排了一个著名的有利于后者的对峙，试图以例证来说明一种完全以关于过去的直接证据为基础的编史学，无论证据是档案的、碑文的还是考古学的。兰克后来之所以被称为现代科学历史的"奠基者"，绝对取决于作为历史学家的他的实践与这种规范的一致性。作为研究者，其职业就相当于一个几十年来穿越西欧主要国家档案的发现之旅，包括意大利、奥地利、德国、法国和英国，最终获得了前所未有的关于近代历史的资料和知识。与此同时，兰克还组织了研讨会来教授学生如何批判地评价和使用历史证据。虽然加特罗在哥廷根实验了一种较早的观点，但是正是1833年之后兰克在柏林对这一方法的重新引进和系统化，才使之成为专业的历史学家群体必不可少的方法。

122

但是，由于这一工作具有理论化和形而上学的特征，因此它与实证主义方法是截然不同的。兰克的历史主义具有两面性：一方面，作为一种科学，编史学的自主性和独特性的确要依赖于它对客观事实的掌握。他在《从1494年至1535年拉丁和日耳曼民族的历史》的序言中表达了"揭示事情本来面目"的强烈愿望，现在这已经成为各类历史学家的信条。在批驳圭恰迪尼观点时，他进一步强烈地谈到这一点："我们每个人都有关于历史的不同概念：它应该是通过观察单个事实而获得的不加任何粉饰的纯粹真理，其他的留给上帝去裁决，但是绝没有诗化，没有幻想。"[12]这些争论所引发的争议对象常常为人们所忽视。另一种是传统的将历史看做人生导师的理论，强调编史学为信仰或说教服务。但是真正的威胁来自费希特和黑格尔提出的统一系统理论，即似乎要将编史学划归为宏大的哲学体系。历史保持了一种特殊的进取心："只有两种途径可以获得关于人类活动的知识，或者通过特殊的感知或者通过抽象方法。后者是一种哲学方法，而前者才是历史学的方法。"[13]然而，就像 wie es eigentlich gewesen 中的副词表现出的歧义性一样（这个短语可以同样正确地翻译为"正如它实际发生的"或者"正如它本质发生的"），兰克关于"特殊性"的概念在源自赫尔德和洪堡以来的哥廷根历史学家的历史主义传统中明显地表现出一种歧义性。兰克认为，对历史唯一性和个体性的坚定信念最终依赖于神学基础。他写道："任何时代对于上帝来说，都只是瞬间而已，同一主题可以百变不一。""这种看待历史的方式，即历史中的个体生命要求获得具体的关注，因为每一个时代都必须被看做具有其自身的合理性，而且似乎都是值得研究的。"[14]

这只是兰克历史主义的一个维度，另一方面，展现了一种历史发展的视野，主要关注西欧伟大的各民族国家从中世纪诞生到当今的政治历史。其整个职业生涯研究的

[12] Leopold von Ranke，《从1494年至1535年拉丁和日耳曼民族的历史》（*Histories of the Latin and Germanic Nations from 1494 to 1535*），2卷本，（Leipzig, 1824），第2卷，第18页，同时被 Felix Gilbert 引用和翻译，见《历史：政治学或文化？对兰克和布克哈特的反思》（*History: Politics or Culture? Reflections on Ranke and Burckhardt*, Princeton, N. J.: Princeton University Press, 1990），第19页～第20页。

[13] Leopold von Ranke，《自19世纪30年代以来断代》（A Fragment from the 1830s），见于《从伏尔泰至今历史的多样性》（*The Varieties of History: From Voltaire to the Present*），Fritz Stern 编（New York: Meridian, 1956），第58页～第59页。

[14] Ranke，《历史的理论与实践》（*The Theory and Practice of History*），Georg G. Iggers 和 Konrad von Moltke 编（Indianapolis: Bobbs-Merrill, 1973），第58页。

一致性令人难忘。兰克在早期代表作，如研究 16 世纪土耳其人和西班牙人之间关系的《从 1494 年至 1535 年拉丁和日尔曼民族的历史》和《罗马教皇史》(*History of the Popes*, 1834, 1836) 中，他考察了整个西欧民族史，以及它们从封建制度到完全君主制的转变。在其成熟时期，兰克转而关注这些单个民族的命运，写作了独立的德国史、法国史和英国史。他以一部《普遍历史》(*Universal History*) 而结束，其中仓促地试图将视野扩展到全球。他无一例外地关注作为研究对象的国家，研究其政治发展、外交状况以及与其他民族成员之间的战争。但是与 18 世纪广泛流行的推测性和叙述性历史不同，兰克对政治历史的研究只是形成了一个有限范围内的影响，而当时主流的历史观包括了伏尔泰的文化进化论、斯密和弗格森的经济决定论。同时，他的实际的政治学形态还不能助其一臂之力，其政治学理论坚持一种回归的保守主义，随着时间而倒退到神学的基础。尽管如此，这种视野的限制与其提出一种累计的职业编史学的模式密切相关。因为正是在政治历史中，欧洲过去的大部分原始资料展现在手边，而政治历史这个层面是决定性的社会结构和主观的机制要迎合的。这就是兰克作品中所倡导的解释和证据的典型融合，这构成了迄今为止专业编史学的基础。

123

直到 19 世纪后半期才开始了对兰克的"科学的"编史学模式的有意效仿。最终它不仅在德国，而且在法国、美国、英国也获得了规范性的地位。与此同时，较为传统的历史实践的形式也摆脱了德国模式，朝着历史主义的方向发展。在法国和英国，主要编史学工作的前专业化和"前科学"的特征使得某些东西更贴近于 18 世纪关于发展理论的水平。弗朗索瓦・基佐(1787～1874) 的著作就是这方面的一个典范。他在《欧洲文明史》(*History of Civilization in Europe*, 1828) 一书中的因果多元论思想，混合了关于经济冲突的社会学和关于价值与原则的解释学，使他成为了"四阶段"理论家和孟德斯鸠与赫尔德的理论继承人。他对比较法的运用，对抽象模式和具体实例的调和，将会影响那些像托克维尔和马克思那样的根本不同的继承者。然而在那段时期，编史工作的大部分精力投入到了对整个民族的叙述上，尽管所体现的政治价值观十分不同于兰克和"普鲁士"学派的价值观。在法国，夏多布里昂的历史主义由一些杰出的自由历史学家们所回应，包括基佐、米涅和梯也尔，他们通过法国历史确立了自由原则的好处。朱尔斯・米希列(1798～1875) 的民粹派历史主义继续了自由主义历史学家的工作，他是那个时期重新发现维柯的代表，那时维柯关于法国人民的进化特征的半神秘的思想堪与兰克关于普鲁士国家的理论相媲美。在英国，亨利・哈勒姆(1777～1859) 和托马斯・巴丙顿・麦考莱(1780～1859) 的工作引入了一种可更替的自由的历史主义传统，后来被称作对英国政治历史的"辉格式解释"。美国在这一领域的奠基人是乔治・班克罗夫特(1800～1891)，他在哥廷根获得了博士学位。尽管这种民族主义的编史学仍处于前专业阶段，其中一些政治领导人如基佐甚至以这种方式写作历史，但是经常与此并行的是一种收集历史证据的新兴的共同事业。这种行为日益得到国家资助者的支持，从创立于 1821 年的法国的夏尔特高等学校，到伟大的德国和英国的 19

124

世纪30年代和40年代的原始资料的收集,直至19世纪中期,以证据为基础的近代欧洲历史已经牢固地建立起来了。

19世纪后期:传播和发展

19世纪后半期,这个领域有两个主要的发展。一个就是西欧和美国的编史学实现了专业化:设立了学术主席,建立了授予学位的程序,成立了学科协会,创办了专业杂志。随处可见的这个过程被看做是第一次将历史抬升到一种"科学"的地位。在几乎每一个个案中,都涉及到了对兰克编史学模式的刻意效仿,尽管在理解它所体现的"科学"类型时有巨大的差异。同时,兰克的编史学从来没有完全垄断这个领域。19世纪后半叶,一些不太因循守旧的历史学家在公认的历史主义模式方面也做出了富有创造性的工作。除了适当的编史学工作之外,又一个产生推进历史巨变和发展的伟大理论的时期到来了,这是一个反对启蒙本身的时代。

在德国,兰克本人乐意给人以学术生涯漫长的深刻印象,到了1871年他才从柏林退休。然而,在这之前,他以复辟为基础的倒退的政治学使他越来越被孤立。19世纪中期的动乱激起了强调**自由**的编史学的出现,格奥尔格·格维努斯的学术反映了上面的这一切。19世纪50年代,这把火炬从这里传到了一个以撰写历史而闻名的"普鲁士学派",该学派在自由主义和坚定的**民族主义**风格之间进行了平衡,其主要代表人物有弗里德里希·达尔曼、约翰·古斯塔夫·德罗伊森和海因里希·冯·西贝尔。但是他们的一切工作都受到兰克创立的模式的引导,遵循严格意义上"客观的"原始资料研究,狂热地相信国家在近代史中的核心作用,日益认识到专业的一致性,这三者在他们的工作中被结合了起来。西贝尔资助了德国主要的专业学报,包括1859年的《历史学研究》(*Historische Zeitschrift*)。可能兰克编史学在实践中的成功应用并不是在德国历史中,而是在古罗马历史中,在西奥多·蒙森辉煌的学术事业中得以体现。然而约翰·古斯塔夫·德罗伊森(1808～1884)的《历史原理纲要》(*Outline of the Principles of History, 1857—1883*)在今天被看做是最高水平的理论表述,对历史科学的自主性进行的哲学辩护,兰克从未写过类似的东西。实际上,德罗伊森尖锐地批判了兰克及其直接追随者们,认为他们太拘泥于追求原始资料的"客观性",在这方面走得太远了。

125

德罗伊森认为,真正的历史理解必然要从资料中揭示出的客观事实出发,而且这些资料要被置于物质的和政治的背景中。然而,以此为基础,他要求历史学家对历史行为者的意图和目的进行心理学的重构,最终根据时间赋予其意义的共同"道德力"将这些要素统一起来。由这些"力量"产生的"精神共同体"不同于"自然的"(家族和民族)、"理想的"(语言、艺术、科学和宗教)和"实践的"(经济和国家)共同体,共同体的概念是德罗伊森从洪堡和黑格尔那里借用的。历史就是关于这些共同体的成长和发展的科学。它具体的特殊性就是一种完全超越哲学认识的理解形式,哲学的目标是超越时间的"抽象认知"。它也不同于自然科学,自然科学根据严格的重复而不是"无休止的进步"来认识世间万物,而"无休止的进步"却反映了历史变化的内容。德罗伊森发动了一场著名的针对亨利·托马斯·巴克尔的《英国文明史》(*History of Civilization in England*)的攻击,不是针对他的进化主义而是自然主义,即试图消除对宏大的历史发展进行解释时的意向性和目的。相反,德罗伊森的《历史原理纲要》可以被看做19世纪历史主义的理论巅峰,就像海登·怀特近来提出的:"曾经提出过对历史思想的自主性的最持久和最系统化的辩护。"[15]

在德罗伊森《历史原理纲要》的第一版到最后一版期间,德国之外的这种编史学专业化的进程已经开始了,德国模式的影响几乎无处不在。决定性的一步是历史完全进入到大学的体系之中。在法国,1868年高等研究实践学院的创立标志着一个开端。在那里,加百利·莫诺德和其他受德国教育的学者们将历史理论提升为一个完全科学的学术学科,将培训课堂的重心从讲座转变为兰克风格的讨论会。19世纪50年代美国大学中第一次设立了历史学教授的职位。19世纪70年代曾就学于海德堡大学的赫伯特·巴克斯特·亚当斯在约翰·霍普金斯大学主持创立了历史学博士学位项目,这成为一种广为效仿的模式。威廉·斯塔布斯和约翰·罗伯特·希利分别在1866年和1869年成为牛津大学和剑桥大学的历史学的皇家教授,他们在英国宣扬了德国风格的"科学的"历史概念。紧随学术阵地的是创立主要的国家杂志来宣传这种新学术,以《历史学研究》为范例,《历史评论》(*Revue historique*)创立于1876年,《英国历史评论》(*English Historical Review*)创立于1886年,《美国历史评论》(*American Historical Review*)创立于1895年。这场学术运动最终终结于以手册和宣言形式出现的主要理论声明。伯恩汉的《历史方法手册》(*Handbook of Historical Method*, 1889)和朗格卢瓦以及塞涅波斯的《历史研究导论》(*Introduction to Historical Studies*, 1898)以英译本的形式广为流传,这些都是前者(手册)的典型代表。后者(宣言)的著名范例是J. B. 伯里于1902年在剑桥的就职演说"历史科学",标志着整个历史专业化过程的高潮。

126

什么样的"科学"可以这样被理论化呢?毫无疑问,英法关于科学的概念不同于德国人认识的"知识学"(Wissenschaft)的概念。两种相互交替的哲学文化,经验主义者或者理性主义者认为,法国、英国和美国的"科学的"编史学比德国的编史学更少采用观念化的模式。当然它们并不是完全不同的。这些国家历史学专业化的主要代表人物都承认受到德国模式的影响,尤其是高度赞扬兰克。他们的立场包含了对兰克的观点的"几乎完全的误解",这些表明了德国历史主义与英法"实证主义"的巨大差别,相比较,英法实证主义更缺乏合理的辩护。[16] 的确,英、法、美的历史学家们坚持实证主

[15] Hayden White,《德罗伊森的历史:作为资产阶级科学的历史写作》(Droysen's Historik: Historical Writing as Bourgeois Science),见于其《形式的内容:叙述话语与历史表征》(*The Content of the Form: Narrative Discourse and Historical Representation*, Baltimore: Johns Hopkins University Press, 1987),第99页。

[16] 这一警句被Peter Novick在其文章中使用,《崇高的梦:客观性问题与美国的历史专业》(*That Noble Dream: The "Objectivity Question" and the American Historical Profession*, Cambridge: Cambridge University Press, 1988),第26页。

义的科学统一思想，这使得他们超出了任何一类历史主义的界限。最早而且最著名的例子是布克，他的《英国文明史》（*History of Civilization in England*, 1857、1861）提出了一种科学编史学的模式，确定了发展和变化的一般规律，但实际上也完全取消了历史解释的自主性。而在法国，伊波利特·泰纳扮演了同样的角色，发展了另一种编史学的实证主义模式。在1891年，卡尔·兰普雷希特发动了一场关于《德国史》（*German History*）的争论，正面攻击了兰克建立的模式，这类似于关于德国布克的争论。然而，这些人物由于其远离那个时代创立的编史学而引人注目，当时的主要流派仍然受兰克历史主义风格的引导。

127 这在伯里的就职演说中表现得尤为清晰，因为它来自于本土的经验主义。回顾一下19世纪历史学被"提升和划归为科学"的历程，伯里认为这起源于尼布尔和兰克，他们的成就并不在于提出了"客观的"文献思想，而是发现了"人类进化的思想"。这个思想被称之为"伟大的变革思想，这使得历史能够界定其界限"。伯里以真正的历史主义的口吻总结道："这个世界还没有意识到历史变革（广义变革的一部分）的十分重要性，关于发展的学说引发了这场变革……但是，我们要毫不犹豫地说，在编年史研究中，上个世纪和公元前5世纪一样重要，不仅如此，而且也标志着一个人的自我意识增长的阶段。"[17]

然而，"发展的学说"却从来不是历史学家们的唯一专利。19世纪后半叶，大量新的专业编史学的卓越工作都致力于一个单一的研究对象，即现代国家和政府的兴起及其演化。但是，同时期也涌现出了关于大规模的历史发展的理论，远远超出了兰克编史学所关注的狭隘的政治领域，这对于建构现代社会科学产生了一个持续的影响。最全面而丰富的阶段理论，即由奥古斯特·孔德（1798～1857）在其《实证主义哲学教程》（*Course in Positive Philosophy*, 1830—1842）中最早提出的。继承了孔多塞和圣西门的思想，孔德把人类历史分成了三个渐进阶段，"神学"阶段（大概可以延伸到变革时期）、"形而上学"阶段（到法国革命结束）和"实证"阶段（指导着从现在到未来的阶段），每一阶段都会遵循一种不同类型的社会因果性。孔德在19世纪前半期是一个孤立的人物，到后半期许多相互竞争的研究发展的理论家加入了他的阵营。法律史方面萨维尼的继承人是亨利·梅因（1822～1888），他的《古代法律》（*Ancient Law*, 1861）对"不变的"和"变化的"社会做出了明确的区分，追溯了后者作为核心的社会机制从"特权"到"契约"的发展过程。赫伯特·斯宾塞（1820～1903）从论文《进步：其规律与原因》（Progress: Its Law and Cause, 1857）开始，勾勒了一个关于社会全面发展的理论，描述了三个社会阶段从支离破碎的统一到协调的异质的运动，同时也描述了从军事社会到工业社会的一般演进过程。爱德华·B. 泰勒的《原始文化》（*Primitive Culture*, 1871）也提出了一个历经三个连续的技术阶段的发展过程：原始状态、野蛮状态和文明状态，

〔17〕 John Bagnell Bury,《历史科学》（The Science of History），见于《历史的多样性》（*The Varieties of History*），Stern 编，第214页～第215页。

刘易斯・亨利・摩尔根在《古代社会》(*Ancient Society*, 1877)中做了更为详尽的论述，以提倡从进化论角度看待国家、家族和财产而结束。

这些名字只触及到表面,其实还可以提到许多其他人。这些研究社会变化的重要理论家都是历史学家吗?毫无疑问他们的工作符合前面曾引用过的曼德尔鲍姆提出的定义,但在有些情况下,由于卡尔・波普尔的推广却引起了争议。当这些社会进化或发展理论家们都诉诸经验证据时,他们以一种远离当代编史学的形式典型地进行运作。如果这些思想家都没有远离意向性解释,那么他们就都没有依赖独特的历史理解方法论,这是一种作为编史学的专业化核心的解释学方法。的确,孔德首创了"实证主义"这个术语,斯宾塞和其他人却一起对这种编史学方法表达了完全的敌意,谴责它是强调独特性和个体性的方法论。 *128*

由于这个原因,长远来看,像孔德、斯宾塞、摩尔根和梅因这些人物对编史学的影响不及那些理论家们和历史学家们,他们在巅峰理论和传统的学院式编史学之间占据着重要位置。实际上,文化史中的两个先锋派在历史系谱中形成了相对立的两极。在法国,努马・甫斯特尔・德・库朗日(1830～1889)亮出了"科学的"编史学这块独特的招牌,他对《古代城市》(*The Ancient City*, 1864)的研究及其后来对法国历史的贡献都是很好的证明。在德国文化领域,雅各・布克哈特(1818～1897)的学术成就深受兰克的影响,他创作了可被称之为"美学"的而非"科学"的历史主义的三部曲,《伟大的君士坦丁堡时代》(*The Age of Constantine the Great*, 1852)、《意大利文艺复兴文化》(*The Culture of the Renaissance in Italy*, 1860)和《希腊文化史》(*Greek Cultural History*, 1898)。

然而到目前为止,至少从20世纪末的角度来看,这个时代最有影响力的理论家是两位比较远离专业编史学的人物。一位是阿历克西・德・托克维尔(1805～1859),他一生摇摆于政治激进主义和学术倒退之间,更符合早期的模式。托克维尔的两部杰作,《美国的民主》(*Democracy in America*, 1835—1840)和《旧体制与革命》(*The Old Regime and the Revolution*, 1856)常常不被作为历史主义的文献,但它们确定比较符合这种界定。两部著作都以全面的社会发展理论而见长,托克维尔认为从"贵族式"到"民主式"社会的无情而彻底的变革对现代性做出了界定。这两部著作通过将意向解释和因果解释巧妙结合起来而将这一观点落到实处,实际上也为现代"政治心理学"奠定了基础,值得一提的是,这也是以对无论是当代还是历史的原始资料的严格要求为基础的。[18] 另一位主要人物当然是卡尔・马克思(1818～1883),他与弗里德里希・恩格斯以及后来的马克思主义思想家们对现代社会科学的贡献将在本卷的其他地方展开论述。在此要注意的是,马克思历史唯物主义的核心概念,即"生产方式"的概念,这本身就是同样卓越的历史学家的一个手段。它同时被用来描述社会生活形式的唯一性和多样性,并用来把握其在构成人类美好历史的进步发展过程中的位置。 *129*

[18] Jon Elster,《政治心理学》(*Political Psychology*, Cambridge: Cambridge University Press, 1993),第3章～第4章。

就在特洛尔奇声称的“历史主义危机”之后，托克维尔和马克思对实际历史撰写的影响深远，直至未来。对特洛尔奇来说，“危机”是一种相对主义：处于在历史主义理论核心的关于发展的理论，具有消除历史理解自身中的客观基础的危险。这种主要针对当代德国的历史哲学家的担忧，在某种意义上只是广泛批判性争论的一个局部例证。这包括围绕迪尔凯姆、韦伯和现代社会学的其他奠基者而展开的方法论争论，这就是埃德蒙德·胡塞尔提出的著名的“欧洲科学的危机”。更进一步，这样的争论经常被追溯到弗里德里希·尼采（1844～1900）那里，尼采和布克哈特是知识分子中的志同道合者，后者的论文《论历史对生活的利弊》（*On the Advantage and Disadvantage of History*, 1874）在当代历史主义文化的鼎盛时期对其发动了一场批判性攻击。尼采将他那个时代的各种历史理解方法进行了分类：“纪念碑式的”、“古文物式的”、“批判性的”，尼采根据其对“生活”的影响来衡量每一类方法，发现它们都有问题。尼采认为防止压抑性地沉迷于过去的办法就是培养其他态度，如“非历史的”或“超历史的”。

在其他方面，尼采的论文也表明了，谈论各种相互之间稍微具有交叉的主题的历史主义比讨论具有统一的知识传统的历史主义更合适。在历史主义观点中有两种不同的理论处于核心地位：一种理论将大规模的历史发展作为核心的解释方法，另一种认为历史现象的特殊本质可以分别被描述为“唯一性”、“个体性”、“意向性”和“目的性”，这就要求一种不同于自然科学的因果说明的解释学的理解方法。正如我们已经看到的，历史发展的概念和解释学方法论的概念分别出现于启蒙时代，在各种不同的传统中都有表述，如法国的“四阶段”理论、苏格兰的启蒙传统以及维柯和赫尔德的历史哲学传统。历史主义理论的统一综合性使得兰克及其追随者们在19世纪前半期创立了“科学的”编史学模式，而在19世纪后半期，这种模式就被广泛效仿，至少在那个时代将历史提升到了社会科学的行列。

除专业的编史学外，又兴起了其他种类繁多的历史主义，在某种意义上来说，它们的影响直到20世纪才显现出来。正如彼得·瑞尔所说的，历史主义的核心要素常常处于一种相互延伸的状态。孤立地看，很难将一种坚定的历史发展概念和一种强调历史现象的唯一性和个体性的观点调和起来。[19] 本章所考察的各种历史主义在这两种概念之间保持了一种基本的平衡。实际上，19世纪末不同传统中爆发的“危机”都包含了对发展和个体性这两个主题的割裂和孤立，而这反过来又危及到了这两个传统的科学地位。如果一个世纪之后这种“危机”偶尔也会持续的话，那么就会看到那种所谓的历史主义英雄时代所取得的成就现在仍然影响着我们。

130

（刘杰　译　李红　校）

[19] Reill,《德国启蒙》(*German Enlightenment*)，第214页。

9

将心理学纳入科学领域

131

简·戈尔斯坦

人类或许总想要构建关于他们自身认知和情感过程的知识，并且在最广泛的意义上将这些知识叫做“心理学”。经过较长的时段*，这些知识就被储存、积累，并以各种辅助形式重新作用于各个学科门类，如哲学、宗教和文学。但是随着17、18世纪科学革命和启蒙运动的到来，西欧人才开始阐明当时所发展的多种心理学知识的基础，并以那种所谓的科学的严密性去整理它。[1] 后来，他们才试图为这种知识创造了一种新的、独特的、以“心理学”命名的学科门类。本章探讨了将认知和情感过程引入科学研究的早期尝试阶段，这个阶段大约结束于1850年，即开始共同努力推出并且使得统一的“心理学”学术原则制度化。[2]

这里所叙述的历史必然是不同质的，是一种拼接的历史。这不仅是因为学科建制尚未成形，并因此而产生的构成其主题的特殊知识主体在条件上尚不完全，而且也由于本章所采取的研究科学范畴的途径。实证主义的方法假定科学知识的标准是清晰的、普遍的，因此也假设心理学的历史能够而且也应该叙述为一种从不完善的、方法论上不正确的命题导向可证实的科学命题的目的论过程。这样的历史将具有独特而有力的情节主线。相反，本章在更广泛意义上把“科学”当做一种历史范畴，一种过去的区域本土范畴，并且给予其与被18世纪和19世纪早期西欧人看做是科学的那些心理学知识的各种形态同等的地位。因此，它重点强调的是这些心理学之间的分歧，强调的是这些心理学之间的论争，即它们相互竞争，以期取得承认和合法性，而不是要构造

132

* 长时段是法国年鉴学派的重要概念。该学派是20世纪国际史坛影响较大的学派之一，主要由法国主持编纂《经济与社会史年鉴》（后改称《经济、社会和文化年鉴》）的历史学家组成。其第一代人物是《年鉴》的创办人M. 布洛克和勒费弗尔。第二代中最有影响的代表是布罗代尔，他认为决定历史运动的有三方面因素，表现为长、中、短三个时段。自然环境、社会组织和思维模式是长时段中起作用的重要因素；经济现象的起伏兴衰则在中时段中起作用；政治事件和军事冲突则只对历史进程中的短时段起作用，不产生根本性影响。20世纪70年代之后，年鉴学派进入了第三代。这一代的史学家特别注重对精神状态史即社会意识和民众心理的研究，及对在短时段中起作用的历史事件的研究，而忽视对在长时段和中时段中起作用的自然、经济和社会因素的研究——译者注。

[1] Gary Hatfield,《重塑精神科学：作为自然科学的心理学》(Remaking the Science of Mind: Psychology as Natural Science)，见于《创造人类科学：18世纪的领域》(*Inventing Human Science: Eighteenth-Century Domains*), Christopher Fox, Roy Porter 和 Robert Wokler 编(Berkeley: University of California Press, 1995)，第184页～第231页。

[2] Roger Smith,《心理学史有对象吗?》(Does the History of Psychology Have a Subject?)，见于《人类科学史》(*History of the Human Sciences*), 1(1988)，第147页～第177页，尤见于第156页。

一种关于“真正科学”的心理学必然成功的叙述。这样一来,心理学和政治学的交织就要在普遍意义和特殊意义上成为其中心主题之一:在普遍意义上,政治学指的是权力的分配;而在较为特定的意义上,国家政治共同体和政权则决意要将一种或另一种知识形式制度化。

与这一政治主题一致,本章也特别关注这些早期心理学科的运作:在具体的社会实践中的应用,向社会技术的转化和求助于其他不明来源的有效实践。确切地说,知识从一开始就渗入了社会政治背景中,并且在实践过程中以复杂的方式发展着。但是,一旦一种特殊理论被整理为条文,广为传播,甚至简化为一套便利的公式,那么将其操作性植入其语境的相对直接的过程,就使其成为普通的模式。从本章的有利方面看,这种操作在以下两种方式上是重要的。首先,由于其表面慎重,骨子里却冒险的本性,它为当时的人们提供了进一步的证据,让他们确信那些被质疑的心理学问题具有科学的可靠性。其次,由于操作是对已知理论所要求的权威性的直接尺度,因此它强调心理学的政治维度。

以新的方式出现的科学心理学也不得不与旧的心理学知识形态协商其间的关系,特别是与那些在哲学和宗教的标题下所提出的形态。有时,它们宣称它们之间是一致的,但有时它们又处于对立的状态。在任何一种情况下,那些固有的政治协商都与本章的内容密切相关。

实证主义的科学概念虽影响极大,却不是本章写作的重点,当属以另外方式写作的章节。这里所考察的科学概念,是 19 世纪 30 年代由奥古斯特·孔德(1798～1857)在巴黎的一系列公开演讲中第一次提出的,但随后孔德成了完全边缘化的人物。孔德利用可追溯至前一世纪的哲学思辨潮流,[3]既把科学定义为高明的探究方法,又定义为人类历史当中这种探究方法占支配地位的阶段。这里所讨论的方法排斥了所有的先天知识和终极原因的假设,把其限定在对现象的感觉观察和对现象间合法规则的辨识之中。孔德把“实证的”这一形容词普及化,使之成为科学荣誉的特定标志,他按照科学已经获得(或随后将获得)的“实证”地位的顺序制订了科学一览表。在这个表中,他以数学开始而以社会学结束,完全有意漏掉了心理学。他说,我们一直在形而上学的标题下如此漫长地努力想获得心灵的系统知识,以至于在实证主义立场看来,这些知识受到了根深蒂固的污染。由于心理学缺乏可观察的研究对象,由于其虚无缥缈而无实质特性,这就摧毁了任何试图将心理学作为自主的科学存在的要求。但是,通过另一种科学手段,即大脑和神经系统的生理学,心理学将获得科学地位,而一切玄学

133

〔3〕 Keith Michael Baker,《孔多塞:从自然哲学到社会数学》(*Condorcet: From Natural Philosophy to Social Mathematics*, Chicago: University of Chicago Press, 1975),第 2 章～第 3 章。

家所讨论的那些渐渐消散的现象总有一天会被可靠地还原为生理学。[4]

孔德相信,将实证科学发扬光大需要理解科学的**历史**,这一信念使得他对相互竞争的心理学领域持这样的总体看法,即心理学在他那个时代可能是独一无二的,而且为21世纪早期的历史学家提供了一个有价值的第一手来源。当我们拒斥孔德的科学定义和他对科学史的必胜主义式的叙述时,本章将借用并阐释19世纪早期孔德在心理政治学方面的洞见。

感觉主义心理学的权威性

将心理纳入科学研究的中心,这项工作最初是由现在被称为感觉主义或经验论的哲学理论在近代完成的。与英国的约翰·洛克(1632～1704)和法国的孔狄亚克(1715～1780)神父的工作一致,感觉主义将刚出生时的人类心灵理解为一块白板。其内容来源于外部实在对感觉接收器官的刺激,从而产生心灵中的印象,随后被塑造成观念,这些观念反过来又服从于结为一体的无限。在探究此理论的不同思想家那里,这一理论在细节上有所差异。譬如,洛克使用了感觉和反省的双重原则来解释充分发展了的心灵的内容,而孔狄亚克则意在采取更为简约的方式,他通过把语言符号的发明归为基本的心智功能,能够单独处理感觉。[5]

但是与各种变化不同,感觉主义的系统性本质,一开始其主题就显示出来,并且从不可简化的基本原理出发,建构了复杂的心智图像,从而为当代许多理论的科学地位进行了有力的论证。[6] 在牛顿物理学成为科学的主导模式的时代,更具有不同寻常的科学性的是感觉主义在认识论上保持着谦恭态度。其拥护者包括曾做出了令人难忘的权威表述的洛克和孔狄亚克,他们拒绝诉诸终极原因或形而上学原则,宣布他们自己必然满足于更谦恭的、局部化的和以经验为基础的对人类推理能力的解释。[7] 那些被感觉主义的科学性权威所说服的18世纪的欧洲人,通过使之成为特别富有可操作性的理论,来表明他们严肃的理智支持。

134

这样一来,甚至在洛克出版其权威性著作《人类理解论》(*Essay Concerning Human Understanding*, 1690)之前,托马斯·霍布斯(1588～1679)就已经运用尚未成熟的感觉主义理论,为他的政治学的科学理论尝试即《利维坦》(*Leviathan*, 1651)奠基。为了在

〔4〕 Auguste Comte,《实证哲学教程》(*Cours de philosophie positive*),6卷本,第2版(Paris: J. -B. Baillière, 1864),第3卷,第45讲。此文最初是1837年12月所做的口头报告。英文翻译的节略本见于Gertrud Kenzer编,《奥古斯特·孔德和实证主义:重要著作》(*Auguste Comte and Positivism: The Essential Writings*, New York: Harper Torchbooks, 1975),第182页～第194页。

〔5〕 Georges Le Roy,《孔狄亚克哲学著作集》(*Oeuvres philosophiques de Condillac*)导读,3卷本(Paris: PUF, 1947),第1卷,第xv页。

〔6〕 Isabel F. Knight,《几何学精神:孔狄亚克神父与法国启蒙》(*The Geometric Spirit: The abbé de Condillac and the French Enlightenment*, New Haven, Conn.: Yale University Press, 1968),第27页～第28页。

〔7〕 Baker,《孔多塞》(*Condorect*),第2章～第3章。

前牛顿时代从物理学中自觉地寻求一种模式，霍布斯暂时使用了伽利略的“分解—组合”方法。他用这种方法为之辩护的策略是：将政治社会消融于作为其基本组成成分的个体之中；并且又将这些个体进一步归结为力量，这些力量被假定为行为的推动力。在这里，他得到某种形式的感觉主义的支持，他假设，正如一位评论者所说，个人的动机是“由感觉器官、神经、肌肉、想象、记忆和理智组成的机械装置的结果，这一装置的运动在于对外部物体对身体的作用（或想象出来的作用）回应中”。[8] 后来的坚持感觉主义心理学的理论家们会重新凝练霍布斯的理论。但感觉主义者的基本信条无疑是由霍布斯清楚表达的。他在《利维坦》第一章第一页中就宣布：“人类心里的概念没有一种不是首先全部或部分地对感觉器官发生作用时产生的。”

确切地说，我所说的霍布斯的感觉主义的可操作性是使用一种理论产生另一种理论，在这方面，表现为霍布斯的支持立宪专制政体的著名信念。但是感觉主义心理学的其他操作实现了向实践领域的全面转变，特别是教学实践和精神病学实践方面。

因此，在感觉主义的强烈影响下，18 世纪经历了教育热潮，至少在英格兰、美国殖民地和法国是如此。洛克为这次运动既提供了具体的，也提供了一般的推动力。他的《论教育》（*Some Thoughts Concerning Education*, 1693）一书，到 1764 年已再版 20 次，[9] 这本书里详细解释了几年前在《人类理解论》中所提倡的心理的和认识模式对于培养儿童的意义。他认为“我以为对儿童来说，心犹水也，而水无常形”，因此，“在我们柔弱的婴儿期所获得的极少的几乎感觉不到的印象，却非常重要，影响深远”[10]。既然儿童具有极大的可塑性，父母就应严格控制他们的成长，让他们尽可能地由父母陪伴，并且着意把佣人们无法估计的影响减到最低[11]。（在这里，洛克提及佣人时表明，他向社会精英阶层提出了实际的教学建议，尽管这只是他的心理学中抽象的、普遍化的论断）。洛克假定人类心灵作为白板，在道德上是中性的，而与清教徒归之于婴儿的意志本恶相反，他批评对儿童使用肉体上的约束。他的观点影响极大，使他在 18 世纪的英国得到信任，广泛抛弃了把婴儿包在襁褓中的做法，这种习惯的改变也导致欧洲其他国家的改变。洛克的教育学理论可能已经产生了更为广泛的结果：让婴儿更容易得到成年人的拥抱和爱抚，以及襁褓的消失，这些都促进了 18 世纪的英国过早发展了致力于培养以情感为纽带的新型核心家庭。[12]

洛克同样也关心儿童应当获得道德自由。根据他的心理学，孩子不可能依靠规则

〔8〕 C. B. Macpherson，介绍托马斯·霍布斯《利维坦》（*Leviathan*, New York: Penguin, 1968），第 25 页～第 28 页，尤见于第 28 页。

〔9〕 James L. Axtell 编，《约翰·洛克的教育学著作》（*The Educational Writings of John Locke*, Cambridge: Cambridge University Press, 1968），《出版清单》（Checklist of Printings），第 98 页～第 99 页。

〔10〕 John Locke，《论教育》（*Some Thoughts Concerning Education*），见于《教育学著作》（*Educational Writings*），Axtell 编，第 114 页～第 115 页。

〔11〕 同上，第 164 页。

〔12〕 Lawrence Stone，《1500 ～1800 年英国的家庭、性、婚姻》（*The Family, Sex and Marriage in England, 1500—1800*, New York: Harper and Row, 1977），第 424 页～第 426 页，也见于第 264 页。

得到适当的教育,"这些规则总是从他们的记忆中溜走",只有依靠反复实践才能养成习惯,尤其要通过父母的示范。就父母的示范而言,在他那个崇尚大男子主义的时代,洛克将注意力集中在父子之间动态关系上。他教导父亲说:"在孩子面前,不要做任何你不想让儿子模仿的事情。"洛克认为,如果你因为他观察你自己的实践行为而惩罚他,孩子将产生对权威的怨恨;他会相信你对他的严厉不是来源于纠正他的错误的慈父爱心,而是来源于"父亲的独断专行,这种父亲没有任何理由,就拒绝儿子获得他自己认为的自由和快乐"。一旦他长大成人,接受自己的理性指导,那么,父亲的"独断专行"将使儿子暗地里希望他父亲赶快死掉。[13]

在洛克心理学中,理想的父亲必定是以身作则、通情达理的,这样的理想父亲有明确的政治意图。有位学者注意到,洛克并不希望"约束父亲的权威"。他的目的只是不通过强制而使其权威变得更加有效。真正合乎标准的父亲权威必须建立在子女自主的尊重上;被迫服从于非理性的、苛刻的要求只能是破坏它。因而,在与洛克心理学相一致的政治世界里,逻辑上不存在任何专制君主,而只有立宪君主,其权利和义务相平衡。由于洛克的心理学和教育学在美国殖民地的家庭中被广泛而热情地采用,实际上用来培养乔治三世的坚定而有原则的对手,因而为 1776 年的美国革命提供了可能条件。[14]

136

在英吉利海峡的另一边,孔狄亚克的作品以类似于洛克的方式,取得了从心理学到教育学的进展。在完成他的心理学著作,即《人类知识起源论》(*Essai sur l'origine des connaissances humaines*, 1746)和《论感觉》(*Traité des Sensations*, 1754)之后的数十年中,孔狄亚克一边做帕尔马王子的导师,一边发表他个人设计并完成的研究课程。在较早的时期,孔狄亚克假设,这种教导方案与人类精神能力的展开模式密切相关。因而,我们没法教给孩子恰当而抽象的普遍概括,只能教导他们,让他们通过对自身已有的直接经验中的事例的推理,获得普遍概括。孔狄亚克立即摒弃老生常谈,即只有到了"理性年龄",出现了一些理性的神秘灌输,儿童才是可教育的;而代之以一种发展的图式,在其中,学习在任何年龄都是可能的。他的教导的基础是教师与学生产生共鸣的能力,并利用来自最初感觉的诸官能的连续产生理论,作为这种共鸣的理性基础。这种理论可能使教师能够评估,并进而以想象的方式确定学生认知发展的特定阶段。"为了实施我的方案,我必须更加接近我的学生,使我自己完全处于他的位置上;我必须首先是个孩子,而不是教师"。学生也应当获得心理学意义上的复杂性和自我反省的能力,这样,学生不仅仅是在老师指导下接受教育,而且要理解教育过程的机制。"因此,当孩子判断或推理时,当他表达对习惯的要求或形成习惯时,我们为什么不能让他去

〔13〕 Locke,《论教育》,第 145 页,第 158 页,第 171 页~第 172 页。
〔14〕 Jay Fliegelman,《浪子与朝圣者:1750 ~1800 年美国反对家族专制的革命》(*Prodigals and Pilgrims: The American Revolution against Patriarchal Authority, 1750—1800*, Cambridge: Cambridge University Press, 1982),导论和第 1 章,尤见于第 1 页~第 2 页,第 13 页。

注意在他自身之内发生了什么呢？"[15]

137 在法国，比孔狄亚克的教育著作更具有广泛知名度的是让－雅克·卢梭(1712～1778)所著的《爱弥尔，或论教育》(*Emile*, or *On Education*, 1762)。此书强调父母责任的重要性，给热心的中产阶级读者留下了极其深刻的印象，甚至在习惯把孩子交给奶妈喂养的人中激起了母亲喂养孩子的风气[16](有些读者说，"我多么希望我知道得更多，从而能给我的孩子更多的教益")。曾几何时，卢梭与孔狄亚克是亲密无间的理智同道，卢梭完全熟悉他的同道即启蒙哲学家的理论，并在自己的著作中加以引用。[17] 然而，比起孔狄亚克的《学习过程》(*Cours d'études*)，《爱弥尔》不是那么虔诚的感觉主义者，它也假定小孩在天赋理智方面几乎一无所有，孩子的心智是由他那精力充沛并且心理上机敏的教师所灌输的。而且，卢梭相信，人工精心设计的教育能够保持儿童的某些自然倾向，与此同时，他在《爱弥尔》开篇确切地记下感觉主义者的观点："我们生来就会运用我们的感官，而且我们一出生就通过各种方式受到我们周围的事物的影响。可以说，当我们一意识到我们的感觉，我们便希望去追求或者逃避产生这些感觉的事物……"[18]

正如教育学从感觉主义打开的理论前景中获得推动一样，新兴的精神病医疗专业也获得了动力。该专业建立其治疗范式，即所谓精神治疗，其起源相当奇妙，因为在其发源地英国和法国，最初不是由有资格的生理学家来使用的，而是由非专业治疗人员和几乎大字不识的精神病院看守人来实施的。这种从未明确界定的技术在于借助心理学手段对精神病人发生作用，这种手段有时是温和的和劝诱的，有时是严厉的和强制的，从而取代了长期以来为达到这一目的而被训练有素的医生所推崇的物理治疗手段(放血、清洗、药剂)。

在18世纪最后几十年间，法国医生、精神治疗学的创始人菲利普·皮内尔(1745～1826)将精神治疗纳入正统的医学实践中，他的策略之一就是给草草而成的疗法提供一种合适的科学基本原理。最终，他表明这是一种基于感觉主义心理学的康复教育学。在他那部开创性的《论医学—哲学对心理异化的作用》(*Traité médico-philosophique sur l'aliénation mentale*, 1801)导言中，皮内尔指出，孔狄亚克的追随者将其

[15] Etienne Bonnot de Condillac,《"预备性讲述"与"预备性课程的宗旨"》("Discourse Préliminaire" and"Motif des leçons préliminaries")，见于《为帕尔马王子之教育而拟的教学课程》(*Cours d'études pour l'instruction du prince de Parme*, 1775)，见于《孔狄亚克哲学著作集》(*Oeuvres philosophiques de Condillac*)，Le Roy 编，第1卷，第397页～第398页，第408页。

[16] Robert Darnton,《读者对卢梭的响应：浪漫主义情感的虚构》(Readers Respond to Rousseau: The Fabrication of Romantic Sensitivity)，见于《法国文化史中重大失误和其他片断》(*The Great Cat Massacre and Other Episodes in French Cultural History*, New York: Basic Books, 1984)，第215页～第256页，尤见于第217页～第222页，第235页～第242页，以及第239页的引文。George D. Sussman,《19世纪法国的乳母事业》(The Wet-Nursing Business in Nineteenth-Century France)，见于《法国历史研究》(*French Historical Studies*)，9(1975)，第304页～第328页，尤见于第306页～第307页。

[17] Knight,《几何学精神》(*Geometric Spirit*)，第1章。

[18] Jean-Jacques Rousseau,《爱弥尔，或论教育》(*Emile; or, On Education*)，Allan Bloom 译(New York: Basic Books, 1979)，第39页。

计划称之为**观念学**,而他在哲学上于此受惠甚多。文章正文中充斥着病例,证明他将孔狄亚克的洛克式的原则付诸实施,该原理认为癫狂主要是想象的无序。因此,皮内尔采用多种类似戏剧性的措施,包括故意设计的舞台情节和令人惊讶的语句玩笑,"来强有力地刺激想象",使之具体化,从而清除那种错误而病态的牢固观念,与"邪恶的观念链条"分道扬镳。精神治疗的吸引人之处与孔狄亚克的思想非常吻合,即想象是思想的前语言的操作。因此,尽管它好像忘记了逻辑,但能够受到意象与表现的影响。[19] 138

新兴的精神病学专业的第二个治疗范式也从感觉主义心理学方面得到了证明。"隔离"意思是指精神病人从其习惯的环境中迁移到暂时庇护所式的人工环境中。正如皮内尔的最重要的学生 J. - E. - D. 埃斯基罗尔(1772~1840)所阐明的,这种技术以类似于道德治疗的戏剧化方式而被采用。环境的突然改变可能给病人一种"冲击",并且,通过脱离平常的病态的思想框架的感觉基础,可以再造一个精神的白板,收容所的职员可以有意地强化一些新的、有益的观念。这暗示着在这种理论时代的实际生活中,隔离理论成为贵族和议员们在法国立法机关议会上用来讨论 1838 年 6 月 30 日的法律条文的依据,讨论委托国际精神病院系统来收容和医疗照顾精神病人。[20]

不过,法国感觉主义心理学付诸实施的真正黄金时期不是在 1838 年,而是在 40 年前的法国革命时期。在 1795 年,革命者建立了国有中等教育学校体系,在这些学校中,孔狄亚克的心理学作为全部课程的基础而起作用。这一心理学还提供了主要的预备教育课程的内容[21],这是一种与孔狄亚克的信念完全一致的实践,该信念认为,学生学习的时候,必须积极了解能使他们学习的心理过程。同样,感觉主义的心理学影响不是被限制在教室里。革命者怀着创造的希望,有意地改变日常生活的某些习惯,依据感觉主义心理学的技术手段,一个真正恢复公民身份的人不再依附于王权和旧政权的教会,并且最大可能地适应加入新生的民族。因此,巴黎街道被重新命名,以便城市居民能处处遇到引起爱国思想和情感的街道标记。[22] 正如组织者解释说,设立革命周年纪念日,是为了将炮火轰击的场面和音响效果"印"在参与者心灵的"软蜡"上,并且使共和国的建立与这些极为丰富的素材建立起持久的联系。这种结果将是不可动摇的政治热情和不可战胜的英雄主义。[23] 革命日历同样通过感觉主义心理学而被证明为正当的。一位立法机关中的支持者说:"除了通过图像,我们不能设想任何事物。"这 139

[19] Jan Goldstein,《安慰和分类:19 世纪法国精神病学职业》(*Console and Classify: The French Psychiatric Profession in the Nineteenth Century*, Cambridge: Cambridge University Press, 1987),第 3 章,尤见于第 77 页,第 84 页,第 90 页~第 93 页。

[20] 同上,第 8 章,尤见于第 285 页~第 292 页。

[21] Robert R. Palmer,《人性的改善:教育和法国革命》(*The Improvement of Humanity: Education and the French Revolution*, Princeton, N. J.: Princeton University Press, 1985),第 6 章。

[22] Abbé Henri Grégoire,《关于位置、街道等地形学的名称系统,一切共和体制的公社》(*Système de dénominations topographiques pour les places, rues, quais, etc. de toutes les communes de la République*, Paris: Imprimerie Nationale, 1794),第 10 页。

[23] Mona Ozouf,《会演与法国革命》(*Festivals and the French Revolution*), Alan Sheridan 译(Cambridge, Mass: Harvard University Press, 1991),第 8 章,尤见于第 203 页。

样一来,新的月份命名会使人回想起这些自然的过程和惠赐,这些能够清除时间本身当中的那些神职涵义,而支持世俗的世界观。[24]

催眠术对照法

在年代上与18世纪晚期的感觉主义的风靡重叠的,是当时流行的另一种心理学流派,这个流派与维也纳医生梅斯梅尔弗朗兹·安东·梅斯梅尔(1734~1815)联系在一起。严格地说,梅斯梅尔在1774年首次阐明的,并以牛顿模式使之作为科学而出现的动物磁性说不是一种心理学,尽管随后其他人的精心发展使它具有了科学的性质。它是一种人体健康的全面医治理论,依据这样一种假定,即假定一种看不见的磁性流体充满整个宇宙,并且形成了连接人类、地球和天体的媒介。梅斯梅尔认为,生物体内的宇宙流体的数量和分布,是它健康和疾病的原因。通过让病人坐在装有突出的分配流体的铁棒的大容器之中,从而激发病人的"危机",由此重新分配流体的分布,以便治愈那些折磨他们的病痛。因此,他的格言是:"只存在着一种疾病和一种疗法。"[25]

但梅斯梅尔遭到维也纳医疗机构的冷落,此后,他于1778年移居巴黎。很快聚集了一批法国信徒,并且社会各阶层的人们迅速群集在被称作催眠盆的**小木桶**周围。在这些信徒中,他们所具有的在**小木桶**旁屈从于危机的能力,即痉挛发作的能力,被评价为**感受性**的标志。[26] 这是一种强烈感受的能力,蒙彼利埃的活力论者认为这是一种根植于神经生理学的能力,构成了18世纪末欧洲浪漫主义兴起之前的核心价值观。[27]

在法国首都,频繁的不易控制的催眠术的聚会引起了路易十六政府的警觉。就像流行性传染病一样,从一个人到另一个人的相互传播的抽搐,暗示着这种治疗方式假如被广泛采用的话,可能会破坏社会和政治秩序。[28] 而且,使王室日益焦虑的是这个运动遍布全国范围及其迅速扩张的结果,这些都利用了共济会聚会和部分成员资格的组织模式。[29] 1784年,国王谨慎地指定了由科学家和医生组成的调查委员会,对动物磁性现象进行彻底调查。

在前十年期间,梅斯梅尔积极地从科学学会、皇家医学会、巴黎医学院争取申辩机

〔24〕 参见 Philippe Fabre d'Eglantine 于1793年10月24日的报告,见于《关于国家契约的公共教导委员会的会议记录》(*Procès-verbaux du Comité d'instruction publique de la Convention nationale*),7卷本,James Guillaume 编(Paris: Imprimerie Nationale, 1891—1959),第2卷,第697页~第706页。

〔25〕 Henri E. Ellenberger,《无意识的发现:动力精神病理学的历史与演化》(*The Discovery of the Unconscious: The History and Evolution of Dynamic Psychiatry*, New York: Basic Books, 1978),第55页~第74页。

〔26〕 参见 Antoine François Jenin de Montègre,《拥护者的动物磁性》(*Du magnétisme animal et de ses partisans*, Paris: D. Colas, 1812),第4页。

〔27〕 Janet Todd,《感受性:导论》(*Sensibility: An Introduction*, London: Methuen, 1986)。

〔28〕 Jan Goldstein,《道德触染:18、19世纪法国医学和精神病学的专业思想体系》(Moral Contagion: A Professional Ideology of Medicine and Psychiatry in Eighteenth- and Nineteenth-Century France),见于《1700~1900年职业与法国状况》(*Professions and the French State, 1700—1900*),Gerald L. Geison 编(Philadelphia: University of Pennsylvania Press, 1984),第181页~第222页。

〔29〕 Charles Coulston Gillispie,《旧政权终结时法国的科学和政体》(*Science and Polity in France at the End of the Old Regime*, Princeton, N. J.: Princeton University Press, 1980),第278页~第279页。

会。但这三个组织都迅速反驳了他的理论。皇家调查委员会也做出了否定的裁决，但与此前的理论相比，这个理论得到了更认真的阐述和更广泛的宣传。委员们并不相信梅斯梅尔的宇宙流体，然而他们承认治疗所产生的抽搐的真实性，他们将此归因于病人围坐在小木桶周围时产生的过于刺激的想象。[30] 匪夷所思的是，那些企图揭穿真相的敌对调查者强调的重点是，催眠术根本上具有心理学的特性，而这与绝大多数颇有影响的倡导者后来提出的特征相一致。

在改变催眠术定义中起关键作用的是梅斯梅尔的弟子普赛格侯爵 A.－M.－J. 查斯特内特（1751～1825）所做的工作。尽管普赛格侯爵从最初接受宇宙流体理论就对**小木桶**进行了一种田园诗式的转变，组织农夫们通过绳索将他们自己和他城堡附近的老榆树连接起来，但他逐渐抛弃了创立者对催眠术现象的解释。他假定梅斯梅尔的标准程序引起一种“磁性睡眠”或梦游（一种多变而恍惚的意识状态），在这种状态中主体显然更易受到影响。因而，他将磁化者的意志和能力视为治疗手段，将其运用于被实施了催眠术的病人。[31] 于是，普赛格从宇宙学理论到心理学理论的层面对催眠术进行了重新分类，这一变动导致将**小木桶**作为无关紧要的设备而抛弃了。他因此在催眠术和感觉主义心理学之间建立了一种基本的配对关系，使得它们成了两种相互竞争的理论。

141

因此，巴尔扎克的小说《于絮尔·弥罗埃》（*Ursule Mirouët*, 1841）中一位年老的医生弥罗埃确信他见证了催眠式的恍惚，这使得他的启蒙信条彻底地动摇了：“以洛克和孔狄亚克的后继者理论为基础的整个科学体系现在被摧毁了。”弥罗埃新建立的催眠术信念甚至导致了他的宗教信仰的转变。[32] 虽然弥罗埃是虚构的，但他具有历史的代表性。法国催眠术的早期拥护者将宇宙流体与重力进行类比，试图强调梅斯梅尔理论的严格的理性主义，而且将其描述为对一种新的科学领域进行了牛顿式的征服。革命之后的支持者如像小说虚构人物弥罗埃，试图对这些科学论断做出不同的演绎，强调流体的易渗透性及其对另一个微观世界的介入，他们以宗教的光环来包围催眠科学。[33]

与宗教关系密切是19世纪早期美国催眠术的职业特征，19世纪30年代由法国演讲家夏尔·普瓦恩引入美国的催眠术，迎合了第二次大觉醒的巅峰。与弥罗埃一样，普瓦恩的新英格兰听众经常“根据动物磁性的事实，而从唯物主义转变成基督徒”，一封登在波士顿报纸上的信件就对此做了验证。根据最近的历史记录，美国催眠术到19

[30] 《特派员关于动物磁性试验的负荷的报告》（*Rapport des commissaires chargés par le Roi de l'examen du magnétisme animal*, Paris: Imprimerie royale, 1784）。

[31] Ellenberger,《无意识的发现》（*Discovery of the Unconscious*），第70页～第72页。

[32] Honoré de Balzac,《于絮尔·弥罗埃》（*Ursule Mirouët*），Donald Adamson 译（New York: Penguin, 1976），第101页～第103页，尤见于第101页。

[33] Robert Darnton,《法国催眠术和启蒙运动的目的》（*Mesmerism and the End of the Enlightenment in France*, Cambridge, Mass: Harvard University Press, 1968），第5章。

世纪50年代才横跨神秘的事物与科学心理学之间的细微线索,兼具二者的动态变化。[34]

正如巴尔扎克小说中七月王朝背景所表明的,1784年的皇家调查团的报告并没有给法国的动物磁性学宣判死刑。另一个来自1840年皇家医学会的官方宣判也没有达到这一结果。相反,由苏格兰外科医生詹姆斯·布雷德在他的书《神经睡眠学,或神经睡眠基本原理》(*Neurypnology; or, the Rationale for Nervous Sleep*, 1843)中对"催眠术"重新命名,[35]催眠术现象注定在19世纪的后半叶要成为法国及欧洲其他国家和美国的一个长久而重要的职业,它体现了"精英"科学理论和"大众"科学理论之间持续的相互作用和融合。[36]

法国对于动物磁性学的诘难并非是普遍的法则。的确,德国对于动物磁性学的接受体现了在19世纪早期德国和法国科学文化的极大差异。如果将法国启蒙式理性视为沉闷的和机械的,而德国的医生和科学家们则是精神性的、有机的,以及浪漫主义的自然哲学构想的,这种理智倾向在拿破仑1806年击败普鲁士后被强化为民族主义的理由。因此,德国官方的科学圈子比法国同行更乐于接受动物磁性说。1784年,皇家调查委员会的拒斥反而激励了前革命时期法国激进的政治边缘人物接受催眠术,尤其是那些饱受煎熬的雇佣文人,他们将对梅斯梅尔的拒斥视为旧政权封闭的集体结构的象征,在这一封闭结构中,根本没有为有成就的圈外人留下容身之地。[37] 相比之下,普鲁士当局于1812年颁布的法令宣布了催眠实践的合法地位(尽管只是由被鉴定的医生进行的实践),1816年普鲁士政府的动物磁性学调查委员会的声明做出了肯定的结论。学术界的认可不久也随之发生,K. C. 沃尔法特医生是德国催眠术的一位重要倡导者,他在一个高雅气派的沙龙上(包括以他自己设计的两只大木桶)治疗病人,这些沙龙成了柏林知识界聚会的地方。1817年,他被任命为柏林大学的教授,并且在他的指导下,建立了一个为穷人提供磁性治疗的享受政府津贴的诊所。[38] 法国磁学家将磁学理论在德国的状况描述为"完全移植",并且羡慕地注意到"在那里,其存在已经不再成为问题了",这不足为怪。[39]

142

[34] Robert C. Fuller,《催眠术与美国的心理疗法》(*Mesmerism and the American Cure of Souls*, Philadelphia: University of Pennsylvania Press, 1982),第22页,第68页,第75页。

[35] Alan Ganld,《催眠术的历史》(*A History of Hypnotism*, Cambridge: Cambridge University Press, 1990),第281页。

[36] Alison Winter,《维多利亚早期英国的催眠术和大众文化》(Mesmerism and Popular Culture in Early Victorian England),见于《科学史》(*History of Science*),32(1994),第317页～第343页。

[37] 参见Darnton,《催眠术》(*Mesmerism*),第3章。

[38] Gauld,《催眠术的历史》(*History of Hypnotism*),第4章,尤见于第88页～第89页;*Ellenberger*,《无意识的发现》(*Discovery of the Unconscious*),第77页;Annelise Ego,《"动物磁性学"或者"宣传":对18世纪拯救方案中的矛盾的一种思想史研究》(*"Animalischer Magnetismus" oder "Aufklärung": Eine mentalitätsgeschichtliche Studie zum Konflikt um ein Heilkonzept im* 18 *Jahrhundert*, Würzburg: Königshausen & Neumann, 1991)第3部分。

[39] 《动物磁性学的传播者,医学学会头版》(*Le Propagateur du magnétisme animal, par une société de médecins*)导论,1(1827),第v页～第xvi页,特别推荐见第vi页。

奥古斯特·孔德所划定的心理学研究领域

当孔德在19世纪30年代后期发表了他的引起争论的宣言,认为心灵属于生物学时,他也考察了当时相互竞争的心理学理论的研究领域。这里,他发现了三个主要对手。首先是那些感觉主义传统的忠实拥护者们,他们一贯以反形而上学的观点而自豪,而在实证主义的奠基人看来,他们的观点也不过是过时的"形而上学"体系。由于他们依赖于内省,或如孔德所说的"内在观察",被孔德讽刺为"荒谬之举",从而落下了那个被贬斥的称号。"为了观察,你的理智必须从活动中停止;然而它正是你想观察的活动"。孔德也反对他们偏颇地关注理智能力而排除感情因素。[40] 其次,一种新的但同样是"形而上学"的心理学理论也出现了,那是某种"应受谴责的心理学的狂热,这是由某个著名的诡辩家成功地激发了法国青年的激情"。[41] 这就是维克多·库辛(1792～1867)的哲学心理学。第三个竞争者是颅相学,孔德将之与两个德国人法兰兹·约瑟夫·哥尔(1758～1828)和约翰·卡斯帕·斯普尔兹海姆(1776～1832)联系在一起。孔德相信未来属于颅相学,只有通过这种理论,心理学才能最终甩掉形而上学的包袱并获得实证性。

143

大约在1830年,尽管孔德对这些竞争者的评价饱受争议,但他对他们的界定还是适当的。事实上,在19世纪20年代晚期,一位像黑格尔那样被孔德厌恶的思想家,对柏林学生演讲自己的心灵哲学时,也曾列出了同样的清单。[42] 孔德对心理学研究领域的说明将被用于本章的其他部分。

欧洲背景中的库辛心理学

与孔德的预言相反,库辛哲学的"折中主义"在19世纪大多数时间里在法国成了占支配地位的心理学。然而,具有讽刺意味的是,在其理论来源上,它引起了强烈的怀疑,部分是因为它存在着强烈的非法国影响的痕迹。库辛认为折中主义乃是对感觉主义的反对,他嘲弄地把感觉主义称为"肉欲主义"。在他看来,广泛被接受的启蒙心理学要对法国革命过度的无政府主义和随之给法国造成麻烦的政治不稳定负责。根据这种论点,感觉主义的主要缺陷在于它不能建立强大而有凝聚力的自我,即我(moi)。通过连续的原子感觉的积累而建立意识,这接近于没有总的统一原则。库辛用一种几乎是愤慨的怀疑神情,引用了孔狄亚克把自我定义为"感觉的集合体"。此外,孤立的

〔40〕 Lenzer编,《孔德》(*Comte*),第184页～第185页;也参见孔德于1830年对《实证哲学教程》(*Cours de philosophic positive*)所做的介绍性演讲,第80页。

〔41〕 Comte,《实证哲学教程》(*Cours de philosophic positive*),第45讲。

〔42〕 G. W. F. Hegel,《精神哲学:哲学科学百科全书的第三部分》(*Philosophy of Mind, being Part Three of the Encyclopaedia of the Philosophical Sciences*, 1830, Oxford: Clarendon Press, 1971),尤见于第147页,第183页。

意识本质是被动的,仅仅作为对感性刺激的反应而存在。最后,感觉主义否认了支撑灵魂不朽的独立精神原则:如果说洛克和孔狄亚克的心理学对于孔德来说过于形而上学的话,那么它对于库辛则是完全的唯物主义。总而言之,感觉主义败坏了人类的道德责任。结果,在18世纪后期的法国,感觉主义养育了革命一代——人们无力设定界限,反而被幻想驱使着去行动,即便上帝在来世进行惩罚所产生的恐惧亦无法约束他们。

144

经过这样的诊断,库辛为矫正历史形势而做出的哲学选择,就通过他的特殊的政治承诺而形成了。他与被称为空论家的团体交往密切,这个团体在七月王朝(1830～1848)形成一股力量,代表着秉持中庸之道的谨慎而保守的自由主义。他们支持君主立宪政体,要对选举权施加财产限制,不把选举权给予任何达不到中产阶级标准的人。他们的格言是:"首先树立权威,然后才能创造对等的自由权。"[43]因此,库辛寻找一种能与稳定的尤其是温和的法国政体相适应的心理学,他们谨慎的折中便是反对重新革命的证据。

在库辛努力修正极不完善的感觉主义时,他广泛寻找灵感。他的老师皮埃尔-保罗·鲁瓦耶-科拉尔,也是位空论家,他较早地将苏格兰常识学派的作品,特别是托马斯·里德(1710～1796)的作品引入索邦神学院的哲学课程中。库辛赞成这种对苏格兰哲学家的依靠,在他看来,这些人引人注目的好处是把行动归于意识。里德的《基于常识原则对人类心灵的探究》(*Inquiry into the Human Mind on the Principles of Common Sense*, 1764)一书,先于康德从策略上修正了感觉主义者的心理学,同时彻底地避免可能成为残存的怀疑主义,而这正是康德批判哲学的标志。里德认为,作为精神生活的组成单位,不是产生原子观念的原子感觉,而是他称之为判断(即因果关系,归纳推理)的理性原则。他认为,这些在感觉可能发挥作用之前已经存在。因此,判断是自明的,先于经验的,它们来源于"我们自己的天性",因而被称为"常识"。因此,为了纠正感觉主义者关于精神生活的说明,18世纪爱丁堡学派的心理学继续修补着那些所谓的致命的政治缺陷——库辛认为它们是洛克和孔狄亚克的学说当中的。但是,由于坚决拒绝恢复形而上学的地位,在库辛主义者看来,里德走得太远了。[44]

库辛从德国唯心主义那里引入了更有革新精神的内容,这也伴随着更大争论,但这能使折中主义继续走完通往形而上学怀抱的路程。成熟的库辛完全注意到反对他的陈述:他的哲学大规模地引入德国思想,因此冒犯了爱国主义。[45] 某些现代评论家

145

[43] Dominique Bagge 对 Pierre-Paul Royer-Collard 的引用参见,《法国王朝复辟时期政治思想的冲突》(*La Conflit des idées politiques en France sous la Restauration*, Paris: PUF, 1952),第100页。

[44] 《托马斯·里德》[*Reid* (*Thomas*)],见于《科学哲学辞典》(*Dictionnaire de sciences philosophiques*),第2版,Adolphe Franck 编(Paris: Hachette, 1875),第1468页～第1472页;《维克多·库辛与苏格兰学派的思想:1982年2月国际研讨会》(*Victor Cousin, les Idéologues, et les Ecossais: Colloque international de février 1982*, Paris: Presses de l'Ecole Normale Supérieure, 1985)。

[45] Victor Cousin,《哲学片断》(*Fragmens philosophiques*),第2版(Paris: Ladrange, 1833),《第二版序言》(Préface de la deuxième *édition*),第xxx页。

更为同情地解释他和德国的关系,认为德国思想文化的未知领域,被库辛当做一面镜子,以便促进新的法国哲学的个性。[46] 总之,库辛 1817 年的首次德国之行,是他重要的哲学旅行,在此期间他遇到了黑格尔、谢林、弗里德里希·施莱格尔等人。他从黑格尔那里得到的主张是,哲学史必须是哲学的基础。此外,黑格尔的辩证法,以其对相互冲突的对立面的扬弃,也必须成为哲学的基础,库辛将其转变为一种不甚严格的调和学说。从费希特那里,他获得的是:强调自我及其巨大的形而上学力量,于是,自我(moi)和非我(non-moi)这些术语就成为他的心理学特征。

作为派生性的思想家,库辛拥有作为学术组织者和机构创建者的真正天才。他成功地在教职中训练和建立了一个由忠实的信徒组成的"军团"(当时的人这样称呼它),他们形成了从巴黎以至覆盖全国的网。他不仅在法国的大学里,而且通过 1832 年政府法令,在每一个公立中学里牢固地确立了他的心理学学说的地位,使它第一次成为哲学课程中真正部分——它基本上在整个 19 世纪都保持了这样的地位。

库辛的心理学教育有两个主要组成部分。首先,学生必须理解自我(moi)的先天存在,并且要精通内省的技术,使之直接领悟自己的"自我"。内省将把自我揭示为自发的主动的实体,即纯粹的意志。这一重要的知识有助于赋予并教导中产阶级的男性青少年形成道德责任,因为这些人在那个世纪的绝大部分时间里是公立学校学生的主体(明显地,尽管没有内在逻辑能够决定库辛式的自我仅限于社会精英或单一的男性,但库辛主义的教育实践确实把拥有自我视为上层阶级的男性特权)。[47] 对于那些对法国的未来忧心忡忡的人来说,最值得庆幸的是,这新的一代可能预防那些被动、脆弱而随便的感觉聚合,而这在感觉主义心理学中可是被视为自我的!其次,学生可以领悟到,用库辛的话说,心理学是本体论的"前厅"。内在的、反省的转向将会随之产生外在的转向,即转向宇宙的整个结构,学生借此就会理解关于真、善、美的事物的永恒真理(正如库辛的官方公立学校课本所说的)。这样,自主的、积极的自我就被神圣的规范所包围,这些规范被认为表达着自身的本性,确保自我的活动全心全意地保持现状,而不是破坏现状。

146

在这里,我们的目的重要的是强调库辛的论点,即尽管他在政治上引起了明显的共鸣,但他的心理学是完全科学的,这一科学不是黑格尔的思辨意义上的精神科学,而是培根式的,即经验和归纳意义上的科学。由于重复了苏格兰日常学派的模式,他乐意说他的心理学有物理学的认识论地位。区别仅在于它作为不同的被观察现象的功

[46] Michel Espagne 和 Michael Werner,《德国文人:维克多·库辛与黑格尔》(*Lettres d'Allemagne: Victor Cousin et les hégéliens*)导论(Tusson: Du Lérot, 1990)。

[47] Jan Goldstein,《谈论 19 世纪法国的维克多·库辛、昂格贝尔以及自我政治学》(Saying "I": Victor Cousin, Caroline Angebert, and the Politics of Selfhood in Nineteenth-Century France),见于《变化着的历史:政治学、文化和心理学》(*Changing History: Politics, Culture and the Psyche*),Michael S. Roth 编(Stanford, Calif: Stanford University Press, 1994),第 321 页~第 335 页,及其《折中的主观性与女性美的不可能性》(Eclectic Subjectivity and the Impossibility of Female Beauty)见于《图像科学,产生艺术》(*Picturing Science, Producing Art*),Peter Galison 和 Caroline Jones 编(New York: Rourledge, 1998),第 360 页~第 378 页。

能，就物理学而言，它外在于人，而就心理学而言，则在人之内，要求为内在的意识之光所照耀。[48]库辛依附于这种科学的自我表述，并且即便他与孔德在说明心理学的本性上针锋相对，可他仍希望被包括在孔德的活动领域之内，这些确实都证明了科学在19世纪的权威地位。

感觉主义的持续发展：19世纪英国的联想心理学

如果说在19世纪早期，法国心理学的主导学派与孔德关于感觉主义具有危险的倒退本性的论述相一致，那么在与之隔海相望的英国却毫不客气地继承了洛克的思想遗产。在洛克的《人类理解论》中，他简要地论述了他称之为"观念联结"的原则，把它降低到习俗的、偶然的或者与其他无法合理解释的观念联系而成的异常事例。[49] 大约半个多世纪后，把这些同样原则从边缘地位中拯救出来，就成了大卫·哈特莱的责任，并且，他在《对人的观察》(*Observations on Man*, 1749)中建立起基于牛顿模型的心理学，其中扮演重要角色的便是观念的联结。功利主义心理学在19世纪的英格兰风光无限，而杰里米·边沁(1748～1832)作为其建立者，认识到自己思想的一个中心原则是：幸福可视为通过联结而被结合在一起的简单快乐的总和；[50]这一原则源自哈特莱。

147

根据某些科学史家的观点，观念联结的原则有两个组成部分：(1)复杂的精神现象由基本来源于感觉的简单要素组成；(2)其构造中的机制依赖于相似性和(或)在时空中重复毗邻的简单要素。[51]边沁追随法国启蒙哲学的领袖爱尔维修，依据快乐或痛苦的情绪，强调由确定的经验而形成的固定的心理联系。他将联想主义原则视为人类行为的基本原则(即人总是将其快乐最大化，而将其痛苦最小化)，这一原则的扩展就成了作为道德和法律的艺术与科学。[52]边沁大胆地将"是"和"应该"等同起来，坚持认为好的道德规范和好的法律的唯一标准是能有助于产生最大数量的最大幸福，可以通过直接伴随的快乐和痛苦的相对数量而被测量出。出于心理学家对科学地位的热切追求，边沁试图确立非常精确的"幸福微积分"，在很大程度上沿着被数量化的快乐和幸福列出了七个参数：强度、持续时间、确定性、接近程度、丰富性、纯度和范围。他把人的精神生活极度简化为趋乐避苦，从而要求修正心理学的专门词汇。边沁清除了如动

[48] Cousin,《第二版序言》，第viii页，也见于Cousin于1816的课程内容，重印于《初版哲学论文》(*Premières essais de philosophie*)，第3版(Paris: Librairie nouvelle, 1855)，第134页，和《苏格兰学派》[Ecossaise(Ecole)]，见于《科学哲学辞典》(*Dictionnaire des science philosophiques*)，Franck编，第425页～第428页。

[49] John Locke,《人类理解论》(*An Essay Concerning Human Understanding*)，P. Nidditch编(Oxford: Oxford University Press, 1975)，第II卷，第33章，第394页～第401页。

[50] Elie Halévy,《激进主义哲学的发展》(*The Growth of Philosophic Radicalism*)，Mary Morris译(Boston: Beacon, 1955)，第7页～第8页。

[51] Robert M. Young,《观念的联系》(Association of Ideas)，见于《观念历史的词典》(*Dictionary of the History of Ideas*)，Philip P. Wiener编，5卷本(New York: Scribner's 1973—1974)，第1卷，第111页～第118页，尤见于第111页。

[52] 这一术语参见M. P. Mack,《J. 边沁：观念的行程》(*Jeremy Bentham: An Odyssey of Ideas*, New York: Columbia University Press, 1963)，第6章。

机、利益和愿望等明显的心理学核心词汇，宣称它们是“虚构之物”——即伪装在别的、较虚幻的名称之下的快乐和痛苦。[53]

非常奇怪的是，尽管边沁在道德和法律上是激进主义者，但他却作为保守主义者开始了他的政治生涯。在他作为托利党成员期间，他相信一旦议会变得开明通达，由占有大量土地的贵族统治的未改良的议会可能会把他的功利主义原则运用于立法事务中。在改变他的这种观点的过程中，在1808年与詹姆斯·密尔（1773～1836）的一次重要会见使他从膺服保守主义转变为信仰民主政治。他现在认为，根据定义，封闭的团体诸如政治贵族对一般功利原则怀有敌意。与此同时，他说服密尔必须用功利主义的术语来表达代议制政府的通俗理论。这种相互转换导致了“边沁给密尔一个理论，而密尔给边沁一个学派”。[54]

在那种学派的支持下，边沁最后把长期追求的那种影响应用于实际事务中。事实上，在19世纪早期的英国，来自边沁主义及其联想心理学的强烈影响所占的主导地位，绝不亚于政治自由主义的发展。甚至用于1832年的议会选举法修正法案（该法案考虑到城市人口的增长，扩大了议会的选举权）的密尔式的策略，也由边沁式的心理学推理而得以形成。密尔推理说，如所有人一样，统治者使其权力最大化，从而使权力永存；因此，只有寡头统治政府能被说服，相信它们的让步系于其自身利益当中，才可能以非暴力的方式从寡头政府中获得让步。以此为基础，密尔的追随者们以革命的危险相要挟，使他们以平常的（但极其成功的）策略说服了那些坐而论政的议员，扩大了此前被剥夺选举议员权利的英国人的选举权。[55]

148

随着边沁倡导的心理学逐渐流行于19世纪早期的英国文化中，它逐渐成为了文化批判的靶子。一个处于特别有利地位的观察者是约翰·斯图尔特·密尔（1806～1873），其父亲詹姆斯·密尔让他从童年开始就实践了一种完全边沁式的教育强化训练。（他回忆道：“我学习的课程让我相信所有的道德情感和品质是联想的结果，通过把快乐的或痛苦的观念和别的事物联系起来，我们喜欢这个东西而憎恨那个东西……”）[56]从其自传中可以看到，约翰·斯图尔特·密尔描述了20岁时“我的精神历程的危机”，他惊愕地认识到，“我在培养知识的整个过程中造成过早发展和过早成熟的分析，已成为我思想上根深蒂固的习惯”[57]，使他丧失了“那些情感，有足够力量去抵抗瓦解情感的分析的影响”。在查理斯·狄更斯的小说《艰难时代》（*Hard Times*，1854）中，亦可见到对边沁式的心灵习惯的类似批评，尽管是以工人阶级而不是以知识阶层的名义进行的。狄更斯以严厉批评的方式描述了校长托马斯·葛莱恩，控诉他在

〔53〕 同上，第5章，尤见于第229页，第247页。
〔54〕 Halévy，《激进主义哲学的发展》（*Growth of Philosophic Radicalism*），第251页～第264页，尤见于第251页。
〔55〕 Joseph Hambuger，《詹姆斯·密尔和革命的艺术》（*James Mill and the Art of Revolution*, New Haven, Conn: Yale University Press, 1963），第2章，尤见于第23页；第3章，第50页～第73页。
〔56〕 John Stuart Mill，《自传》（*Autobiography*, 1873, Indianapolis: Library of the Liberal Arts, 1957），第88页。
〔57〕 同上，第90页。

工人阶级的孩子中灌输功利主义原则，就像“他口袋里总是有一套规则、一架天平和一个乘法表，准备衡量人的任何一类天性，并且准确地告诉你它能达到何种程度”。葛莱恩致力于从他的学生的心理仓库中驱逐好奇，并在那里“放置机械艺术和教育理性的秘密之源头，而不降低对情感和情绪的培养”。[58] 为了反对边沁式心理学抽干情感的效果，年轻的密尔让自己补充华兹华斯诗歌和提出整体性人格构想的德国思想的滋养。[59] 我们可以把他的个人经验解读为对孔德的权威观点的验证，即这一感觉主义热潮在塑造19世纪早期的英国社会上的影响力与边沁式的心理学不相上下，但至少从某个角度来说，是走进了死胡同。

149

颅相学：弥撒的灵魂

颅相学，按照孔德的预言，即将取得胜利，这种理论能够吸引实证主义者。颅相学认为心灵和大脑是一回事；大脑不是单一器官，而是由三十个不同器官组成，每个器官都控制着某个单一智力或情感的特征；每个器官的大小都反映了个体人格中的那种特征的力量，大脑器官的数量不仅能从死尸中揭示出来，而且还可以从活着的人的头部突起部分用肉眼观察到。[60] 所以，如果人们赞成颅相学原理，那么借助科学观察难以把握的精神生活的难以琢磨的、内在的特性，就在这里取得了令人欣喜的可靠性和外在性。而且大脑器官中的颅相学成分认识到情感和理智的属性，从而消除了孔德在情感主义中洞见到的和密尔在痛苦的个人经历中所例示的那些问题。

颅相学发展轨迹在许多方面与催眠术相似，而晚于催眠术大约30年。颅相学也是起源于维也纳。其创立者系生于巴登州的高尔，他在维也纳获得医学学位并且开始讲授颅相学。像梅斯梅尔希望迁居巴黎并希望在法国首都获得更多的听众一样，高尔也是如此。与催眠术一样，颅相学也进入了官方科学，而且更为成功。甚至无意中它证实了被称为偏执狂的病体的存在，这是法国精神病医生在19世纪二三十年代常在法庭上争论的精神病的病因。[61] 当有争议的“生理医学”的创立者 F. －J. －V. 布鲁塞斯（1772～1838）于1836年在巴黎医学院讲授关于这一主题的课程时，它很快进入了人们的私密空间里。许多著名的学者都非常严肃地对待它，其中有杰出的生理学家皮埃尔·弗卢朗（1794～1867），他是法国科学院和法兰西学院的研究员，1842年发表了极具影响力的小册子来攻击它。不可思议的是，弗卢朗没有采用技术性的科学论点，

[58] Charles Dickens,《艰难时代》(*Hard Times*, 1854, New York: New American Library, 1961)，第I卷，第2章，第12页；第8章，第56页。

[59] Mill,《自传》(*Autobiography*)，第95页～第97页，第105页，第112页～第113页。

[60] Georges Lanteri-Laura, *Histoire de la phrénologie: L'homme et son cerveau selon F. -J. Gall* (Paris: PUF, 1970); Angus McLaren,《社会科学中的颅相学：法国颅相学》(A Prehistory of the Social Sciences; Phrenology in France)，见于《社会和历史的比较性研究》(*Comparative Studies of Society and History*)，23(1981)，第3页～第22页。

[61] Goldstein,《安慰和分类》(*Console and Classify*)，第5章，第7章。

而采用了一般的道德和宗教观点:颅相学错误的原因在于它的一元论和自由意志与灵魂不朽说相矛盾。[62]

150 弗卢朗的驳斥通常被看做颅相学在法国权威科学领域消失的标志。最终,就像催眠术一样,颅相学却在公众的支持下,取得了长足发展。在法国和英国,宣传颅相学的任务没有落在有声望的教育机构身上,却落在了巡回大众演讲者和临时成人教育课程之上。颅相学和催眠术在社会学倾向上如此相似,以至于这两种理论可以被联系起来。19 世纪 40 年代英国机械学研究机构示范了所谓颅相催眠术,接触到了被催眠的对象的颅相的突出部分,使对象在完成行为时与大脑器官相联系。这些展示明显具有巨大说服力,使得大多数旁观者相信颅相学是真的。[63]

颅相学的独特的可视形态,既被易读的脑图所概括,也被(尤其是英国)随处可见的白石膏头部模型来概括,并补以大脑器官,这引起了历史学家的注意,启发他们提出了关于颅相学社会意义的极具建设性的、非常合理的假说。有一条解释线索强调,对于 19 世纪大都市这一毫无特色的新世界中的生存而言,我们可以察觉到高尔的科学的功用。如果一个人每天必须与一些不能通过事先亲密接触而知道其身份的人相遇和共事的话,有什么能比从这些陌生的人头颅骨中“读取”有关恶习的信息更好的自我保护呢?[64] 因此,布鲁塞斯医生自己认为“伪装艺术已经进入了我们现在文明状态之中”,我们可以通过这种经验来了解他人的特性,但它差不多总是来得太晚了。对此问题的解决即来源于颅相学,它将成为提醒我们注意同伴智力和情感构造的“外部的确定标志”,并加以解读。[65]

另一个历史解释线索强调的是,颅相学实质上带有挑衅的肤浅,即它把心理学领域移到可见的事物表面。[66] 与颅相学家声称他们的科学能被任何人掌握,被大众所信仰相匹配的是,这种肤浅在法国和英国起着嘲笑性挑战的作用,矛头指向被学术精英所拥戴的内省的哲学心理学。毕竟,颅相学在有选择性的教育机构中不需要长期的研究;然而,它代表了来自于精神生活的深层变化。在这些方式中,通过它作为理论的结构本身,以社会争论的形式,抗拒社会精英的自负,堪为民主化的例证。 151

尽管高尔自从 1807 年到达巴黎之后,直到 1825 去世一直在那里,已明显把颅相学移植到法国的土地上,但他的科学在法国从未达到像在英国那样的作为大众运动而繁荣的程度。高尔以前的合作者斯普尔兹海姆于 1815 年把颅相学独自引入英国,直到

[62] Pierre Flourens,《颅相学研究》(*Examen de la phrénologie*, Paris, 1842)。

[63] Roger Cooter,《通俗科学的文化意义:19 世纪英国颅相学与其支持者》(*The Cultural Meaning of Popular Science: Phrenology and the Organization of Consent in Nineteenth-Century Britain*, Cambridge: Cambridge University Press, 1984),第 150 页。

[64] Judith Wechsler,《人类的喜剧:19 世纪巴黎的相面术和漫画艺术》(*A Human Comedy: Physiognomy and Caricature in 19th-Century Paris*, Chicago: University of Chicago Press, 1982)。

[65] François-Joseph-Victor Broussais,《颅相学教程》(*Cours de Phrénologie*, Paris: Baillière, 1836),序言。

[66] Steven Shapin,《19 世纪早期爱丁堡的颅相学知识和社会结构》(*Phrenological Knowledge and the Social Structure of Early Nineteenth-Century Edinburgh*),见于《科学年鉴》(*Annals of Science*),32(1975),第 219 页~第 243 页,尤见于第 239 页。

他1832年去世时一直讲授颅相学。英国颅相学运动很快获得了有能力的本地领导人，此人就是年轻的爱丁堡律师乔治·孔伯（1788～1858）。但是，维多利亚时代的英国人之所以非同寻常地接受了颅相学，毫无疑问，与其说这是由于其倡导者的天赋，不如说是由于它密切适应了英国社会和政治态度。

总之，颅相学完全适应了对自助的信念，这种信念在19世纪英国的自由经济和非革命的政治传统背景下，引导了中产阶级和工人阶级。[67] 乍一看，颅相学关于大脑器官的内在性的核心假设似乎使之成为决定论和宿命论的理论，但事实上它把生理学内在性与强调环境可塑性结合在一起了。确切地说，个体最初的器官构造是给定的，但教育能够并且应该运用于扩大器官的规模，使之具有积极的特性。消极特征突出的器官更成问题；而借助特殊训练，可以防止其滋生，但为了安全起见，建议监视其拥有者。事实上，与以前相比，颅相学使教育减少了盲目性，而成为更可能获得回报的投资，因为儿童的内在天赋能因早期培养而得到可靠的确定。颅相学的自助方面已经出现在高尔和斯普尔兹海姆的著作中，但它通过斯普尔兹海姆和孔德而被英国公众所看重，他们为大脑器官加入了新的东西，这些新的东西谈到了工作纪律的价值："尽责"、"时间"、"秩序"、"专注"。斯普尔兹海姆也改进大脑器官的分类，把它们分为属和种，以及一个等级结构，其中把较低的等级赋予性冲动，谨慎地重新命名为"色情"，从而增强了工作的首要地位和延迟满足的必要性。[68]

在英国，颅相学传播经历了两个阶段，首先在中产阶级里产生了影响，特别在医生当中，他们在19世纪20年代把颅相学作为维护自我反对贵族绅士的工具，从而控制了这一职业。到19世纪40年代，颅相学的主要宣传场所从中产阶级颅相学团体转移到机械学的研究机构；事实上，他们有时甚至把用过的颅相学装置捐赠给后者。而这种物质帮助并非是无私的，因为中产阶级在颅相学所促进的意识形态转变中下了赌注。工人阶级采纳颅相学，意味着公众的精力被引导而远离了反对资产阶级霸权的运动，却趋向于将个人主义的中产阶级价值观内在化。根据对这一主题的通盘考察，颅相学非常成功地拥有了这种能力，而且被认为是工人阶级接受19世纪英国资产阶级秩序的动因。[69]

152

法国颅相学家在公众中取得的收获不免相形见绌，这或可追溯至他们对高尔理论的特殊建构。如果英国颅相学家强调他们的理论与主流的自由文化相适应，那么在1848年革命之前的一段时期里，法国颅相学家则特别强调它的对抗潜能。他们把颅相学脑图解读为有利于社会主义的论证，或是有利于某些把集体置于个人之上的一些其

[67] Cooter,《通俗科学的文化意义》(*Cultural Meaning of Popular Science*)；Terry Parssinen,《通俗科学和社会：维多利亚时代早期英国颅相学运动》(Popular Science and Society: *The* Phrenology Movement in Early Victorian Britain)，见于《社会历史通讯》(*Journal of Social History*)，7(1974秋季号)，第1页～第20页。

[68] Cooter,《通俗科学的文化意义》(*Cultural Meaning of Popular Science*)，第78页～第79页，第116页～第117页。

[69] 同上，随处可见。

他社会组织。[70] 这当然是孔德的观点,他把大脑的多样性器官视为客观证据,以表明库辛的单一自我只是“虚构”而已。他将其视为19世纪中期的时代错误,而不予理会,当时社会学即将取得确定的地位,把反个人主义放在重要地位。[71] 孔德相信,大脑的多样性器官将支持社会的重新安排,在这里,个人能力不是被融会于单一的、“形而上学的”,且为古典自由主义所珍爱的权利主体当中,而是将通过对社会的义务网络而消失无踪。

颅相学于19世纪30年代先于催眠术而传到美国,在1840年,持反对态度的约翰·昆西·亚当斯将二者都列入“有恶作剧嫌疑”的名单中,认为它们有助于杰克逊式文化的“沸腾的大锅”。[72] 在这里起突破性作用的是斯普尔兹海姆,他1832年在波士顿的演讲引起了人们的狂热(但不幸遇上霍乱流行,演讲者也染病身亡)。在斯普尔兹海姆的短暂访问6年之后,孔伯随之长期而成功地周游东海岸。美国版的颅相学来源于英国而非法国,并在英语文化里打下了个人主义意识形态的印记。“靠自己成功,否则永不能成功”是富勒兄弟影响颇大的纽约印刷公司的格言,这个公司致力于宣传颅相学。[73] 如同在英国和法国一样,颅相学在美国也是一种流行运动,是由一群自发的巡回演讲者发起的。

153

这一章通过考察在1700～1850年间西欧和北美宣称具有科学地位的心理学知识的主要类型,强调它们中相互竞争的偶然特性,即我所说的把心理学纳入科学领域计划的“政治”方面。竞争的中心是多样的:内省对抗生理学理论,善待宗教的理论对抗反宗教理论,助长社会变化的理论对抗社会保守理论,以及(可能是最重要的)学院派理论对抗通俗理论。

科学心理学走的是双重轨道,即学院派的和通俗性的,这不足为奇。在人类科学中,心理学作为与个体有极大相关性的科学是非常明显的。另外一些人类科学,诸如社会学、政治经济学、人类学,这些科学面向政府组织和社会政策,但却很少吸引个体去希望改善自己的命运。心理学在它的呼吁中更具有普适性。它不仅为政策制定者(诸如法国革命者和英国的哲学激进主义),也为专业人士(如新的精神病学专家),提供了资源,更为决心自我理解或倾向于依靠自己的头脑有见识地行动的普通人提供了资源。因此,在这期间,与得到官方维护和制度化的心理学相似的东西也繁荣起来了:一大堆遭到学院派建制轻蔑的知识,在外行中却渴望去从事。外行人对心理学的迷恋,以及心理学科学尤其供外行消费的产品,至今仍在继续。从18、19世纪的催眠用

[70] 典型代表是 A. -Pierre Béraud,《人类颅相学应用于哲学:一种社会主义道德》(*De la phrénologie humaine appliquée à la philosophie, aux moeurs et au socialisme*, Paris: Durand, 1848)。

[71] Comte,《实证哲学教程》(*Cours de philosophie positive*),第45讲。

[72] 引自 Charles Colbert,《完美的尺度:美国颅相学和完美文学》(*A Measure of Perfection: Phrenology and the Fine Arts in America*, Chapel Hill: University of North Carolina Press, 1997),第1页。

[73] Madeleine B. Stern,《头脑及其要件:颅相学的富勒家族》(*Heads and Headlines: The Phrenological Fowlers*, Norman: University of Oklahoma Press, 1971),第39页,第54页。

的桶和有关头骨隆起的巡回演讲，到 21 世纪初期流行的大众心理学和心理呓语，似乎是一脉相承的。

（胡瑞娜　译　李红　校）

10

从重农主义到边际革命时期的欧洲大陆的政治经济学

基思·特赖布

政治经济学是欧洲启蒙运动的产物,但更确切地说,是法国与苏格兰启蒙运动的产物。早在19世纪,亚当·斯密的《国富论》(*Wealth of Nations*,1776)已被普遍看做是一部新古典经济学的奠基性著作,在这本书中,劳动既被看做是价值的来源与人类工业产品积累的资源,又被看成是国家富裕的途径。它认为商业自由与公民自由是达到这一目的的必备条件。19世纪早期,人们把"政治经济学"理解成为了引导好的政治秩序或开明立法而确立原则的一种理论体系。19世纪后期,"经济学"这一新的术语代替了这种用法,它系统地详细阐述了这些基本规则。这使得它们变得更晦涩难懂和更学术化,不再是公众生活及商业领域的一般知识的一部分。阶级社会的经济行为者,如劳动者、资本家及地主都以不同的方式进行产品生产,并根据投入的多少获得像工资、利益、租金这些收入。19世纪后期的"新经济学"取代了这些有具体收入的社会团体,行为者之间只有供应与需求的关系,资源配置纯粹变成了价格问题。每个行为者都通过对选择的核算来使自己的财富最大化,经济学成为让数学魅力展现得淋漓尽致的一种逻辑。

在这一发展过程中,这一原则的转折点是19世纪70年代所谓的边际革命,在此期间,威廉·斯坦利·杰文斯、里昂·瓦尔拉斯及卡尔·门格尔发表了著作反驳古典模式,一致认为价格模式是在对经济商品的边际效用进行评估的基础上做出选择的结果。杰文斯、瓦尔拉斯和门格尔是大学教授,不像亚当·斯密、约翰·斯图尔特·密尔和大卫·李嘉图这些人是平民学者;他们最初是为学术团体而工作,运用当时世界上的三种主要语言——英语、德语和法语进行写作,他们起初受到了冷遇,甚至是仇视,但是瓦尔拉斯认为在20年内新经济学获得了拥护者并且被所有教授经济理论的国家所接受。[1]

到20世纪20年代,新古典经济学理论的主要原则以今天欣然承认的一种形式建

〔1〕 Léon Walras,《论富裕社会的纯粹政治经济学要义》(*Élémenets d'économie politique pure ou Théorie de la richesse sociale*,)第2版(1889)(Auguste et Léon Walras Oeuvres Économiques Complètes VIII, Paris: Economica, 1988),前言,第16页。

立起来了。斯密、李嘉图和密尔成为经济学历史的一部分,成了被新边际主义压制下去的承袭古典传统的代表。随着革命性的变化,所有先于革命性分裂的思想都成了旧经济领域中的"老思想",只有将其翻译为我们所谓的"新思想"才容易被人理解,否则,这是一种我们现在不完全理解的经济学语言。很难想象新思想是如何从旧思想中产生的,但它确实沿着一条被我们自己的进步遮蔽了的道路产生了。18 世纪中期到 19 世纪晚期,在经济学语言方面发生了很大的变化,表现在文献中的一系列日积月累的转变与修正,而这些文献最终引起了我们在经济行动与市场合理性这些观念方面的巨大转变。这一章阐明了转变的经历,这种转变以比较两种明显不同的关于经济秩序的理论为主题。首先是重农主义者的自然秩序,在其中农业生产的规则被比喻为人类生理的血液循环。其次是门格尔与瓦尔拉斯在 19 世纪后期开创的边际模式,这是一个关于选择与配置的理论,预设了一个抽象消费者与抽象生产者相对立的非自然的社会。因此,经济学就成了一门关于如何在脱离实体的商品世界中通过价格协调系统来调和各种相互作用的学科。

作为行为自然法的政治经济学

近代欧洲经济学语言是被统治者或在法庭上有影响的人所支配的一种劝告或商量的语言。大多数文献都遵循了精明的政府起草文献的风格,这好像为统治者开创了一条通向财富与幸福的道路,当然只有通过对其领地的好的管理才能实现。获得财富与权力的手段同时也是财富与权力传播的方式,人口众多,充满活力,这样的人口规模能够承担供养法院、贵族与教堂的税收;也能为在美国与法国革命前成为 18 世纪典型特征的连绵不断的战争中的陆军和海军提供人力。这条原则有一个重要的例外,即联合政府的经济成功成了一个另类的证明。17 世纪荷兰共和国的商业成就激发了关于一个小国如何能变成富有之国这样广泛的讨论。中世纪的意大利城邦也提供了一种发展的模式,但人口稀少国家的经济的持续发展是另外一种情况。因此近代经济把主要兴趣转向一个或多个具体的经济活动领域:海外贸易、商业、货币与金融、劳动力组织、农业产品、税收与经济规范、生产与奢侈品。究竟是否人口稠密的国家就是富有的或是具有发展潜力的,在这一点上还存在争议。然而,有许多办法使得一个独立的国家变得繁荣富强,当然这与其特殊的条件和气候有关,孟德斯鸠(1689～1755)在《论法的精神》中谈到了这些因素。[2]

156

在创造财富过程中起作用的不同领域的各种因素逐步被近代主权国家的体制所调控。在北欧与中欧,德语文献得到发展,目标在于改善统治者领地内的经济管理,增

〔2〕 Montesquieu,《论法的精神》(*The Spirit of the Laws*, 1748), Franz Neumann 作序(New York: Hafner Press, 1949),第 14 章,《法律和气候的性质的关系》(Of Laws in Relation to the Nature of the Climate);第 18 章:《法律和土壤的性质的关系》(Of Laws in the Relation they bear to the Nature of the Soil)。

加统治者收入的唯一可行办法却导致了统治者与税收权利标准之间的摩擦。经济管理工作最初落在有法律修养即受过大学教育的官员肩上。对于正确管理的讨论很快就扩展到对管理者进行适当培训的问题上,这里意指经济而非法律与教育。这就导致出现了许多为教"经济科学"这一目的而建立的新大学,尽管没有一项为进政府部门而进行强制性训练的计划最终成功。[3] 然而,19 世纪的许多新大学中创立了相应的职位,并且为德国与奥地利的经济思想的发展提供了制度基础。"经济科学"中出现的大学读物也表明 18 世纪德语的经济学文献是优秀的教科书,一个教授在作讲演时总要选读一篇具有说教性和限定性的论文,他要么用此作为教科书,要么只是把它作为自己的辅助教学工具。尽管德国政体分裂,但德语经济学文献还是相对统一的。

法国在政治上当然是统一的,但以新经济标准衡量的话,它的力量在迅速衰落。18 世纪的法国经济学文献充斥着衰落的原因及可能出现的补救措施。然而,18 世纪法国古老政体下频繁而持续的政治与经济危机与启蒙时代并行,后者是一个人文和科学领域都在发生思想变革的时代,提出了一种新的、统一的关于人类行为和生活进步概念。在 18 世纪中期狄德罗编写的《百科全书》(*Encyclopédie*)中能找到这种表达,在其中还详细地有条理地描述了各种哲学的主要观点。 157

《百科全书》中"经济"这个条目是让 - 雅克・卢梭(1712～1778)所写,并于 1755 年 11 月出版。[4] 即使是用当时的标准来看,这篇文章还是让人觉得有些奇怪。与皮埃尔・德・布瓦吉贝尔 50 年前对于市场与阶级平衡的分析比较,[5]或与坎迪伦的《论一般商业的本质》(*Essai sur la nature du commerce en général*)[6][它对于文森特・德・魁奈(1712～1759)周围的作家有极大的影响[7]]比较,卢梭的论文看起来仅仅与我们今天理解的政治经济学有一点关联。他根据家庭管理来对其主题进行最初的界定,这导致了一种广泛的关于家庭主权形式的讨论,这不同于当时流行的关于国家主权的讨论。而这一类比使得论证传统又回到了亚里士多德的《政治学》(*Politics*),而且这一类比之所以被介绍,是因为被认为不适合而加以拒绝,当然这种类比中的一个共同因素被接受了,即家庭与国家领导者都有义务照管好他们各自所负责的事情。政治领域通过另一个类比被介绍,这一类比来自霍布斯,把主权看做是"政体"的头脑,法律与习俗形成了思想。然后卢梭谈到了商业、工业与农业,这些是"贮备公共物资的嘴与胃,公

[3] 参见我的《管理经济学:德国经济学论文,1750～1830》(*Governing Economy: German Economic Discourse, 1750—1830*, Cambridge: Cambridge University Press, 1988)。

[4] Jean-Jacques Rousseau,《论政治经济学》(Discourse on Political Economy),见于《社会契约和后期其他政治著作》(*The Social Contract and Other Later Political Writings*),V. Gourevitch 编(Cambridge: Cambridge University Press, 1997),第 3 页～第 38 页。

[5] Gilbert Faccarello,《论自由主义政治经济学的起源》(*Aux origines de léconomie politique libérale: Pierre de Boisguilbert* (Paris: Éditions Anthropos, 1986),第 5 章～第 8 章。

[6] 遗著出版于 1755 年;见 Antoin Murphy,《理查德・坎迪伦:企业家与经济学家》(*Richard Cantillon, Entrepreneur and Economist*, Oxford: Oxford University Press, 1986)。

[7] Antoin Murphy,《文森特・德・魁奈学派》(Le Groupe de Vincent de Gournay),见于《现代经济史通讯》(*Nouvelle histoire de la pensée économique*),Alain Béraud 和 Gilbert Faccarello 编(Paris: Éditions la Découverte, 1992),第 1 卷,第 199 页～第 203 页。

众金融是血液，其中具有心脏功能的开明经济把营养物质与生命输送到全身”。[8]

身体也成了一种被赋予了普遍意志的道德存在，这有助于保持政体的整体或部分健全，而且这种普遍意志将通过管理与政策引导卢梭所说的“公共经济”。明智的管理在德国被认为是好的政治，它依靠“一个人所拥有的，而不是获得其所缺乏的东西的手段”。“真正的金融秘密及其增长的来源是根据时间与地点平均配置食物、金钱及日用品……”[9]卢梭没有直接讨论后来成为政治经济学的家常便饭的价格、市场、消费及利益。他把公众金融当做联结国家与经济的方式、富人与穷人的消费模式，及保证税收制度公正的相应手段。他的文章在许多方面都是较陈旧的经济学文献的典型代表，主要关注的不是对物质财富的讨论，而是对它的保护与合理配置，这被秩序与平衡概念所支撑，而这种秩序与平衡的概念通过独立于货币交易的物质资源配置而得以阐明。

158

与这篇文章有关的生理学比喻三年后在弗朗索瓦·魁奈（1694～1774）首次发表的论著《经济表》（*Tablean Éccnomique*）中再次体现出来。这体现了从农业生产者到地主然后到商品生产者的关注点的变化，他们依次将自己的收入用于购买工业产品和农业产品，这是一个从“生产”阶级到“非生产”阶级的净产品流动的过程，反之亦然。这种周期性运动通过社会中三个阶级之间的收入与支出而统一起来，农业被看做是唯一的价值来源，在这些阶级的循环过程中逐渐被消耗。[10] 魁奈的作品把卢梭的货币思想看做经济系统命脉的例证，但又在几个重要的方面发展了这种理论。

在《经济表》中，这种循环的起源被认为是农业，它被看做是经济中唯一的生产部门。原则上说，在每年丰收之后，人们将农业产品与工业商品进行交换；作为工匠与制造商的“非生产”阶级能获得食物与酒，而“生产阶级”会获得工业商品。魁奈引入了第三个阶级，即地主，他们以地租形式获得土地的全部净产品，把收入的一半投资到农业方面用来购买食品和酒，把另一半作为“非生产支出”投资给贵重商品的生产者，而这些人又将他们收入的一半用于食物和酒的消费，另一半用于商品消费，每年都是这样，直到整个系统消耗殆尽，另一个丰收开始另一个循环，周而复始。地主的“非生产支出”是从农业投资系统中提取的。因此，《经济表》是对经济交换中循环系统的一个抽象的反映，而且是对于旧体制下法国的经济政策的含蓄批判。

159

魁奈首次出版的经济作品是《百科全书》中的两篇文章。[11]《农场主》概述了为提高农业生产力而改革农业的好处，同时《谷物》谴责了对农业的忽视以及生产活动过于专注于奢侈商品的生产。后一篇文章的附录是魁奈的十四条“经济政府的格言”的最早版本，它主要强调了财富的农业起源及工农业产品的自由交换的优点。比这些早期

[8] Rousseau，《论政治经济学》（*Discourse on Political Economy*），第 6 页。

[9] 同上，第 27 页。

[10] 《经济表》首次出版于 1758 年和 1759 年，1766 年以数学形式重新修改之前以 Mirabeau 的《农村哲学》（*Philosophie rurale*, 1763）简缩本的形式发表。

[11] 《农场主（政治经济学）》[*Fermiers*(*Econ. polit.*)]，见于《百科全书》（*L'Encyclopédie*），第 6 卷，(1756)；《谷物（政治经济学）》，见于《百科全书》，第 7 卷(1757)。

著作本身更重要的是,1757 年 7 月魁奈改变了马克基斯·德·密拉波(1715～1789)的观点,密拉波早期的人口理论获得了巨大的成功。[12] 密拉波采纳了传统的观点,认为国家的财富取决于人口的多少,奢侈的消费会减少财富,而农业是就业的最有效的方式。魁奈说服密拉波相信众多的人口只是财富的结果,而非原因,因此正确的分析对象不是人口,而是财富。密拉波于 18 世纪 50 年代发表文章《论以人为友》(*L'Ami des hommes*)支持了这种新观点,其中第六部分对《经济表》进行阐述,[13]后来又在他的著作《农村哲学》(*Philosophie Rurale*)中详细论述了魁奈的原则。[14] 18 世纪 60 年代期间,魁奈又有了许多的拥护者,其中就有杜邦·德·纽摩尔斯(1739～1817),他以《重农主义者》(*Physiocratie*)为题编辑了一篇著作概要,并于 1768 年发表了对这种"新科学"的阐述。[15]

新重农主义的政治经济学强调经济活动的自然基础,把农业看做是财富的来源。因此,农业方面的改进对于财富的增长是至关重要的,但改进需要投资,而这种投资只有净产品在其循环过程中不再转向非生产目标时才能发生,比如为地主生产奢侈品。领域中的循环应该摆脱由具体税收与责任所施加的阻碍,因为所有的税收最终来源于净产品,一切必然的收入都直接从作为一种单一税金的生产中得到。经济管理应该奉行这些自然规则,不仅应该允许领域内产品的自由流通,而且允许未加工产品与其他国家的奢侈品之间的自由贸易。国内农业不是要被强制性的责任与禁令所保护,而是要应对外国贸易带来的刺激。因此,还有一个好处是奢侈品是通过与外国生产者交换法国农业的净产品得到的,这样就保持了国内经济的平衡,同时也增加了可支配的净产品。这与一种全新的经济秩序概念结合在一起:

160

> 通常认为君主政府不善于领导人,而善于为其安全和生存提供保障,它通过遵守制定的自然法则和经济秩序的自然秩序和物理法则,利用确保国家和每个人得以存在和生计的手段来实现这个目标,人的行为是确定的,每个人都可以主宰自己。[16]

如同密拉波一直所说的:"一个社会运转良好的法宝在于,当每个人相信他在为自己工作时,而实际上他却在为他人工作。"[17]

关于自由的、自我主导的行为者之间的自然循环过程的思想强化了把农业作为财富来源的思想,而这些行为者是由不要管得"太多"的行政部门来管理的。经济行为者是根据他们与产品的关系来界定的,他们被分成"生产的"与"非生产的"两类。并不

[12] Mirabeau,《论以人为友》(*L'Ami des hommes ou Traité de la population*),共 3 部分(Avigon, 1756)。

[13] Mirabeau,《论以人为友》(*L'Ami des hommes ou Traité de la population*),第 6 部分(Avigon, 1760),第 132 页及以后。

[14] Mirabeau,《农村哲学或者普遍经济学和农业政治学》(*Philosophie Rurale, ou Économie générale et politique de l'agriculture*),3 卷本(Amsterdam, 1763)。

[15] Pierre-Samuel Du Pont de Nemours,《科学通讯头版的起源与进展》(*De l'origine et des progrès d'une science nouvelle*, Paris, 1768);Pierre-Samuel Du Pont de Nemours 编,《重农主义者》(*Physiocratie*),6 卷本,(Yverdon, 1768—1769)。

[16] Mirabeau,《农村哲学》(*Philosophie Rurale*),第 1 卷,第 xlij 页～第 xliij 页。

[17] 同上,第 138 页。

是奢侈品的**消费**必然要造成经济上的损失，这在 18 世纪早期的著作中不断被提到；而正是国内奢侈品的**生产**造成的农业发展才是批判的主题。投入农业产品中的或者是农业自身的产品，或者是制造业的产品。通过部门之间物品的交换保持了系统的平衡性，虽然这些交换是通过货币的数量来体现的，但物品的数量是不变的；因为无论价格是多少，消费的谷物数量是相同的。[18] 因此，价格是保持系统内的（预先的）物质平衡的手段，而非自身调和的手段。在系统中物品的数量，不论是谷物、商品还是奢侈品都能通过扩展农业生产力而得到持续增加。

亚当·斯密在《国富论》第四卷第九章对这一理论进行了详细的批判。斯密反对这一理论中对农业的偏见，但承认与他所谓的“重商主义”学派的观点相比其许多论证还是具有说服力的，重商主义学派将金银看做财富，认为只有对贸易进行人为限制才能积累财富。他认为重农主义的体系是不完善的，但这却是“政治经济学方面所有已经发表的学说中最接近真理的”。[19] 他区分了“生产性”劳动与“非生产性”劳动，将最初的唯物主义的重农主义概念推广到制造业的生产中。他把所有没有在物质产品中体现的活动都划归到“非生产性”类别。后一种类不能因为“奢侈品”而消减，因为如果这些商品是物质产品，那么斯密就将消耗在生产中的劳动界定为“生产性的劳动”。“非生产性的劳动”不会有助于资本形成，它是非实在的，代表了一种没有保留物质痕迹的服务性运作。斯密不否认各种有用的服务业在社会中起着作用，从仆人的服务到国王及其官员的行为，以及整个海军和陆军的活动。但“无论他们的服务多么高尚，多么有用，多么必要，但还是没有为后来所追求的等量服务产生任何作用”。[20] 他重新定义了价值的来源：它不是在某个具体部门的劳动，而是体现在任一物质对象中的劳动。“价值”是大量的货币，但无奈这并不必然与市场价格相符。虽然斯密理论体系中均衡概念的缺乏并没有威胁到其论证的整体一致性，但他最终还是没有解决这个问题。

追求一种统一的、客观的劳动价值标准可以与市场价格整体联系在一起，因此能够反映市场平衡中产品的社会关系，这成为从马尔萨斯经李嘉图、密尔到马克思这些古典经济学者的主要研究内容。相对而言，《国富论》在欧洲大陆的流行使得这个问题很少被关注，相反，法国与德国学者的分析重点放在了人类需求与满足的问题上。需求被划分为“必需品”、“需要品”与“奢侈品”，但是随着商业社会的发展而带来的种类的增加又引发了重要的选择问题。这样，法国与德国学者把注意力转移到消费者的身上，而不再关注那些劳动体现在经济商品中并让其产生价值的生产者。这是一种决定性的转变，使得欧洲大陆的政治经济学走上了不同于英语国家的古典经济学的道路。直到 19 世纪 70 年代，正如杰文斯认识到的，古典经济学越来越走向末路了。

〔18〕 Philippe Steiner，《对政治经济学的科学报道》（*La "science nouvelle" de l'économie politique*, Paris: PUF, 1998），第 52 页～第 56 页。

〔19〕 Adam Smith，《关于国家财富的性质和原因调查》（*An Inquiry into the Nature and Causes of the Wealth of Nations*, Oxford: Oxford University Press, 1976），第 678 页。

〔20〕 Smith，《国富论》（*Wealth of Nations*），第 331 页。

162

让-巴蒂斯特·萨伊：经济与政府

重农主义理论是一种社会批判的形式,旨在影响那些被委以改革法国大革命以前的旧政体职责的人。重农主义者认为政府采用的政策应该适应自然规则,即通过研究良好社会得出的自然行为法。这种自然规律独立于政府形式之外,与人们共同拥有的基本需求相关,因此,政治经济学建立在人类本质的基础之上,而不是政治秩序基础之上。《国富论》同样是一部首先和主要针对统治阶级的论著。[21] 19 世纪前半叶,古典经济学的创立都是以斯密的《国富论》为基础的。斯密的教义被吸收到了所设的国家课程中,然而这却引起有分歧的解释,在英国与欧洲大陆这种解释的差距更加明显了。在英国,政治经济学首先是一件自我教育的事情,通过在空闲时间阅读论著、入门书及玛彻特夫人的"改善的经历"来吸收思想。在英国政治经济学并不被看做是一种特别难懂的知识形式。相反在欧洲大陆,政治经济学在大学教育中成为法律系学生的必修课,而这些学生中的大多数要进入公共管理机构;政治经济学原则成为自由主义的知识分子思想装备的一部分。斯密的著作成了比其他著作在欧洲大陆更广泛普及的读物;但当时英语的读物并不常见,《国富论》通过翻译家与评论者的著作才被周知。在此,让-巴蒂斯特·萨伊的作品在整个欧洲起了重要的作用,因为他用受过教育的欧洲人都能看得懂的语言写作,他的写作风格比斯密的更容易接受。首次于 1803 年出版的《政治经济学概论》(*Traité d'Éconmie Politique*)后来又有几个新的版本,如 1815 年的《要理问答》(*Catechism*)及 1828 年至 1829 年的六卷本的《政治经济学全部教程》(*Complete course of political economy*)。1807 年到 1836 年间他的著作有 53 种译作,第一本《政治经济学概论》译著在德国出版。[22]

英国同时代的人把萨伊看做是普及作家而不是原创性的思想者。的确,他没有坚持古典经济学中的消耗—生产模式,只是强调这样一个事实:与使用价值的创造和消耗有关的生产和消费,而不是物质的数量,开辟了这样一种视野,即商品和服务的价格可以独立于其生产价格而波动。他对有效需求的强调使得在决定价格及其波动上,人们把注意力转向了消费的作用而不是产品的作用上。这两个观点对 19 世纪 70 年代以后的发展起了决定性的作用。

163

这些对斯密原则的重要改变可能仅仅是学术性的,它不是以这种方式进行的,即萨伊并没有把政治经济学知识看做文化进程中的一部分,从而将之与公众教育联系起来。萨伊不是"经济自由主义者",不是斯密政治经济学的新的追随者,他显然追求政

[21] Donald Winch,《富有与贫穷:1750 年～1834 年英国政治经济学的思想史》(*Riches and Poverty: An Intellectual History of Political Economy in Britain, 1750—1834*, Cambridge: Cambridge University Press, 1996),第 125 页～第 136 页。

[22] Philippe Steiner,《政治经济学与现代科学》(L'économie politique comme science de la modernité),见于 Jean-Baptiste Say,《政治经济学教程》(*Cours d'économie politique et autres essais*, Paris: Flammarion, 1996),第 16 页～第 17 页。

治规划，继续了法国革命的政治方针，继续了被反复灌输的共和政体的方式。重农主义者对有关人类行为的自然法的强调在18世纪90年代的讨论中起了重要的作用，很快被认识到的是，革命的成功不仅依赖对权利的要求，而且也依赖革命前旧的统治方式的消失。恐怖统治是这种信仰的一种体现；另一种体现是萨伊早在1793年提出的自由的大学教育计划。在这段时间，萨伊是一家报纸的编辑，1798年以《什么样的机制为人类道德提供了合适的基础》为题目的论文参加竞赛，获得了最佳论文奖。萨伊后来以《民风改革方法论》(*Olbie*)为题目出版的著作认为，政治经济学教育能教导公民什么是真正的“自我利益”，这随后又被传达给人民的立法者。萨伊提出的政治经济学原则在形式上与斯密的很相似，不同的是这些原则运用于公共领域的方式。斯密直接关注统治主体的立法者；而萨伊则关注受教育较少的公民，如果共和政府运转成功的话，他们的立法权益就会得到清楚有力的表达。政治经济学对于有力阐明这些利益是很关键的。

1803年《政治经济学概论》开篇就提出了这样一种论断，即政治经济学不应该和政治学混淆在一起，财富基本上是独立于主要的政治组织形式之外的，这一观点当时引起了萨伊的共和党同行的许多反对意见。然而，这种论述适合于将政治经济学看做启蒙的一种形式。好政府的原则完全不同于那些决定财富形成、配置及消费的原则，政府的行为可能会阻碍或促进这种行为，但不是其原因。[23] 整本书都直接关注经济原则，没有涉及历史偏差和政策讨论，这使得许多人抱怨斯密的理论缺乏系统性和过于啰嗦。虽然这个主题被划分为生产、配置与消费三部分，但是直到1814年书的第二版才得以明确阐明，这是萨伊的创新之一，萨伊对生产的定义完全不同于斯密。由于总是被作为基础性论著和教科书，对这些资料的整理与其内容本身一样重要。《政治经济学概论》第一章谈到，自然给予人类的天赋自身没有价值，是人类的行动赋予了其价值，因此农业活动的产品变得尤其重要。接下来的章节谈到生产、资本的本质和土地所有权，这就形成了对生产的一般定义，并且产生了影响深远的结果：“生产不是创造；它是效用的生产。”[24] 同样，消费是对生产出来的效用的消耗，而不是对象本身的消耗。[25]

164

现代读者可能会马上停下来问：什么是效用？在第一版中对于人类不同工业类型的讨论掩盖了这一观点，但在第二版中做了调整，因此论著的开头就澄清了“生产意味着什么”，萨伊这样论述道：“一定对象所具有的用于满足人的不同需求的能力，我们称其为**效用**。”[26] 因此，效用是一种需求的表达，而且只有所得物资的消耗才可以限制这

[23] Jean-Baptiste Say,《引言》(Discours préliminaire)，见于其《政治经济学概论，对货币形成以及财富消费分配的简单探索》(*Traité d'économie politique, ou simple exposition de la mani ère dont se forment, se distribuent et se consomment les richesses*)，2卷本 (Paris: Deterville, 1803)，第I卷，第i页。

[24] Say,《政治经济学概论》(*Traité*)，第I卷，第24页。

[25] 同上，第2卷，第338页。

[26] Say,《政治经济学概论》，第2版(Paris: A. -A. Renouard, 1814)，第I卷，第3页。

种对需求的满足。产品的成本形成了物品价格的较低限制，而购买方式表达了价格的最高限制，这是有效需求的原则。这又可以分别联系到对斯密关于生产性与非生产性劳动的区分的反对。萨伊认为尽管医生、音乐家或演员的工作不是物质性的，但也不是非生产性的："……这是斯密赋予财富这个词以意义的结果，他不是把这个词用于一切具有交换价值的物品，只是用来指那些具有**可保值**的交换价值的物品。"[27] 他强调说，财富不是由产品本身构成的，而是由价值组成，有交换价值的物品具有效用，可以满足物质或非物质的人类需要。

从人类需求到价格的形成

萨伊的《政治经济学概论》的出版符合德国经济学话语的转变，整个18世纪德国的经济学话语被一种自然法传统支配着，这种传统认为在缺乏适当的管理时人性具有固有的无序性。官房学派把社会秩序看做是需要刻意来构建的，只有英明而慎重的政府才能带来普遍的利益，这是无助的个人无法实现的。这为国家及其官员制定了一种道德规则：一个开明而理智的政府必须要以幸福的实现为其目标，因为就他们自身来说，他们缺乏对自己如何获得最佳利益和实现目标的手段的研究。[28] 沃尔夫式的自然法为长远的管理行为提供了理智的合法性，其中道德的完善是首先由国家界定进而由其创造的。

165

批判哲学消除了这一问题，重新将自然法纳入一个系统，假定人拥有认识到自己的需要从而有目的地通过自己的行为来满足这种需要的能力。这危及到了官房学派的理论，尽管在混乱的转折时期的某个时候，它还继续作为大学课程而被讲授。渐渐地，教学内容适应了作为社会秩序的基础的关于自我支配的人类行为的新原理，一种关于人类需求的新经济原则逐渐地进入了教科书中。在这一阶段，萨伊的《政治经济学概论》德文版出版了。[29] 翻译家L. H. 雅各布在18世纪90年代写了许多关于自然法的著作，在1805年发表了一篇关于萨伊的思想摘要。[30] 雅各布重点强调了萨伊论证中的自然法根源，比如，把萨伊的"nature des choses"翻译为"Naturgesetze"，尽管萨伊关于一般和特殊事实的术语仍然被翻译为"一般和特殊事实"（allgemeine und specielle Thatsachen）。[31] 这些思想都直接被雅各布引入了德语文献，既包括他的译著，也包括

[27] 同上，第361页。

[28] Eckhart Hellmuth，《自然哲学与官僚主义的价值观》（*Naturrechtsphilosophie und bürokratischer Werthorizont*, Göttingen: Vandenhoeck & Ruprecht, 1985），第175页。

[29] Jean-Baptiste Say，《论国家经济或风格与方法简述，财富的产生、积累与消耗》（*Abhandlung über die Nationalökonomie, oder einfache Darstellung der Art und Weise, wie die Reichthümer entstehen, vertheilt und verzehrt werden*），2卷本，L. H. Jakob译（Halle: Ruffsche Verlagshandlung, 1807）。

[30] Ludwig Heinrich von Jakob，《国家经济或国家经济管理的基本原理》（*Grundsätze der National-Oekonomie oder National-Wirthschaftslehre*, Halle: Ruffsche Verlagshandlung, 1805）。

[31] Say，《政治经济学概论》（*Traité*, 1814），《序言》（Discourse Préliminaire），第xvii页；Say，《论文》（*Abhandlung*），第ix页。

后来两个版本的《基本原理》。雅各布区分了新的“国家经济”与旧的官房学派的特征，他在书中简洁地归纳为：“Alle Einwohner des Staats sind Consumenten（国家所有的居民都是消费者）。”[32]

与很多同时代的人一样，雅各布特别关注了斯密的理论，即劳动者必然要生产或获得一个作为衡量价值的标准的对象，但在书中他直接从这个理论转向了对供应和需求对价格的影响的说明，这种思想直接来源于萨伊，包括这样的有效论断：不是总需求而是“真正需求”对商品的价格有影响。[33] 由此推出，购买者的数量越大，价格越高，购买者越少，价格越低；而卖方越少，价格越高，卖者数量越多，价格越低。

166 1825 年雅各布的著作出版了第三次修订版，提出了一个重要而言简意赅的新定义：

能够满足人类需求的物品被称作商品。[34]

弗里德里希·班纳迪克·赫尔曼（1795～1868）在论述其基本的经济学原理时采纳了这个思想，并且提出了一个更精练的定义，即经济商品就是必须要通过付出金钱或劳动才能得到的东西。[35] 因此，一个国家的富有不是财富的大量聚集，而是能够满足人们的一切需求。[36] 詹姆斯·斯图尔特的讨论以及 1828 年萨伊的著作《教程》（*Cours*）发展了最初关于需求和满足的讨论，他们认为效用是商品的重要性质，因为它能够满足需求。然而，这并没有影响赫尔曼提出了一种价格构成的分析，他认为具体商品的价格水平依赖于供求关系，同样也依赖于卖方数量和买方数量之间的关系，这回应了雅各布关于有效需求与价格的理论，增加了“均衡”这个词来说明这一点：

商品就是等量地供应和需求。[37]

赫尔曼假定基本成本包括正常利率与企业利润，他认为，如果价格低于成本，资金与人员就会转移到其他地方；相反地，如果价格高于成本，新的企业就会被吸引，反过来导致价格的直线下跌直到价格与成本相平衡。[38]

威廉·罗舍尔（1817～1894）于 19 世纪中期发表他的公众教科书时，商品的定义及其与价格的关系已经变成约定俗成的了，即商品是能满足人类需求的物品；经济商品是用来交换的商品；效用的程度赋予商品以价值；生产是对价值的创造，而消费则是对它的消耗[39]。这些基本概念可以更直接地追溯到萨伊而非斯密。汉斯·冯·曼格尔

[32] Ludwig Heinrich von Jakob，《国家经济或国家财富理论的基本原理》（*Grundsätze der National-Oekonomie, oder Theorie des National-Reichthums*），第 880 节，第 480 页。
[33] 同上，第 200 节，第 99 页。
[34] 同上，第 3 次修订（Halle: im Kommission bei Friedrich Ruff, 1825），第 880 节，第 480 页。
[35] F. B. Hermann，《国民经济调查》（*Staatswirthschaftliche Untersuchungen*, Munich: Anton Weber, 1832），第 1 页。
[36] 同上，第 12 页。
[37] 同上，第 67 页。
[38] 同上，第 4 页～第 5 页，第 67 页～第 81 页。
[39] Wilhelm Roscher，《经济学体系第一卷：国家经济的基础》（*System der Volkswirthschaft Bd. I: Die Grundlagen der Nationalökonomie*, Stuttgart: J. G. Cotta, 1854），第 1 页～第 5 页。

德特(1824～1868)在他的教科书中又重述了这些观点,增加了一个表示供需关系的曲线图,通过类似于赫尔曼所概括的机制的作用供需基本趋向平衡。[40] 如同雅各布所言,整个19世纪德国经济学文献对于人类需求的关注就是对消费者的关注,他们不断扩大的需求就是国家富裕的动力。由此,根据主观需求的表达来划分效用的级别并没有迈出一大步。因此,冯·曼格尔德特认为,价值并不是商品所固有的,但却反映了商品与主体间的关系。[41] 这第一次清楚地说明了价值思想,后来成为了门格尔的"边际价值"新理论的根本原理。 167

这里引用的德语文本都是大学系统的产物,经济学讲座成为法律专业学生的必修课。按德国大学的规定,每个教授都必须根据一本综合教材来讲授,最好是他自己的著作,保障了这类著作的定期出版,这既重新探讨了现有的文献,又推进了同一领域的研究。因此教科书的更新反映了同一主题的发展历程,所有早期引用的德语文献都摘自作者用于课堂讲授的著作。而在法国却不同,直到19世纪70年代政治经济学形式上才与合法的教学联为一体。虽然在一些省的城市有一些关于这个主题的教学,但1864年前巴黎只有两个教授席位。在这一时期,法国取得的所有显著发展都是非学术性的,在月刊《经济学杂志》(*Journal des Economistes*)上经常刊登经济事件,这本杂志首创于1841年,刊登一些关于立法和经济学家集会的报道、评论、通信和经济编年史,此外还有报道大众经济学文献的发展的文章,以及试图阐明新经济学原理的教师和管理者的个人写作。里昂·瓦尔拉斯的个人经历反映了法国的这种背景:1858年在其父亲(一个个体经济学学者)的劝说下致力于研究这个主题,他在《经济学杂志》工作了一段时间,与里昂·萨伊一起编写并出版了《劳动者》(*Le Travail*),后来他到银行工作,仍然继续经济学的研究,1870年在一个瑞典政治家的推荐下终于被任命为洛桑研究院的经济学教授,这位瑞典政治家对他1860年在洛桑举行的税务大会上的发言印象很深。这一任命给了他机会来分两部分完成并出版《政治经济学基本原理》(*Éléments d'éconimie politiue pure*)。

从古典主义到新古典主义

瓦尔拉斯放弃了斯密和萨伊使用的价值定义,而代之以他父亲使用的罕见的概念,即社会财富被界定为包括物质和非物质两种对象,它们具有使用价值并且数量有限,通过人类工业的应用这些对象可以用于交换并且能够增值。[42] 因此,社会财富的增长与人类工业的应用相关联,而且是由劳动分工促进的。虽然这种方式保证了商品 168

[40] Hans von Mangoldt,《经济学概论》(*Grundri β der Volkswirthschaftslehre*, Stuttgart: J. Engelhorn, 1863),第46页～第70页。

[41] 同上,第2页。

[42] Walras,《基本原理》(*Éléments*),第46页～第48页。

的足够供应,但是仍存在生产商品的数量不当的可能性,有一些紧缺商品的生产得到了保障,但还有其他商品却生产不足。对这个问题的解决就是一个平均配置的事情,占有社会财富这一人类现象不是源于个人意志,而是源于集体的社会活动:"因此,占有的现象本质上是一个道德事实,财富理论因而本质上是一个道德科学,向每个人给付属其所有的东西,公平的含义就是使每个人得到其应得的……"[43]因此,瓦尔拉斯的生产与配置体系不是建立在把社会因素置于一边的经济个人主义的基础之上,他的价格构成理论以具体机制的存在为条件。

这一点很清楚地体现在他阐述市场关系概念的方式中。他采取的模式由个人买卖股票而形成的交易所。这是一个管理规范的市场,有一个固定的场所,进行交易的基础是完全掌握相关的商品知识及其附加条件,熟悉个人买卖双方的叫价方式和行话。瓦尔拉斯还认为,还有另外不是很规范的市场,但运作得也很好,比如说水果与蔬菜市场,以及沿街的商店,但从竞争的角度来看这些市场还缺乏有效性。

> 因此世界可以被看做是许多特殊市场组成的大的综合市场,社会财富在这里被买卖,而且我们有相应的法规约束这些买卖行为。这样,我们总是期望有一个在竞争中组织完善的市场,就像在纯力学领域首先会预设无摩擦的机器一样。[44]

这种理论又激发了瓦尔拉斯继续描绘的不同的市场模式,其重要性不可低估,价格构成被看做是股票供需互动的作用。因此,个体行为者对他们买卖的价格做出决定,价格的出现受行为者对商品的使用价值最大化的影响,成本及其构成的问题与此无关。然而,这并不意味着商品的事先和事后配置是无关紧要的事,瓦尔拉斯认为,我们进行社会财富、财产的交易,而就这些交易对于贸易价格的有效作用而言,这些问题就是价格问题。

169

门格尔和瓦尔拉斯关于价值与价格构成的观点基本相同,与这里描述的发展线索基本一致,当然,他们陈述自己的核心理论的形式十分不同。卡尔·门格尔(1840～1921)在他1871年的《经济学原理》(*Grundsätze der Volkswirthschaftslehre*)的序言中阐明了他的如下基本观点:

> 在何种条件下,一件东西对我来说是有用的;在何种条件下,它是一件商品;在何种条件下,它是经济商品;在何种条件下,它对我具有同等价值,这种价值的量到底有多大;在何种条件下,在两个具有经济行为的主体之间可以进行商品的经济交易。这些都构成了对价格构成的限制,但这一切都是独立于我的意志之外的,就像化学规则独立于实践化学家的意志一样。[45]

[43] 同上,第62页,第64页。
[44] 同上,第71页。
[45] Carl Menger,《经济学原理》(*Grundsätze der Volkswirthschaftslehre*, 1871),见于《全集》(*Gesammelte Werke*),第Ⅰ卷,[Tübingen: J. C. B. Mohr (Paul Siebeck), 1968],第ix页。

以这种方式陈述,门格尔显然比瓦尔拉斯更多地继承了其前辈的经济学思想。然而,他试图对人类满足进行全面的说明。在19世纪的文献中,日趋普遍的是根据其重要性以及其满足人类需要的能力来对商品进行分类。门格尔提出了一个不同的方法,他声明其目标是认识到人类如何才能最大限度地满足自己的需要。[46] 门格尔并不关注商品满足人的需要的能力,而是人类主体的需要是通过什么方式得到最大程度的满足的,通过对人类需要从最急迫到最不急迫进行分类的方式提出了这一思想。[47] 瓦尔拉斯在建构市场模式时使用了这一原则,在这一模式里,明确的个人需要通过发展一个复杂的数学体系得到调节,这种复杂的数学体系是门格尔避免使用的。然而,他们在方法上的相似性还是明显的。

门格尔把价格界定为平衡人类主体之间交易的方式。价格理论并不应该用来解释两个商品之间的价值等同性,而要解释经济行为者在寻求最大限度地满足其需要时是如何进行具体商品数量的交易的。[48] 因此,价格并不反映特定商品的内在质量,而与对经济行为者的需要的主观评估有关;价格提供了一种在一般交换系统中对这些主观评估进行平衡的方法。

170

门格尔在《经济学原理》中并没有详细介绍"边际效用"这一术语,也没有采用其同时代的杰文斯和瓦尔拉斯的数学语言。然而,他们的著作里有着明显的目的倾向,正如F.Y.埃奇沃思指出"一种必然真理"[49]就是交换价值等同于交易商品的最低使用价值的效用,或者换句话说,价格取决于需要程度和满足这种需要的效用程度之间的关系。瓦尔拉斯进一步发展了这种思想,把价格看做是在一个一切价格平衡的市场中的边际效用的一种表达,在这个市场中,每一件商品的供需都对所有商品的价格发生作用。

因此,从古典经济学到新古典经济学的转变是对经济分析对象的重新定义,既根据抽象的程度(如门格尔),也根据"价格"和"市场"概念(如瓦尔拉斯)。市场变成了一个进行交换和形成平衡的有限空间,价格因而代表了商品的效用和数量,以及它们满足需求的能力,由此市场获得了一种统一的均衡价格,并以此优化买卖双方的关系。消费者和供应者在一系列交易中联系在一起,例如:单个主体消费了来自农民的食物,同时为制造商提供劳动力,而农民又从制造商那儿得到机械,并且为市场供应食物。价格调整着这些行为,在物质商品或服务中正是商品所体现出的效用在消费行为中被消耗了。这一原则同样适用于生产与消费:资本在商品与服务的产生过程中被消耗,而商品和服务随后又被消费者所消耗。行为者要决定自己消费的性质和程度,同时根据其劳动的边际产品获得报酬;以这种方式得到的收入要投资到商品与服务上,商品

[46] 同上,第51页。
[47] 同上,第90页及以后。
[48] 同上,第175页。
[49] Francis Y. Edgeworth,《政治经济学的数学理论》(The Mathematical Theory of Political Economy),见于《自然》(*Nature*),40(1889),第435页。

和服务的价格根据消费者的使用计划来决定。新经济学提出了这些用来规范经济过程的原则,由此生产和消费个体的行为可以通过一个价格机制得到调控,从而产生欣欣向荣的景象。

（李治平　译　李红　校）

11

从洛克到马歇尔的英国经济学理论

171

玛格丽特·沙巴斯

至少在英语世界的国家里,17 世纪重商主义者的著作普遍被看做是关于政治经济学的最早的系统性著作。这些著作中许多作品在毫不掩饰地提高商人权利,与此同时,历史学家开始重视他们以金钱、市场的动力和全球经济为主题的一系列丰富的见解。在 17 世纪后期,在政治自由和科学文化的兴起的推动下,另外两种重要的经济研究传统出现了。第一种来源于约翰·洛克的《政府论两篇》(*Two Treatises of Government*,1689—1690),它通过权利和财产的基本概念而强调了经济的公正和分配问题。洛克也特别强调了自然状态下的经济契约,并提出了劳动价值理论。以威廉·配第的《政治算术》(*Political Arithmetic*,1690)为典型的第二传统,提出了关于经济现象的定量测量,诸如,爱尔兰的国家产品、资金的周转及数量、伦敦的人口。尽管配第的测量是粗略而不准确的,但它们有助于引起人们对现象的整体的关注,并且因此关注新的经验关联。

三种思想都谈到新的资本主义体系,这已经改变了近代欧洲。正如约瑟夫·A. 熊彼得公正地评论的那样:"直到 15 世纪末,许多我们已经习惯的与模糊的资本主义这个词相联系的现象已经出现了……即使那样,对于这些现象本身来说也不是什么新东西。"[1]他考虑了商品的价格和生产的要素,如利率等。我可能进一步做这样的声明:自从 18 世纪以来,在经济学论文中很少有真实的新的现象出现。这里,我用的是伊恩·哈金定义的术语"现象",这些现象是"值得注意的……依稀可辨的……在确定环境下有规律地发生的特定形态的过程或事件"。[2] 不像物理学家,例如,某人发现了新的辐射现象,诸如电磁感应和 X 射线,开辟了新的研究传统,而经济学家必然要重新整理相同的成分。当然,在经济研究中有许多新的数据;事实上,每一个价格都是一种新的资料。但价格现象自古以来就是经济思想的核心。确切地说,许多现象,诸如价值和失业,被给予新的定义,这些定义反过来又对经济理论产生了重要的影响。因此,货

172

[1] Joseph A. Schumpeter,《经济分析史》(*A History of Economic Analysis*, New York: Oxford University Press, 1954),第 78 页。

[2] Ian Hacking,《代表与干预》(*Representing and Intervening*, Cambridge: Cambridge University Press, 1983),第 221 页。

币的主要属性(数量、价格水平和周转率、利率),生产和分配的主要属性(要素、商品价格、市场动力),国民经济的主要属性(国民收入、人口、就业、贸易平衡、交换率)在近代就被全部清楚地表述出来了。

这并不意味着政治经济学研究的中断,或经济本身不发展了。理论家们为这些现象提供了一个新的因果解释,并且从数学方面给予了更精确的解释。但与自然科学相比,自从配第和洛克时代以来,在经济学方面很少有清晰而明确的经验发现,然而至少提供了十分新的研究方法。政治经济学的发展更多的是纸上谈兵,与对以前文献的内在逻辑的研究紧密联系,而不是专注于新的经济事件。[3] 这些特点部分是由于实验传统的缺乏,部分则由于从这一理论出现后经济学家追求的一直是高度抽象的理论。甚至与威廉・斯坦利・杰文斯(1835～1882)和约翰・梅纳德・凯恩斯(1883～1946)相联系的基本理论出发点,即源自逻辑、心理学和科学哲学的研究结果,而不是对当时经济事件的反映。[4] 人们可能认为实际问题是经济研究的主要来源,但文献记录却表明并非如此。过去两个世纪以来的许多主要的经济学家的独创性来源于哲学,尽管在某些情况下,辅之以当代经济的研究是有助于推行具体理论的。

18 世纪

英语世界中许多启蒙时期对经济理论化做出贡献者来自于英国以外的国家,这个事实也说明了,经济状况不能充分决定经济理论的内容。乔治・贝克莱和理查德・坎迪伦来自爱尔兰,而伯纳德・曼德维尔来自荷兰。尽管苏格兰经济在当时相对落后,却产生了18 世纪大多数的杰出经济学家:早期的约翰・劳,中期的大卫・休谟,末期的詹姆斯・斯图尔特和亚当・斯密。

173

在亚当・斯密之前最有影响力的是大卫・休谟(1711～1776)。他的许多关于政治经济学的文章包含了对货币的全球性分配和突发的通货膨胀的直接后果的研究。休谟同时也分析了贸易、人口、资金和利率。在他的《人性论》(*Treatise of Human Nature*,1739)中提出了这样的思想:关于人的科学是可能的,因为人的本性是不变的、有规律的。该书也继续洛克关于经济公平和分配的调查研究。最值得注意的是,休谟研究了商业合同形式中的信用问题,并且高度评价了完全货币化了的世界的意义。休谟也举例说明了阿尔伯特・O. 赫希曼所认识的意识形态运动,即商业是最重要的教化

[3] Margaret Schabas:《巴门尼德与计量经济史学家》(Parmenides and the Cliometrician),载于《关于经济模式的可靠性:经济哲学论文》(*On the Reliability of Economic Models: Essays in the Philosophy of Economics*), Daniel Little 编(Bosten: Kluwer, 1995)。

[4] Margaret Schabas,《数字世界:威廉・斯坦利・杰文斯和数学经济的出现》(*A World Ruled by Number: William Stanley Jevons and the Rise of Mathematical Economics*, Princeton, N. J.: Princeton University Press, 1990); Roderick M. O'Donnell:《凯恩斯:哲学、经济学和政治学:凯恩斯思想的哲学基础及对他的经济学和政治学的影响》(*Keynes: Philosophy, Economics and Politics: The Philosophical Foundations of Keynes's Thought and Their Influence on His Economics and Politics*, London: Macmillan, 1989)。关于政治经济与社会和经济问题的关系,也见于同卷第 2 章,第 26 页～第 32 页。

力量,并且也是反对政治专制主义的最好卫士。[5]

亚当·斯密(1723～1790)大大受惠于所有这些政治经济学家,同样也受惠于弗兰西斯·哈奇森和弗朗索瓦·魁奈。尽管斯密因他的《国家财富的本质和原因调查》(*Inquiry into the Nature and Causes of the Wealth of Nations*, 1776)而受到称赞,但他的《道德情感理论》(*Theory of Moral Sentiments*, 1759)却是形成其思想体系的核心部分。和休谟一样,他关于世界的著作的灵感,主要来源于关于人性的哲学反思。斯密赞扬了斯多葛派从日常的自然运作中抽离出来的神性观点,将自控看做最高的德行。许多年来,学者们一直在努力解决斯密在这两本著作中关于人性模式的明显矛盾:为何将个人看做受对他人的同情心所驱使,而后又看做被自利所驱使。但现在对"亚当·斯密问题"已达成共识。斯密意识到人性的复杂性,并且看到在不同的活动范围中起作用的驱动力不同。而且,同情心和自利是由我们认可别人的更基本欲望衍生出来的,除了通过财富和知识的积累,我们还可以通过友情和公民社会的培养来逐渐生成这种欲望。[6]

在斯密的现存著作中有一本对天文学史进行了详细阐述并特别赞扬了牛顿。但是当斯密希望在精神领域赶超牛顿时,他的经济理论多数是不着边际且很少提出一种严格的推理。甚至他用经验证据来支持他的普遍原理的努力也经常是非系统化的,因为这些材料首先来源于别人的书中,而不是来源于第一手观察材料。事实上,他似乎并没有充分意识到18世纪70年代已经开始的工业革命的到来。尽管他欣赏发明的价值,但他对在促进工业化进程中非常重要的纺织机器和蒸汽机的最近的改进几乎没有提及。此外,他把土地业看做资金积累的最初来源。[7]

174

斯密把政治经济学定义为"立法者的科学",因而从属于他对经济交换和分配的分析以及对更广泛的政治稳定和国家富裕问题的研究。[8] 他的伟大之处在于他对这一主题的全面认识,而不是对价格和分配理论的具体研究。在《国富论》中事实上讨论了

[5] Albert O. Hirschman,《情感与利益》(*The Passions and the Interests*, Princeton, N. J.: Princeton University Press, 1977); Duncan Forbes,《休谟的哲学政治学》(*Hume's Philosophical Politics*, Cambridge: Cambridge University Press, 1975); Margaret Schabas,《休谟时代的市场合同》(Market Contracts in the Age of Hume),见于《讨价还价:交易者及其经济学史中的市场》(*Higgling: Transactors and Their Markets in the History of Economics*), Neil de Marchi 和 Mary S. Morgan 编(Durham, N. C.: Duke University Press, 1994)。

[6] Laurence Dickey,《历史化的"亚当·斯密问题"概念的、编史的和文本的问题》(Historicizing the "Adam Smith Problem" Conceptual, Historiographical, and Textual Issues),见于《现代历史学报》(*Journal of Modern History*), 58(1986),第579页～第609页;Richard Teichgraeber:《自由贸易与道德哲学:对亚当·斯密〈国富论〉渊源的重新思考》(*Free Trade and Moral Philosophy: Rethinking the Sources of Adam Smith's Wealth of Nations*, Durham, N. C.: Duke University Press, 1986); Vivienne Brown,《亚当·斯密的演讲:教规、商业与良知》(*Adam Smith's Discourse: Canonicity, Commerce and Conscience*, London: Routledge, 1994)。

[7] Charles P. Kindleberger,《历史背景:亚当·斯密与工业革命》(The Historical Background: Adam Smith and the Industrial Revolution),见于《市场与国家:亚当·斯密纪念文集》(*The Market and the State: Essays in Honour of Adam Smith*), Thomas Wilson 和 Andrew S. Skinner 编(Oxford: Clarendon Press, 1976)。相反的观点见 Samuel Hollander,《亚当·斯密的经济学》(*The Economics of Adam Smith*, Toronto: University of Toronto Press, 1973)。

[8] Donald Winch,《亚当·斯密的政治学》(*Adam Smith's Politics*, Cambridge: Cambridge University Press, 1978); Knud Haakonssen,《立法者的科学:大卫·休谟和亚当·斯密的自然法学》(*The Science of a Legislator: The Natural Jurisprudence of David Hume and Adam Smith*, Cambridge: Cambridge University Press, 1981)。

政治经济学发展到今日所形成的各个分支，包括公共财政和经济史（尽管斯密本人并没有认识到所有这些分支）。

斯密因注意到劳动分工在产生经济效率中的重要性而备受称赞，而对劳动分工的研究可追溯到柏拉图的《理想国》。斯密较新颖的见解是市场规模限制着具体贸易在数量上的劳动分工。更专业的生产者（例如在牛肉生产划分中，分成饲养员、畜牧者、驱赶牲畜者、畜牧工、屠夫）形成了对于贸易和经销商来说更大的机会。与他那个时代流行的观点相反，斯密赞扬了那些从这些交易中获益的人们。

斯密对劳动价值理论持有异议，但他承认土地的成本、资本和工资一起影响了价格的构成。他分析了影响工资系统的因素，包括培训、风险、工作中的郁闷等，并对生产性劳动（如农业生产）和非生产性劳动（如表演）进行了区分，非生产性劳动“因产品的短暂性而逐渐消失”。[9] 但这一区分的主要意义在于提出了资金积累的问题及其对经济发展的意义。

175

斯密与别的苏格兰启蒙思想家共同之处在于专注于所谓的富国—穷国之争。[10] 为什么不同的国家有不同的经济发展速度——有些发展，有些停滞不前，有些甚至衰退呢？因为斯密假定赋予每个人获得经济改善的相同禀赋，并且认为在一定范围内市场法则具有普遍性，因此，这个问题就越发尖锐。他提供了一个有失偏颇的回答，他强调在农业中资金投入的水平，以及实行的机制和政治状况。例如，中国因牢固确立了国内官僚服务机构而相对停滞不前。斯密提出了“自然的繁荣过程”，即一个地区首先是从农业开始，然后是手工制造，最后从事海外贸易。但他承认，由于政府干预，许多地区已经打破这一自然的顺序。基于这一原因，斯密经常被认为是放任自由主义政策的提倡者，尽管他最后的论文集勾勒了国家在诸多方面控制公共物资，诸如教育和军事防御。

斯密对经济自由的关注是建立在洛克、魁奈和让－雅克·卢梭著作的基础之上的。他的“无形的手”的概念与曼德维尔关于个人的恶自然产生公共美德的思想具有表面相似性，但更重要的则是他对一种先定的秩序的信仰。尽管仅在《国富论》中提到过一次，但“无形的手”的隐喻最后成了那些拥护竞争性的资本主义秩序的优越性的人的流行口号。斯密更多地是从推理而不是证据上论证的，当人们追求他们自己的经济目标而不是刻意追求公共利益时，可能无意中会产生更多的公众利益。他对这个论点进行辩护，因为他相信个体比任何他人都更了解他们自己的利益，并且他对市场的力量深信不疑。

〔9〕 Adam Smith，《国家财富的本质及其原因研究》（*Inquiry into the Nature and Causes of the Wealth of Nations*），2 卷本，R. H. Campbell 和 A. S. Skinner 编（Oxford: Oxford University Press, 1976），第 I 卷，第 331 页。

〔10〕 Istvan Hont，《苏格兰古典政治经济学中的富国—穷国之争》（The“Rich Country—Poor Country”Debate in Scottish Classical Political Economy），见于《财富与美德：苏格兰启蒙运动中政治经济学的形成》（*Wealth and Virtue: The Shaping of Political Economy in the Scottish Enlightenment*），Istvan Hont 和 Michael Ignatieff 编（Cambridge: Cambridge University Press, 1983）；Donald Winch，《富裕与贫穷》（*Riches and Poverty*, Cambridge: Cambridge University Press, 1996）。

人口与经济匮乏

18 世纪的经济学家愿意把人口增长看做是国家繁荣的一个关键指标。他们也认识到经济发展的重要性。据斯密观察,即使是普通的英国村民享有的物资也比非洲统治者多。总之,启蒙时代的经济学家描绘了一幅欧洲国家和北美殖民地这些相对繁荣的地区的乐观图景。托马斯·罗伯特·马尔萨斯(1766～1834)的著作引发了明显的转变,马尔萨斯的《论人口原理》(*Essay on the Principle of Population*, 1798)给西欧的学术团体带来了真正的冲击。该书的思想来源于两个简单的基本条件:食物的需要和两性之间的情欲。马尔萨斯认为不加约束的人口增长必然会超过粮食生产,即使英国也很容易变成了遍布饥饿的地区。他的论证理论多于经验。他假设了一种趋势(尽管至今还没有出现),人口以几何率增长,而农业生产充其量仅仅以算术率增长。他也需要利润减少原理来支持他的论点(这个观点是他直到 1815 年才明确提出的),否则,更多的人必然不会意识到土地的稀缺,就要把更多的劳动者投入到土地上。

176

无论马尔萨斯分析的价值何在,它至少警告了同时代人关于(土地)稀缺的问题。这里也有许多政策性的内容:贫困扶助的废除、谷物法的更加完善、宗教教诲的传播。马尔萨斯一直声称是"人类的朋友",然而他却严格地坚持认为穷人应该自谋出路,并且学会实践"道德约束"。但他同时代的许多人很少以赞赏的口气谈到他,而他充其量也只是在间接地影响着政界(英国政府)。

马尔萨斯随后收集了相当多的证据来支持他的论点,并且在六个版本的《论人口原理》(最晚的在 1826 年)中提到了这些调查的结果。尽管这些研究没有直接影响到经济历史学家,但随着他们对马尔萨斯的观察技巧产生好感,他们也注意到英国人口的确正在快速地增长并且对于农业的增产这个增长潜力还是非常适度的。[11] 但在他的《政治经济学原理》(*Principles of Political Economy*, 1820)中,马尔萨斯的观点明显地接近斯密而不是他同时代的人,他认为农业比制造业更关键。约翰·梅纳德·凯恩斯后来高度赞扬了马尔萨斯,因为他认识到在资本主义行业中有供过于求的可能性和强调总需求的作用,但这些主题并没有成为当时的主流。

古典政治经济学

休漠、斯密和马尔萨斯为自 19 世纪 70 年代以来一直占统治地位的古典政治经济

[11] Edward A. Wrigley,《马尔萨斯的前工业经济模式》(Malthus's Model of Pre-industrial Economy),见于《马尔萨斯及其时代》(*Malthus and His Time*), Michael Turner 编(New York: St. Martin's, 1986),第 16 页;Anthony M. C. Waterman,《革命、经济学和宗教:基督教政治经济学,1978 ～1833》(*Revolution, Economics and Religion: Christian Political Economy, 1798—1833*, Cambridge: Cambridge University Press, 1991);Samuel Hollander,《托马斯·罗伯特·马尔萨斯的经济学》(*The Economics of Thomas Robert Malthus*, Toronto: University of Toronto Press, 1997)。

学奠定了基础。英国主要的代表人物有大卫·李嘉图(1772～1823)和约翰·斯图尔特·密尔(1806～1873)。古典理论基于价值的生产消耗理论,最强调的是劳动力消耗。尽管对工业化和机械普及的赞扬越来越多,但仍然把年收成看做重要的经济参数,就像商品和其售价是结合在一起的。然而,尽管认识到价格具有相当快捷的调节机制,但普遍强调的是总水平上对更长周期的再分配和分析。争论的一个首要问题是三个群体(即地主、资本家和劳动者)之间的"自然"分配的合法性问题。斯密把不同而相对冲突的动机归结于这三个群体,并在他的思想认识中表达了不满的因素。这种紧张状态被19世纪的经济学家们的叙述强化了。[12]

在古典经济学家中,继斯密之后最受推崇和争议的著作是李嘉图的《政治经济学和课税原则》(*Principles of Political Economy and Taxation*, 1817),这部卓越的、优美的经济学理论作品抛弃了斯密松散的风格和从公理化演绎的推理模式中推出不严谨的结论。李嘉图因此揭露了斯密的某些歧义性论断,特别是那些关于价值和工资的论断。相对价值与各个商品生产的劳动量成比例,与市场上商品生产者可能控制的劳动不成比例。李嘉图认为,工资增长并非通货膨胀,或者说,它们不改变相对价格。确切地说,在资金和劳动分配方面,增加工资可能会引发一系列调整,这依赖于被分析的商品是否能以高于或低于经济的平均资本—劳动比率方式而被生产。但在竞争条件下,在整个经济中体现了一种统一利率比率的倾向,原始价格体系保持不变。[13]

假设李嘉图接受了一种劳动价值理论(资本仅仅是具体化的劳动,因此能被包含在劳动成本的核算中),那么在建构价格理论时,他就提出了假定存在的价值测算。原则上,上述原则不受市场条件的影响,并且反映了整个经济的资金和劳动的平均分配比例。李嘉图认为黄金是进行这种测算的最佳选择,在一个以黄金为衡量标准的世界里,货币价格本身可以有效地对价值进行正确测算。这是一个富有创造性但不切实际的解决长期坚挺的价格指数问题的办法。

李嘉图还提出一种新的地租理论,这有效地把地租简化为转让支付方式。然而,对于斯密来说地租是价值构成中的一部分,而李嘉图则不这么认为。商品价格总是根据生产利润来决定的,如果不付地租,那么就只考虑到了劳动和资本成本。这反过来表明了地主不能对国家财富做出任何合法贡献,因而李嘉图对后来的社会主义思想家具有吸引力。李嘉图也阐明了一个利率持续下降的趋势,这归因于人口增长和收益减少。这意味着除非采取措施把资源从农业中转移出来,否则净产量将会越来越多地被

〔12〕 Maurice Dobb,《亚当·斯密以来的价值和分配理论》(*Theories of Value and Distribution since Adam Smith*, Cambridge: Cambridge University Press, 1973); Maxine Berg,《机械问题与政治经济学的形成,1815 ～1848》(*The Machinery Question and the Making of Political Economy, 1815—1848*, Cambridge: Cambridge University Press, 1980)。

〔13〕 Neil de Marchi,《里卡多经济学的经验内容与持续时间》(The Empirical Content and Longevity of Ricardian Economics),见于《经济学》(*Economica*), 37(1970),第257页～第276页;Samuel Hollaneder,《大卫·李嘉图的经济学》(*The Economics of David Ricardo*, Toronto: University of Toronto Press, 1979); Terry Peach,《解读李嘉图》(*Interpreting Ricardo*, Cambridge: Cambridge University Press, 1993)。

土地所有者所控制。

尽管古典经济学家大费笔墨地论述纸币和复本位制标准的功效诸如此类的问题，但对货币在调节经济中的重要性却是轻描淡写，政策尺度主要关注财政改革。例如，李嘉图在他的著作中几乎用了一半笔墨来论述税制的问题，密尔热情地宣扬统一比例税制，那些因为通过继承和租用土地而一夜暴富的人们除外。与对税制的关注相伴随的是修改法律和宪法的尺度。乔治和维多利亚时代的许多经济学家，包括李嘉图和密尔，都是议会议员或者是议会的顾问。纳索·西尼尔对《济贫法》(1834)的关注以及在《关于工厂法案的信件》(*Letters on the Factory Act*, 1837)中对工作日长度的关注使得他成为最具影响力的人物之一。但古典经济学理论中谈论最多的主题是《谷物法》，李嘉图及其追随者认为它是英国繁荣的最大障碍。[14]

古典经济学家们也采取各种措施在大学和科学协会中建立了他们的论题。马尔萨斯于1805年在东印度学院(随后在海丽贝利学院)中任职，成为第一位政治经济学教授。牛津大学在1819年设立了德拉蒙德教授职位(由西尼尔担任)。继剑桥大学和伦敦大学学院在1828年创立了政治经济学教学职务之后，国王学院也于1831年设立这一职务。19世纪末在英国大学有许多关于这一课题的讲师，牛津和剑桥就有九个。1833年英国高级科学协会成立的统计学分部(后来的政治经济部)，以及1838年剑桥伦理学设立的荣誉学位考试(Tripos)进一步提升了政治经济学的声誉。其他有影响的辩论论坛是政治经济学俱乐部(建立于1821年)和伦敦统计学协会(1834年)。英国当时重要期刊的内容表明了，关于贸易、货币和劳动改革的争论深深吸引了英国公众。[15] 这个时期许多杰出的科学家，如著名的约翰·赫歇尔、威廉·维赫维尔和查尔斯·巴贝奇明确承认和支持这一新课题，但并非没有保留意见。

政治经济学在那时极受欢迎，并且自然而然地(尽管并不总是以赞成的口吻提到)进入了著名的诗人和小说家的作品里。[16] 简·马尔塞的《有关政治经济学的对话》(*Conversations on Political Economy*, 1816)和哈里特·马提纽的《政治经济学图解》(*Illustrations of Political Economy*, 9卷本，1834)是关于这个课题两本最著名的著作。里查德·惠特利的《货币问题的简单课程》(*Easy Lessons on Money Matters*, 1833)，尽管是为儿童创作的，却拥有大约200万读者。借助于机械研究院和其他的工人阶级教育机构，政治经济学得到了传播。李嘉图对地主的含蓄批评有助于孕育社会主义理论，例如罗伯特·欧文、托马斯·霍吉斯金和约翰·格雷的著作。虽然如此，废除《谷物

[14] Raymond Cowherd,《政治经济学家和英国济贫法：古典经济学对社会福利政策影响的历史研究》(*Political Economists and the English Poor Laws: An Historical Study of the Influence of Classical Economics on the Formation of Social Welfare Policy*, Athens: Ohio University Press, 1977); Boyd Hilton,《谷物、现金、商业：保守党政府的经济政治学，1815～1830》(*Corn, Cash, Commerce: The Economic Politics of the Tory Governments, 1815—1830*, Oxford: Oxford University Press, 1977)。

[15] George J. Stigler,《经济思想史中的统计学研究》(Statistical Studies in the History of Economic Thought)，见于其《经济学史文选》(*Essays in the History of Economics*, Chicago: University of Chicago Press, 1965)，第41页。

[16] Gary F. Langer,《政治经济学时代的到来，1815～1825》(*The Coming of Age of Political Economy, 1815—1825*, New York: Greenwood Press, 1987)。

法》(1846)激发的经济繁荣以及工厂工作环境的逐渐改善都要归功于政治经济学。沃尔特·白芝霍特是《经济学家》(*Economist*)杂志的著名编辑,在对亚当·斯密的《国富论》百年纪念的献辞中宣称:"几乎每个英国人的生活(可能就是每个人)都因为它而各不相同并且越来越好。"[17]

约翰·斯图尔特·密尔

约翰·斯图尔特·密尔的《政治经济学原理》(*Principles of Political Economy*, 1848)是维多利亚中期的权威性著作。虽然他的目的最初是为了解决由李嘉图所引发的许多争议而不是为了打破新的课题,但他的著作所做的许多工作是为了在更广泛的社会哲学中确立经济学课程。密尔最终与哈里特·泰勒(1808～1858)结婚了,并在她的鼓舞下,在中年时转向了社会主义。他设想在某个时期对经济利益的追求将会下降,而这时人们可能开始接受其非物质性的特征。他的《妇女的服从》(*Subjection of Women*, 1869)谈到了妇女经济和政治状况的改善。[18]

密尔在1836年的文章《论政治经济学定义及其适当的研究方法》(On the Definition of Political Economy and on the Method of Investigation Proper to It)和后来的著作《逻辑体系》(*System of Logic*, 1843)中第一次详细阐述政治经济学的本体论和认识论领域。他认为财富现象包括物质和精神两个方面,因此利用了物理科学和精神科学的规律。这种二元主义在他的经济学文章中表现得很明显,他明确区分了生产规律(以物质为基础)和分配规律(以精神为基础)。后来,在亚历山大·贝恩(1818～1903)的影响下,密尔论述了在政治经济学理论中理学的重要作用,这在一定程度上为新古典主义理论铺平了道路。[19]

180

密尔认为牛顿的方法是最适合政治经济学的方法。这种方法以可信的公理和假设为开端开始推演,然后在现实世界中获得证实。然而他承认政治经济学是一门不精确的科学,部分是因为它对人性的不切实际的论述(肆无忌惮地追求财富),部分是因为相对缺乏必要的证实资料。[20]

密尔的方法论原理影响广泛,甚至对早期的新古典主义经济学家产生了影响,但它也受到了挑战。托马斯·图克的六卷本《价格史》(*History of Prices*, 1838—1875)有

[17] Walter Bagehot,《政治经济学的基本原理》(The Postulates of Political Economy),见于《经济学研究》(*Economic Studies*), R. H. Hutton 编(London: Longmans, Green, 1911),第I页。

[18] Alan Ryan,《J. S. 密尔》(*J. S. Mill*, London: Routledge, 1974); Stefan Collini, Donald Winch 和 John Burrow,《高贵的政治学》(*That Noble Science of Politics*, Cambridge: Cambridge University Press, 1983)。

[19] Fred Wilson,《心理学分析和约翰·斯图尔特·密尔的哲学》(*Psychological Analysis and the Philosophy of John Stuart Mill*, Toronto: University of Toronto Press, 1990); Margaret Schabas,《维多利亚时代的经济学与精神科学》(Victorian Economics and the Science of the Mind),见于《语境中的维多利亚时代的科学》(*Victorian Science in Context*), Bernard Lightman 编(Chicago: University of Chicago Press, 1997),第72页～第93页。

[20] Daniel Hausman,《不严密而支离破碎的经济学》(*The Inexact and Separate Science of Economics*, Cambridge: Cambridge University Press, 1992)。

助于提出用统计学方法来研究这一课题。[21] 在同一时期，里查德·琼斯和威廉·维赫维尔通过强调归纳推理和历史推理来提出一种更实在的政治经济学方法。他们的观点在19世纪六七十年代得以复兴，尤其是阿诺德·汤因比在牛津大学创立了经济历史学派。但是经济学理论保持了强有力的推理特点，甚至随着19世纪70年代的边际革命而变得更加非历史化了。[22]

边际革命

杰文斯的《政治经济学理论》(*Theory of Political Economy*, 1871)要求完全取代李嘉图—密尔理论，这被看做是边际革命的开端的声明。像瑞士的里昂·瓦尔拉斯和奥地利卡尔·门格尔一样，杰文斯试图用使用价值理论代替古典生产价值理论或劳动价值理论。经济上的阶层被既是工人又是资本所有人的合理的个体行为者代替了。杰文斯热心于在经济学理论中强化数学的作用，特别是微积分的作用。尽管早期经济学家都已转向了数学，但这确实是杰文斯及其直接的后继者(如弗朗西斯·伊西德罗·埃奇沃思、阿尔弗雷德·马歇尔和瓦尔拉斯)使经济学主流转向数学科学。这个显著转变的许多灵感来源于逻辑和物理学中的新思潮，而不是学科内部的问题或具体经济事件。[23]

181

尽管具有表面的相似性，经过经济学家完善了的使用价值理论十分不同于杰里米·边沁所宣扬的功利主义道德理论。然而这两个理论都基于人要受制于两个至上的统治者即苦和乐，这种观点对于市场现象分析具有意义，它不同于坚持道德判断和政治改革的观点。尽管在本国密尔完全是一个功利主义道德哲学家，但在他的经济学著作中不包含使用价值理论。那些像西尼尔这样首次在经济学中提出使用价值理论的人通常很少致力于发展道德理论。杰文斯把较高的和较低的需求作了划分，认为经济意义的使用只是针对低层次的需求而言的。尽管他也写了一篇论功利主义的文章，但他认为并不需要将之与经济学理论联系起来。亨利·西奇威克也持相同的观点，他的《伦理学方法》(*Methods of Ethics*, 1874)是维多利亚后期英国论功利主义的最杰出的代表作，而他的《政治经济学原理》(*Principles of Political Economy*,1883)坚定地拥护杰文斯的运动，他却很少把这两个研究领域联结起来。富有争议的是，这样的融合只出现在20世纪早期阿瑟·塞西尔·庇古对社会福利的分析中。

[21] Theodore M. Porter,《统计思想的兴起，1820～1900》(*The Rise of Statistical Thinking, 1820—1900*, Princeton, N. J.: Princeton University Press, 1986)。

[22] Alon Kadish,《19世纪后期的牛津经济学家》(*The Oxford Economists in the Late Nineteenth Century*, Oxford: Clarendon Press, 1982); John Maloney,《马歇尔，经济学的规范性和专业性》(*Marshall, Orthodoxy and the Professionalisation of Economics*, Cambridge: Cambridge University Press, 1985)。

[23] Philip Mirowski,《热多光少：作为社会物理的经济学，作为自然经济学的物理学》(*More Heat than Light: Economics as Social Physics, Physics as Nature's Economics*, Cambridge: Cambridge University Press, 1989); Bruna Ingrao 和 Georgio Israel,《看不见的手：科学史中的经济平衡》(*The Invisible Hand: Economic Equilibrium in the History of Science*, Cambridge, Mass: MIT Press, 1990)。

然而,从更广泛的意义上来说,功利主义思想从它一开始就融入了古典政治经济学。斯密在分析经济关系时经常涉及社会底层的幸福。李嘉图和两个密尔都努力追求杰里米·边沁清楚地阐明了的那些同样的、世俗的、改良主义的目标。经济理论从来没有完全从道德哲学中分离出来,就像理论物理学从来没有割断它与自然哲学和形而上学之间的联系一样。

自启蒙运动晚期以来的一个世纪,政治经济学主要集中在大不列颠并在那里得到发展。正如 E. J. 霍布斯鲍姆所评论的,"资本时代"显然属于英国经济学家,既包括那些高水平者(诸如李嘉图和密尔),也包含相当多的二流的理论家(诸如西尼尔)。[24]这一事实是毋庸置疑的。英国早在 1688 年就进入一种较自由和进步的时代,中产阶级和激进的年轻人如休谟、边沁和密尔在政治和经济研究方面取得了许多成就。但政治经济学不仅仅是骚动的灵魂的避难所。对于每个激进的反对者来说,大家都能举出一个维护现状的经济学家,最著名的有斯密、马尔萨斯和马歇尔。

一个可能较重要的因素是大不列颠在全球经济力量的振兴。英国知识分子作为世界工厂的居民,愿意在经济问题上花费时间和精力,并且努力维护政治经济学的科学地位,尤其是科学促进了工业超过了农业的发展,这种说法似乎不无道理。这些论文有一种直觉的诉求,然而,有些证据也是含义模糊的。对于每一个辩护者来说,都有一种超越国家利益之上的崇高的理想。而且,法国和德国的经济学家意识到了资本主义时代和工业时代的来临,阅读了斯密和李嘉图的著作,因此发展了这一主题。实际上,他们的经济发展落后于英国,这个事实也是研究经济的一个明显动力。这期间尽管德、法科学家们的经济学著作等身,但是与英国经济学家相比,其影响要小得多。

此外,英国经济学家随时随地都在致力于探求科学的基本原则,理论论断以这样一种方式来表达,以便从当时的具体争论和具体条件中摆脱出来。斯密的巨著告诉我们有关古罗马的许多经济状况几乎和当时英国一样。事实上,如果没有资本主义时代的到来,很难想象李嘉图会写出这样的作品,当然除此之外也有一些限制了其分析范围及其应用的历史主义特征。与通常的想象不同,政治经济学是一种文献研究,一种对文本的内在分析。当经济学家乐于相信良性的经济学时,他们的研究常常以纯理论研究为导向。政治经济学在英国的繁荣并不难理解,最终可以追溯到配第和洛克的思想传统。以稳定的政治体系为基础,他们对政治算术和自由意识形态的建构各自成为维多利亚时期的政治经济学。

(李治平　译　李红　校)

[24] E. J. Hobsbawn,《资本家时代,1848 ～1875》(*The Age of Capital, 1848—1875*, London: Abacus, 1975),第 316 页;Schumpeter,《经济分析史》(*History of Economic Analysis*),第 382 页～第 383 页,第 757 页。

12

马克思与马克思主义

183

特雷尔·卡弗

卡尔·马克思(1818～1883)吸收和改造了,但是从来没有拒绝德国关于知识与科学的学术传统。这个把科学视为知识学*的传统,起源于对语言和真理的唯心主义的假定——这与英语中的通常用法中的以及英美世界关于科学的哲学中的经验主义形成鲜明对照。而且,与那些认为社会科学可以超然于政治之上,或者可以在政治问题上不偏不倚,社会科学家可以与政治无关,或者至少可以在互相冲突的政治立场中保持中立的观点相反,马克思的社会科学概念具有鲜明的政治色彩,这与他作为社会科学家的活动是一致的。因为有了这些差别,从马克思所生活的那个时代起,马克思和马克思主义就被看做是一个"马克思主义"的领域,就被视为构成社会科学的各种各样的规则中的一种替代,虽然在特定民族的语境中,有时社会科学在很大程度上是以马克思主义的参考框架来建构的(比如在法国),有时社会科学则以与马克思主义的概念相对立的框架来建构(比如在美国)。同样毋庸置疑的是,无论就实在论而言还是就方法论而言,马克思主义的社会科学都深刻地影响了一般的社会科学和总体的科学哲学,从而使得"我们现在都是马克思主义者了"这样的话语简直是不言而喻的了。

知识学

倘若以一种系统的方式来定义知识学的话,在德国的传统中,知识学所指的知识是最广义的知识。因而,虽然自然或物理科学**与社会或人类科学***源于不同类型的方法论,但并不必定因此而构成知识的独立领域。而且,就方法与内容而言,哲学与科学也没有严格的区分。在这一传统中,最具有抱负的著作则非 G. W. F. 黑格尔(1770～1831)莫属了。在他个人撰写的著作中,以及在一个百科全书式的概述中,他试图把有关人类文明和历史、社会关系和国家、自然和自然科学、逻辑和方法,以及人类的意识

184

* 原文为德语 Wissenschaft——译者注。
** 原文为德语 Naturwissenschaften——译者注。
*** 原文为德语 Geisteswissenschaften——译者注。

本身的全部知识都囊括进一个系统中。黑格尔不仅把哲学的考察范围拓展至一切研究领域,特别是拓展到了有关历史和国家等具有政治争议性的领域,而且,他给了哲学家—科学家一个可以明确估价的任务——揭示创造活动中的意义,并且使它与意识相协调。在宣称概念会倾向于在实践中实现自身,并向知识中的绝对精神发展的基础上,黑格尔认为,上述任务的完成是一个通过描述概念之间的"辩证"关系而发现否定中的肯定的过程或超越矛盾的过程。通过这种方式,黑格尔拒绝了那种认为我们头脑中的一切都起源于感觉经验的经验主义观点,在更大的范围内推进了他的前辈伊曼纽尔·康德(1724～1804)的唯心主义。除了那种认为"知识只有通过概念和概念之间的关系才能被理解"的观点而外,黑格尔有时也倾向于主张某种普遍精神即便没有给出存在着的一切事物得以发展的根据,也至少在其发展中创造了意义。如果少点雄心和神学意味的话,我们可以认为,黑格尔把知识的获得定位于一种概念框架中,而这一框架是具有社会性特征,并历史地发展着的。[1]

黑格尔去世后,他的德国信徒和解释者要在他的手稿和讲演录的基础上完成他的整个体系,同时要探究他所表达的思想中的价值和他的表达中所包含的精确方法。他的哲学方法是仅仅调和应然与实然,还是允许批判性地揭示应然,并制定行动的纲领?黑格尔的方法是非常晦涩的,而且是有意、一贯如此。为了证明和支持与宪政主义相敌对的德国传统的帝国政权,他在 19 世纪 30 年代的著作中采用了一种保守主义的论调。在那里,民主化被描绘成了一种国外的东西,因为它与法国在革命战争中的侵略相伴而来;被描绘成一种具有破坏性的东西,因为它通过议会选举和对军事权力进行法律限制而推动了政治上的广泛参与。

因而,当马克思长大成人的时候,黑格尔就是德国学术和政治论争的焦点了。实际上,学术和政治基本上是一致的,因为(在当时的德国)政治参与被限定在一个很小的精英圈子里,它在大学里几乎不被容忍,在其他地方也遭受了沉重的打击。就这样,政治明显地被学术化了,并经常被人们用一种温和的方式加以推进。知识的基础的问题,即知识学的特征和哲学家—科学家的地位问题,与那个时代的首要问题,即基督教的真理问题和基督徒的信仰的本质问题,有着最紧密的关联。这是因为,保守的德国统治者们总是把自己的政治权威建立在基督教的这种或那种形式上,把对他们的统治的任何质疑都视为对宗教信仰的攻击,把对他们的权威的一切批判(比如像立宪主义者所做的那样)都视为蛊惑人心的无神论。

185

虽然对有些革新主义者来说,黑格尔的哲学化了的基督教还是用一种最新的方式为灵性在世界上的存在留出了位置,但是,对一些保守派而言,这就已经标志着对于原原本本的正统的一种危险的偏离了。马克思出身于一个因为政治原因而已经皈依了

〔1〕 对马克思与黑格尔在哲学上的内在关联,David-Hillel Ruben 作过仔细的考察,参见《马克思主义与唯物主义:马克思主义的知识理论研究》(*Marxism and Materialism: A Study in Marxist Theory of Knowledge*),第 2 版(Brighton: Harvester, 1979)。

路德教(在 Rhineland 的天主教地区)的犹太家庭。但是,传统权威关系中的任何宗教信仰在这个年轻人身上显得如此微弱,以至于当他还在波恩和柏林上大学的年月里(1835～1841),宗教信仰就已经在他身上基本消失了。从那以后,马克思就拒绝了传统的基督教,拒绝了一切宗教和宗教虔诚,而是信奉了人民主权和民主政治的极端政治学说。借助于对政治和宗教,以及对二者之间任何假定的关联的批判,他成了一个左派黑格尔主义者,像《耶稣传》(*Life of Jesus*, 1836)的作者 D. F. 施特劳斯(1808～1874)那样,充满怀疑精神,具有泛神论倾向。同时也成了一个所谓的青年黑格尔派,像《基督教的本质》(*Essence of Christianity*, 1841 年第 1 版,1843 年第 2 版)的作者费尔巴哈(1804～1872)那样,具有无神论和人本主义倾向。[2]

综　　合

众所周知,马克思综合了德国的哲学、英国的政治经济学、法国的社会主义和革命学说。当然,我们必须牢记于心的是,任何把这些部分从马克思所创造的整体中孤立地分离出来的做法,必定会有损于马克思对于社会科学的原创性贡献。[3] 依据前面的论述显然可以得知,马克思的科学观是在德国独特的传统中形成的。其他两个部分——社会主义学说和政治经济学,是于 1841 年马克思与共产主义者莫泽斯·赫斯(1812～1875)接触时进入马克思的视野的。莫泽斯·赫斯的《欧洲三同盟》(*The European Triarchy*, 1840)预示了后来马克思(对哲学、政治经济学和社会主义学说)所进行的综合。当黑格尔的《法哲学》(*Philosophy of Right*, 1821)把社会阶级作为一个政治问题,并且采取"一揽子"解决问题的方式尝试着考察社会的经济方面时,黑格尔对政治经济学这门相对来说还算新兴的科学的理解还是很不完全的和粗略的。这不仅仅因为政治经济学是以一种关于事实、描述、因果律的经验的分析框架为前提的,而且因为这种个人主义分析框架与唯心主义哲学是格格不入的。与亚当·斯密(1723～1790)、亚当·弗格森(1723～1816)、詹姆斯·斯图尔特爵士(1712～1780)以及其他大致说来可以划归到苏格兰学派的经济学家们一道,黑格尔和他的弟子们(在政治经济学研究方面)取得了一些有限的进展。赫斯的先见之明*成了马克思的长期工程:现代工业造就了富裕与贫困的一个新的极端、一个新的贫困的雇佣劳动者阶级,以及民主革命的一种新的潜力。

186

推翻那种基于私人所有权体系、收入与财富不平等的社会,在所有权普遍化原则的基础上建立一个平等的社会,这种共产主义,既是赫斯的目标,也是马克思的目标。

〔2〕 参见 David Mclellan,《青年黑格尔派与卡尔·马克思》(*The Young Hegelians and Karl Marx*, London: Macmillan, 1969)。
〔3〕 V. I. Lenin,《卡尔·马克思:传略及马克思主义概述》(*Karl Marx: A Brief Biographical Sketch with an Exposition of Marxism*, 1918),载于《列宁选集》(*Collected Works*),第 4 版,第 21 卷(Moscow: Foreign Languages Publishing House, 1964),第 50 页。(另参见《列宁选集》,第 2 卷——译者注)
* 指把哲学、政治经济学与社会主义结合起来——译者注。

此外，在关注社会不平等问题时，黑格尔和青年黑格尔派提出了使社会井然有序、和平相处的建议，这些建议要么是类似中世纪的“王国的遗产”，要么是可怜的获救秘方。被赫斯和马克思考察与研究过的那些法国社会主义者［亨利·圣西门(1760～1825)、夏尔·傅立叶(1772～1837)、艾蒂尔·盖伯尔(1788～1856)等］已经为共产主义社会提出了详尽的乌托邦构想——尽管他们在构想的基本原则，以及如何实践这些构想等方面还有很大分歧。这些分歧涉及精英管理、工作就是娱乐、寓言的幻想等。马克思敏锐地、决定性地拒绝了任何小规模的、殖民般的，以及宗教式的方案。他所支持的任何共产主义必定与群众性的民主政治和源自英国，并即将席卷整个欧洲的工业时代的阶级政治是一致的。按照这样的观点，他的社会科学则没有“为未来的食堂”开出调味单[4]，虽然他也偶尔允许自己提出一些关于短期与长期目标的纲领——这些纲领是共产主义者能够根据当时的发展趋势恰当地、科学地提出来的。

现在，我们才可能明白，马克思的社会科学作为一种综合的规划，早在1842年就产生了。当然，我们能够做出这样一种判断仅仅是因为马克思的早期文章、手稿、通信现在可以为人们阅读了。在马克思所生活的时代，公众只能是通过令人眼花缭乱的辩论文章和报纸杂志来了解马克思的想法。然而，通过这种方式了解的马克思的思想，已经为政府的审查、编辑上的需要、出版的经济，以及种种政治上的考虑所过滤。似乎马克思的心之所想，既不是一个黑格尔式的哲学体系，也不是赫斯风格的、为赚取稿费而粗制滥造出来的作品。毋宁说，马克思提出了一种统一的科学。不仅就其主题，而且就其先决条件而言，这种科学都具有社会性。对马克思来说，自然科学不是人类个体通过做“纯粹的”研究而揭示出来的关于毫无生气的客体的知识，而是一种置身于社会之中的活动——这种活动生产知识，而知识将通过技术在工业中的运用给整个人类带来深远影响。社会科学在其根基之处就具有历史性和政治性，它是以发展的而不是静止的观点来看待一切人类现象的，而且，它有其明确的目标——把人类从阶级冲突中解放出来，实现社会(从必然王国)向自由王国的转变。[5]

187

马克思并不是一个喜欢给自己贴标签的人。他否认自己是一个“马克思主义者”，也几乎不把自己看做一个唯物主义者，而且，他也不是特别地关注社会主义者和共产主义者的区分。[6] 只是在某些场合，他才凸显自己观点的特色——强调生产在人类社会生活中所处的中心地位，以及生产在不同生产方式(比如古典的、亚细亚的、封建的，

〔4〕 Karl Marx，《资本论》(*Capital*)，第1卷，Ben Fowkes 译(Harmondsworth: Penguin Books/ New Left Review, 1976)，第99页。(另参见《马克思恩格斯选集》，第44卷，人民出版社，2001年6月版，第19页——译者注)

〔5〕 参见 Karl Marx，《1844年经济学哲学手稿》(*Economic and Philosophical Manuscripts of 1844*)，载于《马克思恩格斯选集》，第3卷(London: Lawrence and Wishart, 1975)，第302页～第304页。

〔6〕 参见《恩格斯致爱德华·伯恩斯坦》(1882年11月2日至3日)(Engels to Eduard Bernstein)，见于《马克思恩格斯选集》，第46卷(London: Lawrence and Wishart, 1992)，第356页；《恩格斯致康拉德·施米特》(1890年8月5日)(Engels to Conrad Schmidt)，见于《马克思恩格斯通信选集》，I. Lasker 译，第2版(Moscow: Progress Publishers, 1965)，第415页。(另参见《马克思恩格斯选集》，第35卷，人民出版社，1971年6月版，第385页；《马克思恩格斯选集》，第37卷，人民出版社，1971年6月版，第430页～第434页——译者注)

以及现代资产阶级的或者资本主义的)中的发展。马克思认为,在“经济结构”的地基上,有“法律的和政治的上层建筑”竖立其上,并有一定的“社会意识”形式与之相适应。它们都通过不同的阶段发展为现代的阶级斗争和宪政革命的民主政治。马克思致力于使这两者统一。从而,马克思认为,对现代工业生产的研究,应该成为一切可以让人信服的社会科学的中心环节;这样的社会科学(著作)将是一种批判性的分析,它是为了推进工人阶级在民主化了的社会革命中的政治利益而写的。[7]

马克思阅读过他们的作品的那些政治经济学家,比如杰出的大卫·李嘉图(1772～1823),一般持这样的观点,即工业资本主义是社会进步,至少从更为长远的观点看是如此。因而,为了达到更为长远的目标,忍受新的财富和商品的生产所带来的贫穷和不幸将是必要的,虽然这让人感觉有些遗憾。与上述政治经济学家相反,马克思认为,随着贫富差距的加剧,生产力的潜能与其现实发挥之间的鸿沟越来越明显,资本主义将易于发生经济危机和常见的荒唐。这种观点,青年弗里德里希·恩格斯(1820～1895)在自己的《政治经济学批判大纲》(Outlines of a Critique of Political Economy)(该《大纲》收录于马克思1844年编辑出版的文集中)中已经独立地描绘过了。[8] 正是马克思承担了科学地揭示、分析资本主义的任务。[9]

批 判

这项工作于1844年正式开始。这一年马克思开始阅读法文版或法文翻译版的政治经济学经典著作,因为,在那时,德国人对这一科学的贡献还微乎其微。当马克思下决心要对“法律、道德、政治等”进行一次彻底的批判的时候,他同时还面对着一切黑格尔派的知识学(对“法律、道德、政治等”)所进行的批判——黑格尔派的知识学宣称,要向人们展示“法律、道德、政治等”主题是如何互相关联的。许多具有更为鲜明的政治倾向性的著作,对于紧迫的国内环境的考虑,连续不断地干扰马克思的生活,迫使他一再地修改自己的写作计划。他最庞大的计划是,写一部六册的政治经济学批判著作(包含资本、土地所有权、雇佣劳动、国家、国际贸易和世界市场)、一部政治经济学与社会主义思想体系的批判史著作和一部关于经济关系的实际发展方式的历史概览的著作。[10] 在马克思有生之年出版的著作是《资本论》(*Capital*)第一卷(1867年第1版,

188

[7] Karl Marx,《〈政治经济学批判〉序言》(*Preface to A Contribution to the Critique of Political Economy*, 1859),见于《马克思恩格斯选集》,第29卷(London: Lawrence and Wishart, 1987),第261页～第265页。(另参见《马克思恩格斯选集》,第2卷,人民出版社,1995年版,第31页～第35页——译者注)

[8] Marx,《马克思恩格斯选集》,第3卷,第418页～第443页。(另参见《马克思恩格斯选集》,第1卷,人民出版社,1956年12月版,第596页～第625页——译者注)

[9] Terrell Carver,《弗里德里希·恩格斯:生活及思想》(*Friedrich Engels: His Life and Thought*, Basingstoke: Macmillan, 1989),第1页～第132页。

[10] Karl Marx,《关于方法的文章》(*Texts on Method*), Terrell Carver编译(Oxford: Basil Blackwell, 1975),第29页～第31页。

1872 年第 2 版,1872 年俄文翻译版,1872～1875 年法文翻译版,1883 年第 3 版)。自从《资本论》第二卷(1885)和第三卷(1894)(这两卷基本上是由恩格斯编辑的)陆续出版以后,数量庞大的准备资料、卓有成效的手稿(*Grundrisse*,主要写于 1857 年和 1858 年)也以各种各样的版本形式面世。马克思的经济学资料的出版史和版本基础是极端复杂的,依然在研究之中;但是,我们有充足的理由说,马克思想创作一部"经济学范畴体系批判"的意图已经成熟到了这样一种程度——他所做的工作在如下两个方面为社会科学做出了重大贡献:

第一,在马克思的著作中,生产活动在存在阶级分化的社会的日常生活中,从而在社会变革(无论是革命还是改革)的民主政治中的中心地位是显而易见的。然而,在 19 世纪四五十年代,凡是出版发行的著作,例如《共产党宣言》(*Manifesto of the Communist Party*,1848)和《〈政治经济学批判〉序言》(*Preface to A Contribution to the Critique of Political Economy*,1859)(这一《序言》只是预示了一个更大的研究计划)只是一般的纲领性的声明。而且,与理解社会和推动政治变革的传统方法不同,马克思特别重视社会生产在历史与现实中的重要性。泛泛地说,传统的观点是,理性的方案(不管传统的、宗教的、道德的、自由的或者乌托邦的)是影响改革,从而"自上而下"推动社会进步的唯一方式。而马克思之后,一场关于革命是否可以"自下而上"地开展的争论,在新近的、正处于工业化过程中的、社会的普通人民的头脑和活动中产生了。

主要通过这次争论,人们才意识到马克思在社会科学领域中的重要性,虽然在恩格斯之后,争论者已经以迥然有别的方式定义他们的术语和问题了。一种极端的观点是"技术"或"经济"决定论。这种观点认为,生产方式具有以几乎完全自动的方式实现内部调整与根本变革的能力,而社会革命只是对生产方式变动的简单适应。[11] 这种观点在卡尔·考茨基(1854～1938)的《唯物主义历史观》(*Materialist Conception of History*,1927)中有经典概述——该书认为,国际共产主义革命取决于发达资本主义国家不可避免的崩溃。根据这个观点,政治行动不应该超前于经济条件。另一种极端的观点是"革命派"或"工人主义派"的观点。这一观点认为,阶级斗争是生产方式转换的手段。在《怎么办?》(*What Is to Be Done*,1902)和《社会民主党在民主革命中的两种策略》(*Two Tactics of Social Democracy in the Democratic Revolution*,1905)中,弗·伊·列宁(1870～1924)认为,如果有职业革命家的领导,一个落后社会中的力量较小的工人阶级依然可以实现工农阶级的国家专政;工农专政的实现,将引发一场国际共产主义革命运动,继而摧毁资本主义的生产方式。爱德华·伯恩斯坦(1850～1932)的"修正主义"的《进化的社会主义》(*Evolutionary Socialism*,1899)提出了一种不同于上述两种观点的新观点——政治任务随着经济发展的进程而改变。按照伯恩斯坦的看法,马克

189

[11] G. A. Cohen,《卡尔·马克思的历史理论:一个辩护》(*Karl Marx's Theory of History: A Defence*, Oxford: Clarendon Press, 1978)。

思的阶级斗争学说和无产阶级革命理论可以用一种政权与经济结构的和平改造理论来代替，作为手段的民主优先于作为目标的社会主义。

第二，19 世纪 70 年代以来，马克思解决问题的方案就已经既被看做是对传统的关于社会生产的理论（无论是古典政治经济学派，还是新近的、还处于发展过程中的边际学派）的批判，又被看做是对社会生产（比如，在交换的货币体系中，为了利润而进行的商品生产）领域中的传统实践的批判了。马克思的社会科学假定，传统经济学范畴，如价值、货币、商品、资本，共同构成一个知识体系。而且，马克思的学说还假定，这些范畴的世俗说法同样说明了商品社会中日常生活的社会实践。马克思的“新唯物主义”，一方面，提出和定义了经济分析的模式；另一方面，在其与反映和解释经济的政治活动之间建立了联系，使之成为社会科学的根本问题。但是，在这一点上，马克思的观点从未被充分地理论化，而是被人们以差别悬殊，甚至截然相反的方式解读了。

马克思把资本主义的经济实践活动与社会科学的语言联系起来的做法，在马克思主义经济学中已经很不被赏识了。一般说来，马克思主义经济学吸收了传统的经验主义思想。依据这种思想，社会科学这一概念仅仅是一些构想——这些构想反映和模拟（特别是用数学的，或者至少是正式的术语）被视为是经济的社会（比如典型的金钱社会）的结构和进程。虽然艾根·冯·庞－巴卫克（1851～1914）也假定了社会科学的分析和政治的价值判断之间的区别，但是他的《卡尔·马克思和其体系的死胡同》（*Karl Marx and the Close of His System*, 1898）这本书依然在上述观点的基点上批评了马克思，并且准备为“资产阶级”的经济学另寻他途。继而，随着马克思死后经济学的发展，马克思主义经济学家改变了《资本论》中的分析术语，而采用了（传统的经验主义的）假设和方法，并且好多年来全神贯注于研究“转移问题”。这个所谓“转移问题”涉及一个正式的证据——市场价格可以来源于劳动投入。而这一证据表明，马克思的如下观点是正确的：抽象地和一般地说，商品在市场中的交换价值，只是代表了整个生产过程中的社会必要劳动力的耗费。马克思的著作《资本论》是否的确需要这个证据？它是否确实提出了这一问题，或者是不是用马克思主义经济学家所说的那种方式提问的？需要被继续阐明的那些假设是否与《资本论》各卷中的其他方面相一致？这样一个证据是否会导致一些重要的政治后果？——这些都是在社会科学的语境中产生的问题。通过辩论，马克思主义经济学家认为，马克思的如下根本主张仅仅是一种假设：劳动力是一种特殊的商品，它可以生产出超过自身再生产的需要的价值，因而，剩余价值（和全部利润）只能从人类劳动中产生出来。虽然在这些人中有些是被马克思影响了的劳动和福利经济学家，但是他们同样置上述根本主张于不顾。

190

与上述理解形成鲜明对照的是，在通向社会科学的更深的路径那里，马克思被解读为发现了概念所固有的逻辑，尤其是经济学概念的逻辑——个体的生活世界就是由这个逻辑来建构的，而且，通过这一逻辑，越来越有效地阻止个体间的疏远和集体的荒唐行为才成为可能。这种解读在格奥尔格·卢卡奇（1885～1971）的《历史与阶级意识》(*History and Class Consciousness*,1923)那里有它的理论根基。《历史与阶级意识》主张把工人阶级的政治活动和共产主义的历史变革联系起来,但这却使整个方案看起来更成问题。对社会科学的最宽泛的理解是把它理解为社会学。在这种理解中,马克思的学说被认为既是分析的又是构成的。N. I. 布哈林(1888～1938)的《历史唯物主义:一种社会学体系》(*Historical Materialism: A System of Sociology*, 1921)和马克斯・阿德勒(1873～1937)的《马克思主义的社会学》(*Sociology of Marxism*, 两卷本,1930、1932)这两部早期的系统化著作代表了一个循环争论,前者坚持在19世纪末流行的关于事实和缘由的实证主义观点,而后者则把马克思的学说看做一切社会知识的必要条件。[12]

实　践

191

虽然在马克思自己生活的时代,他的社会科学是如此地被政治化,但是,到目前为止,马克思的社会科学已经在一些非常学术化著作中呈现出来了,并且很快就被一般只在学术环境内起作用的知识分子所接受。当然,学术环境不是与政治无关或者不受政治影响的,而是与其他事物一样,是政治活动中的一个焦点。在民主宪政大行其道的社会中,政治和(政治)参与已经显著地发展到政党选举、政府决策制定和公众知情权的正式结构中去了。但是,马克思所生活的19世纪40年代的德国却不是这样的。在马克思以后,(政治参与的)这些形式和它们的效力在全世界范围内多样化了,甚至还有一段时期倒退回绝对的权威主义;这种转变今天依然在发生。曾经有一段时间,马克思本人是一个活跃的共产主义者,他参与了西欧争取民主权利和自由的斗争——经过艰难的斗争,人们取得了一些权利和自由,但是随后这些权利和自由又很快在1848年和1849年的革命中失去了。从19世纪50年代开始,随着为政治自由而斗争变得更加大众化和更少具有排外性的既成的学术观念、宪政以及具有参与特征的政治开始取得进展。而在这段时期,马克思基本上避免被卷进国家政治的漩涡,因为,在英国,他只是一个被放逐的人,而且其中也有家庭方面的原因。马克思的思想,虽然产生于1840年的政治假设,也成为这些斗争的一部分,并且被恩格斯专门地概念化为"科学社会主义"这一马克思本人从未使用过的短语。[13]

因而,以一种不同寻常的方式,马克思主义的社会科学不仅被政治化了其基本原则,而且还被在党派运动中发展了。不过,非马克思主义的社会科学也同样充满了政治的企图——以实践的观点看,它们用以影响社会生活的一切领域的种种政策都具有

〔12〕 Anthony Giddens,《历史唯物主义的当代批评》(*A Contemporary Critique of Historical Materialism*),第1卷:《权力、财产与国家》(*Power, Property and the State*, Basingstoke: Macmillan, 1995),第2版;第2卷《民族国家与暴力》(*The Nation-State and Violence*, Cambridge: Polity Press, 1985)。Jürgen Habermas,《理论与实践》(*Theory and Practice*),John Viertel 译(London: Heinemann, 1974)。

〔13〕 Paul Thomas,《批判地接受:马克思之后与当代》(Critical Reception: Marx Then and Now),载于《马克思》(*Marx*),Terrell Carver 编(Cambridge: Cambridge University Press, 1991),第23页～第54页。

政治的本质。马克思主义的社会科学在如下两方面与非马克思主义的社会科学不同：它以马克思和恩格斯的著作为经典；而且，它被一定的政治制度自觉地作为国家意识形态——其中还有一些国家因它们的地域辽阔、人口众多、帝国性倾向和战略重要性而著名（比如俄国和中国）。需要补充说明的是（考虑到马克思对于欧洲阶级斗争的关注，这些补充可能会让人惊讶），马克思主义也被一些这样的国家的民族解放运动所采用，在这些国家，资本主义是以西方帝国主义渗透的形式起源的，而当地的生产还主要是农业生产（这些国家包括古巴、越南和其他殖民地以及前殖民地，在那里马克思主义政党因为内部和外部的种种原因还没流行）。可能我们可以用这样一种观点来总结这一特殊性：关于合理性和官僚政治的社会学，比如马克斯·韦伯（1864～1920）的社会学，对日常社会生活的影响，可能比正统的马克思主义的辩证唯物主义与历史唯物主义理论还要大；而韦伯主义者所谓的政党和有组织的运动根本就不存在。

192

事实上，社会主义运动和民主斗争中的广义的阶级意识，通常会“自下而上”向马克思主义者提出政治问题，而这又会反过来影响他们的社会科学的建构。对于马克思主义者来说，“妇女问题”就是以这样的方式提出来的。因为，无论马克思，还是恩格斯都没有明确地同任何妇女运动联系过，也没有参加过当时所流行的任何有关妇女的争论。他们俩都知道当时的女权运动，但是都基本上只对具体的观念和事件做出反应；都怀疑基于权利和问题的各种各样的妇女斗争实际上属于占优势的中产阶级的斗争，这些妇女斗争与被剥削的工人阶级的成员（无论男女）没有什么关系。以性别来给运动划线，在任何意义上都不是马克思和恩格斯加以考虑的。他们也不承认下述主张：在共产主义运动之下，工人（一般被称为“男性被雇佣者”）建立起自由的两性与家庭关系——为了男人也同时为了女人，将遭遇重重困难。恩格斯的《家庭、私有制和国家的起源》（*Origin of the Family, Private Property and the State*, 1883）和奥古斯特·倍倍尔（1840～1913）的《社会主义运动中的妇女问题》（*Woman under Socialism*, 1883）就开出了一个“妇女问题”的清单（比如各种家庭形式中的权利和权威、两性关系和再生产、婴儿照看和家务劳动、公共领域中的妇女劳动等问题），以他们那个时代的历史人类学理论和假设框架为基础，同时，它的概念和实质也都属于马克思主义社会科学的范畴。如果就科学的政治中立性，以及与价值无涉的客观性这一目标而言，马克思的思想和马克思主义的学说都没有资格成为科学。但是，正如这里所已经详述的那样，马克思本人仍然力图说服许多读者相信：知识永远不可能是与政治无关的，因而，事实上无论是作为个体的反省还是作为集体的实践，都永远不能与价值分离。如果我们承认马克思的社会科学概念在这方面是合法的，那么，我们就不能仅仅根据它明显的和根本的政治性，来断定它的不可靠。反之，如果认为仅仅是政治性的引入就能使得一个论断具有科学性，那就是一种非常另类的主张了，即使这个政治性的引入具有“共产主义的”或者“无产阶级的”特性。然而，相当多的声称自己是马克思主义的社会科学无疑地掉入了上面说的这个陷阱，特别是那些以约瑟夫·斯大林（1879～1953）和毛泽东

(1893～1976)的观点为理论基础的著作更是如此。约瑟夫·斯大林和毛泽东都声称提供了一种关于辩证法和矛盾的方法论,而无论他们的政党的路线怎样变换,这种方法论都可以确保他们的政治运动是科学的和不容置疑的。[14]

如果仅仅是政治性的引入并不能够使得马克思主义者们确信他们自己的推论是科学的,那么这些草案、方法论将是什么呢?或者马克思在他的著作中运用的方法,同样对其他人来说也能够是适用的?马克思本人中年时曾提出了一个关于方法论论断的思想,或者毋宁说是一个专门用于披露他在黑格尔的哲学中所发现的有用的东西的思想。[15] 然而,正如我们已经知道的那样,他从来没有把这一思想诉诸文字,虽然有很多关于方法论的思考散见于他的著作以及很多材料中——据此,注释者们可以根据自己的推论重建一种方法论体系。这一进程,开始于恩格斯为马克思的《政治经济学批判》写的由两部分组成的书评(1859),极好地浓缩于卢卡奇在1923年提出的警句:马克思主义的"正统",仅仅指的是"方法"。[16] 于是,为了理解主流马克思主义社会科学的发展和重要性,我们必须回到马克思本人的著作和恩格斯对它们的通俗解释——应该注意的是,注释者们现在已经倾向于在二者之间划清界限。

193

方 法

从1859年开始,恩格斯担负起了评论马克思的著作,并使之通俗化的任务(马克思本人也曾助他一臂之力)。同时,通过影响各民族的合法的和秘密的政党组织(尤其是德国的政党组织),他们俩共同为获取政治信任和马克思思想的影响而努力。他们参与了19世纪40年代早期的国际共产主义运动,以及随后的"国际工人协会"(又称"第一国际")。在19世纪六七十年代,"国际工人协会"促进了国际工人运动的信息交流和跨国合作。恩格斯的独特贡献在于,把马克思既作为科学家又作为哲学家呈现于公众面前,并通过把马克思的学术抱负与国内国际的社会主义政治联结起来这样一个传记性叙事来支持这种呈现。恩格斯不仅概述了他所认为的马克思著作中的精华部分,而且至关重要的是,他选择和界定了一种可以使关于马克思思想的概述得以随之被建构起来的术语体系。为了给德国的读者造成一种马克思既是科学家又是哲学家的印象,恩格斯把马克思描绘成德国最早的社会科学家。恩格斯之所以这样做,首要的是因为他精通法国和英国的政治经济学,当然也由于马克思的新经济学与新兴的

[14] Karl Popper,《开放社会及其敌人》(*The Open Society and Its Enemies*),第2卷:《预言的高潮:黑格尔、马克思及其后果》(*The High Tide of Prophecy: Hegel, Marx and the Aftermath*, London: Routledge, 1966)。

[15] 《马克思致恩格斯》(1858年1月16日)(Marx to Engels),载于《马克思恩格斯选集》,第40卷(London: Lawrence and Wishart, 1983),第249页。

[16] Frederick Engels,《卡尔·马克思:政治经济学批判,第一分册》(*Karl Marx: A Contribution to the Critique of Political Economy*),载于《马克思恩格斯选集》,第16卷,(London: Lawrence and Wishart, 1980),第465页～第477页。(另参见《马克思恩格斯选集》,第2卷,人民出版社,1995年版,第36页～第46页——译者注)Georg Lukács:《历史与阶级意识》(*History and Class Consciousness*),Rodney Livingstone 译(London: Merlin Press, 1971),第1页。

无产阶级息息相关。从而,我们可以说,恩格斯是把马克思与一种具有创造性的科学方法联系起来的第一人,并使之成为社会主义政治学中的重要政治问题。

在具体论及他所指称的马克思的"唯物史观"时,恩格斯赞成把"辩证法"置于("唯物史观"的)中心地位。把黑格尔的唯心主义辩证法与关于"一成不变的范畴体系"的唯物主义(这种唯物主义发展于18世纪,并以当代自然科学和"资产阶级的普遍观念"为前提)相对照,恩格斯宣称,马克思颠倒唯心主义哲学是为了创立一种"新的唯物主义世界观",接着,马克思提取了黑格尔逻辑学中的"精髓",从而建构了一种"新的辩证的方法"。这使得马克思能够科学地说明经济的历史发展,科学地分析正以一种不可遏制的力量在欧洲及其他地方发展的当代资本主义经济。19世纪晚期,也就是在1883年,在马克思的坟墓边,恩格斯又一次通过把马克思与著名知识分子查尔斯·达尔文(1809～1882)相联系的方式颂扬了马克思,但是,他这样做的理由并不充分。在与黑格尔作对比时,恩格斯宣称,马克思的智商高于达尔文,这不但因为马克思的理论体系更加完备,而且因为这一理论体系在政治上支持工人阶级。马克思被认为发现了"人类历史的发展规律"(即唯物史观)和支配资本主义社会的"特殊的运动规律"(剩余价值理论和利润率下降规律)。就像后来给马克思著作写的评论、序言、介绍和通信中所阐述的那样,恩格斯的通俗化阐释在根本上依赖于唯物主义、唯心主义、形而上学、辩证法、相互作用、矛盾和反映等在一定意义上被特别地界定了的概念,后来他又从达尔文主义者那里借用了选择、进化和生存等概念。

194

当人们发现马克思有时也使用这些术语时,对恩格斯所做的概述是否准确的怀疑,于世纪之交在国际社会主义运动中出现了。这种批判开始于伯恩斯坦和安东尼·拉布里奥拉(1843～1904)的评论,而20世纪20年代卢卡奇和卡尔·科尔施(1886～1961)的批判则更具影响力。然而,考虑到恩格斯作为马克思的"年幼的伙伴"也建构了自己的观点,而且在马克思死后,恩格斯是马克思著作的编辑、马克思遗嘱确定的著作保管人和政治幸存者(恩格斯是在马克思去世12年以后即1895年去世的)[17]等情况,这些怀疑只是被看做是微不足道的怀疑和修正。但是,这些怀疑在原则上是重要的,因为这些问题恰恰与马克思的思想是否具有科学性特征,能否运用到更宽泛的社会科学等问题相关。争论的主题在于,马克思的思想,从而好的社会科学,在多大程度上是目的论的——这一目的论的看法包含一个这样的观点,即人类历史进程在一定意义上是一个超越了个人意志的东西,它将引导人类不知不觉地走向那没有阶级的自由境地。

正是在这些方法论问题上,社会主义运动中的马克思主义派别内部才产生了一系列政治争论。无产阶级革命是不是一定要遵循社会发展"铁一般的规律",以等待社会

〔17〕 Terrell Carver,《马克思与恩格斯:学术上的关系》(*Marx and Engels: The Intellectual Relationship*, Brighton: Wheatsheaf, 1983);S. H. Rigby,《恩格斯与马克思主义的形成:历史、辩证法和革命》(*Engels and the Formation of Marxism: History, Dialectics and Reolution*, Manchester: Manchester University Press, 1992)。

条件的成熟？而这一规律是不能也不应该被鲁莽的行动所挑战。为了以一种必不可少的方式指导和加速社会变革，无产阶级革命是不是一个需要积极地甚至是策略地介入政治的过程？马克思主义的社会科学是不是经济的"反映"（经济本身是辩证地和不可避免地向前发展着的），抑或是相反——马克思主义的社会科学是帮助容易犯错误的人类在可能性中"创造历史"的一种"引导线"？无论是马克思主义者还是马克思主义的阐释者都不试图解决上面说的这些问题。恩格斯明显地是用前一种方式描绘马克思的（他这样做与其说是无意的，不如说是前后矛盾的），同时，一些人用后一种方式描绘了马克思，而这些人发现，与恩格斯所进行的广为人知的阐释相比，马克思本人的方法更加多样化，其观点也更少目的论色彩。

另一个方法论问题是，马克思的方法在多大程度上学术性地包含了，或者是否能必然地推论出他在《资本论》三卷中所阐释的有关资本主义经济的理论。如果马克思有关劳动价值理论的推断得不出有关利润率下降规律的结论，从而也无法得出恶性的经济危机必然爆发和资本主义最终灭亡的结论，那么无产阶级革命的时机又能是什么呢？如果劳动价值论是错误的，那么资本主义的发展是否仍旧会为无产阶级的造反行为准备条件？或者说，为了推翻资本主义，实现自由解放，是否还必须去发现一个社会变革的推动力量？反之，假如劳动价值论是正确的，那么为什么资本主义制度至今还没有垮台？为什么当资本主义制度在生产高度发达的工业国家中接近崩溃时，无产阶级革命和国际工人联盟并没有像马克思自信地预言的那样在"夺取民主斗争的胜利"基础上获取更大的成功？恩格斯在论证和解释这些问题上没有多大贡献。只是到了最近，才有材料表明，恩格斯作为《资本论》第二、三卷的编辑者所做的工作有违马克思的手稿的原意。马克思有关劳动价值论和资本主义必然灭亡的论断的要旨是不会错的，但是，如果马克思关于"经济危机的批判"是有严重错误的，那么它所依据的方法在多大程度上是科学的？如果上述方法不是理解和评价马克思的中心环节，那么这个中心环节又会是什么呢？如果有别的什么东西适合用来评价马克思，那么它对社会科学又会产生什么影响呢？科学正像恩格斯在他的广为流传的小册子《反杜林论》（*Anti-Dühring*, 1878）和其节选本《社会主义从空想到科学的发展》（*Socialism, Utopian and Scientific*, 1880）中勾画的那样，对于辩证唯物主义的捍卫，在很大程度上已经成为科学哲学领域一种理论上的事业。尽管苏联的自然科学和社会科学都宣称应用这种（辩证唯物主义的）方法，但是，作为直接后果的有意义的结果未必会出现。G. V. 普历汉诺夫在《马克思主义的基本问题》（*Fundamental Problems of Marxism*, 1908）中对于恩格斯的地位给予了准确的评价。当恩格斯的《自然辩证法》（*Dialectics of Nature*）手稿（19世纪70年代后期开始写作）在他去世后的1927年出版以后，恩格斯的思想得到了进一步的具体论述。20世纪30年代，《自然辩证法》在苏联被广泛地引用，而到了20世纪90年代，它已经成为马克思列宁主义科学的经典教材。辩证唯物主义这一概念直接来源于恩格斯的这样一个论断——马克思的唯物辩证法包含对于"自然、历史和思维"

都适用的三个普遍法则:(1)质量互变规律;(2)对立统一规律;(3)否定之否定规律。有关马克思著作的这些论断的文本和论证基础已经引起了很大的争论;而且,即便不考虑这些争论,自20世纪20年代起,这样一种论断就已经被强烈地质疑了:在某种意义上,一切现象都能有效地被归结为或者是被聪明地解释为一种模式化的一般结论。

然而,恩格斯的主张不需要这样严格的阅读。对于许多马克思主义者来说,"唯物主义"很容易陷入这样一种观点:"经济"(也就是人类生产、消费、分配和交换的活动)是社会变革的辩证过程中的关键因素。当这一观点不能解决政治活动中的"唯意志主义"及其作用的问题时,它又发明了这样一种框架——把社会科学与关于事实和规则的实证主义解释,以及马克思和恩格斯提出的"一切社会的历史都是阶级斗争的历史"[18]的假定联系起来。

作为一种社会科学,马克思主义的历史理论把经济与阶级的分析方法引入到对人类文明早期社会的研究中、对近代历史的研究中,例如恩格斯在他的《德国农民战争》(*peasant War in Gemany*,1850)所做的那样,引入到对存在着剥削的环境与政治以及社会结构冲突的研究中。[19] 在为再版的马克思的《1848年至1850年的法兰西阶级斗争》(*Class Struggles in France 1848—1850*)写的导言(1895)中,恩格斯写道:历史学家所做的工作在于,揭示政治事件(即各阶级之间以及一个阶级内部的斗争)是经济动因的结果。这些结论只有通过事后收集和筛选数据才能获得,而这些数据的收集和筛选工作是马克思在创作他的"现代历史"著作(比如马克思写的关于1850年法国政治的著作)时还无法做的。[20] 尽管《共产党宣言》(*Manifesto*)描绘了世界历史的概貌,但是马克思本人的思考并没有切中"世界市场"的要害。在这一传统中,通过把历史的和政治的分析运用于全球化的时代,马克思的后继者们对殖民主义和帝国主义的问题做出了回应,尤其是当他们去影响一国的工人阶级时。这一类型的经典著作有:列宁的早期著作《俄国资本主义的发展》(*Development of Capitalism in Russia*, 1899)、鲁道夫·希法亭(1877～1941)的《法国资本》(*Finance Capital*)、罗莎·卢森堡(1871～1919)的《资本积聚》(*Accumulation of Capital*, 1913)和布哈林的《帝国主义与世界经济》(*Imperialism and World Economy*, 1915)。

当恩格斯在"马克思这个唯物主义者'颠倒'了黑格尔这个唯心主义者"这一观点的基础上建构辩证法框架时,达尔文也在恩格斯晚年的社会科学著作中,以及在发展为马克思主义分支的社会达尔文主义那里,扮演了举足轻重的角色。当马克思称赞 197

[18] 卡尔·马克思与弗里德里希·恩格斯,《共产党宣言》(*Manifesto of the Communist Party*),载于《马克思恩格斯选集》,第6卷(London: Lawrence and Wishart, 1976),第482页。(另参见《马克思恩格斯选集》第1卷,人民出版社,1995年版,第272页——译者注)

[19] 从Henryk Grossman的杂志《社会主义与工人运动的历史档案,1911～1930》(*Archiv für die Geschichte des Sozialismus und der Arbeiterbewegung, 1911—1930*)开始,马克思主义的历史学形成了一个著名的档案的传统;另外,在E. J. Hobsbawm, Christopher Hill和Perry Anderson的著作中,还有一个叙述性的传统。

[20] Terrell Carver,《马克思与恩格斯》(*Marx and Engels*),第148页～第150页。

《物种起源》(*Origin of Species*, 1859)作为一部自然科学著作的质量时,他特别地赞赏达尔文不诉诸目的论而在各自独立的现象中揭示出一种模式的能力。这使得马克思不太可能以恩格斯在其"墓前讲话"中提到的发展规律的观点,来看待达尔文的著作,或者他自己的著作,这一点仍然存在学术争议。恩格斯于1895年至1896年出版了他的研究手稿《劳动在从猿到人的转化中的作用》(The Part Played by Labor in the Transition from Ape to Man, 1876)。这时社会达尔文主义已经成为一支重要的学术和政治力量。恩格斯试图把马克思的人类学(这一理论认为,生产活动在建构和变革人类历史的不同"阶段"中有着独特的地位)与达尔文关于灵长类动物的生理演化(包括运用工具和语言的能力的发展)的理论联系起来。马克思的《人类学笔记》(1880~1881)被恩格斯在写作自己的《家庭、私有制和国家的起源》(*Origin of the Family, Private Property and the State*,1883)时引用和采纳,尽管文本研究发现,马克思特别关注他所摘录的事实材料,而恩格斯更加着力于建构一种整体的理论和历史框架。恩格斯的文章试图把达尔文的性别选择理论(这反映在对原始社会的"婚姻类型"的假定中),与一种用阶级斗争来解释女人遭受男人压迫、工人阶级遭受那些控制了生产手段的人的剥削的理论联系起来。

恩格斯去世之前在其私人通信中主张,马克思所说的历史就是阶级斗争的历史的观点与达尔文提出的"适者生存"的自然选择观点相一致。于是,达尔文的解释框架被他向更深的层次推进了。除了引起了社会进程的"自然必然性"这个广为人知的问题之外,恩格斯的这一观点也很难与工人阶级的显而易见的贫困事实,以及无产阶级日益贫困化的基础理论协调起来——恩格斯早年的并被再版的论文《英国工人阶级状况》(*Condition of the Working Class in England*, 1844)说明过工人阶级的贫困事实;无产阶级日益贫困化的理论是在《共产党宣言》(再版于1872年,后来又有了很多的版本)中提出的,并且后来在《资本论》第一卷中得到了进一步的论证。在怎样的科学意义上无产阶级是"适者"?在什么样的政治意义上无产阶级的"生存"是一个胜利?

理　　论

198

涉及到实证主义关于科学的假定——特别是把这种假定应用于社会科学,以及把这种假定运用于根本的哲学问题(尤其是那些与物质和意识,以及物质演化和人类历程之间的关系问题)时,恩格斯遇到了很大困难。当恩格斯把马克思变成一个彻底的黑格尔主义者时,他所详述的唯物主义辩证法就是黑格尔哲学的一个独特的实证主义版本——成为一个百科全书式的和带有目的论倾向的东西。抛弃这种解释框架意味着与恩格斯进行决裂。到了20世纪20年代,以科尔施的《马克思主义和哲学》(*Marxism and Philosophy*, 1923)为肇始,出现了一种把马克思和马克思主义重新黑格尔化的倾向。如果考虑到一战后西欧无产阶级革命的失败,这一倾向是以政治上的挫折和失望为背景而出现的。同时,这一倾向一方面保持了“唯意志论者”观点和解释学方法之间的张力,另一方面,也糅合了流行于苏联的实证主义传统。脱离了恩格斯的解释正统的那些人,至少在某种程度上,把他们的注意力转移到了“法律的、政治的、宗教的、审美的,或者哲学的——简而言之,意识形态的形式”,人们是通过这些意识形态的形式而“自觉地意识到”阶级冲突,并把它“揭示出来”的。实际上,为了把着力点放在“上层建筑”上,这种倾向试图假定经济“基础”的影响[21]。如果没有例外,这种倾向主张把革命的失败原因解释为无产阶级意识没有随“经济结构”的发展而发展,或者说,在上层建筑领域,“资产阶级”的意识已经暂时地但是充分地战胜了无产阶级意识,以致妨碍了无产阶级的反抗。对于这种情形,恩格斯(但是并非马克思)称之为“虚假意识”。[22] 而马克思本人的观点,则很难与任何形式的技术的或经济的决定论相容(恩格斯也指出过这一点)。马克思关于法国当时的政治的著作,比如《法兰西阶级斗争》(*Class Struggles in France*, 1850)和《路易·波拿巴的雾月十八日》(*Eighteenth Brumaire of Louis Bonaparte*, 1852)就是如此。这主要是因为,它们为阶级斗争过程中的观念、传统甚至是幻想和运气等上层建筑因素的影响,留下了很多地盘。

关于政治意识、法律与政治关系,以及在一定生产关系中与一定的经济结构“相适应”的财产形式的观点,既是一种关于观念与价值领域的理论,又是一种关于生产的“物质的”过程领域的理论。如果用具体事例来说明,物质的东西只是由于它们被纳入人类的实践活动(例如买卖“自由劳动力”是为了获取利润而从事生产)中才是商品,那么,这就出现了一个问题:马克思所定义的经济活动领域中的“物质”这一概念的含义是什么?为了说清楚无产阶级革命的政治方案是怎样如此有效地通过一个复杂的、重要的有说服力的思想体系来说明的,在没有对假定的经济的物质基础进行检验的情况下,法兰克福学派的马克思主义者就开始投身于具有历史、哲学和心理学特征的调查活动了。

199

这些想法可以被作为意识形态而进行批评——马克思认为意识形态是片面的、误导人的、不彻底的并且与强有力的剥削关系和其他形式的压迫相联系的思想和信仰体系。然而,法兰克福学派绝不是一个统一的学派(它的名称可能会给我们它是一个统一的学派的暗示),在法兰克福学派的大旗下所进行的工作已经向外延伸到韦伯的社会学、西格蒙德·弗洛伊德(1856～1939)的心理分析,甚至更广泛的文化批判和美学。经由唯心主义传统复苏社会科学的标志性作品有:赫伯特·马尔库塞(1898～1979)的

[21] 这些术语出自马克思的《〈政治经济学批判〉序言》(*Preface to A Contribution to the Critique of Political Economy*),载于《马克思恩格斯选集》,第29卷,第263页～第264页。(另参见《马克思恩格斯选集》,第2卷,人民出版社,1995年版,第32页～第33页——译者注)另一个对“决定”的可供选择的,但有重大差别的译法,请参见 Karl Marx,《晚期政治著作选》(*Later Political Writings*), Terrell Carver 编译(Cambridge: Cambridge University Press, 1996),第158页～第162页。

[22] John Torrance,《卡尔·马克思的意识理论》(*Karl Marx's Theory of Ideas*, Paris: Maison des Sciences de l'Homme; Cambridge: Cambridge University Press, 1995)。

《理性与革命》(*Reason and Revolution*, 1941)和《单向度的人》(*One-Dimensional Man*, 1964),马克斯·霍克海默(1895～1973)从20世纪30年代至40年代的论文集《批判理论》(*Critical Theory*, 1968),特奥多尔·阿多诺(1903～1969)《权威主义人格》(*Authoritarian Personality*, 1950)和《否定辩证法》(*Negative Dialectics*, 1966)。这些作品把行动与想法以及意识联系起来,并且使用解释学的方法论来理解和解释它们。

在一定意义上与这些发展相平行的还有安东尼奥·葛兰西(1891～1937)的《狱中札记》(*Prison Notebooks*)。《札记》写于1929年至1935年,最后出版于20世纪50年代,并引起广泛的争论。在葛兰西看来,群众性的民主政治是马克思主义者们尚未成功面对的一个严重问题。已然存在的反共产主义的文化影响,已经建立起了独裁"集团"的阶级"霸权",从而赢得了在社会秩序问题上的广泛一致。用一个无产阶级集团(它把自己的力量的基点定位于与广大群众的真正的一致)来替换这个(反共产主义的)集团,无论对于他关于社会革命的结局的观点,还是对于他关于社会革命的进程的观点都是非常重要的。由于作者当时所处的环境(指在狱中服刑——译者注),这些想法和战术实际上在当时没有产生什么影响。但是,就马克思主义的社会科学在战后的发展而言,葛兰西对社会理论的影响是不可忽视的。他对上层建筑领域中的斗争的强调,对资本主义意识形态的统治的揭示,他所说的阶级压迫以外的社会压迫(比如,性别、种族、种族划分和性行为等)的政治性颠覆了阶级本身在社会结构中的首要地位的观点,这些都切中了要害。对一些"后马克思主义者"来说,阶级与社会不平等的其他形式(改革者和革命家都在坚持不懈地与这些形式进行抗争),是同等程度的客观存在,具有同等程度的政治意义。[23]

从一个极端来看,马克思主义的社会科学现在几乎消融于政治化了的文化研究领域和政治化了的"新社会运动"中了,而从另一个极端来看,它倾向于靠近严谨的结构主义的核心。虽然实证主义(它把自身奠基于假定自然客体的先在性的唯物主义和呆板的自然科学方法之上)在马克思主义的社会科学中已经不再是神圣不可侵犯的了(除非在恩格斯的正统解释的体系中),但是,类似实证主义的东西于20世纪60年代在路易斯·阿尔都塞的著作中发生了一次转向。阿尔都塞认为,我们应该认识到,马克思的著作中发生了一次"认识论的断裂",以便按照年代和著述顺序明晰地划分出受黑格尔哲学影响的早期马克思和与之形成鲜明对比的"科学的"马克思。阿尔都塞这样说是想告诉我们,马克思的纲领是一种建立于经济决定论基础之上的关于社会和政治生活的概念体系。对阿尔都塞而言,早期马克思关注黑格尔关于异化和解放的历史性叙述,是一个"人道主义者",因而是"意识形态的"和非科学的。在马克思揭示了实践的层次和社会结构的意义上,后期马克思则被认为是一个历史唯物主义者,从而是

200

〔23〕 Ernesto Laclau 和 Chantal Mouffe,《霸权与社会主义的策略:走向一种激进民主政治》(*Hegemony and Socialist Strategy: Towards a Radical Democratic politics*), Winston Moore 和 Paul Cammack 译(London: Verso, 1985)。

科学的。在社会结构中，经济处于首要地位，但是这种首要性只是在“归根到底是决定性的”（恩格斯早就指出过这一点[24]，而且广为流传）意义上的才是适用的，经济结构并不一定在任何时候都是起决定作用的和有影响力的。

乍一看，这种关于马克思的观点仅仅是使恩格斯的“唯物史观”获得新生，它的确试图抛弃多年来让正统的马克思主义者陷入窘境的唯物主义的形而上学和认识论上的反映论。为了拒斥恩格斯所明显地依赖的经验主义，阿尔都塞代之以这样一种观点——知识完全地是在思想中通过抽象的处理、“理论的操作”而被建构的。另外，通过认定个人支撑和影响了他们身处的那个社会的构成，人们自身就是推动变化和发展的动因之所在，阿尔都塞抛弃了人在历史中的作用这一令人尴尬的问题。这些思想在《保卫马克思》（*For Marx*, 1965）和《阅读〈资本论〉》（*Reading "Capital"*, 1970）中得到了详细阐述。上面这两本书现在依然非常有意义，因为它们既与解构主义的后现代哲学相关，同时又与之相区别。就像阿尔都塞一样，解构主义者们都怀疑有关进步与解放的叙事，怀疑那些把特权赋予前社会的人类主体的个人主义观点。但是，正如阿尔都塞所界定的那样，与其说他们转向了科学和理论，毋宁说他们根据行为和情景意义理论，重温马克思为发展其“积极方面”而对唯心主义的肯定，走上了“语言学转向”的道路。[25]

201

新　　生

马克思并不是第一个把社会收入和财富的不平等、现代工人阶级的被剥削纳入社会科学研究视野的学者，用批判方法研究这些问题，也不是马克思的首创，虽然他无疑是其中最有影响的一位。事实上，与其说马克思回答了，不如说他揭示了这些问题——这一批判方法是什么，这一方法是如何与其他的方法论相关联的。而且，他提出了有关社会科学理论与永不停息的政治变革之间的关联的一系列问题，这又反过来凸显了根本的问题——把一切科学的本质视为一种社会活动。从恩格斯开始，马克思引起了人们广泛的评论，而且，人们根据马克思的理论进行了种类繁多的科学和政治实践。到19世纪80年代，这些思潮就已经被命名为马克思主义了。但是，进入19世纪90年代后，无论在理论上还是在实践上，（这些思潮）都经历着种种挫折。如果撇开

[24] 《恩格斯致约瑟夫·布洛赫》（1890年9月21日至22日），载于《马克思恩格斯通信选集》，第417页～第419页；并参见《恩格斯致康拉德·施米特》（1890年10月27日），载于《马克思恩格斯通信选集》，第421页～第424页，《恩格斯致海因茨·斯塔肯伯格》（1894年1月25日），载于《马克思恩格斯通信选集》，第466页～第468页。（另参见《马克思恩格斯选集》，第37卷，人民出版社，1971年6月版，第461页～第463页；《马克思恩格斯选集》，第39卷，人民出版社，1974年11月版，第198页～第200页——译者注）

[25] Richard Rorty,《偶然性、讽刺性和亲和性》（*Contingency, Irony, and Solidarity*, Cambridge: Cambridge University Press, 1989），第1页～第22页；Jacques Derrida,《马克思的幽灵们：债务国家、悼念活动与新国际》（*Specters of Marx: the State of the Debt, the Work of Mourning, and the New International*），Peggy Kamuf 译（London: Routledge, 1994）；Terrell Carver,《后现代的马克思》（*The Postmodern Marx*, Manchester: Manchester University Press, 1998）。

或者忽略将马克思的思想教条化的倾向不论,(这种解构)并不一定意味着马克思的思想或社会主义政治的软弱无力,毋宁说这是对其理论的持久性和思想力量的验证。马克思的全集还在出版过程中,具有各种不相同的哲学和政治观点的人们,依然可以从马克思那里获得鼓舞和启迪。

(刘召峰　段俊统　译　魏小萍　校)

第二部分

大约1880年以来西欧和北美的学科

13

社会科学
诸学科的变化轮廓

多萝西·罗斯

205

通过一种在人们感兴趣的彼此相关且重叠诸领域之间的分离和协商过程,社会科学的诸学科被认为在20世纪从较为古老的知识流派中浮现出来。正如西奥多·M.波特指出的那样,它们中的某些研究几个世纪以来一直保持着相对持续的著述风格,但却经常处于更加广阔的认识和实践传统(主要是哲学、历史和国家事务)之中,而且它们是饱学之士的智力资质的一部分,而不是专家的职业。在更早的某些情形中,尤其更明显的是在19世纪末和20世纪初,它们形成了不同的领域,专家们把他们的主要精力都用于这些特殊领域的研究、思考和训练。这种关于学科的现代理念在19世纪的整个发展过程中浮现出来,它是一个在科学、学术和技术专长中日益专业化的产物;是在德国大学中最先得到提倡的研究理念;也是对欧洲和美国的高等教育体系和管理制度的重建。大学的训练和文凭的发放在巩固专门学者共同体的持续存在方面尤为重要。[1]

我们不应过分强调这一转变的飞快速度或普及程度。在欧洲,学科机构从未像在美国那样被牢固地确立起来,也从未像美国的学科机构那样对社会知识的生产如此重要;而且,即使在美国,发展的过程也是不平坦的。然而,专业学科还是在20世纪成了人文科学的一个基本特征,尤其在第二次世界大战之后,它们成为知识的组织结构的一种国际模式。

206

构划这一术语最好地把握了大多数历史学家(包括本卷著作中的作者)是如何理解学科形成过程的。把社会科学诸学科的形成称为一个构划,就是要将它置于历史的偶然性中。诸学科既不是自动的科学的过程的产物,也不是"自然的"范畴。它们必须

[1] Charles E. McClelland,《德国的国家、社会和大学,1700 ~1914》(*State, Society, and University in Germany, 1700—1914*, Cambridge: Cambridge University Press, 1980); Alexandra Oleson 和 John Voss 编,《现代美国的知识结构,1860 ~1920》(*The Organization of Knowledge in Modern America, 1860—1920*, Baltimore: Johns Hopkins University Press, 1979); Lawrence Stone 编,《在社会中的大学》(*The University in Society*, Princeton, N. J.: Princeton University Press, 1974) 第2卷;George Weisz,《法国现代大学的产生,1863 ~1914》(*The Emergence of Modern Universities in France, 1863—1914*, Princeton, N. J.: Princeton University Press, 1983); Peter Wagner 和 Bjorn Wittrock,《国家、制度和话语:关于社会科学之结构的一个比较的观点》(States, Institutions, and Discourses: A Comparative Perspective on the Structuration of the Social Sciences),载于由 Peter Wagner, Bjorn Wittrock 和 Richard Whitley 编的《关于社会的话语:社会科学学科的形成》(*Discourses on Society: The Shaping of the Social Science Disciplines*, Dordrecht: Kluwer, 1991),第341页~第349页。

把它们自己确立为权威的供应商,提供对于世界的描述。在本章中,各节内容所要说明的是,学科的形成过程必定充满着不确定性和冲突。在诸思想领域现存结构中活动的时候——这一现存的结构具有它自己的权威形式——社会科学家必须"为争取确定什么应被当做是在理智上被确立的和文化上合理的东西的权利而竞争",不仅仅在诸学科领域之间和之内是这样,而且在公共的竞技场内也是如此。[2] 学科构划还与一个"专业化"的计划相联系,尤其是在美国,那里的大学职务并不带有传统的角色,也不具有公民的地位,所以,专业生涯之路和专业技术成了人们的重要关注对象。智力的和专业的考虑在对合法性、资源和实际的专业技术的竞争中互相作用。[3] 正如米切尔·阿什指出的那样,社会科学诸学科的历史就是"由众多的参加者为占领和确定一个激烈竞争的,但从未明确限定而且松散的实践领域所进行的持续的斗争"(本卷,第252页)。正如罗伯特·巴尼斯特以社会学为例所表明的,也像本书这一部分的所有其他作者所论证的那样,所产生的诸学科的内容与边界既是民族文化、当地环境和偶然机会的产物,又是理性逻辑的产物。

"构划"一词还表达了——而且确实强调了——在所有历史解释核心中的一种张力。一方面,一个构划是一个参与者所共同具有的理念、志向、安排或蓝图。正如伯纳德·雅克解释的那样,在17世纪初叶,它在这种意义上——这对于我们的目的来说也是适当的——被弗朗西斯·培根用于指称"一个旨在通过科学研究进行改良的设计"。

207

社会科学学科的形成在这一意义上当然是一个构划,是一个为大家所分享的规划,人们在科学和启蒙的现代传统中构想它,其目的在于社会改良。但是,正如雅克继续指出的那样,在一个取自哲学家马丁·海德格尔的用法中,理解"总是包含一个可能性世界的投射,在这一可能性的世界中,事物获得它们的意义"。在这一意义上一个构划(project)不是一个安排(plan),而是一个框架、一个理解方式,在这一框架和理解方式中,某种理念和实践必然产生出来。在"构划"的这一意义上,旨在社会改良的科学和启蒙规划确定了条件和界限,在这些条件和界限之内,社会科学学科形成了;它不是一个人的意向的问题,而是一个抑制体系,在这一抑制体系之内,产生了意向和行动,因

[2] 关于学科构划的一个具有启发性的讨论,请参看 Kurt Danziger 的《构建学科:心理学研究的历史起源》(*Constructing the Subject: Historical Origins of Psychological Research*, Cambridge: Cambridge University Press, 1990),第1章,第39页~第42页。Fritz Ringer,《知识的领域:在比较视野中的法国学院文化,1890 ~1920》(*Fields of Knowledge: French Academic Culture in Comparative Perspective, 1890—1920*, Cambridge: Cambridge University Press, 1992)用 Pierre Bourdieu 的"知识领域"这一社会文化理论的术语表述了这一历史过程。这一引文出自 Ringer,第5页,参看 Peter Wagner 和 Bjorn Wittrock,《分析社会科学:关于社会科学之社会学的可能性》(Analyzing Social Science: On the Possibility of a Sociology of the Social Sciences),载于 Wagner, Wittrock 和 Whitely 编的《关于社会的话语》(*Discourses on Society*)。

[3] 关于作为专业化的社会科学学科的形成,请参看 Oleson 和 Voss 编的《知识的结构》(*Organization of Knowledge*);Mary Furner,《辩护与客观性:在美国社会科学专业化中的危机,1865 ~1905》(*Advocacy and Objectivity: A Crisis in the Professionalization of American Social Science, 1865—1905*, Lexington: University Press of Kentucky, 1975);Thomas L. Haskell,《专业社会科学的产生》(*The Emergence of Professional Social Science*, Urbana: University of Illinois Press, 1977)。关于与学科计划类似的一个"专业计划",请参看 Danziger 的《构建学科》,第119页;关于一个比较的观点,还请参看此卷第30章。

为我们的理解构成了我们在其中生活的世界。[4]

根据"构划"的这个第二种意义的精神,社会科学史家已于最近强调了作为媒介的语言的重要性,尤其是那些被称为话语的语言集合体的重要性,意义就是在这种作为媒介的语言中被产生出来。科学和启蒙的话语是社会科学家用以形成他们的目的的主要媒介,而且他们通过这些媒介把这些目的描述为正确的和合法的。类似地,近来历史学家也强调了作为一个媒介并与话语相联系的实践的重要性,如社会科学家的所作所为和他们所使用的工具类型,从经济学家的数学模型到学校的智商测验、社会调查和人类学家的遭遇,凭借着这些实践,这些学科将世界条理化地组织起来。[5] 正是在这一意义上,法国哲学家米歇尔·福柯论证说,人文科学的计划通过其科学实践及产生的知识,来指挥和控制着现代社会中的不同人群。人文科学在双重意义上变成了"学科",一是知识的特殊分支,二是调节控制的代理者。[6]

这些新的见识可被引向决定论的极端。如果社会科学计划被描述为一个完美无瑕的整体,其实它经常仅仅被描述为在完整的现代性构划中的一条线索,那么它的轨道和成果就是前定的,而且它的强制和压抑也是不可逃避的。这是某些基本要素的问题,因为那些强调压抑的人也强调它的压抑的后果,以科学控制的枯燥无味的强制和极权主义的影响为例就可说明这个问题。但是,与此相反,社会科学的构划也可被描述为一个在其中话语和实践都是多元的构划,至少是一个在价值和效果上有局部差异的构划,而且对历史的偶然性是开放的。正如雅克引用维也纳现代主义的作家罗伯特·穆齐尔的话来作的总结,"当我们认识到我们不是'某些拴在妖怪的木偶牵线上的垂悬物,与此相反,我们身上悬挂着大量的偶然联系在一起的微小的重物'的时候,我们就为机动灵活重新获得了可观的空间"[7]。诸历史学家具有代表性地采取了雅克的那种中庸的观点,既强调自由,又强调决定论,既强调意向,又强调限制。这些重物到底是些什么东西,到底有多大,它们是如何偶然地联系在一起的,这些是留给历史学解决的问题。

208

那么,哪类构划是社会科学中的学科形成的构划呢?我们将从学科形成的第一时期开始论述,所凭借的手段是将学科规划置于存在于从1870年到1914年的历史危机中的,由自由主义的知识精英对一个有权威的理性源泉的寻求中。这一在持续的历史

〔4〕 Bernard Yack,《现代性的拜物主义:在现代社会和政治思想中划时代的自我意识》(*The Fetishism of Modernities: Epochal Self-Consciousness in Contemporary Social and Political Thought*, Notre Dame, Ind.: University of Notre Dame Press, 1997),第5章,第116页、第117页。

〔5〕 请参看(例如)Nikolas Rose 的《心理情结:英格兰的心理学、政治学和社会,1869～1939》(*The Psychological Complex: Psychology, Politics and Society in England, 1869—1939*, London: Routledge, 1985); Bruno Latour,《活动中的科学》(*Science in Action*, Cambridge, Mass.: Harvard University Press, 1987); Andrew Pickering 编的《作为实践和文化的科学》(*Science as Practice and Culture*, Chicago: University of Chicago Press, 1992)。

〔6〕 Michel Foucault,《训练和惩罚》(*Discipline and Punish*, New York: Pantheon, 1978); Jan Goldstein,《在社会学家中的福柯:专业的"训练"和历史》(Foucault among the Sociologists: The"Disciplines"and the History of the Professions),载于《历史和理论》(*History and Theory*),23(1984),第170页～第192页。

〔7〕 Yack,《现代性的拜物主义》(*Fetishism of Modernities*),第40页。

危机中的持续的寻求，解释了社会科学学科的后来的绝大部分历史。因为学科构划所涉及的范围既是国内的又是国际的，诸学科的界线仍然是不严格的和不确定的，（而且因为在第二部分中的诸章节要论述单个的各门学科）所以我们将特别关注思想、方法和研究者之跨越国界和学科界线的方式。在两次世界大战之间的这一历史时期，在美国和欧洲发展起来的社会科学趋向先分散，后又在局部重新结合，从而为战后几十年这一复兴时期和勇敢地重新确立学科目的之时期确立了舞台。在 1970 年之后，这些雄心勃勃的目的受到严峻的挑战，而且社会科学学科构划本身也受到人们的质疑。

学科的形成，1870～1914 年

自由主义的知识精英首先在 18 世纪末创立了社会科学，虽然这些社会科学的思想范围被扩大了，可他们在整个 19 世纪中在维持这些研究并把它们确立为学科方面仍然扮演着中心角色。[8] 受过良好教育的社会阶层的成员——他们把现代的启蒙理想作为在人类历史上的一个进步的和最高的阶段珍藏在心里——深信个人自由并以科学的社会知识为指南。与资本主义的发展和代议民主制联盟，自由主义者在 19 世纪结束之前，就已从政治权力的最边缘移向政治权力严阵以待的中心。在这一中心，他们面临着新的问题，这些新的问题迫使他们重新考察传统的原则：世俗和都市社会的道德与社会秩序的源泉；在民主和帝国主义时代的国家的重建；在管理新的工业经济中的国家的作用；“社会问题”的补救措施——这些社会问题是：由工业化及断裂* 所产生的贫穷、阶级冲突、民族和种族差异的合成物。与马克思主义对资本主义的批判和保守主义对民主社会的批判相对应，社会科学家们通过个人自由和社会秩序的公正的问题意识，以及美国的例外说、法国的共和主义和德国的历史的破碎这类民族主义的问题意识，来研究他们的学科。在这一过程中，他们对现代社会采取了一个更具有干涉主义味道的立场，为建构一个扩大了范围的自由而稳定的政策确立了舞台，并经

〔8〕 关于本节题目的基本信息，请参看此卷书中关于学科的几个章节；请参看 Roger Smith，《诺顿人类科学史》（*The Norton History of the Human Sciences*, New York: Norton, 1997）［在英格兰，《丰塔纳人类科学史》（*The Fontana History of the Human Sciences*）］。关于全欧洲和美国的心理学，以及关于它们的社会学，请参看 Dorothy Ross，《美国社会科学的起源》（*The Origins of American Social Science*, Cambridge: Cambridge University Press, 1991）；关于美国的经济学、社会学、政治学及其欧洲背景，请参看 Robert C. Bannister，《社会学与唯科学主义：美国人对客观性的寻求，1880～1940》（*Sociology and Scientism: The American Quest for Objectivity, 1880—1940*, Chapel Hill: University of North Carolina Press, 1987）；John Maloney，《马歇尔，规范性与经济学的专业化》（*Marshall, Orthodoxy and the Professionalisation of Economics*, Cambridge: Cambridge University Press, 1985）；George W. Stocking, Jr.，《泰勒之后：英国的社会人类学，1888～1951》（*After Tylor: British Social Anthropology, 1888—1951*, Madison: University of Wisconsin Press, 1995）及其《民族、文化与进化：人类学史论》（*Race, Culture, and Evolution: Essays in the History of Anthropology*, 1968, Chicago: University of Chicago Press, 1982）；David F. Lindenfeld，《实际想象力：19 世纪的德国国家科学》（*The Practical Imagination: The German Sciences of State in the Nineteenth Century*, Chicago: University of Chicago Press, 1997）。

* dislocations 原意为人口脱离故土——译者注。

常参与这一建构。[9]（参看本卷第34章）

正如对一些学科的讨论已经指出的那样，只有通过专门的科学团体的知识权威，这些自由主义的知识精英们的目的才能得以实现，这些专门的科学也才能日益形成诸学科。在工业社会的利益冲突和与日俱增的非理性主义中，社会科学将成为权威的理性源泉。我们应当马上注意到这一计划自相矛盾的逻辑。学科的专业化承诺凭借缩小社会科学家关注的焦点，并使他们远离政治的压力，从而提高他们的综合的科学和政治权威。但是，这一策略只是砍断了滋养他们的计划的道德和政治世界的主根，并没有把他们与道德和政治世界完全分离开来，因为诸学科只是相对地独立于周围的世界，它们也参与它们周围的民族文化、政治冲突和社会区分。[10] 已设立起来的学科削弱了阶级关系，但是创造出了它们自己的特殊的阶级利益。在鼓励知识的严谨和一定程度的超脱的同时，他们对与他们的工作不可避免地纠缠在一起的道德和思想向度进行批判性的反思也受到了阻碍。虽然社会科学不是单独地体验了与学科的专业化相关的这些张力，但是它们的计划更无情地使它们暴露在这类危险面前。

210

专业化不仅仅要求远离政治，而且还要求远离通俗的知识。社会学与文学相抗争，在文学中，作家和记者的现实主义与社会批判要求享有超越现代社会理解力的司法权，（这一点在英国最为成功）与要求超越社会干预的司法权的改良运动并行不悖。[11] 政治学在一个由政治家和公民的实践经验统治的领域坚持它的要求；心理学家面对身为牧师的、唯灵论者的和常识方面的专家。然而，专家仍不可避免地向通俗的理解开放，尤其是当他们试图影响通俗理解的时候。正如第四部分中的论文所示，学科的形成并没有阻碍正式建构的社会知识和通俗的社会知识之间的交流。

新的学科从相邻的学术领域借用科学权威。科学权威的一个主要源泉是进化的生物学。查尔斯·达尔文的《物种起源》（*Origin of Species*, 1859）这时登上已经充满进化论思想的文化舞台，在几个方面促进了这一工作。[12] 达尔文的理论使人类作为主动

〔9〕关于这些杰出人物的以阶级为基础的自由主义的计划，请参看 Ringer,《知识领域》（*Fields of Knowledge*），第1章～第2章；Henrika Kuklick,《国内的原人：英国人类学的社会史，1885～1945》（*The Savage Within: The Social History of British Anthropology, 1885—1945*, Cambridge: Cambridge University Press, 1991），第1章；Reba N. Soffer,《英格兰的伦理和社会：社会科学中的革命，1870～1914》（*Ethics and Society in England: The Revolution in the Social Sciences, 1870—1914*, Berkeley: University of California Press, 1978），序言；Ross,《美国社会科学的起源》（*Origins of American Social Science*），第1～2部分；Peter T. Manicas:《社会科学的历史和哲学》（*A History and Philosophy of the Social Sciences*, Oxford: Basil Blackwell, 1987），第10章；关于一个在本质上具有细微差别的观点，请参看 Peter Wagner 的文章《湮没无闻的社会科学：论在"古典"时期的确立欧洲社会学的失败》（Science of Society Lost: On the Failure to Establish Sociology in Europe during the "Classical" Period），见于 Wagner, Wittrock 和 Whitley 编的《关于社会的论说》（*Discourses on Society*），第9章。

〔10〕关于社会学中规范观点的侵蚀，请参看 Donald N. Levine,《社会学传统的眼光》（*Visions of the Sociological Tradition*, Chicago: University of Chicago Press, 1995）。

〔11〕Wolf Lepenies,《在文学与科学之间：社会学的崛起》（*Between Literature and Science: The Rise of Sociology*, Cambridge: Cambridge University Press, 1988）。

〔12〕Smith 的《诺顿人类科学史》第453页～第456页为达尔文对社会科学的具有催化作用的影响做了一个强有力的例证；Peter J. Bowler,《非达尔文的革命》（*The Non-Darwinian Revolution*, Baltimore: Johns Hopkins University Press, 1988）和 Robert Bannister,《社会达尔文主义》（*Social Darwinism*, Philadelphia: Temple University Press, 1979）中反驳了这一时期达尔文对社会科学的直接影响。

适应环境的动物的观点和社会作为一种具有相互适应结构和功能需要的有机体的观点显得貌似合理，因此，适应的模式、功能的模式、有机的模式和进化的模式，在心理学、社会学和人类学中获得新的合法性。人类学家的"比较方法"把民族与种族、风俗与神话放在一个巨大的进化坐标系中，并把它们固定在一个单一的进化过程的诸阶段。进化的观点为使用以欧洲为中心的等级标准来评价由工业化和帝国主义创造的世界，及其种族、阶级和性别的不平等并用这种标准浪漫地颠覆提供了一门技术。地理学又依次利用制图学和地球科学为西方霸权构建了一个全球的空间坐标。

哲学和历史在许多情况下，在使人文科学合法化方面和自然科学一样重要。道德哲学、黑格尔的哲学、新康德主义的复活，以及趋向于实用主义和经验哲学的运动，所有这一切都使19世纪末的研究哲学的大学生的注意力转向心理学和社会学领域。例如，在德国新康德主义的背景中，心理学被理解为"为理性认识提供基础的一个哲学构划"[13]。类乎此，19世纪文化的历史主义（早先在欧洲发展起来，后来又在美国发展起来）创造了社会科学选择的现代性问题，并从语文学、语言学和历史法学中得出了支持新的进化的观点和比较方法的结论。

211

然而，相邻学科既充当了社会科学的母体，又充当了社会科学的砥石。更年轻的德国和美国心理学家提议把他们的领域变为一门独立自主的实验科学。社会学家努力把他们的有机隐喻与生物学过程的认同分离开来。政治学、社会学和经济学以不同的方式利用了历史学的方法并为占领历史领域而竞争。尽管共同享有知识空间，学科的形成却要求脱离这些具有权威的领域。

虽然社会科学及时地取得了某种程度的独立自主性，但是生物学和历史学仍是社会科学的两个相互替代的基础，在这一基础之上，人们创立社会科学诸学科并且施加重要的（如果是间歇的话）影响。社会科学家把孟德尔的遗传学及其在生物学遗传和社会习惯之间的明显区分解读为其学科的自由的宪章；但是普遍进化的假定、种族的理论、优生学、对灵长类的研究、体内平衡和生物系统的理论仍然在社会科学中维持着一个生物学的存在。[14] 历史主义仍然深埋在现代性的问题意识中，而且仍然是根深蒂固的具体的和时间的形式，社会科学家在这些形式之上进行研究。正如我们将看到的那样，在20世纪末，无论是生物学，还是历史主义都作为有权要求制定社会科学计划的人重新出现。

经济学也是如此。政治经济学在19世纪初得到了发展，后来被重新建构，这一过程始于19世纪70年代，当时边际经济学家利用来自物理学的力学的类比，构建了一个作为市场选择之自我平衡系统的经济学观点。边际经济学家的分析形成了一个貌似科学的核心，这一核心使这一学科能够逃脱几十年的批评——对它的自私自利的狭

[13] Smith，《诺顿人类科学史》，第494页。

[14] 例如，请参看 Donna Haraway，《基本的观点：在现代科学界中的性别、民族和自然》（*Primate Visions: Gender, Race, and Nature in the World of Modern Science*, New York: Routledge, 1989）。

隘心理、它对历史和经济制度之运行的关注的欠缺、它对医治资本主义之无序的无能的批评。边际主义有助于把古典政治经济学重新塑造为经济学的一个专门的学科，尤其是在英美，虽然浮现出来的新古典主义仍然处于一个学科的母体之中，这一学科与历史学派和体制学派进行竞争，而且维持了对政治和经验的关注。

社会学在局部上由同一社会历史背景发展而来。从 19 世纪 90 年代开始，社会学家们——他们经常作为经济学家受到培训——走出经济学的范围去考察在现代社会中的内聚力和进步的社会基础。在德国，作为一门历史学科的经济学的发展，和在奥地利边际经济学的支持者与德国历史经济学的支持者之间的关于方法的争论，为资本主义社会的一个非常具有创造力的社会学家群体形成了策源地，这一社会学家的群体包括马克斯·韦伯和格奥尔格·西美尔。 212

思想的潮流像漫过知识领域的界线一样也漫过国界。对于美国这一欧洲科学和学术的前哨地区来说，这一运动是关键性的。在 19 世纪，有 9000 名美国人在德国大学学习，其中大多数是在 1870 年到 1900 年之间在德国大学学习，他们包括在所有社会科学发展过程中的关键人物。在法国，先进的德国著作引起了埃米尔·迪尔凯姆的注意，与此同时，让-马丁·沙可在巴黎的诊所，吸引了来自整个欧洲的许多对心理病理学感兴趣的来访者。在一个通过报刊和会议进行国际交流的时代，在任何国家背景中的学者的著作，在任何别的地方都可能是非常重要的。

对这些学科计划的固定的支持主要来自扩大的大学体系，这些大学体系提供了研究生教育和研究的中心，同时也来自于大学以外的基地（银行、工会、中小学、监狱、医院、改革机构、国家局署福利机构博物馆和殖民地政府），这些基地为社会科学家提供职位，为他们的专家服务提供市场，为他们的研究提供场所。科学院、市场和政治社会机构这一三角形的基地，（用玛丽·弗纳的话说）在“辩护和客观性”之间产生了严重的张力。[15] 然而，这些不同的场所也为诸学科提供了一定程度的受限制的独立自主性，诸学科的学者正是在这一独立自主性之内从事科学和实践活动的。

在诸多局限中，最值得注意的是狭隘的科学和政治观点及诸学科的男性化。各大学（无论是英国那样的国立及贵族合办大学，还是美国那样的资本家私立大学）都不赞成政治、性别和种族的异端。追求社会科学知识和进行实际调查的许多大众聚会处，都存在于自由主义的信徒中，与此同时，其他的场所，像费边社是更为激进的，它们之中的许多由妇女充当会员。例如，赫尔家族，是一个聚集了很多天才女性社会调研员的芝加哥小社区娱乐教育和社会中心，尽管它从未被充分利用或得到承认，但它对于芝加哥大学的社会科学的发展却是关键的。无论是研究工作对政治的承诺及入世风格，还是性别习俗——这一性别习俗把妇女等同于情感、虔诚和艺术——都没有允诺科学的权威。学科计划经常包括为了学术性的社会科学移民于这些场所。人们日益

〔15〕 Furner,《辩护与客观性》(*Advocacy and Objectivity*)。

要求开业者持有学位，无论是在社会科学学科里，还是在实践社会科学领域（社会工作、家庭经济、临床心理学、参议），这些学科和领域本身就寻求作为科学的学术合法性。

213 政治的谨慎缩小了学科话语的思想范围；男性的标准强化了它们的科学风格，而且使它们对妇女的常规的描述和说明开放。与此同时，人们凭借着有选择的大学任命和有等级的委任制把妇女和激进分子排除在学科的话语之外，或使她们服从男性的科学规范。在美国，这类障碍与通向高等教育的有限的机会结合在一起，也把少数民族排除在学科话语之外，或使他们服从多数族群的科学规范。然而，地区的差异、诸多机构的场所和有限的英才教育的标准容许有重要的例外。激进的经济学家托斯泰恩·维布仑、W. E. B. 杜波依斯和后来的一位非洲裔美籍社会学家的骨干，及数个进步的女性社会科学家小组，凭借着重新阐述已经订立的政治、种族和性别法典，或凭借着把它们变成对他们有利的东西进行了开拓性的工作。[16]

在大学体系结构方面的民族差异对学科的形成具有重要的影响。从19世纪70年代和80年代开始，美国人迅速地建立起一个私立和国立大学及学院的分散的体系，这些大学和学院大多许诺具有现代的课程设置。具有科学证书或德国体系的科学（Wissenschaft）证书的新领域更易于获得承认，而且到1903年，经济学、心理学、人类学、社会学和政治学已经建立了相互分离的国家专业学会。因为在教授和大学校长之间不存在传统的学院建制，所以新的大学走向科系结构，从而巩固了学科之间的区分。作为联合院系的各种综合建制持续存在了一段时间，但是它们对于常规来说仍是个例外，虽然由一门社会科学试图统治其他社会科学而引发的争夺王位的斗争从未停止过。

因为凡事都要与传统的院系机构磋商，而且在中央政府机构或——像在英国那样——保守的私人企业的更加严密的控制之下，欧洲的大学院系和设施发展得更慢。因此，社会科学在欧洲所获得的职位更少，而且更新的领域要为获得承认而展开斗争（这一斗争经常是徒劳的）。在不同的国家，不同的研究机会和文化传统产生了不同的学术成果。地理学领域由于根植于国家教育制度和帝国野心中，所以它在法国、德国和英国而不是在美国发展成一个更加强大的学科。社会学在这几十年中在法国和德国获得了一个显著的——如果是暂时的话——学术地位。但是在英国，它仍然处于社

214

〔16〕 Eileen Janes Yeo，《社会科学的竞争：性别与阶级的关系与表现》（*The Contest for Social Science: Relations and Representations of Gender and Class*, London: Rivers Oram Press, 1996）；Rosalind Rosenberg，《超越相互分离的领域：现代女性主义的思想根源》（*Beyond Separate Spheres: Intellectual Roots of Modern Feminism*, New Haven, Conn.: Yale University Press, 1982）；Ellen Fitzpatrick，《没有尽头的圣战：女社会科学家和进步的改革》（*Endless Crusade: Women Social Scientists and Progressive Reform*, Oxford: Oxford University Press, 1990）；Helene Silverberg 编，《性别与美国的社会科学：形成的年代》（*Gender and American Social Science: The Formative Years*, Princeton, N. J.: Princeton University Press, 1998）；Theresa Wobbe，《在一个新学科的层面上：德国的早期妇女社会学家》（On the Horizons of a New Discipline: Early Women Sociologists in Germany），见于《牛津人类学协会学报》（*Journal of the Anthropological Society of Oxford*），25（Michaelmas, 1995），第283页～第297页；Martin Bulmer, Kevin Bales 和 Kathryn Kish Sklar 编，《历史视野中的社会观察》（*The Social Survey in Historical Perspective*, Cambridge: Cambridge University Press, 1991）。

会调查的中心,而且与公务员的普通角色联系在一起。[17] 经济学兴盛于英国,它构建于一个独立的和具有影响的政治经济学的传统之上,但是它在欧洲大陆仍然从属于法律和行政机构。

在美国,这一区分的发展后果不仅包括一个更加牢固的社会科学的研究基础,而且包括更加牢固的学科界线。然而,欧洲人在学科稳定性方面的所失,正是他们有时在更丰富的知识背景中的所得。在欧洲,哲学和历史不仅仅是晋升职位的竞争者,而且是晋升途径的竞争者;这一事实与欧洲人好学和道德反思传统的更加伟大的力量一起,使哲学和历史甚至在学科形成之后,仍保持为社会科学家教育的中心部分,这有助于思想的深化,并在这些学科形成的年代里实现社会科学模式在欧洲的长盛不衰。

在自然科学和人文科学之间

因为所有社会科学家实现学术抱负(自由主义的影响、知识权威和学术地位)的手段都是科学,所以构建社会科学的努力,既利用了科学知识领域和人文知识领域之间的差别,又加深了这两个领域之间的鸿沟。[18] 事实上,社会科学家本身就促成了这一差别的产生,例如当奥古斯特·孔德和约翰·斯图尔特·密尔以实证主义的名义进行阐述的时候,这一易引起反感的差别就在自然科学和其他形式的学问之间产生了。以认识只能来自感官经验和有逻辑的思想活动这一认识论的观点为基础,实证主义认为只有科学能够提供正确的知识;如果社会学科要成为科学,它们就必须发展类似于自然科学的方法。在建立社会科学方面执牛耳的、受过良好教育的自由主义阶层深信,科学提供了理性的工具,而且还在它自己的公正客观性的界标之内提供了道德信条,这一道德信条能够承担起现代文化。[19]

在一个很大的程度上,实证科学在英国、法国和美国是19世纪60年代、70年代和80年代社会科学计划的汇聚点。[20] 在那些国家,新的心理学家向实验方法的回转,边际经济学家对物理力学的借鉴,社会学家对进化规律的详尽阐述,以及人类学家的比较方法,被认为是把他们的学科放在与数学和自然科学相同的基础之上。甚至在政治学中,由自然科学衍生的修辞学也繁荣兴盛起来,而且对法律的研究也借用了进化论

215

〔17〕 除注释1所引的资料以外,还请参看Peter Wagner, Carol H. Weiss, Björn Wittrock 与 Hellmut Wollmann 编的《社会科学与现代国家》(*Social Sciences and Modern States*, Cambridge: Cambridge University Press, 1991)。

〔18〕 关于这一部分的一般参考,请参看注释8中所引的著作。

〔19〕 关于知识的区分,请参看此卷书序言;还请参看David Hollinger,《行家里手,附带1993年的跋》(The Knower and the Artificer, with Postscript 1993),见于《人类科学中的现代推动力,1870～1930》(*Modernist Impulses in the Human Sciences, 1870—1930*),由Dorothy Ross编辑(Baltimore: Johns Hopkins University Press, 1994),第26页～第53页。关于科学的精神气质,请参看David Hollinger,《詹姆斯、克里弗与科学良知》(James, Clifford, and the Scientific Conscience),见于Ruth Anna Putnam编的《剑桥威廉·詹姆斯指南》(*The Cambridge Companion to William James*, Cambridge: Cambridge University Press, 1997),第69页～第83页。

〔20〕 尤其请参看Ringer,《知识的领域》;Ross,《美国社会科学的起源》;Stocking,《泰勒之后:英国的社会人类学,1888～1951》。

有机原理。但是,唯科学主义(它要求社会科学按照自然科学塑造它们自身)并没有完全要求一致,它也并不清楚什么应当算作科学,或社会科学家的政策和道德关注如何与科学联系起来。尤其在英国和美国,社会科学吸引了沉浸于宗教虔诚和道德理想主义的善男信女,他们使科学成为人间拯救的动因。在许多情况下,实证主义的社会科学计划吸纳了而不是代替了宗教的目的。在其他情况下,如在经济学和社会学中,形成了一些与强硬路线之实证主义计划相对抗的"伦理"学派。

从19世纪80年代和90年代开始,这些最初的学科范例就受到来自内部的攻击;作为方法和假定,它们还面临具有不同思想和政治信仰的专家的吹毛求疵的严密检查。此后,这种攻击和检查又持续了几十年。一个主要的灾难是形成了这一思想:人类已经经历了一个通过相同阶段发展的单一的进化过程,因此使人类学中的比较方法和社会发展的进化论走向衰落。在经济学和心理学中,对科学的公正性提出不同要求的"学派"之间展开了斗争。

在诸学科内部的争论既受到对知识之可能性的一个广泛的批判的刺激,又有助于这一批判。到19世纪末,早期的实证主义者的伟大的系统的观点受到怀疑,而且对科学本身的理解也得到修正。恩斯特·马赫和卡尔·皮尔逊有影响力地论证说:实证科学赖以为生的感官经验,并没有提供实在的真实影像;科学提供了现象的描述,提供了对于在这一世界上为我们自己定向有用的系统阐述,而没有提供通向独立存在的客体的途径。在这些批评家的新实证主义中,科学仍然是唯一真实的知识,只需剥去不相关的形而上学的假定,它的抽象和概括方法像对自然科学适用一样,同样适用于社会科学。在新实证主义的保护下,尤其是在美国,社会科学家在20世纪20年代之前就得出结论说:他们的使命是在任何可能的地方从事严格的实验性的调查,通常以统计数字的形式进行量化,而且要构建普遍法则的学科框架。[21]

216

对于社会科学来说,一个更激烈的对知识的批评来自德国,在这里,实证主义从根本上被人们所怀疑。德国的社会科学精英是受过良好教育的中产阶级的一部分,这一中产阶级把它的文化力量的驱动系于对**文化教育**的人文主义理想的忠诚之上,系于通过与高度文明的精神王国结合的品格的培养之上。在19世纪末,面对社会的混乱和自然科学的日益增长的力量,这些精英人物寻求既能挽救他们的阶级的精神气质,又能挽救他们的科学本性的对社会科学的后实证主义的阐述。[22]

根据哲学家威尔海姆·文德尔班和海因里希·李凯尔特的观点,自然科学是一个通则性的事业,这一事业从具体经验中进行抽象,以便得出能够普遍适用的法则;因此,它倾向于经验之最一般的方面。相形之下,人文学科是寻求描述经验之具体复杂

〔21〕 Theodore M. Porter,《客体之死:世纪末的自然哲学》(The Death of the Object: Fin de siecle Philosophy of Physics),和Dorothy Ross,《重新考虑的现代主义》(Modernism Reconsidered),见于Ross编的《人类科学中的现代推动力》,第1页~第25页,第128页~第151页。

〔22〕 Fritz K. Ringer,《德国官僚的衰败:德国学术团体,1890～1933》(*The Decline of the German Mandarins: The German Academic Community, 1890—1933*, Cambridge, Mass.: Harvard University Press, 1969)。

性的一项表意文字事业。此外，威尔海姆·狄尔泰（1833～1911）强调了对人文学科的研究适用的有特色的方法：如果通则性的科学的自然客体是经得起测量和原因分析的，那么，相形之下，人类就是自我意识和自我驱动的；他们的所作所为只能根据他们的动机和以语言、文化表达的确定它们的意义来理解。对于狄尔泰来说，社会科学是精神科学（*Geisteswissenschaften*）；它们的使命像一般人文学科的使命一样，是解释学的，即根据它们是其一部分的更大的结构解释人的意义的证据。

在第一次世界大战前的20年的时间里，马克斯·韦伯（1864～1920）通过这些区分走了一条谨小慎微的中间道路，如同通过相关的经济学的关于方法的争论一样。[23]他论证说，社会文化学像历史学一样，旨在理解具体的实在，而且利用解释来理解创造了具体实在的人的目的。但是，这类研究既可能是寻找因果关系的科学，又可能是概括归纳的科学。动机是真实的原因，历史的总结概括，如“封建主义”和边际经济学家的“经济学的人”，是允许进行科学分析的“理想的典型”；它们的有用性在于它们能够产生的对具体世界的理解。韦伯还承认，价值深深地蕴含在对社会知识的寻求中。对于大多数实证主义者来说，科学知识只能是关于事实的知识，它摆脱了调查研究者的主观价值。韦伯指出，任何事件或过程的特性都能以无数的方式进行描述。我们所赋予它的特性出自我们带给它的一系列特殊的问题和价值：因此，我们的价值被构入建造和构成社会科学事业的问题和概念。

217

19 世纪和 20 世纪之交的关于方法、知识和价值的争论，也关系到科学和社会能动主义之间的关系。19 世纪的大多数开业医生都把科学、道德规范和社会活动结合在一起。进步的概念容许进化论者把他们的价值和忠告嵌入他们的历史发展的故事中。甚至密尔的信徒（他们相信在科学与它在政策权谋中的应用之间具有简洁的实用主义的区分）在跨越这一界限的时候一般也很少遇到困难。对于其他人来说，继续存在的自然法则的概念和对宇宙有神的支撑的信仰使对——正如美国社会学家阿尔比恩·斯莫尔所表述的那样——“人类事务的道德经济”的信念仍然持有活力。[24] 然而，当实证主义和社会科学知识的局限性在 19 世纪末被人们重新审视的时候，正如诸学科当时试图在激烈的政治争论的背景中确保它们的科学权威一样，社会科学家的理念、价值和行动指南之间的关系也变得相当可疑了。

像实证主义者一样，韦伯也在“是（is）”与“应该（ought）”之间做了一个明确的区

[23] 关于 Weber 参加的争论和他的具有争议的立场，请参看由 Thomas Burger 评注和编辑的《马克斯·韦伯的概念形成的理论》（*Max Weber's Theory of Concept Formation*, Durham, N. C.: Duke University Press, 1987）；Manicas,《历史与哲学》（*History and Philosophy*），第 1 部；Max Weber,《罗舍尔和克尼斯：历史经济学的逻辑问题》（*Roscher and Knies: The Logical Problems of Historical Economics*, New York: Free Press, 1975）；Christopher G. A. Bryant,《在社会理论和研究中的实证主义》（*Positivism in Social Theory and Research*, New York: St. Martin's Press, 1985），第 3 章。一个曲解了 Weber 的历史主义和价值关系的意义的特殊观点在第二次世界大战之后的美国成为具有影响力的观点；请参看 Max Weber,《社会科学的方法》（*The Methodology of the Social Sciences*），由 Edward Shils 和 Henry Finch 翻译并编辑，由 Edward Shils 撰写前言（New York: Free Press, 1949）。还请参看此卷第 4 章。

[24] 在 Ross,《美国社会科学的起源》第 347 页上被引证。

分。他论证说，对于指导人应如何行动来说，对实在的科学描述本身还是不够的，它还应与价值的判断分离开来。但是，与价值自由的科学的许多拥护者不同，韦伯既没有抹杀被构入社会科学结构中的价值，也没有把社会科学家从伦理—政治的判断中解放出来。确实，韦伯的立场像是阐明社会科学的一种努力一样，是对现代世界之精神意义的消失的一种道德回应，也是对自己决定做什么和如何生活的一种坚持和肯定。

韦伯的战略在他自己的痛苦地分裂开的环境中并没有取得一致，而且自那以后一直没有取得一致。虽然科学院的社会科学家们经常被引入日益升级的政治冲突和战时的激情，可是他们一般来说还是设法避免明确地加入某个党派，这经常意味着避免采取更具有争议的立场。这在自由的和新实证主义的美国背景中尤其正确，在美国的背景中，这一时期的辩论最经常地导致社会科学家去寻求中间的、大致中立的立场，并把社会科学家的积极作用确定为技术专家的作用。

218

关于知识和价值的争论留下了一个更明确区分开来的知识领域。在美国，社会科学的趋于自然科学的倾向激励诸学科与文学、工艺美术、哲学相结合，尤其是在一个相当大的程度上与历史学相结合，以构建一个作为围绕着对价值关注的"人文科学"的反同一性。[25] 这些广泛的对立，在于19世纪和20世纪之交争论的非决定性的结果，也在于把社会反思和实践与诸学科结合起来的困难意味着立场发生了变化，而且认识论的区分不断地重复出现。正如亚当·库珀所示，在20世纪20年代，人类学把它的大部分领域从生物自然科学转向其他社会科学，在1970年之后，又转向人文科学。正如詹姆斯·法尔在其所写的那一章中所示，政治学反复地就适于学科对科学和民主之联合承诺的立场进行辩论。在任何地方，解释学的和通则性的著述风格、价值关联和价值自由都继续需要追随者，即使当民族的和学科的趋势形成的时候也是如此。

两次世界大战之间的社会科学

在1914年之后，社会科学家的学科计划遇到了完全不同的情况，这些计划在欧洲和北美洲具有明显不同的结果。[26] 在欧洲，传统的大学制度使得新学科的规模一直很小而分散，而且第一次世界大战夺走了这一代成年人十分之一的生命。在学术机构已经取得名声的地方（例如，在英国，经济学和人类学的学术机构就取得了这种声誉），强大的学科传统在随后的几十年一直继续存在。在其他场所，摩擦和战后的政治运动造成了重大损失。尤其是在欧洲大陆，社会主义、法西斯主义和有恶意情绪的民族主义的兴起，削弱了社会科学家的信心和自由主义的目的。随着法西斯政权在德国、意大

[25] John Higham，《美国学术的宗派》（The Schism in American Scholarship），见于他的《书写美国的历史》（*Writing American History*, Bloomington: Indiana University Press, 1970）。

[26] 关于本节题目的基本信息，请参看此卷关于诸学科的章节；Smith，《诺顿人类科学史》；Ross，《美国社会科学的起源》至1930年，和Stocking，《泰勒之后：英国的社会人类学，1888～1951》和《民族、文化与进化：人类学史论》。

利和奥地利的建立和第二次世界大战的爆发,欧洲的诸学科在许多地方被解散或被分裂,虽然法西斯国家的机构像战时各类国家的机构一样为诸学科提供了相当有力的支持,现在这些学科又提供了专业技术和实际研究。[27]

相形之下,美国的社会科学学科在日益发展的大学体系之内继续扩张。到1920年,社会学的国家专业学会成员人数达1000人,政治学达1300人,经济学达2300人;从事教育和实践的社会科学家的数量一定还会大得多。每一门学科凭借其本身变成了类似于亚文化的某种东西,而且,它们像专业协会一样,为新成员提供行为规范、任命和提升的方式,以及具有等级程序的专业进程,这些东西以某种方式将其成员与外部的判断隔离开来。[28]

219

除此之外,自由主义的理想仍然继续统治着美国的政治。更何况第一次世界大战的创伤和战前的自由的希望的落空,无论是在美国还是在欧洲都似乎使历史发展变得不确定,而且增强了一种对历史的非持续性的意识。由于这一生活在一个新的历史世界中的意识早先就被现代主义艺术家和知识分子所开掘和利用,所以它进一步侵蚀了已经形成19世纪社会科学框架的进化论体系,而且在20世纪20年代之前,就将所有的社会科学从历史的解释形式移向共时的解释形式。在第一次世界大战前后的数十年间,功能主义的方法围绕着适应一个宽泛的领域范围的生物学的隐喻得到了发展,这些学科领域是:教育心理学,对政治、党派和利益集团的研究,由在学术机构中的经济学家所进行的实验性研究,主张相互作用说的有关社会学的芝加哥学派,英国的功能主义的人类学。

科学的雄心壮志也鼓励了功能主义的方法,而且这种方法也开始走向统计的技术。在第一次世界大战之后,尤其是在美国,功能主义的方法被一种更为严格的唯科学主义所重塑。历史学家已将这一美国人的模仿自然科学的欲望归于被个人主义和民主养育的量化的倾向,而且归于美国例外论中自然主义的偏见。[29] 然而,普遍适用的民族的解释过分地决定了这一结果,因为在美国的社会科学中存在相当大的差别,就如同在欧洲有相当一致的共同心理一样。而且,唯科学主义像月亮那样时圆时缺。人们经常在回应激烈的思想争论的时候起草科学计划,当时,科学承诺克服或避免党争的出现。唯科学主义首先出现于学科形成的头几十年(这是一个阶级政治学和充满着对专业的渴望的年代),它在第一次世界大战的思想觉醒中得到加强,而且在第二次

[27] Stephen P. Turner与Dirk Kasler编,《社会学对法西斯主义的回应》(*Sociology Responds to Fascism*, London: Routledge, 1992); Ulfried Geuter,《纳粹德国心理学的专业化》(*The Professionalization of Psychology in Nazi Germany*, 1984, Cambridge: Cambridge University Press, 1992)。

[28] Ross,《美国社会科学的起源》,第392页。

[29] 关于例外论及其忧虑,请参看Ross,《美国社会科学的起源》,第2章;关于民主和个人主义,请参看Judith Sklar,《亚历山大·汉弥尔顿与政治学语言》(Alexander Hamilton and the Language of Political Science),见于由Stanley Hoffmann和Dennis F. Thompson编的《挽救美国政治思想》(*Redeeming American Political Thought*, Chicago: University of Chicago Press, 1998),第3页～第13页。Theodore M. Porter在《相信数字:追求科学和公众生活中的客观性》(*Trust in Numbers: The Pursuit of Objectivity in Science and Public Life*, Princeton, N. J.: Princeton University Press, 1995)一书中把量化与专业权威的民主的怀疑联系在一起,这造成了对它们的假定的非人格化有利的计算规则。

世界大战之后再一次得到加强。

20 世纪 20 年代进入美国社会科学的科学的严谨性的另一个关键在于采纳可被称为科学的工程学这一概念。自从 18 世纪以来,社会科学就已具有了实际的目的——这一点在它们作为通向现代化道路的向导角色中得到暗示。然而,这一向导经常被理解为民众或(而且更经常地是)其领袖的开导或启蒙。直接进行社会干预的目的把社会科学家置于一个更加积极的角色,而且置于一种文化中,这一文化特别尊重有用的知识,而且已经发明了实用主义,实际的干预从美国的社会科学开始创立以来,就一直是它的专业和学科目的的中心。[30] 但是,干预也能采取各种各样的形式。政府和官僚机构对于程序合理性的日益增长的需求,以及第一次世界大战的检验规划和统计局为设计管理的工具提供了温床,这些设计管理的工具承诺进行预测和控制。与此同时,历史的非连续性和新实证主义(与它的对科学与实在的实际的关系的信念一起)鼓励这样一个观点,即对于人的目的来说,科学能够重新构建实在。

220

与此一道,这些态度开始重新塑造科学的语言和实践,从而产生了一个工程科学,这一工程科学不仅倾向于在这一世界中的技术干预,而且从根本上说它是由它的干预的技艺所形成的。[31] 凭借着既在研究中又在实际的干预中寻求预测的操作方法和普遍的学科程序,社会科学家试图根据他们的干预主义的技术形象重新塑造他们学科的“科学”。正如西奥多·M. 波特在他的关于统计学的章节中指出,皮尔逊的新实证主义的统计测量与相互关系的程序规划(后来它被经济衰退分析和变化分析所证明)提供了关键的数学工具。更严格的社会科学的拥护者在这些岁月里经常论证说,“基础”科学的建构是一个与“应用”相分离的艰难尝试,但是,在事实上,指导研究的持续存在的实际目的和既统辖科学战略又统辖实践战略的相似的理性的价值观抹杀了这一区分。我们能够把那一工程学的思想置于两次世界大战之间的美国心理学之中,并在社会学、政治学和经济学中认出它的开端。

约翰·B. 沃森(1878～1958)的行为主义首先肯定了工程学的计划。作为一位动

〔30〕 David Hollinger,《美国历史中的实用主义问题》(The Problem of Pragmatism in American History),见于他的《在美国的行省:历史与思想史研究》(*In the American Province: Studies in the History and Historiography of Ideas*, Baltimore: Johns Hopkins University Press, 1985),第 23 页～第 43 页。关于对杜威(Dewey)的工具主义的误解的一个纠正,请参看 Robert Hollinger 与 David Depew 编的《实用主义:从改良主义到后现代主义》(*Pragmatism: From Progressivism to Postmodernism*, Westport, Conn.: Praeger, 1995),第 78 页～第 81 页,第 118 页。

〔31〕 关于进步时代的社会工作的工程学模式,请参看 Stephen Turner,《匹兹堡勘察与勘察运动:在专业史中的一段插曲》(The Pittsburgh Survey and the Survey Movement: An Episode in the History of Expertise),见于由 Maurine W. Greenwald 与 Margo Anderson 编的《被勘察的匹兹堡:20 世纪初的社会科学与社会改良》(*Pittsburgh Surveyed: Social Science and Social Reform in the Early Twentieth Century*, Pittsburgh: University of Pittsburgh Press, 1996),第 35 页～第 49 页;关于工程学隐喻的各种用法,请参看 John M. Jordan,《机器时代的思想:社会工程学与美国的自由主义,1911 ～1939》(*Machine-Age Ideology: Social Engineering and American Liberalism, 1911—1939*, Chapel Hill: University of North Carolina Press, 1994);关于作为“工具实证主义”的工程学模式,请参看 Bryant,《社会理论与研究中的实用主义》(*Positivism in Social Theory and Research*)第 5 章;关于自然科学中的工程学模式,请参看 Philip J. Pauly,《控制生命:雅克·洛布与在生物学中的工程学理想》(*Controlling Life: Jacques Loeb and the Engineering Ideal in Biology*, Oxford: Oxford University Press, 1987)与 Ronald Kline,《把“技术”解释为“应用科学”:美国科学家与工程师的公用的修辞学,1880 ～1945》(Construing “Technology” as “Applied Science”: Public Rhetoric of Scientists and Engineers in the United States, 1880—1945),见于《爱西斯》(*Isis*),86(1995),第 194 页～第 221 页。

物心理学家,沃森认为,任何对主观状态的诉求都是不合理的,都是一个出自可观察到的行为的形而上学的推论。与此相反,所有行为都是由对刺激的反应构成,都被教育环境所决定,并且结合起来形成复杂的模式。他宣布,行为主义者“像物理学家要控制和操纵其他自然现象一样要控制人的反应”。[32] 沃森的科学概念要归功于工程学,而不是归功于物理学。库尔特·丹齐格指出:“人们所欲求的东西是作为干预之客体的个人的知识,而不是作为经验之主体的个人的知识。”[33]

221

沃森的主要追随者(爱德华·托尔曼、克拉克·赫尔和伯尔赫斯·弗雷德里克·斯金纳)的新行为主义筑基于同一达尔文的自然主义、专家统治的乌托邦主义和刺激—反应技术之中。然而,他们发展了一个更为复杂的心理学,而且利用了(主要在他们的计划陈述中)新的科学哲学的倾向。其中之一是珀西·布里奇曼的操作主义,它将所有科学概念的意义等同于由科学家在证实它们的时候所进行的具体操作,因此排除了不能被简化为这类操作的科学概念。由科学哲学家维也纳圈发展起来的逻辑实证主义将科学确立为所有知识王国的唯一方法,而且把科学限制在可陈述的经验和逻辑的观点中。因为掌握这一具有权威的高地,这些科学哲学为行为主义的努力增添了合法性。[34]

历史学家已展示,大多数心理学家,包括新行为主义者,并不采纳沃森的对精神状态的注意力的排斥。但是,在20世纪20年代的工具主义的背景中,行为主义抓住了这一学科的想象力。“行为”而不是“思想”成了美国心理学研究客体的共同名称。[35] 与此同时,行为主义提供了这样一个背景,在这一背景之中,刺激—反应模式成了心理学研究实践的标准,而且这一标准既适用于反射行为,又适用于复杂行为。在20世纪30年代以前,实验室的研究实践又与弗朗西斯·高尔顿的研究个人变化的方法结合起来,这一方法是实践心理学家的基本技艺。从统计的综合出发,实践家现在寻找个人如何回应变化了的条件的预报方法——一个抽象的统计图。对于他们的被构建为“单一的、没有交流的个体的主体来说……任何社会的或文化的事物都只能以外在刺激个体的形式进入这一世界”[36]。

历史学家已经指出了行为主义心理学的工程学思想,而玛丽·摩尔根在第16章里作为工程学之经济学的最初解释暗示,这一趋向就更深地存在于社会科学计划和鼓

222

[32] John B. Watson,《行为主义》(*Behaviorism*, 1924, New York: Norton, 1970),第11页。

[33] Danziger,《构建学科》(*Constructing the Subject*),第67页;重点在原文。还请参看 Kerry W. Buckley,《机械的人:约翰·B. 沃森与行为主义的开端》(*Mechanical Man: John Broadus Watson and the Beginnings of Behaviorism*, New York: Guilford Press, 1989)。

[34] Laurence D. Smith,《行为主义与逻辑实证主义》(*Behaviorism and Logical Positivism*, Stanford, Calif.: Stanford University Press, 1986)。

[35] Franz Samelson,《行为王国的组织:在20世纪的学术竞争与组织政策》(Organizing for the Kingdom of Behavior: Academic Battles and Organizational Policies in the Twenties),见于《行为科学史杂志》(*Journal of the History of the Behavioral Sciences*),21(1985年1月),第33页~第47页。

[36] Danziger,《构建学科》,尤其是第7章~第8章;Kurt Danziger,《为精神命名》(*Naming the Mind*, London: Sage, 1997),第6章,引文在第99页。

励科学主义的先决条件中。在两次世界大战之间的几十年中，工程学方法的基础既由专业机构的经济学家创立，又由新古典主义的经济学家创立，这是在一个静态多元学科中的两个主要的变种；对于两者来说，统计学代表了一个将产生更伟大实际的现实主义的科学方法。数学在20世纪30年代开始取得实际的进展；作为这一学科对由大萧条创造的经济干预的迫切需要的回应，和对在数学和物理学中受过训练的一群人的拥入的回应，数学和经济学的论文和专著的数量开始攀升。然而，主要是第二次世界大战让经济学家有机会来为分析实际的经济和分配问题，展开数量工程学之工具的一个排列，而且是战后的政治气候将这些工具带到统治的地位。[37]

在两次世界大战之间的几十年时间里，行为主义（而不是经济学的技艺）在其他社会科学和新成立的社会科学研究理事会中，是科学的工程学概念的标准负荷者。行为主义的假定渗透了成为美国社会科学明显标志的数量社会学研究：社会和政治现象被想象为个人对外部刺激之反应的总体行为，并以此使它们可被统计分析、预测和监控。社会学和政治学在研究中大量采纳数量测定和统计方法。到20世纪30年代，调查方法开始为监测公众舆论提供了一门技术，但是这一工程学计划远远超出了对于它的颁布来说是必要的训练、工具和市场所允许的范围，与经济学的情况相同，只是在第二次世界大战之后，这一计划才充分实现。[38]

蕴涵在工程学中的个体主义方法论的假定既与美国社会的自由的个人主义相一致，又适合各种政治类型的官僚机构的目的。在战时形成的工程学成了全世界福利国家的主要支柱，而且同时适用于民主政治背景和集权主义政治背景的管理工作。工程学的方法经常被插入由不同的科学概念形成的研究中。例如，在心理学中，詹姆斯的经验主义和自然历史传统凭借着一群社会和个体心理学家，为具体的表意文字学的研究提供了支持，然而，这些心理学家仍然以工程学的术语设计他们的研究，因此压缩了这一更丰富的人文学的结构框架。[39] 正如埃伦·赫尔曼在第38章所示，这些心理学家的治疗学语言有时反对这一工程学模式，有时又与这一模式相结合。

223

工程学还开始构造一个“主要倾向”，在第二次世界大战之后，这一主要倾向使反思的可替代方式边缘化。然而，这一主要倾向的霸权总是受到具有实际的支持和影响

[37] Mary S. Morgan 与 Malcolm Rutherford，《美国的经济学：变化的特性》（American Economics: The Character of the Transformation），见于由 Mary S. Morgan 和 Malcolm Rutherford 编的《从两次世界大战之间的多元主义到战后的新古典主义》（*From Interwar Pluralism to Postwar Neoclassicism*, Durham, N. C.: Duke University Press, 1998）；Philip Mirowski，《何时、如何和为何在经济分析史中使用数学表述》（The When, the How and the Why of Mathematical Expression in the History of Economic Analysis），见于《经济展望杂志》（*Journal of Economic Perspective*），5（1991年冬），第145页～第157页。

[38] Samelson，《行为王国的组织》（Organizing for the Kingdom）；Danziger，《为精神命名》；Ross，《美国社会科学的起源》第10章；Bannister，《社会学与唯科学主义》（*Sociology and Scientism*），第11～12章。请参看 Jennifer Platt，《美国社会学研究方法史，1920～1960》（*A History of Sociological Research Methods in America, 1920—1960*, Cambridge: Cambridge University Press, 1996），为计划陈述与实际方法之间的鸿沟所作的一个唯名论的论证。

[39] Katherine Pandora，《在等级内部的造反者：心理学家对实行新政的美国之科学权威与民主现实的批判》（*Rebels within the Ranks: Psychologists' Critique of Scientific Authority and Democratic Realities in New Deal America*, Cambridge: Cambridge University Press, 1997）；Danziger，《为精神命名》，第9章。

的对手的挑战。在20世纪30年代,政治冲突的复活导致话语的少数派对客观性的科学风格提出质疑。解释学的和规范的方法与科学的方法并立,尤其是在象征相互作用说和政治理论这类分支领域。历史的观点尤其影响了政治学和制度经济学,而且制度经济学家在政府和对劳动与商业的研究中占有显著位置。所有学科的理论进程都是以历史为导向的。特别重要的是人类学科,在这一学科中,弗朗茨·博厄斯(1858～1942)的社会科学的历史的和解释学的概念已重塑了达尔文的功能主义。在两次世界大战之间,美国的人类学家集中研究人类文化,并把文化作为他们学科的明确规划,而且发展了用于其研究的全面的人种学方法。例如,社会学家罗伯特和海伦·林德对于证明他们的《米德尔敦》(*Middletown*, 1929,被视为代表美国中产阶级文化的假设社区——译者注)的文化研究的合理性来说,可以要求人类学的权威,这一对合理性的证明是怀疑论的心理学家和社会学家对这一计划的审视所做的证明。[40]

如果我们现在从美国走向欧洲,我们就走入一个构造不同的历史背景,虽然这一差异不是绝对的。大萧条使全世界都开始寻求以统计学和数学为基础的经济学方法,在荷兰、斯堪的纳维亚半岛和法国,人们在这一方面已经取得了显著的成就。英美社会科学占有一个非常广泛的领域,这一领域包括遗产统计调查、社会普查和政策研究,它们为福利国家的产生做出了贡献。

类乎此,要把社会科学构建为科学的欲望在欧洲如在美国一样仍然是社会科学学科计划的一个明确特征。然而,一个工程学的科学概念是站不住脚的。在这一时期,欧洲的社会科学家对实验统计学和实践技术具有更大的兴趣,但是,这些经验性的东西在欧洲学术界并不具有太大的合法性,而且在经济学以外,这类技术的市场仍然是有限的。欧洲的社会科学家凭借着更深地根植于哲学和历史之中——他们和马克思主义一起是一个作为灵感或对手的有力的存在——占领了一个更加广泛的哲学和政治领域。结果,他们在科学的概念之内进行研究,这些科学概念承认了社会的更严重的复杂性,而且允许全面的分析方法与性质的假定和量化分析方法结合起来。换言之,形态心理学(它是心理学和自然科学的一个全景)和社会科学史之综合的《年鉴》(*Annales*)学派是明显的恰切例证。

224

两次世界大战之间的社会科学中的跨学科现象

如果两次世界大战之间的社会科学的一个特征是唯科学主义的话(这一唯科学主义在美国破嗓裂喉,疾呼呐喊,而在欧洲却沉寂无声),那么第二个特征就是跨学科的

[40] Richard Wightman Fox,《米德尔敦墓志铭:罗伯特·S. 林德与消费者文化分析》(Epitaph for Middletown: Robert S. Lynd and the Analysis of Consumer Culture),见于《消费文化:美国史评论,1880～1980》(*The Culture of Consumption: Critical Essays in American History, 1880—1980*, New York: Pantheon, 1983)。

剧烈运动。[41] 这一时期的大多数具有创造性的成果与这类交流所产生的要求和机会相联系。具有讽刺意味的是,正是欧洲的学科结构的弱化和美国的学科结构的增强刺激了学科的跨越。

例如,在法国,迪尔凯姆社会学的崩溃为更巩固的历史地理综合学科通过《年鉴》(*Annales*)计划继承它的雄心壮志开辟了道路。迪尔凯姆的后继者步入了人类学和社会学,与此同时又与哲学保持着密切的联系。正如克洛德·莱维-斯特劳斯于1945年指出的那样,法国的社会学并不"把它自身视为一个在其自己的特殊领域工作的孤立的学科",而是视为在一些相关学科中表现出的一个"方法"或"态度"。归根结底,学科聚焦点的弱化激活了克洛德·莱维-斯特劳斯、路易·迪蒙和皮埃尔·布迪厄这类宽泛的社会理论家的生产。[42] 在法国心理学中也存在大致相同的情况,在这一学科中,学科制度化的缺失鼓励了瑞士心理学家让·皮亚杰的更为广泛的探索。

在中欧和东欧,反动的和激进的政权的不稳定演替迫使某些学院的社会科学学科沿着形式主义或反动的方向前进,而且把以自由市场为指归的奥地利经济学家(他们缺少学术基础)推入狂热地信仰理想的"障碍心理"。[43] 但是,这种情况也能产生对跨学科研究和持特异见解的研究的开放。人类在第一次世界大战中的相互残杀和俄国的共产主义革命,刺激了魏玛共和国、社会主义的维也纳和共产主义俄国的左翼知识分子,从社会科学中寻求新的解决社会问题的方案。在两次世界大战之间的特殊社会条件下的杰出成果中,有列夫·S.维戈茨基的以社会为定位的发展心理学和保罗·拉扎斯菲尔德(1901～1976)的多维社会研究。[44]

225

另一个具有影响的特殊成就是社会研究所于1923年在法兰克福的创立,在其中任职的是犹太血统知识分子、激进的政治家和对各种跨学科领域感兴趣的人。成为其领导人的马克斯·霍克海默拒绝把他们的研究认同为"社会学";他把他的使命理解为社会理论的构建,这是一个正处于理论批判的过程,而且被实验性研究所补充和赋予活力。在这一丰富的社会环境中的一个重要特征是心理分析。西格蒙德·弗洛伊德

[41] 关于这一小节以之为基础的基本信息,请参看在此卷书中的关于学科的诸章节;Smith,《诺顿人类科学史》;Ross,《美国社会科学的起源》到1930年;Stocking,《泰勒之后:英国的社会人类学,1888～1951》;Morgan 和 Rutherford,《美国的经济学》(American Economics);Peter Wagne,《社会学》(Sociology),见于联合国教育科学及文化组织编的《人类历史》(*The History of Humanity*)第7卷:《20世纪》(*The Twentieth Century*, London: Routledge, 即将出版)。

[42] Victor Karady,《当今法国社会学的史前史,1917～1957》(The Prehistory of Present-Day French Sociology 1917—1957),见于由 Charles C. Lemert 编的《法国社会学:自1968年以来的决裂与复兴》(*French Sociology: Rupture and Renewal Since 1968*, New York: Columbia University Press, 1981)。这段引文是出自 Claude Lévi-Strauss,《法国社会学》(French Sociology),见于由 Georges Gurvitch 与 Wilbert E. Moore 编的《20世纪的社会学》(*Twentieth Century Sociology*, New York: Philosophical Library, 1945),第505页。

[43] Claus-Dieter Krohn,《在1933年之后的说德语的经济学家的被解雇与侨迁》(Dismissal and Emigration of German-Speaking Economists after 1933),见于 Mitchell G. Ash 与 Alfons Sollner 编的《被迫的迁徙与科学的变化:在1933年之后的迁徙国外的说德语的科学家与学者》(*Forced Migration and Scientific Change: Émigré German-Speaking Scientists and Scholars after 1933*, Cambridge: Cambridge University Press, 1996),第188页。

[44] 参看 Smith,《诺顿人类科学史》,第616页～第622页,第783页～第798页;还请参看由 Birgitta Nedelmann 和 Piotr Sztompka 编的《欧洲社会学》(*Sociology in Europe*)中的关于奥地利、匈牙利和波兰的文章(Berlin: Walter de Gruyter, 1993)。

对无意识心理作用的决定性影响的强调，他关于性理论的偏激的暗示，以及他的犹太人身份，使欧洲的学术界和医学专家对心理分析产生怀疑，但是，它在现代主义的文化界及20世纪20年代和30年代初的激进的社会理论和实践的短暂鼎盛时期却是繁荣兴旺的。通过把马克思与弗洛伊德和文化分析联系在一起，法兰克福的理论家们考察了个人是如何使资本主义社会的权力关系变为主观思想，而文化又是如何使资本主义社会的权力关系重新产生出来的。法兰克福社会研究所于1933年向纽约的迁徙，成了行将改变美国思想文化可能性(候选者——译者注)的许多旅行之一。[45]

对于美国的社会科学家来说，两次世界大战之间这段岁月里的问题不是学科结构的弱化，而是它们的增强。学科的形式和科学的远大目标创造了一个学科统一的前景，但是，从理论、内在修习和公共舆论来说，这些学科是断裂的。与此同时，他们把人文社会学科区分成相互分离的，而且经常是不相容的部分。如果美国的社会学家具有比他们的欧洲同行在“社会”之上更牢固的权威的话，那么他们也是凭借着放弃经济、政治和文化世界的广大领域获得这一权威的，而这些广大领域本来可在他们的视界之内。凭借着把普通个人当做它的对象，心理学把相互分离的诸学科的心理学假定留给它们自己，从而产生出像理性而好求的“经济的人”、文化的负荷者、人类学的承载规范的主体这类完全不同的创造物。在一个学科中得到发展的理论方法和统计技术经常介入其他学科之中，但是在其他学科那里，这些方法和技术采取了不同的形式。每一个学科都问不同的问题，都被不同的假定所构成，而且这些差异成了推理论说的传统，进入这些传统的从业者结成了社团。这些共同体把精力集中于内向的研究，但是不能产生基本的一致，或阻止分支学科(分支领域)的增生。 226

在这些岁月里，社会科学内部的差异凭借着跨越国界而成倍地增加。通过会谈、社交、访问和为寻求机会而进行的移民开展的思想文化交流在20世纪20年代得到恢复，这种思想文化交流使大西洋两岸的学者横渡大洋，穿梭往来。在20世纪30年代，这一交流移向西方，几百名社会科学家(其中一些人在此之前被从俄国放逐出来)从德国和中欧移民境外，重新定居于英国和北美，大多数定居于美国。在心理学领域，可能有15%的从业者和1/3的大学教授离开了德国。在所有领域中，流亡者大多数是犹太人，他们在政治上是左翼，在德国学术机构中居于边缘地位。这些特性在寻求美国的学术职位的时候，几乎不是什么有用的东西。美国可能比德国更不容忍强硬的左翼政治，即使美国的反犹太主义不像欧洲的反犹太主义那样厉害，它在受聘和晋升时也仍是一个重要的因素。这些难民的天才和某些美国知识分子与官员对他们主动的关心，使这些难民能够开辟他们自己的生活道路。[46]

[45] Martin Jay,《辩证的想象:法兰克福学派的历史与社会研究所,1923～1950》(*The Dialectical Imagination: A History of the Frankfurt School and the Institute of Social Research, 1923—1950*, Boston: Litde, Brown, 1973)。

[46] Ash 与 Sollner 编,《被迫的迁徙与科学的变化》,序言与第2～3部分;Earlene Craver,《奥地利经济学家的侨居》(The Emigration of the Austrian Economists),见于《政治经济史》(*History of Political Economy*),18(1986),第1页～第32页。

这些流亡者对美国社会科学的充分影响直到20世纪50年代才被人们感受到。在他们的天赋素质与美国人的利益和工作风格融为一体的地方——如拉扎斯菲尔德的情况——他们就将有最大的影响;但是,许多流亡者拓宽了可获得的学术地位的范围。他们为被占统治地位的唯科学主义排斥到边缘位置的趋向增加了分量,例如,格式塔心理学家授权美国心理学的“造反者”去寻求更全面的观点。在政治学领域,德国人实质性地增强了政治理论、国际关系和比较政治学领域;在第二次世界大战爆发之后,他们在构建美国人对极权主义的理解方面是领路人。在经济学中,一个对干预主义的国家政策作出承诺的德国“新古典的”经济学家网络,在社会研究新学派和罗斯福新政政策的制定中找到了一个现成的家园。奥地利经济学家的一支较大的队伍(在外表上看他们是自由意志论者,而不太像犹太人),更易于在已经建立的美国大学中找到职位。[47]

对跨越学科界线和国家界线的主要支持来自美国的慈善基金会。在欧洲的国立大学体系中,人们通过特殊的学会支持研究,这些学会经常围绕起主导作用的教授进行组织,而且它们的关注经常是狭隘的。具有特殊政治或政策目的的私人捐献者也偶然支持研究学会或计划,如在法兰克福和维也纳那样。在美国,私人基金会在社会科学研究中成了主要角色,而且它们的影响也远及欧洲。洛克菲勒基金会在20世纪20年代向社会科学投资4000万美元,在整个30年代继续向社会科学投了一大笔钱,与此同时,罗素·萨吉与卡内基基金会献出了一笔较少的资金。基金保管人和社会科学家的不同目的被比尔兹利·拉姆尔和劳伦斯·K.弗兰克这类基金经理带入工作关系,这些基金经理本人也培训社会科学家,这些社会科学家促进了科学知识的生产,“人们可以期望这些科学知识在有能力的技术专家手中迟早会产生出实质性的社会控制”。这一科学的工程学概念与一个对跨学科研究的兴趣联系起来:人们相信,学科的障碍是社会科学不能获得自然科学之科学权力的主要原因。[48]

洛克菲勒基金会的一个最重要的成就是社会科学研究委员会(SSRC),这是把社会科学诸学科联合在一起的第一个组织。洛克菲勒有一个遗嘱,它嘱咐各学科委员要确保他们的学科特点和与日俱增的作为科学的自我意识,而不能把他们自己视为任何普通的身份,因此,社会科学研究委员会是一个分发洛克菲勒基金的手段。虽然它把

[47] Krohn,《在1933年之后的说德语的经济学家的被解雇与侨迁》;Alfons Sollne,《从公共法到政治学? 在1933年之后的德国学者的侨迁及其对一个学科之变化的影响》(From Public Law to Political Science? The Emigration of German Scholars after 1933 and Their Influence on the Transformation of a Discipline),见于由Ash和Sollner编的《被迫的迁徙》,第175页～第197页;Pandora,《在等级内部的造反者》,John G. Gunnell,《政治理论的衰落》(*The Descent of Political Theory*, Chicago: University of Chicago Press, 1993)强调了移居美国的政治理论家对美国政治学的不和谐的影响。

[48] Samelson,《行为王国的组织》,引文在第39页;Barry D. Karl与Stanley N. Katz,《美国私人慈善基金会与公共领域,1890～1930》(The American Private Philanthropic Foundation and the Public Sphere, 1890—1930),见于《密涅瓦》(*Minerva*),19(1981),第236页～第270页;David C. Hammack与Stanton Wheeler编,《形成中的社会科学:论罗素·萨吉基金会,1907～1972》(*Social Science in the Making: Essays on the Russell Sage Foundation, 1907—1972*, New York: Russell Sage, 1994);Ellen Condliffe Lagemann,《知识的政治学:卡内基公司、慈善团体和公共政策》(*The Politics of Knowledge: The Carnegie Corporation, Philanthropy, and Public Policy*, Middletown, Conn: Wesleyan University Press, 1989)。

具体的研究计划留给了调查研究者,但是它仍然鼓励新的研究方向(如行为主义),这些新的研究方向预示着一个工程学,也鼓励芝加哥大学社团研究这类计划,这类计划鼓励社会科学进行合作。洛克菲勒基金会还向欧洲的社会科学投资,它将单个学者邀往美国大学,而且支持进行实验和跨学科研究的学术机构,这种实验和跨学科研究反映了它自己的科学概念,如:伦敦经济学院(LSE)(一个主要的受益者)和在柏林的德国高等政治学院(一个独立自主的政治学的唯一的德国代表)。这一基金会的财政援助既加强了在美国形成的科学的"主流",又对在那一主流之外的那些学派做出了实质性的贡献。[49]

在两次世界大战之间的社会科学中,对各学科的资助和跨学科跨国界研究有助于创立几个创新的社科项目。在 A. R. 拉德克利夫-布朗和波兰的流亡者布罗尼斯拉夫·马林诺夫斯基的更早倡导下,英国的功能人类学在 20 世纪 20 年代宣布它自己是一个学派。当具有人格魅力的马林诺夫斯基(他住在伦敦经济学院)使洛克菲勒基金会和某些抱着实际的功能主义价值理念的殖民地管理者确信了"间接统治"的政策的时候,洛克菲勒基金会向在非洲的博士后点提供了 25 万美元,它既巩固了这一学科的野外调查的中心地位,又确保了功能人类学在英国的统治地位。洛克菲勒基金会还送拉德克利夫-布朗和马林诺夫斯基到美国各大学巡回演讲,(他们后来又回到这些大学,受聘期限更为延长)报上刊登的照片鼓励博厄斯的人类学家们更加强调文化融合。[50]

228

正如伊丽莎白·伦贝克在第 39 章所示,在这几十年里,在对"文化和个性"的研究中,精神病学和心理分析也被引向与人类学的合作,这是一个吸引流亡理论家展示文化如何表达个性,文化又如何在个性中得到表达的尝试。对于心理学家来说,这类研究工作的主要中心是洛克菲勒于 20 世纪 30 年代创立的跨学科儿童发展研究所,和以高尔顿·奥尔波特、洛伊丝与加德纳·墨菲为前驱的个性和社会心理学研究。[51] 由洛克菲勒于 1929 年创立的,用来发展一个在社会调解中行之有效的综合行为科学的耶鲁大学人类关系学院所取得的成就较少。在新行为主义心理学家克拉克·赫尔的研讨会上,心理分析(像其他每一种心理学理论一样)被重铸为行为主义的和据推测是可检验的概念,但是希望得到一个建立在理论差异之上的综合的社会科学。[52]

[49] 关于在欧洲建立的基金会,请参看 Earlene Craver,《资助与经济学研究的方向:欧洲的洛克菲勒基金会,1924～1938》(Patronage and the Directions of Research in Economics: The Rockefeller Foundation in Europe, 1924—1938),见于《密涅瓦》(*Minerva*),24(1986),第 205 页～第 222 页;Ash 与 Sollner 编,《被迫的迁徙与科学的变化》,在书中到处可见。

[50] 关于人类学中的帝国主义背景、基金会的设立与对功能主义的跨国的影响的效果,请参看 Stocking,《在泰勒之后》,第 8 章。

[51] Jon H. Roberts,《人的精神与个性》(The Human Mind and Personality),见于 Stanley I. Kutler 编的《20 世纪美国百科全书》(*Encyclopedia of the United States in the Twentieth Century*, New York: Scribner's, 1996),第 2 卷,第 877 页～第 898 页;Pandora,《在等级内部的造反者》。

[52] Jill G. Morawski,《在耶鲁大学人类关系研究所构造知识与行为》(Organizing Knowledge and Behavior at Yale's Institute of Human Relations),见于《爱西斯》,77(1986 年 1 月),第 219 页～第 242 页。

两次世界大战之间的运动的两个特征是尤其值得注意的,因为它们对于美国的社会科学是新的,而且因为它们后来在战后的社会科学的“美国模式”中变得更加显著。一个特征是对个人和社会之统一性的兴趣及对它们的系统联系的兴趣。对诸系统的兴趣也许已经根植于两次世界大战之间的政治和经济问题的结构性之中,欧洲的概念提供了关键的全面的观点,而且,在一个寻求学科统一的时代,学科边界的跨越鼓励了全面的、概要式的观察问题的方法。跨学科还鼓励了在理论层面上的对立,对于有着浓厚的经验主义和归纳主义的美国社会科学来说,这是一个新的焦点。占统治地位的科学哲学为理论建设的中心地位增添了分量。逻辑实证主义者(他们中的许多人现在已经移居美国)带给经验实证主义传统一个对被视为语言命题系统的科学关注。也在美国执教的英国哲学家阿尔弗雷德·诺尔兹·怀特海从一个不同的观点强调,所有观察都应根据一个“抽象的计划”被视为一个选择:在科学中,那一计划应是根据“普遍法则”进行运作的“一个在思想上被隔绝开的系统的……理论”。[53]

229

塔尔科特·帕森斯(1902～1979)把这些线索中的许多线索集中在一起。最初,在他的为寻求一个综合的社会观所进行的制度经济学研究的启发下,帕森斯选择了一个欧洲的研究生课程,这一课程大致集中在社会理论领域,从在伦敦经济学院对马林诺夫斯基的研究开始,到在海德尔堡对韦伯的研究结束。在被任命为哈佛大学的一名讲师之后,(在哈佛大学,社会学仍然占有经济学系的一个被人轻视的角落)他开始寻找一个普遍的理论,这一普遍的理论将划出社会学的一个独特的范围。在以后的几十年里,帕森斯对先前的美国社会学只字不提,(虽然采纳了它的个人唯意志论)他利用他的欧洲资源和新的科学哲学来形成社会行为的一个功能主义的理论,这一理论强调分享产生社会整合的规范的方式。从机构上说,他开始着手建立社会关系学系(1946),这一学系将把新的跨学科研究包括在心理学和人类学之中。对于帕森斯和其他人来说,这些系统的观点和理论的雄心壮志在战后时代复活的社会科学中结出了果实。[54]

处于优势地位的社会科学，1945～1970 年

在第二次世界大战之后的几十年里,在美国和全世界,社会科学学科计划的一个

[53] 在 Charles Camic 的《序:在〈社会行为结构〉之前的塔尔科特·帕森斯》(Introduction: Talcott Parsons before *The Structure of Social Action*)中所引的怀特海的话,见于 Talcott Parsons 的《早期论文》中,由 Charles Camic 编辑(Chicago: University of Chicago Press, 1991),第 xxxiv 页。

[54] 关于 Parsons 及其在美国社会学中的作用,请参看 Camic 的《序:在〈社会行为结构〉之前的塔尔科特·帕森斯》;Howard Brick,《社会》,见于由 Kutler 编的《20 世纪美国百科全书》,第 2 卷,第 917 页～第 940 页;Howard Brick,《塔尔科特·帕森斯的“从经济学的转移”,1937～1946》(Talcott Parsons's "Shift away from Economics", 1937—1946),见于《美国史学报》(*Journal of American History*),87(2000 年 9 月),第 490 页～第 514 页。

复兴把社会科学带到了它们自信的巅峰及知识权威和大众权威的巅峰。[55] 一个以科学为向导的进步的现代社会自由主义启蒙观从法西斯主义的失败、殖民帝国的解体和共产主义的威胁中获得了精力和欲求。大学体系被扩大和民主化,它们为社会科学诸学科提供了一个有活力的学术基地,为社会科学事业提供了市场,这些社会科学学科和事业都是被战时政府培育起来的,并在战后重建过程中发展起来。作为从二战中浮现出来的最强大的力量和逃离了法西斯主义与共产主义的一个社会,美国在全世界推销它的思想和文化产品。美国政府机构、私人基金会、大学和学科组织,都支持社会科学院系、大学生和图书的广泛交流。美国的社会科学模式被有选择地输入苏联势力范围以外的国家,而美国的把教学和科研联系起来的研究生教育模式经常被其他国家效仿。与此同时,美国社会科学的学科形式受到联合国教科文组织(NUESCO)的鼓励,这一教科文组织组成国际学科机构,其成员是国家学科组织的成员。与此相呼应,在此之前几乎不存在这类学科的许多国家组成了国家的学会,其中包括法国政治科学协会和英国社会学协会。

230

随后,国家政府对社会科学追加了大量的财政支持。截止到20世纪30年代末,洛克菲勒基金会对社会科学慈善事业的实际成果的幻想已经破灭,而且开始从这一领域里撤出资金。新的福特基金会填补了这一空缺,而且直到20世纪50年代末,在美国,私人基金会仍然是社会科学研究基金的主要来源。在那一历史的转折点上,政府变得更为重要。随着经济建设的恢复,欧洲和日本的政府也给予社会科学实际的资助,大部分资助通过政府组织的研究所提供。在20世纪70年代的美国,联邦政府平均每年向社会科学投资10亿美元,这是对社会科学资助最多的十年,而且它把研究基金的最大部分移向受委托的研究,在此,研究日程是由授予机构制定的。对于把科研理解为基础的大学来说,国家科学基金会(NSF)成了主要的角色。鉴于它的自然科学核心和冷战的强大反共气候,国家科学基金会为社会科学研究确立了"客观性、可检验性和普遍性"的官方标准,这一官方标准在实际上意味着根据自然科学塑造的方法和在政治上可接受的实际目的。[56]

在美国得到发展并被输出国外的社会科学在扩大了两次世界大战之间几十年的

[55] 关于本小节以之为依据的基本信息,请参看在这卷书中的关于诸学科的章节;Smith,《诺顿人类科学史》,Morgan 与 Rutherford,《美国的经济学》(American Economics);Wagner,《社会学》;见于《变化中的美国学术文化:五十年,四个学科(哲学、文学、政治学、经济学),代达罗斯》(*American Academic Culture in Transformation: Fifty Years, Four Disciplines*[philosophy, literary studies, political science, economics], *Daedalus*),126(1997 年冬);Wagner, Wittrock 和 Whitley 编,《关于社会的论说》;Meinolf Dierkes 和 Bernd Biervert 编,《在转变中的欧洲社会科学》(*European Social Science in Transition*, Frankfurt: Campus Verlag; Boulder, Colo.: Westview Press, 1992);A. W. Coats 编,《1945 年之后的经济国际化》(*The Post-1945 Internationalization of Economics*, Durham, N. C.: Duke University Press, 1996);Burton R. Clark 与 Guy R. Neave 编,《学术学科与索引》(*Academic Disciplines and Indexes*)、《高等教育百科全书》(*The Encyclopedia of Higher Education*, Oxford: Pergamon Press, 1992)。

[56] Dean R. Gerstein, R. Duncan Luce, Neil J. Smelser 和 Sonja Sperlich 编,《行为与社会科学》(*The Behavioral and Social Sciences*, Washington, D. C.: National Academy Press, 1988),附录 A:《资助行为与社会科学研究的趋向》(Trends in Support for Research in the Behavioral and Social Sciences);Daniel Lee Kleinman 与 Mark Solovey,《热科学/冷战:在第二次世界大战之后的国家科学基金会》(Hot Science/Cold War: The National Science Foundation after World War II),见于《基本史评》(*Radical History Review*),63(1995),第 110 页～第 139 页,第 124 页。

唯科学主义的同时,又在唯科学主义上铭刻上了美国的价值理念;但是,它们也把某些欧洲移民的观点吸纳到这一美国框架中来。战后的社会科学被铸成综合系统的理论,现在它成了科学的一个特性。一个新的新古典主义经济学吸收了凯恩斯的理论,从而把微观经济学与宏观经济学松散地结合在一起。帕森斯试图建立一个社会系统的普遍结构功能理论,而且提出把其他社会科学作为分支系统纳入这一理论。这些其他学科同时又提出了美国多元政治、文化的全方位概念、文化和个性心理社会综合和心理学中的新行为主义这样一个系统理论。正如玛丽-克莱尔·罗比克在此卷书中所示,甚至地理学也摆脱了作为对地理世界的一个综合研究的身份,而且重新集合在空间相互关系的抽象理论周围。凭借着在个人主义的、唯意志主义的前提中保留一个基础,这些理论考察了把个体结合成系统的整体的结构,如个性、角色、规范、身份、官僚政治及功能衰退的代价(如社会的紧张和偏离常轨)。在美国巩固的自由社会中,功能主义的体系、输入的古典社会学的概念、弗洛伊德的心理学和凯恩斯的经济学发生了新的联系。人类学家玛格丽特·米德、心理学家伯尔赫斯·弗雷德里克·斯金纳和社会学家大卫·里斯曼凭借着论述社会凝聚力与个人主义之间的张力赢得了广大读者。

如果理论为战后的美国社会科学权威提供了一条腿,那么另一条腿就是统辖实验研究和专业实践的工程技术的剧增。正如第四部分诸章所示,在战后几十年的时间里,进行管理、勘查、测试和评估的社会科学技术普及到美国人生活的各个领域。心理学以其日益增多的临床专业,也许提供了数量最多的开业医生。与这一时代的理论相一致,行为社会研究从方法上赋予个人独立自主性,与此同时,实际上又使他们陷入具有与日俱增的社会复杂性的世界之中。

在20世纪50年代的冷战气候中,唯科学主义和开始发展的专业实践、工程技术在心理学和经济学中逐渐支配了理论和应用研究。在心理学中,独立的和不独立的"变量"的统计形式作为标准的研究实践模式代替了刺激反应方式,这既保存了行为主义的个人主义、还原主义和技术专家的风格,又在学科的不同领域中达到了技术上的统一。[57] 在经济学中,模仿成了居统治地位的新古典范例的典型特征。新古典经济被简化的模式既提供了在数理研究中的实践工具,而且,当适于经验资料的时候,又为政策研究提供了主要的工具,并以此把这一学科重新塑造成一个工程学。正如摩根指出的那样:"正是这类模式(尤其是更小的模式)的简单性,以它们的复杂性的有效化简和它们根据相当简单的经济有效性与合理性的问题而得出可解释答案的能力",导致了它们的广泛使用。[58] 当社会学家和政治学家走入观测方法和对投票或社会心理"特征"进行统计分析的时候,围绕着"变量"组织起来的科学研究也统治了社会学家的实验性

[57] Danziger,《为精神命名》,第9章。

[58] Morgan,《经济学》,此卷第301页。关于冷战在这一发展中的重要性,还请参看 Craufurd D. Goodwin,《在一个转变时代的经济学的赞助人》(The Patrons of Economics in a Time of Transformation),见于由 Morgan 和 Rutherford 编的《从两次世界大战之间的多元主义到战后的新古典主义》。

工作和政治学家的行动计划。行为科学甚至对人类学进行了某些干预,在此,它支持战前开始的比较人类学中的统计规划。

通过把结构功能概念转化为行为变量,理论有时与这些方法联系了起来,尤其是被罗伯特·默顿和拉扎斯菲尔德在哥伦比亚大学联系起来,以此提供了在“行为科学”中的跨学科交流的希望。[59] 赫伯特·西蒙努力发展了一个以数学为基础的,与经济学相联系而不是与功能社会科学相联系的行为科学,他利用了国防部和兰德公司(美国研究与发展公司)的合作研究,其中包括实施操作研究、博弈论、组织和系统理论、控制论、人工智能。[60] 社会科学在另一个多学科综合的更松散的形式中也发挥着重要的作用,这是由对冷战的关注提出的新领域的研究计划。

美国的理论和方法的吸引力在不同的欧洲国家和跨学科领域中有所不同,虽然在所有情况下美国模式是“被移植的”,而不是被模仿的,但在某些地方它加强了历史传统,在其他一些地方促使这些国家的学科与过去的传统慎重断裂。也许美国范例与当地目的之间的最融洽的配合出现在瑞典。在此,长期以来经济学家与国际社会具有密切的联系,虽然他们对美国经济学的兴趣在第二次世界大战之前就有所增长,但是,他们与国际社会的联系主要是与欧洲国家的联系。第二次世界大战加速了欧洲学术从德语轨道的偏离,而起始于20世纪50年代,作为第二语言的英语的迅速普及,促进了美国的科研、学术交流和出版事业。截止到1990年,在瑞典大约有90%的经济学论文是用英文写的。某些经济学家,如冈纳·缪尔达尔,在第二次世界大战之前就已开始对社会学题目进行研究,而且还与美国学者进行接触。由于根植于政府调查之中,经验社会学与经济学一起被视为发展福利国家的一个重要工具。瑞典的社会民主主义者发现美国的结构功能主义对于他们自己的和谐平等的社会观是有用的。[61]

233

在欧洲其他地方如同在瑞典一样,美国社会学的影响随着大学和福利国家的发展在20世纪60年代达到顶峰。然而,在1968年新左派学生造反和美国干涉越南内政之后,美国的社会学面临着马克思主义和新左派的反冲,而且学术机构的发展也受到更多的局限。在法国和德国,这双重引起变化的力量并没有阻止社会学成为战后创造力的中心。由尼格拉斯·卢曼和于尔根·哈贝马斯主导的德国社会理论的复兴和回归的法兰克福学派具有明显的德国特色,虽然对美国实用主义和结构功能主义的适应仍然起着某些作用。法国在1970年之后,也从它自己的迪尔凯姆和哲学传统及各种国际资源中打造出一个有特色的社会学传统。这一发展像《年鉴》(*Annales*)的社会史得

[59] 参看 Bernard Berelson《行为科学》(Behavioral Sciences),见于由 David L. Sills 编的《国际社会科学百科全书》(*International Encyclopedia of the Social Sciences*, New York: Macmillan, 1968),第2卷,第41页～第45页。

[60] Hunter Crowther-Heyck,《赫伯特·西蒙:组织之人》(Herbert Simon: Organization Man)(哲学博士论文,霍普金斯大学,1999年7月)。

[61] Coats 编,《1945年之后的经济的国际化》,尤其是第389页,Bo Sandelin 与 Ann Veiderpass,《瑞典传统的解体》(The Dissolution of the Swedish Tradition),第142页～第164页;Katrin Fridjonsdottir,《社会科学与“瑞典模式”:为福利国家服务的社会学》(Social Science and the “Swedish Model”: Sociology at the Service of the Welfare State),见于由 Wagner, Wittrock 和 Whitely 编的《关于社会的论说》。

到增强一样，也得到战后新建立的研究机构的帮助，它们是：国家科学研究中心和高等研究实验学校第六分部。[62]

按照与社会学大致相同的模式，美国风格的政治学在20世纪60年代也得到发展，只是从此之后要面对来自左翼的批评。在西德，美国风格的政治学作为对民主的一个支持被输入，就像过去输入敌对的极权主义及保守、规范的理论的复活一样。在英国，悠久的政治学的哲学和历史学牛津—剑桥传统与新输入的力量相对峙，例如：国家政治学协会的创立。[63]

意大利为美国社会科学提供的可生存环境更小。因为在左派、右派和中间派别之间存在着更尖锐的对立，还因为大学的管理体系几乎不允许诸学科具有独立自主性，所以即使经济学也面临交互压力和分裂，这种压力和分裂与那些更脆弱的社会学和政治学学科在别处经历的相类似。大学的扩展和与之俱来的社会科学的机会直到1968年的危机之后才出现，因此是在对社会结构变化等得不耐烦的马克思主义的气候中出现的。当地的、欧洲的和美国的各种社会科学的一个混合体及时地分享了意大利的这一领域。[64]

然而，即使在美国社会科学发现的一个欧洲基础那里，典型也经常使美国学科的经验方法从它的科学化的主张和思想倾向中脱离出来。正如一位欧洲政治学发展的观察家指出的那样："美国的政治学筑基于自由的个人主义……相形之下，欧洲的政治学筑基于对集体的关注，无论这一关注是社会主义的、保守主义的，还是国家干预主义的。惯例使研究的学科有所不同。"[65]在社会心理学中情况也十分类似：北美的方法强调"就社会输入或内容而言的个人的功能"，而欧洲人的注意力则集中"在人的行为所有方面的社会化结果"。[66] 法国社会学由于受到它的存在主义和马克思主义背景的影响，也围绕着"对实际活动的结构限制"的问题发展，这一问题引导社会学家去研究这类题目，如：秩序、变化、结构、实践、权力和阶级关系，但是，在很大程度上忽略了偏离正轨和价值这类美国人的关注。[67]

234

[62] Lemert 编，《法国社会学》(*French Sociology*)，第 I 部分；Richard Munch，《德国社会理论对欧洲社会学的贡献》(The Contribution of German Social Theory to European Sociology)，见于由 Birgitta Nedelmann 和 Piotr Sztompka 编的《欧洲的社会学》(*Sociology in Europe*, Berlin: Walter de Gruyter, 1993)。关于社会心理学中的类似的模式，请参看 Klaus R. Scherer，《社会心理学的发展：一个发展报告》(Social Psychology Evolving: A Progress Report)，见于 Dierkes 和 Biervert 编的《欧洲社会科学》(*European Social Science*)；Pieter J. van Strien，《在第二次世界大战之后的西北欧社会心理学的美国的"殖民化"》(The American"Colonization"of Northwest European Social Psychology after World War II)，见于《行为科学史杂志》(*Journal of the History of the Behavioral Sciences*)，33(1997 年秋)，第 349 页～第 363 页。

[63] Hans Kastendiek，《西德的政治发展与政治学》(Political Development and Political Science in West Germany)，见于 David Easton, John G. Gunnell 和 Luigi Graziano 编的《政治学的发展》(*The Development of Political Science*, London: Routledge, 1991)；Malcolm Vout，《牛津与英国政治学的产生，1945 ～1960》(Oxford and the Emergence of Political Science in England, 1945—1960)，见于 Wagner, Wittrock 和 Whitley 编的《关于社会的论说》。

[64] Pier Luigi Porta，《在战后岁月里的意大利经济学》(Italian Economics through the Postwar Years)，见于由 Coats 编的《1945 年之后的经济的国际化》；Luigi Graziano，《意大利政治学的发展与制度化》(The Development and Institutionalization of Political Science in Italy)，见于 Easton, Gunnell 和 Graziano 编的《政治学的发展》一书中。

[65] Wittrock，《会话与学科》(Discourse and Discipline)，第 269 页。

[66] Scherer，《社会心理学的发展》，第 184 页～第 185 页。

[67] Lemert 编，《法国社会学》，第 26 页～第 27 页，第 41 页。

社会科学面临的挑战，1970～2000年

在1970年之后，不仅战后社会科学的权威的基础受到严重的挑战，而且学科计划本身的基础也受到严重的挑战。[68] 已使社会科学的自由目的得到恢复和重建的战后政治学被20世纪60年代的美国和欧洲政治危机所粉碎。截止到20世纪70年代，民权运动、政治冲突、青年人的反叛和女权主义的兴起，对社会学和政治学平稳而自由的功能主义前提与心理学盲目的个人主义提出挑战，而后殖民时代的发展对人类学的观点的合理性提出质疑。此后，因为美国和部分欧洲的政治学在1980年之后走向右方，所以政府出资的社会科学研究衰落了。已被来自左翼的力量所削弱的，与对社会民主的同情和统计学家的政策相联系的社会科学又受到右翼的新政治和思想中心的挑战，当共产主义蜕变的时候，这一挑战获得了力量。[69]

这些社会科学家的计划不仅受到政治转变的打击，而且还受到长期积累的对现代社会的不满的打击。最响亮的批评驳斥了以科学和专家统治为向导的现代自由启蒙观，并宣布它是独断论和具有强迫性，而且为个人自由寻找一个起替代作用的、后现代的基础。对实证主义的理论攻击和对知识的新语言学的批判为后现代的观点增加了能量，而且更广泛地重新讨论了关于社会科学诸学科之可存性和它们与科学及人文学之间的关系这些基本问题。[70]

235

这些挑战加深了社会科学内部的分裂。除了经济学以外，20世纪50年代的任何新的理论在它们的学科中都没有成为典范，而且它们把被学派、分支区分开的学科，以及学科间的重叠和技术实践忘在了脑后。这几十年激烈的思想和理论争论产生了新的领域，如对妇女和性别的研究，而且加剧了不和与纷争，所以各分支学科经常各走各的道，而很少互相交流或服务于同一个模式。诸学科的绝对规模鼓励了分裂。1995年，在美国持有博士学位的心理学家超过80000人，在其他社会科学学科中持有博士学位的人数是76000人。[71]

后现代的批判和学科间相互模仿的源泉就是已经变化的社会世界本身：一个似乎要确认知识的透视概念的混合的世界。与此同时，当地的社会科学的传统（其本身是国际间相互影响的产物）变成了国际社会科学网络的一部分。随着作为一门世界语言

[68] 关于基本信息，请参看在注释55中所引的资料。

[69] Charles H. Page，《社会学之赞助者的衰落》（The Decline of Sociology's Constituency），见于《社会学史》（*History of Sociology*），6（1985年秋），第1页～第10页。

[70] 参看 Richard J. Bernstein 的《在客观主义与相对主义之外：科学、解释学与实践》（*Beyond Objectivism and Relativism: Science, Hermeneutics, and Praxis*, Philadelphia: University of Pennsylvania Press, 1985）和他的《新星：现代/后现代的伦理—政治视野》（*The New Constellation The Ethical-Political Horizons of Modernity/Postmodernity*, Cambridge, Mass.: MIT Press, 1991）。

[71] 《美国的博士科学家与工程师：1995年人物简介》（*Doctoral Scientists and Engineers in the United States: 1995 Profile*, Washington, D. C.: National Science Foundation, 1998）。

的英语的崛起和美国文化统治地位的上升，人们经常表达出对美国化的恐惧。然而，正如 A. W. 科茨就经济学问题所说，最相似的国际性学科，一个抹杀了各国学派之区分的普遍科学仍然是一个“吐火兽”（狮头，羊身，蛇尾——怪物，译者注），而且在其他门类的社会科学中，各国的问题和学科的差异创造出更大的变化。[72] 新形成的欧洲经济共同体与美国相抗衡，就如同拉丁美洲和非洲大陆的社会科学机构与美国的社会科学机构相抗衡一样。如果存在国际性的学科团体，那么混合的美国、欧洲和当地的社会科学模式在它们的界线以内和以外拥挤在一起。

对社会科学计划可存性的这些挑战产生了不同的回应。在 19 世纪末，社会科学诸学科为了形成独立自主的学科，已从生物学、历史学和经济学中摆脱出来；在 20 世纪末，这些起替代作用的基础又回归了，它们建立跨学科研究计划来对社会科学领域重新提出要求。因为它们站在科学知识领域和人文知识领域之间的区分的对立的两边，所以它们走向完全不同的方向。那些转向经济学和生物学的社会科学家在与后现代的批判展开争论或将其忽略的同时，寻求在数学和自然科学更坚实的基础上更新和恢复社会科学计划；而那些转向历史主义的社会科学家，吸收了后现代的批判，寻求在一个更可坚守的基础之上重构社会科学计划。唯科学主义的流行在美国惹起了危机和对它的回应：无论是反实证主义的反动，（在人类学中最明显）还是唯科学主义的复兴，在这里都比在欧洲更强大。

236

经济学是对社会科学计划提出要求的主要学科之一，尤其是在美国，这几十年中，它浮现了出来，并居于一个比其他社会科学更牢固的学科地位。新古典主义的经济学围绕着一个自由市场范例把微观经济学和宏观经济学结合在一起，而且扩大了数学和工程学工具在理论和实践中的应用。通过对经济发展、路线的相倚性、经济史和新制度学派的研究，某些经济学家试图曲解或改变这一范例，但是，大多数研究生的计划都服从于尼尔·德马基所说的数学推理的“绝对权威”[73]。而且，捣毁了其他社会科学的政治转变有利于经济学的发展。在美国，20 世纪 60 年代的左派激进主义在经济学中鲜有影响，而此后几十年的保守主义和自由主义政治学奖励了理性选择的理论和一般的反统计学科的新古典主义主流。凭着它在有限条件下对任何种类选择的抽象影响，经济学开拓了其他社会科学，向它们传送了科学发展的权威，在两次世界大战之间，这一权威属于心理学行为主义。

生物学通过若干跨学科领域（诸如神经学、社会生物学、生态理论和种群遗传学）延伸至社会科学领域。认知心理学和理性选择理论形成了与达尔文进化论的联系，为心理世界和社会世界构成了一个与经济学家的范例相一致的范式，但是与欧洲社会科

[72] A. W. Coats,《结论》(Conclusion)，见于 Coats 编的《1945 年之后的经济的国际化》(*The Post-1945 Internationalization of Economics*)，第 396 页。

[73] A. W. Coats,《讨论报告》(Report of Discussions)，见于 Coats 编的《1945 年之后的经济的国际化》(*The Post-1945 Internationalization of Economics*)，第 383 页～第 386 页。

学的更关注社会和社会结构的范式完全不同。[74]

与此同时,解释学和历史学的哲学新权威使人文主义心理学、历史社会学、人类学文本主义、文化研究、政治理论,以及政治学的制度研究打下更深的根基。历史主义像其他人文主义研究一样,在它们不同的、以历史和伦理为基础的问题中,不是提供了一个典范,而是提供了一个作为社会科学之基础的哲学。正如雅克·雷韦尔就《年鉴》(*Annales*)的历史社会学家所说,历史主义提出向马克斯·韦伯构建历史世界的科学的努力回归。在那一基础之上,学科的破裂也许会转变成真正的多元论,在此,工程技术并没优先进行批判性的反思。

237

没有任何一个跨学科运动驱动其他的跨学科运动或破坏筑壕固守的学科机构,虽然它们确实在学科边界上放置了附加的性质。[75] 与战后基于这类统一的学科对象(如:社会、国家和经济)的范例不同,朝着经济学、生物学和历史主义的运动把人们注意力的焦点转向超越学科界线的过程;与早先的跨学科的艰难尝试具有不同,它们导致了方法的转变。从学术领域的其他角度,(在这一学术领域里,后现代的观点强调经济、社会、政治和文化力量的混合)社会学家沉思"社会之死",政治学家沉思"政治"向全部研究领域的扩散。作为提供了一系列研究和实践技术的工程学,而且作为不同——经常是相互矛盾的——种类的社会知识的集合,20 世纪末的社会科学并不像原先设计的那样是有条理的学科或现代化的有理性的自由的指南。然而,它们仍然深深地根植于现代世界,而且和现代世界一样,仍在发生着巨大的变化。

(辛岩 译)

〔74〕 关于达尔文的重新结盟,请参看 Gerstein, Luce, Smelser 与 Sperlich 编,《行为与社会科学》。

〔75〕 参看《打开社会科学:古本江委员会关于社会科学之重建的报告》(*Open the Social Sciences: Report of the Gulbenkian Commission on the Restructuring of the Social Sciences*, Stanford, Calif. : Stanford University Press, 1996)。

14

238

统计学
和统计学的方法

西奥多·M.波特

在从1890年到1930年之间的这段时间里,统计学呈现出它的可辨认的现代学科的形式。这些年代与社会科学之主导领域的学科形成的年代相同。然而,在这一时期,统计学从一门经验性的社会科学转入(如它在19世纪时那样)数学的和方法学的领域。虽然它作为一门纯粹的社会科学消失了,但是,作为应用数学领域,它在整个社会科学领域中成了工具、概念和研究战略的一个重要源泉。它还为应被算作社会知识的东西的重新定义提供了合理性并做出了贡献。

在它的19世纪的具体形态中,因为它本身是一门社会科学,所以统计学以一套不同的理想为向导——它们不是学术的超脱,而是对管理和社会改良的积极的涉入。统计学的社会科学在实际上是完全不能与政府的关于人口、健康、犯罪、商业、贫困和劳动的数字收集区分开来的。[1] 即使是它的最具有自我意识的科学的倡导者们,如著名的比利时天文学家和统计学家阿道夫·凯特莱(1796～1874),也经常对官方统计组织负有管理责任。科学统计和官方统计的这一联盟并没有突然消失。但是,它逐渐从属于一个新的秩序,在这一秩序中,统计学家承担了顾问的角色,向统计机构及许多其他机构提供他们的专门技术。在19世纪末,统计学作为一门量化的社会科学在大学中似乎仍然可能获得成功。而与此相反,它却被重塑为一个数学领域。

即使作为应用数学的一个分支,统计学仍然是社会科学的一个亲密的和必不可少的同盟。以这种姿态,它成了在1925年组成新的(美国)社会科学研究理事会的七个构成领域之一。显而易见,统计学从一开始就被认定为学科间合作的一个有希望的基础。统计方法日益被社会科学家作为数学权威的承载者接受下来,而政府的统计局被化简为数据来源。20世纪的统计数学代表了客观性和技术的严谨性——自相矛盾的是,这一客观性和技术的严谨性特别受到与实际和应用研究相关的学科的重视。新的统计学的发展既与专业的社会科学的发展紧密相关,又与种群生物学紧密相关,而且,作为它们的交叉点,又与优生学紧密相关。大约从1930年到1970年,统计分析在整

239

[1] 参看此卷第一部分前的“导论”。

个社会科学中几乎成了经验研究或实验研究的托管国，除了在人种学和临床医学方面具有部分例外。对于应用和专业研究的广大领域来说，它也是非常重要的，其中包括农业、医学检验、教育、工程学、各种观测和企业管理。[2] 它的历史并不是一部数学专业独立自主的发展史，而是一部促进数学工具的发展，并刺激新方法的抱负的联盟和相互作用的综合历史。

评估与误差

“统计学”一词产生于18世纪的德国，它被用来指国家的描述性的科学。其类型可比作现代百科全书中关于一个国家或州的词条。对人口和经济的量化研究在“政治算术”这一不同的名称下进行。它作为背景对现在被称为统计的、政治算术的这些方法的贡献比旧的统计学更大。截止到1700年，人口统计数字和概率理论为了计算年金和生命保险金而开始被集中在一起。在18世纪70年代和80年代，也就是在法国大革命之前，人们发展了复杂的概率数学来估算法国的人口。当时没有人口普查，但是法律要求出生和死亡要有记录。当时对于决定人口总数所需的东西是一个乘数，即人口对出生（或对死亡）的比率。数学家希望利用对一小部分人口的充分计算来接近这一数值。那个时代的最伟大的概率数学家皮埃尔－西蒙·拉普拉斯（1749～1827）向人们展示如何计算在估算任何给定的微小数值时可预料到的失误，或（反过来说）要计算多少人才能达到（具有一个特殊的盖然性）一定程度的精确性。然而，这些估算假定被选择的城市或几个城市可被当成整个法国的代表。拉普拉斯明白，这不是绝对有效的，但是，因为这一问题没有数学上的解决方案，所以他对其三缄其口。

在拉普拉斯的时代，高级官员对数学家能告诉他们关于人口统计的内容特别感兴趣。[3] 当全面的人口普查在19世纪普及了的时候，人们就不再喜欢概率估算了。新的数量统计科学（从1820年到1850年，这一学科发展起来）要多归因于政治算术的传统，但是，它与概率理论保持着距离。有责任心的统计学家坚持计算全部人数，这是把统计学与纯粹推测隔离开来的唯一方式。少数数学家继续提倡使用概率来估算人口统计中的误差，但是，他们在（社会）统计的具体事务中作用很小。 240

在19世纪，数据分析中概率理论的使用首先被用于天文学和观测科学中。天文学家或观测家对于同一个数据经常具有许多计量方法，或一大堆需要被化简为一条单一线索的观察结果。在1805年，数学家阿德里安·马利·勒让德为了解决这类问题提出“最小平方方法”。几年之后，拉普拉斯和卡尔·弗里德里希·高斯开拓前进，将这

[2] Theodore M. Porter，《相信数字：追求科学和公众生活中的客观性》（*Trust in Number: The Pursuit of Objectivity in Science and Public Life*, Princeton, N. J. : Princeton University Press, 1995），第8章。

[3] Eric Brian，《国家的测量：18世纪的行政官员与测量员》（*La mesure de l'Etat: Administrateurs et géomètres au XVIIIe siècle*, Paris: Albin Michel, 1994）。

一方法筑基于概率理论。在这一世纪的其余年代和以后岁月里，这一数据化简的问题支撑着数学调查和提炼的传统，并在19世纪90年代统计学开始发展的时候，为统计学提供了重要的数学基础。误差理论与19世纪的社会统计学的联系是适度的。然而，天文观测与实验心理学的形式相联系，被称为心理物理学，古斯塔夫·西奥多·费希纳(1801～1877)于19世纪50年代宣布了这一学科的诞生。费希纳利用最小平方来处理他的数据，而且甚至写了一篇关于"质量现象"研究的论文。他的论文开启了心理学统计分析的一个持续不断的传统。处于天文学和心理学交叉点的统计方法的另一位杰出先驱是美国哲学家和计量学家查尔斯·桑德斯·皮尔士。[4]

正则和变差的统计模式

数量的(社会)统计学如它在19世纪30年代和40年代得到发展那样，实际上以解决疾病、贫困和犯罪问题为指归。当"统计学家"谈论方法的时候，他们倾向于强调数字事实的坚实性，人们经常假定，这些数字事实为它们自己说话，而不是为分析之工具说话。统计学家坚持全面计算，反对估算，而且很少提概率理论。凯特莱不懈地论证说，概率对于提高统计业务的标准是必要的，但是他的范例是高度抽象的，而且，他在他自己的作品中并没有用概率的方法分析社会数据。他并不是为了处理数据，而是把概率当做模式或理论，使其发挥作用。他假定，组成社会的个人的自然和道德特性是由大量微小的原因形成的，其中包括营养、教育、宗教和法律。这些情况的结合解释了男女的自然特征，如身高、体重；也解释了道德特性，他把这些道德特性表达为或然性或"倾向、嗜好"(结婚、犯罪或自杀、表现出英雄主义的行为、著书立说等等)。个人之间的偶然差异在社会的层面上被淹没，而在社会之中，普遍存在的不是差异，而是平均标准。凯特莱把这种人视为**一般人**。

241

在这一基础之上，凯特莱建立了统计程序。他论证说，"人"的生命的特征是由"统计法则"的一个永恒不变的模式决定的，这一法则即是年复一年的在出生、死亡、结婚、凶杀、盗窃和自杀这些数字中的"惊人的"规律性。在生物学秩序中的规律性是不令人惊奇的，因为它是自然的。但是凯特莱和他的许多同时代的人，被法国政府在19世纪20年代末期开始公布的司法统计所揭示的稳定性所震惊。他极想知道，不道德的和犯罪的行为是否由某些神秘的命运所产生，而不是由人的自由意志所产生。最终，他把它们解释为"社会"的特性，而不是解释为个人的特性。在提出社会科学的一个新形式的时候，他还明确表达了统计推理最基本的原则。凭借着只注意频率或比率，而不寻

〔4〕 Stephen Stigler，《统计学史：1900年前的不确定测量》(*The History of Statistics: The Measurement of Uncertainty before 1900*, Cambridge, Mass.: Harvard University Press, 1986)。

求个人行为的原因,在集合的层面上构建一个清晰的科学是可能的。[5]

凯特莱的社会科学的统计学化为他的后继者提出了一系列的问题。统计法则的学说在几十年中一直保留着它的震撼力,自从英国历史学家亨利·托马斯·巴克尔以一种特殊的引起议论的方式,在1857年出版的一部通俗著作《英国文明史》(*The History of Civilization in England*)中表述了这一理论之后,它确实变成了更具有争议的东西。英国的道学家被这种对自由意志和道德责任的公开挑战所困扰。德国统计学家因为凯特莱既把个人融入社会又反过来把社会化简为个人的总和,而对他提出批评。他们认为他忽略了人的自由与机械法则之间的区分,甚至认为他通过他的社会决定论否认了通过改良法律和制度改善社会的可能性。因此,统计系列的稳定性成了一个严肃的问题,它的范畴既是数量的,又是道德的和社会的。这些争论在德国特别活跃,在德国,统计学作为一个学术领域(一门被应用于国家科学的社会学科),大约在1860年之后兴盛了几十年。统计法的这些问题为使用概率理论分析社会数字提供了第一个机会。明确的问题不是推理、测量或不确定性,而是个人行为与集体的关系。 242

德国最有才能的数理统计学家威尔海姆·莱克西斯(1837～1914)就这一起始于1875年的内容广泛的论题写了一系列论文和一本小书。他解释说,巴克尔暗示社会活动中有规律的程度,并非是用纯粹偶然性能够解释的——这一规则是制约人的道德行为的一个起稳定作用的力量或神秘的命运。如果自杀或凶杀是独立的偶然事件,(就像掷硬币或骰子以进行决断那样)那么年复一年被期待的数字的规律性就是一个纯粹的数学问题。来自拉普拉斯的学生西蒙·丹尼斯·泊松的一个集合公式为他确定了统计规则的标准,他把这一标准称为"常规的扩散"。他推测,巴克尔为自杀之类的活动要求了"异常的扩散",但是,经验的回答并没有提供这类例证,因此,没有为任何神秘的命运提供支持。只有年复一年的男女生育比率(这是一个来自生物学而不是来自社会科学的结果)与独立的偶然事件相一致。实际上,每一个涉及道德行为的统计系列都展示了比偶然性大得多的年度变化,这一变化即是"超常规扩散"。因此,他认为,人们不能根据概率的基本法则来理解这些系列。莱克西斯把社会理解为某种复杂的东西,而不是它的部分的简单的总和,把社会理解为是由在根本上不同的个人构成的,而不是由凯特莱的普通个人构成的。他根据宽泛的概率论的术语把它的结构解释为其特性是由性质不同的概率决定的许多群体的一个系统。但是,他并不试图把数量分配给这些概率,他的以概率为基础的统计计划毕竟是非常有限的。

[5] Theodore M. Porter,《统计思想的兴起,1820～1900》(*The Rise of Statistical Thinking, 1820—1900*, Princeton, N. J.: Princeton University Press, 1986),第2章;Ian Hacking,《驯服偶然》(*The Taming of Chance*, Cambridge: Cambridge University Press, 1990),第14章。

统计数学：相关和回归

作为一个应用数学领域的统计学主要产生于生物学的研究，而不是产生于社会或经济的研究。查尔斯·达尔文的表弟弗朗西斯·高尔顿(1822～1911)对普通统计汇编的科学地位提出质疑，但是，他称赞了凯特莱的数学规划。高尔顿的赞赏牢牢地与他对天文学家的误差法则(被他称为"正态"分布)的应用联系在一起，凯特莱跟随拉普拉斯把这一天文学家的误差法则作为一个二项式的极限引进。(人们能够凭借着一千次投掷硬币的结果的概率分布接近它)正如任何天文观测都会受到许多微小的误差影响一样，(这些误差也许是正面的，也许是负面的)人类关于气候、疾病、营养和母亲的健康状况等统计数目的平均数偶然也会发生变化。结果，大多数人的特性(例如：身高、胸围)，甚至道德特性都会在一个与钟形曲线大致相符的人口范围内分布。这即是说，凯特莱把人的差异解释为与数学上的误差完全相同。他把这一发现解释为普通人就是一个可信的典型的证明。为了正好相反的理由，高尔顿被凯特莱的著作所吸引。凯特莱曲线是研究生物差异的工具，现在，高尔顿跟随达尔文把这一生物差异视为进化变迁的原始材料。实际上，高尔顿是优生学的创立者，这是一个通过选种而不是通过社会改良改善人类的计划。他对中间值并不感兴趣，而是对误差分布的尾部感兴趣，特殊的个人就聚集在误差分布区域之内。他对统计学家为什么如此经常地满足于平均数大惑不解。"他们的灵魂似乎像我们一个平坦的英国郡的本地人的灵魂那样对多样性的魅力感到迟钝，他们对瑞士的回顾是：如果能将山脉投到湖里，人们能立刻摆脱掉两个令人讨厌的东西。"[6]

243

在19世纪60年代，他第一次试图把优生学作为一项改良运动创立起来，(这一学科最终于19世纪90年代被确立起来)在这一努力失败之后，高尔顿把这两个年代之间的几十年贡献给了生物遗传的研究。在追求对这些问题的一个统计方法方面，他几乎是无可匹敌的，在完全拒斥拉马克利用遗传的机械论方面，他也几乎是无可匹敌的。在植物上进行试验比在人身上进行试验更为容易，而且高尔顿像尚无名气的格里哥·孟德尔一样，选择了豌豆。他还收集了家庭记录以提供人类遗传的证据。他得知，异常父母的儿女趋向于"复归"或"回归"平均值，而且他算出了这一关系的基本数学公式。因此，"回归"不是作为一个统计方法产生，而是作为一个生物法则产生。高尔顿还把统计学视为一系列具有广泛适用性的工具，当他发现他的遗传学数学也适用于"关联"的问题的时候，这一点再一次得到了加强。他的关联的原型包含身体量度的诸关系，这是作为身高、臂长在同一方向上变化之趋向的一个量度的**关联**。

当比他更有权威的数学家——如经济学家弗朗西斯·埃奇沃思和应用数学家卡

〔6〕 Francis Galton,《自然的遗传》(*Natural Inheritance*, London: Macmillan, 1889)，第62页。

尔·皮尔逊(1857～1936)——对他的方法感兴趣的时候,高尔顿是非常欣慰的。皮尔逊也被说服赞成了优生学,而且很快把他的巨大精力贡献给促进进化的统计研究。他建立了一个"生物统计学实验室",此后,他用从高尔顿那里得来的资金在伦敦大学学院建立了一个优生学实验室。他吸引了来自全世界的想学他的方法的学生。在1901年,通过与他的同事、生物学家 W. F. R. 韦尔登的合作,依靠高尔顿的支持,他创办了一份杂志——《生物统计学》(*Biometrika*),通过利用计算和测量致力于生命研究。在1900年,统计学还远未形成一门学科,但是,皮尔逊赋予它理性的和制度的一致性。他和他学生的著作——其中包括 W. S. 戈塞特(1876～1937)(历史上记载的是"学生")和乔治·尤尔(1871～1951)的著作——为从1895年左右起始的20多年提供了统计学的关键参照点。[7]

244

皮尔逊的小组创造出一些非常特殊的数学工具,其中包括1900年的Chi-平方测试和1908年的大学生t-测试。但是,这是一个带有使命的计划,而不是一个技术的混合物。在皮尔逊刚刚完成一部具有影响的哲学著作——他的《科学的基本原理》(*Grammar of Science*, 1892)——之后,他就被人说服去从事统计学的研究。《科学的基本原理》是一部极端的实证主义的著作,它把世界表现为充满了多变性,因此,像"原子"甚至"圆周"这类实体也只有作为抽象物才是有效的。他对因果关系的概念提出质疑,他把因果关系仅仅视为总结经验的一种方式。这即是说,他似乎已经通过统计学这一透镜解释了这个世界,而且他的哲学明显地适于他的正在浮现的统计学计划。他不是一位实验的强烈拥护者,而是坚持利用大量观察研究大量现象的社会统计计划。他对进化和优生学的问题异常感兴趣,尤其对天性和教育的问题感兴趣,而且他使用他的方法来测定它们对人的能力和成功的相关贡献。对于他来说,统计学是一门测量学科,是一个新的专门技术形式的基础和"现代国家"的一个重要资源。

皮尔逊把生物学视为社会科学的真正基础,但是他的统计方法也被许多不作如是观的其他人拿来使用。尤尔(他一生的大部分时间都与他的老师纷争不和)计算了与贫穷有关的各种社会因素的关联,这是作为对当时所谓的社会学的一个贡献。其他学生对公共健康统计学或犯罪学统计学进行研究。然而,皮尔逊的生物统计学方法得到了发展,而且被最自觉地应用于经济学和心理学。在20世纪30年代,在这些领域中围绕着统计学的方法形成了学会,学会的名字明显地影射皮尔逊的计划,它们的名字是:计量经济学学会和心理统计学学会。

正如玛丽·摩尔根所示,计量经济学首先衍生于贸易循环的统计调查。1932年,世界范围的经济衰退给了计量经济学学会的建立一个重要的动力。这是一个高度国际化的机构,其中既包括在经济学方面受过训练的人员,又包括在物理学和数学方面

〔7〕 Stigler,《统计学史》;Porter,《统计思想的兴起》;Donald MacKenzie,《英国的统计学,1865～1930:科学知识的社会结构》(*Statistics in Britain, 1865—1930: The Social Construction of Scientific Knowledge*, Edinburgh: Edinburgh University Press, 1981)。

受过训练的人员。他们以一个鲜有匹敌的承诺,立志将理论与统计结合在一起;他们需要经济衰退的解释,而不是纯粹的关联。皮尔逊的实证主义哲学对早先一代的美国社会科学家具有非常强大的吸引力,但在这些学术圈内却不那么吸引人。然而,正如皮尔逊从前严重依赖经常由政府收集的庞大的数据系列一样,经济学家们也是如此。经济统计学中的绝大部分工作关系到时间系列:增长、生产、工资、价格和失业的年度数字或指标。在此,具有控制的重复是不可能的,或至少是非常困难的,而且,由于随着时间延续的经济变化,每一个分析都是复杂的。对于纯粹计量经济学的研究来说,原因仍然是难以捉摸的。[8]

在第二次世界大战之后的这一历史时期,实验经济学日益走向回归。当社会科学家获得通向比以往都更强大的计算能力的途径时,做起这件事来就变得更加省钱和容易。很典型的是,一位经济学家可能会着手根据工资水平测量教育效果,例如,把收入塑造成几年教育的作用和某些其他明显相关的因素(如:年龄、性别、一个或更多的地域差异)。解方程式意味着寻找出分配给这些变量的分量,以便尽可能多地"解释"数据的变化。我们的抽样回归可能导致这样一个结论,即:在第八个学年以外的每一学年的教育都与一定数量的美元的月薪增长相对应。然而,一个回归不能把教育的效果与那些在野心、智慧或机会中的前差异效果区分开来,这些差异导致某些人(而不是其他人)去追求更高的教育。在这一时期的理论经济学家和统计经济学家之间的一个辩论围绕着这样一个指控进行:这些统计方法是无差别的,是"没有理论的量度"。但是,它们的辩护人说,另一个替代物似乎是"没有量度的理论"。作为一个实际的事物,计量经济学的这一形式是相当成功的。自从20世纪50年代,这类回归在社会科学诸学科中已成了标准的工具,这些学科最终既包含经济学,又包含社会学和政治学。人们甚至会论证说,它们已经重塑了这些领域。

心理测量学主要产生于教育机构的测试,尤其是产生于测试智力的尝试。这主要是一个美国人的尝试,但是具有重要的欧洲渊源。阿弗雷德·比奈(1847～1911)(在美国被认可为智商测试的法国先驱)藐视美国心理学家,把他们称为数字偶像,有时甚至否认智力是某种可被测量的东西。然而,他也把颅骨的容积作为智力的指标加以测量,而且他评估学龄儿童智力的问题标准系列,即使不能使他为他们确定数量,也至少使他能够把他们放在一个度量器上。他使用他的测试——虽然不是机械地——来确定在校表现不好是不是由于智力迟钝,这使得他的决策保持了客观性。

另一个方法是由一个英国人查尔斯·斯皮尔曼(1863～1945)提供的。他把注意力确定为并称为一般智力,对于他来说,这一一般智力不是测量和分类的一个纯粹的基础,而是人的思想的统一和完整性的一个防护。他的统计学遵循英国的生物统计学

〔8〕 Mary Morgan,《计量经济学思想史》(*The History of Econometric Ideas*, Cambridge: Cambridge University Press, 1990); Judy Klein,《时间中的统计学观点:时间系列分析史》(*Statistical Visions in Time: A History of Time-Series Analysis*, Cambridge: Cambridge University Press, 1997)。

传统,虽然他于1904年发表他的第一篇重要论文的时候,他还是莱比锡威廉·冯特心理学实验室的一名大学生。斯皮尔曼使用关联测量来证明人的智力的相互联系,这正如被在拉丁语和数学这类学科中的学业成就所揭示的那样。很快,他又开始发展一种新的"要素分析"的统计方法,以证明它们全都依赖于特殊才能背后的一个统一的实体——他所说的**一般智力**。他的批评者,尤其是芝加哥心理学家路易斯·L.瑟斯顿(1887～1955),后来把他的方法颠倒过来,把一般智力分解为它的要素,试图以这种方式使一般智力消解。[9] 在美国,比奈的问题类型和斯皮尔曼的统计学成了一个心理测试系统计划中的要素,在第一次世界大战期间和之后,这两者结合为一体。本卷中约翰·卡森所写的一章概括地评述了这一计划的发展,以及它是如何在美国的学校中被用来把学生分类的问题。这里的关键问题是:心理测试与一套特殊的统计工具相联系,(这套统计工具衍生于英国的生物统计学)而且这一实践计划对于普通心理学中的统计工具的广泛作用具有巨大的贡献。[10]

统计数学:调查与取样

作为调查、计划和干预工具的调查方法的历史在本卷由艾琳·简斯·约和苏珊·赫布斯特所写的几章中已经作了介绍。在20世纪,取样在研究院的社会科学中,尤其在社会学和政治学中也成了标准。它的基础数学可在拉普拉斯的著作中找到,而调查取样的实际问题是各种各样的,而且19世纪的统计学家一般都避开取样。与此相反,从局部到整体进行归纳概括的策略在统计学的对手中得到了促进,最明显的是得到了弗雷德里克·勒普莱和他在法国的学派的促进。1895年,挪威统计学家安德斯·N.凯尔(1838～1919)开始在国际统计研究所的会议上讨论"典型取样",而且开始将它用于他自己的国家。对于他来说,这不是一个数学的问题,而是一个辨认典型或具有代表性的区域的问题。对具有代表性的个人或群体的"有目的的"选择仍然是具有吸引力的,而且劝说人口调查局、民意调查团和类似的机构相信以概率为基础的调查的优越性还要花费几十年的时间。

247

然而,概率取样是具有吸引力的,因为它提供了一个具有良好结构的,从几百或几千个被访问者到全部人口进行归纳概括的数学方法和估算误差范围的数学方法。在1906年之后的大约20年的时间里,概率的方法与英国社会科学家阿瑟·L.鲍利

[9] Gail A. Hornstein,《确定心理现象的数量:争论,二难推理与言外之意》(Quantifying Psychological Phenomena: Debates, Dilemmas and Implications),见于由 Jill G. Morawski 编的《美国心理学实验的兴起》(*The Rise of Experimentation in American Psychology*, New Haven, Conn.: Yale University Press, 1988),第1页～第34页;Olivier Martin,《精神的测定:智力测验的起源与发展,1900～1950》(*La Mesure de l'esprit: Origins et développement de la psychométrie, 1900—1950*, Paris: L'Harmattan, 1997)。

[10] Kurt Danziger,《构建学科:心理学研究的历史起源》(*Constructing the Subject: Historical Origins of Psychological Research*, Cambridge: Cambridge University Press, 1990)。

(1869～1957)的方法相认同，阿瑟・L. 鲍利保卫了任意取样，而且介绍了他的数学。统计学家们至少逐渐地把耶日・奈曼(1894～1981)于1934年发表的一篇论文视为已经解决了这一问题。[11] 从波兰来到伦敦与卡尔・皮尔逊共同学习的奈曼以把欧洲大陆数学某些分析的严谨性引入更实际的生物统计学传统而闻名。这篇重要论文揭示了他的活动的另一个向度，即：与官方统计学的密切关系，这一官方统计学对于东欧和南欧统计学家的工作来说仍是中心，而对于英国或美国统计学家的工作来说就未必尽然了。奈曼把交替取样程序的这一数学思考，非常具体地作为一个从波兰或意大利人口普查形式中成千大小可变的数据中，确保数据公平的问题确立起来。[12] 研究院的社会科学家们发现这些论据非常令人信服。不久，政治民意测验者和他们的同类在某种程度上也这样认为。在战后的社会科学中，统计学的方法有助于确定社会和政治调查的实践标准。

统计数学与实验设计

从他的早年生涯开始，R. A. 费歇尔(1890～1962)就与卡尔・皮尔逊争论。费歇尔是一位伟大的数学家，然而，他还以一种非常纯朴和实际的方式从事统计学的研究，从1919年到1933年，他在英国罗塔姆施泰德农业实验站度过了他一生最富有创造力的时光。他在孟德尔的遗传学与生物统计学的“进化综合”中还是一位领导人物。作为一位统计学家，费歇尔强调进行适当的实验设计的重要性，其目的在于走出相互关系，找出原因。高塞特以他的作为Guinness酿酒厂之一位雇员的能力在实验统计学方向上已走了一段路程。皮尔逊对他的研究并不特别热心，他嘲笑道：只有下流的酿酒工才会从这么小的数字中得出结论。

248

费歇尔在他于1935年出版的《实验设计》(*The Design of Experiments*)一书中表达了他的成熟的统计学观点。一个真正的实验需要控制，而人们必须随意地选择控制，而不是有目的地选择控制。在一个简单的费歇尔的农业实验中，一块地被分成大小相同的地段，这些地段被随意地分配给实验和处理小组。这些实验田也许被施了肥，如骨粉。因为一块地和另一块地的农作物的产量总会有所不同，而且这种不同经常出于未知的原因，所以只拿一块被施肥的地与一块未被施肥的地进行比较将是一个完全不可靠的向导。费歇尔把这些实验田作为在一个统计设计中的独立单元来处理。因为它们已被随意地分配给处理小组，所以他能够应用偶然数学(概率——译者注)。他的分析方法采取了这种形式：(例如)在每20次中进行一次实际产量差与预期产量差之

[11] Alain Desrosières，《大数政治学：统计学推理史》(*The Politics of Large Numbers: A History of Statistical Reasoning*, Cambridge, Mass.: Harvard University Press, 1998)，第7章。

[12] Jerzy Neyman，《论两种代表方法的不同：分层抽样法和目的选择法》(On the Two Different Aspects of the Representative Method: The Method of Stratified Sampling and the Method of Purposive Selection)，见于《皇家统计协会会刊》(*Journal of the Royal Statistical Society*)，97 (1934)，第558页～第606页。

间的比较,即使肥料是完全无效的。如果被观察到的差数超过了那一标准,那么人们可以说:在 0.05 的水平上,我们可以舍弃“无效假设”。这些肥料在那时已经通过了所谓的“意义测试”。费歇尔偏爱尽可能地测试更多的因素,而且他发展了适于进行具有多重变化之实验的分析方法。

这是一个处理不可控变化的实验草案。相形之下,物理学家的理想实验包含对不只是一个要素而是每一个要素的严密控制,所以一个单一的结果可以是决定性的。在人文科学中如同在作物研究中一样,这经常是不可能的。人们为实验心理学和医学中的治疗检查这样一些领域创造出受控制的统计实验。费歇尔实验的某些方面——其中包括随机选择的使用——已长期被应用于教育心理学的某些领域和心灵学中。[13]心理学家很快采用了费歇尔的计划。但是他的方法并不适于心理学的所有形式。例如,格式塔心理学以一种与统计学毫无关系的方式诉求于直接的感觉经验(如同在也可被视为兔子形状的鸭形轮廓线中的感觉经验)。在新的统计王国中,尤其是在美国,这类心理学处于边缘的位置。然而,如果目的是决定明亮程度如何影响工业生产,或一个新型的阅读指导是否改善了学生的平均成绩,那么费歇尔的实验就是完美的模式。心理学课本提供了他的农业方法的新观点,它排除了肥料,而且很快重塑了这一学科。[14]

心理学——它在所有社会或人文学科中也许是最热心于统计的学科——对最近的统计学革新做出了回应,这一回应以心理物理学和最小平方法开始。它还发展了它自己的重要的新方法和技术。20 世纪 50 年代,费歇尔的“方差分析”和“f - 检验”在实验心理学尤其(又一次)在美国很快变为占统治地位的东西。对于其他社会科学来说,被控制的实验似乎不那么有前途和希望,这些社会科学的客体是整个社会或经济,而不是个人的思想或行为。但是,被控制的实验方法最近在国家政府的主持下被用于社会政策问题。人们通常以这种方式调查儿童、穷人或罪犯。从一个“负的所得税”,或从为了福利接受者的工作需要,或从国家提供给瘾君子的美沙酮(甚至海洛因)的供应量,我们能预料到什么结果呢? 这些“实验”中的某些实验是无意的,是社会科学家可调查的具有冲突的政策的结果。其他一些实验是由专家在实验设计中计划好的并由专家合作完成的,他们经常在城市或相邻地区的水平上进行设计与合作。[15]

249

[13] Trudy Dehue,《欺骗、效能与随机抽样小组:心理学与随机抽样小组设计的逐渐起源》(Deception, Efficiency, and Random Groups: Psychology and the Gradual Origination of the Random Group Design),见于《爱西斯》,88(1997),第 653 页～第 673 页;Ian Hacking,《心灵感应:实验设计中的随机选择的起源》(Telepathy: Origins of Randomization in Experimental Design),见于《爱西斯》,79(1988),第 427 页～第 451 页。

[14] Gerd Gigerenzer, Zeno Swijtink, Theodore Porter, Lorraine Daston, John Beatty 与 Lorenz Krüger,《概率王国:概率如何改变了科学和公众生活》(*The Empire of Chance: How Probability Changed Science and Everyday Life*, Cambridge: Cambridge University Press, 1989),第 3 章,第 6 章。

[15] Trudy Dehue,《建立实验社会:根据随机控制设计的社会实验的历史起源》(Establishing the Experimenting Society: The Historical Origin of Social Experimentation according to the Randomized Controlled Design),见于《美国心理学杂志》(*American Journal of Psychology*),114(2001),第 283 页～第 302 页。

社会科学中的统计之风

自从皮尔逊时代以来,数学统计领域已被严重地分裂,有时被激烈的争论留下深深的印迹。奇怪的是,它作为一个正确的方法也经常得到支持。费歇尔的实验设计的理想受到奈曼的挑战,(奈曼与卡尔·皮尔逊的儿子 E. 皮尔逊结成联盟)后来又受到贝叶斯的对概率之主观向度的兴趣的挑战。社会科学教科书的作者几乎从未提及这些差异,而是引入了一个折中的看法,它通常包含费歇尔的意义测试,被简单地称为“统计学”。对于他们来说,统计学是一个不容替代的审慎的方法。自从卡尔·皮尔逊时代以来,甚至自从拉普拉斯时代以来,概率与统计学已经与“科学方法”的理想化联系起来,人们猜想这种科学方法将代替易犯错误的人为判断。皮尔逊认为科学是让个人的兴趣服从对于全人类都有效的东西,而费歇尔把统计试验作为正在衰落的贵族权威的一个民主的替代物加以抬高。社会科学已把统计学解释为某种统一的东西,而且把它评价为对于产生客观性来说的一个必不可少的工具。[16]

统计方法的历史是一个国际的历史。重要的统计学传统既在欧洲和北美的主要国家中发展起来,又在印度、澳大利亚、俄国、斯堪的纳维亚和荷兰等国发展起来。从 19 世纪末到 1935 年,最杰出的统计学家是英国人,然而,在美国的社会科学中,统计学的推动力一直最强大。统计学在多萝西·罗斯所说的学科计划中成了一个重要的组成部分。像那一计划本身一样,统计学也并不限于学科界线以内。统计学的方法为社会科学提供了一定程度的统一,即使它们在各种学科和分支学科中采取了特殊的形式。它们还体现了一种风气,各个学科逐渐普遍分享了这种风气。对于统计学来说社会科学家的参照铭刻了以更高真理和公共价值为名誉的个人的否弃和非个人的权威。

250

(辛岩 译)

〔16〕 Gigerenzer 等人,《概率王国》;Porter,《相信数字》。

15

心理学

251

米切尔·G.阿什

在科学中,心理学占有一个特殊的位置,它悬浮于源自物理和生物学的方法论方向和延伸入社会和人文科学中的主观内容之间。创造一个既有主观性又具行为性的科学的斗争,和相关的利用科学成果发展专业实践的努力,提供了这类科学理念的范围和界限的令人感兴趣的例证,这类科学理念是:客观性、可测量性、可重复性和累积知识的获得。除此之外,在为满足公众对他们的服务的诸多要求而与其他人展开竞争的同时,心理学家为凭借着这些理念来生活而进行的斗争,既说明了科学对现代生活已有影响,又说明了技术管理的希望对科学的影响。

这一章的目的是概述在过去20年的漫长时间里在心理学历史编撰学中的主要转变结果,这些主要转变是从重要人物的成就和心理学体系与理论的历史,到心理学思想和实践的社会文化关系的转变。[1] 在这一过程中,我希望既通过彼此,又通过在不同时间和地点的流行文化价值与制度,来阐明心理学研究和社会实践相互之间的关系,与此同时,我试图阐明在这一多变的记叙中的某些共同的线索。

252

那些共同线索中的一条线索是:心理学的历史是一场凭借着众多参加者去占领和界定一个被激烈争夺的,但却是从未明确限定的推论和实践领域的持续的斗争。被称为"心理学"的学科和专业的出现与制度化经常被描述为从哲学或医学中的解放活动,但是,这些为确立科学和专业之独立自主性而付出的努力从未取得完全的成功。

第二条共同的线索是:作为科学的心理学的历史,以及心理学专业的历史是不可

[1] 关于这一转变的总结,请参看 Laurel Furumoto 的《心理学新史》(The New History of Psychology),见于由 Ira S. Cohen 编的《G·斯坦利·霍尔演讲集》(*The G. Stanley Hall Lecture Series*),第9卷(Washington, D. C.: American Psychological Association, 1989)。关于一个综合的观点,请参看 Roger Smith 的《丰塔纳人类科学史》(*The Fontana History of the Human Sciences*, Lodon: Fontana, 1997)(在美国的版本为《诺顿人类科学史》);Kurt Danziger,《构建学科:心理学研究的历史起源》(*Constructing the Subject: Historical Origins of Psychological Research*, Cambridge: Cambridge University Press, 1990),和他的《为精神命名:心理学如何发现了它的语言》(*Naming the Mind: How Psychology Found Its Language*, London: Sage, 1997)。既收入最新的著述,同时又保留了一个更传统的叙述的提供信息的努力是:Ludy T. Benjamin, Jr. 的《心理学史:原始资料与当代研究》(*A History of Psychology: Original Sources and Contemporary Research*, New York: McGraw-Hill, 1988);Thomas H. Leahey,《心理学史》(*A History of Psychology*)第3版(Englewood Cliffs, N. J.: Prentice Hall, 1992);Ernest R. Hilgard,《美国心理学:一个历史纵览》(*Psychology in America: A Historical Survey*, New York: Harcourt Brace Jovanovich, 1987)。

分离的，至少在20世纪是不可分离的。在对预测和控制的隐喻和方法的使用中，科学的话语和专业实践被联系在一起。但是，以其他方式，公众对特殊社会问题增强了的关注也导致了新的方法论工具的发展，如智力测试和个性调查，这些对于研究有重要的反馈效果。

心理学历史的第三条共同的线索是：在心理学家为把他们的工作确立为受到国际承认的一门科学而进行奋斗的同时，他们还利用了当地的传统。作为这样一些努力的结果，无论这一学科的内容，还是这一专业的内容，都以这样一些方式根据特殊的社会和文化环境发生了变化，这些方式不易与先进知识的获取和实际成功的宏大叙述相一致。

这一章的前两部分把重点集中于从1850年到1914年在欧洲和美国被称为心理学的科学学科的创立和具有争论的身份上。第三和第四部分描画了直到1945年，为争夺在这一学科之内的统治权所进行的多方面的斗争，和这一领域有争议的专业化的大致轮廓。最后一部分考察美国的统治在战后几十年里无论是在科学心理学还是在专业心理学中的影响。

通向制度化之路，1850～1914年：英国和法国

最新研究的一个基本观点是：在17世纪和18世纪，作为一个特殊学科的心理学的出现，并没有自动地导致它与哲学在建制上的分离。在18世纪的某些地区，在某种程度上确实已经达到了一个学科之存在的某些标准，即：作为一个学科在学校中传授，具有期刊和开业者，具有学科内容和计划中的研究方法。除此之外，从那一时期产生的构思框架——如：心理功能（思想、感情和意志）和联想主义的体系——在整个19世纪都继续塑造着心理学的话语，而且，在联想主义方面，这一过程继续延伸，以至进入20世纪。[2] 但是，所有这些（包括把心理学承认为一个哲学和教育学中的教学领域）都没有导致继续把这一学科描述为在专业上指那一目的的自然科学，或者说都没有导致与教科书系统讨论相对的心理学实验研究训练的制度化。

253

19世纪中期的所谓的生理心理学或自然科学心理学论说的广泛介绍，以及在19世纪最后30多年根据最近在自然科学中确立的模式的实验室教学的制度化，对于作为一个学科的心理学后来的发展具有重要影响。从经验心理学到实验心理学的转变是不完全的或不那么简单易行的。而且，正如将展示的那样，即使在它被确立之后，实验心理学也从未成功地统治整个学科。

〔2〕 Gary Hatfield，《冯特与作为科学的心理学：学科的变化》（Wundt and Psychology as Science: Disciplinary Transformations），见于《科学观》（*Perspectives on Science*），5（1997），第349页～第382页，及其《18世纪作为自然科学的心理学》（Psychology as a Natural Science in the Eighteenth Century），见于《综合评论》（*Revue de Synthese*），115（1994），第375页～第391页。

科学心理学的制度化在欧洲和美国的不同地区采取了完全不同的形式。确实,现在标准的心理学研究方法程序的成分取自各种方法,而每一种方法都植根于一系列特殊的社会和文化环境。在欧洲,没有任何一个地方的学术制度化是一件简单或易做的事情;而且,无论是欧洲还是美国,这一过程没有在任何地方不可避免地或直接地导致职业的专业化。

英国是以弗朗西斯·高尔顿(1822～1911)为先驱的统计研究实践的故乡。这些实践的目的不是被假定为确定在所有个人中都基本相似的心理作用,而是确定在个人中的行为表现的分布状态。[3] 高尔顿首先在两部书中介绍了这一方法,这两部书是《遗传的天才》(*Hereditary Genius*, 1869)和《人类才能的探究》(*Inquiries into Human Faculty*, 1883),在这两部书中,他试图展示:第一,体力和脑力在数量上以相同的方式分布;第二,因此,两者都在相同的程度上传承。查尔斯·皮尔曼(1863～1945)凭借着于1904年在"一般智力"(在一系列测试中的所有表现之下的并被假定为遗传的一个要素)和所谓的"特殊(S)"要素(它们根据特殊测试解释了不同的行为表现,人们假定这些要素是可传授的)之间所做的区分,把这一方法更向前推进一步。在这一工作中,高尔顿、斯皮尔曼和其他人把他们自己认同为在一个民主化的社会中关注保护其地位的受过良好教育的文化精英成员,一旦他们被选出,他们就通过列举出这一文化精英所具有的值得被选出的品质(如优生婚配、学历等)来保护其地位。为了需要讨论的原因,在20世纪中叶之前,这一数据组的方法无论是在英语世界的学院心理学中,还是在应用心理学中,都成了占主导地位的研究方式。

254

但是,这一结果在1900年绝不是显而易见的。与其如此,毋宁说:在高尔顿和他的追随者推进人体测试和其他数据收集技术——如问答方法及对结果的统计学处理——的同时,像詹姆斯·沃德和G. F. 斯托特这类哲学家正追随他们的先辈约翰·斯图尔特·密尔和亚历山大·贝恩构建系统的心理学,这一心理学继承了被英国经验主义者和苏格兰的"常识"哲学确立的理论传统,与此同时,又在某些方面与它们分离开来。[4] 无论是这些首创,还是在1909年《英国心理学杂志》(*British Journal of Psychology*)这类期刊的创立,都没有导致学院的制度化;一直晚到20世纪20年代,在英国只为心理学留了六个大学讲席。在英国心理学学会于1901年建立及此后的几十年里,各种心理学开业者的数量远远多于这一学会的研究人员的数量。[5]

此时法国的科学心理学的最强大的拥护者——哲学家伊波利特·泰纳和梯奥杜尔·利伯特(1838～1916)分享一个作为医学方法和哲学方法之综合的这一领域的明

〔3〕 Danziger,《构建学科》。

〔4〕 G. F. Stout:《分析心理学》(*Analytic Psychology*),第2卷,London: Allen and Unwin, 1909;由R. S. Peters编辑和缩写的《布莱特的心理学史》(*Brett's History of Psychology*), London: Allen and Unwin, 1962,第675页～第686页。

〔5〕 Leslie S. Hearnshaw,《英国心理学简史,1840～1940》(*A Short History of British Psychology, 1840—1940*, London: Methuen, 1964); Nikolas Rose,《心理情结:英国的心理学、政治学与社会,1839～1939》(*The Psychological Complex: Psychology, Politics and Society in England, 1839—1939*, London: Routledge, 1985)。

确的观点。基于克劳德·伯纳德之理念(这一理念是:疾病是一种"被引证的"自然实验的形式)的临床"特殊病案"研究与被控制的或"感应的"实验之间的和平共处保持了法国心理学研究的一个明显特征。[6] 但是,体制上的破碎使它难以认识这一综合的观点。由利伯特于1885年在索邦大学教授的第一个大学心理学课程是被设置在文学院,而不是在科学院或医学院。利伯特已于19世纪70年代通过他的关于英国和德国心理学发展的著作向法国介绍了"新的"心理学,而且他继续论证说:科学的心理学属于生物学,而不属于哲学。然而,他的课程除了与医学院相联系的在实验室的演示之外,并不包含实验室教学。他于1888年被授予富有声望的法兰西学院讲席并没有给这一情况带来什么变化。尽管如此,他仍然鼓励更年轻的人物——如医生皮埃尔·珍妮特、乔治·杜马和生物学家阿尔弗雷德·比奈(1857~1911)——采用自然科学的方法。[7]

在与神经学家让-马丁·沙可共同研究之后,比奈试图建立更高心理作用的一个明确的生物科学。1894年,他接替生理学家亨利·博尼斯担任法国第一个心理学实验室的主任,这一实验室创建于1889年,坐落于索邦大学科学院。还是在1894年,他又创办了法国第一份科学心理学杂志——《心理学年鉴》(*L'Année Psychologique*),起初,这本杂志的大部分文章都由他自己撰写。1895年,他发表了一个研究计划,他把这一计划称为"个人心理学",这一个人心理学的概念基础是把心理功能转变为生理学的功能。[8] 然而,这一实验室引来的学生很少,珍妮特(而不是比奈)在1902年被指定接替利伯特在法兰西学院的讲席。

255

比奈通过一个他领导的被称为儿童科学研究学会的小组在教育部游说,为他自己谋得了一张官方委任状,这使得他和泰奥多尔·西蒙一起于1905年将他们的第一批关于智力测试的著作发表。这些测试的目的并不是直接测量智力(比奈怀疑这是不可能的),而是为把"异常"与"正常"儿童区分开来确立实际的标准,以便为前者提供特殊的教育。但是,凭借着科学手段完成实际需要的这一努力并没有导致制度的突破。由于中学教师的强烈反对,这种智力测试并没有在法国被广泛使用;而且在这里如同在英国一样,并没有产生心理学广泛的学术制度化。[9]

[6] Jacqueline Carroy 和 Regine Plas,《法国实验心理学的起源:实验与经验主义》(The Origins of French Experimental Psychology: Experiment and Experimentalism),见于《人类科学史》(*History of the Human Sciences*),9:1(1996),第73页~第84页。

[7] John I. Brooks III,《索邦大学的哲学与心理学,1885~1913》(Philosophy and Psychology at the Sorbonne, 1885—1913),见于《行为科学史杂志》(*Journal of the History of the Behavioral Sciences*),29(1993),第123页~第145页;Laurent Mucchielli,《关于法国大学心理学的起源,1870~1900:围绕西奥多·瑞伯特之"哲学评论"的协会的智力赌注、政治背景、网状系统和战略》(Aux origines de la psychologie universitaire en France, 1870—1900: enjeux intellectuels, contexte politique, réseaux et stratégies d'alliance autor de la "Revue Philosophique"de Théodule Ribot),见于《科学年鉴》(*Annals of Science*),55(1998),第263页~第289页。

[8] Alfred Binet 和 Victor Henri,《个人心理学》(La Psychologie individuelle),见于《心理学年鉴》(L'Année Psychologique),2(1895),第411页~第465页。

[9] Theta Wolf,《阿尔弗雷德·比奈》(*Alfred Binet*)(Chicago: University of Chicago Press, 1974);William H. Schneider,《在Binet之后:法国智力测验,1900~1950》(After Binet: French Intelligence Testing, 1900—1950),见于《行为科学史杂志》(*Journal of the History of the Behavioral Sciences*),28(1992),第111页~第132页。

通向制度化之路，1850～1914 年：德国和美国

人们一般把德国视为科学心理学的故乡。一个人们老生常谈的科学的成功故事把我们从约翰·海因利希·赫尔巴特的感觉测量计划(这是对康德的这样一个观点的回应,即:精神的事情因为缺乏空间特性,所以不能测量),通过赫尔曼·亥姆霍兹的神经脉冲传递速度的测量和古斯塔夫·西奥多·费希纳的心理物理学(外部刺激和仅仅能看得见的感知差异之间的关系的测量)的道路领到威廉·冯特(1832～1920)的"生理心理学"。然而,这一情况比这要复杂得多。19 世纪 70 年代,从赫尔巴特、鲁道尔夫·赫尔曼·劳泽、弗兰茨·布伦塔诺和其他人那里衍生的系统心理学,与费希纳的心理物理学和由莫里茨·拉扎鲁斯、海曼·施泰因塔尔于 1860 年创办的《大众心理学》(*Völkerpsychologie*)一起分享一个拥挤的舞台,费希纳的心理物理学与《大众心理学》采取了一个人种学、语言学和历史学的方法。[10] 作为在 1879 年世界上第一个持续运转的莱比锡大学实验室的创建者,冯特是著名的,但是,像与冯特并肩工作而不是其模仿者的乔治·伊利亚斯·米勒(在哥廷根)和卡尔·施图姆波夫(在哈勒、慕尼黑和柏林)这样的实验者,却与此同时追求完全不同的研究计划。

256

然而,比这些区别更重要的是:体现在德国心理学研究实践的组织和内容中的共同的文化假定。与英国和法国的情况相比较,在冯特的实验室中,实验者和被实验者在地位上一般是平等的,而且经常交换角色。他们利用机械仪器来控制刺激的表现,并以此使刺激的表现客观化、具体化,而且他们的认识观是普遍的;但是,冯特的合作者和竞争者都用他们的被实验者的自我观察的扩大记录来补充他们的数据图,以此展示他们自己正从事于以仪器为臂助的、对于德国受过良好教育的中产阶级的成员来说是传统的自我发现的转述。在 19 世纪 80 年代,在冯特和施图姆波夫之间的关于受过训练的被实验者的专家地位的争论表明:无论是这类研究实践的内容,还是对这类研究实践的控制,都仍然是有争议的领域。[11]

一个基础设施的确立——其中包括杂志[如由赫尔曼·埃宾豪斯(1850～1909)和其他人于 1890 年创办的《心理学和感官生理学杂志》(*Zeitschrift für Psychologie und Physiologie der Sinnesorgane*)]和实验心理学学会(创建于 1904 年,米勒为它的第一任主席)——与被冯特和其他人频繁肯定的心理学,最终成为一门独立自主的科学,以及埃宾豪斯这一著名的观点"心理学具有长久的过去,但只有短暂的历史",全都暗示着

[10] Franz Brentano,《从经验主义立场出发的心理学》(*Psychologie vom empirischen Standpunkt*, Leipzig: Duncker & Humblot, 1874); Moritz Lazarus 与 Haim Steinthal 编,《大众心理学与语言学杂志》(*Zeitschrift für Völkerpsychologie und Sprachwissenschaft*),20 卷本(柏林:Dümmler, 1860—1890)。参看 Geroge Eckard 编,《大众心理学——尝试一个新发现》(*Völkerpsychologie – Versuch einer Neuentdeckung*, Weinheim: Beltz Psychologie-Verl. -Union, 1997)。

[11] Adrian Brock,《心理学专业能做什么?》(Was macht den psychologischen Expertenstatus aus?),见于《心理学与历史》(*Psychologie und Geschichte*),2(1991),第 109 页～第 114 页。

在1905年之前德国"新心理学"已建立在一个坚实的基础之上。然而,关于这一学科的内容或方法并不存在一致意见。正如威廉·斯特恩于1900年表述的那样,有"许多心理学,但是没有一个新的心理学"[12]。

其原因之一是库尔特·丹齐格所说的更年青一代的实验者(其中包括埃宾豪斯和米勒)对冯特的"实证主义的驳斥",其目的在于扩大以仪器为驱动力的实验技术和从感知、理解力到更高的心理作用(如记忆)的数量结果的表现。[13] 具有分歧的第二个领域是这样一个尝试(冯特反对这一尝试):就是把实验室技术重塑为专业实践,例如:去评估证人在法庭上证词的真实性,去测试学龄儿童在一天的不同时间的表现和成绩,以及去评估工厂工人的技术。[14] 第三个也是最重要的具有争议的领域,是一个具有心理学的学科内容、方法和实际应用这些争议的构想之明确的人文哲学传统的持续。在《大众心理学基础》(*Elemente der Völkerpsychologie*, 1911)和其他著作中,冯特自己否认实验方法足以研究更高的心理作用和产生他自己的、明确的人文主义的《大众心理学》。

257

在世纪之交,这一争论尖锐起来,因为新康德主义者如海因里希·李凯尔特和威廉·文德尔班在原则上排除了自然科学的方法和解释的原理,与此同时,现象哲学家埃德蒙德·胡塞尔和其他人对一个(具有不同定义的)认识论的和逻辑的"心理主义"展开进攻。[15] 公开的冲突于1912年爆发,当时,有110多名德国哲学教师签署一篇公开声明,反对在这一领域里再授予任何实验心理学家教授的职称。但是,这一抗议失败了,因为负责确立新职位的国家官员并不认为这一学科与专业或国家民政事务的训练有任何明显的联系。[16] 结果是,直到纳粹时代,在德国的实验心理学家仍然保留着他们自己的实验室、杂志和学会,但是一般都继续为哲学教授的讲席而竞争。

在19世纪80年代和90年代,冯特的美国学生和其他人很快将新的"黄铜仪器心理学"从德国移往美国,但是被爱德华·布拉德福德·铁钦纳(1867～1927)和其他人用来证明使用这类工具的合理性的实用主义概念与冯特的概念完全不同。这个国家广袤的土地、正在出现的美国大学的分散的结构,以及它的代替单人研究所的以学院组成的系,都便于迅速地制度化。截止到1910年,美国的心理学实验室比德国的大学

[12] William Stern,《19世纪心理学著作》(Die psychologische Arbeit des 19. Jahrhunderts),见于《教育心理学杂志》(*Zeitschrift für Pädagogische Psychologie*),2(1900),第414页。

[13] Danziger:《构建学科》,第3章。

[14] Wolfgang G. Bringmann 和 Gustav Ungerer,《实验心理学对教育心理学:威廉·冯特致恩斯特·梅伊曼的信》(Experimental versus Educational Psychology: Wilhelm Wundt's Letters to Ernst Meumann),见于《心理学研究》(*Psychological Research*),42(1980),第57页～第74页。

[15] 关于"心理学主义"的变种,请参看 Martin Kusch 的《心理学主义》(*Psychologism*, London: Routledge, 1995)。

[16] Mitchell G. Ash:《20世纪德国的心理学:科学与专业》(Psychology in Twentieth-Century Germany: Science and Profession),载于由 Geoffrey Cocks 和 Konrad H. Jarausch 编的《德国专业,1800～1950》(*German Professions, 1800—1950*, New York: Oxford University Press, 1990),第289页～第307页。

都要多。1892 年美国心理学学会的创立先于 1904 年美国哲学学会的创立。[17]

这一迅速的发展既掩饰了关于美国这一新学科的范围和方法的分歧,又掩饰了与过去的连续性。本土的根源包含作为由院长[如普林斯顿大学的詹姆斯·麦考士(1811～1894)]教授的必修哲学课一部分的心理学教育,许多后来推进了"新"心理学的人选修了这一课程。这些课程和它们的老师鼓励人们朝着道德问题的方向前进,并鼓励人们专心于有用的知识,而不是强调在德国流行的精神哲学的经验基础。[18]

258

虽然具有不同的原因,达尔文和斯宾塞的著作对于美国心理学的形成却具有同等的影响。进化的思想加强了对生理功能的强调,而减少了对心理功能的强调,而且还导致了强调发展,并引起对儿童心理学和动物心理学的兴趣。这些趋向在欧洲也存在;但是在美国的背景中,功能进化的概念使人的调节表现为有机适应的一个自然的继续。这类观点支持诸如詹姆斯·马克·鲍德温的那些认识的进化论,与此同时,承认心理学家如此倾向于将权威干预社会实践作为物种改良的动因。[19] 因此,教育和儿童的学习对于美国心理学来说逐渐成了中心关注的东西;在此,约翰·杜威、G. 斯坦利·霍尔和爱德华·桑代克是舆论的向导,虽然他们推进了不同的研究和改革计划。

美国关于心理学之适当范围和方法的分歧在某些方面与德国的那些分歧颇为类似。因此,铁钦纳的"实验师"非正式小组成员(他们从 1904 年开始就撇开美国心理学会进行聚会)并不反对应用研究本身,但是坚持无论在实验室之内还是在实验室之外都应使用严格的方法。他们的明确目的是使"正常的"实验对象的行为标准化;盲目的(不总是有意的)结果是产生一个为技术应用准备的认识工具。[20] 相形之下,像霍尔这类行动主义者(他是在美国使用问答法的先驱,而且也许是美国"新"心理学最著名的公开的拥护者)被一个对进步的改革关注所驱动,不是更关注实验方式的严谨,而是更关注把道德的问题转变成科学的问题。

智力测试的情况把社会改革与专家政治结合起来。虽然比奈的测试在法国没有被广泛接受,但是,在亨利·H. 戈达德之后,它们很快在美国普及开来,戈达德是一所

[17] John M. O'Donnell,《行为主义的起源:美国心理学,1870 ～1920》(*The Origins of Behaviorism: American Psychology, 1870—1920*, New York: New York University Press, 1985),第 3 章;Charles R. Garvey,《美国心理学图书馆名单》(List of American Psychological Laboratories),见于《心理学会刊》(*Psychological Bulletin*),26(1929),第 652 页～第 660 页;Michael M. Sokal,《美国心理学协会的起源与早年,1890 ～1906》(Origins and Early Years of the American Psychological Association, 1890—1906),见于《美国心理学家》(*American Psychologist*),47(1992),第 111 页～第 122 页。

[18] Dorothy Ross,《G. 斯坦利·霍尔:作为先知的心理学家》(*G. Stanley Hall: The Psychologist as Prophet*, Chicago: University of Chicago Press, 1972);Michael M. Sokal 编,《心理学教育:来自德国与英国的詹姆斯·M. 卡特尔的杂志与书信,1880 ～1888》(*An Education in Psychology: James McKeen Cattell's Journal and Letters from Germany and England, 1880—1888*, Cambridge, Mass.: MIT Press, 1981);Graham Richards,《"知我友者为我友谋福":美国心理学的持久的道德计划》("To Know Our Fellow Men to Do Them Good": American Psychology's Enduring Moral Project),见于《人类科学史》,8:3(1995),第 1 页～第 24 页。

[19] O'Donnell,《行为主义的起源》,第 4 ～5 章;Robert J. Richards,《达尔文与思想行为之进化概念的出现》(*Darwin and the Emergence of Evolutionary Concepts of Mind and Behavior*, Chicago: University of Chicago Press, 1987)。

[20] Deborah J. Coon,《使学科标准化:实验心理学家,反省与对科学技术理想的追求》(Standardizing the Subject: Experimental Psychologists, Introspection, and the Quest for a Technoscientific Ideal),见于《技术与文化》(*Technology and Culture*),34(1993),第 757 页～第 783 页。

为所谓的低能儿童开办的训练学校的校长,这所学校的教师作为人类改良的工具以近于救世主的词语向低能儿童进行传播。[21] 在戈达德和其他人取得成功之后,刘易斯·M.特曼于1915年修正了用于美国中学的比奈-西蒙标准,后来又把这一标准推广至对天才人物的研究。特曼把"心理年龄"与另一个等级的、直线顺序(学年)联系起来被证明为非常适于美国的中学,尤其是适于美国中学对不同的社会和民族的人进行分类的角色。[22]

259

威廉·詹姆斯(1842～1910)试图以他自己的方式把科学和改革结合起来。他自己在某些方面是一位进化论者,(而且,作为这样一位进化论者,他与杜威和詹姆斯·罗兰·安吉尔一起对一个特殊的美国功能心理学的创立做出了重要的贡献)詹姆斯还继承了本土哲学心理学的道德主义和实用主义的传统,虽然他于1894年发表了一篇为"作为自然科学的心理学"进行辩护的文章,他还在他的经典文献——《心理学原理》(*The Principles of Psychology*, 1890)一书中批判了"心理学家的偏见",即以心理学家的实在的科学构想代替他们的被实验者所转述的经验的趋向。他反对狭隘的经验主义,因为比起经验主义者的那一套来,他偏爱一个更为广泛的意识构想,也偏爱一个更为广泛的心理学学科内容的构想。但是,他后来以与那些"正常的"成人的客观态度相同的客观态度研究巫师和神秘主义者的经验的建议并没有被广泛接受。因此,人们可恰当地既把詹姆斯引证为"新"心理学的创建者,又把他引证为"新"心理学永恒的障碍。

如同在德国一样,在美国,对于心理学之确立居于核心地位的东西是以把哲学的过去与科学的现在分离开来为目的的一个修辞学的策略。如同在这一时期的美国其他人文科学一样,对实际上可追溯至苏格兰常识哲学的社会有用性的强调,现在假定了科学的一个工程学模式;对这一模式的采用对于"新"心理学为争取科学的和专家的权威来说是重要的。[23] 对这类修辞学的辩护来说,一个内向的对应物是在这一时期美国心理学教科书中在受过训练的心理学家和所谓的天真的观察者之间所做的区分;这

[21] Leila Zenderland,《测定心理:亨利·H.戈达德与美国心理测试的起源》(*Measuring Minds: Henry Herbert Goddard and the Origins of American Mental Testing*, Cambridge: Cambridge University Press, 1998)。

[22] Paul D. Chapman,《作为分类者的学校:刘易斯·M.特曼、应用心理学与智力测验运动,1890～1930》(*Schools as Sorters: Lewis M. Terman, Applied Psychology and the Intelligence Testing Movement, 1890—1930*, New York: New York University Press, 1988)。

[23] David E. Leary,《讲恰如其分的故事:新心理学的修辞学,1880～1920》(Telling Likely Stories: The Rhetoric of the New Psychology, 1880—1920),见于《行为科学史杂志》,23(1987),第315页～第331页;Jill G. Morawski和Gail A. Hornstein,《江湖医生的困境:在美国心理学中的为专业知识的斗争,1890～1940》(Quandary of the Quacks: The Struggle for Expert Knowledge in American Psychology, 1890—1940),载于JoAnne Brown与David K. van Keuren编,《社会知识的地位》(*The Estate of Social Knowledge*, Baltimore: Johns Hopkins University Press, 1991),第106页～第133页;Jill G. Morawski编,《美国心理学实验的兴起》(*The Rise of Experimentation in American Psychology*, New Haven, Conn.: Yale University Press, 1988)。参看Ronald Kline,《构建作为"应用科学"的"技术":美国科学与工程学的公共修辞学,1880～1945》(Constructing "Technology" as "Applied Science": Public Rhetoric of Science and Engineering in the United States, 1880～1945),《爱西斯》,86(1995),第194页～第221页;John C. Burnham,《迷信如何赢,科学如何输:在美国普及科学与健康》(*How Superstition Won and Science Lost: Popularizing Science and Health in the United States*, New Brunswick, N. J.: Rutgers University Press, 1987)。

具有把心理学家与他们自己的普通自我区分开来的效果，不然的话，这些心理学家将是思想的常识性观点的代表。[24] 因此，作为工具的客观的常规被用来构建一个专业的身份，在公共领域中，这种专业身份还可被用作社会资源。

260

"新"心理学的共同特征

尽管通向制度化有许多条道路而且存在不同的研究实践，人们还是能够发现"新"心理学的某些共同特征，它们都是在这一时期的这一领域自然科学的自觉认同的部分。

这些共同特征之一是依赖于劳伦·达斯顿所说的仪器的客观性来确立科学的地位。[25] 以他们的控制刺激表现和测量反应时间的沉重的黄铜仪器，"新"实验心理学的创造者参与到19世纪物理学和生理学的精确性的文化中来，而且以此获得了科学的声誉。他们还重构了他们要为其付出努力的客体。曾是精神和道德能力的东西已变成了心理功能；而且进行感觉和领悟的有意识的心灵变成了一个以一种可被测量的"正常"方式发挥功能或失去功能的仪器。

"新"心理学的第二个共同特征是生理学相似性的应用，又依次经常筑基于机械物理学和技术。[26] 例如，"抑制"这一词融合了器官的和机械的隐喻，而且把它们既应用于人的行为，又应用于社会；在这种情况下，这一语言一部分取自机械中的调节装置的运转。[27] 一个进一步的例证是精神能量的隐喻。在科学家和工程师为了创造一门劳动科学把能量保护的理念应用于人的劳动（意欲制造更有效运转的"人的发动机"）之后不久，埃米尔·克莱佩林和其他人把这一努力延伸至"脑力劳动"的领域；雨果·明斯特伯格为这一结果取名为"心理技术学"。[28]

"新"心理学的第三个共同特征是关于身心关系的故意的模糊性。像"能量"和"抑制"这类词汇有效地把心理学与自然科学和工业文化联系起来，但是，它们在心理

[24] Jill G. Morawski,《自视与他视：美国心理学的反思实践，1890～1940》(Self-Regard and Other-Regard: Reflexive Practices in American Psychology, 1890—1940)，见于《历史背景中的科学》(*Science in Context*)，5(1992)，第281页～第307页。

[25] Lorraine Daston,《客观性与逃避观察》(Objectivity and the Escape from Perspective)，见于《社会科学研究》(*Social Studies of Science*)，22(1992)，第597页～第618页；参看 M. Norton Wise 编，《精确的价值》(*The Values of Precision*, Princeton, N. J.: Princeton University Press, 1995)。

[26] Horst Gundlach,《关于在实验心理学形成中的生理学类比法的应用》(Zur Verwendung physiologischer Analogien bei der Entstehung der experimentellen Psychologie)，见于《关于科学史的报告》(*Berichte zur Wissenschaftsgeschichte*)，12(1989)，第167页～第176页。

[27] Roger Smith,《抑制：心脑科学的历史和意义》(Inhibition: History and Meaning in the Sciences of Mind and Brain, Berkeley: University of California Press, 1992)。

[28] 参看 Siegfried Jaeger 的文章《关于到1933年为止的心理学实践领域的形成》(Zur Herausbildung von Praxisfeldern der Psychologie bis 1933)，见于由 Mitchell G. Ash 与 Ulfried Geuter 编的《20世纪德国心理学史》(*Geschichte der deutschen Psychologie im 20. Jahrhundert*, Opladen: Westdeutscher Verlag, 1985)，第83页～第112页；Joan Campbell:《在工作、德国工作中的欢乐：国家的争论，1880～1945》(*Joy in Work, German Work: The National Debate, 1880—1945*, Princeton, N. J.: Princeton University Press, 1989)；Anson Rabinbach:《人的发动机：活力、疲劳与现代的起源》(*The Human Motor: Energy, Fatigue and the Origins of Modernity*, New York: Basic Books, 1990)。

和生理学领域的应用,包含了一个到那时为止在实际上还没有解决的身心问题的一个 261 答案。许多心理学家维护了"心身平行论"的某些翻版,或主张一个更密切、更实用的精神和大脑之间的关系,但是对那一关系的性质却鲜有非常明确者。[29]

第四个共同特征是"实验"一词本身的使用。但是,这个词的意义是具有争议的,而且实验心理学家与一个完全不同的研究团体——灵魂和心理研究人员共同分享这个词。直到19世纪相当晚的时候,**实验心理学**一词无论是在法国还是在德国都指降神会;替代它的称谓是**经验心理学**和更适度、更普通的"实用心理学"。[30] 经验主义者积极地反对唯灵论,而且试图揭露在英国、德国和美国开业的庸医;但是,由詹姆斯、珍妮特和其他人进行的,对在巫术和神秘宗教仪式中的变化心理状态的研究,还支持一个更为广泛的心理学概念。[31]

因为"新"心理学的第五个共同特征,这一更广泛的观点在一开始并没有被广泛接受。这一特征是一个把它的学科内容限制在这些题目(如心理物理学、感官心理学、注意力的范围和记忆力)之内的趋势,人们凭借着可在当时获得的自然科学的方法和仪器来处理这些题目。这一自我限制的一个结果是一个在由冯特、詹姆斯和其他人付出的保存一个有意志的、活跃的心灵的概念的努力与实验研究之实际材料——可测量的对外部刺激的反应——之间的区分。[32] 另一个结果是把社会或"大众"心理学从实验心理学中排除出去;黄铜仪器的方法显而易见不适于群体。[33] 然而,最为当代人广泛关注的是由大作家产生的人的感觉能力和动机的心理洞察力与由"新"心理学家产生的枯燥文本之间的鸿沟。

19世纪末心理学的第六个共同的也是具有争议的特征是它的性别的维度。脑心两分法和对(女性的)"美丽灵魂"的崇拜在整个19世纪都持续存在;但是,它在"新" 262 心理学中的作用是不明确的。[34] 被经验主义者通常假定为他们的学科内容的一般的、

[29] Anne Harrington,《医学、心智与双脑》(*Medicine, Mind and the Double Brain*, Princeton, N. J.: Princeton University Press, 1987); Mitchell G. Ash,《德国文化中的格式塔心理学,1890 ~1967:整体论与对客观性的追求》(*Gestalt Psychology in German Culture, 1890—1967: Holism and the Quest for Objectivity*, Cambridge: Cambridge University Press, 1995),第96页~第97页。

[30] Danziger,《构建学科》; Carroy 与 Plas 的文章《法国实验心理学的起源》(The Origins of French Experimental Psychology)。

[31] Marilyn Marshall,《冯特,唯灵论与科学的假定》(Wundt, Spiritism, and the Assumptions of Science),见于由 Wolgang Bringmann 与 Ryan D. Tweney 编的《冯特研究》(*Wundt Studies*, Toronto: C. J. Hogrefe, 1980),第158页~第175页; Janet Oppenheim:《来世:英国的唯灵论与心理研究,1850 ~1914》(*The Other World: Spiritualism and Psychical Research in England, 1850—1914*, Cambridge: Cambridge University Press, 1985); Deborah J. Coon,《检验感觉与科学的局限:美国实验心理学家与唯灵论的斗争,1880 ~1920》(Testing the Limits of Sense and Science: American Experimental Psychologists Combat Spiritualism, 1880—1920),见于《美国心理学家》(*American Psychologist*), 47(1992),第143页~第151页。

[32] Lorraine Daston,《意志理论与心理科学》(The Theory of Will and the Science of Mind),见于 William R. Woodward 与 Mitchell G. Ash 编,《疑难科学:19世纪思想中的心理学》(*The Problematic Science: Psychology in Nineteenth-Century Thought*, New York: Praeger, 1982),第88页~第118页。

[33] Japp van Ginneken,《民众、心理学和政治学,1871 ~1899》(*Crowds, Psychology and Politics, 1871—1899*, Cambridge: Cambridge University Press, 1992)。

[34] Lorraine Daston,《自然的知识女性》(The Naturalized Female Intellect),见于《历史背景中的科学》(*Science in Context*), 5(1992),第209页~第236页。

“正常的”成人心理,至少暗示了两性的共同特征,与此同时,客观科学的用语和实践明确地带有男性的象征意义。

作为文化构成的相互竞争的“学派”,1910～1945 年

在 20 世纪早期的心理学中为争取思想统治的斗争,从 20 世纪 30 年代就被描述为相互竞争的“学派”的一场战斗。[35] 这一观点具有它的用途,但是却传达了这样一个错误印象,即:在所有地方的所有学派都在一个平等的基础上竞争。在 20 世纪 20 年代的美国,行为主义既抓住了专家的注意力,又抓住了大众的注意力,但是,直到 1945 年之后,其他国家才开始严肃对待这一新方法。俄国生理学家伊万·巴甫洛夫和 V. M. 别克特列夫的“反射法”甚至直到 20 世纪 40 年代在苏联的心理学中也没有成为一个主导的方法。格式塔心理学和其他出自德国的具有首创精神的学说,被其他国家饶有兴趣但也颇受怀疑地接受下来。截止到 20 世纪 20 年代,心理分析已把它自身确立为一个国际运动,但是在那时,在学术界几乎没有获得任何支持者。[36] 因此,这些相互竞争的学派的历史显然要比在传统的记叙中人们经常承认的更复杂,更具有文化的偶然性。通过更仔细地观察欧洲的德语国家和美国(在这两个地方,这一学科得到了最充分的发展),我们能够最好地确定这些偶然性的位置。

在说德语的欧洲,由维也纳教授卡尔·比勒(1879～1963)于 1927 年宣布的“心理学危机”和关于心理学中的整体论的思想斗争反映了两次世界大战之间的岁月的温室氛围。[37] 在国际上被最广泛地接受的观点是格式塔心理学的观点。通过由马克斯·维特海梅尔(1880～1943)、沃尔夫冈·克勒(1887～1967)和库尔特·考夫卡(1886～1941)做出的发展,格式塔理论认为,在其他所有事物中,直接观察结构(形状、外表)和关系(而不是点状的感知)是意识的主要成分。几乎这些争论的所有参加者都同意像完整性和形状这类关键词的核心的重要性,但是,这些词汇的实际内容在整个政治范围内都不同。费利克斯·克吕格尔(冯特的后继人和所谓的莱比锡“完全心理学”学校的校长)强调情感在感知领悟中的作用并拥护新浪漫文化保守主义。威廉·斯特恩的个人至上论以一种与自由政治学相一致的方式把注意力集中于作为一个“心理物理学的整体”的个人,而把他们自己主要置于政治中心左翼的格式塔心理学家,利用整体

263

[35] 这一描绘性的数据资料出自这一时期。参看 Robert S. Woodworth 的《当代心理学学派》(*Contemporary Schools of Psychology*, New York: Ronald Press, 1931);Edna Heidbreder,《七种心理活动》(*Seven Psychologies*, New York: Century, 1933)。

[36] Gail A. Hornstein,《被压抑的回归:心理学与心理分析的悬而未决的关系,1909～1960》(The Return of the Repressed: Psychology's Problematic Relations with Psychoanalysis, 1909—1960),见于《美国心理学家》,47(1992),第 254 页～第 263 页;Bernd Nitzschke 编,《弗洛伊德与学院心理学:关于一个历史争论的文集》(*Freud und die akademische Psychologie: Beitrage zu einer historischen Kontroverse*, Munich: Psychologie-Verlag- Union, 1989);Graham Richards,《床上的不列颠:1918～1940 不列颠心理分析的普及》(Britain on the Couch: The Popularization of Psychoanalysis in Britain 1918—1940),见于《历史背景中的科学》,13(2000),第 183 页～第 230 页。

[37] Karl Bühler:《心理学的危机》(*Die Krise der Psychologie*, Jena: Fischer, 1927)。

论的用语为一个严密的自然科学世界观提供根据。[38]

在20世纪20年代的德国，这种争论与作为一个专业的心理学的动荡不安的局面是分不开的。哲学家爱德华·施普兰格的“人文”心理学在《生活方式》(*Lebensformen*, 1922)一书中的挑战；其他专业实践，如由路德维希·克拉格斯在《笔迹与性格》(*Handschrift und Charakter*, 1917)一书中倡导的笔迹分析；和基于恩斯特·克雷奇默尔的《体格与性格》(*Physique and Character*, 1921)一书的象征论人格诊断强化了文化保守的整体主义，而且增加了发展与德国文化传统相一致的现代研究工具的压力。关于研究和专业实践之文化内容的类似争论在其他国家也同样存在。[39]

在奥地利，维也纳心理学研究所的研究搭建了新与旧、理论与实践、欧洲与美国之间的桥梁。这一研究所成立于1922年，在局部上作为把卡尔·比勒带到维也纳的方式建立的；在他的普通心理学系占主导地位的是在埃贡·布伦施维克指导下的以认识论为导向的认识研究。然而，社会民主党的学校改革计划的提议者希望他们以孩子为中心的教育方法得到科学的支持。在坐落于这座城市的收养中心的房间里，这个研究所的由莎洛特·比勒(1893～1974)和她的同伴希尔德加德·赫泽、洛特·申克-丹齐格领导的青少年心理学研究室创造了所谓的婴儿测试，这是为了评估婴儿的行为发育的表现测试。莎洛特·比勒作为洛克菲勒基金会的会员在美国获得了她的某些专长，在20世纪20年代末和30年代初，洛克菲勒基金会的基金还支持在保罗·拉扎斯菲尔德领导下的这一研究所之经济心理学研究中心的社会绘图学和测量学的研究。所有这些都把维也纳心理学研究所与在耶拿和汉堡的那些研究所一起，放在了德语国家心理学向以实践为导向的基础研究过渡的前沿。[40]

在20世纪20年代的美国，行为主义的多种翻版为吸引人们的注意力和拥护者而相互竞争。正如约翰·B. 沃森(1878～1958)在他的著名文章《行为主义者眼中的心理学》(Psychology as the Behaviorist Views It, 1913)中所宣布的那样，极端的行为主义为了确立对行为的“预报和控制”，把意识完全从心理学中排除了出去；在他的后期作品中，沃森拥护作为一个社会工程学形式的巴甫洛夫的条件作用。然而，经常是尚未证实的行为主义的“革命”已被证明很难在回想中找到，尽管沃森的作品流行得非常广泛。当时在这一领域里更为重要得多的东西，是由劳拉·施佩尔曼·洛克菲勒基金会慷慨资助的社会和儿童发展计划。这些计划的管理者和研究者并不是空谈理论的行为主义者，但是，他们共有对铁一般的事实的信仰，(例如，他们共有对这样一个理念的

264

[38] Ash,《德国文化中的格式塔心理学》(*Gestalt Psychology in German Culture*)，第3部分；Anne Harrington,《重新令人喜悦的科学：整体论与从威廉二世到希特勒的德国科学》(*Reenchanted Science: Holism and German Science from Wilhelm II to Hitler*, Princeton, N. J.: Princeton University Press, 1996)。

[39] Trudy Dehue,《改变规则：荷兰的心理学，1900～1945》(*Changing the Rules: Psychology in the Netherlands, 1900—1945*, Cambridge: Cambridge University Press, 1995)。

[40] Gerhard Benetka,《维也纳的心理学：维也纳心理学研究所社会与理论史，1922～1938》(*Psychologie in Wien: Sozial- und Theoriegeschichte des Wiener Psychologischen Instituts, 1922—1938*, Vienna: Wiener Universitätsverlag, 1995)。

信仰，即在一段时间内屡次测量儿童的发育和记录智商测试的结果将产生人类发展的科学规范）而且希望利用这一真实的知识来使社会合理化。[41] 这种对科学和技术政治的信仰既体现在沃森的激进的行为主义中，又体现在仍然是主要研究方法的半路功能心理学中。

行为主义的批评家们能够呼吁格式塔心理学的支持；格式塔理论家库尔特·考夫卡和沃尔夫冈·克勒在他们本身永久定居于美国之前，在对美国的频繁访问期间和在用英语出版的作品中都强调了他们的论据。[42] 尽管人们对格式塔的整体主义有某种程度的怀疑，可是哈佛大学教授高尔顿·奥尔波特（1897～1967）和其他著名的心理学家（其中包括加德纳·墨菲、路易·巴克莱·墨菲和亨利·默里）还是提倡一个以人为中心的心理学构想。他们更善于接受欧洲思想，其趋向是：在政治上一般来说比大多数行为主义者更为自由，而又不如他们的专业性强。[43] 这些持异议者在很大程度上要对作为一个心理学主体的"自我"向美国的引入负有责任。

行为主义的一个重要影响是一个实验社会心理学的计划，这一计划在 20 世纪 20 年代出现于美国。弗洛伊德·奥尔波特（1890～1971）进行了两面作战，一方面把社会心理学与社会学区分开来，另一方面保卫了个人主义而防御了集体主义。他用来支持他的对专门知识技能的要求和捍卫他自己免受对一个"群体心灵"的提倡（正如许多大众和民间心理学家所做的那样）的进攻的免疫战略，是限制他对于社会对在人为构造的、短期局面中的个人公开行为的影响的研究。[44]

20 世纪 30 年代这十年，是由逐渐被称为新行为主义的相互竞争的版本所统治的十年，这些新行为主义的相互竞争的版本还是把推理重新引入心理学的起替代作用的方法。爱德华·托尔曼（1886～1959）试图把目的动机和认识过程整合成行为理论，他走得如此之远，以至主张白鼠形成了"一些假设"，即走那条阴暗曲折的道路将能获得所期待的食物。[45] 克拉克·赫尔（1884～1952）发展了一个精巧的假设—演绎教学模式，这一模式是建立在被他当做牛顿原理的东西的基础之上；此后，他试图把这一模式从古典的条件反射的等级体系扩展到性格理论。最后，伯尔赫斯·弗雷德里克·斯金纳（1904～1990）在 20 世纪 30 年代发展了发挥功能的条件作用。在这种情况下，理论的影响来自恩斯特·马赫的实证主义和物理学家佩尔斯·布里奇曼的操作主义的科

265

[41] Franz Samelson，《行为王国的组织：20 世纪的学术斗争与组织政策》（Organizing for the Kingdom of Behavior: Academic Battles and Organizational Policies in the Twenties），见于《行为科学史杂志》，21（1985），第 33 页～第 47 页；Hamilton Cravens，《在头脑启动之前：衣阿华车站与美国的儿童》（*Before Head Start: The Iowa Station and America's Children*, Chapel Hill: University of North Carolina Press, 1993）。

[42] Michael M. Sokal，《在美国的行为主义者中的格式塔心理学家》（The Gestalt Psychologists in Behaviorist America），见于《美国历史评论》（*American Historical Review*），89（1984），第 1240 页～第 1263 页。

[43] Katherine A. Pandora，《在等级内部的造反者：心理学家对实行新政的美国之科学权威与民主现实的批判》（*Rebels within the Ranks: Psychologists' Critique of Scientific Authority and Democratic Realities in New Deal America*, Cambridge: Cambridge University Press, 1997）。

[44] Kurt Danziger，《一个实验社会心理学的计划：历史的观点》（The Project of an Experimental Social Psychology: Historical Perspectives），见于《历史背景中的科学》，5（1992），第 309 页～第 328 页。

[45] Edward C. Tolman，《动物与人的有目的的行为》（*Purposive Behavior in Animals and Men*, New York: Century, 1932）。

学哲学。对于斯金纳来说，这些投资证明了出产很少的理论产品的方法的合理性，产生了简单行为之相对相似性的细致的量度，如：在严格控制的条件下，老鼠或鸽子按动一根棍棒来获得一小块食物，而且暂停所有解释这类行为的努力。最著名的非行为主义者的把系统推理带入心理学的努力是流亡者库尔特·列文（1890～1947）做出的。列文拥护他所说的对理想型行为的“伽利略式的”研究，他在对衣阿华的儿童群体中的“民主”和“专制”的领导人的研究中举例说明了这些情况。[46] 在美国，列文合并了美国型的实验的某些方面，例如：变量的操作运行。但是，他的工作仍然是对群体行为之“纯粹”形式的寻找，而不是对个人行为的社会影响的寻找。[47] 列文和他的美国竞争对手都很憎恶盲目地搜集事实，他们都欣赏古典物理学并有着利用科学哲学，尤其是操作主义和逻辑实证主义来论证他们的立场的合法性的共同志愿。[48] 他们在其基本概念上有分歧，而且还在他们选中进行相互竞争的物理学中有分歧。在整个 20 世纪 40 年代，这一竞争都在持续着，而且如果完全被解决了的话，那也只是被这一学科在 20 世纪 50 年代的迅速分裂所解决的。

在与德国和美国相形之下，英国和法国的心理学的制度化的程度从 20 世纪 20 年代到 40 年代仍然很低。然而，正是这一情况使一个广大范围的理论探索和实际应用（包括美国行为主义的替代物）得以繁荣。在英国，心理学与教育实践的联系像美国的心理学与教育实践的联系一样紧密。西里尔·伯特（1883～1971），原来是一位伦敦中学的行政人员，在对教育实践、少年犯罪和所谓的落后儿童的研究中改造和扩大了斯皮尔曼的一般智力和特殊智力的概念，于是，在《心理要素》（*The Factors of the Mind*, 1940）一书中他为智力和性格测试的阶乘方法奠定了一个数学基础；他作为伦敦大学的教授接替了斯皮尔曼。他把学术研究和实际应用结合起来的尝试的实际影响是如此巨大，以致他后来因他做出的贡献而被封为爵士。因为对他窜改甚至捏造某些他以之为依据的数据的指控具有争论，他的自信的申述直到死后才公之于世。[49] 在同一时期，剑桥大学教授弗雷德里克·巴特利特（1886～1969）发表了他的具有开拓性的研究论文——《记忆》（*Remembering*, 1932），在这本书中，他确立了掌握了的纲要在记忆中的作用，而且为把记忆视为积极的重建过程而不是机械地回想奠定了基础。几乎被人

266

[46] Kurt Lewin, Ronald Lippitt 与 Robert K. White,《在以实验方法创造的“社会风气”中的攻击行为的模式》（Patterns of Aggressive Behavior in Experimentally Created “Social Climates”），见于《社会心理学杂志》（*Journal of Social Psychology*），10（1939），第 271 页～第 299 页。

[47] Mitchell G. Ash,《心理学中的文化背景与科学变化：在衣阿华的库尔特·列文》（Cultural Contexts and Scientific Change in Psychology: Kurt Lewin in Iowa），见于《美国心理学家》，47（1992），第 198 页～第 207 页。

[48] Laurence Smith,《行为主义与逻辑实证主义：对这一联盟的一个重新评估》（*Behaviorism and Logical Positivism: A Reassessment of the Alliance*, Stanford, Calif. : Stanford University Press, 1986）。

[49] L. S. Hearnshaw,《西里尔·伯特，心理学家》（*Cyril Burt, Psychologist*, Ithaca, N. Y. : Cornell University Press, 1979）；Steven J. Gould,《人的误测》（*The Mismeasure of Man*, New York: Norton, 1981），第 6 章；Robert B. Joynson,《伯特事件》（*The Burt Affair*, London: Routledge, 1989）；Nicolas John Mackintosh 编,《西里尔·伯特：骗局还是被陷害？》（Cyril Burt: Fraud or Framed? Oxford: Oxford University Press, 1995）。关于一个更广阔的背景，还请参看 Adrian Wooldridge,《测定心理：英国的教育与心理学，C. 1860 ～C. 1990》（*Measuring the Mind: Education and Psychology in England, C. 1860—C. 1990*, Cambridge: Cambridge University Press, 1994）；Rose,《心理情结》（*The Psychological Complex*）。

们忘却的是巴特利特在这篇研究论文中使用了民间故事，而且在一个把他的研究与社会和文化人类学结合起来的尝试中谈到了认识的“社会的建设性”。[50]

在法国，心理学仍像1914年之前那样在医学和哲学之间被区分开来；直到1947年之前，不存在独立的学位等级。[51] 一个结果是：与亨利·皮埃隆（1881～1964）的严谨的实验研究并驾齐驱——他是比奈的索邦大学心理学实验室主任的继承人——哲学家和社会学家们觉得可以以更粗略、更少科学和行为主义的方式随便地考虑心理学问题。例如，关于吕西安·列维－布吕尔的“原始”心理概念的争论有助于历史的《年鉴》学派的“心理”概念的产生。[52] 在说法语的瑞士地区，生物学家和哲学家让·皮亚杰（1896～1980）（他在爱德华·克拉帕雷德的功能心理学的基础上进行建构，但是也希望进一步证实在当代自由的新教思想中提出的观点）开始了他的具有开拓性的对儿童之认识发展的研究。[53] 在20世纪30年代和40年代，哲学家莫里斯·梅洛－庞蒂利用格式塔心理学和亨利·瓦隆及皮亚杰的对儿童感知的研究，在他的《行为结构》（*The Structure of Behavior*, 1942）和《感知现象学》（*The Phenomenology of Perception*, 1943）中扩展了现象学。 267

1945年之前的专业化动力

美国专业心理学为公众所目睹的转折点伴随着第一次世界大战期间被美国军队大量使用的智力测验而到来。在此，值得注意的事实是：应用的路线并不是从“正常的”通向“病理的”，而是从社会的边缘人群（所谓的低能的和学龄儿童）通向“正常的”成人。这一事件的深层历史意义存在于心理测验的真正术语中；一系列心理测验仍被称为一个“炮兵连”，一组治疗方法仍被称为一群“重炮”。两个正在出现的专业（应用心理学和专业军官团）的相互作用重塑了智力测验的目的、测验仪器本身，而且最终重塑了被评价的客体的构想。智力并没有仅仅成为思考或解决问题的能力，而是变成了

〔50〕 David Bloor,《“社会结构”到底发生了什么变化?》(Whatever Happened to“Social Constructiveness”?)，刊登在由 Akiko Saito 编的《巴特勒特、文化与认识》(*Bartlett, Culture and Cognition*, London: Psychology Press, 2000)，第194页～第215页。

〔51〕 Francoise Parot 与 Marc Richelle,《心理学导言，历史与方法》(*Introduction a la Psychologie. Histoire et méthodes*)第4版(Paris: Presses Universitaires de Paris, 1998)。

〔52〕 Cristina Chimisso,《心理与天赋：两次世界大战之间索邦大学的关于原始思维的争论与为了学科空间的斗争》(The Mind and the Faculties: The Controversy over Primitive Mentality and the Struggle for Disciplinary Space at the Inter-war Sorbonne)，见于《人类科学史》(*History of the Human Sciences*)，13(2000)，第47页～第68页；Laurent Mucchielli,《论法国新史的起源：社会科学思想的发展与领域的形成，1880～1930》(Aux origines de la nouvelle histoire en France: l'évolution intellectuelle et la formation du champ des sciences sociales, 1880—1930)，见于《综合评论》(*Revue de synthèse*)，1(1995)，第55页～第99页。

〔53〕 Fernando Vidal,《在皮亚杰之前的皮亚杰》(*Piaget before Piaget*, Cambridge, Mass.: Harvard University Press, 1994)。

技艺与(大概是遗传的)某种研究才能的总和。[54]

在20世纪20年代,"比奈测验"(这是它当时的称谓)仍继续为美国和英国专业心理学的发展提供着动力。数量评估或分类仪器及"高尔顿的"数据组在基础研究和专业实践中的应用在这两个国家迅速蔓延开来,这主要是因为以此种方式创造的产品,支持和维护被管理人员需求的分类功能——首先是在中小学,后来在工业和社会服务机构被管理人员所需求。[55] 正是在这一时期,这一领域变得对妇女更加开放;但是,一个性别等级制度出现了,工业心理学仍由男性占主导地位,而女性"比奈测试者"和女社会工作者更多地承担以人为本的功能。[56]

在第二次世界大战期间,心理学应用超乎寻常的多样性和能够实施这些应用的受过训练的心理学家数量的大幅度增长,与在第一次世界大战期间把注意力狭窄地集中于把士兵分类形成了鲜明对比。除了测验在人才管理中的应用之外,应用领域还包括社会心理学在道德研究和适应人际关系中的应用,包括把心理物理学和实验心理学结合成对人—机器相互作用的研究(例如,在哈佛大学的心理声学实验室)和在临床心理学中的诊断检查。在战后,所有这一切都导致了相应重要的基础研究计划的产生。在活动的这一疾风骤雨之中,由女心理学家发起的旨在增加她们在这一学科的管理部门的代表名额的初步行动屈居末座,这部分要归因于在女心理学家自身之中存在的差异。[57]

268

在德国,心理学的专业化采取了一条完全不同的路线。在第一次世界大战期间,人们努力的重点是使用来自心理物理学的技术对在机械化战场上的被实验者进行仪器观测。其实例包括:改造心理物理学技术以开发一种声波测距器,并用来测试汽车司机和飞行员的视觉分辨能力。[58] 在"心理技术学"的名义下,这一方法一直延续到魏玛共和国时代,尤其在工业中。

在纳粹上台之后,德国的六个主要的心理学研究所中的四个研究所的主任因为是犹太人而被解雇了;第五位,即柏林研究所的主任和其中一所德国研究院的院长——

[54] Michael M. Sokal 编,《心理测试与美国社会》(*Psychological Testing and American Society*, New Brunswick, N. J.: Rutgers University Press, 1987); Richard von Mayrhauser,《美国知识界的实用语言》(The Practical Language of American Intellect),见于《人类科学史》,4(1991),第371页~第394页;John Carson,《陆军主帅、陆军高级将领与对军队智力人才的寻求》(Army Alpha, Army Brass and the Search for Army Intelligence),见于《爱西斯》,84(1993),第278页~第309页。

[55] Danziger,《构建学科》。

[56] Laurel Furumoto,《在边缘地带:1890~1940年美国的妇女和心理学的专业化》(On the Margins: Women and the Professionalization of Psychology in the United States 1890—1940),刊登在由Mitchell G. Ash与William R. Woodward编的《20世纪思想与社会中的心理学》(*Psychology in Twentieth-Century Thought and Society*, Cambridge: Cambridge University Press, 1987),第93页~第114页。

[57] James H. Capshew,《在前进中的心理学家:美国的科学、实践与专业身份,1929~1969》(*Psychologists on the March: Science, Practice and Professional Identity in America, 1929—1969*, Cambridge: Cambridge University Press, 1999),尤见第3~7章。

[58] Horst Gundlach,《在战争中人的因素:心理学与应用心理学对战争的介入》(Faktor Mensch im Krieg: Der Eintritt der Psychologie und Psychotechnik in den Krieg),见于《关于科学史的报告》(*Berichte zur Wissenschaftsgeschichte*),19(1996),第131页~第143页。

沃尔夫冈·克勒为了公开抗议纳粹的政策而于1935年自愿离职。[59] 马尔堡大学教授埃里希·鲁道夫·延施和其他人试图"纳粹化"他们早先的观点;但是,更为重要的发展是作为德国重新扩充军备的一个结果的军事心理学的迅速成长,和由此产生的从心理技术学的技术测试向"直觉"性诊断的转变。

与第一次世界大战期间的美国情况相比,德国研究心理学的首要目的是选拔杰出的军官,而不是把大量的普通新兵进行分类。虽然也使用笔试和技术测试,但是,这些比起在模拟指挥中对军官候选人进行广泛的观察,以诱导候选人的"更深层的"自我表达来仍是第二位的。所要寻找的人物性格与普鲁士军官的传统美德具有很多相似性,即乐于指挥并有能力激励军队的忠诚。相形之下,基于纳粹的"种族心理学"的诊断尝试不能被转化为专业实践。[60]

在美国,性格诊断学最终成了一条通向专业化的捷径。然而,与德国相比较,由L. L. 图尔斯顿和其他人发展了的要素分析技术的数量方法占据着统治地位,尽管有来自20世纪30年代和40年代的诸如罗尔沙希测试那样的"投射"测试的竞争。这一历史在早期的个性研究中,在构建"女性"和"男性"特征的时候,获得了一个性别的维度。例如,在1936年的特曼—麦尔斯能力兴趣分析中,心理学家把"男性的"和"女性的"分值分配给被实验者对910道多项选择题的回答。使用这类工具,性格的研究者获得的威信超过了在文化上有所选择特性的定义和解释。除此之外,他们把它们的正在出现的诊断作用论证为有权把临床治疗推荐给那些偏离了测试规范的人的保护者。[61]

269

战后时期:"美国化"与可供选择的办法

在美国的战后岁月,人们看到无论是在科学领域还是在专业领域都出现了爆炸性的膨胀和分化。1947年,在美国心理学会(APA)之内的一个分支机构的建立(在战争期间已经谈妥了)反映了这一过程。尽管这一时期存在着乐观主义,但是要把心理学之多种身份的所有方面归入单一的大学院系或研究生的课程仍被证明是困难的。[62] 在实验、社会和个性心理学中被制度化了的不同研究实践中,分裂是最为明显的。

在实验心理学中,新行为主义学说凭借着所谓新面貌和信息处理方法的拥护者,

[59] Mitchell G. Ash,《1933年之后的侨迁的心理学家:科学与专业实践的文化法则》(Emigré Psychologists after 1933: The Cultural Coding of Scientific and Professional Practices),刊登在由Mitchell G. Ash与Alfons Sollner编的《被迫的迁徙与科学的变化:1933年之后移居国外的说德语的科学家与学者》(*Forced Migration and Scientific Change: Emigré German-Speaking Scientists and Scholars after 1933*, Cambridge: Cambridge University Press, 1996),第117页～第138页,在第118页上。

[60] Ulfried Geuter,《纳粹德国心理学的专业化》(*The Professionalization of Psychology in Nazi Germany*, 1984), Richard Holmes译(Cambridge: Cambridge University Press, 1992)。

[61] Jill G. Morawski,《不可能的实验和实际的建设:心理学家工作的社会基础》(Impossible Experiments and Practical Constructions: The Social Bases of Psychologists' Work),见于《美国心理学之实验的起源》(*The Rise of Experimentation in American Psychology*),第72页～第93页。

[62] Capshew,《前进中的心理学家》(*Psychologists on the March*),第205页～第208页。

对认识研究的复兴提出挑战。[63] 然而,新行为主义和新认识心理学共同强调的东西是实验的标准化,这种实验的标准化是通过使变量"可操作",把"他变量"与"自变量"区分开来,而且使用统计学意义测验来评估结果来实现的。[64] 一个日益分裂的领域把它自身结合在一起——如果它确实这样做了的话,是通过美国心理学会的《出版手册》(*Publication Manual*)日益广泛的指导方针把这类方法学的准则强加在不断扩大的研究群体头上而实现这一自身结合的。[65] 在这些结果中,比较缺乏的是人们对野外调查和现象学探索的兴趣,而且,凭借着暗示,也缺乏基础研究的预先建构的平稳来适应专家社会的需要。

270

统计学的意义测验的可疑暗示在后来关于心算模式的争论中变得清晰明澈起来。在这种情况下,心理学家通过标准的推理寻找控制仪器,提供了像贝叶斯统计学这类工具,这类工具又产生了隐喻和概念,对它们的合理性的论证是较为轻而易举的,因为这些工具已经被普遍应用。于是,这些科学家发现这些仪器赋予他们的理论探索以活力,或者说,他们发现他们自己是完全难以置信的,他们认为,"标准的"被实验者并没有被社会化为这些技术的应用,然而却凭借着应用统计推理的"不完整的"或"质朴的"版本,以相同的方式解决了问题。[66]

在方法学准则之宽松的形式网下面,仍存在着实质性的分歧。例如,在教育心理学中,被人们所偏爱的研究工具是以高尔顿为先驱的关联法。在 1957 年,李·克伦巴赫甚至把相互竞争的研究团体说成是"两个学科"[67]。一个类似的方法学上的分裂出现在实验社会心理学和人性论中。在一个对这一领域的广泛的探究中,多尔文·卡特莱特公开谈到"硬的"、"软的"或"混杂的"方法,以把学术理论与社会和个性心理学区分开来。[68] 然而,由所罗门·阿施进行的社会对感知的影响的实验研究,和由高尔顿·奥尔波特及其他人进行的对偏见的实验研究抓住了在这一领域中的许多人的想象力。与此同时,《专制个性》(*Authoritarian Personality*)研究(这一研究在战时就已开始,出版于 1950 年)利用了在美国自由主义者中广泛蔓延的焦虑,即:法西斯主义和反犹情绪并不局限于纳粹德国。这种研究的流行是这一时期把社会问题心理学化从而

[63] Howard Gardner,《新精神科学》(*The Mind's New Science*, 1985, New York: Basic Books, 1996)。

[64] 关于战后统计学的胜利,请参看 Danziger,《构建学科》(*Constructing the Subject*); Capshew,《前进中的心理学家》(*Psychologists on the March*),第 10 章。

[65] Charles Bazerman,《将这种社会科学编辑成典:作为行为主义修辞学的美国心理学协会出版手册》(Codifying the Social Scientific Style: The A. P. A.'Publication Manual'as a Behaviorist Rhetoric),见于由 John S. Nelson, Donald McCloskey 和 Allen Megill 编的《人类科学的修辞学:学术与公共事务的语言与论证》(*The Rhetoric of the Human Sciences: Language and Argument in Scholarship and Public Affairs*, Madison: University of Wisconsin Press, 1987),第 125 页～第 143 页。

[66] Gerd Gigerenzer,《从工具到理论:在认知心理学中的发现》(From Tools to Theories: Discovery in Cognitive Psychology),见于《历史背景中的科学》,5(1992),第 329 页～第 350 页。

[67] Lee Cronbach,《科学心理学的两个训练》(The Two Disciplines of Scientific Psychology),见于《美国心理学家》(*American Psychologist*),12(1957),第 671 页～第 684 页。

[68] Dorwin Cartwright,《作为当代系统结构的列文理论》(Lewinian Theory as a Contemporary Systematic Framework),见于《心理学:一个科学研究》(*Psychology: A Study of a Science*),第 4 卷:《一般系统表述》(*General Systematic Formulations*), Sigmund Koch 编(New York: McGraw-Hill, 1959),第 7 页～第 91 页。

个体化的普遍趋势的征兆。[69] 与此同时,发育心理学仍然走它自己的通向为与年龄相关的发展标准所设的学校的实际需要之路,它把让·皮亚杰的著作当做一些密切相关的研究的一块试金石,当做阿诺德·格塞尔和其他人的早先的著作。

截止到20世纪70年代,无论是心理学家的绝对数量(超过7万人,到20世纪末超过10万人),还是心理学的国际代表,都已达到了50年前难以想象的水平。这一发展是世界范围的,但是,心理学家总数的2/3以上是美国人。无论是这一学科还是这一专业都继续对妇女开放,而且从20世纪50年代以来,这一开放确实在日益扩大。例如,根据国家科学基金会从1956年到1958年的一项调查,美国全部心理学家的18.49%(总共是2047人)是妇女;对于任何单一学科来说,这是最高的百分比。今天在这一领域中被授予博士学位的人半数以上是妇女。然而,始于20世纪20年代的性别的向专业的集中仍在继续,妇女更多地集中于发育和教育心理学,而男子更多地集中于实验、工业和人事心理学。[70] 美国心理学机构如此之多的数量和如此广大的范围足以确保这些被制度化的研究和专业实践遍布全世界。

271

对这一总趋势来说最重要的例外是由发育心理学家进行的对皮亚杰的近距离崇拜,以及由英国心理学家汉斯·爱森克和雷蒙德·卡泰勒对性格测验和诊断要素分析的应用的明确接受。在认识研究中,F. C. 巴特莱特和唐纳德·布劳德本特这些英国人的工作像亚历山大·露丽娅这类苏联理论家的工作一样也被动员起来把体面尊严和理论的高深借给了美国这一复兴的领域。然而,在认识科学中,电子计算机的隐喻和相关的信息处理模式的普遍影响显而易见是起源于英国和美国。

在这一时期的东、西德国,心理学本身就成了冷战科学的一个实验室。在西德,起初与纳粹时期具有明显的继承性;几乎所有那些在1943年持有教授席位的人在1953年仍然持有这一席位。到了20世纪60年代,在既具有民族向度又具有普遍向度的一场激烈争论之后,老的一代被更年轻的美国风格的拥护者所替代,他们也拥护意义数据驱动、研究和统计显示以及结果评估。[71]

在东德,与过去的连续性最明显地表现在库尔特·戈特沙尔德被任命为东柏林汉堡大学的正教授这件事上,他是纳粹时代在凯泽·威廉人类学研究所进行广泛的双胞胎研究的格式塔心理学家从前的学生。在此,背景是东德党和国家官员为了实际原因

[69] Franz Samelson,《从柏林到伯克利的专制主义:关于社会心理学和历史》(Authoritarianism from Berlin to Berkeley: On Social Psychology and History),见于《社会问题杂志》(*Journal of Social Issues*),42(1986),第191页～第208页。

[70] Margaret Rossiter,《哪门科学? 哪些妇女?》(Which Science? Which Women?),见于《俄赛里斯》(*Osiris*),第2系列,12(1997),第169页～第185页,在第170页～第175页上的资料。

[71] Alexandre Métraux,《关于1950～1970年的德意志联邦共和国心理学的方法之争和"美国化"》(Der Methodenstreit und die "Amerikanisierung" der Psychologie in der Bundesrepublik 1950—1970),刊登在由Ash和Geuter编的《20世纪德国心理学史》(*Geschichte der deutschen Psychologie im 20. Jahrhundert*),第225页～第251页。

的这样一个决定，即充分利用“资产阶级”科学家，直到训练出“新知识分子”。[72] 然而，截止到20世纪50年代末，戈特沙尔德受到了来自“马克思－列宁主义”心理学之支持者的压力，具有讽刺意味的是，这一“马克思－列宁主义”心理学是以威廉·冯特的莱比锡大学为基础。[73] 他于1962年去了西德，但是他在柏林的继承人弗里德哈特·克里克斯巧妙地提出了作为一个新的与“科技革命”相谐调的“马克思主义”心理学的苏式认识研究和美国信息处理方法的他自己的混合物。[74]

在德国和法国以外的西欧，截止到1970年之前，美国和英国的著作在学术心理学中的优势已被确立起来。例如，在荷兰的主要心理学杂志中，对英语出版物的引证率从1950年的20%增长到1970年的70%以上；到1970年，在社会心理学论文中对美国出版物的引证率远远超过了90%。[75] 像巴特莱特、布劳德本特、爱森克、卡泰勒这类英国研究者及其学生的著作很快在美国找到了支持者，这导致了诸传统的融合。在临床心理学中，情况也是如此，这要归功于对来自塔维斯托克研究所和其他地方的研究的明确接受。

然而，在1945年之后的心理学的专业化历史继续受到偶然的地方情况的影响。例如，美国临床心理学的兴起原来是由医治第二次世界大战之后大量的有精神病的老兵的需要驱动的。最初确立的在以检验为基础的临床诊断与精神病治疗之间的劳动分工很快成了错综复杂的事情，因为精神病学家从事内容广泛、各种各样的心理治疗，这些心理治疗经常（虽然并不总是）受到心理分析的启发。这一新领域无论在临床学背景中还是在学术背景中，都将最终产生它自己的基础研究，这又导致了基于完全不同于实验和发育心理学家之方法学规范的科学团体的产生。这是20世纪50年代早期关于“临床预测对统计预测”争论的历史背景。[76] 除此之外，一个折中的、所谓人文主义心理学运动在行为主义与心理分析的对立面产生，并在心理治疗、社会工作和正在出现的心理咨询领域变得非常流行。

在德国，如同在欧洲其他地区一样，临床心理学的兴起大约要比美国晚十年。然而，与美国的情况形成对比，在临床领域的专业化之前，性格诊断及其量化工具的最高权威在基础研究中已被确立起来。持久的欧洲传统的另外一个重要的差异表现是：在学术背景中的临床训练更多地基于认识的和行为的技术，而不基于心理分析。在大学

〔72〕 Mitchell G. Ash，《库尔特·戈特沙尔德与纳粹德国和社会主义德国的心理学研究》（Kurt Gottschldt and Psychological Research in Nazi and Socialist Germany），见于由 Kristie Macrakis 与 Dieter Hoffmann 编的《在社会主义制度之下的科学：用比较的观点看东德》（*Science under Socialism: East Germany in Comparative Perspective*, Cambridge, Mass.: Harvard University Press, 1999），第286页～第301页，第360页～第365页。

〔73〕 Stefan Busse，《曾存在一个东德心理学吗？》（Gab es eine DDR-Psychologie?），见于《心理学与历史》（*Psychologie und Geschichte*），5（1993），第40页～第62页。

〔74〕 Friedhart Klix，《信息与行为》（*Information und Verhalten*, Berlin: Deutscher Verlag der Wissenschaften, 1966）。

〔75〕 Pieter J. van Strien，《第二次世界大战之后西北欧社会心理学的美国的“殖民化”》（The American“Colonization”of Northwest European Social Psychology after World War II），见于《行为科学史杂志》（*Journal of the History of the Behavioral Sciences*），33（1997），第349页～第363页。

〔76〕 Paul E. Meehl，《临床预测对统计预测》（*Clinical versus Statistical Prediction*, Minneapolis: University of Minnesota Press, 1954）。

中,通向心理分析研究和训练之学术制度化的障碍,只有在例外的情况中才被证明是可超越的——如在亚历山大·米切利希指导下的美因河畔法兰克福的西格蒙德·弗洛伊德研究所的情况中。

总之,截止到20世纪80年代(如果不是更早的话),在19世纪、20世纪之交还是一个多方面的但居支配地位的仍是欧洲的广泛的和实践的领域,已成为在经济、制度和文化上深深依赖于美国的研究风格和专业实践的领域。[77] 美国大众文化型的心理学课题的各种顽念,在何时和在多大程度上逐渐渗透欧洲文化在此还不能详细考虑。但是,截止到20世纪80年代,心理宣泄疗法和集体工作间文化像在美国牢牢确定一样也在欧洲牢牢确定,至少在西欧(尤其在德国)中上层文化中牢牢确定,这一点甚至对于偶然的来访者来说也是显而易见的。

持异议的地方语言运动——最明显的是在法国和德国——对美国的统治地位也提出挑战,虽然至多只获得局部的成功。然而,归根结底最为重要的是美国在世界范围内的在学院心理学和专业心理学中的统治地位与在美国本身的受过训练的心理学家的不牢靠的地位之间的对比。在漫长的时间里,"心理学家"一词在公开讨论中的应用一直明显地存在着模糊和混淆;在任何情况下,"心理学家"这一术语本身就缺乏法律保护。所有这一切(更不用提自助图书的无所不在,这些自助图书被摆放在许多书店的心理学书架上,无论它们的作者是心理学家与否)表明,即使在美国(世界上大多数心理学家生活和工作在美国),受过训练的大学教师和专业人员也很难像物理学家在他们自己的领域中声称的那样,具有在公开领域中的心理学话语的霸权。

结论:科学、实践与主观性

有鉴于这一长达一个世纪的为在心理学中的科学和专业之独立自主性和权威的斗争的不完全的胜利,人们也许会问:为什么这样一个其合法性不太牢靠的领域已经在20世纪的文化和社会中获得了这样一个重要的作用。罗杰·史密斯指出:这一学科在与"心理学社会"的不断的相互作用中发展起来,它从"一个重要的意义"中汲取它的权威,同时又表达了"一个重要的意义,在这一意义上,在20世纪的每一个人……都成了她或他自己的心理学家,能够并且乐于用心理学的术语描述生活"。[78] 尼古拉·罗斯论证说,心理学实践使特种的社会权威成为可能,这些心理学实践起初集中在特殊的领域,后来移植到与自由民主政体中人的行为管理相关的所有活动之中,这些活动从刑法的实施到教育和抚养儿童。没有任何一个单一的职业曾经垄断这些活动的整理和确证,这些活动的目的在于凭借着产生可预测的个人和可管理的社会关系 274

[77] 关于美国战后文化的"心理学解释",请参看 Ellen Herman 的《美国心理学的浪漫情调》(*The Romance of American Psychology*, Berkeley: University of California Press, 1996)。

[78] Smith,《诺顿人类科学史》,第577页。

使现代生活的管理简单化。正是因为它是如此的扩散和普及,所以心理学知识塑造了福利国家的实践,并且以一个基本的原理论证了它们的合理性,根据这一基本原理,人们要求个人是自由的,而且,如果他们不能独善其身的话,他们应该感到有责任纠正或补救他们的缺点。[79] 这样一个观点能够解释为什么反思实践("反躬自问"或"己所不欲,勿施于人"这两句话很好地概括了这一反思实践)在现代社会晚期已经成为规范。

这样一些观点的一个进一步的暗示是:心理学的所谓的客体本身(心理、行为和个性)并不是种类的简单的不变的固定状态,而是像具有自然的历史那样具有文化的历史。人们也需要学习这些历史,以便理解关于它们的科学话语的历史发展。这类问题只有在最近才受到它们所应受到的关注,尽管人们关注过在文化史中的"心态"。[80]

从这一章所采取的长远观点看,在 20 世纪中间的三分之一世纪,行为主义在英美文化圈中的优势在一个更大的历史背景中已成了一首插曲。然而,它是一首具有特点的插曲,因为无论是预测和控制的话语,还是它的相关实践,都继续存在,即使作为所谓的认识革命也已重新引入了关于思想和心理的词汇。它之所以持续存在的一个原因,似乎不仅仅是这一学科的成员和被称为心理学的专业要求甚至渴望专家政治的话语和体现实施它的工具,而且它们在其中发挥功能的现代文化和社会也是如此。

(辛岩 译)

[79] Nikolas Rose,《控制灵魂》(*Governing the Soul*, London: Routledge, 1990)和他的《创造我们的自我:心理学、力量与人性》(*Inventing Our Selves: Psychology, Power and Personhood*, Cambridge: Cambridge University Press, 1996)。

[80] 关于在这一方向上的重要的第一步,请参看 Norbert Elias 的《文明化的过程》(*The Civilizing Process*, 1939),第 2 卷,由 E. Jephcott 翻译(New York: Urizen, 1978);Gerd Juttemann 编的《论精神的历史性:通向心理学学科的历史入口》(*Die Geschichtlichkeit des Seelischen: Der historische Zugang zum Gegenstand der Psychologie*, Weinheim: Psychologie Verl. Union, 1986);Irmingard Staeuble,《在历史视野中的"心理学的人"与人的主观性》("Psychological Man" and Human Subjectivity in Historical Perspective),见于《人类科学史》(*History of the Human Sciences*),4(1991),第 417 页～第 432 页;Roy Porter 编的《重写自我:从文艺复兴至当今的历史》(*Rewriting the Self: Histories from the Renaissance to the Present*, London: Routledge, 1997)。

16

经济学*

275

玛丽·S.摩尔根

在西方的传统中,经济学总是具有两个相关的面孔。无论是在亚当·斯密生活的18世纪,还是在约翰·斯图尔特·密尔生活的19世纪,人们都把这些面孔描述为政治经济学和经济管理艺术。前者旨在描述经济的运转并揭示它的管理法则,后者则关注利用那一知识来制定经济政策。在20世纪,这两个方面更经常地作为实证经济学和规范经济学形成对比。这双重兴趣的持续性掩饰了在20世纪经济学以之被构成和被应用的方法差异,在20世纪,经济学的这两个方面以一种特殊的方式统一起来。在20世纪,经济学的这两翼(原来是科学的类似于法则的学说和相关的政策艺术的口头表达的主体)通过一系列技术的使用被更牢固地结合在一起,这一系列技术在经济学的实践中,按照常规在科学和政策领域得到普遍的应用。

在20世纪的经济学的历史中,工具的发展和经济理论中的变化必须与对于劝诫和建议的需要并驾齐驱,这一对于劝诫和建议的需要是由这一时代的经济史中的非常事件和政治舞台上的强大的经济学思想产生的。这些过程相互作用,产生了一个在风格和内容上与前几个世纪的经济学迥然不同的西方专家统治的经济学,我们可以把这一经济学的特性描述为一门工程学。

276

作为工程学的经济学

要把20世纪的经济学理解为一门工程学性质的科学,就是要看到经济学专业逐渐地依赖于经济界之表象的一定程度的精确性,同时也依赖于与19世纪经济学之经验相异的数量调查和严格的分析技术,在19世纪,这类表象、分析和干预的技术范围是极为有限的。这一工程学的隐喻还暗示:最好把20世纪经济学的特性描述为应用科学和含有工艺技术意思的科学,正如18世纪"制造艺术"一词所表述的那样,是一门

* 我要感谢 Malcolm Rutherford,因为他乐于让我在本章中利用我们的合著的成果,我要为此卷书的编辑 Ted Porter 和 Dorothy Ross 向一位执拗的作者展示的清晰透彻的评论、鼓励和极度的耐心表示感谢。许多经济史学家,尤其是 Roger Backhouse 提出了建议和评论,对此,我一并表示谢忱。

依赖于心照不宣的知识和明确无误的人的输入的科学。[1] 因为接近这一领域和控制它的学科内容的能力的固有局限，人们必须以具体情况为依据，探索经济学家的即使是最严格的理论，而且量化技术的实际应用永远不可能是机械的和无意识的，而是总要包含人的判断。在此，它与心理学的“控制”个人的努力具有某些相似，虽然(也许是因为在20世纪的大部分时间里都存在东方的中央计划经济)西方经济学避开直接控制是经济学的目的这一观点，无论直接控制是作为证实科学解释的方式，还是作为社会活动的一个纲领。

从经济政策的观点看，这一工程学的概念既包含了系统运作的要素，又包含了系统设计的要素，而且它在20世纪经济学的实践中，在不同的时间受到不同的解释。根据经济的运作，人们在20世纪50年代的“管理”经济的实践中明确地讨论了控制工程学的概念。宏观经济以之被描述的方式暗示：经济要受到政府的控制。与此同时，在控制论思想的影响下，每个人的经济行为都被描述为被个人反馈回路所控制。更灵活地说，在20世纪60年代，人们认为政府只具有“微调”宏观经济或把经济拉回正轨的经济力量。[2] 在20世纪20年代和80年代，人们仍偏爱较轻微的干涉主义模式，而且把宏观经济政策理解为在财政支出上小心谨慎，并遵循货币运转的规则，这意味着保持一部机器平稳运转的理念，而在个人的层面上，这一问题是一个通过鼓励和刺激机制影响行为的问题，而不是通过控制机制影响行为的问题。

277 作为设计者和建设者的工程师也在20世纪的经济学中占有优势。在20世纪30年代，当经济机器似乎严重失调的时候，某些经济学家提出制定一个全新的经济。在20世纪50年代以后的这段时间里，经济计划的目的更为开放、更具有活力，而不再那么机械呆板，这即是说去影响人们在其中进行活动的环境，以便产生适当的经济行为。人们期待西方的经济学家明确地阐述经济的发展道路，设计新的经济制度以扶植市场经济，而且为共产主义之后的经济描画出过渡的路线。在这整整一个世纪里，人们要求他们对经济政策的制定进行技术评估，并且为各类日常情况修补刺激机制，或设计一个新的刺激机制。

经济学的技术不仅仅是在世界上设计干预和证明干预之合理性的政策工具，而且是科学工具，人们将其打造出来是为了理论的发展和查明世界。这些工具并不独立于高妙的理论而存在；与此相反，它们却支持它的发展。它们还以新的方式被批判性地包含在对经济现象的理解中和对关于经济事实的建构中。

在1900年前后，在任何经济著作中所包含的数学、统计学或模式相对很少：经济学是一个口头的传统。在20世纪上半叶，经济学数据之收集和相关的经验调查的巨

[1] Eugene S. Ferguson 在他的《工程学与心灵的眼睛》(*Engineering and the Mind's Eye*, Cambridge, Mass.: MIT Press, 1992)中将这一偶然的和起决定性作用的人的要素的特性描述为工程学模式的一个基本部分。

[2] 在 Craufurd D. Goodwin 的《规劝与控制：对一个工资价格政策的探求》(*Exhortation and Controls: The Search for a Wage-Price*, Washington, D. C.: Brookings Institution, 1975)一书中能够找到对这些明显不同的信仰的有趣味的研究。关于国家与经济之间的关系的更加全面的描述，请参看本卷书中的 Alain Desrosières 的一章。

大发展在经济学中建立了一个翔实的知识基础,这导致了在计量经济学之标签之下的特殊的统计工具的发展。与此同时——但是却更为缓慢——人们采用数学来表达经济理论和阐述论点。在20世纪30年代,塑造模式的技术被引入了理论著作和计量经济学著作。这些技术(测量方法、数学、统计学和塑造模式)的完全统治局面只有到了1940年之后才出现,但是,截止到20世纪末,经济学无论在理论著作中,还是在实践工作中,都已成了一门塑造范型的科学。在事实上,经济学已成为一门以工具为基础的学科。

这些数量技术把科学现代性的气息赋予了经济学。但是,当经济学把它自己描画为社会科学中最科学的学科的时候,它对这样一个称号的要求与使用数学来表述一般规律或使用统计学来预测经济事件(这些判断标准常被应用于物理学中)的任何成功几乎没有任何关系,而与把经济学转变成一门学科具有更多的关系,这门学科的方法依赖于技术工具来支持对于经济知识的要求。

这一对20世纪西方经济学的阐述以一个1900年前后的经济学科的图景为开端,然后分析经济学家制作的工具、他们发展的理论、他们意向中的经济学是如何相互形成的,并如何改变了这一学科的。在这一混合中的一个更加重要的因素是经济思想的作用,对于20世纪后半叶以工具为基础的经济学的发展,以及美国风格和思想在西方经济学中的与日俱增的主导力量来说,它是关键的。 278

从19世纪到20世纪的经济学

截止到19世纪中叶,被视为一个研究领域的经济学,对于在许多大学中具有席位来说已经收集了足够的学术荣誉。截止到1900年,它已拥有了它自己独立的学术团体和杂志,而且,它的学科内容在一个很大的程度上与它的更古老的祖先——道德哲学和政治学分离开来,又与更新的兄弟学科如社会学分离开来。然而,在20世纪上半叶,经济学中独立的大学院系的创立,在学术界内外的专业职位数量的增多和研究生教育的出现,无论在时间上还是在成果上,在各国都具有很大不同。[3] 随着学科的独立,经济学发展了特殊的分支领域,如劳动经济学和国际贸易,但是,当经济历史、劳资关系和企业管理获得它们自己的学科地位时,地方划界的争论仍在继续。

在19世纪末和20世纪初,信仰、理论和方法的一个重要的多元性决定了经济学的特性。人们很难把经济学的任何一个学派视为占统治地位的学派,因为在明显存在民

〔3〕 不存在这一学科之专业化的全面论述,但是,关于英国,请参看 John Maloney 的《马歇尔、正统观念与经济学的专业化》(*Marshall, Orthodoxy and the Professionalisation of Economics*, Cambridge: Cambridge University Press, 1985);关于美国,请参看 Dorothy Ross 的《美国社会科学的起源》(*The Origins of American Social Science*, Cambridge: Cambridge University Press, 1991)和 Mary O. Furner 的《辩护与客观性:1865 ~1905 年间美国社会科学专业化中的危机》(*Advocacy and Objectivity: A Crisis in the Professionalization of American Social Science, 1865—1905*, Lexington: University Press of Kentucky, 1975)。

族差异(甚至某些经济"学派"是用民族的语汇表述的,如奥地利学派和美国的制度学派)的同时,在这一整个历史时期,就其传播路线来说,经济学仍然是国际性的。[4]

19 世纪早期的英国"古典经济学"对作为价值源泉和财富创造之关键要素的劳动的强调,已经受到 19 世纪 70 年代的"边际革命"的挑战。[5] 这种新的解释把注意力集中于消费者,把他们视为经济商品的价值的源泉:每个消费者都在增加他们对商品的消费的时候,经历了一个在全面满足或效益方面的增长,不过这种增长的比率在变小。被消费掉的边际(最后)单位,所获得就效益来说的最小价值,提供了与其他商品进行交换的计量标准,从而决定了为所有商品的单价。这一新的理论有四个变种。英国经济学家威廉·斯坦利·杰文斯(1835～1882)利用了关于欢乐和痛苦的边沁图像,关于满足厌腻的生理学和他那个时代的物理学提供了消费者的情感的数学公式。在洛桑的法国经济学家里昂·瓦尔拉斯(1834～1910)以数学的形式勾画出普遍均衡的经济理论,在这一理论中,所有个体消费者的交换都在边际价值上相等,但是,在这一理论中,情感和动机的心理学是不太显要的。美国历史经济学家约翰·贝茨·克拉克(1847～1938)勾勒出与每个价值或服务相联系的效益之不同种类的多重包裹的一个更为复杂的景观。奥地利学派的创立者卡尔·门格尔(1840～1921)对个人如何以相同的价值满足不同的需求进行了分析,而且勾勒出需要如何被确定,人们如何进行选择的一个概述。[6]

根据这一运动如何发展和它如何迅速地普及这一专业,叙述有所不同。[7] 然而,它们一致同意,截止到 20 世纪早期,凭借着把旧的古典经济学对生产或供给的关注与边际主义对需求方的新的洞见结合在一起,已经在产生于杰文斯和瓦尔拉斯的著作的数学概述中确立了一个新的研究方法。这一方法在 20 世纪的整个前半叶继续获得可信性,因为将成为 20 世纪第三个 25 年羽翼丰满的新古典经济学的特征(即对在一个抽象地想象出来的自由市场、普遍均衡的世界中给合在一起的理性的或乐观的经济动因的正式论述)已被制造出来。然而,只是在 20 世纪后半叶这一抽象论述才被广泛采

[4] 大多数经济学史对这一历史时期的各种"学派"给出了一个阐述:请参看 Roger E. Backhouse 的《现代经济分析史》(*A History of Modern Economic Analysis*, Oxford: Blackwell, 1985); Henry Spiegel 的《经济思想的发展》(*The Growth of Economic Thought*),第 3 版(Durham, N. C.: Duke University Press, 1991),它们把每一个学派都放入它的思想背景之中。关于对这一理论发展的透彻的论述,请参看 Mark Blaug 的《经济理论回顾》(*Economic Theory in Retrospect*),第 5 版(Cambridge: Cambridge University Press, 1996)。

[5] 关于古典经济学的一个思考,请参看本卷书中 Margaret Schabas 的一章。

[6] 除了 Backhouse 的《现代经济分析》(*Modern Economic Analysis*)之外,这一"革命"的大多数历史都忽略了 Clark。关于边际主义的其他三个变种之间的差异,请参看 William Jaffé 的文章《不同的门格尔,杰文斯和瓦尔拉斯》(Menger, Jevons and Walras De-homogenized),见于《经济调查》(*Economic Inquiry*),14(1972),第 511 页～第 524 页;关于 Menger 和 Walras 的历史顺序的一个令人感兴趣的比较,还请参看本卷书中 Keith Tribe 的一章。

[7] 参看 R. D. Collison Black, A. W. Coats 和 Craufurd D. W. Goodwin 的《经济学中的边际革命》(*The Marginal Revolution in Economics*,《政治经济史》补遗, *History of Political Economy, Supplement*, Durham, N. C.: Duke University Press, 1973)。

用以便排斥其他方法。[8]

新古典主义方法被接受得比较缓慢的原因之一是它的狭窄的和不真实的个人形象。然而,发现他们自己与这一计划不和的经济学家也发现它的某些表述是有用的。因此,美国历史经济学家理查德·T. 伊利(1854～1943)可以利用这些概念来分析和讨论个人的消费行为,而不致陷入杰文斯的功利主义和微分学中去。类乎此,在20世纪30年代,琼·罗宾逊(1903～1983)能够使用阿尔弗雷德·马歇尔(1842～1924)的新古典主义的供求图表框架去分析劳动剥削的各种要素,劳动剥削是一个垄断力量中固有的马克思主义的概念。

280

也许一个更重要的理由是:那时的新古典主义经济学关于集合问题,即关于金钱、增值、技术变化、商业循环或制度惯例几乎很少论及。在这些方面,我们倒是应该看一看在斯德哥尔摩的J. G. 克努特·维克塞尔(1851～1926)这类个人和他的对在经济学中的积累过程的叙述,或看一看在美国的欧文·费雪(1867～1947)的金融理论和计量方法,或看一看在当时具有强大竞争力的经济"学派"。

历史经济学对于德国科学院来说仍是可供选择的经济学,19世纪晚期,人们看到它们仍和它们的奥地利邻居一起被禁锢在一个痛苦的关于方法的争论中。反之,与古斯塔夫·冯·施莫勒(1838～1917)相联系的德国历史学派偏爱一个集中在民族水平上的整体论,为国家假定了一个明确的角色,而且密切关注从外部提出的证据,门格尔的奥地利学派以经济个人主义为开端,偏爱理论中的抽象观念,而且提倡作为证据之来源的反省。无论是马克思主义的方法,还是美国制度学派的方法,都包含了作为方法之内容的历史要素。两者都对资本主义制度的性质感兴趣。卡尔·马克思(1818～1883)的经济学在其对劳动价值论的承诺中,和在其要提供一个对增长、停滞及资本积累的阐述的渴望中,大量地利用了早先的古典传统。美国的制度学派——它的最著名的代表是托尔斯坦·凡勃伦(1857～1929)——把注意力集中在在个人层面和社会层面上的经济思想和行为之习惯的发展上,也集中在这两者经历的演变上。

因此,在1870年与1940年之间,西方经济学的特性是不能轻易确定的,因为一些活跃的思想方法同时并存,而且无论是信仰还是方法都很难适于放在一个标签之下。我们只有观察了20世纪的全过程,才能理解边际主义的各种线索是如何发挥作用的,

[8] 例如,请参看在Mary S. Morgan和Malcolm Rutherford的《从两次世界大战之间的多元主义到战后的新古典主义》(*From Interwar Pluralism to Postwar Neoclassicism*,《政治经济史》第30卷补遗,Durham, N. C.: Duke University Press, 1998)一书中的叙述;还请参看Yuval P. Yonay的《关于经济学灵魂的斗争》(*The Struggle over the Soul of Economics*, Princeton, N. J.: Princeton University Press, 1998)。

以及新古典主义经济学的要素是如何发展以在20世纪50年代前形成一个强大的范例。[9] 在20世纪的最后25年，当这些基本的微观阐述与经济学的集合的或宏观的层面联系在一起，并与制度主义的议事日程之某些要素联系在一起以产生西方经济学的“主流”的时候，其他阐述，即历史的和马克思主义的传统就被推到边缘位置上了。[10]

在经济学院系中向前发展的这些事件的历史通常在理论或理论的论争及叙事的重点中引起变化。[11] 因此，人们通常把20世纪的经济学的历史描绘成新古典主义微观经济学的早期统治和坚定的发展。然而，如果我们把对那一范例的固有的进步性的信仰搁置一边，那么在那一历史中描述的变化就没有任何说服力，所以人们需要考虑其他历史因素。这一标准的论述还以经济学以之被实施的方式贬低在这整整一个世纪中的更明显的变化。因此，这一阐述以计量经济和发展理论的工具为开端。这样一个开端使我们能够展示经济学的历史是如何密切地与经济的历史及其政治背景联系在一起，又如何密切地与经济方法史与经济理论史的统一联系在一起。

计量经济

测度经济现象的冲动最好被理解为从19世纪末到20世纪中叶的一场运动。[12] 尽管在事实上许多经济要素是有现成数字的，但是，在经济理论中出现的概念和实体提出了数字或它们的代表力量的集合和结合的问题。计算铁的产量（铁是19世纪末一项基本的产品）需要收集来自许多不同公司的信息，并且根据收集它们以形成一系列量度的适当方法做出决定。测算“价格水平”即价格的一般水平（这是一个需要金融经济学的应用研究的测算）这一更为复杂的问题导致了指数理论的发展。这一理论处理的适当方式把根据许多不同商品之价格和数量收集起来的数据结合成一致的数字

[9] 参看 Backhouse 的《现代经济分析》。关于在1930年～1960年这一历史时期的新古典主义思想的三个美国版本的发展，请参看 Philip Mirowski 和 D. Wade Hands 的文章《预算的悖论：美国新古典需求理论的战后的稳定》（A Paradox of Budgets: The Postwar Stabilization of American Neoclassical Demand Theory），见于由 Morgan 和 Rutherford 编的《从两次世界大战之间的多元主义到战后的新古典主义》第260页～第292页。关于这两个法国传统和一个更长的历史时期，请参看 Robert B. Ekelund, Jr. 和 Robert F. Hébert 的《现代微观经济学的神秘起源》（*The Secret Origins of Modern Microeconomics*, Chicago: University of Chicago Press, 1999）；Bruna Ingrao 和 Giorgio Israel 的《无形的手：科学史中的经济理论》（*The Invisible Hand: Economic Theory in the History of Science*, Cambridge, Mass.: MIT Press, 1990），这部著作也涵盖了意大利的经济思想。关于在一个更长的时段中的英国新古典主义，请参看 Maloney 的《马歇尔、正统观念与经济学的专业化》；Blaug 的《经济理论回顾》，这部著作还涉及新古典主义理论探讨的更广阔的画面。

[10] 几份文献的涵盖面超出了1945年；一份超出1945年的介绍性的文献是 Harry Landreth 和 David C. Colander 的《经济思想史》（*History of Economic Thought*），第3版（Boston: Houghton Mifflin, 1994）；Backhouse 的《现代经济分析》展开了一个更详细的论述。在 John Eatwell, Murray Milgate 和 Peter Newman 编的《新伯爵：经济学词典》（*The New Palgrave: A Dictionary of Economics*, London: Macmillan, 1987）中包含着大量的传记材料和某些有用的学科史。

[11] 避开了这样一个方法的几篇最新文献之一是 R. E. Backhouse 的《经济学家与经济》（*Economists and the Economy*），第2版（New Brunswick, N. J.: Transaction, 1994）；Backhouse 遵循了一个更早的将经济学史与经济史联系起来的传统。

[12] 不存在现代计量运动的通史，但是，关于一个最新的论文系列，请参看 Judy L. Klein 和 Mary S. Morgan 的《经济计量时代》（*The Age of Economic Measurement*，《政治经济史》第33卷补遗，Durham, N. C.: Duke University Press, 2001）。关于一个重要线索——直到20世纪50年代为止的国民收入和财富测算的历史——的详尽阐述，还请参看 Paul Studenski 的《国民收入：理论、测算和分析：过去和现在》（*The Income of Nations: Theory, Measurement, and Analysis: Past and Present*, New York: New York University Press, 1958）。

系列,人们可从这些数字系列计算价格水平系列。

282 选择一个适当的指数公式的问题对于很多经济测算来说被证明是一个一般的问题,它产生了大量关于测算程式和关于相关标准的争论的专著,这些专著作为经济学文献的一个非常特殊的部分继续存在。[13] 这些论证是技术性的和深奥的,而论题却具有相当重要的实际意义。在测算程式中的一个变化也许等于抹杀一年的被测算的通货膨胀或经济增长,这正如在20世纪90年代的美国所发生的那样。[14] 这里还存在深奥的哲学内涵,因为对重要计划的选择依赖于关于人民之平等的不同的假定。

关于观察不到的要素(如"效益")的可计量性的条件及关于还没有现成数字的各种经济学概念(如"资本")的测算程式的适当性也产生了争论。一个特别重要的例证是对商业循环的测算。[15] 大多数经济学家都一致同意商业循环是一个真实的现象,但是不存在它的一个一致认同的概念,更不用说一个定义或原因的阐述了。人们可以在关于产量、价格或其他要素的数据中寻找商业循环;正如它的形式和规律是不明确的一样,它的周期长度也是不明确的。从20世纪初到30年代,从剑桥、马萨诸塞到莫斯科,从维也纳到柏林,人们在不同的商业循环研究所中携手并肩地把测算程序、概念和原因的阐述构建起来。测算本身并不是目的,而对于预测围绕所有经济的经济活动之循环的转折点来说,它却是一个必要的先决条件,而预测这一转折点在两次世界大战之间是一种急需的能力。

因此,对测算的兴趣的高涨既根源于专业研究,又根源于政治需要。对于经济学家来说,它始于在19世纪末流行的强大的、制度的、历史的和经验的传统。学院派经济学家和其他社会科学家一样经常创制和收集他们自己的数据系列,以便回答具体的研究问题。美国的进步运动和欧洲的自由和福利运动承诺进行经常是依赖社会科学研究和资料的改革,面对这些运动,政府增加了它们的经济信息的收集。但是,正是战时经济的要求和两次世界大战之间的问题,尤其是大萧条,极大地增加了由国家及其机构进行的数据资料收集。截止到20世纪50年代,西方世界的经济学家已经接近了 283 令人眼花缭乱的各种各样的"官方"数据。自从那时起,经济学家就很少动手进行他们自己的测算。

经济学家在测算领域里的雄心壮志很快引导他们与其他社会科学家一起来发展数学统计。在早先,其本身被评估为在图表中的充分证据的测算结果,现在被用来帮助解释原因。原来为生物统计学数据设计的相关和回归法很快被社会科学团体中的

[13] 不存在一部指数测算的历史,但是,浏览一下 Irving Fisher 的经典著作《指数的制造》(*The Making of Index Numbers*, Boston: Houghton Mifflin, 1922)——它包含了大量的不同公式——将会给读者某些对这一问题的启示。

[14] 参看在《关于测算消费物价指数的专题讨论会》(Symposium on Measuring the CPI)上的 Boskin 的报告的讨论,见于《经济展望杂志》(*Journal of Economic Perspectives*),12: 1(1998),第3页~第78页。

[15] 参看 Mary S. Morgan 的《计量经济学思想史》(*The History of Econometric Ideas*, Cambridge: Cambridge University Press, 1990),第1部。

统计学家的运算所改造和发展。[16] 有史以来的第一例多重回归分析被认为是乔治·尤尔(1871～1951)——一位英国统计学家兼社会科学家——于1899年进行,这是关于为什么不同济贫法权威给出了不同的救济支付的总量这一问题的决定因素的分析。从20世纪初期开始,经济学家使用这种统计方法来测算在简单关系中的参量。例如,理解供求规律需要在价格的数据和一个价值的数量之间的关系的统计分析。因此,统计分析的方法被那些具有不同理论背景和方法上的门径的人迎入了经济学:无论是历史的经济学家还是新古典经济学家,都增强了对统计证据和方法的信心。[17]

数理经济学

数学在经济学中的应用与其作为测算的一个驱动力大约同时开始,虽然它的采用在许多方面是更为缓慢的过程,可它完全无情地改变了经济学以之被应用的方式。[18] 数学的引入尤其与边际效益经济学相联系。也许在人们看来数学是一个处理边际主义的对效益的论述的自然方法,然而,这一命题的四个变种中只有两个采用了数学,它们是:杰文斯的对以微分学表述的个人情感的阐述和瓦尔拉斯的一般平等交换经济的方程式。虽然克拉克逐渐采用了数学的表达方式,可是门格尔和后来的奥地利学派坚定地反对在经济学中使用数学。

284

在以后的时代中边际经济学向新古典经济学的发展是沿着被杰文斯和瓦尔拉斯确定的联合数学轨迹起动的。把杰文斯的计划理解为与关注个人或在交换情境中的个人的边际效用的决定相关是传统性的,爱尔兰经济学家弗朗西斯·伊西德罗·埃奇沃思(1845～1926)——他擅长数学和统计学——最明显地采取了这一计划。瓦尔拉斯的一般平等方法把注意力集中于所有个体买卖人的结合上,这是美国经济学家欧文·费雪所感兴趣的一个计划,欧文·费雪是美国物理学家威纳德·吉布斯的一名学生,在几个领域提供了平衡理论的数学证明。在洛桑接替了瓦尔拉斯的意大利经济学

[16] 关于19世纪和20世纪之交的社会科学家在统计学思想中的一般作用,请参看 Donald Mackenzie 的《英国统计学,1865～1930》(*Statistics in Britain, 1865—1930*, Edinburgh: Edinburgh University Press, 1981); Theodore M. Porter 的《统计学思想的兴起》(*The Rise of Statistical Thinking*, Princeton, N. J.: Princeton University Press, 1986); Stephen Stigler 的《统计学史:在1900年之前的对不确定的事物的测算》(*The History of Statistics: The Measurement of Uncertainty before 1900*, Cambridge, Mass: Harvard University Press, 1986)。关于经济学的更为专业化的材料,请参看 Judy L. Klein 的《时间中的统计学观点》(*Statistical Visions in Time*, Cambridge: Cambridge University Press, 1997); Mary S. Morgan,《寻找经济统计学中的因果关系:历史的反思》(Searching for Causal Relations in Economic Statistics: Reflections from History),见于由 Vaughn Mckim 和 Stephen P. Turner 编的《在危机中的因果关系:关于因果关系结构的新争论》(*Causality in Crisis: The New Debate about Causal Structures*, Notre Dame, Ind.: University of Notre Dame Press, 1997),第47页～第80页。

[17] 关于直到20世纪40年代的统计经济学的早期发展的历史,请参看 Morgan 的《计量经济学思想史》(*History of Econometric Ideas*)。

[18] 对由19世纪末经济学家所持的对数学和量化之全部态度的最好阐述是 Theodore M. Porter 的《严密与实用性:19世纪经济学中的相互竞争的量化思想》(Rigor and Practicality: Rival Ideals of Quantification in Nineteenth-Century Economics),见于由 Philip Mirowski 编的《经济学思想中的自然图像》(*Natural Images in Economic Thought*, Cambridge: Cambridge University Press, 1994),第128页～第170页。

家维尔弗雷多·帕累托(1848～1923)仔细地考察了通向均衡的路径问题。英国经济学家阿尔弗雷德·马歇尔抱怨在经济学中过分地使用数学,而且强调作为一门"伦理"科学的经济学的概念。然而,马歇尔所采取的方向对于新古典思维的历史来说至少像瓦尔拉斯和帕累托所采取的方向一样重要,因为他吸取了关于生产特性的古典眼光在漫长的时间中一件商品一件商品地探索每一个市场的局部均衡。

现在,人们以新边际主义的和新古典的工具处理那些由亨利·乔治(1839～1897)的单一税运动或由费边社会主义者提出的福利、公平和分配的问题。克拉克用对在平衡中的生产的每一要素的回报的数学表述代替了他早先的对公平交换的历史的和制度惯例的分析。帕累托发展了他的基于情况之任何变化的从利益获得者向利益丢失者的可能的补偿的全部的福利标准。阿瑟·塞西尔·庇古(1877～1959)利用边际分析来理解在私人利益和社会利益之间的分歧,而且马歇尔的新古典的概念为后来的以工具为基础的对由政府行为产生的公平和分配问题的分析提供了基础。在19世纪,法国工程师已经发展了基于数学公式和计算的社会工程学的这些形式中的某些形式,但是,只有到了20世纪中叶和末叶,社会工程学在制定公共经济计划时才变为普遍的。[19]

截止到20世纪初叶,虽然数学化的计划仍有漫长的路要走,可人们已制造出更广泛的新古典主义图像的某些关键要素。数学的引入不仅仅改变了以之形成理论和确定概念的方式,而且还改变了被视为与研究相关的问题和它们以之得以表述的方式。例如,对"自由"竞争的较为陈旧的古典的和文字上的描述已经绘制了一个国家的图画,在这一国家中,各个公司自由出入市场,而且积极地在市场中竞争。20世纪初期,对在新古典主义框架中的竞争特性的调查发展了用数学描述的"完美竞争"的概念,这是一个抽象的情况,在这一抽象的情况中,在各公司之间不存在积极的竞争。[20] 代替亚当·斯密的著名的对在真实的经济世界中秩序如何产生这一问题的"看不见的手"的描写的是:由法国和美国经济学家吉拉德·德布鲁(1921年生)和肯尼思·约瑟夫·阿罗(1921年生)领导的一小群人研究瓦尔拉斯的"普遍均衡"经济的存在和稳定性的数学问题,这是一个关于具有崇高理想的、复杂的和在形式上是抽象的经济的象

285

〔19〕 在 Ekelund 与 Hebert 的《神秘的起源》(*The Secret Origins*)和在 Theodore M. Porter 的《相信数字:追求科学和公众生活中的客观性》(*Trust in Numbers: The Pursuit of Objectivity in Science and Public Life*, Princeton, N. J.: Princeton University Press, 1995)两部著作中已经论述了在发展和应用这些工具中的作为19世纪的法国和20世纪的美国的活跃经济学家的工程师的重要性。

〔20〕 关于竞争之概念的这一转化的历史,请参看 K. G. Dennis 的《在经济思想史中的"竞争"》("*Competition*" *in the History of Economic Thought*, New York: Arno, 1977)。关于那一时代的与进化思想的关系的附加材料,请参看 Mary S. Morgan 的《在19世纪末美国经济学中的竞争的相互对立的概念》(Competing Notions of Competition in Late-Nineteenth Century American Economics),见于《政治经济史》(*History of Political Economy*),25:4(1993),第563页～第604页。

牙塔的沉思。[21] 福利经济学——它似乎已因为个人之间的福利的比较的不可能性而失败了——在阿罗的关于社会福利功能和社会选择理论的定理的表述中发现了新的希望和出路。数学的理论推测从根本上改变了经济学的研究客体和经济学家所寻找的真理的性质。

在经济学中的数学的支持者原来把数学理解为表达经济实在的最真实的方法。随着20世纪时光的流逝，数学虽然仍受到挑战，可它对于经济学的理论建设来说，已成为一种更为普通的表达方式，直到20世纪50年代，当是时，新古典主义经济学成为占统治地位的范型。这一与日俱增的对在经济学推理中的数学的有效性的信仰与这样一个观点的逐渐衰微相伴，这一观点是：这种数学表述可被理解为或在经验上被证明为描述的精确性。[22] 随着实在论的退出，数学的形式占据了高于经济学内容的优先地位，而且人们首先把数学视为抽象理论之严格表述的语言或工具。然而，随着20世纪接近尾声，塑造模式的实践淡化了与数学化相联系的抽象性和形式主义。

286

塑造模式和以工具为基础的经济学

人们已把是新古典主义经济学之数学化或公式化特征解释为以几何和代数或其他数学语言为代替词汇。但是，这一学科的历史学家几乎没有注意到：在20世纪30年代，数学依附于另一个工具（即“塑造模式”）来创造一个新型的经济学的科学论证。[23]

随着简·丁伯根（1903～1994）的经济理论的产生，“模式”一词似乎已经移入了经济学，丁伯根在20世纪30年代利用他的物理学经验来发展计量经济学模式。他的模式是特殊的：它们提供了真实经济之复杂性的一个简单的和数学的表达，与此同时，它们为埋藏在真实经济之数据中的真实的、历史的和结构的关系之统计学的描述形成了基础。丁伯根是计量经济学运动的领导人之一，这是一个在两次世界大战之间的献身于统计和数学方法及其与经济学的结合的国际运动，因此，人们能以一种严格的形式表述经济关系和测定经济关系。在某种程度上我们可以看到，这一运动与其他社会科学中的类似的运动并驾齐驱：在计量经济学产生于经济学的同时，心理统计学和社会统计学发展了它们自己的统计方法的特殊版本。然而，这些相似的运动并没有采取

[21] 关于这一研究的阐述，请参看 Ingrao 与 Israel 的《无形的手》。Mark Blaug 在《形式主义的革命或第二次世界大战之后传统经济学发生了什么变化》（The Formalist Revolution or What Happened to Orthodox Economics after World War II）中也论述了人们有时所说的形式主义的革命，此文刊登在由 Roger E. Backhouse 与 John Creedy 编的《从古典经济学到公司理论：纪念 D. P. O'Brien 论文集》（*From Classical Economics to the Theory of the Firm: Essays in Honour of D. P. O'Brien*, Cheltenham: Edward Elgar, 1999）第257页～第280页。还请参看 E. Roy Weinbraub 的《经济学如何变成了一门精确的科学》（*How Economics Became a Mathematical Science*, Durham, N. C.: Duke University Press, 即将出版）。

[22] 参看 Ingrao 和 Israel 的《无形的手》；Weintraub 的《经济学如何变成了一门精确的科学》。

[23] 刊登在《代达罗斯》（*Daedalus*）129: 1（2000）第39页～第58页上的 Robert M. Solow 的《经济学如何走上了那条路？它走上了什么路？》（How Did Economics Get That Way and What Way Did It Get?），提供了一个对19世纪末经济学之特性的类似的描述，它把20世纪末的经济学描述为一个典型的科学（在一篇文章以之为草本的论文中）。

计量经济学家的忠诚于数学表达(模式)和数学方法的态度。

直到1950年前后,一小群热情的计量经济学家维持和实行了经济学的统一。从那时起,这一领域就分裂了;现在"计量经济学"一词只指以工具为基础的经济学的统计方面。[24]20世纪40年代,在特里夫·哈维尔莫(1911～1999)领导下,计量经济学已经发展了它自己的理论统计学的分支和几个非常复杂的具有竞争力的应用方法。正如由劳伦斯·R.克莱因(生于1920年)展开的那样,计量经济学的模式从那些描述时间的模式到那些是行为结构之基础的图像(描绘),从单一的方程式到几百个方程式的巨大模型无所不在,而且经常是为政府构建的;它们已经形成了20世纪后期的计量经济学的中坚。也许因为对这一应用经济学技术的严重依赖,经济学家已把大量的研究精力投入这一领域。与此同时,数学模式已为经济学家提供了一个构建和探索理论的工具,使他们能够构建复杂经济或行为的特殊类型的简单的数学表达式,而且凭借着运用模式来分析理论含意。对模式类型的采纳确实是经济学以之成为数学化的学科的首要方式。

287

由于被经济学的统计推理和数学推理所采纳,模式无论在科学领域还是在制定政策的领域都已成为(尤其在20世纪中叶以后)归纳经济学和演绎经济学的特殊要素。模式之所以被当成经济世界的足够精确的表述,是因为它们既为向政府和公司所提的建议形成了基础,又为标准的学院式科学形成了基础。经济学的每一个正在出现的分支学科都需要它自己的"理论的"和"应用的"经济学家。如果返回到商业循环的例证,那么像丁伯根发明的这类模式既把数学表述给予了较古老的用语言表述的理论,又可作为依赖数据提供包含在诸关系中的参数的测量的基础。作为一个结果,商业循环的运作在它的主张中突然获得了一个高度的特殊性和精确性。后来,在20世纪70年代和80年代,随着经济循环的突然深化,新的数学模式(贴有标签的"理论")得到了发展,以至产生了与20世纪30年代的那些家族相像的家族;当与计量经济学的模式和数据联系在一起时,这些理论得到了"应用"。

20世纪的经济学家把他们的测量公式、数学和统计方法、塑造模式的工具视为比19世纪的书面和口头论证更"先进"、更完美的科学手段,而且把它们视为对20世纪的经济学的科学主张来说是基本的东西。在这一时代的经济学家和在这一时代之后的历史学家已经把这类工具的应用与仿效自然科学的欲望联系起来。某些概念确实是从其他科学那里输入的,虽然这些理念和方法在起初经过改造才适用于经济学,此

[24] 关于1950年之前的计量经济学史,请参看Morgan的《计量经济学思想史》(*The History of Econometric Ideas*,包含关于Tinbergen和Haavelmo的章节);关于1940年之后这一段历史时期,请参看Duo Qin的《计量经济学的形成》(*The Formation of Econometrics*, Oxford: Clarendon Press, 1993);Roy J. Epstein的《计量经济学史》(*A History of Econometrics*, Amsterdam: North-Holland, 1987)。

后,它们又经过进一步发展才成为经济学的特有的工具。[25] 在19世纪末,来自物理学、生物学和心理物理学的理念被用于边际主义经济学的阐述,而且,来自生物统计学和社会统计学的理念被用于统计经济学。[26] 在20世纪中叶,信息科学和人工智能(即所谓的控制科学)是另一个方法。[27] 工具经常由在各领域之间游动的科学家本身携带:在20世纪30年代,丁伯根带来了物理学的工具和概念;在20世纪40年代和50年代,赫伯特·A.西蒙(1916～2001)从信息理论中带来了工具和概念。但是,在对以工具为基础的经济学的采用中,更大的历史因素还发挥着作用:在19世纪末的历史主义对证据的关注;在20世纪初的科学和文化中,和在20世纪中叶的实证主义哲学中,"现代主义"运动对抽象观念和形式主义的关注。在一个历史的层面上,在这些具体的推动力和广泛的文化要素之间,政治学和经济学中的事件本身从根本上重新塑造了经济学。

288

经济史中的偶发事件与经济责任

关于以工具为基础的经济学的采用需要解释的事情之一是它的定时。除了测量方法之外,这些工具在20世纪30年代之前传播得相当缓慢。出自制定政策领域的对经济专业知识的需求,尤其是从1930年到1950年这一历史时期的对一个"可用的"经济学的需求,对于在20世纪50年代以后产生的以工具为基础的经济学的全面采用来说是关键性的。例如,在20世纪30年代末,国际联盟把丁伯根的计量经济学研究作为它解决国家和国际大萧条问题的尝试的一部分加以支持就绝不是偶然的。无论是历史的时间确定还是政策需要的特性,都影响了所产生的经济学的特性。

在整个19世纪,经济学家已经提出了对特殊的公共政策专业知识的要求;但是,在那时,被视为对国家负有责任而且因此也许需要经济专业知识的经济政策的范围是略受限制的。然而,由国家、政府变更的这一范围一般被认为是对贸易政策、不超支预算、货币和汇兑率政策负有责任。在这一最后的情况中,19世纪末的观点是:到那时为止被西方世界广泛采用的金本位制,是维持国家和国际经济之健康和使货币、汇兑率

[25] 例如,请参看 Marcel Boumans 的《保罗·厄任菲斯特与简·丁伯根:有限的物理学转化的一个例证》(Paul Ehrenfest and Jan Tinbergen: A Case of Limited Physics Transfer),见于 Neil De Marchi 编的《非自然的社会科学:关于更热而不是更光明的事业的反思》(*Non-Natural Social Science: Reflections on the Enterprise of More Heat than Light*,《政治经济史》第25卷补遗,Durham, N. C.: Duke University Press, 1993),第131页～第156页。

[26] Philip Mirowski 在《热而不亮》(*More Heat than Light*, Cambridge: Cambridge University Press, 1989) 和他在 De Marchi 的《非自然的社会科学》中受到批判的解释中已经生动地讨论了这一物理学的类比。关于对心理学的关注,请参看 Margaret Schabas 的《维多利亚时代的经济学与心理科学》(Victorian Economics and the Science of the Mind),见于由 Bernard Lightman 编的《在历史背景中的维多利亚时代的科学》(*Victorian Science in Context*, Chicago: University of Chicago Press, 1990),第72页～第93页。

[27] 请参看 John Davis 编的《新经济学及其历史》(《政治经济史》第29卷补遗)(*New Economics and Its History, History of Political Economy*, Volume 29 Supplement, Durham, N. C.: Duke University Press, 1997) 第1部分的论文(由 Mirowski, Sent 和 Boumans 撰写);Philip Mirowski 的《机器梦:经济学成为一门控制学》(*Machine Dreams: Economics Becomes a Cyborg Science*, Cambridge: Cambridge University Press, 2001)。

政策自动且自我稳定的根本"调节器"。政府有时定立法规来保护脆弱的经济群体,但是,并不认为它们自己对于它们的公民有任何普遍的经济责任。

20 世纪的事件从根本上改变了大多数西方经济在国家和个人之间的经济责任的平衡。两次世界大战之间的历史时期的制定经济政策的经验,与两次世界大战时期的制定经济政策的经验结合在一起创造了这样一个观点,即:政府对进行干预以维持国内经济的健康负有责任,因此对它们自己的人民的经济安全及国际经济的健康负有责任。[28]

289

在两次世界大战的情况下,人们在前所未有的程度上(也许是在从罗马帝国时代以来就不曾有的程度上)要求对经济进行计划和控制。在第一次世界大战期间的计划经济的经验有点更特殊和零碎,在第二次世界大战期间,这种经验更为有条理、更为连贯。在此,人们无需考虑以下事实,即:在第一次世界大战期间,国家在经济中的股份迅速增长;在两次世界大战之间的历史时期,它又跌落;在第二次世界大战期间,又再度飙升;而在此后,却没有大幅度跌落。当然,两次世界大战间的差异是大萧条。所有国家,无论是发达国家还是不发达国家,都在第一次世界大战之后不久就经历了一个相当严重的战后的经济下滑和 1929 年至 1933 年这一历史时期的严重的暴跌,在 1950 年之后,任何东西都无法与这种下滑和暴跌相匹敌。在美国,在那第二次大衰退中最具有影响的事情之一是消费和收入的总和下跌了 25%。国际贸易和国际金融机构崩溃了,世界经济走向自给自足。[29]

大萧条无论是对于经济学家的观点,还是对于由西方世界之政府所承担之经济责任,都具有深刻的影响。在 20 世纪 20 年代,大多数经济学家相信,商业循环是资本主义经济制度的有规律的和自然的现象。但是,大萧条的严重性及其异乎寻常的旷日持久迫使他们重新考察他们的关于集合经济如何运转的信仰,并迫使政府无论是否得到它们的经济顾问的支持,都在经济事务中变得倾向于积极。

例如,在 1933 年,德国和美国着手对经济进行大规模的干预以终止大萧条。在德国(在 1933 年,那里有 1/3 的劳动力失业)截止到 1936 年之前,即在全面走向战时经济之前,大量的政府花销和投资与相当水平的国家控制相结合(虽然不是中央计划),在实际上创造了完全就业。[30] 相形之下,经济史学家认为美国的罗斯福新政是失败的。州政府的控制是诸多的,但却是不完善的;联邦政府的花销数额是非常高的,但是

290

[28] Mary O. Furner 和 Barry Supple 编,《国家与经济学知识:美国与英国的经验》(*The State and Economic Knowledge: The American and British Experiences*, Cambridge: Cambridge University Press, 1990); A. W. Coats 编,《政府中的经济学家》(*Economists in Government*,《政治经济史》第 13 卷补遗,Durham, N. C.: Duke University Press, 1981); Neil De Marchi 的《国民经济学家的联盟与在 30 年代的和平变革的理想》(League of Nations Economists and the Ideal of Peaceful Change in the Decade of the Thirties),见于由 Craufurd Goodwin 编的《经济学与国家安全》(Economics and National Security,《政治经济史》第 23 卷补遗,Durham, N. C.: Duke University Press, 1991)。

[29] James Foreman-Peck:《世界经济史》(*A History of the World Economy*, Hemel-Hempstead: Harvester-Wheatsheaf, 1995)。

[30] Avraham Barkai,《纳粹经济学:思想、理论和政策》(*Nazi Economics: Ideology, Theory and Policy*),由 Ruth Hadass-Vashitz 翻译(New Haven, Conn.: Yale University Press, 1990)。

或多或少地被州政府的储蓄所抵消。新政的政策实验之所以失败，是因为各个机构都被相互混杂的无论是对经济目的还是干预手段都持有不同观点的经济学家和官员所充斥。[31]

尽管他们仅有局部的成功，在第二次世界大战结束时正是年富力强的这一代经济学家感到既有义务防止进一步的经济衰退，又对他们具有工具感到非常乐观。[32] 要想理解其中的原因，我们就需要更仔细地观察在20世纪30年代经济学中的发展及其与经济工程学之技艺的关系。

"缓解"大萧条：新经济学、新专业知识和新工业技术

从20世纪30年代开始，经济学家们就对微观经济学（个人或公司的行为）和宏观经济学（集合经济的行为）之间的一般区分进行研究，虽然这两个标签本身只在战后才出现，而且在20世纪90年代又变得很多余。因为对于大萧条的解释具有重要意义，所以这逐渐被人们视为一个关键的区分。20世纪上半叶的数学的新古典经济学在厂商和消费者的层面上提供了一个微观层面的对市场双方的分析，而且在一个总平衡的账目中论述了这类市场的结合。但是，关于个人在经济中的不同作用如何被**聚合**在一起，或关于那一集合经济的行为，即似乎与20世纪20年代的混乱和大萧条相关的宏观层面的问题，它什么都没有说。

集合领域的问题被解释为货币理论和商业循环的问题，并且在这一时期的现存的"诸学派"中被广泛争论：由约瑟夫·A. 熊彼得（1883～1950）在哈佛大学和由弗里德里希·冯·哈耶克（1899～1992，他在20世纪30年代初离开维也纳之后，在伦敦经济学院、后在芝加哥大学声名鹊起）继承的奥地利传统；起源于克努特·维克塞尔并集中于斯德哥尔摩的瑞典传统；既由制度学派者——如韦斯利·卡莱尔·密契尔（1874～1948），又由正统经济学家——如欧文·费雪，形成的美国传统；由约翰·梅纳德·凯恩斯（1883～1946）领导的英国剑桥学派。他们都是采取个人的某些特殊的信仰和行为的集体理论家，但是，在他们的说明中仍没有表述个人和集体之间的精确的联系。而且，当他们分析在他们的经济事件中被提出的问题时，他们以不同的方法进行分析并提出不同的解决方案。

291

[31] William J. Barber，《在无序中的设计：富兰克林·德·罗斯福、经济学家与美国经济政策的形成，1933～1945》(*Designs within Disorder: Franklin D. Roosevelt, the Economists and the Shaping of American Economic Policy, 1933—1945*, Cambridge: Cambridge University Press, 1996) 及其《从新时代到新政：赫尔伯特·胡佛、经济学家与美国的经济政策，1921～1933》(*From New Era to New Deal: Herbert Hoover, the Economists and American Economic Policy, 1921—1933*, Cambridge: Cambridge University Press, 1985)；Michael D. Bordo, Claudia Goldin 和 Eugene N. White 编，《决定性的时刻：20世纪的大萧条与美国的经济》(*The Defining Moment: The Great Depression and the American Economy in the Twentieth Century*, Chicago: University of Chicago Press, 1998)。

[32] 参看在 Arjo Klamer 的《新古典宏观经济学：与新古典经济学家及其对手对话》(*The New Classical Macroeconomics: Conversations with New Classical Economists and Their Opponents*, Boulder, Colo.: Westview Press, 1984) 中与 James Tobin, Franco Modigliani 和 Robert Solow 的谈话。

在政策经济学的因袭的历史中，一位西方经济学家——约翰·梅纳德·凯恩斯的研究使宏观经济学的范畴广为人知。在那一历史中，凯恩斯的重要性在于他的研究劝说各国政府：它们能够凭借着调整政府开销使其经济不致衰退；凭借着它们自己的行为，它们能够“管理”经济。他的思想（其主要部分产生的时间太晚，因此不能对大萧条时期的具有影响力的政策的产生负责）在战后被广泛采用。[33]

对于经济学专业来说，这一因袭的历史是一个不同的历史：凯恩斯的研究的重要性不在于他的解决方案，而在于他对问题的分析。[34] 凯恩斯提示说，总的经济活动水平依赖于实际需要水平，这一理论在这一点上可以站稳脚跟，即：失业仍然存在，因为市场是不确定的。这与自我校正的机制或朝着盘点均衡的趋向形成对比，更古老的传统集体经济学和大多数更新的商业循环经济学都假定了自我校正机制或朝着盘点均衡的趋向。根据凯恩斯的阐述，出现失败的原因在于集体、个人、厂商和政府（无论是作为储户、投资人还是作为消费者）在关于未来的不确定性面前对目前的经济事件做出反应的方式。

然而，一部完整的历史需要解释凯恩斯的经济学为什么无论在学术界还是作为一个政策工具都战胜了其他对大萧条的阐述。斯德哥尔摩学派的分析共用了凯恩斯的世界是一个不均衡的世界的假定，但是，他们的理论包含了更多详细的对被聚集在一起并在每一时期之内的个人计划之矛盾的问题的分析。[35] 虽然在许多方面它作为在集合层面上所发生的事情的解释是有吸引力的，但是，因为它把全部注意力都放在微观行为和这些微观行为如何相互吻合上，所以它大部分仍然是理论性的和不完整的。为使斯德哥尔摩学派的方法可行，（无论是作为一个充分表达的集合层面的理论或作为一般劝告或政府行为的指导）所需的统计资料的收集和数学分析在20世纪30年代似乎并不可能。拉格纳－弗里希（1895～1973），那一时期的一位挪威计量经济学家，确实试图以某些与斯德哥尔摩学派的理念相似的家庭为单位发展一个基于消费需要的计划模式，而且确定了所需的计算结果的量。它们是与那些在社会主义计划之下所需的秩序相类似的秩序，社会主义计划是在马克思主义的传统中可找到的对大萧条的另一个可替代的解决方案。根据意大利经济学家恩里科·巴罗内（1859～1924）的著作，在从1920年到1960年这段历史时期，在马克思主义传统［明显地以波兰计量经济

292

[33] 但是，关于20世纪30年代的以工具为基础的凯恩斯式的工程学的一个例证，请参看在《政治经济史》10:4（1978）第507页～第548页上的关于“刺激经济的市政投资”的一系列论文；关于凯恩斯的后期的影响，请参看Peter A. Hall编的《经济学思想的政治力量：跨越民族的凯恩斯主义》（*The Political Power of Economic Ideas: Keynesianism across Nations*, Princeton, N. J.: Princeton University Press, 1989）。

[34] Peter Clarke,《在制造中的凯恩斯革命，1924～1936》（*The Keynesian Revolution in the Making, 1924—1936*, Oxford: ClarendonPress, 1988），以剑桥分析的发展为核心；David Laidler,《伪造凯恩斯革命》（*Fabricating the Keynesian Revolution*, Cambridge: Cambridge University Press, 1999），回顾了在集合经济学中的争论和在此讨论的其他问题。

[35] Lars Jonung编，《被重新审视的斯德哥尔摩经济学派》（*The Stockholm School of Economics Revisited*, Cambridge: Cambridge University Press, 1991）；Bjorn A. Hansson,《斯德哥尔摩学派与动态方法的发展》（*The Stockholm School and the Development of the Dynamic Method*, London: Croom Helm, 1982）；Bo Sanderlin编，《瑞典经济思想史》（*The History of Swedish Economic Thought*, London: Routledge, 1991）。

学家奥斯卡·兰格(1904～1965)为代表]与奥地利传统[以路德维希·冯·米塞斯(1881～1973)和哈耶克为代表]之间发生了一场激烈的理论争辩。争论的问题是:市场对于经济效率是不是必要的。对于一个给定的技术和收入的分配即“帕累托最适度Pareto optimum)”来说,社会主义计划经济原来也能在对所有个人来说的适当生产和福利方面达到自由市场经济的良好结果。然而,在市场不存在的条件下,为必要的计算所掌握的资料也是不存在的。[36] 避开了数据资料和计算而且以传统的方式用词语进行他们的论证的“奥地利学派”,在他们的科学论述中使用了方法上的个人主义原则,而且持有一个强烈的对自由市场体系解决所有经济弊病之有效性的信仰,随着大萧条的持续,这一观点越来越站不住脚。

凯恩斯的著作《就业、利息和货币通论》(*The General Theory of Employment, Interest and Money*, 1936)是一部非常艰深的书;像对商业循环的当代分析一样,它是以古老的风格写成的,然而,他在某种程度上试图进行形式分析。但是,他的思想被英国和美国的经济学家很快翻译成宏观经济的简单的数学模式;其中最长寿和灵活的“IS-LM 模式”来自约翰·希克斯(1904～1989),他在那个时候在微观的层面上发展了一个总体均衡的论述。[37] 人们利用这些宏观模式来对具体的和真实的政策问题给出具体的答案,同时,比较的平衡方法的使用,是从 20 世纪初的马歇尔的微观经济学中被经济学家所熟知和理解。凯恩斯的分析确实需要新的集合数据,如总的收入和消费,但是,一旦这些数据被集合起来,它们就可被用来以统计模式和方法测算凯恩斯关系的参数。[38] 具有成效的以模式为基础的分析(如果不是凯恩斯的著作的话)产生了能够向政府进行解释的答案,人们认为它在科学方面比更古老的“常识”分析更先进。在它的建议中令人惊奇的要素(即:政府应该以消费走出萧条,而不是以节省走出萧条,因为时事艰难)在使它在政治领域中变得可接受方面也是重要的; 20 世纪 40 年代和 50 年代,政治家需要解决古老经济问题的新方案。因此,有鉴于在 20 世纪 30 年代可获得的其他对集合经济学的阐述,依赖于非常复杂或需要数据、计算以证实其可行性的一般的口头劝告或分析和计划工具,凯恩斯的阐述产生了可被称为调解技术的东西,即对于需要政策处方的政府和寻找事件的适当解释的科学家们来说的实际技术。

293

[36] Don Lavoie,《竞争与中央计划:被重新考虑的社会主义计划的争论》(*The Socialist Calculation Debate Reconsidered*, Cambridge: Cambridge University Press, 1985)。

[37] William Darity, Jr. 和 Warren Young,《IS-LM: 一个审问》(IS-LM: An Inquest),见于《政治经济史》,27: I(1995),第 1 页～第42 页。

[38] Studenski,《收入》(*The Income*);国民收入的计算也为这类资料收集和使用提供了一个相当重要的激励。关于美籍俄裔 Simon Kuznets 的研究,请参看 Carol S. Carson 的《美国国民收入与生产计算史:一个分析工具的发展》(The History of the United States National Income and Product Accounts: The Development of an Analytical Tool),见于《收入与财富评论》(*The Review of Income and Wealth*),21: 2(1975),第 153 页～第 182 页;Mark Perlman 的《政治目的与国民收入计算》(Political Purpose and the National Accounts),见于 William Alonso 与 Paul Starr 编的《数字的政治学》(*The Politics of Numbers*, New York: Russell Sage, 1987);关于 John Richard N. Stone 在英国的研究,请参看 Angus Deaton 写的关于他的条目,见于 Eatwell, Milgate 与 Newman 编的《新帕尔格雷夫》(*The New Palgrave*),第 4 卷,第 509 页～第 512 页。还请参看 Ellen O'Brien 的《“G”如何进入了 GNP》(How the “G” got into the GNP),见于 Karen I. Vaughn 编的《经济思想史中的观点:20 世纪的方法、竞争、冲突与测量》(*Perspectives in the History of Economic Thought: Method, Competition, Conflict and Measurement in the Twentieth Century*, Aldershot: Edward Elgar, 1994)。

关于凯恩斯的经济学是在何时、何地和从什么来源产生的严格的历史陈述仍然是可争论的。[39] 更重要的问题是:经济学的专业知识与可用的技术是共同发展的。1950年之后,在经济和经济行为之新数据资料、新统计方法及简单的数学模式的帮助下,经济学家在一个更广阔的领域(从旧领域,如自然垄断和货币政策的调节,到新问题,如平准计划的创立和战时经济、财政的控制)使他们的建议变得有效。这一专业展示了它的以新的政策处方回答一系列普通问题(如给农民的补助金的设立)和处理经济紧急情况(如过度通货膨胀)的能力,而这些新政策处方原来也获得了不同程度的成功和遭受了不同程度的失败。然而,对于经济学史来说,失败比起成功也许是一个更重要的动力。

从经济工程学向历史事件的信息反馈

经济学家的工程学和历史的偶然性不断地相互作用,从而产生出新的经济学、技术和专业知识。在这一相互作用的背景中,宏观经济学和微观经济学正式结合起来。在20世纪50年代和60年代,当分析被用来设计财政政策和"管理"经济的时候,凯恩斯的思想看来是适度成功的。这也许是建议政府如何确立经济控制杠杆的作为工程师的经济学家最辉煌的时期。西方政府使用经济学家的模式和计算来减缓在它们的经济中的经济循环,并设计相对稳定的增长、低通货膨胀、低失业率和合理的收支平衡。在某些开放的经济中,那些与它们的国民收入总值相比具有相对较高的贸易水平的国家,在调整杠杆方面存在着问题。回眸远视,这些杠杆似乎是相当原始简陋的工具:尽管最终的目的是影响集体,但是这些杠杆被设计用来改变在这一体系中的对于个人的奖励机制。除此之外,政府本身就是一个行动者,而且它自己的花销和储蓄是另一个控制杠杆。因此,这种经济工程学并不意味着对一个客体的外部控制,而是由这部机器的主要部件之一所采取的有意识的行动。

294

各国政府管理或控制它们的经济的能力在20世纪70年代遭受了严重的破坏。那一失败的最直接的证据是新的"通货滞胀"现象,它既有严重的通货膨胀,又有严重的失业,这在凯恩斯的经济学中是一个不可想象的结合,凯恩斯的经济学在这两者之间发现了一个物物交换。这一问题促使人们进行若干会诊。首先,凯恩斯经济学的理论和政策制定把注意力集中于经济的需求方面,而经济学家逐渐得出结论说这次通货滞胀产生于供方的变化,尤其是产生于由1973年的油价上涨造成的大震荡。第二个解释把与日俱增的通货膨胀与在凯恩斯体系中的对货币要素的忽视联系起来,这是一场由货币主义者米尔顿·弗里德曼(生于1912年)领导的对凯恩斯体系的批判。在这一解释中的另一个要素是远景的作用:因为人民已经习惯了经济通货膨胀的总量,因此

[39] Hall,《经济学思想的政治力量》。

他们根据仍存在于这一体系中的被人们所预料的通货膨胀的总量校正他们的行为，所以使通货滞胀更为严重。这一解释的第四个要素是：政府的行为是事后诸葛亮，因此使它的管理经济的能力无效，而与此同时，它又是在经济运行中的一位行动者。这一“卢卡斯批判”[以芝加哥经济学家罗伯特·卢卡斯(生于1937年)的名字命名并构建于同一见解的更早的版本之上]是使得作为经济之控制者的政府提早崩溃的又一原因。事实上，经济学家们认定：前些年的凯恩斯的对需求一方的管理有助于造成通货滞胀，而且在供方震荡之后它的持续使这一问题更为严重；他们在一个总的供求分析中表述了这一观点，这一分析在当时变得非常流行。因此，在一个简单的领域转换中，一个标准的新古典的微观层面的工具被应用于宏观背景，在总的层面上用来解释一个现象和一个政策失误。

经济学家们对通货滞胀的阐述引起了“理性远景革命”，这一分析把在个体层面上的不定的微观经济学与在宏观层面上的政策工具的影响联系起来。在最初由卢卡斯展开之后，这一论题论证说：我们应该假定个人持有“理性的远景”，这即是说，他们利用了他们所具有的全部信息，所以不会发生系统的失误；我们可把这类远景当成在形式上与那些蕴藏于经济模式和计量经济模式中的远景相同。作为通货滞胀之经验的一个结果，经济学家们逐渐持有这样一个观点，即：宏观经济模式应总是具有适当的微观基础，这即是说，它们应该与关于在经济中的个人行为的一套以数学表达的假定相一致。新经济模式的技术于是被用于确保宏观经济理论与新古典的微观经济理论的结合。[40] 在经济中得到表现的个人现在也被理性远景的假设紧紧地束缚在这一模式之中。因此，微观经济学与宏观经济学之结合的推动力是一个经历通货滞胀之实践经验的结果，但是，它的特殊形式是由战后的两个学科背景决定的，一个是与时俱进的数学形式主义和——正如我们将在下一部分所示——复活了的个人主义思想的吸引力。

从经济工程学向经济事件和思想进行信息反馈的最引人注目的实例与共产主义的崩溃同时到来，西方经济学家把这一崩溃大部归咎于东方集团经济学的失败。东欧经济学是牢固持有的生产理念和具有坚实基础的生产理论的产物，同时是具有中央计划的技术；在战后初期的大部分时间里，它已经产生了在实质上高于西方自由资本主义的经济增长率。当它们的公民对由他们自己的经济专家在后来的岁月里产生的经济成果日益不感兴趣的时候，他们乐于并热切地邀请西方经济学家到他们的国家来，以向他们传授“现代”经济学。后来表明，西方的专业知识并不完全胜任为东方国家向资本主义的转变设计经济制度的任务，而且这一经验要求西方新古典的主流经济学家把制度的作用合并入他们的规范模式。

[40] Kevin D. Hoover,《新古典宏观经济学：怀疑论的探究》(*The New Classical Macroeconomics: A Sceptical Enquiry*, Oxford: Blackwell, 1988)；Backhouse,《现代经济分析》(*Modern Economic Analysis*)。

295

美国经济学中的意识形态转向

正如经济学思想在不同的世界力量集团的意识形态中成了一个中心的和更加具体的要素一样,经济学日复一日的实践在20世纪中叶改变了专业技术。[41] 尤其在美国的经济学中,向以工具为基础的经济学的加速前进和一个训练有术的新古典经济学的发展与意识形态的战争密切地联系在一起。这些联系对于西方经济学的一个阐述来说至关重要,因为正像美国获得了经济和政治的统治地位一样,也正是在这一历史时期,美国的经济学在这一西方学科中占据了主导地位。

296

美国对第二次世界大战的参与和冷战的经验对于美国经济学向一个一般的以工具为基础的学科和向特殊的新古典经济学的转变是关键的,这一论点需要详述。在美国赢得战争的经验中,以工具为基础的经济学曾是重要的,它不仅在制定经济政策方面是重要的,而且在其他领域里也是重要的,因为数学、统计技术和塑造模式可被转向许多目的,尤其是可指向战争目的。确实,为战争所付出的努力的经济方面一部分是由商人决定的,而不是由经济学家决定的,而此时的经济学家却受雇来完成设计轰炸、袭击之类的使命。战争经验还产生对具有统计学头脑的制度学派有利的数据资料和制定计划的经验。对线性规划、运算研究、策略理论和决策理论这类问题(包括成为20世纪后期新古典经济学之中坚的概念和数学技巧)的研究,被政府作为国防开支慷慨资助,而且这类研究和资助一直持续到冷战时期。[42]

蕴藏在东西方之间的冷战中的经济价值是众所周知的。战后西方的经济价值观被更明确地限定为与东方的中央计划的经济价值观相对立。“自由”西方的领路人——美国把自由市场理论鼓吹为最有效的理论。东方集团的经济思想是以马克思的生产计划及追求公平而不追求效率的宗旨为起始的。与此同时,西欧的理想标出了一条中间道路,其目的在于通过福利主义和国家干预追求适度自由的,因此也是适度有效的市场和适度的分配平等的水平。西方的经济思想更强有力地冲击了美国的学术团体而不是西欧的学术团体,它对经济学家所持有的观点具有必然的影响。

战时的工作支持了以工具为基础的经济学,而20世纪40年代后期美国的反对共产主义的政治运动和20世纪50年代初的麦卡锡主义在地方的层面上以支持新古典主义经济学的方式决定了这一问题。虽然总的景观还必须被填充,但显而易见,经济

[41] 这一部分尤其利用了我与Malcolm Rutherford合写的论文《美国经济学:变化的特性》(American Economics: The Character of the Transformation),见于由Morgan与Rutherford编的《从两次世界大战之间的多元主义到新古典主义》,第1页～第26页。我要感谢Malcolm Rutherford允许我在此使用这一资料。

[42] Mirowski,《机械梦》(*Machine Dreams*);Robert Leonard,《从红色维也纳到圣莫尼卡:Von Neumann, Morgenstern与社会科学,1925～1960》(*From Red Vienna to Santa Monica: Von Neumann, Mergenstern and Social Science, 1925—1960*, Cambridge: Cambridge University Press,即将出版)和他的《作为“简单经济问题”的战争:国防经济学的兴起》(War as a“Simple Economic Problem”: The Rise of an Economics of Defense),见于《经济学与国家安全》(*Economics and National Security*,《政治经济史》第23卷补遗),Craufurd Goodwin编(Durham, N. C.: Duke University Press, 1991)。

297 学家在表达他们的观点的时候还必须小心翼翼。[43] 关于这一历史时期的一位经济学家的作品暗示:向以工具为基础的经济学的运动是反对思想迫害的一个防卫性的选择,虽然这有时被证明是一个不适当的防御,尤其是对于那些其价值观与新思想不一致的人。有一些温和的同情左翼的美国经济学家(其中包括一位未来的诺贝尔奖得主克莱恩)为了寻求欧洲的安全离开美国的事例。其他持有这类观点的人留了下来,因为效忠宣誓和麦卡锡主义的效果是不均衡的。而无论如何,鼓吹凯恩斯主义(一些人将凯恩斯主义视为接近社会主义)的经济学家或提倡与制度学派的立场相联系的那一类的战后社会经济计划的经济学家尤其身处险境,他们随时会受到来自大学管理人员、当地州政府和研究所托管人的攻击和迫害,在20世纪40年代末和50年代初,这些人力求清除掉他们院系的"赤色分子"和"粉红色分子"。

虽然在两次世界大战之间的这一历史时期新古典主义经济学在美国传播得很慢,但是,与制度学派的经济学不同,它无论如何仍是明确支持资本主义经济学的各种形式之一。理想的抽象的新古典经济把有效地使用现存的资源当成它的问题,而且对这一模式的分析暗示:最好通过把对市场的干预减到最小取得这一成果。新古典主义经济的分配理论(一部分是由美国经济学家J. B. 克拉克在19世纪和20世纪之交发展起来的)假定:有效的经济的特性也是由对每一个贡献要素来说的公平分配决定的:劳动和资本应当得其所值。照顾到效率和理想经济的这一特权,从实际经济的原始的财富分配产生的公平性这一重要问题就被搁置在一边了。新古典主义经济学的价值观与在意识形态战争中的美国的立场完全一致,所以,在战后的岁月里,在自由市场中起作用的自由个人的效能(或"经济民主")似乎与政治民主的效能密不可分。

总而言之,正是新古典主义经济学家(他们的分析方法逐渐完全依赖于对统计学、数学和塑造模式的技术——那些在战争期间已被证明为如此有效的同样的技术——的采用)发现他们的经济价值观与大量战后社会的那些价值观完全一致。在这一背景中,对于遵守新(重新)确立的美国的自由市场和个人资本主义的理想的压力,促使人们以牺牲美国经济学专业中原先占统治地位的制度学派的方法为代价采用新古典主义经济学。[44]

在整个战后的历史时期内,美国新古典经济学家认为:以工具为基础的分析就所298 有的思想立场而论提供了一个科学中立的总纲。自由市场和自由意志论的"奥地利"传统是不可能得出这一观点的,在此之前,他们已大部分在美国定居并相继加入了美国国籍,因为他们的方法是以旧式的词语表述的,再也不能确保科学的客观性。一直

[43] Ellen W. Schrecker,《不是象牙塔:麦卡锡主义与大学》(*No Ivory Tower: Mc Carthyism and the Universities*, New York: Oxford University Press, 1986); Craufurd Goodwin,《在一个变革时代的经济学的保护者》(The Patrons of Economics in a Time of Transformation),见于由Morgan与Rutherford编的《从两次世界大战之间的多元主义到新古典主义》,第53页～第84页。

[44] Malcolm Rutherford,《理解制度经济学:1918～1929》(Understanding Institutional Economics: 1918—1929),见于《经济思想史杂志》(*Journal of the History of Economic Thought*),22(2000),第277页～第308页。

到了20世纪80年代和90年代，当政治气候突变，风向极度右转，以致遮蔽了它们的意识形态色彩的时候，与哈耶克和熊彼得相联系的奥地利学派对自由市场之功能的论述，既作为创造动因又作为破坏动因的竞争的作用和市场经济的自我组织本性成功地输入了美国主流经济学，这一主流经济学又以有条理的和技术的方式，根据信息的作用和竞争的演进发展它们自己的理念。在东方共产主义政体倒台之后，某些与“陈旧的”美国制度学派相联系的理念和问题也找到了它们的回到议事日程的道路。但是，这些理念和问题现在也融入了美国经济学的主流，所以乍看起来人们很难认出“旧”制度学派与“新”制度学派之间的和谐一致，这些制度学派的思想能够在从法律学和经济学——在罗纳德·科斯（生于1910年）的著作中——到经济史——在罗伯特·福格尔（生于1926年）和道格拉斯·诺斯（生于1920年）的著作中——的广大领域内发现。对经济公平和理论与证据的不可分离性的“古老”关注消失了，但是，对经济习惯和制度的兴趣在对行为规则和标准、经济单位的法律和经济协议，及效仿改造过程的调查中又重现出来。[45]

从这一讨论中人们可以看出，工具和价值是不能分离的。但是，在以下章节中我们将会看到，工具仍然在局部上独立于价值，而且，在价值中的差异使作为一个整体的西方经济学能够保留一定的多样性。然而，我们首先需要更仔细地考察以工具为基础的新古典经济学的科学性和价值承诺。

工具与经济学

20世纪末的经济学对技术的依赖，尤其是它对塑造模式方法的关注包含了经济学家之科学雄心壮志的一个微弱的下跌。在20世纪初出版的论文和书籍试图通过援引关于经济如何运行的一般论述或法律，并通过在具体情况的背景中讨论它们来处理具体的真实问题。与此不同的是，它们几乎以经验的方式把这些问题作为经济史的一个片段来论述，而不祈求于任何特殊的解释或法律。经济学很少是抽象的，而且人们也很难在理论经济学与应用经济学之间进行区分。[46] 一个世纪之后，经济学的论文试图直接论述具体的问题，无论是以抽象的术语通过在“经济理论”之标题之下的数学模式进行论述，还是以经验的方式，通过计量经济学进行论述。截止到20世纪末，再也不存在经济学的任何“法则”和一般理论，只存在具体的但不必然是真实的情况的模式。

299

我们能够看到这一过程在刻画个人行为之特性的20世纪之数学研究中发挥着作用。从19世纪90年代到20世纪30年代，新古典派的经济学家从检测个人之潜能的

[45] Malcolm Rutherford,《经济学中的制度：旧的和新的制度学派》（*Institutions in Economics: The Old and the New Institutionalism*, Cambridge: Cambridge University Press, 1994）。

[46] Roger E. Backhouse,《美国经济学的变化，1920～1960，通过对杂志文章的鸟瞰进行观察》（The Transformation of U. S. Economics, 1920—1960, Viewed through a Survey of Journal Articles），见于 Morgan 和 Rutherford 编的《从两次世界大战之间的多元主义到新古典主义》，第85页～第107页。

可能性中撤退出来,并以用数学形式说明在商品之间进行选择的情况来满足他们自己。尤其是在美国,他们也避开作关于动机和心理的论述。[47] 在20世纪30年代的英国,希克斯和罗伊·艾伦(1906～1983)勾勒出这些被用于描述这类个人选择行为之特性的假设的轮廓,在20世纪40年代,美国经济学家保罗·萨缪尔森(生于1915年)又把这一假设定为公理,从而创造了20世纪后半叶的无个性的"合理的经济动因"。这是一个高度理想化和抽象化的表述,并不像描述任何真实个人或实际行为的特性。新古典经济学不是使用这一典型个人来探索行为的理由,而是像被那些经济学家限定的那样,在具体的情况中合理地探索行为的结果。

对于它的许多批评家来说,这一个人的自利行为的描述似乎是非常有限的,然而,它禁止的东西并不很多:理性受到了严格的限定,但是,如果一个人要理性地行事,那么他只能慷慨大方,而不是小气吝啬,而且在进行选择的时候,要保持一定的一致性。这允许人们在具体和复杂的情况中求助于简化的行为模式。一个良好的例证是战后的家庭经济学的发展,在这一案例中,其他社会科学家把新古典经济学的著作视为帝国主义的著作而对其表示不满。在这一由美国人加里·贝克尔(生于1930年)发展起来的分支领域,经济学家探究对于这样一些典型决定来说他们的关于个人行为的一般理论的结果,这些典型的决定是关于这样一些问题的决定:父母中的哪一方应当去工作?是否再要一个孩子?对于模式的塑造暗示:对于具体的家庭情况的"理性的"和"有效的"决定已被塑造成模式。当它们为统计工作而被重新明确表达的时候,这类具体的"理论的"(即数学的)模式就与真实情况联系在一起。计量经济学家通过把其他因素带入阐述,而且通过评估这一模式对真实世界之数据的适宜程度,来把更大的现实主义和复杂性添加到经济理性的模式之上。

300

在这类新古典的模式中,正是被当做理性来描述的有限的新古典的自利的假定,使人们能够进行对于数学模式来说是必要的化简,而且非新古典经济学家发现正是这一点是令人反感的。对于批评家来说,这一计划的结果是抹杀任何不适于这一范例的东西。但是,当在人们看来它似乎具有不同的时候,新古典经济学的计划并没有被证明为可避免这类批评,而且在20世纪末,模式的塑造朝着三个新方向发展。第一,在20世纪70年代由赫伯特·A.西蒙和阿玛蒂亚·森(生于1933年)作出的对经济学家的理性观念的批判的双重影响和在20世纪80年代来自实验室之实验的报告结果拓宽了经济理性的概念和理论特性的描述。这一"理性的经济动因"(它在20世纪第三个四分之一世纪这段历史时期是如此遍及经济学领域)在20世纪的最后四分之一世纪里逐渐被用作对异于那一理想的行为模式进行探索的标准模式。第二,人们再也不会假定每一位微观经济的个人的活动都独立于其他个体;与此相反,他们必须在相互

[47] A. W. Coats,《经济学与心理学》(Economics and Psychology),见于 Spiro J. Latsis 编的《经济学中的方法与评估》(*Method and Appraisal in Economics*, Cambridge: Cambridge University Press, 1980),第43页～第64页。

作用的处境中被塑造成形。第三,经济学家在他们的范例中找到了一条把制度惯例带入阐述的道路。尽管表面现象具有不同,可是截止到20世纪末,新古典经济学的工具被证明为可适应于诸多假定(和非常内在的价值)的一个更大范围和比早先想象的一个更大的情况变化。[48]

我们在“博弈论”的领域中能够看到这一灵活性。这是一个调查机构——其建立的时间从由约翰·冯·诺伊曼(1903～1957)和奥斯卡·莫根施特恩(1902～1977)在1944年发表的优秀著作算起,后来主要在美国和德国得到发展——它在20世纪末的经济学中占据了统治地位,而且被输入进化生物学和政治学。在博弈论中,个体“动因”被置于被称为“博弈”的相互作用的处境中。[49] 这一放置通常并不是真实的,而是一个贯穿以数学形式出现的模式表象的思想实验。自从20世纪80年代以来,这类调查通过使用与那些在社会心理学中发现的方法相类似的方法在经济学中已成为实验室实验之发展计划之主要焦点之一。[50] 这已允许经济学家研究经济在一个“被控制”领域的相互作用和学习效仿过程。无论是在思想还是真实实验中的“博弈”都被确定为具有相互作用的规则或“制度”的诸情景:谁走第一步,有多少步,能走哪一步,等等。如同应用新古典微观理论之通常的塑造模式的方法一样,每一种游戏都可被“应用”于个人或公司(经济学家的“动因”)发现他(它)们身处其中的具体情况。这已使游戏理论家能够把他们的思想应用于具体的领域,如在工业经济学中,战略选择在描述和理解相互竞争的公司的行为上扮演自然的角色。

301

战后历史时期的占主导地位的新古典经济理论在许多方面是相当一般的;模式的塑造赋予它内容,因为经济学家使用这一方法来探索这一理论在具体的相当简单的情况下到底意味着什么。相形之下,人们把更大的经济世界视为惊人的琐碎和复杂。模式的塑造,即使是由在政府中的经济学家维持的更精致的计量经济模式,也使经济似乎对调查开放了门户。正是这类模式的简单性,尤其是更小的模式的简单性及它们的对复杂性的有效化简,和它们的产生可根据经济有效性和合理性之相当简单的命题进行解释的答案的能力,使新古典的忠告遍布经济领域,甚至侵入政治和社会领域。[51]

〔48〕 关于一个对与此处讨论的一系列信仰相一致的在上世纪末的根植于边际经济学和新古典经济学中的个人主义价值观的讨论,请参看 Maloney 的《马歇尔、正统观念与经济学的专业化》(*Marshall, Orthodoxy, and the Professionalization of Economics*)。

〔49〕 E. Roy Weintraub,《走向策略运畴法的历史》(*Toward a History of Game Theory*,《政治经济史》第24卷补遗,Durham, N. C.: Duke University Press, 1992)。

〔50〕 Vernon L. Smith,《经济学中的实验》(Experiments in Economics),见于 Eatwell, Milgate 和 Newman 编的《新帕尔格雷夫》第2卷,第241页～第249页。

〔51〕 关于一个良好的例证,请参看 Jacques J. Polak 的《在40IMF模式》(The IMF Model at 40),见于《经济模式的塑造》(*Economic Modelling*),15:3(1998),第395页～第410页;关于一个更一般的对这一局内人的观点的描述,请参看 William R. Allen 的《经济学、经济学家与经济政策:现代美国的经验》(Economics, Economists, and Economic Policy: Modern American Experiences),见于《政治经济史》,9:1(1977),第48页～第88页。

工具、科学和意识形态的关系

虽然新古典经济学的价值观与西方的一般市场方向的那些价值观相一致，尤其是与美国的经济思想的价值观相一致，但是，工具和思想并不完全一致，尤其在制定政策的领域。[52] 即使在依赖经济理论来拥护自由市场和自由资本主义的利益的同时，美国的国内经济政策和那些输出国外的经济政策仍然是干预主义的和依赖于工具的。例如：马歇尔计划要求受援国具有一个以凯恩斯的集合术语表达的全面的经济政策强制（而根据理查德·斯通的设计，这又依次需要国民收入账户体系的地方储备），在那一重建的时代，这一经济政策强制需要某些严格的国内政策，即使与此同时也做出了开放市场的承诺。[53] 西方的思想和工具明显地出现在国家、捐赠人和国际机构之间的关系中。通过它自己的外援计划和它在国际机构（这类国际机构如：国际货币基金会和世界银行）中的经济学家间的主导地位，美国输出对自由竞争和摆脱了政府指导的经济之功效的信仰和一套旨在帮助经济政策的设计、制定计划和项目评估的工具。“自由世界”的经济学似乎需要经济干预工具的一个贮备库，以确保它在新的国家中“正常地”（也就是根据捐赠人的设计）工作。即使是对西方经济思想很少赞同的经济学家也很快学会了使用这些工具，以便使他们的经济所接受的援助最大化。东方集团国家的马克思主义和共产主义的思想也把它们的卫星国家与经济工程学联系起来，因为马克思主义的经济需要经济的结构分析和高水平的为了生产计划之目的的数据收集和计算。

302

无论如何，工具比这些观察所暗示的更具有独立自主性，或更可与在政策效用中的价值相分离：工具既不完全居住在西方或东方的思想中，也不完全独立于西方或东方的思想。被人们广泛认为代表了中央计划的使命的一个工具是列昂捷夫输入—输出模式，后来，这一模式被瓦西里·W. 列昂捷夫（1906～1999）所发展，他是一位移居美国的俄国经济学家。这一方法使用工业水平数据资料，根据对每一个工业部门的输入和输出，来描述在这一模式中的经济之各部分之间的技术的相互关系。这类模式可被用来理解和分析技术关系，并用来预测或计划在各个层面上的工业输出，这些层面是从工业层面到国民经济的广大领域。这种技术与东方集团国家的经济理论完全相符，这种理论假定，劳动在生产中创造了价值，所以，人们必须在生产的层面上理解和计划增长和发展。然而，在事实上，直到20世纪60年代，这一工具才从美国被输入进来并在苏联的中央计划经济中扮演一个边缘的角色，这种中央计划经济依赖于物质均

[52] 对价值观与理论发展之相互关系而不是对工具的经典论述，见于 K. Gunnar Myrdal 的《经济理论发展中的政治因素》（*The Political Element in the Development of Economic Theory*, New York: Simon 与 Schuster, 1963）。

[53] M. J. Hogan,《马歇尔计划：美国、英国与西欧的重建，1947 ～1952》（*The Marshall Plan: America, Britain and the Reconstruction of Western Europe, 1947—1952*, Cambridge: Cambridge University Press, 1987）；关于国民收入计算的讨论，请参看注释38。

衡的更实际的方法。无论如何，这类模式的使用并不必然要求对劳动价值论的理论上的承诺，而且输入—输出分析已绝不局限于东方集团国家。例如，挪威在第二次世界大战之后就已把这些方法连同国民预算账户的形式用作它的经济信息和政策分析的标准部分。法国的战后历史时期的指令性计划也是基于这一方法的一个版本。作为于20世纪30年代启动的学术研究的一部分，列昂捷夫为美国的经济构建了这类模式，它们也为经济运行的学术研究提供了工具。在20世纪40年代，美国政府使用这类表格来预测在不同的经济领域中，经济对战争目的的可能回应。因此，虽然不是主要的政策工具，在西方国家，人们经常建立输入—输出表格并用它来进行政策分析。

在20世纪后半叶，美国经济学的以工具为基础的风格和新古典的内容不仅在制定政策方面，而且在西方经济学中都成了占主导地位的影响力。这一学科背景有助于解释这一美国经济学如何被输入其他国家。[54] 输入的主要通道之一是通过接受美国的经济学教育，基于美国路线的研究生培训的发展，更愿意把学生送到美国进行培训而不送到别的地方进行培训。在19世纪末，美国的经济学家典型地在欧洲接受训练，主要是在德国接受训练，而到了20世纪后半期，潮流发生了逆转；欧洲人所偏爱的研究经济学的地方成了美国。战后历史时期的欧洲帝国列强的衰落意味着早先把英国或法国视为教育典范、视为培训研究生和寻求经济学和专业知识之主导力量的地方的经济学家开始把目光转向别的地方。例如：澳大利亚的经济学越来越以美国经济学为导向，而且开始把美国的经济学视为新的模范。印度后来也走了同样的道路，它在一开始输入了苏联的计划经济理念，而且在东方国家集团中寻找培训机会。美国的非正式帝国的新成员甚至是输入美国经济学的更好的候选人。南韩很快开始把它的最聪明的学生派送到美国进行经济学的研究生培训；在他们回国之后，他们很快在大学院系里安了家，而且在政府中谋得了要职。[55] 像国际货币基金会和世界银行这类国际机构对经济学美国化的过程多有贡献。他们还从在技术层面的美国经济学的早期宝库中通过培训外国人和在他们的操作技术手册中详细说明如何评价政策体系、设计规划和评估项目提案来直接输出这些理念。

303

从拉丁美洲的某些案例中，我们最深入地了解了这一经济学之美国化的过程。在此，历史的记录描述了美国政府、学术和慈善机构结合起来把“良好的”或“现代的”（即新古典的以工具为基础的）经济学灌输给拉丁美洲经济的学术和政治精英的具体

[54] A. W. Coats 编，《1945年之后经济学的国际化》（*The Post-1945 Internationalization of Economics*，《政治经济史》第28卷补遗，Durham, N. C.: Duke University Press, 1996）；A. W. Coats 编，《自1945年之后的西欧经济学的发展》（*The Development of Economics in Western Europe since 1945*, London: Routledge, 1999）。

[55] Young Back Choi，《韩国经济学的美国化》（The Americanization of Economics in Korea，见于由 Coats 编的《1945年之后经济学的国际化》，第97页～第122页。

尝试。[56] 无论是那些赞成输入美国经济学的拉丁美洲人，还是那些不赞成的拉丁美洲 304 人，都公开把他们的学院经济学的变化解释为美国化；但是欧洲的学者们却宁可把这一趋势视为“国际化”甚至“开除国籍”的趋势之一，因为他们从来不完全开放通向美国人占统治地位的渠道。

欧洲的学者们在他们的学术证书的颁发和论文的引证方面，在他们对美国风格的研究生培训计划的采用中，逐渐地变得更加美国化，所有这一切为两者的一致与整合开辟了途径。然而，在许多方面，欧洲的经济学仍然保留了它的个性。这也许是因为在欧洲民主政体中和平共处的经济和思想的更广阔的领域，和欧洲经济学的更伟大的为公众服务的精神气质，使欧洲的经济学家更喜欢把他们的一部分工作时间花在大学象牙塔以外的政府部门或政治活动中。[57] 例如，在意大利和日本，在战后的大部分历史时期，经济学对于马克思主义经济学家的活动小组来说是一个家园。[58] 尽管美国人在战后重建中具有重要作用，可是许多马克思主义者在第二次世界大战的末期还是重新获得了他们的地位，因为他们在那些国家中积极抵抗了法西斯的战争政权。荷兰经济学的大部分仍然和众所周知的丁伯根传统结合在一起，其中包括经济的技术专家政治管理和在分析和结果中的对社会公正的实际承诺。挪威的经济学在某种程度上仍然与弗里希的计量经济学传统相关，而且它表现了它自己的对经济计划和政策制定的特有的承诺。法国的经济学支持在数学和统计学领域里具有高超理论的现代主义者的强有力的组织，但是，这些经济学家只代表法国经济学专业的一小部分，他们像德国的经济学家一样，相对来说仍然避开了国际主义趋势的影响。在英国，在凯恩斯的传统持续到 20 世纪 70 年代的同时，学术的和政策的经济学家从那时起无论在学术方面还是在理论方面都更乐于追随美国的先驱。在作为一个整体的欧洲，对经济安全和相对平等的经济分配的关注，使政治经济问题一直牢牢地处于科学和政策的日程之上。在科学的努力中如同在政策建议领域中一样，工具被证明为在局部上是独立自主的，而且能在美国新古典经济学所固有的合理性和有效性的价值可能被当成第二等的价值的情况中得到应用。

[56] Veronica Montecinos,《拉丁美洲政治精英中的经济学家》(Economists in Political and Policy Elites in Latin America)，和 Maria Rita Loureiro,《经济学的国际化在巴西的专业的和政治的影响》(The Professional and Political Impacts of the Internationalization of Economics in Brazil)，见于 Coats 编的《1945 年之后经济学的国际化》，第 279 页～第 300 页，第 184 页～第 210 页；J. G. Valdes,《皮诺切特的经济学家：在智利的芝加哥学派》(*Pinochet's Economists: The Chicago Shool in Chile*, Cambridge: Cambridge University Press, 1989)。关于更早的输出“良好”社会科学的尝试，请参看 Earlene Craver 的《经济学研究的赞助与方向：欧洲的洛克菲勒基金会，1924 ～1938》(Patronage and the Directions of Research in Economics: The Rockefeller Foundation in Europe, 1924—1938)，见于《密涅瓦》(*Minerva*)，24: 2-3(1986)，第 205 页～第 223 页；Martin Bulmer 与 Joan Bulmer,《20 世纪 20 年代的慈善事业和社会科学：比尔兹利・拉姆尔与劳拉・斯皮尔曼・洛克菲勒纪念馆，1922 ～1929》(Philanthropy and Social Science in the 1920s: Beardsley Ruml and the Laura Spelman Rockefeller Memorial, 1922—1929)，见于《密涅瓦》，19: 3(1981)，第 347 页～第 407 页。

[57] R. L. Frey 和 Bruno Frey 编，《存在一个欧洲经济学吗？》(Is There a European Economics)，见于《循环》(*Kyklos*)，48: 2(1995)，第 185 页～第 311 页。

[58] Pier Luigi Porta,《第二次世界大战之后的意大利经济学》(Italian Economics through the Postwar Years)，和 Aiko Ikeo,《日本经济学的国际化》(The Internationalization of Economics in Japan)，见于 Coats 编的《1945 年之后的经济学的国际化》，第 165 页～第 183 页，第 123 页～第 141 页。

19 世纪后期的大多数西方经济学家能用几种语言阅读,而且经常能用许多种语言写作。尽管存在语言障碍,被承认的国家学校的成员之间的交流还是有效的和活跃的;国家的学校已经兴旺发达起来。相形之下,随着美国经济学在 20 世纪后期占了主导地位,科学经济学的语言已经明确地变成了数学、统计学和英语。这些被共同使用的语言已经作为为什么美国经济学的以工具为基础的风格已被证明为是一个有效的科学输出的另一原因被人们加以提倡。但是,被共同使用的工具和语言的存在和工具对于思想的局部的独立自主也已提供了一个通向对美国主流思想提出挑战的宽敞的门径。因此,20 世纪晚期经济分析的最令人感兴趣的发展是来自于在第一世界社团中工作的第三世界的经济学家,最明显的例证是森的对饥荒和贫困的分析。

305

结论:经济学学科的动力

20 世纪的经济学科,它的理念、方法、规则、“学派”和构成“主流”的东西的转变,不仅依赖于规范科学的每日的内在动力,而且依赖于在地方、国家和国际层面上的不断变化的历史实在的需要。这就是“自然”在经济学中起作用的方式:经济掀起了意想不到的经济事件或提出如此重大的要求,以致它们对经济学的模式施加了严惩。与此同时,20 世纪的经济学凭借着它对经济工程学的干预产生了新的需要新一代经济学家应对的经济“事件”。因此,分析的技术方法和干预工具的使用(它是 20 世纪西方经济学的一个特征)为这一学科创造了一个特殊的反思动力。整个 20 世纪经济学的实践从最初的语言表述法变为依赖于数学、统计学和模式的塑造的方法。这一运动与美国主导的新古典经济学的发展力量相联系。但是,它还依赖于许多其他偶然性,这些偶然性既产生于经济学的内部,又产生于经济学的外部。以工具为基础的经济学的历史和它对其进行分析的经济的历史是不能被轻易分开的,它们也不能与当地思想、经济学在其中繁荣兴旺的背景分离开来。

(辛岩　译)

17

306

政治学

詹姆斯·法尔

政治学是科学学科的思想是一个可追溯至亚里士多德的古老思想。这一思想的早期的现代表述可在马基雅维利和霍布斯的著作中找到,也可在从休谟到美国的创立者这些启蒙思想家的著作中找到。“科学”被理解为第一原理——无论是审慎的还是富有哲理的——的系统知识,而“政治学”被理解为城邦国家、王国或共和国的公共生活。在19世纪,随着民主国家和经验自然科学的繁荣,这一旧的政治学在时间和世界观上已变得相当遥远。1835年,托克维尔在《美国的民主》(*Democracy in America*)一书中预见到了这一结果,他说:“对于一个崭新的世界本身来说需要一个新政治学。”[1]

政治的民主化和知识的科学化是解释一般社会科学之形成和变化的现代性的两股力量。[2] 但是,有鉴于由那些把他们自己命名为“政治学家”们产生的问题意识,这些力量对于理解一个“新的”政治学来说也是特别关键的。[3] 政治学家在以“科学”为名突显出来的社会学科中是独特的,而且他们使民主时代的政治学变成了他们的主要探查对象和基本问题。像托克维尔一样,他们对民主及他们该为民主的形式和发展做些什么表现了相当矛盾的心理。民主需要得到解释和理解。但是,它也需要向人民灌

307

〔1〕 Alexis de Tocqueville,《美国的民主》(*Democracy in America*, 1835), J. P. Mayer编(New York: Harper and Row, 1966),第12页。

〔2〕 Mary O. Furner,《辩护与客观性:1865~1905年间美国社会科学专业化中的危机》(*Advocacy and Objectivity: A Crisis in the Professionalization of American Social Science, 1865—1905*, Lexington: University Press of Kentucky, 1975); Thomas L. Haskell,《社会科学的出现:美国社会科学协会与19世纪的权力危机》(*The Emergence of Social Science: The American Social Science Association and the Nineteenth Century Crisis of Authority*, Urbana: University of Illinois Press, 1977); Peter T. Manicas,《社会科学的历史与哲学》(*A History and Philosophy of the Social Sciences*, Oxford: Basil Blackwell, 1987)。

〔3〕 Bernard Crick,《美国的政治学》(*The American Science of Politics*, Berkeley: University of California Press, 1959); Edward A. Purcell,《民主理论的危机:科学自然主义与价值问题》(*The Crisis of Democratic Theory: Scientific Naturalism and the Problem of Value*, Lexington: University Press of Kentucky, 1973); David M. Ricci的《政治学的悲剧:政治学、学术与民主》(*The Tragedy of Political Science: Politics, Scholarship, and Democracy*, New Haven, Conn.: Yale University Press, 1984);在Edward J. Harpham的协助下Raymond Seidelman写的《觉醒的实在论者:政治学与美国的危机,1884~1984》(*Disenchanted Realists: Political Science and the American Crisis, 1884—1984*, Albany: State University of New York Press, 1985); James W. Ceaser,《自由民主与政治学》(*Liberal Democracy and Political Science*, Baltimore: Johns Hopkins University Press, 1990); James Farr, John S. Dryzek和Stephen T. Leonard编的《历史中的政治学:研究计划与政治传统》(*Political Science in History: Research Programs and Political Traditions*, Cambridge: Cambridge University Press, 1995); Rogers M. Smith,《仍在随风飘舞:美国人对一个民主的、科学的政治学的探求》(Still Blowing in the Wind: The American Quest for a Democratic, Scientific Political Science),见于《代达罗斯》(*Daedalus*), 126(1997),第253页~第287页。

输,对人民进行培训,因为公民需要改良,管理者需要训练,官员需要政治才能。为了满足民主的需要和他们自己的竞争目的,政治学家把自然科学视为典范(无论是与自然科学相竞争还是与自然科学相抵触)来塑造他们自己的方法论和文化权威。通过发起一直持续到今天的关于"民主"和"科学"的争论,他们煽动起现代民主讨论的麻烦,而且表达了欲求一个自然的政治学的永久的向往和观点。他们的争论展示了现代政治学的结构性和竞争性,而且确定了它从1890年至1970年的历史脉络。

1890年前的政治学训练

作为一个学术科目,政治学从道德哲学中产生出来,道德哲学在欧洲和美国曾主导了大学教育。道德哲学展示了一个现代自然律的体系,这一体系把政治学与伦理学及法律、历史和经济学联系在一起。它就具有绅士背景的年轻公民的义务对他们进行教育,其中包括那些与官职或公众的信任同时到来的东西。因此,学院政治学在本质上是公共义务的科学,而且向新公民教授这一科学是道德哲学家的公共义务。历史学是一个标出现代政治制度的发展路线和描绘出古代民主之动荡的景象(与这一古代民主之动荡的景象相比较,新的共和国和现代国家已大为进步和改良)的辅助研究。[4]

在政治学从道德哲学中产生的过程中,弗兰西斯·雷柏(1800～1872)是特别重要的。作为移居美国的一位德国侨民,雷柏代表了早期政治学的国际主义。作为托克维尔的一位朋友,他在两位伟大的欧洲人物——德国的约翰·布伦奇利(1808～1881)和法国的爱得娃·拉布莱伊(1811～1883)之间架起了一座科学的桥梁。他的《公民自由与自治》(*Civil Liberty and Self-Government*)一书成了这一新学科的第一部真正的教科书,而且帮助他于1857年在哥伦比亚学院赢得了政治学第一位教授的席位。雷柏提出了关于选举统计学和文本解释学的新的方法论。由于偏爱代议制政府和托管政权,他猛烈攻击妇女参政和多数主义者的"民主专制主义"[5],而且鼓励在欧洲尤其是在德国已在进行中的大学改革。

308

德国大学通过研究和专业化改造科学教育,从而把文化威望和政治权威授予了大学教授职位。在美国的约翰·霍普金斯大学和哥伦比亚大学,心怀渴望的政治学家竞争这一职位,这一学科的基础设施在这两所大学中被建立起来。约翰·霍普金斯创建

〔4〕 Anna Haddow,《在美国学院与大学中的政治学,1636～1900》(*Political Science in American Colleges and Universities, 1636—1900*, New York: Appleton-Century, 1939); Stefan Collini, Donald Winch 和 John Burrow,《那一高尚的政治学:19世纪思想史研究》(*That Noble Science of Politics: A Study in Nineteenth Century Intellectual History*, Cambridge: Cambridge University Press, 1983); Dorothy Ross,《美国社会科学的起源》(*The Origins of American Social Science*, Cambridge: Cambridge University Press, 1991); James Farr,《从现代共和国到行政管理的国家:美国的政治学》(From Modern Republic to Administrative State: American Political Science in the United States),见于 David Easton, John G. Gunnell 和 Michael B. Stein 编的《政体与学科:民主与政治学的发展》(*Regime and Discipline: Democracy and the Development of Political Science*, Ann Arbor: University of Michigan Press, 1991),第131页～第167页。

〔5〕 Francis Lieber,《公民自由与自治》(*Civil Liberty and Self-Government*, 1853),第3版(Philadelipha: J. B. Lippincott, 1901),第156页。

了第一个政治学会(1877),哥伦比亚大学创建了第一座政治学研究生院(1880)。这些大学还出版这一学科的第一批刊物:《约翰·霍普金斯历史政治学研究》(*The Johns Hopkins Studies in History and Political Science*)和《政治学季刊》(*Political Science Quarterly*)。在这些大学的发展中还可添加上培训文职人员的特殊学校的创立,尤其是在政治学私立学校(1871)中和在伦敦经济政治学学校(1895)中。

到19世纪和20世纪之交,学校的基础设施、学会和杂志使这一新的学科制度化,但是,它并没有明确地确立起使这一学科成为一门特殊科学的东西。在私立学校,在埃弥尔·布特密(1835～1906)的主持下,多种政治法学、历史学和经济学为了对文职人员进行启蒙这一目的而同时存在。在哥伦比亚,由约翰·W. 波格斯(1844～1931)建立的政治学校也包括像富兰克林·吉丁斯这类社会学家和E. R. A. 塞利格曼这类经济学家。在伦敦经济政治学学校,创建人之一比阿特丽斯·韦布对聘请一位教授政治学的讲师感到绝望,因为"教授一门还不存在的科学有些困难"[6]。然而,这一学科的基础设施对于召集科学讨论会,提供公共讲台,和对"谁是政治学家"这一问题至少给出一个名义上的答复是关键的。他们是一些阅读杂志和参加援引"政治学"这一名称的协会的在专业学校和大学院系中的学者和教育家。

在美国,学科的制度体系立即发展起来,而且这一过程贯穿了下一个世纪。在欧洲,直到第二次世界大战之后,这一学科才具有重大的发展,而且当时是在美国的影响之下。[7] 为了这些原因,还因为托克维尔的那些关于民主的预言,在19世纪和20世纪之交的这一学科绝大部分是美国的发明,而且这种状况一直保持到今天。然而,许多欧洲的思想家被证明是非常具有影响力的。确实,这一学科的伟大理论几乎总是欧洲的,因为它以国家理论为开端。

309

国家和多元论学说的创立，1890～1920年

国家的理论主导了这一新学科的想象力,而且在德国法律哲学的文本中得到了最详尽的阐述。布伦奇利坚持认为:政治学是Staatswissenschaft(国家的科学),而不是"道德哲学的一章"。它的关于国家之形式、理想和发展的学说被认为是一个法制国家的最高的政治构想,政府就是它的委托代理人。因为有着政治哲学和经验历史学的雄心壮志,当分析19世纪的发展,尤其是代议民主制的兴起的时候,这一理论被证明是及时的。这一由被选出的受法律限制的官员统治的国家形式与直接民主相比具有更

[6] 在Jack Hayward的《英国政治学发展之文化与历史背景的局限》(Cultural and Contextual Constraints upon the Development of Political Science in Great Britain)中被引用,此文刊登在由David Easton, John G. Gunnell和Luigi Graziano编的《政治学的发展》(*The Development of Political Science*, London: Routledge, 1991),第95页。

[7] William G. Andrews编,《国际政治学手册》(*International Handbook of Political Science*, Westport, Conn.: Greenwood Press, 1982)。

大的优越性,这种直接民主的倾向是“暴民的专制政治”[8]。国家科学的德国、法国和意大利变种得到了扩大和繁殖。这一理论在英国和美国也被证明是有用的,[9]美国是第一个使用“state”一词来给它自己命名的国家。国家和政府之间的区分对于波格斯这类美国政治学家来说是重要的,他曾在德国学习,尤其是在内战之后的国家主义背景中学习,而政治学对国家主义多有贡献。波格斯宣布,“民族国家……是自我意识的民主”,但是“最有利的政治制度”是“具有一个贵族政府的民主国家”[10]。其他美国政治学家——在他们中有伍德鲁·威尔逊(1856～1924)——在《国家》(*The State*,1889)一书中否定了国家和政府的分离,但完全是为了精英统治的目的。国家是在它的政府中由被选出或被委派的少数几个人统治的。威尔逊明确同意布伦奇利的观点,即:政治学是政治家的特殊领域,是技术官员的管理。无论政府的精确地位是什么,“state(国家)”确实符合那些寻求受到民主时代的民众热情影响的专业级别的一般理论和政治志向的学者的概念要求。在此,理论和制度化结合在一起,其典范是在美国,但是也在欧洲,在此,人们已可听到要求扩大参政权和建立责任政府的民主呼声。接受大学国家科学之教育的人数微乎其微,然而,这一学科却为教育者提供了政治立法权。 *310*

国家的理论引起了一个关于方法的争论,它关系到民主国家的事实、理论和价值观。布伦奇利将哲学和历史学作为补充的方法提出,而且他向这两个学科提出警告,使其不致分别误入“抽象思维”和“纯粹经验主义”的歧途。对于其他人来说,这些方法是具有分歧的。那些被引向哲学的人,强调国家集权论者的理念和标准的价值观。那些被引向历史实际的人与约翰·西莱爵士的这句格言相唱答:“没有政治学的历史学是没有成果的历史学;没有历史学的政治学是没有根基的政治学。”[11]他们还编纂了一个追溯不同国家之经验发展的“比较历史学方法”,这一方法把研究不同民族和语言的比较历史的人类学家和哲学家结合在一起。[12] 与生物学的联系为波格斯提供了“自然科学”的方法论的认可,但是,这一自我证明的姿态引起了进一步的争论。波格斯认为,比较历史学的方法要求研究宪法的变化,而威尔逊坚持认为应当研究现实的政治,因为“政治是国家的生命”。詹姆斯·布赖斯(1838～1922)——他是自托克维尔以来的关于美国民主的最有见识的注释者——规避了民主的标准“功过”,以致“简单地陈

[8] Johann K. Bluntschli,《国家理论》(*The Theory of the State*),第 3 版(Oxford: Clarendon Press, 1895),第 3 页、第 463 页。

[9] Peter Wagner,《社会科学与国家:法国、意大利、德国,1870 ～1980》(*Sozialwissenschaften und Staat: Frankreich, Italien, Deutschland, 1870—1980*, Frankfurt: Camlpus Vetlag, 1990);Pierre Favre,《法国政治学的诞生,1870 ～1914》(*Naissance de la Science Politique en France, 1870—1914*, Paris: Fayard, 1989);John G. Gunnell,《政治理论的衰落:一个美国职业的谱系》(*The Descent of Political Theory: The Genealogy of an American Vocation*, Chicago: University of Chicago Press, 1993)。

[10] John W. Burgess,《政治学与比较宪法》(*Political Science and Comparative Constitutional Law*),第 1 卷(Boston: Ginn, 1891),第 3 页、第 72 页。

[11] Bluntschli,《现代国家理论》(*Theory of the Modern State*),第 1 页。

[12] 在 Collini, Burrow 与 Winch 的《那一高尚的政治学》第 7 章讨论了 Seeley 和比较方法;关于美国的发展,请参看 Ross 的《美国社会科学的起源》(*Origin of American Social Science*),第 3 章。

述了情况的事实”,其中包括关于腐败、党魁和一致的公共舆论的令人不快的事实。[13] 这一形式的方法上的争论为后来伴随对科学的渴望的辩论确定了模式,也为关于理论对事实和事实对价值的辩论确定了模式。

政治学家还热衷于改革国家的政府和管理机构,因此,他们既是学者又是民主舞台上的演员。例如,威尔逊认为,“这一时代的民主力量”——其中包括民众教育、移民和“便宜的印刷”——创造了政治学家必须解决的“新的组织问题”。他拥护根据英国的议会制度塑造的合法领导和“进步政策”。他还提出了一个把国家行政机构置于政党政治和公共舆论的斗争之上的改良主义的“管理科学”——这在英国甚至也是有用的,因为“英国本身接近于民主”。由弗兰克·古德诺撰写的《市政问题》(*Municipal Problems*, 1897)之类的著作强烈要求市政改革。由于信仰英国和法国的模式,古德诺拥护保守的革新主义。城市应该在本质上独立于国家政府而且绝对摆脱政党的统治。311 一个具有受约束的市长和被任命的政策专家的强大的城市议会将完全把“政治”功能与“管理”功能区分开来,这是一个由这一学科产生的公共管理的分支学科从此之后当成它的前提的一个区分。有鉴于存在未被通知的选民和在某些地方有“大量未受教育的黑人”,所以只应以不常见的公民投票举行选举来填补关键职位。因此,政治学能够服务于管理机构改革的事业和它自己的“有限民主的理论”[14]。

在20世纪初,当民主和科学的辩论塑造成新的形式的时候,学科机构也得到扩展,尤其是在美国。紧随着国立大学高等教育民主化的觉醒,政治学系建立了,在这些大学中有加利福尼亚大学(1903),伊利诺斯大学(1904),威斯康星大学(1904),密执安大学(1911),明尼苏达大学(1915)和堪萨斯大学(1917),还有一些私立大学,其中包括西北大学(1915)和斯坦福大学(1919)。哈佛大学在它的政治学系中创设了政治学教授职位。教授、律师和文职人员于1903年创建了美国政治学协会(APSA),他们中的许多人是美国历史学会(AHA)或改良主义者的美国社会科学协会(ASSA)的成员。[15] 美国政治学协会描绘出这一学科的三个主要分支学科的大致轮廓,这三个主要分支学科在此之后大致保持稳定,它们是:政治理论或哲学;公共法,其中包括宪法、国际法和行政管理法;普通政治学,它包括政治关系、政策和行政管理。经过一段时间之后,第三个领域发展成相互独立的分支领域,它们是美国政治学、比较政治学和国际政

[13] Burgess,《政治学与比较宪法》第1卷,第vi页;Woodrow Wilson,《一位老先生与其他政治论文》(*An Old Master and Other Political Essays*, New York: Scribner's, 1893),第51页;James Bryce,《美利坚合众国》(*The American Commonwealth*, 1893),第2版(New York: Macmillan, 1922),第4页。

[14] Wilson,《一位老先生与其他政治论文》,第105页、第111页、第118页、第136页;Wilson,《管理研究》(The Study of Administration),见于《政治学季刊》(*Political Science Quarterly*),2(1887),第198页;Frank J. Goodnow,《市政问题》(*Municipal Problems*, New York: Macmillan, 1897),第147页,第309页～第310页。

[15] 在Albert Somit和Joseph Tanenhaus的《美国政治学的发展:从伯格斯到行为主义》(*The Development of American Political Science: From Burgess to Behavioralism*, Boston: Allyn and Bacon, 1967)第5章,Ricci的《政治学的悲剧》第3章中讨论了制度的发展(在部分年代上略有不同)。

治学。[16] 当学术论文与现实政治学之“新闻和注释”同时发表的时候,一本新杂志——《美国政治学评论》(*American Political Science Review*)是这一学科之发展和它既关注科学又关注政治学的一个进一步的象征。《美国政治学评论》还为持续这一学科的方法争论发表最新的关于方法的文章和它关于民主的宣言:年度主席讲话。

早期的主席讲话论述这门科学的主题并揭示持续存在的关于民主的焦虑。对于某些人来说,这门科学展示了一个真实的、经验的和无党派的在普通舆论之上但是在“哲学思辨”的高度以下的方向。它寻求“控制爱争论的态度和一时的热情的思想习惯”来“在一方面影响政治家,在另一方面向人民提供智慧的食粮”。当科学被传授之后,它就“在领导民族的阶级中创造了适当的性情和态度”,但是,大有“希望把科学的确定性或权威引入政治学”。这一在布赖斯(他在任英国驻美国大使的同时出任第四届美国政治学协会主席)方面的后来的警示也被哈佛大学校长 A. 劳伦斯·罗威尔所提出。他的 1910 年的讲话把在其对“政治制度之有机规律”的寻求中的政治学比做哲学,但是并不否定“政治学的最终对象是道德”。威尔逊——新泽西州的新州长——在他的讲话中援用“法律和事实”的比喻。但是,他坦白说,“我并不喜欢政治学一词”,因为人际关系需要“理解与同情”。[17] 这一学科的身份的辩论继续涉及它的名称。 312

然而,作为民主政治之解释的国家理论衰退了。“国家”一词本身将不会消失,而且政治学家将继续努力解决这一理论所面对的真实问题。只要对人民政府或对国家志向还有一点借口,一个历经政权更替或人民或民族在革命时期从他们的代议政府中重新挪用的政治协会的概念就仍是必要的。但是,由威尔逊、布赖斯和罗威尔对“事实”和“政治制度”所做出的姿态引起了 19 世纪国家理论及其比较历史方法的强烈谴责。伦敦经济学院的第一位政治学教授格雷厄姆·沃拉斯(1858～1932)希望扭转只“分析制度而避开了对人的分析”的趋向。只有通过心理学,政治学才能改善它的“好奇心未被满足的状态”,而且帮助在代议民主制中的精英,因为“那些对它的实际工作最具有经验的人经常是那些受了挫折的、失望的和忧虑的人”。美国政治学协会的另一位早期的主席亨利·琼斯·福特保留了“国家”一词,但是呼吁在写它的“达尔文的……自然史”时使用“行为的更多的数据资料和证据”[18]。达尔文主义的祈愿在政治

[16] Westel W. Willoughby,《美国政治学协会》(The American Political Science Association),见于《政治学季刊》,19(1904),第 108 页。

[17] Frank J. Goodnow,《美国政治学协会的工作》(The Work of the American Political Science Association),见于《美国政治学协会会报》(*Proceedings of the American Political Science Association*),1(1904),第 43 页;Albert Shaw,《会长致辞》(Presidential Address),见于《美国政治学评论》(*American Political Science Review*),1(1906),第 182 页;James Bryce,《政治学与历史和实践的关系》(The Relations of Political Science to History and Practice),见于《美国政治学评论》,3(1909),第 16 页;A. Lawrence Lowell,《政治生理学》(The Physiology of Politics),见于《美国政治学评论》,4(1910),第 7 页、第 9 页;Woodrow Wilson,《法律与事实》(The Law and the Facts),见于《美国政治学评论》,5(1911),第 11 页。

[18] Graham Wallas,《政治学中的人性》(*Human Nature in Politics*, 1908),第 3 版(New York: Knopf, 1920),第 ix 页、第 25 页、第 37 页;Henry Jones Ford,《国家的自然史》(*The Natural History of the State*, Princeton, N. J.: Princeton University Press, 1915),第 1 页、第 131 页。

学(不像社会学)中引起的喝彩声很小,[19]但是"数据"和"行为"是具有光明未来的词语。"作用"一词也是具有光明未来的词语,它显著地出现在亚瑟·F. 本特利的令人震撼的批判性著作《政府的作用》(*The Process of Government*)一书中。本特利(1870~1957)贬低了"一个死政治学"的"无益的形式主义",尤其是那个"鬼"国家。政治学的主题应是与"群体现象"相联系的利益和活动。民主只关注"大群体的利益",而不关注任何"'人'的玄想"。本特利甚至责备那些对事实调查口惠而实不至的人:

313

> 你们的政治学家认为当他把某些关于机器[或]老板的评论插入他的著作中的时候,他正误入歧途,而且他值得称赞地描绘了"现实的"政府……但是,这位老板本人在形式上也几乎像是总统或州长那样也是政治学中的一个要素。当你说明他的时候,你还没有说明活生生的社会。你还必须走到他的身后来发现什么是通过他的力量在相互之间发生作用的真实利益。[20]

对利益和活动的强调不仅关系到理论,而且还关系到这一学科的实际目的的一个有利害关系的能动的观点。对渐进改良主义的忠诚仍然持续存在,而且在本特利和查尔斯·A. 比尔德(1874~1948)的著作中,它找到了对在政治学中的筑壕固守的经济利益的反对意见的更激进的表达。1913 年,当美国政治学协会的第一届委员会为新世纪列出了政治学系的重要性的时候,它表达了大多数人的更为保守的、专业化的行动主义,这些重要性是:"(1)为人们取得公民资格提供培训;(2)为法律、新闻、教育和公共服务这类职业做准备;(3)为政府的职位培训专家和准备特殊人才。"人们"还可以在此之上添加上"第四个关于"研究"的重要性。[21] 这并不是不科学的行动主义,而是一门使它的专业知识支持市政、法律和管理的实践的"政治"学。

第一次世界大战完成了这一年轻学科的改造。这场战争终结了渐进的和费边的把注意力集中于美国和英国的国内政策改革的希望得以终结。它还有助于全世界的人都把"国家"确立在德国和它的政治哲学的基础之上。将很快成为剑桥大学第一位政治学教授的厄奈斯特·巴克于 1915 年领导了一次对"不名誉的国家"的抨击,正如一位美国人后来评论的那样,这"为正规化提供了一个如此良好的辩护"。[22] 由民族主义所驱动,无论如何,这一抨击体现了其他意义,其中包括一个为了"民主"的改良。在作为一位政治学家批评了民主政治之后,作为美国总统的伍德鲁·威尔逊与"为了民主,世界必须变得安全"这一著名宣言发生敌对。关于民主的现实的觉醒仍然持续存在,但是"民主"一词已经达到这样一个历史高度,以至它在整个 20 世纪都持续存在。

[19] John S. Dryzek 和 David Schlosberg,《训练达尔文:在政治学史中的生物学》(Disciplining Darwin: Biology in the History of Political Science),见于由 Farr, Dryzek 和 Leonard 编的《历史中的政治学》(*Political Science in History*),第 123 页~第 144 页。

[20] Arthur F. Bentley,《政府的作用》(*The Process of Government*, 1908),Peter H. Odegard 编(Cambridge: Harvard University Press, 1967),第 162 页~第 163 页、第 263 页、第 455 页。

[21] 在 Somit 和 Tanenhaus 的《美国政治学的发展》第 82 页上被引用。

[22] Ernest Barker,《被怀疑的国家》(The Discredited State),见于《政治学季刊》,2(1915),第 101 页~第 126 页;William Y. Elliott,《政治学中实际的反叛》(*The Pragmatic Revolt in Politics*, New York: Macmillan, 1928),第 86 页。

而且,英国和美国的政治学家已经清除掉任何这类残存思想,即国家是一个对公民生活具有绝对权威的一元君权行为。无论如何,美国的联邦主义从来不和那一思想相像,但是,国家的科学家们还不曾注意在政府之下或在政府之外运转的集体活动的丰富生活。虽然像巴克这类英国政治学家面对一个更加集中的国家政府和一部理想主义的中央集权论和法律实证论的历史,但是,英国国民对他们国家的忠诚仍被教会、协会和工会所分裂。因此,统治被分散了。"多元领导"是巴克的术语;别人称其为"多元国家"或简单地称为"多元论"。 314

多元论作为这一学科主要的和被质疑的理论前提代替了国家理论。国家仍然存在,但是,它由群体利益和功能以立法的方式构成并以科学的方式进行解释。这使人想起了托克维尔的话,多元论在现代民主中既发现了利益的多样性,又发现了多数暴政的危险。社会学方法现在被需要用来研究由社会群体组成的民主政体。哈罗德·拉斯基(1893～1950)——一位开始在哈佛大学后来又在伦敦经济学院执教的英国人,在伦敦经济学院,他于1926年继承了沃拉斯的政治学教授一职——在《主权问题研究》(*Studies in the Problem of Sovereignty*, 1917)和《在现代国家中的权威》(*Authority in the Modern State*, 1919)两部著作中展开了关于多元国家的最具有影响力的阐述。和在他之前的布赖斯一样,拉斯基继续使政治学变为一门跨大西洋的学科。他凭借着G. D. H.科尔加入了英国籍,而且他们两者都利用了奥托·冯·基尔克。他们的努力在英国"为政治理论确立了议事日程",而且在这一学科博得了全世界的关注。[23] 在法国,像莱昂·狄骥这类法学家也加入了多元研究的计划;在美国,玛丽·帕克·芙丽特和艾伦·戴博拉·爱丽丝这类政治学家和社会学家加入了多元研究的计划。芙丽特把多元论放在对社会民主和实际的个人主义的服务中。这一使命是要理解"自治的方法",这意味着理解政治组织的"集体作用"和自我发展的"精神作用"。因为"民主政体是群体组织",而不是投票站;"它是真正的集体意志的诞生,每一位单独的个人都必须向这一集体意志贡献出他的全部的复合的生命"。"全体公民",而不是仅仅几个"在办公室的'好人'"与多元论利害攸关。对于她这一方面来说,爱丽丝以抵制德国的专制主义同时又明确表达真正民主的群众基础来信仰多元论。[24]

撇开多元主义的争论不说,芙丽特和爱丽丝在这样一个学科中仍是著名人物,这一学科在实际上并没有为学术界的妇女提供支持, 而且以激烈的辩论和已经产生的意

[23] Paul Q. Hirst,《多元的国家理论》(*The Pluralist Theory of the State*, London: Routledge, 1989)第8页。

[24] Mary Parker Follett,《新国家:群体组织——人民政府的瓦解》(*The New State: Group Organization the Solution of Popular Government*, New York: Longmans, 1920),第7页、第11页、第75页、第168页;Ellen Deborah Ellis,《多元论的国家》(The Pluralist State),见于《美国政治学评论》,14(1920),第393页～第407页。

315 向来与妇女的选举权进行斗争。[25] 即使在那时,芙丽特像大多数社会学家和政治学家一样不属于任何院系,而爱丽丝在史密斯一所妇女历史学院执教。在几十年的时间里,事情在这一方面并没有发生任何变化。但是,随着授予美国妇女选举权的第19条修正案的颁布、第一次世界大战的结束和许多新挑战的出现,这一学科在1920年已处在十字路口。

新政治学,1920~1945年

在1920年到1945年之间,政治学的制度化在美国继续取得平稳的发展,而在世界的其他地区,政治学虽然发展较为缓慢,但也十分可观。在那些岁月里,美国政治学协会的成员数量从1300人增长到3300人,大多数大学在它们的花名册上增加了政治学系。虽然剑桥大学在1928年创立了一个名义教授讲席,并以此与在伦敦经济学院、牛津大学和伦敦大学学院的那些政治学系联系在一起,这一学科仍旧持续着它的"在英国各大学里的秘密存在"。在法国,政治学(它是"历史学、法学……和地理学的女儿")仍然处在培训文职人员必备的学科家族之中。在1920年,"作为科学的政治学"研究出现在柏林德国高等政治学校,而且直到1933年它被置于宣传部之下,政治学研究在这里一直很兴旺发达。在魏玛共和国这一自由民主的插曲中,德国高等政治学校把"对实际和民主的关注与政治教育"结合起来,以作为对仍在大学占统治地位的保守的国家科学的反攻。[26]

面对民主政治的深刻问题为这一学科的争论添加了燃料和动力,这些争论包括大量的移民入境、扩大选民范围、经济萧条、专制主义的运动、极权主义国家和另一次世界大战。在美国举行的三次全国政治学大会(1923~1925)提倡"对政治过程进行实际的观察",以便解决或控制这类"政治问题"。[27] "民主政治"是政治学要加以研究和指导的代议制政府和宪法制度的名称。大多数政治学家到那时为止都逐渐开始赞成民主的主要理想,然而,他们在与被选举的代表和精英相对的人民的参政能力上具有

316 分歧。把他自己称为实用主义者和多元论者的弗兰西斯·G.威尔逊认为一位"不活跃的选民"在美国的"保守民主政治"中是一个"永恒的因素"。他当时并不抱怨,因为

[25] 参看 Beverly B. Cook 的《支持从事政治学研究的学术界的妇女,1890~1945》(Support for Academic Women in Political Science, 1890—1945),见于《妇女与政治学》(*Women and Politics*),6(1986),第75页~第104页;Mary G. Dietz 和 James Farr,《"政治学将毫无疑问地使她变成男性":性别、选举权与美国政治学的起源》("Politics Would Undoubtedly Unwoman Her": Gender, Suffrage, and the Origins of American Political Science),见于由 Helene Silverberg 编的《性别与美国社会科学:形成的年代》(*Gender and American Social Science: The Formative Years*, Princeton, N. J.: Princeton University Press, 1998),第61页~第85页。

[26] Somit 和 Tanenhaus,《政治学的发展》(*Development of Political Science*),第91页~第94页;在《国际政治学手册》中的 Hayward 与 Favre 所写的条目,此书由 Hayward 编辑,引文在第155页、第355页上;Hans Kastendiek,《西德的政治发展与政治学》(Political Development and Political Science in West Germany),见于 Easton, Gunnell 和 Graziano 编的《政治学的发展》,第108页~第126页。

[27] Charles E. Merriam,《政治学的新面貌》(*New Aspects of Politics*, 1925, 1931),第3版(Chicago: University of Chicago Press, 1970),第334页。

“它是对他不愿选举的公民的合理性的一种尊敬”。一位美国政治学协会的主席甚至走得更远,他驳斥了普遍选举权的“教条”,他说:“无知的人、蒙昧的人和反社会的人”不应参加选举;统治权应留给“一个智力和品格上的贵族”。然而,曾是美国政治学协会和美国历史学会主席的比尔德发出了更乐观、更平民化的评论。他说:“我们的民主政治依赖全人类都具有高尚的道德这一假定。”[28]这加固了他的(而且他希望的孪生学科的)对民众的民主教育的承诺的基础。

关于民主的争论涉及那些关于科学的争论,而且后者在这一历史时期也是尖锐的。某些政治学家被一个已经出现的自然主义的、价值自由的科学的更严格的观点所吸引,其他政治学家被这些观点所排斥。这些争论在美国首次出现,但是,它们吸引并利用了欧洲的思想家。一位由康奈尔大学培训出来的英国人乔治·卡特林写道:“除了空名以外,再也不存在政治学这类东西。”然而,如果关于实验的自然科学态度和对“政治价值”的回避能被复制,而且一个可计量的政治生活单位可被发现的话,那么这样一个科学就是可能的。在经济学具有金钱的地方,政治学就能够使用“权力”。一位老路线的市政改革者和关于“公民教育之庞大运动”的怀疑论者威廉·贝内特·门罗也感到,在一个“纯粹的政治学”接受一个“来自新物理学的类比”,而且发现了决定在国家、群体和行为之下的现象的“政治学……的无情规律”之前,它将仍是“落后的”。门罗提供了他自己的“钟摆律”,它表面上解释了人们的政治态度如何从一端摆向另一端,尤其在思想极端主义的时代。一位曾在牛津大学学习的保守立宪自由主义者威廉·Y.埃利奥特认为:这类观点“非常适于总结在美国政治学家中流行的科学趋向”。因此,他把卡特林和门罗的名字添加到包含拉斯基、狄骥和约翰·杜威这类多元论者的名单之上,他指责这些人使政治学变成了“实证主义的、行为主义的、描述的而在道德上却是盲目的(政治学)”。他认为:道德的盲目性要归因于实用主义,这一实用主义已被证明为“对代议制政府不耐烦”,而且已经帮助和容纳了“实用主义时代的先知”墨索里尼这类法西斯分子。为了反对实用主义者和“‘纯粹’政治学家”,埃利奥特拥护公然具有“规范原则”的“政治理论”。[29] 尽管具有相当的差异,对于所有参与者来说,民主政治的命运与受到竞争的科学的命运纠结在一起是显而易见的。对于许多人来说,对科学和民主的承诺如果不是相互矛盾的话,也是不确定的。价值自由的科学似乎要排除对民主价值的合理辩护。

317

〔28〕 Francis G. Wilson,《实际的选民》(The Pragmatic Electorate),见于《美国政治学评论》,24(1930),第32页、第35页、第37页;Walter J. Shephard,《在转变中的民主》(Democracy in Transition),见于《美国政治学评论》,29(1935),第18页、第20页;在Ricci的《政治学的悲剧》第95页上所引的Beard的话。

〔29〕 George E. G. Catlin,《科学与政治学的方法》(*The Science and Methods of Politics*, New York: Knopf, 1927),第84页、第298页;William B. Munro,《无形的统治》(*The Invisible Government*, New York: Macmillan, 1927),第35页～第37页;Munro,《物理学与政治学——一个被重新审视的古老类比》(Physics and Politics – An Old Analogy Revisited),见于《美国政治学评论》,22(1927),第5页、第10页;William Y. Elliott,《一个政治学的可能性》(The Possibility of a Science of Politics),见于Stuart Rice编的《社会科学中的方法:一部记事本》(*Methods in Social Science: A Case Book*, Chicago: University of Chicago Press, 1931),第74页;Elliott,《政治学中的实际的反叛》(*Pragmatic Revolt in Politics*),第53页、第84页～第85页、第337页。

在两次世界大战之间的岁月里，查尔斯·E. 梅里亚姆（1874～1953）作为这一学科之历史中的最重要的人物凸显了出来。梅里亚姆在政治学之制度形式和思想框架之上留下了不可磨灭的印记。[30] 他是一位举世无双的组织者，他在新的芝加哥大学建立了一个政治学系，使得这一学科的重心从哥伦比亚大学移至这里。如同在社会学中（后来又在经济学和法学中）一样，由梅里亚姆集结在一起的同事和学生组成的"芝加哥学派"产生了。梅里亚姆确立了一个合作研究的模式，像他的公民培训丛书一样，这一合作研究的模式在构成上也经常是国际性的。在1923年，他用洛克菲勒基金会的捐款建立了社会科学研究理事会（SSRC）。从此以后，社会科学研究理事会和企业的慈善行为在研究领域和社会学家提问或被提供资金以进行回答的各类问题中起着关键作用。[31] 此外，梅里亚姆出示了政治学中的学者、活动家和专家的范例。为了进步的事业，他能成功地担任芝加哥城市委员会的主席，而不能成功地担任芝加哥市长。从威尔逊到杜鲁门，他一直担任总统顾问，在第一次世界大战期间，他在宣传活动中起着特别重要的作用，在罗斯福新政时期，他在国家计划中起着特别重要的作用。

梅里亚姆的学术成就是政治学学科的思想从中央集权论通过多元论走向突现的行为主义的踪迹。他写了大量的关于权力、政党和选举的作品，也写了大量的关于政治思想史的作品。在与哈罗德·F. 戈斯内尔合著的《没有选举：控制的理由和方法》（*Non-Voting: Causes and Methods of Control*, 1924）一书中，他发展了一种调查工具，用来调查为什么在妇女选举权的直接后果中，登记或参加选举的公民是如此之少。他使《公民的塑造》（*The Making of Citizens*, 1913）和《美国的公民教育》（*Civic Education in the United States*, 1934）两本书永远保留在这一学科的关注实践的书单上，而且他把公共政策放在《论民主的日程》（*On the Agenda for Democracy*, 1941）一书中。在回答《何谓民主?》（*What Is Democracy?* 1941）和对比《新民主和新专制》（*The New Democracy and the New Despotism*, 1939）的时候，他在一个被新的极权主义国家折磨的世界中增强了政治学的"民主的"忠诚。

梅里亚姆还因《政治学的新面貌》（*New Aspects of Politics*, 1925）一书而著名，这是他为"被现代科学改造的新世界"发表的方法论宣言。确实，他根据不断变化的科学方法叙述了这一学科的历史："（1）延续到1850年的先验的和演绎的方法；（2）1850～1900年的历史的和比较的方法；（3）1900年之后的趋向观察、调查、计量的当今趋向；（4）政治学的心理学治疗法的开端。"最后一个阶段表示居于"心理学和政治学之间的交界地区"的所有东西，其中包括精神病学和行为主义，但是，它主要指被梅里亚姆称为"政治行为科学"的对态度、见解和个性的研究和控制。像行为主义一

318

[30] Barry S. Karl，《查尔斯·E. 梅里亚姆与政治学研究》（*Charles E. Merriam and the Study of Politics*, Chicago: University of Chicago Press, 1974）。

[31] Donald Fisher，《社会科学的基本的发展：洛克菲勒慈善事业与美国社会科学研究委员会》（*Fundamental Development of the Social Sciences: Rockefeller Philanthropy and the United States Social Science Research Council*, Ann Arbor: University of Michigan Press, 1993）。

样，这一特殊的政治学是以控制为导向而且在表面上是价值自由的。然而，与行为主义不同，它接受舆论，包括公共舆论这类精神状态的不可化简的实在，而且欢迎心理分析对政治学或民主所能做出的任何贡献。“但是，政治学和社会学（其中包括心理学）面面相向是基本的；社会科学和自然科学在一个共同的努力中走到一起，而且在人类已经面临的最伟大的使命中把它们的力量团结在一起，这一伟大使命是：思想对人类行为的理解和控制。”[32]

梅里亚姆在这一学科的最重要的遗产是“芝加哥学派”本身。他的最早的同事和学生——其中包括戈斯内尔，伦纳德·D. 怀特和哈罗德·D. 拉斯韦尔（1902～1978）——通过陈述它的方法和实质性的研究成果证明梅里亚姆对政治行为科学的态度的合理性。第二次世界大战之后，在行为主义的旗帜之下，这一学派逐渐把 V. O. 科伊、戴维·杜鲁门、格伯列尔·阿尔蒙和未来的诺贝尔奖金得主赫伯特·A. 西蒙算作它的成员。在这一著名的花名册上，拉斯韦尔无论是在 1945 年之前还是在 1945 年之后都凸显出来。和他的老师梅里亚姆一样，拉斯韦尔支持那些把“科学”变成方法的同义词的严守学术规范的人。例如，在《精神病理学与政治学》（*Psychopathology and Politics*, 1930）和《世界政治与个人不安全状态》（*World Politics and Personal Insecurity*, 1935）两部著作中，他发现了无数关于围绕权力和心理学的题目的“技巧”，它们是结构分析、精英分析、团队分析等等。在一个再次倾向于战争的世界中，他在《政治学：谁、何时、如何得到了什么》（*Politics: Who Gets What, When, and How*, 1936）一书之副标题中的政治学的明快的定义诉求于由法律概念修正的一个学科。与此同时，拉斯韦尔从欧洲的最伟大的思想家——马克思、韦伯和弗洛伊德那里汲取他的关于民主之不满的假定。他还帮助普及加塔诺·莫斯卡维尔弗雷多·帕累托和罗伯托·米歇尔的理论，他们在 20 世纪初对“铁律”、愚昧的大众和必然产生的精英的分析是对现代大众民主之脆弱性的进一步的提示。

对于拉斯韦尔来说，宣传处于政治和政治学的核心，他把它定义为“通过重要象征的运用的集体态度的管理”，或再次定义为“通过重要象征对舆论的控制”。在 20 世纪 30 年代和 40 年代，随着关于这一题目的论文的发表，拉斯韦尔又出版了几部研究专著，其中包括关于国内共产主义者之方法的《世界革命宣传：芝加哥研究》（*World Revolutionary Propaganda: A Chicago Study*, 1939）一书。这些研究专著产生了更多的像内容分析一样的方法“技巧”。作为理论和实践之间的骑墙者，宣传在价值中立的同时，也能在对任何事业的服务中都成为工具。它是一个“纯粹的工具……并不比一把水泵手柄更道德或更不道德”。有鉴于它对语言和深思熟虑的强调，民主像法西斯主义或共产主义一样需要宣传，也许更需要宣传。拉斯韦尔在第一次世界大战的觉醒中

319

〔32〕 Merriam，《政治学的新面貌》第 105 页、第 132 页、第 173 页、第 348 页、第 350 页；关于行为主义，请参看 Kurt Danziger 的《为心灵命名：心理学如何发现了它的语言》（*Naming the Mind: How Psychology Found Its Language*, London: Sag, 1997）。

看到了这一点，而且为他的讲话选择了一个不贴切的同义词，他说："民主已经宣布了阿谀奉承的独裁专政，而对独裁者来说的指挥技术被称为宣传。"[33]在第二次世界大战刚爆发的时候，他的观点仍然保持不变，此时他正通过公共舆论促进民主[《通过公共舆论的民主》（*Democracy through Public Opinion*, 1941）]，而且为在国会图书馆的战时通讯研究主持着实验部。

在20世纪30年代，来自德国和奥地利的知识分子移民（他们中的大多数人是为了逃避纳粹的迫害）深刻地影响了这一学科。虽然在他们移居美国之前，除了那些在德国高等学校工作的人之外，政治学"不是一个熟悉的专业种类"，但是许多移民在政治学系中或围绕政治学系找到了家园，其中包括那些在哥伦比亚大学、芝加哥大学、哈佛大学和新社会研究学院中的政治学系。少数几个人——如保罗·拉扎斯菲尔德、卡尔·多伊奇和海因茨·厄洛——随身带来了对科学方法的精确理解和对作为科学哲学的实证主义和经验主义的正确评价。但是大多数在历史学、哲学和法学方面受过训练的人——他们中有卡尔·弗里德里希、弗朗茨·诺伊曼、利奥·施特劳斯、埃里克·沃格林和汉娜·阿伦特——要严厉批评实证主义，有时要严厉批评科学本身。他们的声音在以后的几十年里有助于增强关于科学和民主的争论的激烈程度。无论是"左"倾还是右倾知识分子移民都通常把在魏玛共和国统治之下的自由民主实验判定为明显的失败和极权主义兴起的原因。某些人，像沃格林，对"自称为民主主义者——指西方的民主——的臭猪"非常痛恨，因为他们首先允许德国的侵略扩张。但是，即使对于那些不应受到这种谴责的人来说，30年代和充满战火硝烟的40年代也将对民主的含义和前景重新进行考察。[34]

第二次世界大战本身是《战争学》（*A Study of War*, 1942）的直接研究课题，它是由芝加哥学派的昆西·赖特撰写的。在第二次世界大战期间由移民汉斯·摩根索所作的反思导致了他的政治现实主义的杰作《科学的人对政治的权力》（*Scientific Man Versus Political Power*, 1946）一书的出版。而且，战争确保了面对极权主义时同盟国政治学家的民主的自我认同。出于信仰或承诺，政治学家们决定把他们的技术用于为民主服务，尽管他们继续对人民的参政能力有所保留，而且继续肯定在价值冲突中科学的中立。1942年，拉斯韦尔把这一学科的"正在发展着的民主科学"称为"为实现民主理想的工具库"。现在，人们比以往更把科学想象为具有"现实关注点"和"新的关联感"的专业技术知识。民主被理解为需要它自己的"象征操作者"和一个"教育的重新

320

[33] Harold D. Lasswell，《在世界大战中的宣传技术》（*Propaganda Technique in the World War*, New York: Knopf, 1927），第9页；在E. R. A. Seligman编的《社会科学百科全书》（*Encyclopedia of the Social Sciences*）（New York: Macmillan, 1934），中"宣传"一条，第12卷，第525页；《政治宣传理论》（The Theory of Political Propaganda），见于《美国政治学评论》，21（1927），第627页、第631页。

[34] Gunnell，《政治理论的衰落：一个美国职业的谱系》，第7章～第9章，第185页、第198页。

定向”的“象征和实践的范型”。[35] 在第二次世界大战中，政治学家被他们各自国家的战争机构所征募，经常受雇于宣传和情报机关。为战争的服务又反过来对其关于科学和民主的判断具有重要的影响。因为已经“从他们的象牙塔中搬出来而且在华盛顿和其他地区要认真对待日常政治和管理的现实”，所以许多持行为主义信仰的美国政治学家对“用传统的政治学方法描述现实感到一种强烈的不适宜，对于预见未来就更不适宜了”。[36] 其他人，其中包括被欧洲的伟大理论所吸引的移民和政治理论家，对用更新的行为主义方法来解释和批判现实同样感到一种强烈的不适宜。

行为主义和民主的批评者，1945～1970 年

在第二次世界大战之后的 25 年里，这一学科凭借着专业课、学术刊物、新的院系和学会成员，以爆炸速度发展壮大。在联合国教科文组织赞助下和美国的支持下，一个国际政治学协会（IPSA）于 1949 年在巴黎成立。它把几个已经成立的来自美国（建于 1903 年）、加拿大（1913）、芬兰（1935）和印度（1938）的国家协会聚集在一起，而且帮助创建其他国家协会，后来这些国家协会成了国际政治学协会的成员。法国政治学协会与国际政治学协会同时成立，而且由安德烈·西格弗里德任主席，他是一位以研究选举和政党而闻名的政治地理学家。在 20 世纪 50 年代，德国、瑞士、比利时、荷兰、以色列、澳大利亚和阿根廷也成立了国家的政治学协会。这些协会的活动之所以可能，是因为在这一时期出现的政治学院系和学校的学者的积极参与。例如，德国高等政治学院于 1948 年恢复，而且于 1959 年作为柏林自由大学之最大的院系并入其中。在法国，在巴黎和政治学私立学校以外的政治学的地域化是值得关注的，与此同时，在英国，政治学研究在早先建立和新建立的大学里扩张的课程中变得更加突出。[37]

321

美国对世界范围的政治学发展的影响是普遍而且是居于霸主地位的。这绝大部分是美国政府在国外活动之扩张和政府通过奖学金或直接雇用以国际关系支持国内研究的结果。[38] 某些政治学家（如在芝加哥大学的伦纳德·D. 怀特）意识到自己有一个使命：“我们具有一个以美国的生活方式和美国政府的精神对全世界进行教育，并以它的形象对其进行改造的实际的使命。”人们经常欢迎美国的影响，但也不是总是如

〔35〕 Harold D. Lasswell,《发展中的民主科学》(The Developing Science of Democracy)，见于由 Leonard D. White 编的《美国政府的未来》(*The Future of Government in the United States*, Chicago: University of Chicago Press, 1942)，第 25 页、第 31 页、第 33 页、第 34 页、第 43 页。

〔36〕 Robert A. Dahl,《政治学中的行为主义方法：一个成功的抗议的纪念碑碑文》(The Behavioral Approach in Political Science: An Epitaph for a Monument to a Successful Protest)，见于《美国政治学评论》,55(1961)，第 765 页。

〔37〕 在由 Hayward 编的《国际政治学手册》第 34 页～第 46 页，第 154 页～第 168 页，第 169 页～第 176 页上的 Trent, Favre 和 von Beyme 所写的词条；Kastendiek,《政治学的发展》(Political Development)；Jean Leca,《法国政治学及其分支领域》(French Political Science and Its Subfields)，见于 Easton, Gunnell 和 Graziano 编的《政治学的发展》，第 108 页～第 126 页，第 147 页～第 186 页。

〔38〕 Terence Ball,《在其战后政治背景中的美国政治学》(American Political Science in Its Postwar Political Context)，见于 James Farr 和 Raymond Seidelman 编的《学科与历史：美国的政治学》(*Discipline and History: Political Science in the United States*, Ann Arbor: University of Michigan Press, 1993)，第 207 页～第 221 页。

此。例如,当英国政治学协会于1950年成立的时候,原来的多元论者科尔就强烈反对“政治学”这一名称本身。代替“政治学”的政治研究协会这一名称是被生造出来的。1951年,伦敦经济学院把它的政治学的讲席授予迈克尔·欧克肖特,他以对科学为依据的理性主义提出质疑而闻名,而且伯纳德·克里克愿意在他的毫不夸张的《美国政治学》(*The American Science of Politics*, 1959)研究中完成英国人对美国科学主义和自由主义的反应。对政治学的抵制也同样来到了美国。弗朗茨·诺伊曼在1953年对“德国的流亡者”进行了反思:“他们在尊重理论和历史的氛围中被培养大,而且藐视经验主义和实用主义,可这些德国流亡者进入了一个完全相反的思想氛围:乐观主义的,以经验为导向的,非历史的,但也是自我校正的氛围。”[39]他对其发出抱怨,而怀特对其感到自信的思想氛围是由行为主义形成的。

行为主义与一个对当代政治行为的数量研究方法的诉求大致等同,这类政治行为典型地出现在选举、立法机构和在政府以外的次要的团体和协会中。简而言之,它是关于方法、行为和美国风格的自由民主。“行为”一词是相当普遍的,它涵盖了态度这类从属于个人的特性和整个体系这类超越个人的特性。而“方法”意味着任何定量的或被使用的工具。因此,行为主义不是欧洲风格的伟大理论,也不像在心理学中的行为主义那样具有计划性,而是用一个实验研究的特殊惯用语和“诸变量”[40]的一个超语言表述的方向、方法和信仰。芝加哥学派和梅里亚姆的政治行为学的延续是明显的,因为主要的行为主义者是这一学派的成员、后裔或同盟。反过来说,他们之中的大多数又纪念沃拉斯和本特利这类先驱人物。并不是所有政治学家都持有这一信仰;许多人继续在历史的、比较的和国际的背景中研究制度、思想、管理和政策。确实,从数量上说,非行为主义者代表了实践政治学家和理论家的多数。然而,没有任何人能够忽略行为主义的高度夸张和渲染的形象或它对权力之制度基础的迅速捕捉。当社会科学研究理事会(SSRC)于1951年组成一个关于政治行为的委员会的时候,它帮助把这一研究引向行为主义的方向。具有行为研究的研究机构和中心的网络也出现了,其中包括密执安大学的观察研究中心、国家舆论研究中心和行为科学高级研究中心。洛克菲勒基金会、卡内基基金会、福特基金会、国家科学基金会和美国政府的各种机构支持它们的研究工作。[41]

322

对于行为主义来说关键的十年是在1951年到1961年之间,而这十年又以1953年为其象征。在那一年,美国政治学协会主席E.彭德尔顿·赫林宣布:“美国人尊重技

[39] Leonard D. White,《政治学,本世纪中叶》(Political Science, Mid-Century),见于《政治学杂志》(*Journal of Politics*),12(1951),第18页;在Gunnell的《政治理论的衰落:一个美国职业的谱系》第186页上所引的Neumann的话。

[40] 关于“变化”,请参看Danziger的《为心灵命名:心理学如何发现了它的语言》;关于行为主义,请参看在注释3中所引的著作;还请参看Somit与Tanenhaus的《美国政治学的发展》;James Farr,《记住这一革命:在美国政治学中的行为主义》(Remembering the Revolution: Behavioralism in American Political Science),见于由Farr, Dryzek和Leonard编的《在历史中的政治学》(*Political Science in History*),第198页～第224页。

[41] Somit和Tanenhaus,《政治学的发展》,第167页～第172页。

术和科学;政治学家妒忌能够基于实验而不能基于论证的权威。”[42]最重要的是,戴维·伊斯顿发表了行为主义的宣言——《政治制度:对政治学情况的调查》(*The Political System: An Inquiry into the State of Political Science*)一书,以此为他那一代人做了梅里亚姆的《政治学的新面貌》一书为自己那一代人所做的事情。在哈佛大学(具有讽刺意味的是在埃利奥特的指导之下)完成学业并被安置在芝加哥大学梅里亚姆的旧办公室之后,伊斯顿不仅批判“传统的”对国家政治的调查,而且也批判政治理论家的“历史主义”和早先经验主义者的“超事实主义”。“政治制度”应当为政治研究定向,而“权威的价值分配”应当代替在政治学之定义中的“权力”。[43] 在挫败了许多流亡者和政治理论家——像沃格林在《新政治学》(*The New Science of Politics*, 1952)一书中以古典哲学和标准价值的名义谴责了科学——之后,行为政治学家赞扬了“科学方法”,而且为这一学科的主流确定了一套方针路线。统计学和抽样调查为应被算作“科学”研究的东西确立了范式。方法变得越来越量化,而且“方法论者”的明星升起来了。

323

行为主义者产生了大量的实质性研究成果,尤其是关于政党、公共舆论、司法行为和代议民主制的其他构成特征的研究成果。在早先就与本特利有联系的对利益集团政治学之作用的研究在杜鲁门的《政府的作用》(*The Governmental Process*, 1951)一书中复活。拉斯韦尔继续就权力和精英的问题进行写作,而且把《政策科学》(*The Policy Sciences*, 1951)誉为政治学对战后民主的特殊贡献。芝加哥学派对宣传问题的调查在关于内容分析的方法论的论文中得以延续,也在阿尔蒙的《共产主义的诉求》(*The Appeals of Communism*, 1953)之类的实质性研究中得以延续,在《共产主义的诉求》一书中,冷战政治学已是非常明显的现象。最好的和最具有影响力的经验研究关系到选举和公共舆论,尤其在合著《选举》(*Voting*, 1954)和《美国的选民》(*The American Voter*, 1960)两本书中。这些“现实主义的”研究也把选举置于代议民主制模式的核心,这一模式贬低个体公民,而抬高在一个自由制度之总体系中为了选举而竞争的精英:“今天的**个体选民**似乎不能满足被政治理论家勾勒出轮廓的政府的民主制的要求。但是**民主的体系**确实满足了这一要求。”这为它们赢得了“经验民主理论”和“民主精英主义理论”这类称号。在《民主论前言》(*A Preface to Democratic Theory*, 1956)和《谁统治?》(*Who Governs?* 1961)这类著作中,罗伯特·达尔作为行为主义的最重要的经验民主理论家出现。在对民主的麦迪逊理论和平民主义理论提出质疑的过程中,他恢复了“多头政治”和“多元论”这两个术语,这是强调次要协会团体和利益竞争之作用的更好方

[42] E. Pendleton Herring,《关于对政府的研究》(On the Study of Government),见于《美国政治学评论》,47(1953),第961页。

[43] David Easton,《政治制度:对政治学状况的调查》(*The Political System: An Inquiry into the State of Political Science*, 1953),第2版(Chicago: University of Chicago Press, 1971),第4章~第5章,第10章。

法。多元民主展示的不是多数人的统治,而是“少数人的统治”[44]。

关于代议民主制的法律和普遍性的要求在对被授予的“迪韦尔热法”的接受中是明显的,它根据选票计算制度解释了政党的数量。例如:赢者掌控的区域产生了两个主要党派。因法国法学家和政治社会学家莫里斯·迪韦尔热而得名的“迪韦尔热法”支持行为主义的国际诉求,这一点在由英国学者戴维·巴特勒所写的《政治行为研究》(*The Study of Political Behavior*, 1958)和由让·梅纳德所写的《政治学简介》(*Introduction à la Science Politique*, 1959)两部著作中也十分明显。在美国的对民主制的行为研究从来不是明显的偏袒性的或民族性的同时(确实,它的大部分都是具有批判精神和改革精神的),它传达了这样一个意思,即美国式的自由民主是在20世纪这样一个如此混乱的世纪中所能够取得的最好的制度。在解释欧洲的不稳定性的过程中,西摩-马丁-李普塞特绝妙地评论说:这种民主是“在运行中的良好社会本身”。[45]

324

20世纪50年代末和60年代出现了一系列关于行为主义和它对自由民主的忠诚的激烈争论。在这些争论中,伊斯顿像拉斯韦尔、达尔、杜鲁门、阿尔蒙和厄洛一样崭露头角。在1961年,达尔试图为“一个成功的抗议竖立的纪念碑镌刻一篇墓志铭”,以纪念行为主义的方法。但是行为主义已终止的谣言过早地流传开来,而且达尔自己说明“革命的宗派主义者发现他们自己……正在成为权力机构的成员”。重要著作仍在继续出版,这些著作不仅是关于行为研究的著作,而且还是关于由那些具有“行为主义信仰”的人所倡导的“生活方式”的著作。一些领导人物——如杜鲁门和阿尔蒙——在整个60年代继续利用美国政治学协会主席的讲台代表行为主义说话,其方法是诉求于新的科学哲学,如托马斯·库恩的科学哲学。有鉴于库恩的反实证主义,在把行为政治学变为一个“范例”的过程中不存在半点讽刺意味。但是,对于一个政治“科学”的易于恢复活力的呼唤仍然是主要的目的。而且它受到政治学家的检验,他们中的许多人是流亡者,他们把自己标榜为或被污蔑为历史和哲学的“传统的”或“标准的”忠臣。汉娜·阿伦特认为:“关于行为主义及其‘法则’之合理性的不幸的真理是,人越多,他们越喜欢行为循规蹈矩,越不能容忍不循规蹈矩……当大众社会已经吞没了国家的所有阶层的时候……‘行为科学’的兴起明确地表示出最后的阶段。”摩根索认为,拉斯韦尔朝着作为应用行为主义政策的转向揭示了“政治学的悲剧”——有鉴于它“如果对政治哲学对政治科学的必要贡献不是敌视的话,那么无论如何也是对它漠不关心的”。由利奥·施特劳斯的门生所写的一卷《论政治科学研究》(*Essays on the Scientific Study of Politics*, 1962)直接以本特利、拉斯韦尔和西蒙为批判对象。施特劳斯

[44] Bernard R. Berelson, Paul F. Lazarsfeld 和 William N. McPhee,《表决:对在总统竞选中的舆论形成的研究》(*Voting: A Study of Opinion Formation in a Presidential Campaign*, Chicago: University of Chicago Press, 1954),第306页、第312页;Angus Campbell, Philip E. Converse, Warren E. Miller 和 Donald E. Stokes,《美国的选民》(*The American Voter*, New York: Wiley, 1960);Robert A. Dahl,《民主理论前言》(*A Preface to Democratic Theory*, Chicago: University of Chicago Press, 1956),第3章~第5章。

[45] Seymour Martin Lipset,《政客》(*Political Man*, Garden City, N. Y.: Doubleday, 1959),第439页。

用为了维护“共同的善”的实在而称赞自柏拉图以来的“古典政治学”，和为了科学主义、自由相对论和在冷战之中对“民主之最危险的倾向”的盲目性而痛斥“新政治学”来结束了这一卷书。一个滑稽的曲解总结了他对行为主义的激烈斥责：“人们也许会说，当罗马燃烧的时候，它在虚度光阴。它被两个事实所申辩：它并不知道它虚度光阴，而且它也不知道罗马在燃烧。”[46]

无论在美国还是在欧洲，行为主义和自由民主都面对其他批评家，他们都站在政治左翼的立场说话。谢尔登·沃林批判“墨守成规”，对政治理论的“使命”发出欢呼，而且称赞高于代议民主制的参与。[47] 加拿大政治理论家 C. B. 麦克弗森在《真正的民主世界》（*The Real World of Democracy*, 1966）一书中批判了自由主义的神话，并列举了民主的非自由主义的变种。《非政治的政治学》（*Apolitical Politics*, 1967）、《多元论的偏见》（*The Bias of Pluralism*, 1969）和《自由主义的终结》（*The End of Liberalism*, 1969）之类的标题捕捉到了反权力机构的基调。在西德，长期受到国家科学之保守的继承人的抵制的政治学的“美国化”，又受到自我认同的马克思主义政治学家和包括于尔根·哈贝马斯在内的批判理论家的新的攻击。对马克思和马克思主义政治学分析的兴趣的复活也刻画出法国和意大利政治学的特征。即使当被驳斥的时候，马克思主义也得到人们认真的思考。在法国也是如此，（在此，60 年代的政治学给了这类讨论一个优势）人们不仅避免了“模仿美国的经验主义”，而且后结构主义和后现代主义的分析的发展（最显著的是米歇尔·福柯所做的发展）对科学的批判贡献很大。[48] 这些更激进的美国和欧洲批评家认为，行为主义、科学和方法（及美国式自由民主的附带价值）都是政治问题的部分。

325

在美国城市中的骚动、对冷战政策的攻击和在美国和欧洲的对越南战争的抗议运动加剧了这一学科内部的争论。它们的残酷性暗示着自由主义多元论的局限，而它们的意外性戏剧式地表现了政治学家预见实际行为的无能。一个“左”倾的新政治学核心小组于 1967 年成立，它对“美国政治学协会（APSA）”“未能以一种激进的批判精神研究当今的大危机或美国政治制度的固有弱点”提出批评。一门“新的”政治学必须改变这些不幸，不然的话，这一核心小组就要宣告《政治学的终结》（*An End to Political Science*, 1970）。即使是以往的行为主义者也承认这一时代对于这一学科特征的重要

〔46〕 Dahl，《政治学中的行为主义方法：一个成功的抗议的纪念碑碑文》，第 766 页；Heinz Eulau，《政治学中行为的说服力》（*The Behavioral Persuasion in Politics*, New York: Random House, 1963），第 viii 页；Hannah Arendt，《人类的环境》（*The Human Condition*, Chicago: University of Chicago Press, 1958），第 43 页、第 45 页；在 Crick 的《美国的政治学》（*American Science of Politics*）第 208 页上所引的 Morgenthau 的话；Leo Strauss，《跋》，见于由 Herbert J. Storing 编的《论政治学的科学研究》（*Essays on the Scientific Study of Politics*, New York: Holt, Rinehart and Winston, 1962），第 311 页、第 327 页。

〔47〕 Sheldon S. Wolin，《作为一个天职的政治理论》（Political Theory as a Vocation），见于《美国政治学评论》，63（1969），第 1062 页～第 1082 页；还请参看 Wolin 编的《民主》杂志，它声援了参与政治的民主人士。

〔48〕 参看 Kastendiek 的《政治学的发展》；Leca，《法国的政治学》；和 Luigi Graziano，《意大利政治学的发展与制度化》（The Development and Institutionalization of Political Science in Italy），见于由 Easton，Gunnell 和 Graziano 编的《政治学的发展》，第 108 页～第 126 页、第 147 页～第 186 页、第 127 页～第 146 页。

性。确实,当戴维·伊斯顿在1969年发表他的美国政治学协会主席讲话的时候,那就是一个关键时刻和职业的英勇行为。他开始指出:“在美国的政治学中正在发生一场新的革命。”它是一场“后行为主义的革命”,现在那“最近的一场革命(行为主义)已受到我们时代与日俱增的社会和政治危机的突然侵袭”。这些危机暗示了“目前对民主的多元论解释的科学的失败”和一个看来“更像美国政策的辩护士”而不像美国政策的“客观分析家”的学科的政治失败。伊斯顿呼唤一个后实证主义方法构想,也呼唤一个“相关信条”和一个社会科学家的联合会来恢复这一学科的时代荣誉与改革事业的密切联系。[49] 政治学的战后时代结束了。

326

民主的前景与后行为主义的状况,从1970年至今

随着20世纪70年代的到来,政治学科和政治世界的危机衰退了,但是,这并没有预示着任何学科的统一或对民主之稳定性的信心。某些行为主义者抱怨说,这一学科仍然过于“前行为主义化”,或者说它需要使拉斯韦尔的“技术革命”继续存活,以向自由民主制提供专家咨询。[50] 政治理论家像许多大陆政治学家一样从学科的争论中解脱出来而又重新投身于历史和重大理论的研究。在英国,尽管由一个新社会科学研究理事会支持的在埃塞克斯和斯特莱斯克莱德大学的某些行为主义的机构于1965年才创立。当昆廷·斯金纳被评为政治学教授的时候,即使是政治思想史(它受到行为主义者如此尖锐的批评)也在剑桥大学的政治学科的核心得到复兴。

在1970年之后,不是后行为主义,而是一个“后行为的状况”能够适当地描述政治学。这一状况接受了不同的诊断,它们大多数是关于趋向、区分和觉醒的诊断。客观的报道仍然指出,这一学科的分支领域(更不用提不同国家的学会)已相互分离开来,而且经常相互隔绝。尽管如此,制度的发展和关于科学和民主的长期争论仍在继续。我们可以通过尝试性地概略描述这一学科的某些趋向来结束这一简短的历史,这些趋向的长期结果在20世纪末还看不太清楚。

作为专业人文学科的政治学与很多院系、杂志和学会成员的名义上的统一像以往那样牢固地制度化了,虽然某些变化仍是值得注意的。截止到1980年,国际政治学协会(IPSA)的成员国已达到40个,在随后的几年里,数量仍有缓慢的增长,这主要归因于中欧和苏联国家的重组。在1975年,美国政治学协会(APSA)的成员是11700人,截止到1983年,跌落到8400人,而在1995年,上升至历史最高水平的13900人,其中包括

[49] 在Seidelman的《觉醒的实在论者》(*Disenchanted Realists*)第198页上所引的预备会议的政纲;David Easton,《在政治学中的新的革命》(The New Revolution in Political Science),见于《美国政治学评论》,63(1969),第1051页、第1057页、第1061页。

[50] Heinz Eulau,《技术革命与协商共同体》(Skill Revolution and the Consultative Commonwealth),见于《美国政治学评论》,67(1973),第169页～第191页;John Wahlke,《在政治学中的前行为主义》(Pre-Behavioralism in Political Science),见于《美国政治学评论》,73(1979),第9页～第31页。

3600 名妇女。在政治学中妇女的比例比在社会学和历史学中的比例要低,但是比在经济学中的比例要高。然而,妇女在这一学科中的存在是重要的,而且她们对这一学科的贡献更为突出,这正如女权主义在政治理论中一样。在 1991 年,哈佛大学的政治理论学家朱迪思·什克拉(1928～1992)当选为美国政治学协会的主席,她是持有这一职位的第一位妇女。第二位女主席埃莉诺·奥斯特罗姆于 1996 年当选。杂志《妇女与政治学》(*Women and Politics*)于 1980 年开始出版,它在十多种主要由自我认同的政治学家和理论学阅读的专业杂志中占有它的一席之地。 327

无论是对自然的政治"科学"的向往还是对它的抵制都在持续着,如果它们的程度不是太强烈的话,那么它们在围绕合理选择理论和相互竞争的科学哲学的争论中也是明显的。"合理选择的革命"把政治决定构造成顺从规范的经济模式和博弈论的合理选择,以此把这一学科变为"一项真正的科学事业"[51]。虽然政治学家对经济学的普遍兴趣可上溯至道德哲学和雷柏、卡特林和比尔德的著作,可这一革命却是从由安东尼·唐斯所撰写的《民主的经济理论》(*An Economic Theory of Democracy*, 1957)一书开始。但是,在战后,尤其是在国际经济重建时期,政治学和经济学在方法和内容上被紧密地聚合在一起,这一点在查尔斯·林德布洛姆、达尔和西蒙(西蒙在公共管理机构中受到训练而且赢得了诺贝尔经济学奖)的著作中特别明显。多年来作为新的合理选择革命的标准承担者的威廉·赖克,用经济学理论来解决时代之荣誉的政治学问题。他对程序化民主和有限政府的简要说明在《反对民粹主义的自由主义:民主理论与社会选择理论之间的对立》(*Liberalism against Populism: A Confrontation between the Theory of Democracy and the Theory of Social Choice*, 1982)一书中得到最为清晰的呈现。反映在这部著作和类似于它的其他著作中的政治的和方法的立场都在这一学科中引起了相当强烈的反应。任何一种政治"科学"的更加广泛的辩论在解释学、批判理论和后现代主义中找到了支持。这些哲学赢得了许多政治理论家和在美国研究国际关系的学生及在欧洲的政治学家的偏爱,这些欧洲的政治学家在寻求这一学科的自我理解的时候,比他们的美国同行更喜欢诉求于哲学的论说。在这些方法的发展之上还可添加欧洲式的伟大理论的复兴,它是一个"把国家带回到家里来"的呼吁,也是民主制度和学科本身之历史研究的复活。[52]

虽然关于科学的争论很重要,可那些关于民主的争论对于这一学科的特性和在公

[51] Kenneth A. Shepsle,《研究制度:从理性选择方法得出的某些教训》(Studying Institutions: Some Lessons from the Rational Choice Approach),《理论政治学杂志》(*Journal of The oretical Politics*),Ⅰ(1989),第 148 页。

[52] 参看此卷书中 Morgan 写的一章;Kristen R. Monroe 编,《研究政治学的经济方法:理性行为理论的批判性重估》(*The Economic Approach to Politics: A Critical Reassessment of the Theory of Rational Action*, New York: Harper Collins, 1991);Ian Shapiro 和 Donald P. Green,《理性选择的病理学:政治学中对应用的批判》(*Pathologies of Rational Choice: A Critique of Applications in Political Science*, New Haven, Conn.: Yale University Press, 1994);Quentin Skinner 编的《人文科学中的伟大理论的回归》(*The Return of Grand Theory in the Human Sciences*, Cambridge: Cambridge University Press, 1985);Peter B. Evans, Dietrich Rueschemeyer 和 Theda Skocpol 编的《把国家带回家》(*Bringing the State Back In*, Cambridge: Cambridge University Press, 1985);Farr, Dryzek 和 Leonard 编的《历史中的政治学》。

共世界中的地位感来说都仍然是最重要的。当政治学的大学生加入教育者、管理者、公务员、(最经常的是)律师的行列时,他们随身携带的就是围绕民主的问题。还是这些问题把专业政治学家作为顾问、民意测验者和注释者带上了公共舞台。在 20 世纪 80 年代和 90 年代,随着鼓动共产主义社会者和评议制民主主义者的进入及“公民社会”的复活和“公民的回归”[53],自由主义者、多元论者、精英统治论者和参与民主主义者之间的古老争论被赋予了新的生命。因为在北美日甚一日的多元文化民族状态、冷战的结束、苏维埃集团中的民主革命、创立欧洲联盟的努力和民主运动的全球化,民主的问题采取了全新的形式。这类问题不仅需要对科学有利的争论和辩解,而且还需要对公民教育和国家领导人之教育有利的争论和辩解。只要它承担了这些使命,政治学将继续被认同为民主的学科——尽管它自己的历史争论具有全部的复杂性、讽刺性和自相矛盾性。

(辛岩　译)

〔53〕 Ronald Beiner 编,《公民资格论》(*Theories of Citizenship*, Albany: State University of New York Press, 1995);Robert D. Putnam,《使民主发挥作用:在现代意大利中的市民传统》(*Making Democracy Work: Civic Traditions in Modern Italy*, Princeton, N. J.: Princeton University Press, 1993);Sidney Verba, Kay Lehman Schlozman 和 Henry E. Brady,《舆论与平等:美国政治学中的公民唯意志论》(*Voice and Equality: Civic Voluntarism in American Politics*, Cambridge, Mass.: Harvard University Press, 1995)。

18

社会学

329

罗伯特·C. 班尼斯特

随着美国革命和法国大革命及工业主义和市场资本主义的兴起，现代社会诞生了，在对现代社会之社会秩序问题的回应中，社会学产生出来。这一研究计划的先决条件是对一个与任何特殊的政治形式分离开来的公民社会的承认。社会学家把怀疑论与对理性的信仰结合在一起，他们坚持认为，社会不是自然或神圣秩序的反映，而是服从于理性的分析。鉴于启蒙运动理论家根据“社会交往”观点和个人利益的集合观点来观察社会，社会学探索的目标就是使“社会”可能存在的形式和结构。[1]

社会学不同于其他社会科学，它坚持它的主题没有特定领域——如原始社会、政治或经济，而将社会性作为它的主题。在其他社会科学把它们的主题当成给定的同时，第一批学究式的社会学家还在花大量精力来论证存在需要研究的“社会”这样一个东西。结果，这一学科的发展比人类学、政治学和经济学的发展晚了十年或更多的时间。使这一新的学科合法化的策略在从声称它是社会科学的拱顶石的强烈主张到研究社会关系的更有限的提议的范围内变化。

社会学在奥古斯特·孔德（1792～1857）和赫伯特·斯宾塞（1820～1903）的理论中有其根源，而且在由人口普查局、国家劳动部和改革机构在从前进行的经验性工作中有其根源。理论和实际知识之间的张力在它的历史的各个阶段持续存在：（1）前学术时代，在这一时代中，“社会学”的概念产生了（19 世纪 30 年代～19 世纪 60 年代）；（2）社会有机论的和进化论的模式的增殖和扩散（19 世纪 70 年代～19 世纪 90 年代）；（3）统计学和社会调查的并驾齐驱的传统（19 世纪 30 年代～20 世纪 30 年代）；（4）“古典时期”与成熟的工业化和现代民族国家的形成相重叠，在这一时期，社会学成了一门研究学科（19 世纪 90 年代～20 世纪头十年）；（5）两次世界大战之间的在美国芝加哥大学的繁荣，与之相伴随的是在法西斯主义兴起之后的欧洲社会学的相对衰

330

[1] Shmuel N. Eisenstadt,《社会学的形式》(*The Form of Sociology*, New York, Wiley, 1976)，及其《社会学》(*Sociology*)，见 David L. Shils 编，《国际社会科学百科全书》(*International Encyclopedia of the Social Sciences*, New York, Macmillan, 1968)，第 15 卷，第 25 页～第 36 页；Peter Wagner,《被遗失的社会科学》(Science of Society Lost)，载于 Peter Wagner, Bjorn Wittrock 和 Richard Whitley 编，《关于社会的论说》(*Discourses on Society*, Dordrecht: Kluwer, 1991)，第 218 页～第 245 页；Heinz Maus,《社会学简史》(*A Short History of Sociology*, London: Philosophical Library, 1962)。

落和实际消失;(6)在1945年之后,在美国的影响之下的全世界范围的复兴,具有讽刺意味的是,在当时,美国的社会学理论又重新欧洲化了;(7)随着20世纪60年代的激进的攻击出现的分裂和持续的危机。[2]

社会学家们在一系列相互竞争的记叙中详细描述了这一历史。在可上溯至孔德的**实证主义的**设想中,科学的逻辑无情地推进了认识,虽然是逐渐地推进,就像形而上学思辨对以经验为基础的社会法则做出让步一样。对于两次世界大战之间的岁月中相互冲突的"学派"之现实做出反应,**多元论的**阐述改为强调互补的方法的多样性。**综合的**历史记录从其他人的著作中确认了一个"真正的"社会学传统,它形成于1890年与1910年之间的埃米尔·迪尔凯姆和马克斯·韦伯的著作中。尽管具有实质性的差异,可这些阐述都分享了同一假定:社会学像自然科学一样,也是日积月累的、循序渐进的和完全是认识方面的。20世纪50年代和60年代的**人文主义**历史记录改为把注意力集中于可上溯至18世纪的"古典"传统,这个较小的理论家团体以一种美学情感和道德激情论述欧洲中世纪社会及政治制度的瓦解和现代社会的产生——这种美学情感和道德激情与那一在文学和哲学中表达的美学情感和道德激情相类似。[3]

自从20世纪60年代以来,**背景**历史记录已经强调了社会的、制度的、思想的和文化的因素在形成这一学科中的作用。[4] 为了挑战实证主义的设想,背景主义者把"科学"的概念本身置于历史的背景中,它被称为"科学主义"或"客观主义"。关于理论的斗争和理论与经验工作之间的分裂看来像是为了社会影响和权力的竞争,而胜于像是朝向一个统一的社会学传统的运动。对于背景主义者来说,在现代的起点,诞生于对社会和道德重建的关注的一个学科看来更常像是现状的仆人,而胜于像是现状的批判家。这一背景主义的批判导致了在后来持续了30年的一个危机。

331

[2] 关于时期划分,请参看 Edward Shils,《在社会学史中的传统、生态学与制度》(Tradition, Ecology, and Institution in the History of Sociology),载于《代达罗斯》(*Daedalus*),99(1970),第760页~第825页;Terry Clark,《科学制度化的阶段》(The Stages of Scientific Institutionalization),载于《国际社会科学杂志》(*International Social Science Journal*),24(1972),第658页~第671页。

[3] 这里的类型学改编自 Donald N. Levine,《社会学传统的观点》(*Visions of Sociological Tradition*, Chicago: University of Chicago Press, 1995),第1章~第5章。这些例证包括:John Madge,《科学社会学的起源》(*The Origins of Scientific Sociology*, New York: Free Press, 1962)[实证主义者];Don Martindale,《社会学理论的性质和类型》(*The Nature and Types of Sociological Theory*, Boston: Houghton Mifflin, 1960),和 Eisenstadt 的《社会学的形式》[多元论者];Talcott Parsons,《社会行动的结构》(*The Structure of Social Action*, New York: McGraw-Hill, 1937)[综合的];Robert A. Nisbet,《社会学传统》(*The Sociological Tradition*, New York: Basic Books, 1966),和 Raymond Aron 的2卷本《社会学思想中的主要潮流》(*Main Currents in Sociological Thought*, 2 vols, New York: Basic Books, 1965—1967)[人文主义者]。

[4] 接着注释3的类型学,请参看 Thomas L. Haskell,《专业社会科学的出现》(*The Emergence of Professional Social Science*, Urbana: University of Illinois Press, 1977),Robert C. Bannister 的《社会学与唯科学主义》(*Sociology and Scientism*, Chapel Hill: University of North Carolina Press, 1987),和 Stephen P. Turner 与 Jonathan H. Turner 的《不可能的科学》(*The Impossible Science*, Newbury Park, Calif.: Sage, 1990)[社会的/制度的];Irving M. Zeitlin,《思想与社会学理论的发展》(*Ideology and the Development of Sociological Theory*, Englewood Cliffs, N. J.: Prentice Hall, 1968),和 Dorothy Ross 的《美国社会科学的起源》(*The Origins of American Social Science*, Cambridge: Cambridge University Press, 1991)[思想];Arthur J. Vidich 和 Stanford W. Lyman,《美国的社会学:世俗对宗教的抵制及其方向》(*American Sociology: Worldly Rejections of Religion and Their Direction*, New Haven, Conn.: Yale University Press, 1985)[文化-宗教的]。

奠基者：19 世纪 30 年代～60 年代

虽然在 19 世纪 30 年代～60 年代的社会和经济变化为前学术社会学（preacademic sociology）的产生提供了一个共同的背景，但是第一批社会学家的著作反映了在现代化过程中的时间选择和强度上的重要的国家的差异。在法国，相对有力的中产阶级的成员牢牢记住了雅各宾恐怖和拿破仑一世的专政这两者的过分，摇摆于一个完成大革命之平等主义的允诺的希望与一个对社会和道德秩序的向往之间。对于奥古斯特・孔德来说，棘手的问题是法国大革命及其后果。在与他的身为保皇党的、虔诚的天主教徒的父亲决裂之后，孔德全身心地拥抱共和主义。从 1814 年到 1824 年，在与早期的社会主义者圣西门合作了十年之后，孔德在《实证主义哲学教程》（*Cours de philosophie positive*，1830～1842）和《实证主义政治学体系》（*Système de politique positive*，1842）两部著作中勾勒出他的社会学的轮廓。在此，他宣布了"三阶段法则"（law of three stages）和一个科学等级体系，在这一科学体系中，认识从神学阶段发展到形而上学阶段，最后发展到实证的或科学的阶段。最后一门需要发展的科学是"社会学"，这是他于 1839 年发明的术语。社会学将是现代社会的统治基础，虽然在他与圣西门决裂之后，孔德日益把科学家视为最无能的统治者。在他的晚期著作中，孔德勾画出人文宗教（Religion of Humanity）的轮廓，这是一个拥有教士和仪式的标准理论。[5]

在英国，在内战和光荣革命结束一百多年之后，工业革命的允诺和危险占据了中心舞台。在他的第一部著作《社会静力学》（*Social Statics*，1850）中，赫伯特・斯宾塞捍卫一个"道德良知"的哲学，而反对指望政府实现最大多数人的最大利益的功利主义的"权宜之计的学说"。在《社会学研究》（*The Study of Sociology*，1873）*一书中，斯宾塞创作了自孔德之《实证主义哲学教程》以来的第一部关于社会学方法的主要论著。在《社会学原理》（*Principles of Sociology*，1876～1893）一书中，他提供了一个对社会制度的功能分析，在一个比较的和进化的框架中应用广泛的民族志和历史学的资料，而且论证所有社会都是从简单社会发展到复杂社会，或用另一种表述，从军事社会发展到工业社会——这是一个他后来因其受到批判的直线前进的观点。

在德国——它有一个较弱的中产阶级，现代化是相对封闭的贵族精英的任务，他们接受现代化的技术和经济的结果，而不接受它的政治和社会结果。社会学根植于哲学唯心主义和浪漫主义运动的传统中，而且由被觉察到的启蒙运动的理性主义和个人主义的过分和德国的对民族身份的不确定感形成。其结果是全面分析、历史意识、对

332

〔5〕关于 Comte，请参看 Mary Pickering，《奥古斯特・孔德》（*Auguste Comte*，Cambridge: Cambridge University Press, 1993）；关于后来的实证主义，请参看 Christopher G. A. Bryant，《在社会理论和研究中的实证主义》（*Positivism in Social Theory and Research*，New York: St. Martin's Press, 1985）。

* 严复译为《群学肄言》。——译者

理性的怀疑和与现代性的疏远的遗产。社会学的要素从历史学家和哲学家的著作中浮现出来，这些人从赫德尔到黑格尔到卡尔·马克思和一大群不太知名的人物。但是，历史/哲学传统的生命力阻碍了纯“社会学”的发展，在19世纪70年代末之前，德国人实际上还不知道这一术语。

在南北战争前的美国，在一个“自由”社会中的奴隶制度的异常启发乔治·菲兹福胡写出了《关于南方的社会学》(*Sociology for the South*, 1854)，启发亨利·休斯写出了《社会学论文》(*Treatise on Sociology*, 1854)，它们是对北方工业社会的批判，而且是第一批使用“社会学”一词的美国书籍。在北方，空想社会主义者在他们对其他可选择的社会秩序的探索中利用了孔德和其他人。虽然这些特殊的探索的路线在内战之后销声匿迹，可是对于社会重建的渴望和大量的倾向于接受现代性的中产阶级的存在使美国变成这一新学科之肥沃土壤。[6]

有机论与进化论：19世纪70年代～90年代

孔德和斯宾塞还对从19世纪60年代以来就不断发展的有机的和进化论的隐喻的扩散多有贡献。对于孔德来说，一个自然的而不是形而上学的客体——社会有机体提供了值得人类崇拜的实体，证明人文宗教的合法性。[7] 对于斯宾塞来说，社会确实**是**一个有机体，并不是简单的类比，而是说，它是一个实际意义上的有机体。然而，他承认，在意识附着于这一有机体的相互分离的部分，而不附着于集中的“社会感觉中枢”的意义上，社会有机体不同于生物有机体，以此保持了他的对个人主义与放任主义的方法的承诺和政治的承诺。[8] 欧洲大陆的理论家在19世纪末这一历史时期提炼并扩展了有机的类比。在《社会主体的构造与生活》(*Bau und Leben des sozialen Körpers*, 1875～1878)一书中，阿尔伯特·舍夫勒吸取了在人体和社会体之间的广泛的类比——例如，把核心家庭比做基本细胞，把警察局比做表皮防护组织。阿尔比恩·斯莫尔(1854～1926)和乔治·文森特在《社会学入门》(*An Introduction to Sociology*, 1895)中把舍夫勒介绍给美国读者，它是这一领域的第一批教科书之一。

333

有机论的/进化论的著作还强调群体和种族之间的冲突。已在沃尔特·白芝霍特的《物理学和政治学》(*Physics and Politics*, 1873)一书中得到发展之后，冲突改变了奥地利的“斗争学派”的著作中的中心舞台，这一学派由路德维希·龚普洛维奇

〔6〕 Eisenstadt,《社会学的形式》,第15页～第16页。

〔7〕 Donald Levine,《有机体的隐喻》(Organism Metaphor),载于《社会研究》(*Social Research*),62(1995),第239页～第265页。

〔8〕 关于“社会达尔文主义”(Social Darwinism)和Spencer,请参看J. D. Y. Peel,《赫伯特·斯宾塞》(*Herbert Spencer*, New York: Basic Books, 1971); Robert C. Bannister,《社会达尔文主义》(*Social Darwinism*, Philadelphia: Temple University Press, 1979),第2章～第3章;Jonathan Turner,《赫伯特·斯宾塞》(*Herbert Spencer*, Beverly Hills, Calif.: Sage, 1985),第3章。

(1838～1909)和古斯塔夫·拉岑霍弗尔(1842～1904)代表。他们在把社会学的注意力从个人转向群体和群体的利益方面起过重要的作用,这一影响在斯莫尔的晚期著作中非常明显。一位英国文职官员本杰明·颉德(1858～1916)写出了《社会进化》(*Social Evolution*, 1894),它成为社会学的第一批畅销书之一。颉德论证说,为了生存的斗争,虽然对于人类进步是必要的,但是,不能被理性证明为合理(因为理性的思考总是自私的),而只能被他所说的"超理性的"认可证明为合理,"超理性的"认可是孔德之人文宗教的一个非理性的回声。[9] 与此同时,种族主义思想在约瑟夫·阿瑟·戈比诺、乔治·瓦谢·德·拉普热和奥托·阿蒙的著作中浮现出来,他们之中的每一个都在德国具有特别广泛的读者。

截止到19世纪80年代,社会学家已在与生物学的联盟中察觉到一种威胁:它把对于一个独立学科的需求连根切断,而且,在斯宾塞的放任主义的版本中,污染了在社会改革者和其他支持者中的这一学科,这些社会改革者和其他支持者对于它的成功是非常关键的。在《动态社会学》(*Dynamic Sociology*, 1883)中,美国人莱斯特·弗兰克·沃德(1839～1913)论述了这两个问题。根植于进化的生物学之中,社会学将研究基本的人的驱动力以之产生"社会力量"的方式。根据沃德的观点,在这一过程中,思想("心理要素")产生了,允许人类事务的科学方向并允许被他称为"全民政治"政体的创造。在使人的欲望和社会秩序相和谐方面,社会学是"动态的",这是一个解除束缚的幻想,在19世纪90年代之后,沃德及其门徒就从这一幻想上后退了。

对沃德的对进化的解读提出挑战,耶鲁大学教授威廉·格雷厄姆·萨姆纳(1840～1910)在无数篇论文和《社会各阶级都互相亏欠什么》(*What Social Classes Owe to Each Other*, 1883)这类具有广泛读者的著作中捍卫了放任主义。由一位英国圣公会牧师转而成为经济学家的萨姆纳,谨慎地期待"社会学"来分析由马尔萨斯所描述的"生物学的生存斗争"如何被支配"生活竞争"的社会规则和标准所制约。虽然在思想的领域被斯宾塞所吸引,萨姆纳还是从德国人朱利乌斯·里别尔特的人类学和历史民族志中形成了他自己的"社会科学"(science of society),比起社会学(sociology)来,这是他更偏爱的一个术语。在他的开创性的著作《民间习俗》(*Folkways*, 1906)一书中,他强调了对于形成个人行为的社会习俗的力量。[10]

虽然在后来被打了"社会达尔文主义者"的标记,并作为"社会达尔文主义者"而被解雇,社会达尔文主义者是一个警告生物学与社会学之间的联盟的具有政治意义的轻蔑词,进化论者和有机论者在这一学科的形成中起着重要的作用。斯宾塞的贡献包括早期的社会学方法的分析,民族志和比较方法的运用,对宗教、军事、专业和其他社 334

[9] James Alfred Abo,《德国的实力政策与美国的社会学》(*German Realpolitik and American Sociology*, Lewisburg, Pa.: Bucknell University Press, 1975); D. Paul Crook,《本杰明·颉德》(*Benjamin Kidd*, Cambridge: Cambridge University Press, 1984)。

[10] Bannister,《社会学与唯科学主义》,第1章,第6章～第7章。

会制度的透彻论述。有机的隐喻还通过科学方法被用于证明对社会的无偏见的研究的合理性，并被用于促进全面的方法论的立场。[11]

统计学与社会调查：1830～1930年

在统计学和社会调查的领域里，经验研究虽然与社会学理论相分离，但它却与社会学理论并行发展着。统计学根植于比利时人阿道夫·凯特莱（1796～1874）的著作，而社会调查根植于弗雷德里克·勒普莱（1806～1888）的著作，他是法国的一位保守的改良主义者，而且开创了对工人阶级的研究。最早的调查是迎合巩固民族国家之管理需要的人口普查列表；从对流行病学和保险统计的关注发展而来的生命统计学；反映了对社会问题的焦虑的"道德统计学"。后来，在这些之上，又添加上了在帮助穷人中的慈善机构和娱乐教育和社会中心的工作者们的实际关注。

虽然现代统计学是在20世纪发展起来的，但它的关键要素却在19世纪的两个阶段中形成。把变异视为是偶然的，凯特莱假定，任何群体的数据资料都展示了围绕着一个平均值的正态分布，而且他论证说，平均值代表了这一群体的基本"类型"。把早期统计学家的关注与天文学家的技术工具结合起来，凯特莱帮助形成了这样一个信念：在大众中的规律性并不依赖于关于个人行为之原因的假定，并且社会科学是对规律的研究，而不是简单的对事实的研究。在19世纪70年代，利用遗传和进化的研究，达尔文的表弟弗朗西斯·高尔顿转而把注意力集中于变异。在这一"新的统计学"在卡尔·皮尔逊和乔治·尤尔的著作中以数学的方式得到加工之后，它再也不与计算平均值有关，而是与测定和描述在任何给定的总体中的特征分布有关。在《科学的基本原理》（*The Grammar of Science*, 1892）一书中，皮尔逊劝告科学家根据可能性来分析经验，而不是根据"原因"来分析经验。通过以"相互性"代替"原因"，统计学在不存在理论的情况下提供了一种测量方式。[12]

在英国，早期的工业化迫使"社会问题"比其他国家更早地走向历史前台，而且随着问题的产生，也出现了搜集统计数据的兴趣。最初创建于19世纪30年代的济贫法改革时期的一些机构，如曼彻斯特统计学会（Manchester Statistical Society, 1833），与旧时的大学分离开来。虽然19世纪70年代的经济危机削弱了人们对于这一工作的热情（因为无论是统计学家还是经济学家都对解决经济危机显得束手无策），但是，由政府机构和专业及改革机构支持的统计学与社会调查一道在英国兴盛起来，而且一直顺

335

〔11〕 Levine，《有机体的隐喻》。

〔12〕 Theodore M. Porter，《统计学思想的兴起（1820～1900）》（*The Rise of Statistical Thinking, 1820—1900*, Princeton, N. J.: Princeton University Press, 1986）；Bernard J. Norton，《皮尔逊与统计学》（Pearson and Statistics），载于《科学之社会研究》（*Social Studies of Science*），8（1978），第5页～第33页。

利进入20世纪。[13]

在别处的社会学缓慢地回应了这些发展。虽然沃德在美国统计局(United States Bureau of Statistics)长期担任低等科员,但是,他的社会学著作就如其他大多数研究专著一样只包含最简单的数字表,甚至那些由社会学家所写的著作也是如此,当他们只表达计算的含义时,他们也吹捧“统计学”的价值。然而,在《自杀》(*Suicide*, 1897)一书中,迪尔凯姆在把他的后期研究转向不能用统计学的方法论述的问题之前,已在利用比较的、定量的分析来确定自杀率方面成为先驱。在1915年,英国经济学家A. L. 鲍莱发展了改变后来的调查工作的采样技术。截止到20世纪20年代,这一“新统计学”进入了美国的社会学,表现在吉丁斯的两位学生(威廉·奥格本和斯图尔特·莱斯)的著作中和由多萝西·托马斯所写的研究论文中——她曾与鲍莱一起在伦敦经济学院(London School of Economics)学习。除了方法的变化之外,新的统计学标志着一个价值中立的“客观主义”的兴起。客观主义是一个贬义词,其意思是:这一社会学把社会活动视为无活动能力的物体,因此,它与人类行为的“原因”相关,但更与人类行为的“方式”相关;与改良相关,更与控制相关。[14]

鉴于社会学家最终接受了统计学,所以这一专业不再理睬调查的传统。社会调查产生于英国的慈善工作;英国的最重要的调查是查尔斯·布思的《伦敦人民的生活和劳动》(*The Life and Labour of the People of London*, 1889～1903)、B. 西博姆·朗特里的《贫穷》(*Poverty*, 1902)和帕特里克·格迪斯的都市研究——帕特里克·格迪斯是第一位把“生态学”一词应用于社会现象的苏格兰博物学家。在美国进行的最早的社会调查把注意力集中于种族和外来移民,因为在此这两者都比在英国更为重要,最著名的是W. E. B. 杜波依斯的《费城黑人》(*The Philadelphia Negro*, 1899)、简·亚当斯和同事的《Hull House的论文》(*Hull House Papers*, 1895)和“匹兹堡调查”(Pittsburgh survey, 1909～1912)。[15]

然而,在20世纪20年代,当芝加哥的社会学家把调查与社会学研究相比较的时候,他们把调查贬损为“社会政治家”的工作,因为社会学研究包括对假定的系统的检验。虽然《近期社会动向》(*Recent Social Trends*, 1933)的科研项目的书记官曾在调查的传统中进行工作,但是,这一政府赞助的工作完全忽略了这一传统。这一调查的回声在吉丁斯的某些学生的著作中萦回缭绕,但是,由罗伯特·林德和海伦·林德夫妇的《米德尔敦》(*Middletown*, 1929)一书提供例证,而且由20世纪30年代的抽样调查提供

336

〔13〕 Philip Abrams,《英国社会学的起源(1834～1914)》(*The Origins of British Sociology, 1834—1914*, Chicago: University of Chicago Press, 1968)。

〔14〕 Anthony Oberschall,《社会理论的两个经验的根源》(The Two Empirical Roots of Social Theory),载于《知识与社会》(*Knowledge and Society*),6(1986),第67页～第97页;Gary Easthope,《社会研究方法史》(*A History of Social Research Methods*, London: Longman, 1974),第6章。

〔15〕 Milton Gordon,《社会调查运动》(The Social Survey Movement),载于《社会问题》(*Social Problems*),21(1973),第284页～第298页;Martin Bulmer, Kevin Bales 和 Kathryn Kish Sklar 编,《在历史观中的社会调查(1880～1940)》(*The Social Survey in Historical Perspective, 1880—1940*, Cambridge: Cambridge University Press, 1991)。

例证的新社区研究与早先的传统并没有直接的联系。这一发展揭示了在整个社会调查领域中的重要变化：一个从局部问题向地区和国家问题的转变；新的资金来源出自基金会、政府和工业部门，而不是出自地方精英和慈善机构；而且，随着对新统计学的采用，出现一个从缓解社会问题向处理社会问题的转变。[16] 从分散的理论家和不同的社会调查者的一个关注出发，社会学已成为在学术界具有制度基础的一门学科，它导致了更为集中的思想讨论，也导致了一种努力——使社会学专业知识与公共政策相关。

“古典”时代：19世纪90年代～20世纪最初十年

在19世纪70年代之后，现代性的问题呈现了新的形式。在德国、美国和意大利的为了统一的斗争和法兰西第三共和国的创立都是从它们各自的国家地位和民族认同的这样的觉醒问题中出发的。加速的工业化迫使人们把注意力集中于对“社会问题”提供更为足够的国家的回应上。各个大学作为社会知识的组织和实施的主要场所出现。“科学”表现出新的权威，与此同时，它本身从过去的理论知识变为现在的实际的、工具的控制。国家的差异继续影响社会学的命运，其结果是在欧洲的抵抗和在美国的新创立的大学中对实证主义的、工具主义的社会学的相对迅速的接受。[17]

当社会学家寻求解释社会力量的时候——它们在经济学方面是重要的而又不是严格的经济学的，古典经济学的一个危机提供了一个机会。从认识论上说，社会学对古典经济学的个人主义的假定提出了挑战；从政治上说，它天然地依赖一个基于理性的思考的自我调节的市场；而从制度上说，它在大学中作为社会科学（the science of society）优先地被设立。这一冲突在欧洲和美国的所有古典社会学家的生涯中精疲力竭了，例如，在美国，吉丁斯开始了他的作为一位“边际主义的”经济学家的生涯，之后又诉求于社会学来解释是什么决定了经济的选择。19世纪80年代初的沃德－萨姆纳的对立只是社会学家与他们的经济学家同事之间的一系列战斗之一。[18]

337

这一战争之前的计划最后是一个悖论。在欧洲，尽管古典社会学具有它的思想智慧的辉煌，可是很少获得制度的持久性，而且几乎没有留下什么直接的遗产。在美国，战前社会学尽管具有思想智慧上的缺陷，但是它的制度上的成功却为持续的发展提供

〔16〕 Stephen P. Turner,《学术上讲究数量化者》(The World of the Academic Quantifiers), 和 Martin Bulmer 的《社会调查运动的衰落》(The Decline of the Social Survey Movement), 载于 Maurine W. Greenwald 和 Margo Anderson 编,《被调查的匹兹堡》(*Pittsburgh Surveyed*, Pittsburgh, Pa.: University of Pittsburgh Press, 1996), 第10章、第11章。

〔17〕 Peter T. Manicas,《社会科学的历史与哲学》(*A History and Philosophy of the Social Sciences*, New York: Basil Blackwell, 1987), 第10章, 及其《社会科学学科》(The Social Science Disciplines), 载于 Wagner, Wittrock 和 Whitley 编,《关于社会的论说》, 第3章。

〔18〕 Wagner,《被遗失的社会科学》, 第226页～第233页; Norbert Wiley 的《在美国社会学中占统治地位的理论的兴起与衰落》(The Rise and Fall of Dominating Theories in American Sociology), 载于 William E. Snizek, Elizabeth R. Fuhrman 和 Michael K. Miller 编,《理论与研究中的当代问题》(*Contemporary Issues in Theory and Research*, Westport, Conn.: Greenwood Press, 1979), 第52页～第53页。

了一个基础，而且具有讽刺意味的是，它还为在1945年之后的欧洲古典传统的复兴提供了基础。

法国的学术的社会学在几个阶段得到发展：形成时期是从埃米尔·迪尔凯姆（1858～1917）于1887年被任命为波尔多大学文学院的教员到1898年《社会学年鉴》（*Année sociologique*）的出版；它作为一个大学学科的确立是在1913年，当时，迪尔凯姆在索邦大学的教授席位首次被定名为教育学与社会学；确立"迪尔凯姆学派"最终的统治地位。

迪尔凯姆主义者以他们自己的想象把社会学确立为一个学科的能力是理论、制度战略和文化/思想环境的相互作用的结果。[19] 迪尔凯姆和他的主要竞争者都提出了可行的理论范式：在迪尔凯姆的观点中，社会是一个与个人相分离的实体，必须用严格的而且经常是统计学的方法来研究；雷内·沃尔姆斯在《有机体与社会》（*Organisme et societé*, 1896）中对有机类比的精心阐述；在加布里埃尔·塔德的观点中，社会生活可被化简为"发明"和"模仿"的过程，由此，一位精英能够领导一群驯顺的大众，这是一个在《模仿的法则》（*The Laws of Imitation*, 1890，英译本1903年）一书中精心阐述的观点。每一个人都有学术机构的根据地：迪尔凯姆在波尔多和巴黎，沃尔姆斯作为《社会学国际评论》（*Revue internationale de sociologie*, 1893）的编辑而且是最杰出的学术研究的主办者，而塔德作为法兰西学院（Collège de France）的哲学教授。每个人都间接地对当时的政治利害关系发表了意见：迪尔凯姆和沃尔姆斯对那些要求更多的社会稳定的人发表了意见，塔德对还没有被法国大革命的遗产所接受的精英权利发表了意见。

然而，迪尔凯姆的竞争者具有致命的弱点。沃尔姆斯的社会有机体的理论很快失去了根据；他的折中主义的事业缺乏提供就业机会的能力；而且他的对社会稳定的高度抽象的支持没有对法国政治中的任何派系提供任何具有说服力的东西。塔德被证明为比他的两位对手都更加缺乏说服力，虽然他的在发明和模仿的过程中的个体中心作用的理论影响了群众心理学和美国社会学的研究工作。"模仿"这类概念的形而上学的倾向和塔德的与时代格格不入的科学观无法把社会学与哲学区分开来，而且他的贵族的偏见与流行的共和主义思想不一致。 338

相形之下，迪尔凯姆却具有相当强大的力量。迪尔凯姆关注结构而胜于关注个体，他在《社会学方法之规则》（*The Rules of Sociological Method*, 1895）一书中论述说，"社会事实"是社会学的主题。外在于个人，它们施加了一种强迫和约束的力量，而且不可化简为生物学或心理学。社会是独一无二的，而社会学是一个具有它自己的学科内容的领域。社会的特性是由两种不同的整合形式决定的——"机械的"和"有机

[19] Philippe Besnard 编，《社会学领域，迪尔凯姆主义者与法国社会学的创立》（*The Sociological Domain, the Durkheimians and the Founding of French Sociology*, Cambridge: Cambridge University Press, 1983）；Roger L. Geiger，《社会学范例的制度化》（The Institutionalization of Sociological Paradigms），载于《行为科学史杂志》（*Journal of the History of the Behavioral Sciences*），11（1975），第235页～第245页。

的”,后者并不产生于被强迫的类似,而是产生于由劳动的分工创造的差异。因此,现代性坚守了有机统一的承诺。然而,当社会整合崩溃的时候,其结果就是“社会的反常状态”,这是一种失范的状态,迪尔凯姆在《自杀》一书中分析这一结果。[20] 在《宗教生活的基本形式》(*The Elementary Forms of the Religious Life*, 1912,英译本 1915 年)一书中,他把宗教(作为与“世俗”相对的整个“神圣”领域)视为群体意识的“集体表象”,它把个体从一己利益解放出来,调节行为并提供幸福感。鉴于《自杀》使用了比较统计学,《宗教生活的基本形式》却把注意力集中于一个单独的个案,即澳大利亚土著居民的图腾宗教。

虽然迪尔凯姆的对于社会整合的呼吁把精神的诉求与政治的实用性结合在一起,但是在他有生之年,他受到人们的广泛攻击。很多批评家反对他的反个人主义的“社会现实主义”、他的科学的自负和他对宗教的分析。尽管如此,他的计划还是为学科的形成和定义提供了一个三叉路线。作为独一无二的社会的概念为学科的独立自主提供了一个理想的平台;确实,在这一点上的迪尔凯姆主义者的极端主义是力量的源泉。从体制上说,迪尔凯姆和他的追随者培养了他们与哲学这门已经确立起来的学科的联系,与此同时,它还为历史学和地理学这类古典学科提供服务。《自杀》一书提供了一个具体的范例这一事实是一个另外的力量的源泉。在此之上还应添加上与德国、英国和美国的社会科学的精心协调的关系,它们利用《社会学年鉴》(*l'Année Sociologique*)作为展示它们自己的社会学品牌的橱窗。最后,迪尔凯姆的对社会为公民道德提供了一个基础这一观点的坚持极好地与法国共和主义结合在一起,而且赢得了在政府和教育界的关键人物的支持。这一优势确保了迪尔凯姆的影响能够传给后代,虽然当第一次世界大战宣告了一个分裂和静止的时代的时候,他的学科计划受到了侵蚀。

339

比起法国,在费迪南德·滕尼斯(1855～1936)、格奥尔格·西美尔(1858～1918)和马克斯·韦伯(1864～1920)的著作中的德国古典社会学与孔德和斯宾塞的传统发生了更明显的决裂。每个人都最终在别的地方重新塑造了社会学,尤其是在美国,而且每个人都帮助这一学科在德国获得了勉强接受。但是在德国没有人成功地确立一个可与他们的法国和美国同时代人相媲美的制度存在或社会学传统。

在这三人中,滕尼斯在《社区与社会》(*Gemeinschaft und Gesellschaft*, 1887)一书中仍然最接近 19 世纪的进化论传统,重新陈述为“community”和“society”这样一种区分,它回应了亨利·梅因爵士的“身份”和“契约”,也回应了传统社会与现代社会之间的一个类似的分裂。相形之下,西美尔坚决地驳斥了斯宾塞哲学的有机论及德国唯心主义

[20] 关于 Durkheim,请参看 Steven Lukes 的《埃米尔·迪尔凯姆》(*Emile Durkheim*, Harper and Row, 1972);Kenneth Thompson,《埃米尔·迪尔凯姆》(London: Tavistock, 1982)。关于他的遗产,请参看 Victor Karady 的《当今法国社会学的史前史》(Prehistory of Present Day French Sociology),载于 Charles C. Lemert 编,《法国社会学》(*French Sociology*, New York: Columbia University Press, 1981),第 33 页～第 47 页,及其《在学院中的迪尔凯姆主义者》(Durkheimians in Academe),载于 Besnard 编,《社会学领域》,第 72 页～第 89 页;Albert Salomon,《迪尔凯姆的遗产》(The Legacy of Durkheim),同上书,第 247 页～第 266 页。

的在自然(Natur)与精神(Geist)之间的区分。他坚持认为,“社会”是真实的,但是,却是由个体的模仿的相互作用构成的。社会学将集中于这一相互作用的“形式”之上。

韦伯把他的社会学根植于德国的历史和法学思想中。[21] 尽管迪尔凯姆和滕尼斯研究结构,但韦伯却强调个体参与者。像国家和教会这类社会结构被仔细分析之后,它们就是由社会活动和具体行动的重复构成的。社会学是从其对参与者的意义的观点对人类活动的研究,无论是有意识的参与还是无意识的参与。韦伯凭借着现代社会的“以目的为导向的理性”而不是它的“有机的”团结把“传统的”社会与“现代”社会区分开来,他的中心关注是在几百年来一直改变着西方社会的理性化过程。超越了历史主义/实证主义的区分,他不仅否认自然科学和社会科学是同一的,而且也坚持认为关于人类活动的领域运用归纳法得出结论是可能的。在他的“理想的”类型的学说中,通过强调实体的某些要素,他确定了一个抽象的水平,它承认了类似性和差异性的定性比较,而不仅仅是一个统计平均数。从唯心主义的形而上学中分离出的“理解(verstehen)”的方法提供了一个探究动机的工具,这一动机是人类活动中的独一无二的因果关系的因素。

韦伯的最主要的研究兴趣的范围是从古代的农业社会到中世纪的贸易协会、宗教、政治和官僚体制。在《新教伦理与资本主义精神》(*The Protestant Ethic and the Spirit of Capitalism*, 1904～1905,英译本 1930 年)一书中(因为这部著作,他可能在非专业人士中最出名),韦伯论证说,通过使一个人的工作变为“神的感召”,加尔文主义培养了资本主义的发展所必需的世俗世界的禁欲主义。为检验这一理论,他紧接着分析了在儒学中和其他非西方的宗教中的经济伦理和社会生活之间的关系。遍及大多数工业国家的官僚体制是现代社会之理性化的第二个例证。它的标志是被规则确定的劳动分工、等级制组织、以专业知识为根据的招募制度、官方的关注与个人的关注之间的分离和一个被确立的专业路线。对于韦伯来说,官僚体制对于大规模的组织和管理任务来说构成了最有效的方式,虽然他承认在实践中官僚体制经常是无效的,而且对个体具有威胁。 *340*

虽然一个德国的社会学团体在 19 世纪末 20 世纪初得到了发展,但是几个因素仍继续妨碍学术界之内的成功的制度化。这些包含了关于未来和关于社会学的进一步发展的能力的悲观主义,也包括以学术研究为导向的社会理论家中的强大的历史/哲学传统与由非社会学家进行的具有改革思想的经验研究之间的分裂。虽然某些财政援助来自社会政策协会(Verein für Sozialpolitik)——一个于 1872 年成立的研究和政策

〔21〕 关于 Weber, 请参看 Reinhard Bendix 的《马克斯·韦伯》(*Max Weber*, Garden City, N. Y. : Doubleday, Doubleday, 1960); Arthur Mitzman,《铁笼子:马克斯·韦伯的历史解释》(*The Iron Cage: An Historical Interpretation of Max Weber*, New York: Knopf, 1969); Wolfgang J. Mommsen,《官僚政治时代;关于马克斯·韦伯的政治社会学的观点》(*The Age of Bureaucracy; Perspectives on the Political Sociology of Max Weber*, New York: Harper and Row, 1974); 由 Philippa Hurd 翻译 Dirk Käsler 的《马克斯·韦伯》(*Max Weber*, Chicago: University of Chicago Press, 1988); 还请参看在此卷中由 Stephen Turner 和 Dorothy Ross 所写的章节。

机构，但是它的改良主义的目的并不能令大多数社会学家感兴趣。根植于威廉·狄尔泰的著作中的社会科学和自然科学之间的明显区分对于社会学来说似乎否定了对客观性的实证主义要求。

这些障碍物形成了德国三足鼎立的历程。滕尼斯一直居住在德国北部的基尔，而且，令人感到奇怪的是，他很少把他的理论应用于他自己的研究，所以他的影响从来不能与他享有的个人威望相匹敌。西美尔，一位拥有足以过舒适生活的财产的犹太人，无法获得大学教授的职位，而且在政治上也是个局外人，所以只偶然对时事发表评论。他的影响产生于他的作品和他的具有思想火花的演讲，这些演讲的听众包括美国的罗伯特·帕克（1864～1944）和欧洲知识分子中的某些名人。[22]

韦伯是一位具有杰出成就的大学教师，他在32岁那年被任命为海德堡大学的教授，从而代替了经济学家卡尔·克尼斯。他的广泛兴趣和杰出才智使他成为来自不同学科的著名学术大师中的中心人物。虽然超越了党争，但是他在青年时代却赞成泛德意志同盟（Pan-German League）的民族主义计划，而且在1918年他接受了参与国会议员竞选的邀请。但是他的无私无畏的正直品性使他不能与任何党派长期结盟，在第一次世界大战结束之前，这导致他对他曾热爱过的德国感到失望。与这些问题混合在一起，在1898年的神经衰弱提前终止了他的学术生涯。直到1914年第一次世界大战爆发，他都在狂热地发表论著和周游四方，但是他的不同兴趣意味着他不会专注于想要成为社会学家的人的支持者的单一身份，而且他永远不再拥有一个正规的学术职位。

341

欧洲的古典社会学，虽然经常具有杰出的智慧，可却因此没能形成牢固的制度基础。截止到1914年，“社会学”一词已被广泛承认，社会学的期刊如雨后春笋，专业学会也日益增多。但是在大学内部情况就有所不同。在法国，截止到1914年，只有由巴黎大学文学院提供的四个社会学课程，别处提供的类似于社会学的课程只有六七个。迪尔凯姆的最大影响是对人类学家、经济学家、地理学家和历史学家的影响，尤其是对由吕西安·费夫尔和马克·布洛赫领导的《年鉴》团体的影响。但是，即使是这一团体的成员在各个大学中也只占据边缘的位置。类乎此，直到1919年，在德国还没有出现社会学的教授讲席，在两次世界大战之间的岁月里，意大利也不具有社会学的教授讲席。虽然美国的社会学家知道滕尼斯、韦伯甚至迪尔凯姆的著作，但是直到20世纪20年代末，他们似乎很可能会引用斯宾塞、塔德甚至利奥纳德·霍布豪斯的著作，霍布豪斯是一位仍继续在进化论传统中工作的英国社会学家。[23]

[22] Donald N. Levine，《西美尔对美国社会学的影响》（Simmel's Influence on American Sociology），载于《美国社会学杂志》（*American Journal of Sociology*），81（1975～1976），第813页～第845页，第1112页～第1132页。

[23] Werner J. Cahnman，《在美国的滕尼斯》（Tönnies in America），载于《历史与理论》（*History and Theory*），16（1977），第147页～第167页；Roscoe C. Hinkle，《在美国社会学中的迪尔凯姆》（Durkheim in American Sociology），载于由Kurt H. Wolff编，《社会学与哲学论文集》（*Essays on Sociology and Philosophy*, New York: Harper and Row, 1964）；Peter Kivisto和William Swatos，《韦伯与在美国的解释社会学》（Weber and Interpretive Sociology in America），载于《社会学季刊》（*Sociological Quarterly*），31（1990），第149页～第163页。

虽然欧洲人吸引了社会学的信徒，但是美国人却创立了社会学系，第一个社会学系于1892年在阿尔比恩·斯莫尔的主持下在芝加哥大学建立，第二个社会学系于两年之后在弗兰克林·吉丁斯的主持下在哥伦比亚大学建立。到1914年为止，耶鲁大学在萨姆纳的主持下，威斯康星大学在爱德华·A.罗斯的主持下，密歇根大学在查尔斯·霍顿·库利的主持下都出现了其他重要的计划。在1895年，斯莫尔创办了《美国社会学杂志》(*American Journal of Sociology*)，后来它成了于1905年组成的美国社会学学会的官方报刊。到1920年为止，美国大学已经授予了大约175个社会学博士学位，芝加哥和哥伦比亚大学大约各50个。[24]

这一学科的成功是一个分散的、组织松散的、相对新颖的大学体系的结果；也是受过良好教育的、具有改革思想的民众的结果；还是在美国的公民社会、教会和国家之间的相对清晰的分界的结果，而文化的多样性又加强了这一相对清晰的分界，这一文化的多样性使人们思考并存于一个单一政治秩序中的社会生活的各种形式轻而易举。虽然贫穷和劳资纠纷困扰着美国社会学家，但是比起在法国和德国来，在美国的民族认同和中央政府权威的问题相对次要，因为它们即便没有在事实上也大体上被美国内战解决了。人们转而把注意力集中在把一个乡村的、同一民族的社区国家变为一个由各民族组成的城市国家上；集中在由多样性产生的种族、外来移民和道德文化问题上；集中在个体相互作用上，而不是集中在权力或权威之上。

342

这些因素赋予美国社会学一种独特的色彩，虽然根据欧洲的标准对它并不总是有利。在把它自身与相互竞争的社会科学区分开来的压力中，社会学把它自己与哲学和历史传统分割开来，这一哲学和历史传统即使不是在制度上也是在思想智慧上加强了古典欧洲的理论。创建了一个如此多样和开放的大学体系的大量资助和当地企业的支持使教授们极易受到政治压力的伤害，这正如许多人在19世纪90年代的一系列争取学术自由的战斗中所发现的那样。在"科学"和"能动主义"之间的张力创造了一个要求：不仅把社会学与社会主义区分开来，而且与"基督教社会学家"和其他空想的社会改良家区分开来，这就导致了学院派社会学家与创建了他们自己的专业训练学校的社会工作者、城市规划者和其他潜在的赞助者区分开来。到1920年为止，在学院派社会学内有两个可辨认出的"美国"品系：芝加哥学派的经验色彩浓重的城市生态学和社区研究与发源于哥伦比亚大学的唯科学主义的、定量的新实证主义。

这一分裂的最初的发起者阿尔比恩·斯莫尔和弗兰克林·吉丁斯(1855～1929)在几十年的时间里改进了他们的相互竞争的体系。在《普通社会学》(*General Sociology*, 1905)中放弃了社会有机论的隐喻，斯莫尔把"结社(association)"描绘为一个

[24] Nicholas C. Mullins 和 Carolyn J. Mullins,《在当代美国社会学中的理论与理论团体》(*Theories and Theory Groups in Contemporary American Sociology*, New York: Harper and Row, 1973); Robin M. Williams,《在美国的社会学》(Sociology in America)，载于 Charles M. Bonjean、Louis Schneider 和 Robert L. Lineberry 编，《美国的社会学》(*Social Science in America*, Austin: University of Texas Press, 1976)，第77页～第111页；Wiley,《占统治地位的理论》，第48页～第79页。

"过程",在这一过程中,相互冲突的"利益"进行竞争,并汇聚起来形成"团体",这些团体是社会学的基本单位,这是一个来自拉岑霍弗尔的理论。以斯宾塞和塔德为根据的《社会学原理》(*The Principles of Sociology*, 1896)一书中,吉丁斯把社会进化描述为三重过程:集合;通过"同类意识(consciousness of kind)"和"模仿"的结社;选择,在其中,自然选择的社会版本剔除了"无知的、愚蠢的和有害的"选择。在《归纳社会学》(*Inductive Sociology*, 1901)一书中,他开始从对社会行为中的主观要素的关注中撤出,转而支持一个在后来被称为"多元论的行为主义(pluralistic behaviorism)"的统计的、概率的社会学。[25]

在社会学理论中,在芝加哥大学的最重要的发展不是来自斯莫尔,而是来自威廉·I. 托马斯。[26] 在因阅读斯宾塞的著作而被引向社会学之后,早年的托马斯把人视为本能的动物。例如,他在《性别与社会》(*Sex and Society*, 1907)一书中,把男人分类为"分解代谢的人(katabolic)",而把妇女分类为"组成代谢的人(anabolic)"。在他的受到了弗朗茨·博厄斯的人类学的影响的《社会起源史料集》(*Source Book for Social Origins*, 1909)一书中,他驳斥了斯宾塞的单线的进化论,而且把目光投向原始文化来寻找社会变迁中的关键要素:注意力或个体的反应;习惯和危机,借此,注意力交替地放松和被打扰;控制,是所有社会的相互作用的终点。变迁的性质和速度依赖于非凡的领导人的行动、文化的水平和先前调整的经验。托马斯后来在他的"四个愿望"(承认、反应、新的经验、安全)的学说中,勾勒出"本能"理论的另一种选择,然而这一选择却强调"态度"的重要性和个体按照他们的"情境定义(definition of a situation)"的基础行动的方式。这一重新定向导致他强调传记、日记和医学报告这类"行为记录(behavior documents)"的重要性,这一点在他与弗洛里昂·兹纳涅茨基合著的《在欧洲和美国的波兰农民》(*The Polish Peasant in Europe and America*, 1918～1920)一书中最为明显,这部著作后来点燃了"案例研究"的倡导者与"统计学"的倡导者之间的争论。

343

和托马斯的对外来移民群体的"解体"的研究一样,战前时代的其他主要著作也是论述社会秩序问题。在《民间习俗》(*Folkways*, 1906)一书中,萨姆纳论证说,最敏捷的社会实践首先变成了"民间习俗",然后就获得了作为"传统习惯"的强制力量,人们无以反对这种力量。在《人性与社会秩序》(*Human Nature and the Social Order*, 1902)和《社会组织》(*Social Organization*, 1909)两部书中,查尔斯·霍顿·库利描述了"镜像自我(looking glass self)",借此个人身份被社会的相互作用过程创造出来,而且自然的

[25] Robert W. Wallace,《一个新学科的制度化:在哥伦比亚大学的社会学状况(1891～1931)》(*The Institutionalization of a New Discipline: The Case of Sociology at Columbia University, 1891—1931*, Ann Arbor, Mich.: University Microfilms International, 1989);Charles Camic,《美国社会科学中的统计学转变:哥伦比亚大学(1890～1915)》(The Statistical Turn in American Social Science: Columbia University, 1890 to 1915),载于《美国社会学评论》(*American Sociological Review*),59(1994),第773页～第805页。

[26] Norbert Wiley,《早期美国社会学与〈波兰农民〉》(Early American Sociology and the *Polish Peasant*),载于《社会学理论》(*Sociological Theory*),4(1986),第20页～第40页。

“初级”团体被人为创造的“次级”团体所代替。在《政府过程》(*The Process of Government*, 1907)一书中,斯莫尔的以前的学生同时又是批评家的亚瑟·本特利提供了一个对“利益团体理论”的早期陈述,这正如奥格本和其他人要把吉丁斯的学说解释为行政自由主义一样。在《社会控制》(*Social Control*, 1901)一书中,爱德华·A. 罗斯为优生学和外来移民限制提供了一个理论基础。

英国的战前的社会学(撇开统计学和调查工作不论)至多是对欧洲大陆和美国的社会学发展的脚注。在与功利主义和放任主义传统决裂之后,英国的社会学理论在一个“新自由主义”信仰中把进化论与哲学唯心主义结合起来,这一新自由主义信仰是:现代社会秩序拥有进步和个体自我实现的素材,而且还拥有来自政府的特定的指导。它的主要代表是利奥纳德·霍布豪斯,他是伦敦经济学院(London School of Economics)的社会学教授(1907～1929),直到第二次世界大战之后,这是英国的唯一的社会学讲席。在1903年,霍布豪斯加入了一个理论家、社会调查工作者和优生学家的联盟(在他们中有格迪斯和弗朗西斯·高尔顿),这个联盟形成了伦敦社会学协会(London Sociological Association)。

尽管如此,英国还是没能发展出一个富有活力的社会学传统。在19世纪末的一个巨大力量——英国哲学唯心主义包含了社会学理论的概念材料,这些社会学理论的概念材料也许已与迪尔凯姆和韦伯的那些社会学理论的概念材料相类似。但是,英国的唯心主义世界观与被斯宾塞和颉德定义为“社会学”的东西相敌对,而且仍然深陷于黑格尔哲学的这样一个信仰之中,即:“国家”是现代社会的基本单位。那些较为陈旧的英国大学对新的社会科学的抵抗和政府的及大学以外的对经验研究的赞助的活力也阻碍了理论和实践的结合。[27]

344

两次世界大战之间的岁月

在表面看来,在两次世界大战之间的几十年中的美国和欧洲的社会学是比较研究。在美国,社会学在“芝加哥学派”的著作中经历了一个再生,而哥伦比亚大学的影响通过它的毕业生的著作继续存在。慈善基金会资助了两次世界大战之间的大部分社会学研究,其中包括林德夫妇的《米德尔敦》和冈纳·缪尔达尔及同事的《美国的两难困境》(*An American Dilemma*, 1944)。相形之下,在欧洲,出现了精力的分散,因为创建者的统一社会学分析之不同层面的希望向理论和研究的分离和机构的分裂做出了让步。然而,社会学最终在大西洋两岸都遭受到挫折。在20世纪30年代,芝加哥在

〔27〕 Stefan Collini,《英国的社会学与唯心主义(1880～1920)》(Sociology and Idealism in Britain, 1880—1920),载于《欧洲社会学杂志》(*European Journal of Sociology*),19(1978),第3页～第50页。参看 Noel Annan,《在英国政治思想中实证主义的不寻常的力量》(*The Curious Strength of Positivism in British Political Thought*, Oxford: Oxford University Press, 1959)。

作品和影响方面有所下跌，而且作为一个整体的专业还要对付财政支持的流失和经常是激烈的内讧。

新来者为“芝加哥社会学”赢得了它的声誉，他们是：罗伯特·帕克，一位于1913年到达芝加哥的从前的新闻记者；艾尔斯沃茨·法里斯，一位于1925年接替斯莫尔系主任职位的从前的传教士；埃内斯特·W. 伯格斯，一位家庭社会学家；威廉·奥格本，《社会变迁》(*Social Change*, 1922)一书的作者。[28] 芝加哥社会学实际上是一个拼合物，它被不同的个体和几代人所阐述：罗伯特·帕克及其学生的城市生态学；帕克-伯格斯的教科书——《社会科学入门》(*An Introduction to the Science of Society*, 1921)；因为帕克和伯格斯的理论与城市环境的第一手研究的结合，这个系开始赢得了全国的关注。[29] 帕克根据一系列同心带和诸如贫民区和公寓区的“自然”区域来描述城市。他根据竞争、冲突、适应和同化来描述社会的相互作用，这是一个在特殊的团体之间产生暂时的和平的过程，但是，当新的团体提出它们自己的要求而且从中心少数民族居住区搬到附近的中产阶级居住区和郊区的时候，这一过程将不断地重复。因为差异永远不会消除，不同个体和团体相互之间保持着一个适度的“社会距离”——一个来自西美尔的概念。[30] 帕克从劳拉·斯佩尔曼·洛克菲勒基金会(Laura Spelman Rockefeller Foundation)获得了基金，并通过一个跨学科的委员会引导这笔基金的使用，而且与社区机构合作来促进他的关于城市、种族和外来移民的研究计划。

345

在芝加哥社会学拼合物中的第二个要素是威廉·奥格本(1886～1959)的严格的定量统计的社会学，在他于1927年通过他的学生(如菲利普·豪赛和萨缪尔·斯托佛)的著作被任命为芝加哥大学的社会学教授之后，这种社会学获得了优势。对于奥格本来说，社会学是定量的和价值中立的，他将此观点实行于对立法、选举和社会指数的具有影响的统计学研究中；他还将此观点运用于1929年向美国社会学学会发表的主席致辞《科学社会学的民间习俗》(*The Folkways of a Scientific Sociology*)中；他在新政期间和新政之后作为政府机构的顾问时也持有这一观点。

芝加哥社会学的第三个也是最为持久的一条发展线索是“符号互动论(symbolic interactionism)”，赫伯特·布鲁默(1900～1987)于1937年这样称呼它。在对奥格本的客观主义(他把它称为“没有概念的科学”)和帕克的朝着一位社会学家所说的“工具实证主义”[31]的趋动的回应中，布鲁默论证说，个体和团体按照附着于物体上的“含义”的原则而行动，从而创造了被用于交流和分析经验的符号体系。利用乔治·赫伯

〔28〕 Martin Bulmer,《社会学芝加哥学派》(*Chicago School of Sociology*, Chicago: University of Chicago Press, 1984)。

〔29〕 参看 Anthony J. Cortese,《社会学芝加哥学派的兴起、霸权和衰落(1892～1945)》(The Rise, Hegemony, and Decline of the Chicago School of Sociology, 1892—1945)，载于《社会科学杂志》(*Social Science Journal*), 32(1995)，第235页～第254页；Jennifer Platt,《芝加哥学派与第一手资料》(The Chicago School and Firsthand Data)，载于《人文科学史》(*History of the Human Sciences*), 7(1994)，第57页～第80页。

〔30〕 Fred H. Matthews,《对一种美国社会学的探求：罗伯特·E. 帕克与芝加哥学派》(*The Quest for an American Sociology: Robert E. Park and the Chicago School*, Montreal: McGill Queen's University Press, 1977)。

〔31〕 Bryant,《在社会理论和研究中的实证主义》，第5章。

特·米德的著作并扩展到托马斯的著作,符号的互动论在20世纪40年代和50年代被布鲁默、阿诺德·罗斯和欧文·戈夫曼所改进,尤其在戈夫曼的被广泛阅读的《在日常生活中自我的表达》(*The Presentation of Self in Everyday Life*,1959)中被改进。与结构功能主义强调外部决定的社会角色的表现相反,符号互动论者强调了个体与人际关系的定义,因此为以哈佛大学为基地的塔尔科特·帕森斯的社会学提供了一个对应物。[32]

尽管如此,在20世纪30年代,芝加哥作为一个社会学力量衰落了。大萧条似乎使帕克主义者(Parkians)的著作更不恰当;洛克菲勒基金会的资助终止了;20世纪30年代末的世界危机赋予某些欧洲社会理论家的悲观主义更大的感染力。[33] 相形之下,哥伦比亚社会学系创立了第二代的讲究数量化者的网络,致力于使社会学具有严格的"科学性",其中最著名的人物是宾夕法尼亚大学的詹姆斯·P.利克腾博格(1910年的博士)和斯图尔特·莱斯(1924);北卡罗来纳大学的霍厄德·奥德姆(1910);明尼苏达大学的F.斯图尔特·钱普林(1911);芝加哥大学的奥格本(1912)。教育基金会的日益增长的影响在同一方向上发挥着作用。科学(典型地等同于统计分析)提供了一个表面上绝对的标准以代替过时风俗习惯和假定——现在被标为"主观的",与此同时,满足了赞助者对于"现实主义的"和在政治上没有争论的计划的偏爱。[34]

346

这些发展发生在20世纪30年代的美国社会学内部更广泛的变化的背景之下。虽然基金会的捐助明显下降了,但它在社会学家中留下了一笔痛苦的遗产,这些社会学家感到被基金会创立的"机构"所排斥或被它边缘化,这一机构包含某些起主导作用的讲究数量化者。虽然大多数美国社会学家忽略了法西斯主义的兴起,但是它有助于发动对"价值中立"科学主义的批判。查尔斯·爱尔乌德的《社会学方法》(*Methods in Sociology*, 1933)和罗伯特·林德的《对于什么的认识?》(*Knowledge for What?*, 1939)攻击了刻板的统计学著作,同时对"理论"复兴的呼吁为对塔尔科特·帕森斯的著作的未来的接受创造了气氛。[35]

内讧和社会学系成员日益增长的数量及大学生课程一起制造了分裂。与此同时,其他的发展有助于战后的复兴:在政府中供职的新机会;采访技巧、市场研究、民意调查的增长的复杂化;德国和奥地利的流亡学者的流入。

[32] Ross,《美国社会科学的起源》,第428页~第448页。关于符号的互动,请参看J. David Lewis和Richard L. Smith,《美国的社会学与实用主义》(*American Sociology and Pragmatism* Chicago: University of Chicago Press, 1980); Hans Joas,《符号互动论》(Symbolic Interactionism),见Anthony Giddens和Jonathan H. Turner编,《当今社会理论》(*Social Theory Today*, Stanford, Calif.: Stanford University Press, 1987),第82页~第115页。

[33] Bulmer,《社会学芝加哥学派》,第205页~第206页;Ruth Cavan,《社会学芝加哥学派》(Chicago School of Sociology),载于《城市生活》(*Urban Life*),11(1982~1983),第407页~第420页;Bernard Farber,《人的因素:在芝加哥的社会学》(The Human Element: Sociology at Chicago),载于《社会学观点》(*Sociological Perspectives*),31(1988年7月),第354页。

[34] Bannister,《社会学与唯科学主义》(*Sociology and Scientism*),第11章~第12章;Turner与Turner,《不可能的科学》,第2章。

[35] Turner与Turner,《不可能的科学》,第2章;Edward Shils,《社会学的呼唤》(The Calling of Sociology),载于他的《社会学的呼唤》(*The Calling of Sociology*, Chicago: University of Chicago Press, 1980); Robert C. Bannister,《原理,政治学,专业》(Principle, Politics, Profession),载于Stephen P. Turner和Dirk Käsler编,《社会学对法西斯主义的回应》(*Sociology Responds to Fascism*, London: Routledge, 1992),第172页~第213页。

欧洲大陆的社会学继续产生多才多艺的个人理论家，虽然飞速变化的政治潮流和学术理论与以应用为导向的研究之间的区分继续阻碍制度上的成功。在法国，社会学的讲席只存在于波尔多大学、索邦大学和斯特拉斯堡大学，迪尔凯姆主要的后继者保罗·福孔内和莫里斯·阿尔布瓦克斯占据了后两所大学的讲席。集权的大学体系继续抵制官方的承认，而变化了的政治气候使保守的勒普莱主义的传统和迪尔凯姆的非教士的公民宗教都似乎变得不合时宜。然而，当迪尔凯姆的后继者朝着两个不同的方向前进的时候，他们播下了最终将在第二次世界大战之后开花结果的种子。第一是集体心理和团体道德的探索，就如同在福孔内的对制裁的研究和在马塞尔·莫斯的著作中一样，而马塞尔·莫斯的社会人类学是列维－斯特劳斯和其他人的结构主义的精神先驱。第二是一个更实证主义的、统计学的方法，就如同在阿尔布瓦克斯的对迪尔凯姆的《自杀》一书的重新考察和他的同事弗兰索瓦·西米昂的关于工资的著作中一样。由于受到阿尔布瓦克斯的与其他学科及其与德国和美国社会学的斗争的启发（好斗性在迪尔凯姆社会学理论的传统中很稳固），这一对定量方法论的强调使一个在20世纪50年代再次繁荣的传统保持了活力。[36]

347

在德国，社会学在魏玛时期显得繁荣兴旺起来，因为各大学为杰出的政府工作人员设立了讲席：在科隆有利奥波德·冯·威斯，他是西美尔传统中的"系统的"或"形式的"社会学的拥护者；在法兰克福有佛朗兹·奥本海默，他是一位强调团体过程的龚普洛维奇的追随者；在海德堡有卡尔·曼海姆，他是知识社会学的主要代表，还有文化社会学家阿尔弗雷德·韦伯，他是马克斯·韦伯的弟弟；在莱比锡有汉斯·弗赖尔，他是一位对社会学史做出过重要贡献的保守主义者。在纳粹上台的前夕，魏玛社会学在一些重要的著作中繁荣起来，其中包括曼海姆的《意识形态与乌托邦》（*Ideology and Utopia*, 1929）一书。在维也纳，保罗·拉扎斯菲尔德（1901～1976）领导下的一群研究人员使一个在德语社会学中具有长期历史的经验主义传统重新复活，虽然大学很少对它给予支持或承认。后来的阿尔弗雷德·舒茨和诺伯特·埃利亚斯的社会学虽然在几十年的时间里没有得到承认，但是在魏玛时期仍有它们的根源。[37]

法兰克福大学社会研究所于1923年建立，同时也开创了巡回游历的法兰克福学派，这一学派的成员在于1934年搬入由纽约哥伦比亚大学提供的住处之前在巴黎和日内瓦建立了分支机构。它的成员包括所长马克斯·霍克海默，特奥多尔·阿多诺、

[36] John E. Clark，《在两次世界大战之间的社会学和相关诸学科》（Sociology and Related Disciplines between the Wars），载于 Besnard 编，《社会学领域》，第12章。

[37] M. Rainer Lepius，《在两次世界大战之间的社会学》（Sociology in the Interwar Period），载于 Volker Meja，Dieter Misgeld 和 Nico Stehr 编，《现代德国社会学》（*Modern German Sociology*, New York: Columbia University Press, 1987）；Dirk Käsler，《寻找体面：在德国社会学学会之会议期间的关于社会学之目的的争论（1910～1930）》（In Search of Respectability: The Controversy over the Destination of Sociology during the Conventions of the German Sociological Society, 1910—1930），载于 Robert Alun Jones 和 Henrika Kuklick 编，《知识与社会：对过去和现在的文化社会学的研究，一个研究年鉴》（*Knowledge and Society: Studies in the Sociology of Culture Past and Present. A Research Annual*, Greenwich, Conn.: JAI Press, 1983）。

赫伯特·马尔库塞和李奥·罗文塔尔,其中有许多是犹太人。一个共同特性是对"实证主义"的敌意,这是一个被人们用来不精确地概括法国19世纪传统、哲学家的维也纳圈的逻辑实证主义和不太严格的美国版本的词语。在1950年,霍克海默和其他关键成员想把法兰克福学派归还给德国,因为在那里这一学派的传统在于尔根·哈贝马斯的新马克思主义的"批判理论"中得以延续。虽然阿多诺和其他人对社会学研究做出了重要贡献,但是后来的在20世纪60年代的"实证主义者"和"批评理论家"之间的斗争将加深理论工作和经验工作之间的区分,这一区分继续折磨着德国的社会学。[38]

除去20世纪20年代的创制权(the initiatives),作为一个整体的魏玛社会学仍然在纳粹的鼎盛时期保留了它大部分的承诺。把社会学变为大学改革之重心的建议受到来自相关学科的强有力的反对,而社会学的主要动力是来自"民间学派"运动、劳动法庭、工会和支持拉扎斯菲尔德的研究的那类其他的非大学高等教育机构的创办者。虽然社会学卷入了关于民主政治文化之欺诈的争论,但是,社会学家本身与第三共和国的迪尔凯姆主义者不同,他们没有创造出一个支持民主计划的他们的学科的形象,他们也无法抵抗纳粹的上台。到1938年为止,2/3的社会学教师被从大学驱逐出去。通过强调种族理论、民族和生物群落——所有思想智慧的死胡同,"纳粹的社会学"带来了整体论的、唯心主义的和生物学化的方法的复兴。与此同时,一门以地区研究、城市规划和劳动政策为内容的"现实主义的"社会学成了国家管理的分支。 348

具有讽刺意味的是,纳粹的迫害为国际性的战后复兴奠定了基础,在这一复兴运动中,德国的流亡者起了主要作用。介绍国际共同体认识西美尔和韦伯的著作的使命被留给了汉斯·格斯、赖因哈德·邦迪克斯、刘易斯·科塞和科特·沃尔夫;传播德国经验主义传统的使命被留给了拉扎斯菲尔德;解释法西斯主义和"德国的灾难"的使命被留给了埃里希·弗洛姆、马克斯·霍克海默和特奥多尔·阿多诺。

国际性的复兴与美国的霸权:1945～1960年

适合于社会学的气候在1945年之后得到了明显的改善。在西方主要国家,这一学科在大学、在政府和工业部门确立了它自己的牢固地位,而且确立了它自己的公众威信。对这一复兴做出重要贡献的是对应用科学的普遍热情,对斯大林时代马克思主义的幻想的破灭和福利国家的兴起。因为历史的和哲学的研究已变得过度专业化,受过教育的大众读者日益把注意力转向社会科学。

虽然这些影响普遍奏效,但是国家的差异仍然持续存在。在美国,大学院系起着

[38] Martin Jay,《辩证的想象力》(*The Dialectical Imagination*, London: Heinemann, 1973);由 Michael Robertson 翻译 Rolf Wiggershaus 的《法兰克福学派》(*The Frankfurt School*, Cambridge, Mass.: MIT Press, 1994)。

主导作用，而且创造了很快影响大多数其他国家的工作的美国的研究模式。在法国和德国，大学教学机构和研究机构在相互分离的道路上向前发展，虽然研究获得了相当重要的支持，而且有时还获得了学术地位。在英国，社会学的教学普及到伦敦经济学院以外，但是，直到20世纪60年代之前，社会学还没有普及到牛津和剑桥大学，因为社会学当时正在为与调查传统中的经验研究建立更加密切的关系而努力奋斗。杰出的后来者包括荷兰、北欧国家、拉丁美洲和日本。[39]

349 哈佛大学与哥伦比亚大学沿着类似的相互分离的道路走向战后的统治地位。于1930年被任命为哈佛大学教授的皮季里姆·索罗金（1889～1968）在十月革命之后从俄国移居美国的时候，已经是一位出名的学者，但是他的巨著《社会和文化动力学》（*Social and Cultural Dynamics*，1937～1941）是一个对人类历史中的2500年的散漫的回顾，这一回顾仍是处于汤因比和斯本格勒的传统中，它没有为研究生所做的进一步发展留有太多的空间。他在组织方面也是无能的，而且截止到20世纪30年代中期，他对斯大林主义已如此失望，以致他看起来似乎对法西斯主义有点宽容。[40]

与索罗金相比较，塔尔科特·帕森斯（1902～1979）以作为一个有十年限期非终身职位的讲师的身份不顺利地开始了他的学术生涯。虽然他在阿姆赫斯特（1920～1924）、伦敦经济学院和海德堡（1924～1926）所接受的教育带领他认识了凡勃伦、拉德克利夫-布朗和韦伯的著作，但是这只留给他一个外国的博士学位和在哈佛大学经济学系的一个不确定的职位。哈佛大学经济学系对理论不太感兴趣，而对某些技术问题比较感兴趣，而他发现这些技术问题非常令人厌烦。然而，最后事实证明，帕森斯具有索罗金所不具有的力量。[41]

帕森斯在几十年中分阶段地发展他的理论，他利用了被大多数美国社会学家忽略了的古典欧洲理论家。但是，在不承认任何美国人的影响的情况下，他保持了对有意识的行为或唯意志论的强调，这是与库利、乔治·赫伯特·米德和托马斯的传统相符的。在他执教哈佛大学的头20年（1927～1947），他在《社会行动的结构》（*The Structure of Social Action*，1937）一书中详尽阐述了这一唯意志的"行动"理论，将其上溯至在阿尔弗雷德·马歇尔、埃米尔·迪尔凯姆、马克斯·韦伯和维尔弗雷多·帕累托的著作中的聚合点。帕森斯攻击了个体的功利主义的、理性主义的概念，并论证说，社会是由许多共同价值观念维系在一起的，在对目标的追求中，它们为方法和结果的个体选择确定方向。虽然生物的和环境的拘囿限制了成就，社会行动必须以社会学的方法来理解，而不是被化简为生物学或心理学。

[39] Maus，《社会学简史》，第17章～第19章。

[40] Barry Johnston，《皮季里姆·A. 索罗金：一位智者的传记》（*Pitirim A. Sorokin: An Intellectual Biography*, Lawrence: University Press of Kansas, 1995）。

[41] Francois Bourricaud，《塔尔科特·帕森斯的社会学》（*The Sociology of Talcott Parsons*, Chicago: University of Chicago Press, 1981）；Peter Hamilton，《塔尔科特·帕森斯》（London: Tavistock, 1983）；Ken Menzies，《塔尔科特·帕森斯与人的社会形象》（*Talcott Parsons and the Social Image of Man*, London: Routledge, 1976）。

作为一个新的社会关系系(1946)的主任,帕森斯补充说明了他的立场。他的在《社会系统》(*The Social System*, 1951)一书中的"系统理论"或"结构 - 功能主义"(这是一个帕森斯不喜欢的术语,他更喜欢"结构分析"这一术语)根据它们发挥的功能论述了社会结构——维持它们的制度和规范。从20世纪50年代末以来,他改进了系统论以处理社会子系统之间的相互作用,而且发展一个控制论的方法模式,文化用这种模式来控制社会变迁,在他的早期的关于这一专业的著作中,他对这一问题的兴趣已非常明显。

帕森斯的唯意志论强化了他对读者的吸引力,不然的话,这些读者将会被他的晦涩的散文体与混乱的定义吓得望而却步。对于研究生来说,他的理论看起来是原创的和开放的,它招致了无数的未来计划的产生。从组成机构上说,他有效地超越了芝加哥 - 哥伦比亚的区分。他的反实证主义是以欧洲社会理论的语言进行表述的,这样就有效地把他既置于古典经济学的对立面,又置于吉丁斯的学生之统计学客观主义的对立面,然而,与此同时还抢了芝加哥功能主义传统的镜头。他的个人信仰也完全适于正在变化的政治气候。作为一位中间偏左的自由主义者,他在20世纪30年代对放任主义展开了进攻,同时支持新政的社会福利和调整措施。在30年代末,他警告人们提防纳粹主义的危险,而且加入了支持参战动员的反孤立主义的教师团体。在20世纪40年代初,他的对法西斯主义的分析是到那时为止一个美国社会学家所做出的最透彻的分析。所以批评家们后来指控说,他的系统论同样完全适于20世纪50年代的管理合作自由主义。[42]

350

哥伦比亚也很快被引入帕森斯的轨道,虽然没有赶在罗伯特·麦基弗(1882～1970)在那里创造一个不同的社会学传统的尝试遭到失败之前,这里的许多原因是与索罗金在哈佛遭到失败的原因相同。麦基弗出生于苏格兰,于1915年在加拿大接受政治学教职之前在爱丁堡研究古典作品。虽然被广泛接受,但是他的从《社区》(*The Community*, 1917)到《社会》(*Society*, 1931)的主要著作横跨了政治哲学和社会学之间的区分。一位同事后来评论道,他几乎没有门徒,因为他不具有他自己的天赋之外的有特色的分析方法或模式。[43]

然而,作为从1929年到1950年的教授,麦基弗重建了哥伦比亚社会学系,而且任命了罗伯特·K. 默顿(1910～2003)和保罗·F. 拉扎斯菲尔德。作为帕森斯的学生,默顿把他的导师的系统化的功能主义称为是"早熟的",它是一门哲学,而不是一种从经验上检验假设的方法。在《社会理论与社会结构》(*Social Theory and Social Structure*, 1949)一书中,他论证说,早先的功能主义,尤其是英国人类学家 A. R. 拉德克利夫 - 布

[42] William Buxton,《塔尔科特·帕森斯与资本主义的民族国家》(*Talcott Parsons and the Capitalist Nation-State*, Toronto: University of Toronto Press, 1985)。

[43] Mirra Komarovsky,《麦基弗》(MacIver),载于《美国的社会学家》(*American Sociologist*),6(1971),第51页～第53页;Leon Bramson 编,《罗伯特·M. 麦基弗》(*Robert M. MacIver*, Chicago: University of Chicago Press, 1970)。

朗和布罗尼斯拉夫·马林诺夫斯基的功能主义,已经过分地强调了在社会内部的整合程度:没有任何一个社会文化项目能够在任何体系中普遍有效,也不存在对于社会整合的必不可少的需求,更恰当地说是一系列可采用的选择对象。一个系定理(corollary)是被承认的和有意的(明显的)功能与没有被承认的和无意的(潜在的)功能之间的一个区分。默顿发展了"参照团体"和"相对丧失(relative deprivation)"这类"中间范围(middle range)"理论来分析家庭、大学、科学和官僚政治。

拉扎斯菲尔德出生于奥地利,1933年移居美国之后,建立并领导了新泽西州普林斯顿无线电广播研究办公室(1937～1943),后来又建立并领导了应用社会研究室(Bureau of Applied Social Research)。在1940年,他与默顿一同进入哥伦比亚社会学系。在《人民的选择》(*The People's Choice*, 1944)与《选举》(*Voting*, 1954)的具有影响力的统计学研究中,他分析了政治文化与大众文化之间的关系。在1945年之后,默顿-拉扎斯菲尔德的合作试图"运用(operationalize)"结构功能理论,并创造了哥伦比亚的复兴和与哈佛大学的非正式的联盟,在哈佛大学,帕森斯与萨缪尔·斯托佛具有一个类似的合作。[44]

战时的问题激发了这样一些主要的合作成果,如多萝西·S.托马斯和同事的《腐败》(*The Spoilage*, 1946)、萨缪尔·斯托佛和同事的《美国士兵》(*The American Soldier*, 1949)以及特奥多尔·阿多诺和同事的《独裁主义的人格》(*The Authoritarian Personality*, 1950)。当"status","norm","role"和其他无数社会学术语进入美国词汇表的时候,在大卫·里斯曼的《孤独的人群》(*The Lonely Crowd*, 1950)、C.赖特·米尔斯的《白领》(*White Collar*, 1951)和威廉·怀特的《组织人》(*The Organization Man*, 1956)等著作中,社会学获得了更加广泛的读者。

虽然帕森斯主义的/默顿主义的功能主义在1945年与20世纪60年代初之间支配了美国的社会学,人们还是不应该夸大帕森斯主义的垄断或美国的国际影响。战后欧洲社会学的复兴受到美国模式的极大影响,但是,它同样具有本土的根源——在对新兴福利国家的需要中,而且它是筑基于更为古老的民族传统之上。

截止到1945年,尽管迪尔凯姆对于相关学科已具有影响,法国仍然不具有明确的社会学授课或社会学的专业人员,虽然几位教授讲授具有这一标签的课程或从事具有这一标签的研究。在出生于俄国的乔治·居尔维什的领导之下,于1946年成立的社会学研究中心(Centre d'Etudes Sociologiques)是由历史学家、地理学家和其他对他们自己领域的"经验"研究感兴趣的人组成的。在20世纪50年代中期,雷蒙·阿龙和让·施特策尔在索邦大学被任命为社会学系教授,国家资金的供给和出版体系的创立

[44] Allen H. Barton,《保罗·拉扎斯菲尔德与应用社会研究》(Paul Lazarsfeld and Applied Social Research),载于《社会科学史》(*Social Science History*),3(1979),第4页～第44页;Anthony Oberschall,《保罗·F.拉扎斯菲尔德与经验研究史》(Paul F. Lazarsfeld and the History of Empirical Research),载于《行为科学史杂志》(*Journal of the History of the Behavioral Sciences*),14(1978),第199页～第206页。

都导致了社会学研究的发展和对美国模式的新兴趣的产生，它的早期例证包括在20世纪40年代末的对产业工人的研究。[45]

在纳粹时代的灾难性的间断过后，德国的社会学伴随着一系列的事件复兴了：1946年德国社会学学会（German Sociological Society）的重建，冯·威斯的《社会学研究》（*Studien zur Soziologie*, 1948）的出版，著名的流亡者（在他们中有雷内·柯尼希、霍克海默和阿多诺）的返回，以及法兰克福研究所于1950年的恢复。然而，大学的社会学系科扮演了一个相对次要的角色。在整个20世纪50年代，社会学继续在其他学科的庇护下得到传授，在研究所中传授，或由在大学组织以外的工商业利益集团资助的教师队伍传授。在20世纪60年代和在此后，社会学的作者（阿多诺、霍克海默、拉尔夫·达伦道夫和哈贝马斯）获得了国际的关注，虽然他们是作为社会理论家或哲学人类学家而不是作为社会学家本身受到关注。[46]

352

在筑基于美国范例之上的主流社会学实践与根植于德国传统中的理论的团体之间的一个分裂仍继续存在。在十年里第一批产生出来的经验研究比德国的社会学在其整个历史中产生出来的更多，这些研究是关于公共舆论、社区、家庭、劳资关系、教育方面的。虽然这些研究中的某些是由理论指导的（产业研究，以在英国受过训练的达伦道夫的著作为例），但是，除了经验工作之外，重要的理论争论都出现了。反启蒙运动传统中的保守主义者（如阿诺德·盖伦和尼格拉斯·卢曼）回到德国社会学传统的主题，探索了合理化和现代化的问题，而复兴的法兰克福学派的"批判理论家们"使启蒙运动的传统受到批判的审察。

在1976年，社会学家罗宾·威廉斯骄傲地指出了战后美国社会学的成就：在许多分支领域中的数据资料的积累，这些分支领域是：政治，教育，军事，卫生；新的方法的使用，它们是：参与观察，定标（scaling），多变量分析；最重要的是思考人类社会的新方法，即：被提高了的"对反语、模棱两可和悖论的意识"，对"善意产生不良结果和反之亦然"的承认，和"一个比可在乌托邦的或玩世不恭的倾向中发现的观点更为复杂和更为牢靠的关于社会现实的观点"。[47] 然而，到这时为止，这些价值观和在它们的背后的假定已经受到了围攻。

20世纪60年代及其后的社会学

20世纪60年代意味着"现代"社会学的结束。在美国，帕森斯的霸权与默顿的

[45] Jean-Michel Chapoulie,《法国社会学的再生》（The Second Birth of French Sociology），这是一篇在1990年7月9日～13日于马德里举行的第十二届世界社会学大会上宣读的论文。

[46] Volker Meja, Dieter Misgeld和Nico Stehr,《自从1945年之后的德国社会学的社会与知识组织》（The Social and Intellectual Organization of German Sociology since 1945），载于Meja, Misgeld和Stehr编,《现代德国社会学》，第1页～第56页。

[47] Williams,《在美国的社会学》，第91页～第97页。

“中间范围”的妥协都让位于在政治方面引起强烈争论的人文主义/实证主义的区分。冲突理论家攻击帕森斯忽略了暴力和镇压的现实,尤其是 C. 赖特·米尔斯在《社会学的想象力》(*The Sociological Imagination*, 1959)和阿尔文·古尔德纳在《西方社会学的即将到来的危机》(*The Coming Crisis of Western Sociology*, 1970)中对其展开攻击。符号互动论者、现象学家和交换理论家瞄准了帕森斯的严格的人类行为的模式和他对认识和现实的构造的复杂性所谓的失明。法国的新马克思主义者论证说没有任何单一的、抽象的社会制度对所有社会是普遍的,更确切地说,历史上特殊的社会制度反映了基本的“生产力”。以计算机和数学的精密性武装的新型实证主义者坚持认为:帕森斯的理论应该在经验中被验证。女性主义者指责说,功能主义强化了现存的社会性别的角色。社会生物学家唤醒了生物决定论的长生不老的幽灵。[48]

353

与此同时,背景主义的历史学家讲述了一个循环的而不是向前发展的故事,而且成功地通过观察发现了并非普遍真理而是制度的和意识形态因素的结果。诉求于“科学”看来最好的情况是学科合法化的思想,最坏的情况是对社会的反动目的的遮掩。虽然社会学的捍卫者能够回答说他们的学科已经极大地丰富了社会的词汇,积累了对它的不同的赞助人和顾客有用的信息,而且重塑而不是放弃了自由主义的传统,但是批评家看来还是获得了胜利。具有讽刺意味的是,截止到 20 世纪 70 年代末,这些获胜者已不是“激进的”竞争者,而是平凡的方法论者(methodologist),现在他们备有计算机,以通过社会科学研究理事会(Social Science Research Council)开展工作的一个数学游说集团为靠山,而且致力于从数量上来评价政府的计划。在作为一个整体的学科中,结果是分裂和一位观察者所说的“中断”。[49]

十年以后,这一挑战预示了比早先循环的简单重复更多的东西。正如斗争和新马克思主义社会学的多种变体让位于后结构主义的/后现代主义的方法一样,批评家深化了对社会学的基本信条的挑战:它的要提供普遍知识的主张,它的对秩序和体系的强调,和它的赋予“专家”对社会的优先理解的特权。[50] 具有争论的不仅仅是一个或另一个理论或方法,而恰恰是“社会”和“社会性”概念本身。法国社会学哲学家让·鲍德里亚在一篇这一立场的极端的陈述中写道:“社会性之死”也将是它自身之死。[51]

与此同时,实证主义的政策研究与后现代主义理论之变体之间的区分逐渐削弱了理论与研究之间合作的持续。在其最多产的时期这种合作是这一学科之突出特性。虽然某些社会学家强烈要求完全拒斥后现代主义,但其他社会学家则满怀希望地指

[48] Mullins 与 Mullins,《在当代美国社会学中的理论与理论团体》,第 7 章～第 11 章。

[49] Wiley,《占统治地位的理论》。

[50] Peter Wagner,《社会学》(Sociology),由联合国教科文组织编,《人文学科史》之第 7 卷《20 世纪》(*The History of Humanity*, vol. 7: *The Twentieth Century*, London: Routledge),即将出版。

[51] David R. Dickens 和 Andrea Fontana 编,《后现代主义与社会调查》(*Postmodernism and Social Inquiry*, New York: Guilford Press, 1994)。

出,后现代主义者论述了已经吸引社会学的想象力的问题:在西方社会中的主要的结构转变,它们对社会的相互作用和认同的影响,对新方法、新策略的需求。在这一气候之下,这一学科的未来似乎像学术时代开始时那样难以确定。

（辛岩　译）

19

354

人类学

亚当·库珀

文化人类学,社会人类学,民族学,民俗学(Volkskunde)和人类文化学(Völkerkunde),一言以蔽之都是人类学。试图为这些术语寻找一个共同的定义将是鲁莽的,更不用说为看来更像是一系列联系松散的、地理位置多变的、在历史上不稳定的计划确定一个共享的项目了。确实,写一部世界人类学之变种的一致的历史不是一项貌似合理的事情。

在此,我的策略是把注意力集中在20世纪初最终被称为社会人类学(在欧洲习惯使用的术语)或文化人类学(美国的名称)的发展上,也集中在这整个历史时期占主导地位的传统上。其次,我将在这些传统的轨迹中辨认出共同的要素,虽然大多数论证将必然涉及不同国家的学派。在追溯这一论说的现代史的时候,我采用了传统的(虽然必定是有争议的)区分方法,即把这段历史区分为三个阶段:进化论的争论与进化论者和传播论者之间的对抗,这一历史阶段大致相当于1860～1920年;社会科学或行为主义的阶段,大致从1920～1970年,在这一历史阶段,理论模型取自于社会学和心理学或取自于结构语言学;最近的历史时期,在这一历史时期中,占有主导地位的计划是克利福德·吉尔兹(1926～2006)所说的"文化的解释",而且,最强大的理论影响来自哲学、语义符号学和文学理论。当然,某些国家的学派沿着完全不同的路线发展;同时,这种时期划分在美国的文化人类学的发展中是最为明显的,甚至于在那里,三个趋向(大致说是进化论的、功能主义的或结构主义的和解释主义的)在整个20世纪的过程中艰难地和平共处。尽管如此,这一框架可被用来构成一个初步的论述。

355

文化与社会的演化

巴黎人类学协会(Société d'Anthropologie de Paris)于1859年建立,伦敦和柏林的人类学协会也紧随其后分别于1863年和1869年建立(当然,每个协会都有它自己的杂志)。这些人类学协会吸引了保罗·白洛嘉、弗朗西斯·高尔顿、T. H. 赫胥黎、爱德华·B. 泰勒和鲁道夫·维尔乔夫(1821～1902)这些具有卓越才能和声望的科学家。

这些人类学协会建立的推动力是关于人类起源的重大问题的方兴未艾的争论,这一争论受到古生物学家和考古学家在欧洲的发现和1859年查尔斯·达尔文的《物种起源》(*Origin of Species*)的出版的刺激。也许正是因为新视野在人们看来是如此广阔,所以来自知识界所有角落的人都在19世纪50年代末走到一起讨论这些问题,而且论说的一个新领域开始产生。

尽管如此,人类学的早期历史不是有条理的。它的实践者横跨在自然科学与人文学科之间的传统的区分之上。在种族、文化和人类制度的历史是这样一些学科中,医生、律师,甚至传教士和探险家全能声称具有某些专业知识,如同各种专家一样——其中包括地理学家、古生物学家、地质学家、语言学家、古典学者和研读《圣经》的大学生。而且,决定哪一论题与新的论说有关也不是件容易的事。例如,在19世纪60年代提交给伦敦人类学协会(Anthropological Society of London)的论文的题目的范围从《关于剥除头盖骨皮的笔记》(*Notes on Scalping*)和《腕部的反常肿胀》(*Abnormal Distension of the Wrist*)到《丹麦的厨房垃圾》(*Danish Kitchen Middens*)、《再论阿布维尔的化石人》(*The Fossil Man of Abbeville Again*)和《在埃及的吉普赛人》(*The Gypsies in Egypt*)。[1] 还有经验参照的广大范围。被人们普遍接受的观点是:人类学家应当关注"原始民族",这或是因为它们被用于代表活化石,更实际地说,或是因为人们认为它们已接近灭绝的边缘,或至少将丧失它们的文化。与此同时,在这一新领域中的一个兴奋的源泉是这样一个希望:对"原始"社会的比较研究将对包括《圣经》在内的古典文献做出新的解释。

截止到19世纪80年代,在德国、法国、英国和美国的大学中开设了人类学的课程,但是这一学科似乎仍然像个名副其实的百宝箱。爱德华·B.泰勒的教科书《人类学》(*Anthropology*,1881)涵盖了人类起源,"人与其他动物",种族,语言,艺术——他又把艺术区分为"生活艺术"("工具和机器")和"娱乐的艺术"(诗歌、音乐、舞蹈和雕塑艺术),及科学,精神世界,历史和神话学和"社会"等诸多领域。在西欧的大多数国家里,史前考古学和人类生物学在19世纪末20世纪初已把它们自身确立为特殊的领域。尽管如此,民族学(或社会人类学)仍然包含语言学、民俗学、物质文化和泰勒所说的"比较法理学"。在整个20世纪的过程中,美国的人类学参与了一次混杂的、很少充满热情的"拥抱",结果是人类学包含了最终被称为"四领域"的人类生物学、考古学、语言学和文化人类学。

356

尽管有这一差异,但是各种学科计划仍然具有一定的统一性。确实,伦敦人类学协会的主席这样解释说,他的协会之所以在1863年成立起来,正是因为"这一时代已经来临,在这一时代,与人相关的科学的所有不同分支再也不应相互隔绝开来,这已变

[1] 出自《人类学评论》(*Anthropological Review*,1864),在John Burrow的《进化与社会》(*Evolution and Society*, Cambridge: Cambridge University Press, 1966)中被引用,第125页。

得绝对必要了”。[2] 争论开始集中于四个新兴的研究项目之上，这四个研究项目似乎必定会改变对人类起源和人类本性的理解。

第一个问题关系到古代风俗习惯和人类的起源。雅克·布歇·德·彼尔特丁1847年已经发表了他的关于法国旧石器时代的具有开拓性的发现，而且在1858年布里克瑟姆洞穴(Brixham Cave)被挖掘之后，他的研究被赋予一个坚实的科学背景。在1863年，赫胥黎发表了《关于人在自然中的位置的证据》(*Evidences as to Man's Place in Nature*)一书。在同一年，查尔斯·赖尔为在欧洲与石器一起发现的人类化石的古老悠久的历史担保，而且在《人的悠久历史的地质学证明，以变异评论物种起源的理论》(*The Geological Evidences of the Antiquity of Man, with Remarks on Theories of the Origin of Species by Variation*)一书中，他把这些发现与达尔文的物种起源的理论联系起来。在1865年，达尔文的亲密伙伴约翰·拉伯克发表了《史前时代》(*Prehistoric Times*)一书，这部著作概述并综合了新考古学与古生物学的发现。现在，人们开始论述具有联系的一系列问题。人们能找回人类的史前史吗？人类具有一个共同的起源吗？换言之，不同的人类种族具有相互分离的起源吗？最后，在人类的历史中具有一个方向(进步)吗？

马尔堡大学(Marburg)的哲学教授特奥多尔·韦特兹在他的百科全书式的《原始民族人类学》(*Anthropologie der Naturvölker*, 1858)第一卷中详细说明了第二个计划。心理状态和文化的差异是否反映了生物变异？或如韦特兹自己认为的那样，文化的变化是否建构在共同的人类基础——“人类的精神统一性(psychic unity of mankind)”之上？虽然伦敦人类学协会很快出版了韦特兹的著作的第1卷的译本，但是，它的成员却更倾向于坚持这一观点：在心理状态方面存在巨大的种族差异。在美国内战期间，伦敦被“人类学家”与“民族学家”之间的冲突所分裂，即人类同源论的信仰者对抗那些更倾向于这样一个观点的信仰者，这些人认为人类种族相当于物种，而且每一个种族都具有单独的起源。[3] 然而，对人类同源论的承诺并不必然导致所有种族都是平等的这一信仰。在19世纪80年代，即使是达尔文主义者也日甚一日地持有这一观点：文化的差异根植于种族之中。

357 第三个计划接受了奥古斯特·孔德的人类理性分阶段发展的理论，维多利亚时代的人把这些阶段表述为巫术阶段、宗教阶段和科学阶段。巫术不过是错误的科学和无效果的技术。宗教是我们远祖的无理性的恐惧和梦想的残留物。这些是确定的理性主义的学说，但是现在，达尔文主义的理论为《圣经》对创造和神的指引的论述提供了一个科学的选择余地。功利主义的理论家们主张以理性的伦理观代替启示的道德。科学的时代确实到来了。

[2] 在 Burrow 的《进化与社会》第120页上被引用。
[3] George W. Stocking, Jr.,《维多利亚时代的人类学》(*Victorian Anthropology*, New York: Free Press, 1987)，第7章。

泰勒的《原始文化》(*Primitive Culture*, 1871)的第2卷致力于论述宗教的发展,它介绍了一系列关于最终被称为"图腾崇拜"的研究,而对"图腾崇拜"的研究在下一代英国人类学家的工作中占了主导地位,并引起了迪尔凯姆和弗洛伊德的注意。人们可以根据宗教思想智慧的复杂和精致程度把它们排在一个系列中,但是后来的宗教全都产生于原始的神学体系,而且保留了它们起源的痕迹。基本的宗教仪式是献祭,而献祭的起源能够在原始的"万物有灵论者的"习惯中被找到,在这些习惯中,人们以被宰杀动物的灵魂向神献祭。这一清晰的含意是基督教的仪式充满了原始的遗迹。它们不应再欺骗任何有理性的人。J. F. 麦克莱恩、威廉·罗伯逊·史密斯和詹姆斯·乔治·弗雷泽发展了这些思想,他们论证说,所有宗教都起源于"图腾崇拜",而且这种原始宗教的习惯仍能够在澳大利亚的土著居民中被发现。[4]

第四个计划关系到公民制度的起源。现在人们凭借着参照对所谓的原始社会的观察,在一个进化论的框架中重新考察了关于合法政府之来源的古典哲学问题。三位律师发起了这一争论,他们是亨利·梅因:《古代法》(*Ancient Law*, 1861),J. F. 麦克莱恩:《原始婚姻》(*Primitive Marriage*, 1865),和一位美国人刘易斯·亨利·摩尔根:《古代社会》(*Ancient Society*, 1877);而且,弗里德里希·恩格斯辨认出它的潜在的根本含意:《家庭、私有制和国家的起源》(*Der Ursprung der Familie, des Privateigenthums und des Staats*, 1884)。尽管他们争论的分歧大多关于母系氏族体系的优先地位,但是这些作者很快就中心问题达成一致意见。最原始的人类社会是基于氏族关系之上,而且由异族通婚的后裔群体所组成。只有在极为漫长的野蛮时期和一个伟大革命之后(根据亨利·梅因的观点,这是人类历史上最伟大的革命),以地域为基础的群体才能最终代替氏族群体作为社会基础。这一革命伴随着私有财产的产生和婚姻家庭的出现。[5]

358

这四个计划虽然各有特色,但也有大量的共同点,而且早有人试图对其加以综合,尤其是拉伯克和泰勒的尝试。[6] 共有的问题涉及人类制度和知识从野蛮状态发展到文明状态的方式。这些作者还普遍论述文献的同一主体——古典原始资料和赴热带地区旅行家及住热带地区居民之报告的一个混合物。最后,他们面临同样的方法问题。人类的悠久历史如何能被重新建构起来呢?关于"原始民族"的不同报告如何能被分类和归档?

在德国,地理综合体通常是首选,与语系的分类一起为文化领域的描述提供了一个具有影响的模式。然而,在英国,一个单一的、向前发展的人类历史的启蒙运动的模式被普遍接受下来。所有社会都经历了相同的历史发展阶段,虽然不是以相同的速度发展。人类社会被按顺序排入历史的发展阶段,它们的风俗习惯像生物的化石形态一

[4] E. E. Evans-Pritchard,《原始宗教理论》(*Theories of Primitive Religion*, Oxford: Oxford University Press, 1965); George W. Stocking,《在泰勒之后》(*After Tylor*, Madison: University of Wisconsin Press, 1995),第2章。

[5] Adam Kuper,《原始社会的发明:一个幻想的转变》(*The Invention of Primitive Society: Transformations of an Illusion*, London: Routledge, 1988)。

[6] Stocking,《维多利亚时代的人类学》,尤其是第5章和第6章。

样分层排布。因此,人类学家寻找一些习俗,它们相当于古生物学家的化石,或考古学家的石器,或语言学家的词根,它们将构成古代风俗习惯和信仰之证据。也许古代的习惯成为化石的形态在某些现代礼仪中保存了下来,或在守旧的语言形态中保存了下来。也许甚至还存在活的石器时代社会。正像古代的岩层会在地球的某些部分裸露出来一样,落后的民族也会存活到现代。达尔文自己就曾极好地报道过第一次看到火地岛人(Fuegians)的情景,“这一想法立刻冲入我的脑海——这些就是我们的祖先”。[7] 这条推理线索鼓励人们去发现最原始的活的人群,而且人们广泛认为,这些最原始的活的人群就是澳大利亚的当地民族。在19世纪末20世纪初,詹姆斯·乔治·弗雷泽致信鲍德温·斯宾塞说:“人类学的研究仍必须在澳大利亚进行……因为对于人类的早期历史来说,这比人们现在能在世界任何地区所做的事情都更具有重要性。”[8]

人类学家的规模很小的和爱争论的团体还共享着某些理论思想,或至少讨论过一小组可供选择的思想。达尔文在这些学术圈子中是一个强有力的存在,尤其是在英国,而且某些人类学家受到他的强大影响;达尔文又反过来紧紧追随人类学家的辩论。尽管如此,达尔文主义的影响不应被夸大。[9] 在达尔文的要旨之不同方面之间进行区分仍是必要的,因为他的主要论题并不具有同样的影响力。截止到19世纪70年代初,科学共同体已普遍相信人类历史的古老和悠久及它的灵长目动物的起源。最具有影响的人类学家为了科学或神学的原因也接受了人类同源说,即使某些人类学家(也许是大部分)倾向于持有这一观点:环境的压力在漫长的历史时期中形成了种族的差异,在所有的族群中产生了重要的心理差异。但是,当共同血统的理论被接受的时候,自然选择的理论仍被起领导作用的生物学家所争论,其中甚至包括赫胥黎。自然选择理论潜在的最具有破坏性的含意是在进化中不存在清晰的前进路线,虽然实际上大多数与达尔文同时代的人仍然忠于启蒙运动的单线发展的观点,而达尔文自己写过,好像在人类文明中存在一个清晰的发展。英国和法国的作者通常都坚持人类文明之普遍进步的信仰,这个观点能够与模糊的达尔文主义的论说相结合,或能接纳一个人类种族的等级理论的观点。

359

在1871年出版的两部著作给了这些计划一个有凝聚性的思想动力,它们是:达尔文的《人类的由来》(*Descent of Man*)和泰勒的《原始文化》(*Primitive Culture*)。达尔文的对人类进化的阐述特别强调了大脑的发达,他把大脑的发达与直立行走的进化和技术的发展联系起来。虽然人的行为是其他灵长目动物之行为的变异,但是作为智能特殊化的结果,它已经脱离了动物之行为。它确实也前进了,而且显而易见,当人类发展

[7] Charles Darwin,《人类的由来及性选择》(*The Descent of Man, and Selection in Relation to Sex*, London: John Murray, 1874),第2版,第920页。

[8] Robert R. Marett 和 Thomas K. Penniman 编,《斯宾塞与弗雷泽关于科学的通信》(*Spencer's Scientific Correspondence with J. G. Frazer*, Oxford: Clarendon Press, 1932),第22页。

[9] Burrow,《进化与社会》,第4章;Stocking,《在泰勒之后》,书中各处可见。

的时候，这一进步仍在继续。考古学的证据说明，在技术领域里有一个长期的进步。泰勒现在论证说，与人类的智能的发展共同前进的不仅仅是技术，而且还有语言、艺术、社会制度和对世界的理解。这些不同的成就构成了一个单一体系的各种要素，这个单一体系是“文化或文明”，它是“复杂的整体，其中包含了知识、信仰、艺术、道德、法律、风俗习惯和被作为社会之一员的人类所获得的任何其他能力和习性”。[10] 简而言之，大脑的专业化产生了文化；而大脑继续发展，文化也随之发展。

在德国，启蒙运动的计划拥有影响力很大的追随者，但是反启蒙运动的对理性主义的、进步的、普遍的历史的反动是一个强大的力量。浪漫主义运动已经激发了对德国和斯拉夫方言的研究，也激发了对民间故事及民间音乐的收集，旨在追求一种难以捉摸的民族精神（Volksgeist），这一民族精神已经以某种方式抵抗了都市文明的腐蚀性影响。这一民族主义的计划在自由主义的集团中受到批判，但是德国的学者倾向于偏爱文化的地理测绘而疏于进化的重建，而且他们强调文化制度之环境或生物的决定因素。虽然达尔文主义在英国取得了胜利，但是在德国，它遇到了批判的反动，这一批判的反动促使一个完全不同的人类学论说的形成，而这一人类学论说的形成是在鲁道夫·维尔乔夫的领导之下。维尔乔夫是德国一流的医学家，是持自由主义观点的杰出政治家，而且是柏林人类学协会（Berlin Society of Anthropology）幕后的领路人。达尔文已经提出了一个起刺激作用的假设，维尔乔夫承认了这一假设，但它是早熟的。对于认定一个综合体来说，关于特殊人种的历史，需要学的东西实在是太多了。而且，维尔乔夫否认种族对于人类历史的关键性。德国人和斯拉夫人不是纯粹的种族。种族的融合如果不是普遍的话，也是广泛发生的。生物学的特性贯穿了传统的种族的分类，而无论如何，这一传统的种族分类受到当地的、环境的因素的影响。种族、文化、语言和民族并不必然，或者说甚至并不经常恰好重合。

360

维尔乔夫的伙伴阿道夫·巴斯蒂安（1826～1905）在1886年成为柏林民族学大博物馆的第一任馆长，他试图说明：所有文化像种族一样都是混合物——在历史上是多样的，依赖于借入，而且总是处于变化之中。所有文化都根植于普遍的人类心理状态，它具有产生相似的基本理念的典型的趋向；但是文化的发展被自然环境所拘囿，而且由人群之间的接触所形成。对于文化变迁来说，借入是首要机制。因为文化变迁是偶然的局部过程（环境压力，移民，贸易），所以由此得出结论：历史没有发展的定式。维尔乔夫和巴斯蒂安的一位学生弗朗茨·博厄斯（1858～1942）在19世纪末20世纪初把这一方法引入了美国的人类学。[11]

[10] Edward B. Tylor 的《原始文化》（London: John Murray, 1871），第2卷，第1页。

[11] Woodruff D. Smith，《德国的政治学与文化科学（1840～1920）》（*Politics and the Sciences of Culture in Germany, 1840—1920*, New York: Oxford University Press, 1991）；George W. Stocking, Jr. 编，《作为方法和道德规范的民族精神：关于博厄斯主义的民族志与德国的人类学传统的文集》（*Volksgeist as Method and Ethic: Essays on Boasian Ethnography and the German Anthropological Tradition*, Madison: University of Wisconsin Press, 1996）。

传播论

当美国的人类学发展成一个有组织的学院学科的时候,它就被博厄斯及其学派与由刘易斯·亨利·摩尔根的门徒所代表的进化论的(也许更是启蒙运动的)传统之间的大规模的斗争所限定。摩尔根断言:"人类的历史,在源头上是单一的,在经验中和在进步中也是单一的。"[12]博厄斯最终在1899年于哥伦比亚大学找到了固定的职业,在此他建立了国内第一个人类学研究生部。哥伦比亚是生物学中的反达尔文主义的反动力量的中心,博厄斯的学生之一罗伯特·路威(1883～1957)后来回忆,作为一位年轻达尔文主义者的他,在面对托马斯·亨特·摩尔根的对自然选择理论的批判和爱德华·L.桑代克的对动物的和人类的思维之间的联系的驳斥时,感到何等的震惊。[13]在此,博厄斯发现了对于他对人类学中的进化论的批判能够接受的听众,尤其是在大量的说德语的第一代美国人中,他的学生最初就是从他们中选拔出的。总结博厄斯的学说,罗伯特·路威强调了这样一个论点:没有"必然性或设计方案出现于对文化史的研究中……无论从形态学方面还是从动力学方面,人们都不能说社会生活已从野蛮状态发展到开化状态"。[14] 博厄斯还追随维尔乔夫驳斥了对文化差异的种族解释——这在美国是一个具有持久的政治重要性的问题,而且博厄斯坚持"人类精神的统一":"在原始人和文明人的思维方式中不存在根本的差异。"[15]

361

维尔乔夫和巴斯蒂安已经陈述了进化模式站不住脚的原因。历史是由移民、借入和遗传特性的传播驱动的,归因于偶然的联系。[16] 因此,人们可能确定发展的区域模式,但是并不存在普遍的历史。博厄斯把人类学构想为一门历史学科,但只是一门研究地方历史记录的学科。一旦许多特殊的历史记录被收集起来,早熟的进化论的概括归纳就被驳倒了。他和他的学生进行了一系列对北美本地族群的研究,而且他们使用他们的材料来说明泰勒、摩尔根和麦克莱恩的论点是站不住脚的。图腾崇拜是并不必然共同发生的信仰的松散的混合物。母系氏族社会并不在任何地方都先于父系氏族社会。父系氏族社会也许会变为母系氏族社会,某些母系氏族社会在技术和政治方面比某些父系氏族社会更先进。甚至在以狩猎、采摘为生的原始部族中,氏族群体和地

〔12〕 Lewis Henry Morgan,《古代社会:对从野蛮通过原始到文明的人类进步之线索的研究》(*Ancient Society: Research in the Lines of Human Progress From Savagery through Barbarism to Civilization*, New York: Holt, 1877),第6页。

〔13〕 Robert Lowie,《50年前美国人类学思潮的回忆》(Reminiscences of Anthropological Currents in America Half a Century Ago),刊登在《美国人类学家》(*American Anthropologist*),58:6(1956),第995页～第1016页。

〔14〕 Robert Lowie,《原始社会》(*Primitive Society*, New York: Boni and Liveright, 1920),第427页。

〔15〕 Franz Boas,《原始人的心灵》(*The Mind of Primitive Man*, 1911, New York: Macmillan, 1938),1938年版的序言。毫无疑问,法西斯主义的兴起导致了这一非常坚定的表述,但是,它总结了他在前一阶段提出的论点,但那一论点更具临时而又谨慎的语言风格特点。

〔16〕 参看 Boas,《原始人的心灵》。

域群体和平共处。[17]

这一对进化论的“传播主义的”批判产生于德国的民族学研究传统，这一民族学研究尤其在柏林和维也纳被坚持着。然而，在德国传统中，传播经常与渐进的发展模式相结合。地方的文化综合物产生于接触和借入，但是还存在长期的世俗主义的进步。德国对在太平洋的进化论的重建的批判使具有影响的英国学者 W. H. R. 里弗斯(1864～1922)放弃了他早先的单线进化论的信仰。他的杰作《美拉尼西亚社会的历史》(*The History of Melanesian Society*, 1914)使传播论在英国的人类学中变得可敬而体面，但是，像德国人一样，里弗斯倾向于这样一个观点，即：连续的文化综合体代表了进化的前进。[18]

362

田野工作

在 19 世纪 90 年代和 20 世纪初，在民族志的方法中也发生了一个非常普遍的转向。一般说来，进化论的作家们不是野外考察者；他们依赖于来自传教士、旅行家和当地专家的报告，他们日益频繁地从远方去指导这些人的工作。[19]马雷特写道：“在书斋中的人急于提出只有在野外的人才能回答的问题，而且根据源源不断来自于野外的答案，躲在书斋中的人又同样忙碌地修改他的问题。”[20]然而，截止到 19 世纪 90 年代之前，由专业民族学家进行的民族志探险已成了司空见惯的事情，这种探险经常得到正在扩大中的民族志博物馆的资助，以此希望增加它们的收藏品。这些探险活动效法自然历史学家所进行的那些探险，为区域文化传统的研究增加了推动力，这种推动力是被传播理论所赋予的。在这一学科的专业化的过程中，它们是一个重要的因素：1898 年英国人赴托雷斯海峡的第一次探险，被有效地用于为大学招募英国人类学家的最初的骨干。[21]

这些探险队和他们发表的调查报告，尽最大努力提供了关于在一个特殊地区之内的神话、风俗习惯、婚姻法、艺术和技术的地理分布的可靠报告。博厄斯本人创作了这些研究的最实质性的内容，他一生致力于美国西北海岸之土著民族的文化传统的文件的编辑和整理，而且他最终出版了 5000 多页的记录，通常是以土著语言出版。但是，博厄斯和里弗斯承认了这种工作的局限性。路威回忆说，博厄斯“特别欣赏已经取得了他从未尝试的成就的人——他们完成了一幅隐秘然而却是真实的土著人生活的图

[17] 参看 Lowie,《原始社会》；Robert Lowie,《原始宗教》(*Primitive Religion*, New York: Boni and Liveright, 1924)；George W. Stocking, Jr. 编,《一位弗朗茨 · 博厄斯的读者：美国人类学的形成(1883 ～1911)》(*A Franz Boas Reader: The Shaping of American Anthropology, 1883—1911*, Chicago: University of Chicago Press, 1974)。

[18] Stocking,《在泰勒之后》,第 5 章。

[19] Stocking,《维多利亚时代的人类学》,第 3 章。

[20] Robert R. Marett,《文化的传播》(*The Diffusion of Culture*, Cambridge: Cambridge University Press, 1927),第 4 页。

[21] Anita Herle 与 Sandra Rouse 编,《剑桥与托雷斯海峡：一百年来关于 1898 年人类学考察的论文集》(*Cambridge and the Torres Strait: Centenary Essays on the 1898 Anthropological Expedition*, Cambridge: Cambridge University Press, 1998)。

画。我几乎从来没有听到他的这类真实热情的语言，当他赞美博戈拉对楚克奇人（Chukchi）、拉斯穆森对爱斯基摩人（Eskimo）和蒂里对拉普人（Lapps）的叙述的时候，使用的就是这种语言”。[22] 在1913年，里弗斯提议说，人们应当补充对文化特征之地理分布的传统调查，或以“精深的研究”代替这一调查。在这一研究类型中，“考察者在四五百人的一个团体中生活一年或更多的时间，而且研究他们生活和文化的每一个细节”。他“并不满足于一般化的情报信息，而是研究具体细节中的生活和风俗习惯的每一个特征，并且借助于土话进行研究”。里弗斯得出结论说，这类研究将揭示“形成现存人类学材料的大量调查研究的不完全的甚至产生误导的特性”。[23]

363

里弗斯的剑桥大学的某些学生，尤其是A. R. 拉德克利夫－布朗（1881～1955），已经开始承担“精深的”研究项目，但是，第一个充分实现的精深研究是在1915年着手进行的，当时布罗尼斯拉夫·马林诺夫斯基（1884～1942）在特罗布里恩群岛着手进行两年的野外考察，这是一个成为“参与观察”之范例的研究。他的主导概念是不能相信人们对他们的风俗习惯所说的话：人们说一套做一套。观察实际的行为是必要的，其目的在于把握社会系统如何运转。正如里弗斯已经预见到的那样，这种进化论者和传播论者所典型依赖的信息情报最终不足为信。

功能主义的变种：作为社会科学的人类学

马林诺夫斯基的特罗布里恩群岛的研究不仅在野外考察的方法中开始了一场革命，它们还发出了理论思潮中的一个重要的转向信号。在人类学中逐步被称为“功能主义”的东西是精深实地考察的新方法和新的理论日程的一个汇合。它的主题是社会系统的运作方式而非其历史，而且它的焦点是关于集体的心理作用。它的最主要的实践者日甚一日地利用在社会学和社会心理学中发展起来的理论。最终被称为“社会人类学”的东西被重铸到这些相邻社会科学的形象中。拉德克利夫－布朗把它定义为“比较社会学”。

这一新观点的直接的理论灵感和启示是迪尔凯姆及其学派的著作。拉德克利夫－布朗已经根据他的老师里弗斯支持的路线方针在安达曼群岛（1906～1908）进行了一次传播论的实地考察，但是，几乎在一回到英国之后，他就马上转变成迪尔凯姆主义的立场；他最后于1922年（即马林诺夫斯基出版他的第一部关于特罗布里恩群岛实地考察的著作的那一年）出版的专题著作完全是迪尔凯姆主义的。马林诺夫斯基在这一时期也受到了迪尔凯姆的影响，但是，他也与威廉·冯特一起在莱比锡学习，而且吸

[22] Lowie,《弗朗茨·博厄斯》，刊登在《国家科学院，传记》（Biographical Memoirs, National Academy of Science），24（1947），第302页～第322页，在第311页上。

[23] W. H. R. Rivers,《关于在美国之外的人类学研究的报告》（Report on Anthropological Research outside America），刊登在《关于人类学之目前情况和未来需要的报告》（*Reports upon the Present Condition and Future Needs of the Science of Anthropology*, Carnegie Institution Publication No. 200, Washington, D. C.: Carnegie Institution, 1913），第7页。

收了他的社会心理学。对于这两个人来说,似乎迪尔凯姆的最初的感染力,尤其是《宗教生活的基本形式》(*The Elementary Forms of the Religious Life*,1912)的感染力在于他提供了一个关于在"原始社会"中的社会制度与集体"情感"之间的关系的思维方式。

这并不是说存在一个一致的功能主义理论,即使是在英国的人类学中也不存在。在两位主要的理论家之间——马林诺夫斯基和拉德克利夫-布朗,存在着重要的理论差异。尽管如此,他们两者都坚持认为,分析的共时框架(synchronic framework)比被确立起来的进化论的和传播论的方法更为有前途和希望,拉德克利夫-布朗把这两种方法嘲笑为"推测历史学"。他们所提倡的方法把一个民族目前的社会生活当做它的主题,而且不是根据它的假定的历史解释它,而是把它解释为一个发挥作用的整体,解释为完成着某种使命的机器,它的部件都对它的有效运作有所贡献。在他的第一部关于特罗布里恩群岛的野外考察的专题著作《西太平洋的航海者》(*Argonauts of the Western Pacific*,1922)的结论中,马林诺夫斯基写道:"对于我来说,似乎存在着一个新的理论类型的空间",它与"英国人类学之古典学派"的进化论和德国地理学观点比肩而立。 364

> 一个制度之不同方面的相互之间的影响,这一制度以之为基础的对社会和心理机制的研究,这两者是一种理论研究类型,迄今为止它只以试验性的方式被人们付诸实践的,但是我冒昧地预言这一理论研究类型迟早将会盛行起来。这类研究将为其他研究铺平道路并提供资料。[24]

而且,拉德克利夫-布朗更加强硬地坚持认为:"在目前,在人类学研究中的真正重要的冲突并不是'进化论者'和'传播论者'之间的冲突……而是以推测历史学为一方和对社会的功能研究为另一方的冲突。"[25]

拉德克利夫-布朗渴望发展社会和制度类型的分类,而且渴望确定复现的社会关系和社会过程,他的著作与迪尔凯姆的外甥——马塞尔·莫斯(1872～1950)的著作的诸多方面并驾齐辕,莫斯在法国继承了迪尔凯姆之计划中更多的民族志的一面。马林诺夫斯基发展了各种功能主义的论点,其中包括生物实用主义的一个形式,但是,在他的关于特罗布里恩群岛的专题著作中,他更关注证明特罗布里恩群岛之风俗习惯的实际合理性。他论证说,个人追求在形式虔诚之烟幕背后的他们自己的利益。即使是最明显不合理的实践也被表现出具有一个结果——例如,巫术使园丁们的信心变得坚强,或帮助造独木舟的人组织他们的工作。[26]

自然科学的模式几乎从来不侵犯欧洲的社会人类学,这一社会人类学已从研究机

〔24〕 Bronislaw Malinowski,《西太平洋的航海者:对在美拉尼西亚的新几内亚群岛的当地事业与冒险的一个说明》(*Argonauts of the Western Pacific: An Account of Native Enterprise and Adventure in the Archipelagoes of Melanesian New Guinea*, London: Routledge, 1922),第515页～第516页。

〔25〕 A. R. Radcliffe-Brown,《关于安布里恩的进一步的注释》(A Further Note on Ambryn),刊登在《人》(*Man*),29(1929),第50页～第53页,在第53页上。

〔26〕 Raymond Firth 编,《人与文化:布罗尼斯拉夫·马林诺夫斯基之工作的一个评价》(*Man and Culture: An Evaluation of the Work of Bronislaw Malinowski*, London: Routledge, 1957)。

构上与自然人类学（在大多数欧洲国家中，人们将其混同为“人类学”）明确区分开来。
365 但是，作为一个同时出现的社会科学学科的英国社会人类学的重塑，在两次世界大战之间的岁月里没有在任何别的地方重复发生。功能主义和其他社会科学模式在法国的民族学的发展中并不是决定性的，而且在德国的民族学的发展中也不是重要的。在欧洲大陆，这是两个最重要的社会人类学（或民族学）的中心，但是，这一学科在每一国家都以一种特殊的方式发展。

德国的民族学总是与地理学保持着密切的联系，而且共享着对文化特征之空间地理分布的关注。[27] 这一领域还受到语言学研究和民俗学研究的巨大影响，这些研究的影响导致了对神话的特殊强调。民族学大多在博物馆的背景中建立，虽然为了确定一些观点（这些观点使实体、神话和艺术传统之特殊范畴充满了活力）而进行了许多努力，但是这一学科在物质实体和“精神”特征之间进行了一个明显的区分。在19世纪末20世纪初，人们在Volkskunde（对本民族的民俗文化研究）和Völkerkunde（对其他文化的研究）之间进行了区分，在第一次世界大战之后，当德国的殖民地被剥夺走的时候，后一个传统失去了推动力。这两个学科都深深地牵连进20世纪30年代和40年代的纳粹科学中（其中既包含种族学说又包含优生学），而且牵连进新的殖民统治的理论的发展中，但是，这些联盟被纳粹政权的失败所破坏。只是到了第二次世界大战之后，德国的民族学才受到美国、英国和法国人类学学派的强大影响。[28]

罗伯特·路威已经评价过这一特殊事实：在法国，“田野调查的动力最终产生于哲学”。[29] 这一评论具有相当大的真实性，尤其是如果迪尔凯姆及其学派的中心计划被理解为基本上是哲学的，源自于康德和黑格尔，而且关注思想或推理之范畴的社会史。[30]《社会学年鉴》（*Année Sociologique*）把相当大的篇幅贡献给民族志的理论分析，而且迪尔凯姆的得力助手、他的外甥马塞尔·莫斯把他的一生都贡献给了对一些思想范畴的阐述，他认为它们是原始的和固有的却是发展中的。[31] 对于迪尔凯姆来说，这些思想范畴经由社会经验显现出来。莫斯宣传“完全社会事实”的学说。风俗习惯和
366 信仰是社会行动的形式，它牢牢地嵌入包含集体信仰和各种制度的系统中。无论如何，他的学说鼓舞第一代法国人类学家把注意力集中在对集体表象的研究，尤其是对

〔27〕 Matti Bunzl，《弗朗茨·博厄斯与洪堡传统》（Franz Boas and the Humboldtian Tradition），刊登在Stocking编，《作为方法和道德规范的民族精神》，第17页～第78页。

〔28〕 Walter Dostal，《在黑暗中的沉寂：在纳粹时期的德国民族学》（Silence in the Darkness: German Ethnology in the National Socialist Period），刊登在《社会人类学》（*Social Anthropology*），2:3（1994），第251页～第262页；W. Hirschberg编，《新民族学词典》（*Neues Wörtebuch der Völkerkunde*, Berlin: Reimer, 1988）；Karl-Peter Koepping，《阿道夫·巴斯蒂安与人类的精神统一：19世纪德国的人类学基础》（*Adolf Bastian and the Psychic Unity of Mankind: The Foundation of Anthropology in Nineteenth Century Germany*, St. Lucia: University of Queensland Press, 1983）。

〔29〕 Robert H. Lowie，《民族学理论史》（The History of Ethnological Theory, New York: Farrar and Rinehart, 1937），第196页。

〔30〕 Stephen Lukes，《埃米尔·迪尔凯姆，他的生活与工作》（*Emile Durkheim, His Life and Work*, London: Harper and Row, 1973）；Steve Collins，《类型、概念还是范畴？评莫斯对哲学术语的应用》（Categories, Concepts or Predicaments? Remarks on Mauss's Use of Philosophical Terminology），刊登在Michael Carrithers, Steven Collins和Stephen Lukes编，《人的范畴：人类学，哲学，历史》（*The Category of the Person: Anthropology, Philosophy, History*, Cambridge: Cambridge University Press, 1985）。

〔31〕 Marcel Fournier，《马塞尔·莫斯》（*Marcel Mauss*, Paris: Fayard, 1994）。

神话和仪式的研究。相形之下，拉德克利夫－布朗在英国发展了一个更关注制度上的形式和集体情感而不太关注集体表象的迪尔凯姆主义理论的变体。

直到1925年巴黎大学民族学研究所成立之前，民族志领域的研究相对来说仍然是不发达的，这一研究所是在莫斯、哲学家吕西安·莱维－布吕尔和自然人类学家保罗·里维的领导下成立的。在殖民地部(Ministry of Colonies)的支持下，这一研究所制定了培训民族志学家的计划，而且组织了一系列的野外考察，最著名的一次是由马塞尔·格里奥尔领导的达喀尔－吉布堤使团(Mission Dakar-Djibouti，1931～1933)。这些考察遵循已有的旧式的调查和收集模式，大多关注物质实体的收集和对艺术及神话的研究。

在第二次世界大战之后，莫斯的传统被结构主义理论家克劳德·莱维－斯特劳斯(1908～)和路易·迪蒙(1911～1999)所重塑。一个与之竞争的、更倾向于社会学的学派在乔治·巴朗迪埃和保罗·莫希埃的领导下得到发展，它致力于对殖民地背景中社会变迁的研究，而且受到英国社会人类学的影响，尤其是马克斯·格拉克曼的新功能主义的影响。在20世纪60年代和70年代，这一学派的年轻成员参与了马克思主义思想的复兴运动。研究团体已普遍建立，新一代的杰出野外考察工作者已经产生，他们与历史学家、哲学家和社会学家合作把巴黎变成社会人类学的主要的世界中心。[32]

在两次世界大战之间的岁月里，美国人类学的发展明显地与欧洲学派不同。博厄斯主义者(Boasians)怀疑迪尔凯姆的理论，而且抵抗马林诺夫斯基和拉德克利夫－布朗的影响。在20世纪20年代和30年代，一个同时产生的分析形式在博厄斯主义的人类学内获得了根据，但是，它从心理学和精神分析中汲取灵感，而胜于从社会学中汲取灵感。它的主题是文化，而不是社会；但是每一个地方文化都应被视为一个有机的整体(由特殊的价值观和风格形式的集群所构成)，而胜于被视为不同特征的历史积淀。文化决定了认识和行为，而且塑造了个性和身份。鲁思·贝内迪克特(1887～1948)认为，当一个小孩会说话的时候，“他是他的文化的一个小傀儡，当他长大并能参加文化活动的时候，文化的习惯就是他的习惯，文化的信仰就是他的信仰，文化的不可能性就是他的不可能性”。[33]

367

20世纪30年代和40年代的建设“文化和个性”的工作是一项在博厄斯主义人类学内的真正的具有革新性的计划。[34]爱德华·萨皮尔(1884～1939)提供了理论灵感。

[32] Gérald Gaillard,《在他的对国家科学研究中心的报告中的民族学研究的编年史(1925～1980)》(Chronique de la recherche ethnologique dans son rapport au Centre national de la recherche scientifique 1925—1980),《国家科学研究中心历史备忘录》(*Cahiers pour l'histoire du CNRS*), 3(1989), 第85页～第127页; Gérald Gaillard,《法国民族学汇编(1950～1970)》(*Repertoire de l'ethnologie française, 1950—1970*, Paris: CNRS, 1990); Jean Jamin,《法国》, 刊登在《民族学与人类学词典》(*Dictionnaire de l'ethnologie et de l'anthropologie*, Paris: PUF, 1991), 第289页～第295页; Victor Karady,《在法国民族学之历史结构中的合法性问题》(Le problème de la légitimité dans l'organisation historique de l'ethnologie française),《法国社会学评论》(*Revue française de sociologie*), 23:1(1982), 第17页～第35页。

[33] Ruth Benedict,《文化的模式》(*Patterns of Culture*, Boston: Houghton Mifflin, 1934), 第3页。

[34] George W. Stocking 编,《马林诺夫斯基, 里弗斯, 贝内迪克特与其他人: 文化与个性论文集》(*Malinowski, Rivers, Benedict and Others: Essays on Culture and Personality*, Madison: University of Wisconsin Press, 1986)。

鲁思·贝内迪克特和玛格丽特·米德(1901～1978)提出了最广泛的阅读个案研究,其针对的是普通的大众读者,而且取得了很大成功,她们向大众读者传达了文化相对主义,而文化相对主义是博厄斯主义者的中心宗旨。根据玛格丽特·米德的观点,博厄斯在20世纪20年代的某个时间已逐渐相信:

> 已经有足够的工作加入进来说明各民族间互相借用,说明没有任何一个社会是在孤立中发展的,而是在它的发展中不断受到其他民族、其他文化和其他不同的技术水平的影响。他断定,处理这一系列问题的时机已经到来了,这一系列问题把个人的发展与他们在其中被养育的文化之特殊的东西联系起来。[35]

这一保守主义的观点模糊了这一变动的激进的性质,但是,博厄斯最终确实赞成了(虽然总是有某些保留)"文化和个性"研究的浪潮。[36] 在1930年,他写道:

> 如果我们完全了解了一个社会的全部生物学的、地理学的和文化的背景,如果我们详细理解了作为一个整体的社会成员对这些条件的反应方式,那么我们就无需这一社会之起源的历史知识来理解它的行为……在我看来,现代人类学的一个错误就在于对历史重建的过分强调,但是作为对生活于文化压力之下的个体的深入研究的对照,它的重要性不应被最小化。

作为拉德克利夫-布朗的少数几个美国信徒之一进行著述,福里德·艾甘引用了这一段落而且以嘲弄的方式进行评论:"博厄斯的某些学生最终相信:'他们一直知晓它。'"[37]无论如何,尽管他们对精神分析的思想特别感兴趣,但是这一新博厄斯主义的倾向和同时代英国功能主义之间的相似之处仍是明显的。

然而,只是到了第二次世界大战之后,美国的文化人类学才主要地(虽然从来不是完全地)与相邻的社会科学结成联盟。具有决定性的影响是1946年哈佛大学跨学科社会关系系的建立,这是由塔尔科特·帕森斯完成的。帕森斯的计划是旨在建立一个新的和更系统化的劳动分工。所有社会科学家都试图解释他所说的社会行动,但是他们趋向于成为化约主义者。无论如何,社会行为不能被化简为生物学,或化简为经济的决定因素,或化简为符号和信仰。社会行动是由个体生物学和心理学、这一社会的社会和经济制度、思想和价值观念同时塑造的。这些因素构成了特殊的系统,而且应被独立地加以研究,至少在第一种情况中应该如此。在新的分配中,心理学将研究个体。社会学将关注社会关系和价值观念的制度化。这里还剩下了文化,这是帕森斯赋予思想和价值观念领域的名称。文化科学把注意力集中在"文化模式系统"之上,而让

368

[35] Margaret Mead,《黑莓之冬:我的早年》(*Blackberry Winter: My Earlier Years*, New York: William Morris, 1972),第126页。

[36] 参看 Regna Darnell,《爱德华·萨皮尔,语言学家,人类学家,人文学者》(*Edward Sapir, Linguist, Anthropologist, Humanist*, Berkeley: University of California Press, 1990),尤其是第9章,《用心理学解释博厄斯主义人类学》(Psychologizing Boasian Anthropology)。

[37] 引文出自 Boas, Fred Eggan 之评论,见《民族学与社会人类学百年》(One Hundred Years of Ethnology and Social Anthropology),刊登在 John Otis Brew 编,《人类学百年》(*One Hundred Years of Anthropology*, Cambridge, Mass.: Harvard University Press, 1968),第136页～第137页。

来自其他学科的专家关注社会系统和个性系统。在美国大学中与文化科学最接近的东西是人类学,而且帕森斯提出,它要被重塑为他的主要社会科学的一个分支,并拥有它自己的主题:文化。

在1952年,即帕森斯发表《社会系统》(*The Social System*)之后的这一年,在美国人类学中的主导人物阿尔弗雷德·克罗伯(1876～1960)和克莱德·克罗孔(1905～1960)发表了他们的理论述评——《文化》(*Culture*),这是他们代表人类学对帕森斯的挑战做出的回应。他们批评帕森斯"在一个比人类学的用法更具有局限性的意义上"进行文化的著述,而且抱怨说,他的文化概念"几乎没有为人类学调查的某些传统主题留有空间,这些传统主题是:考古学、一般的历史人类学、传播论和文化变迁的某些方面……我们尤其反对他把我们认为最好将其视为文化整体之组成部分的抽象要素吸纳入'社会系统'"。[38] 然而,他们只是进行了一个象征性的抵抗,而且,截止到20世纪60年代初,帕森斯社会学理论的计划已开始对美国文化人类学施加决定性的影响。人类关系系(Department of Human Relations)的两名毕业生克利福德·吉尔兹和大卫·施奈德把著名的"系统课程"设立为芝加哥大学人类学研究生教育的核心,使下一代人类学家熟悉帕森斯的对于行动的三叉的解决方法。在耶鲁大学也出现了一个类似的运动,在这里,一个类似的综合"行为科学"计划被制定出来。它的人类学的领袖是乔治·彼得·默多克(1897～1985),他献身于一个比较的和科学的社会人类学的发展,这一人类学依赖于世界范围的文化标本的坚实基础,人们能够在这一基础之上以统计学的方式检验诸假设。[39] 受帕森斯影响的人类学家克罗孔和默多克首先把他们自己确定为社会科学家,而且他们不再考虑被博厄斯主义者所偏爱的折中的、历史的和特殊主义的研究。

369

但是,社会科学计划并不吸引每一个人。某些同样对博厄斯主义传统提出批评的同时代的人宁愿把文化人类学视为自然科学的一个分支,而且选择进化论传统的复兴以取而代之。莱斯利·怀特(1900～1975)重新使用了进步文明的概念,这一文明在本质上是技术和科学的文明。文化是一部控制自然的机器,而且它是不断进步的,不断适应新情况的,最终是普遍的。他的同事朱利安·斯图尔德(1902～1972)强调了文化发展的区域的、生态的拘囿。在他们的某些学生手中,进化论变成了一个功能主义的学说,但却是一个强调生物因素而胜于强调社会因素的功能主义学说。在20世纪60年代,生态决定论成了具有影响力的理论。这在事实上是进化理论的一个功能主义的变体,在这一功能主义的变体中,风俗习惯和制度被解释为对自然环境的适应。[40]

[38] Alfred Kroeber 和 Clyde Kluckhohn,《文化:对诸概念和定义的批判的评论》(Culture: A Critical Review of Concepts and Definitions),同样引用了《哈佛大学皮博迪考古学与民族学博物馆论文集》(*Papers of the Peabody Museum of Archeology and Ethnology, Harvard University*),17:1(1952),第136页。

[39] George Peter Murdock,《社会结构》(*Social Structure*, New York: Free Press, 1949)。

[40] Marvin Harris,《文化唯物主义》(*Cultural Materialism*, New York: Random House, 1979)。

人类学、殖民主义与发展

在英国人类学中的功能主义的出现经常与英国在非洲殖民地的间接统治政策的发展联系在一起。[41] 人类学家经常声称,他们的科学将对殖民计划有用,但是,只有在20世纪30年代,马林诺夫斯基及其学生才开始真正关注非洲的政策。马林诺夫斯基当时坚持一种新型的功能主义,这一新型的功能主义论述变迁的问题,在美国同时出现了一个理论转折,赫斯科维奇率先进行了"文化适应"的研究。马林诺夫斯基和拉德克利夫-布朗对殖民主义持批判态度,他们与殖民地官员的关系也普遍紧张起来。而且,直到20世纪30年代中期,几乎没有来自殖民地政府的对人类学、功能主义或其他学科的特殊要求。只有少数几块殖民地委任人类学家在政府中供职,而且以大学为基地的学者的研究很少直接或间接地受到官方基金的资助。在第二次世界大战之前,英国殖民地只有20多名社会人类学家,而正在成长的一代的某些人因政治上的激进主义而被拒之于殖民地大门之外。非洲的殖民地为英国的功能主义者提供了野外实验室,但是,在20世纪30年代,他们的主要资金来源是洛克菲勒基金会,而不是殖民地政府,而且殖民地官员一般也没有发现他们的研究是有用的。功能主义的最具有革新精神和批判精神的发展和将其应用于城市背景的第一次尝试,是马克斯·格拉克曼的著作和在20世纪40年代和50年代的北罗德西亚(今赞比亚)的罗德-利文斯通研究所(Rhodes-Livingstone Institute)的成立。在此,一群政治上激进的青年学者坚持把殖民地社会作为一个整体来研究,其中包括它的地区冲突。[42]

370

即使对于英国的社会人类学来说,"功能主义"与殖民政策之间的联系能被看似真实地确立起来,这也不能解释新博厄斯主义者向研究和描述的比较方式的类似转变,也不能解释关注同时代美国和欧洲社会的美国民族志学家对"马林诺夫斯基学说的"方法的采纳。而且,人们也能在其他社会科学中察觉类似的思想潮流。多萝西·罗斯提示说,"朝向现代主义历史意识的运动,专业特殊化的日益增长的力量和科学方法的日益明晰的概念"一起"在社会科学中产生了缓慢的范式转化……远离历史进化模式……而转向把注意力集中于短期过程的特殊科学"。[43] 简而言之,我们最好把功能主义人类学的出现视为一个更广泛的再定位的例证,它影响了美国和英国的所有社会科

[41] Talal Asad 编,《人类学与殖民地的遭遇》(*Anthropology and the Colonial Encounter*, London: Tavistock, 1973);Henrika Kuklik,《内心中的野蛮人:英国人类学社会史(1885～1945)》(*The Savage Within: The Social History of British Anthropology, 1885—1945*, Cambridge: Cambridge University Press, 1991);Kuper,《人类学与人类学家》(*Anthropology and Anthropologists*),第4章;George W. Stocking 编,《殖民地的地位:论人类学知识的背景化》(*Colonial Situations: Essays on the Contextualization of Anthropological Knowledge*, Madison: University of Wisconsin Press, 1991);Stocking,《在泰勒之后》,第8章。

[42] Richard Werbner,《在中南非的曼彻斯特学派》(The Manchester School in South-central Africa),《人类学年鉴》(*Annual Review of Anthropology*),13(1984),第1257页～第1285页。

[43] Dorothy Ross,《美国社会科学的起源》(*The Origins of American Social Science*, Cambridge: Cambridge University Press, 1991),第388页。

学，虽然这一转向在其他欧洲国家遵循着不同的发展路线，而且，在第二次世界大战之后，这一转向普遍受到美国发展的影响。

虽然美国的人类学家与印第安人居留地的管理者保持了一个长期的但却经常是紧张的关系，但是，人类学家在美国政府政策的制定中发挥作用一般来说比其他社会科学家要慢。[44] 然而，在第二次世界大战期间，玛格丽特·米德和她的某些同事被招募来详述同盟国和敌国的文化形象，而且默多克在太平洋战役期间为海军指导社会和文化参考手册的生产。在战后，出现了一个政府资助社会科学的高潮。一些人类学家的战争经历使他们确信，人类学的未来的繁荣取决于向政府展示它的效用。默多克自己就被海军邀请去指导在密克罗尼西亚进行的一系列野心勃勃的野外考察，政府指派海军管理美国从日本手中夺得的密克罗尼西亚殖民地。这一研究被转包给各个人类学部门，而且政府最终资助了21次探险考察。在20世纪50年代和60年代，人类学家们与日俱增地参与了在新独立的国家中实施的多学科社会科学研究计划，这些研究计划一般都是由美国政府资助的；但是当某些这样的计划与镇压叛乱计划联合在一起造成了对抗性反应的时候，它们就逐渐被放弃了。 371

在英国和法国，去殖民化的过程被证明为是比殖民地政府好得多的人类学研究的资金来源。研究所被建立了起来，尤其是在非洲，其中的研究人员大多为人类学家。所有这些资金都为人类学家把他们的身份确定为社会或行为科学家提供了进一步的动力，从而巩固了20世纪30年代在英国已经确立起来的一个趋向。从20世纪50年代中期开始，一系列的野心勃勃的"发展"计划吸引了慷慨的国际资助，而且为某些人类学家提供了就业机会。尤其是在斯堪的纳维亚国家和德国，虽然在某种程度上在英国和北美也是这种状况，一个"发展人类学"的计划对20世纪60年代的理想主义的一代经常具有吸引力。人们对发展人类学的热情在20世纪80年代衰落了。捐赠者放弃了"计划化(planification)"，开始提倡市场战略，这一市场战略并不需要社会研究。无论如何，人类学家对发展政策的批评越来越多，因此他们对于潜在的雇主的吸引力更小了。

去殖民化的最重要的结果也许是社会和文化人类学的学科内容的转变。在20世纪前半期，调查研究主要在被定义为原始族群的美洲、非洲和大洋洲的当地民族中进行，而且在亚洲的"部落"族群中进行。在20世纪20年代的对进化论模式的放弃并没有改变这种情况，虽然对现代生活方式的"文化适应"对于研究来说已成为一个被接受的主题。美国的人类学家也在南美洲和中美洲的农民中进行实地研究，而且在印度尼西亚和中国，荷兰和法国的学者已把人类学的观点引入传统的东方学研究领域。在第二次世界大战期间，玛格丽特·米德和鲁思·贝内迪克特及其同事撰写出德国和日本的人类学论述。然而，只是在第二次世界大战之后的岁月里，人类学家才开始在印度、

[44] H. G. Barnett,《在行政管理中的人类学》(*Anthropology in Administration*, Evanston, Ill: Rowe Peterson, 1956)。

印度尼西亚和中国进行彻底的田野工作，而且在欧洲也是一样，他们有效地从人类学与原始事物的传统联系中转移开来，虽然“原始社会”的范畴只是逐渐被放弃的。[45]

372

对功能主义的反作用：人类学和人文学科

在人们感到去殖民化的效果的同时，理论范式也发生了变化，而且人们日益对将社会和文化人类学定义为社会科学提出质疑。在英国，作为拉德克利夫－布朗的继承人的牛津大学社会人类学教授 E. E. 埃文斯－普理查德（1902～1973）对拉德克利夫－布朗在 1950 年的一篇著名讲演中的社会学决定论表示了他的不满。他论证说，追求科学规律是错误的。人类学毕竟不是一门科学，甚至不是一门社会科学。更确切地说，“社会人类学是一门编史学，因此，最终是一种把社会作为道德体系而不是作为自然体系加以研究的哲学或艺术……它寻求模式而不寻求科学规律，进行解释而胜于给出理由”。[46] 他得出结论说，社会人类学最好被视为东方研究的一个分支。这并不必然使已经确立的传统被完全打破。埃文斯－普理查德和路易·迪蒙（他既是埃文斯－普理查德的同事，又是莱维－斯特劳斯的同事）日益强调在迪尔凯姆主义传统中的道德和思想的线索，而且，像莱维－斯特劳斯一样，倾向于把马塞尔·莫斯的贡献抬到迪尔凯姆本人的贡献之上。

埃文斯－普理查德还提倡把一个历史维度引入民族志，这是一个被赋予新动力的运动，动力的来源是在比利时人类学家让·范辛纳的领导之下的非洲历史的发展。功能主义的观点避开了历史问题，在这点上，它们声名狼藉，而且功能主义的人类学家发现很难处理变迁的问题。然而，把一个历史的观点重新引入民族志的研究一般来说与更普遍地远离社会理论的转向相联系。

在美国社会学内部，有一个从新帕森斯社会学理论的计划转移开来奔向文化人类学的相似的运动。[47] 一个从社会科学的观点向更多人文的、文化的方法的根本转变在克利福德·吉尔兹的生涯中表现得特别明显。吉尔兹开始是一个正统的帕森斯社会学家，他坚持认为社会科学家应该“以分析的方式把人类生活的文化方面和社会方面区分开来，而且把它们作为独立可变然而又是相互依赖的因素对待”。在他的早期的关于印度尼西亚的著述中，他倾向于将传统的事态（文化与社会结构在其中构成一个单一的相互支援的体系）与现代的形势进行对比，在现代形势中，旧的思想和价值观作为对世界的解释和人们在世界中的行动指南变得越来越不能令人满意，而且它们受到新思想的挑战，这些新思想也许又反过来引入社会冲突的新线索。我们必须以分析的

[45] Kuper，《原始社会的发明》。

[46] E. E. Evans-Pritchard，《社会人类学：过去和现在》（Social Anthropology: Past and Present, Marett Lecture, 1950），在他的《社会人类学论文集》（*Essays in Social Anthropology*, London: Faber and Faber, 1962），第 26 页。

[47] Adam Kuper，《文化：人类学家的解释》（*Culture: The Anthropologists' Account*, Cambridge, Mass.: Harvard University Press, 1999）。

方法把文化结构和社会结构区分开来，但是，它们仍然相互作用。人类学在文化中（思想、价值观和符号的领域）是专业化的，但是，我们永远不要忘记，在跨学科社会科学计划中，文化和社会是“相互依赖的因素”。 373

在20世纪60年代末，吉尔兹从帕森斯社会学理论的计划转移开来。这是越南战争使大学分为两大阵营的时代。帕森斯理论的社会学是新左派攻击的具体目标，新左派希望复活马克思主义的理论。然而，吉尔兹坚持要求把文化理想主义的一个极端相对主义的形式既作为唯物主义的替代物，又作为帕森斯社会学理论的功能主义的替代物。在1973年，他欢迎“不仅在人类学中，而且在一般的社会研究中的对人类生活之符号形式的作用的兴趣的巨大增长。意义……现在又回到了我们学科的中心”。[48]

十年之后，在他的第二本论文集《地方知识》（*Local Knowledge*）一书中，吉尔兹宣布，人们能够察觉诸学科的一个新构造。现在，一个解释的、符号的人类学将与语言哲学和文学理论联系起来。共同的主题是文化，但是，现在文化看起来似乎像一个需要被解释的客体、需要被翻译的文本，而不像产生于社会过程并制约社会过程的思想体系。而且，虽然他相信文化陈述可被翻译和诠释，他还是抛弃了对集体幻想之规律的寻求。

截止到20世纪70年代，“符号的”或“解释的”人类学已成了美国文化人类学的主流运动。它的主题是研究集体符号的意义，而且人们一般根据认识的过程而不是社会过程研究这些意义。这一总体的再定位并不必然带来对科学方法的否定而赞同解释。在第二次世界大战之后立即进入人类学的一些学者同意研究的客体不是社会，而是文化，或是莱维－斯特劳斯有时所说的上层建筑，或是沃德·古迪纳夫所说的知识。但是，他们仍然宣布，文化人类学能够从认知心理学和生成语言学那里借来科学方法。莱维－斯特劳斯于1948年从在美国的战时流亡生活中回到法国，而且开始宣传一个全新的社会人类学计划，这一社会人类学计划从语音学引入分析模式来发现潜藏在思想体系下面的规律性。在美国，产生出一个形式的、认知的人类学，它与在心理学和语言学中的认知运动相关联。[49] 它的核心计划是“民族科学（ethnoscience）”，它尤其在耶鲁学派中得到发展，而且受到语言学家弗洛伊德·劳恩兹伯里的影响；它预示着一个更科学的民族志的方法，逐步被称为“新民族志”。这一计划与结构人类学具有许多共性，在同一时间的法国，莱维－斯特劳斯发展了这一结构人类学，而且两者都促成了注意力从社会组织向知识传统和符号交流的总体转移。 374

从功能向意义或从社会结构向文化的转移也许与大英帝国和法兰西帝国的终结相联系，但是，它可能最好被视为文化的再定位，从更小的范围来说，是社会人类学远离社会科学转向人文学科的再定位，此时行为方法正普遍地衰落，而且社会科学的科

[48] Clifford Geertz,《文化的解释》（*The Interpretation of Cultures*, New York: Basic Books, 1973），第29页，第144页。
[49] Roy D'Andrade,《认知人类学的发展》（*The Development of Cognitive Anthropology*, Cambridge: Cambridge University Press, 1995）；Stephen A. Tyler 编，《认知人类学》（*Cognitive Anthropology*, New York: Holt, Rinehart and Winston, 1969）。

学性质也开始广泛地受到质疑。

新的方向

对于把人类学之主题重新定义为对符号文化的研究,存在着反作用力,而且对于反对者倾向于认为它是一个反科学的文化相对主义也存在着反作用力。在美国的文化人类学中,对博厄斯主义的和新博厄斯主义的人类学确定的反对来自进化论者。在20世纪50年代和60年代,怀特和斯图尔德已经领导了一个进化论的反向运动。在20世纪70年代,在与符号人类学的对立中出现了进化论的更多的变种,它们是:新达尔文主义的进化论,它并不利用生态学,而是利用与遗传学相联系的享有声望的思想,还有E. O. 威尔逊的社会生物学,这一社会生物学既被某些文化人类学家所热情地采纳,也被灵长类动物学家所热情地采纳,虽然许多自然人类学家对它持批评态度。与此同时,无论是在西欧还是在美国,而且最明显地是在中美洲和南美洲,都出现了马克思主义理论的复兴。

在一段时间里,似乎新一代美国人类学家(即在动乱的60年代度过大学生涯的那一伙人)愿意献身于马克思主义人类学的发展,他们采纳了法国学派的新结构马克思主义,而且受到拉丁美洲依附理论家的影响。与马克思主义理论的复兴一起,还出现了一个新的对科学之政治用途的批判。特别相关的是对殖民主义和殖民科学的批判,这一批判首先由弗朗茨·法农所阐明,由爱德华·赛义德在他的《东方学》(*Orientalism*, 1978)一书中最具有影响力地提了出来。东方学,通过扩展人类学,成为"一种在东方之上的西方的投影,而且成为一种统治整个东方的意愿"。[50] 民权运动、越南战争的经历及与此相联的美国大学校园内的骚动为这一激进主义提供了动力。其他社会运动(女性主义及后来的多元文化论)激发了对人类学正统观念的新的重要攻击。[51]

375 一个结果是对社会科学家所主张的客观性的批判。人们谴责人类学家使他们的研究从属于帝国主义的利益。更为极端的是,某些人坚持认为客观性是一个幻想。社会现实必然是被地位不同的利益群体(当然包括男人和女人)以不同的方式构建起来的。攻击民族志学家之装腔作势自称为客观的、科学的观察者,批评家利用了现代批判理论的资源来揭示著述中的修辞上的技巧("证明")。像所有作家一样,民族志学家也正在写"小说"。这些小说也并非单纯的小说。正如他们被卷入列强的殖民计划中一样,正统的民族志学家都关注把一个秩序强加给他们在这一领域面对的话语、观点和局面的实际混乱——把一个观点铭刻在历史上。以这种方式,他们服务于一个政

[50] Edward Said,《东方学》(*Orientalism*, New York: Pantheon, 1978),第95页。

[51] Sherry Ortner,《自60年代以来的人类学理论》(Theory in Anthropology since the Sixties),刊登在《社会与历史比较研究》(*Comparative Studies in Society and History*),26(1984),第126页~第166页。

治阶级的利益,这一政治阶级希望把一个异族的秩序强加在国外的殖民地人民头上,或强加在国内的少数民族头上。[52]

批判的逻辑暗示,必定有更好的方法来著述民族志。因为不存在有特权的观点,中性的画外音也是不被允许的。民族志学家被催促着去进行试验、去摆弄类型和模式、去以嘲讽的方式说话,以此暴露甚至破坏他们自己的假定。民族志应该表现出多种不和谐的声音,永远不要停滞不前,而且永远不要通过坚持文化的静态表象来把一个民族或一种生活方式"提炼"(一个令人喜爱的滥用的术语)为一个无种族界限的整体。无论如何,民族志的真正的客体一直被改变着。其他文化再也不与我们自己的文化隔离开来。再也不存在被处在永恒的时态中(民族志的现在时)的观察者描述的保守的、有界限的文化。西方,或许是资本主义已经把它的触角伸入世界的每一个缝隙。然而,后殖民地时期国家的公民并没有简单地屈从于西方化;他们已经拒绝了他们自己的人类学表述,而且正在进行回应。某些民族志学家坚持认为人们有责任首先倾听受压制的人的弱小的声音——为被压迫人民说话。[53]

这些是新一代美国文化人类学家的共同主题,但是,它的理论家以不同程度的承诺吸收了一系列批判性的观点,这些观点包括:女性主义,文学理论,对殖民科学的特称批判,马克思主义和世界系统理论。虽然这些思潮中的任何一个思潮都不代表一个单一的、完整的教义主体,但是,它们把一个共同的观点视为是理所当然的,这一共同的观点不仅衍生于20世纪70年代繁荣兴旺的激进的批判,而且衍生于吉尔兹的成功——将美国的文化人类学再定位为人文学科中的一个。 376

这一论说的根源在于德国的浪漫主义运动,它像在它之前的其他浪漫主义运动一样,拒绝了一个共同的人类命运的启蒙运动的概念,这一人类命运由共同本性和共同理性构成。它反对日益强大的全球化的、占统治地位的技术文明,而且在边缘群体面对这一势不可当的力量而维护它们自己的个性的斗争中,它促进了边缘群体的利益。然而尽管有这些全球化的要求,而且尽管与欧洲的哲学思潮具有密切关系,在美国文化人类学中的批判作家还是发展了由民权运动、越南战争的创伤、女性主义和美国的身份政治学的出现构成的特殊的美国论说。美国大学的内部学科政策赋予这一论说重要的活力。

文化人类学中的后现代主义计划遭受了深刻的内在张力,这一张力存在于它提倡的极端相对主义与它的许多主要人物的激进政治倾向之间。当时还存在一个进一步

[52] James Clifford 与 George Marcus 编,《书写文化:民族志的诗学与政治学》(*Writing Culture: The Poetics and Politics of Ethnography*, Berkeley: University of California Press, 1986);James Clifford 的《文化的困境:20世纪的民族志、文学与艺术》(*The Predicament of Culture: Twentieth Century Ethnography, Literature and Art*, Cambridge Mass.: Harvard University Press, 1988)。

[53] George Marcus 与 Michael Fischer,《作为文化批判的人类学》(*Anthropology as Cultural Critique*, Chicago: University of Chicago Press, 1986);Renato Rosaldo,《文化与真理:社会分析的改造》(*Culture and Truth: The Remaking of Social Analysis*, Boston: Beacon Press, 1989)。

的问题,即一个反身的、批判的立场会使研究瘫痪。克利福德·吉尔兹于1988年指出,大学生感到他们自己“被严重的内心不安所困扰,这一不安几乎近于一种认识论的疑病症,关注一个人如何能够知晓任何人说的关于生活的其他形式的任何东西在事实上都是如此”。[54] 一个选择是把文化人类学与被文化研究所代表的文化批判主义的更为流行的计划融合在一起。然而,与20世纪70年代的马克思主义与女性主义的批判的结果十分相像,20世纪80年代的后现代主义的批判的持久的结果是强调与前一代的社会与文化人类学的决裂。

一个重要的结果是鼓励研究之新课题的发展和来自其他学科的方法的引入。社会性别成了人们兴趣的主要焦点,它接替了在传统上被放在亲属关系之标题之下进行处理的许多课题。[55] 人们发展了一系列方法来在“自我”、“化身”和“个人”的标题之下研究个性。影视人类学成了民族志代表物的主要类型。在20世纪80年代,“应用人类学”的一个重要的新领域出现了,它就是医学人类学,而且很快成为美国人类学中的最大的分支学科。医学人类学利用了公共卫生领域里的最丰富的资金来源,但是,它也提供了一个舞台,在这一舞台上,心理学的方法和文化方法,生物学观点和来自“政治经济”的理念能够富有成果地结合在一起。

377 在欧洲的社会人类学受到美国的争论的影响,但是,它仍然定位于社会科学。确实,某些人类学家,尤其是皮埃尔·布迪厄、玛丽·道格拉斯、路易·迪蒙、埃内斯特·格尔纳和克劳德·莱维-斯特劳斯成了欧洲社会思想的主导人物。人类学和社会文化史之间的相互影响也是重要的,它产生了被广泛传播的研究模式。一小群具有创造力的学者开始应用产生于认知心理学的模式。

民族主义的民族学传统在中欧和西班牙存活了下来,但是,在别处,民俗学(Volkskunde)(被它与德国的民族主义的联系打上了烙印)绝大部分被吸纳入社会人类学。在国外工作的社会人类学家与在国内工作的民族学家之间的陈旧区分消失了,而且社会人类学家开始日甚一日地在欧洲内部工作,尤其是在东欧工作。然而,代替了对民族文化的颂扬,对种族划分和民族主义的批判方法已变得非常普遍。南欧一些大学中的新的研究中心的成立和这一学科在北欧大学生中普及的大潮刺激了现代欧洲社会人类学的自我意识的发展。前苏联集团的人类学家大多被引入欧洲社会人类学的轨道。在1989年,欧洲社会人类学协会(European Association of Social Anthropology)成立;在20世纪末,它的成员已有1000多人,而且它有一本名为《社会人类学》(*Social Anthropology*)的杂志。

[54] Clifford Geertz,《工作与生活:作为作家的人类学家》(*Works and Lives: The Anthropologist as Author*, Stanford, Calif.: Stanford University Press, 1988),第71页。

[55] Henrietta Moore,《女性主义与人类学》(*Feminism and Anthropology*, Minneapolis: University of Minnesota Press, 1988); Carol C. Mukhopadhyay 和 Patricia J. Higgins,《对重新审视的妇女地位的人类学研究:1977～1987》(Anthropological Studies of Women's Status Revisited: 1977—1987),《人类学年鉴》(*Annual Review of Anthropology*), 17(1988),第461页～第495页。

与此同时，在一些从前的殖民地或“不发达”国家，尤其是在墨西哥、巴西、秘鲁、印度、中国、印度尼西亚和南非，本土的人类学已牢固地确立起来。[56] 在20世纪60年代和70年代，这些人类学家普遍采用马克思主义的理论，但是，在回应在宗主国国家的理论发展的时候，他们变得日益折中，这也许是部分地因为他们也典型地把注意力集中在应用问题上，而且与来自其他领域的专家进行争论。由于首先关注面向他们自己的社会的问题，所有这些学派大部分都被引向社会学的分析模式。在日本的情况非常不同，20世纪前半叶的殖民扩张刺激了那里人类学的发展。长期的对日本自身研究的约定与对海外民族志的研究的巨大投资结合起来。[57]

欧洲社会人类学与美国文化人类学之间的继续存在的分歧与其他地区研究中心的日益增长的重要性，暗示着世界人类学的诸多起源继续形成它们的历史。然而，我们仍可根据它们的最初方向刻画出不同民族和地区的趋向的特性：朝向社会理论，文化理论或自然科学。社会和文化人类学之学派的发展大多被这三个领域的更广泛的思潮所决定。然而，人类学家自己有时又帮助形成其他人文科学的主要论说，主要是通过他们对独与西方经验相联系的理论的批判和修正的方式来实现。

378

（辛岩　译）

[56] W. David Hammond-Tooke，《不完美的解释者：南非的人类学家（1920～1990）》（*Imperfect Interpreters: South Africa's Anthropologists, 1920—1990*, Johannesburg: Witwatersrand University Press, 1997）；Ulf Hannerz 和 Tomas Gerholm 编，《民族人类学的形成》（The Shaping of National Anthropologies），《民族》（*Ethnos*），47（1982），特刊。

[57] Nobuhiro Nagashima，《日本人类学简况》（An Anthropological Profile of Japan），《当今人类学》（*Current Anthropology*），28：4（1987），补遗。

20

379

地理学

玛丽－克莱尔·罗比克

在19世纪末,地理学作为一个既与自然相联系又与文化相联系的学科被确立起来,但是,它被区分为几个不同的国家学派和相互竞争的思潮。[1] 各国与过去一个世纪决裂的年代也不同:“现代”地理学的概念在20世纪初产生,而被称为“新地理学”的传播却发生在20世纪50年代和60年代的美国与20世纪70年代的欧洲大陆。在21世纪的黎明,地理学的扩张并没有改变这一学科的划分。[2] 尽管如此,几个普遍的趋向(地理学的趋向、认识论的趋向和制度化的趋向)在20世纪的后半叶改变了这一学科。[3] 从地理学上说,在第二次世界大战之后,这一学科的重心就从首先在那里繁荣兴旺起来的“古老的欧洲”国家(即德国、法国和英国)转向美国和英语世界。在战后同一时期,地理学开始被并入人文科学,而不是被并入地球科学(在早先,它曾附属于地球科学),开创了更加多种多样的实践和与社会科学的相互作用,尤其是与经济学的相互作用,虽然在1980年之后,地理学也开始探索它与人文学科的联系。最后,在380 1950年之后,新兴市场的发展使这一从前的讲授性质的学科多样化,所以地理学的训练朝向了空间规划、环境、地缘政治学和社会专业知识。在本章中,我们将首先强调这一学科在其中产生的条件和它的最初的作为一门把自然和社会结合在一起的综合科学的形式。之后我们将把注意力集中在20世纪后半叶的剧变及在20世纪终结的时候它们对这一学科的影响。

[1] William Pattison,《地理学的四个传统》(The Four Traditions of Geography),刊登在《地理学杂志》(*Journal of Geography*),63(1964),第211页～第216页;还请参看David N. Livingstone,《地理学传统:在一个具有争议的事业之历史中的插曲》(*The Geographical Tradition: Episodes in the History of a Contested Enterprise*, Oxford: Basil Blackwell, 1992)。关于国家的学派,请参看Paul Claval,《地理学史》(*Histoire de la géographie*, Paris: PUF, 1995);还请参看Preston E. James和Geoffrey J. Martin,《所有可能的世界:地理学思想史》(*All Possible Worlds: A History of Geographical Ideas*, New York: Wiley, 1981)第2版中的国别史。

[2] John Agnew, David N. Livingstone和Alisdair Rogers编,《人文地理学:精粹文选》(*Human Geography: An Essential Anthology*, Oxford: Basil Blackwell, 1996);Philippe Pinchemel, Marie-Claire Robic和Jean-Louis Tissier编,《法国地理学200年文选》(*Deux siècles de géographie française. Choix de textes*, Paris: Editions du Comité des Travaux Historiques et Scientifiques, 1984)。

[3] Ron J. Johnston,《地理学与地理学家:自1945年之后的英美人文地理学》(*Geography and Geographers: Anglo-American Human Geography since 1945*, London: Edward Arnold, 1997),第5版。

地理学的制度化与国民教育

当学院地理学在19世纪70年代的欧洲和美国大学中开始形成的时候,小学和中学教学在学院地理学的发展中起着基础的作用。[4] 地理学的制度化与关键的教育政策的实施相一致,尤其是与中学改革的实施相一致。依照普鲁士的范例,在1874年,德意志帝国开始出现地理学教授的讲席;从1877年开始,法国的大学职位扩充以培训1871～1872年的教育计划所需的历史和地理老师;随着地理学协会为地理学教学所开展的生机勃勃的运动,1899年牛津大学创立了一所地理学院,1903年剑桥大学创立了一所地理学院。在美国,围绕着中学教学改革的动员,在大学层面激发了人们对地理学的兴趣:紧随着十人委员会的推荐(十人委员会由一群具有影响力的支持学校地理教学的教育改革家组成),芝加哥大学于1903年成立了第一个地理学系,1904年,美国地理学家协会成立。

因此,学院地理学的发展严重依赖于教育上的要求,这个要求隐藏着多重的和相互冲突的目标:祖国的价值维系,世界的知识和科学的启蒙。哈尔福德·H.麦金德(1861～1947)于1887年在皇家地理学会(Royal Geographical Society)为地理学申辩说,地理学必须"立即满足政治家和商人的实际要求,历史学家和科学家的理论要求和教师的智力要求"。[5] 以"局部地理学"的形式,或在它的德国称谓——Heimatkunde(乡土课程)之下,地理学支持了被卢梭和瑞士中学教师裴斯泰洛齐所促成的具体的教育方法。它还提供了对当代世界的一个基本的总认识,而且通过经济地理学,提供了一个对它的自然和人文资源的理解。作为自然和社会科学之前驱,地理学将对社会的现代化做出贡献。

381

与历史学并驾齐辕,地理学还凭借着提高国家领土的价值和其帝国的重要地位来实现一个重要的公民职责。对于所有的改革家来说,它的首要功能是被用作认识和热爱自己国家的手段。[6] 巨大的民族创伤为捍卫地理学的事业提供了机会。在某些1870年之后的分析中,法国人得出结论说,他们之所以在普法战争中失败,是因为他们忽略了地理学,而且西班牙人在1898年失去他们的最后一块美洲殖民地之后,也以同样痛苦的评价作出反应。休·R.米尔的1901年在英国科学促进协会(British Association for the Advancement of Science)之地理学分部前的主席致辞把学术的和爱国

[4] Horacio Capel,《地理学的制度化与变化的战略》(Institutionalization of Geography and Strategies of Change),刊登在David R. Stoddart编,《地理学,思想与社会关注》(*Geography, Ideology and Social Concern*, Oxford: Basil Blackwell, 1981),第37页～第69页;还请参看Agnew, Livingstone和Rogers编,《人文地理学》,第66页～第94页。

[5] Halford H. Mackinder,《关于地理学的范围与方法》(On the Scope and Methods of Geography),刊登在《皇家地理学会学报》(*Proceedings of the Royal Geographical Society*),9(1887),第141页～第160页。

[6] David Hooson编,《地理学与民族认同》(*Geography and National Identity*, Oxford: Basil Blackwell, 1994); Anne Godlewska和Neil Smith编,《地理学与帝国》(*Geography and Empire*, Oxford: Basil Blackwell, 1994); Benedict Anderson,《想象的社团》(*Imagined Communities*, London: Verso, 1983)。

的目的典型地融合在一起，既表达了征服两极的骄傲，也强调了研究祖国的必要：它“对于我们的福祉，甚至对于作为世界各国中的一个强国的延续都是绝对必要的”。[7]

在1871年之后定期举行的国际地理学大会，从1860年到1890年的地理学协会的增多扩大，还有大学的促进地理学的政策，这许多益处都集中在这一新学科中。在这些条件下，一个纯粹的、普遍的科学的支持者经常反对实用地理学的支持者。在19世纪和20世纪之交的法国，索邦大学(the Sorbonne)殖民地地理学教授马塞尔·迪布瓦攻击这一“象牙塔”，他的同事吕西安·加卢瓦这类学究已把他们自己封闭在这一象牙塔中。确实，在第一次世界大战之前，许多德国的地理学家都与国家利益保持一定距离。然而，虽然他们把他们自己视为是客观的和为产生一个普遍的知识而工作，但是，这一时期的许多地理学家仍献身于民族主义的著作的撰述。一位强烈的民族主义者和泛德意志扩张主义者弗里德里希·拉采尔(1844～1904)是撰写第一篇关于人文地理学的论文——《人类地理学》(*Anthropogeographie*, 1882～1891)的理论学家。保罗·维达尔·白兰士(1845～1918)是以《法国地理学概述》(*Tableau de la géographie de la France*, 1903)一书闻名的，这部著作赞美了他的国家特殊的“地理个性”，同样地，他也以对一个普遍的“人文地理学”的阐述或他投身于其中的《世界地理》(*Géographie universelle*)丛书而闻名。

因此，学院地理学的发展是一个“正统的”世界地理学的生产的部分，正统的意义是：地理学被纳入或多或少由国家控制的教学内容中，而且这些教学内容产生于民族国家的政治形式。尽管如此，西方列强的程度不同的帝国主义倾向，国家和私人组织的相对权力的变化，不同国家之政治舆论差异的程度都对地理学制度化中的巨大差异产生了影响。

382

地球、殖民地分割与“有限的”世界

在地理调查中的领土利害关系在两个层面存在：在国境内的领土完整和对世界之殖民地划分的参与。在19世纪80年代和90年代，地缘政治学的现状极其成功，当时，随着柏林协议的签订，殖民主义列强对非洲的分配似乎完成了对世界空间的圈地。人们大多接受了帝国网络的合法性，而且很少对殖民地化进行严厉的批判，除了在俄国和法国的无政府主义者彼得·克鲁泡特金(1842～1921)及埃利泽·雷克吕斯(1830～1905)这类激进的地理学家中，他们渴望“处处皆中心”的日子。殖民地化确实鼓励了在医学地理学和人类学方面的专家以及经济学界的专家中的争论，在这几个学科中，欧洲人的对热带环境的适应问题和土著民族的工作能力被视为是关键问题。然而，在

[7] 引用 Livingstone,《地理学传统》,第216页。

国际大会上，殖民地问题很快被排除在被批准的讨论议题之外。[8] 在这一舞台上，在第一次世界大战之前，最重要的讨论题目是地球之时空坐标系的统一。地理学家们在一个目标上达成一致：度量单位的标准化和对世界的制图描述，其中包括绘制精确至百万分之一的世界地图的计划，虽然他们关于诸如子午线的起点这类实际的选择存在分歧。

这一地球的标准知识的生产是专家的工作，这些专家是：气象学家，水文学家，地质学家，制图学家。在19世纪末进入这一领域的地理学家开始从事一项计划：建设一门统一的、筑基于理性之上的科学。他们利用了他们在勘察探险、地质学、新闻报道和历史学方面多种多样的经历和训练。他们中的大多数人被18世纪的陈述所引导：地球作为"人类的寓所"，是一个需要实际发展的栖息地。[9] 然而，截止到19世纪末和20世纪初，在这一领域里的科学创新的可能性依赖于全球化过程的完成。全球化意味着在西方控制之下的一元化地球的创造，雷克吕斯断言："世界非常愿意统一它自己：通向散布在浩瀚大海中的岛屿的所有航道和所有土地都已进入了以欧洲类型为主导的一般文化的引力区。"[10] 根据麦金德的观点，此后"世界"就是"地球"的同义词，所以，在哥伦布发现新大陆以前的时代，英国是处在"世界的边缘"，可现在却处在中心位置，即"（全球范围内）世界的中央"。[11]

383

在19世纪和20世纪之交的每一位地理学家都以他自己的方式戏剧性地表现一个"有限的"地理空间的突然出现，即一幅没有任何空白空间的世界地图。地球有限性的意识，后来有时被称为"封闭的空间"，掩饰了各种各样的问题：西方帝国的对世界的帝国主义的划分，勘察探险的完成，可殖民土地的耗尽，全球市场的创立。根据让·布吕纳的观点，我们已经达到了"我们的笼子的边界"，剩下的就是学者的使命——通过人的智力和"现代地理学"征服地球。[12] 德国的拉采尔、英国的麦金德和美国的弗雷德里克·杰克逊·特纳（1861～1932）得出了类似的结论，但是却以不同的方式构想了这一计划。某些人以特纳的方式提出对国家的"新边界"进行全面的勘察。其他人在政治地理学领域内工作：在《政治地理学》（*Politische Geographie*, 1897）一书中，拉采尔把国家视为一个其使命是确保"生存空间（Lebensraum）"的有机体。麦金德在1904年把他的观点运用于国家的集团：欧洲列强如何能够控制由欧亚大陆形成的大陆"心脏地

[8] Marie-Claire Robic, Anne-Marie Briend 与 Mechtild Rössler 编，《面向世界的地理学家，国际地理学协会与地理学国际会议》（*Géographes face au monde. L'Union géographique internationale et les Congrès internationaux de géographie*, Paris: L'Harmattan, 1996）。

[9] 参看 Clarence J. Glacken 的伟大著作《在罗得岛海滨的遗迹：在从古代到18世纪末西方思想中的自然和文化》（*Traces on the Rhodian Shore: Nature and Culture in Western Thought from Ancient Times to the End of the Eighteenth Century*, Berkeley: University of California Press, 1967）。

[10] Élisée Reclus,《人与大地（1905～1907）》（*L'Homme et la Terre, 1905—1907*, Paris: La Découverte, 1982），第2卷，第139页。

[11] Halford J. Mackinder,《不列颠与不列颠海》（*Britain and the British Seas*, London: Heinemann, 1902），第13页。

[12] Jean Brunhes,《我们的牢笼的局限》（Les limites de notre cage），刊登在《通讯会员》（*Le Correspondant*），309;5（1909年12月10日），第833页～第862页。

带”？由于在第一次世界大战之前得到系统的阐述，这些学说将被收入后来的地缘政治学的反思，人们公开指定这些地缘政治学的反思来酝酿统治的战略，尤其是在两次世界大战之间的德国发展起来的地缘政治学。[13]

地球的统一被视为对人类的未来提出的智力的挑战，或者是实践的挑战。首先，“有限性”必须被（如地理学家所说的那样）一个“集约的”或“纵向联合的”对地球的开发和管理所超越。

地球科学与人文科学的综合

人们把地理学想象为自然和文化之间的“桥梁”、“交叉路口”、“枢纽”或“综合体”。根据阿尔弗雷德·赫特纳（1859～1941）的观点，地理学“既不是一门自然科学，也不是一门精神科学，而是同时即是两者”。[14] 凭借它的作为地球及其居民之百科全书式的科学的传统，地理学通过在自然科学和人文科学之间玩平衡游戏与现存的学科如地质学和历史学进行竞争，而且与较新的学科如生态学和社会学进行竞争。不同的学术定位有时在一个方向上或另一个方向上产生多种倾向，这影响到国家的差异。几乎所有第一代法国地理学家最初都在历史学方面受过训练；美国的地理学最初由地质学所支配，在大学院系中，它长期附属于地质学；第一代英国地理学家主要作为博物学家得到培训；而德国的地理学家来自不同的背景。

384

这一自然/文化的双重特性渗透了这一学科。某些地理学家把这门科学集中于地球表面之多样性上，使它成为一门“地理区域”的描述科学或一门“生物分布”的科学，这沿用了赫特纳的术语，他是深思熟虑过这一领域的认识论的极少数地理学家之一。[15] 其他地理学家，如美国的地貌学家威廉·M. 戴维斯（1850～1934），他把地理学集中在“无机物的控制和具有反应的有机体之间的关系”上，[16]还有哈伦·H. 巴罗斯，他提倡对人文生态学的研究，[17]捍卫了一个因果关系的概念。

从几个既扮演着同盟者又扮演着竞争者角色的自然科学学科汲取养分，地理学家改动了博物学的模式，使之成为取得自治的科学地位的策略。土壤是空间描述的基础和地理学解释的起点：景观多样性的基本起因，也是把一个地区的物质要素和人文要素结合在一起的因果链条的基本起因。在许多地区性的专题著作中，从土壤到气候、

[13] Claude Raffestin,《地缘政治学与历史学》（*Géopolitique et histoire*, Lausanne: Payot, 1995）。

[14] “既不是单纯的自然科学，也不是单纯的精神科学，而是同时既是自然科学又是精神科学”（Ist weder Natur — noch Geisteswissenschaft, sondern beides zugleich），引用 Bertrand Auerbach,《地理学概念与方法的发展》（L'Évolution des conceptions et de la méthode en géographie），刊登在《科学家杂志》（*Journal des Savants*），6（1908），第 311 页。

[15] Alfred Hettner,《论地理学的特性与方法》（Das Wesen und die Methoden der Geographie），刊登在《地理学杂志》（*Geographische Zeitschrift*），11（1905），第 545 页～第 564 页，第 615 页～第 629 页，第 671 页～第 686 页。

[16] William M. Davis,《地理学内容的归纳法研究》（An Inductive Study of the Content of Geography），《地理学杂志》（*The Journal of Geography*），5（1906），第 154 页。

[17] Harlan H. Barrows,《作为人类生态学的地理学》（Geography as Human Ecology），《美国地理学家协会年鉴》（*Annals of the Association of American Geographers*），13（1923），第 1 页～第 14 页。

植物、矿物资源、人口和经济的固定的次序反映了这一地质学因素的优越地位。然而，在全球研究中，气候因素首先决定了地区的分类，而且它经常与民族地理学联系在一起，这种地理学支持各民族之文化和道德的区分。[18]

植物学扮演着与地质学类似的角色：它确保了科学的身份而且提供了一个类比的资源。无论是在欧洲——有厄根尼乌斯·华尔明和安德烈亚斯·弗朗兹·威廉·席姆佩尔的著作，还是在美国——有弗雷德里克·克莱门茨的著作，在19世纪90年代和20世纪头十年，植物生态学的作用是决定性的。通过把人文地理学比作正在发展的生态学学科，保罗·维达尔·白兰士证明了人文地理学的合理性。几位作者构想了在"生物地理学"之符号之下的地球的统一。进化论更普遍地激励地理学家去使用有机类比和活的生物体适应它们的环境的模式。与影响广泛的新拉马克主义的思想相一致，这一地理学强调生命形式的可塑性和它们的调整它们自身以适应环境之局限的能力，以此用一种世俗化的方式延长了人和他们的栖息地之间关系的古老的神助论概念。[19]

385

地理学家与自然科学各科专家的结盟产生出混合的结果。它促进了分析的方式和观察的技术，它们摆脱了一些学科的传统方法，从前地理学曾一直依赖于这些学科，如历史学。与历史学建立在国家档案之上的博学强记相比，地理学家的新的田野调查为社会问题的观点和历史真实性的观点提供了可能，这些观点并不那么严格地局限于政治领域。德国的地理学家发展了对民族迁徙和古代文明的研究，这些研究来自于在农村和城市的景观中发现的遗址。法国地理学家在本国地名学中寻找这类踪迹，而且奥里恩多·马利内里指出多重的"地形学的踪迹"，如房屋、道路、桥梁和田野，它们使人类的活动具体化。[20] 地理学家对人性化景观之多样性的关注，对地区组织的关注和对社会改变自然环境之创造能力的关注，成为适合于仍与国家科学保持密切联系的人文科学的模式。吕西安·费夫尔支持这一"四面受风的(de plein vent，即野外的)"、实地的地理学，反对传统的历史学，他认为传统的历史学是"只叙述事件的"，拘泥于事实的和严格的政治性的。[21] 与迪尔凯姆主义的社会学相结合，这一通向集体现象的地理学通道在20世纪30年代启发了《年鉴》学派历史学家的灵感。在另一方面，对生物学隐喻和生态学模式的采用趋向于非社会化人类的成就，把它们解释为人们需要的自然物种。

作为自然和社会之间的枢纽的地理学是一个失败者，因为它不能阻止沿着平行线

〔18〕 Livingstone，《地理学传统》，第7章。

〔19〕 John A. Campbell 和 David N. Livingstone，《新拉马克主义与英美地理学的发展》(Neo-Lamarckism and the Development of Geography in the United States and Great Britain)，《英国地理学家学会会刊》(*Transactions of the Institute of British Geographers*)，8(1983)，第267页～第294页。

〔20〕 Olinto Marinelli，《关于地理学现代方向的若干问题》(Alcune questioni relative al moderno indirizzo della geografia)，《意大利地理学杂志》(*Rivista Geografica Italiana*)，9(1902)，第231页。

〔21〕 Lucien Febvre，《地球与人类的进化·历史之地理学导论》(*La Terre et l'évolution humaine. Introduction géographique à l'histoire*, Paris: La Renaissance du livre, 1922)。

路发展的两个专业的形成:物理(或自然)地理学主要以一种严格的博物学的方法研究地貌的形成过程,而人文(或文化)地理学则把注意力集中在乡村住宅区、生活方式、经济和人口统计学问题。尽管如此,对三个问题的研究关注着自然和社会的综合:人类的/环境的关系,区域划分和景观。

386

第一个问题把地理学视为人文生态学。美国地理学家的"自然局限/反应"轴心,或法国学派的"环境/生活方式"(milieu/genre de vie)配对,处理的都是两种对立思潮之间的张力,而且或是赋予人类自由特权,或是赋予环境决定论特权。对于站在天平一端的埃伦·丘吉尔·森普尔(1863～1962)来说,决定论是绝对的:"人是地球表层的产物。"[22]与之对立的一端是由保罗·维达尔·白兰士阐明的法国"可能主义"的极端形式,他把自然局限的物质框架视为人们在其中进行选择的"可能性"或"或然性"的总体,他声称:"涉及到人的一切都受到偶然性的影响。"有少数地理学家,如埃尔斯沃思·亨丁顿,发展了一个"反向的"决定论,它夸大了生活在极端条件下的群体的勇于创新的能力,这是一个局限/挑战的方案。

区域研究和景观研究都旨在展示把自然和人文现象结合起来的独特的空间个体。比利时地理学家保罗·米乔特论证说,生物地理学的立场能够形成"地理特性(geographicity)"的唯一基础,因为只有空间的综合才能把地理学家的工作与专家的工作区分开来。法国的地理学学派与这一思想相一致,从阿尔伯特·德芒戎的《皮卡第大区》(*Picardie*,1905)开始,这个学派通过区域专著的长期路线获得了它的声望。在英国的地理学家中情况也是如此,特别是安德鲁·J. 赫伯森和胡波特·J. 费勒以及他们详细的土地使用研究的传统。在他的《地理学的性质》(*The Nature of Geography*,1939)一书中,理查德·哈茨霍恩(1899～1992)肯定了在美国地理学中的相同的学说立场,他利用了可上溯至康德的历史学传统。

在景观地理学家中——他们的兴趣主要在于各地方明显的、具体的地势,德国人具有领导作用。同奥托·施吕特尔(1872～1959)在两次世界大战之间的岁月里对"文化景观"的价值的肯定和卡尔·索尔(1889～1975)在伯克利的工作一起,那些对决定地区差异的民族-文化因素感兴趣的人强调了在中欧和北美之景观中人类居住的具体痕迹。

地理学:空间结构的社会科学

在20世纪30年代,地理学家们被引向实践活动,对于这些实践活动来说,他们中的大部分人既没有在技术上做好准备,也没有在专业知识上做好准备。随着大萧条的

387

[22] Ellen C. Semple,《历史中的地理因素的作用》(The Operation of Geographic Factors in History),《美国地理学协会会刊》(*Bulletin of the American Geographical Society*),41(1909),第422页。

到来，国家计划政策的兴起导致地理学家提出区域计划，而且迫使他们承担了预期调查、经济和人口统计以及评估程序的使命，而他们的描述性的专长很不适于承担这些使命。他们创制了一种对国家内部的发展不平衡十分敏感的制图法，而且他们开始强烈要求新的地理学技术，这一地理学技术把注意力集中在“合理的”、“正确的”土地使用的概念上。[23] 国家政策的这些倾向鼓励了对经济活动的空间模式的系统陈述，如于1933年发表的沃尔特·克里斯塔勒(1893～1969)的“中心地理论”。[24] 纳粹政权利用这一理论来为东部领土制定计划；它还被利用来拟订荷兰圩田的城市规划，在第二次世界大战之后，它被用来研究国家的城市系统。归功于它的空间导向的观点、它的理论目的和它的对城市问题的关注，在20世纪60年代它成为“新地理学”的参照中心。

战时的活动加速了人们向应用科学的转向。与第一次世界大战不同——当时只有几位单个的地理学家在巴黎和会(Peace Conference)上起着重要作用，第二次世界大战为某些地理学家的团体——尤其是美国的地理学家团体提供了在地理情报工作中任职的空前的机会。在几个专业领域的投资开始增加，尤其是在制图学领域。截止到20世纪末，地理学信息系统单位已成了美国国务院中地理学家和制图学家的主要雇主。

在第二次世界大战刚刚结束的一段时期中，在国际上就发生了向地理学的新设想的转向。在美国，地理学被爱德华·乌尔姆命名为“空间相互作用”的研究，在法国被命名为“空间结构(organisation de l'espace)”或“地理学空间(espace géographique)”的研究。[25] 正如乌尔姆详细说明的那样：“‘空间相互作用’指在地球表面之不同地区之间的实际的、富有意义的人的关系，如在工业、原材料、市场、文化和交通运输中的各种相互关系和流动——不指由纬度、经度、气候类型等标出的静态位置，也不指基于不适当的数据资料和先验假定的虚构的关系。然而，我确实包括了各种不同的空间理论和概念的思考、测验和改良。”[26]

这一新范式与更早期的区域个性的科学相抵牾，它是一个由空间的相互关系构成的关于普遍规律性的科学观点。威廉·邦基在《理论地理学》(*Theoretical Geography*, 1962)和大卫·哈维在《地理学中的解释》(*Explanation in Geography*, 1969)中都论证说，地理学应该揭示社会的空间结构规律。在20世纪60年代初的英国，一个类似的观点发展了起来，它遵守在由彼得·哈吉特编的《人文地理学中的区位分析》(*Locational Analysis in Human Geography*, 1965)和由哈吉特和理查德·J.克罗伊编的《地理学中的模型》(*Models in Geography*, 1967)两书中勾勒出来的方法，而且这一类似的观点也在斯堪的那维亚国家发展起来，尤其是围绕托尔斯滕·黑格斯特兰德发展起来；此后它

388

[23] Robic, Briend 和 Rössler 编，《面向世界的地理学家》，第7章～第8章。

[24] Walter Christaller,《南德中心》(*Die zentralen Orte in Süddeutschland*, Jena: Gustav Fischer Verlag, 1933)。

[25] Jean Gottmann,《国家政治学及其地理学》(*La politique des états et leur géographie*, Paris: Colin, 1952)。

[26] Edward L. Ullman,《人文地理学与区域研究》(Human Geography and Area Research),《美国地理学家协会年鉴》,43(1953),第56页。

传遍了全世界。这一朝着科学模型的转移曾与西方国家的全球化的复兴经历相一致，现在则来源于被非殖民化所强化的受限制的领土背景。与区域科学一起，地理学迎合了对规划定位的需求，这使得对空间的模式和过程的预报和调整成为可能。美国地理学家于1965年报告说："当人口密度增长和土地使用的紧张度增大时，对于空间有效管理的需求甚至将变得更为迫切。"[27] 城市领域成了地理学研究的新领域之一。[28] 由于日益无法证明其综合范围的合理性，而与此同时它的专业分支正在扩大，所以地理学在空间的相互作用中发现了一个整合中的概念，它能够在无论是管理的、战略的还是经济的领域内形成实际干预的基础。地理学使它自己与人文科学重新结盟，而且逐渐把它自己确定为一门社会科学。

这一被实证主义和物理学所激发的正式化的和定量化的空间分析很快受到两个倾向的竞争：一个是激进的、经常是马克思主义的灵感的倾向，[29] 另一个是人文主义的和关注于地区的主观体验的倾向。[30] 在20世纪末，所有这三种倾向都仍然和平共处。

新的挑战：全球体系、地区与环境

从20世纪80年代开始，地理学家凭借着明确地参与社会科学和人文学科的争论，以一种更为复杂的方式提出了社会和人的空间性问题。他们采纳了复杂性的模型，为人的行为在地理空间结构中的地位辩护，发展了一个由英美现象学赋予灵感的个体地理学，而且产生了以"地点"或地区为中心而不是以"空间"为中心的研究，与广泛传播的后现代趋向保持协调一致，这一后现代趋向不信任"宏大叙事"，而且肯定了分裂和背景作用的价值。[31] 所有这些新的趋向都证明了地理学对国际思潮的敏感性。

389

与此同时，地理学家和他们在相关学科中的同事们面对一个新的空间现实：长途通讯的新便利和信息之无所不在正在产生人类活动中空前的机动性。地理学的质问已经过时了吗？或与此相反，地区研究必须以一种与被新的区位化自由所开放的选择范围相对应的方式来被确定价值吗？地理学家选择了第二点。在他们的对经济动力学的研究中，他们把注意力集中在空间网络的结构上，而且分析各地点之间的联系，现在这比空间连续性和距离更为重要。他们还强调由同一地点的不同社会经济活动的集合所产生的综合结果。

[27] 引用 Johnston,《地理学与地理学家》,第1版,第70页。

[28] Brian L. Berry,《作为城市系统中的系统的城市》(Cities as Systems within Systems of Cities),《区域科学协会论文集》(*Papers of the Regional Science Association*),13(1964),第147页～第163页。

[29] David Harvey,《社会正义与城市》(*Social Justice and the City*, London: Arnold, 1973); Henri Lefebvre,《空间的产生》(*La production de l'espace*, Paris: Anthropos, 1974)。

[30] David Ley 和 Marwyn S. Samuels 编,《人文主义地理学:前景与问题》(*Humanistic Geography: Prospects and Problems*, London: Croom Helm, 1978); 段义孚(Yi-Fu Tuan),《恋地情结:对环境的理解、态度和价值观的研究》(*Topophilia: A Study of Environmental Perception, Attitudes and Values*, Englewood Cliffs, N. J.: Prentice Hall, 1974)。

[31] 参看 Edward Soja,《后现代地理学:批判社会理论中的为空间的重新辩护》(*Postmodern Geographies: The Reassertion of Space in Critical Social Theory*, London: Verso, 1989)。

在对同一性的研究中，既在个体的层面上又在文化和政治群体的层面上，都发生了类似的转变。世界公民和散居地的公民以及流亡者、难民和流动工人这类新“流浪者”，都经历了空间环境的缺失或多重空间的变化，这些阻碍他们在所占据的区域扎根或稳定在一个集体的同一性之上。现代性的标准化的“非地（nonplaces）”——由人类学家马克·奥杰所命名——逐渐统治了世界，它仅次于由多元文化构成的象征性的“高地”。这些问题由各种各样的社会科学家所研究，而地理学家们倾向于根据社会的空间维度阐述他们的认知计划。

而自然呢？对一个全能的技术的信仰，对空间分析或地点分析的关注和长期维持的对自然地理学和人文地理学的区分已经降低了自然环境之作用这一传统问题的重要性。尽管如此，在整个20世纪60年代，许多地理学家已经恢复了早期的生态学的意识。[32] 他们并没有在全球的层面上对环境恶化进行研究，而是对与异常现象相联系的自然危害进行研究——如旱灾、洪涝和地震，而且变得对危险的感知和人们面对自然灾变的行为感兴趣。

然而，从20世纪70年代初，环境的问题带有对被人居住的地球的未来的焦虑：这一危险已变成了全球的危险，而且对环境的危害被解释为不可逆转的。地理学家们依靠两个跨学科的联盟研究了这些问题，与地球科学和自然主义的生态学的强大领域结成联盟，或与人类学和社会学结成联盟，在这些领域中，地理学家们参与了对“社会结构”和自然的“象征的挪用”的研究，而且参与了作为自然和文化的混合物的现代景观的重新界定。 390

在地理学之争论的核心，存在一个深刻的生态学问题，即地球的可居住条件问题。地理学的研究存在于统一和差异、普遍性和区位性、世界主义和爱国主义之间的持续的紧张之中。相对于其他科学学科，现代地理学以对民族国家之领土演变的敏感性为标志。随着民族国家的弱化、经济的全球化和距离的异乎寻常的缩短，地理学家们寻找新的方式把他们对现代通讯之结果的研究，对瓦解世界的经济、文化和政治群体的组织能力的研究，和对此处和彼处之个体的表象结合在一起。

（辛岩　译）

[32] George P. Marsh,《人与自然或作为被人的行为改变了的自然地理学》(*Man and Nature or Physical Geography as Modified by Human Action*, New York: Charles Scribner, 1864); Gilbert White 编,《自然危害:地方的,国家的,全球的》(*Natural Hazards: Local, National, Global*, Oxford: Oxford University Press, 1974)。

21

391

历史学
与社会科学

雅克·雷韦尔

历史学+社会科学成为一个标准公式,已经有100多年了。它已产生了广泛的讨论和卷帙浩繁的文献,这些讨论和文献经常是完全重复的,它们寻求解释历史学与社会科学之间的关系应当是什么,能够是什么和不能是什么。争论的术语还没有固定下来。由于这一争论同时既是认识论的又是方法论的,所以它也包含了不同学科之间的权力斗争和它们所滋生和反映的社会代表之间的权力斗争。因此,国与国之间的经历是不同的。这篇论文将把注意力主要集中在德国、法国和美国这三个国家的经历上。

问题的提出

暂且不说那些时光遥远的先例了,直到社会科学在学术界被承认为独立自主的学科并被制度化这一历史时期之前,这一问题仍未受到直接的攻击。这一时期对于美国的政治学、经济学,而且在一个更次要的程度上对于社会学来说,是从19世纪70年代到80年代(美国的镀金时代);而对于法兰西第三共和国来说,这一时期是从1880年到1900年,那里的大学改革为地理学、社会学、心理学和经济学诸学科开辟了道路。在美国和法国这两个地方,这些新科学体现了对客观性、方法和实证知识的要求,而且它们表达了占主导地位的进步思想。德国的诸学科为其他许多国家提供了典范,但是德国的社会科学是在洪堡模式的大学(Humboldtian university)中发展起来的——这种大学处于围绕哲学进行建构的文化体系之内,而且它们地位的提升在19世纪末似乎由文化教育(Bildung)或知识修养理念的统一给出了预示。

历史学作为一个古老的学科在19世纪末享受了特殊的合法性,因为它对民族认同的建设多有贡献。历史学家已经获得了知识和政治的权威,这些都体现在雄心勃勃的国家历史学计划中,其中包括那些由兰克、米谢勒、班卡福特和丹纳这类主要人物承担的计划。在1860年和1880年之间,发生了一个重要的再定位。历史学家的各个团体向着基于德国历史学模式的学术专业化方向移动,而且围绕着对书面证明的批判这一科学模式来巩固他们的身份。确定"事实"成了首要条件,而且经常被人们视为专业

392

历史学家的工作的本质,认识的方法和客观性仍然是占主导地位的参考条件。曾经主导了 19 世纪思想的历史哲学变得令人怀疑,而且受到这些对这一学科新要求的挑战。

在这一点上,历史学和社会科学首先相交,之后有关这两个学科之间的关系问题才开始被提出。人们至少在两个层面上论述这一问题。第一个层面是关于社会知识的地位和关于社会的客观知识的可能性:历史学和社会科学能根据自然科学的模式及其严格的程序被构想吗? 自从启蒙运动以来,这一问题就曾被提出,但是,只是在这个时期,它才被详尽阐述。[1] 威廉·狄尔泰使这一问题尖锐化,因为他在《社会科学入门》(*Einleitung in die Geisteswissenschaften*, 1883)一书中把抽象普遍科学(nomothetic sciences)(那些研究现象的普遍性而且能够提出明确规律的科学)与具体的特殊知识对立起来,而具体的特殊知识与 Geisteswissenschaften——心理或精神科学相联系。

人们以之为根据提出这一问题的第二个层面是历史学和社会科学之间的对抗。社会科学根据自然科学的模式构想它们的计划,尤其是那些在法国和美国的社会科学。通过使用物理学和自然科学的模式,埃米尔·迪尔凯姆宣布了他的视社会事实为"事物"的欲望。他的《社会学方法之规则》(*Règles de la méthode sociologique*, 1894)一书系统化了认识论的和认知的程序,这些程序使对社会事实的客观观察成为可能,而且这些程序构建了不必与自然规律区分开来的社会规律。实证主义不仅仅在法兰西第三共和国居于主导地位,而且也在其他大多数国家关于社会科学的命题的趋向中反映出来——特别地,德语世界除外。那么,我们能够怎样地考虑历史学与社会科学之间的关系呢?

三种答案

人们系统地阐述了三种答案。第一种答案指出了将历史学与社会科学之相互关联而又不可和解的雄心抱负区分开来的鸿沟。这是全世界历史学家的答案,而且它最频繁地以拒绝的方式被表达出来。在新的社会学科要求的背后,许多历史学家察觉到几乎不能被隐藏的古老历史哲学的回归。在大多数西方国家中,主要历史学杂志在 1900 年左右都专门以许多篇幅刊载关于这一问题的争论。大多数杂志回归到博学强记的立场,这解释了由夏尔-维克多·朗格卢瓦和夏尔·薛纽伯所写的著名手册《历史研究入门》(*Introduction aux études historiques*, 1898)在法国的发表。不太频繁的是,拒绝以一种更复杂的方式被表达出来。意大利的历史学家和哲学家贝奈戴托·克罗齐(1866～1952)凭借着挑战历史学和社会科学都声称从中取得了灵感的科学认知的模式,而明显地加强了狄尔泰的分析。根据克罗齐的观点,社会科学只是思想构建物。历史学像艺术一样也是一种通过想象和直觉所获得的知识,也唯有想象和直觉允许对

393

[1] 参看在本卷第一部分中的 Johnson Kent Wright 的一章,《历史与历史主义》(History and Historicism)。

那些独特的事实进行理解。[2]

第二种答案与第一种答案正好相反，它提出使历史学家的程序与新的社会科学的雄心抱负相一致。这一答案围绕迪尔凯姆的一个社会科学计划得到系统阐述，而这一社会科学计划将服从被社会学家在最近编纂整理的方法论规则。在迪尔凯姆主义者的心中，任何东西都不能证明在除了技术能力以外的诸学科与大部分专业传统之间现有区分的合理性。他们与地理学家、心理学家、经济学家进行一系列的对抗——但是首先是与历史学家的对抗。在1903年，迪尔凯姆的最年轻和最杰出的门生之一弗朗索瓦·西米昂（1873～1935）向法国的历史学机构解释，如果他们（指历史学家）要采用一个真正的科学方法，他们就必须放弃他们的惯常的“偶像”（个别的人物，单独的事件和特殊的事实），因为不存在唯一的科学知识。替代性地，他们必须以这样一种方式构建被观察事实，即：这些被观察事实能被融合进一个系列中，允许人们做出各种规律性定义和各种法则的公式化表达。

以一个类似的意向，西米昂痛斥了因果关系范式的弱点，这一范式被扮演了经验主义者和修辞学家角色的历史学家习惯性地使用着。历史学必须重新确定它的认识论计划而且强制推行与社会科学相同的先决条件。“一方面，不存在关于社会现象的历史，另一方面，也不存在关于这些相同现象的一门科学。存在的是一个科学学科，为了获取这些现象——它的研究客体，它使用一种确定的方法，即历史的方法。”[3]因此，历史学的任务被重新确定下来并且受到明确限制，就是向社会学实验开放时间维度。西米昂的最高纲领主义的建议预料到围绕社会学的所有社会科学的统一。但是，作为一个在法国学术界新成立的组织薄弱的学科，迪尔凯姆的社会学并不具有实现它的雄心大志的手段。正如我们将看到的那样，《年鉴》（*Annales*）将在25年之后重新抓住1903年的计划，而且也将围绕历史学如此行事。

394

第三种答案存在于这两种答案之间。在19世纪末和20世纪初，一些历史学家想把社会科学的益处和某些程序并入他们的学科。他们的成果虽然被铭记在不同的国家背景中，但是却具有某些共同的特征：在专业领域，他们相对来说是边缘化的，倾向于实证主义和流行的进化论观点，而且在很大程度上是经验主义者。

卡尔·兰普雷希特（1856～1915），他的全部作品都很重要而且得到了公认，在19世纪90年代开始出版《德国历史》（*Deutsche Geschichte*），并在已经形成的“新兴的兰克主义者（Young Rankeans）”中激起了可怕的反应。与那些兰克主义者们的国家政治史相反，他提出以科学的方法研究德意志民族的经济、社会和文化史，他说：“历史的科

[2] Benedetto Croce，《艺术之一般概念简史》（La storia ridotta sotto il concetto generale dell'arte，1893），见他的《早期论文集》（*Primi Saggi*，Bari：Laterza，1918），第1页～第41页。

[3] François Simiand，《历史学方法与社会科学》（Méthode historique et science sociale），《历史综合评论》（*Revue de Synthèse historique*），6（1903），第1页～第22页，第129页～第157页。

学……必须以一种试图阐述一般规律的演变的方法代替描述性的方法。”[4]关于兰普雷希特的提议的争论如此激烈，是源于它对国家历史这样近似于神圣概念的攻击。在其他方面，兰普雷希特的理论抱负在1900年左右发表的几篇捍卫他的方法的文章中仍是不明确的，例如：《何谓文化史？》（*Was ist Kulturgeschichte?*, 1897）。他的计划是描述历史发展的脚步，拓展历史学家使用社会科学尤其是使用社会学和“人类心理学”的兴趣，从而把历史学置于进化论的基础之上。兰普雷希特多产的著述并没有真正的继承人，但是它开创的争论被全世界的学者所延续，在诸多学者中，有法国人加布里埃尔·莫诺、比利时人亨利·皮雷纳和美国人埃莱·道。

与此同时，在法国，亨利·贝尔（1863～1954）（从他所受的训练来说，他不是一位专业历史学家，而是一位哲学家）正在思考将主导他一生的问题：一旦度过了伟大的哲学体系的时代，人们如何为知识的综合创造条件呢？贝尔的思想是折中主义的，而且，尽管有一部常被重印的具有影响力的书——《历史中的综合》（*La synthèse en histoire*, 1911），可是他的工作大多是不知疲倦的“智力企业家”的工作。在他于1900年创办的《历史综合评论》（*Revue de synthèse historique*）这本杂志中，他发表了在关于历史和社会科学的国际争论中所有重要人物的文章，同时也发表了关于科学知识之性质的当代认识论的反思。贝尔的主要思想本身是对逼近中的认识论危机的反思：除非在历史的观点中，知识的综合是不能被构想出来的。在他看来，历史学必定是不同人类活动之间对立冲突的场所，而且只有它为现在的认识提供了可能性，无论是科学的、宗教的、政治的、社会的还是经济的认识。正像兰普雷希特一样，他的观点是一个进化论的观点，这一观点寻求确定“人类演化”之伟大阶段的方向，“人类演化”是他给予在战后他开始编辑的卷帙浩繁的百科全书式的文集的标题。这些阶段又再次产生于一系列集体的心理变化。所有社会科学，而且确实是所有科学都聚拢在历史学周围。

395

贝尔的时机选择得很好，因为一些最著名的历史学家，如《历史评论》（*Revue historique*）的创办人莫诺，正在敦促他们的学科与新的社会科学之间进行必要的合作。[5] 但是，正是贝尔在将近半个世纪的时间里组织了不同学科之间相互影响的场所和形式，而且为《年鉴》准备了场地。

历史学对社会科学的第三个开口——美国新历史学（American New History）与其他开口一起共同享有一个根植于当代形势分析的全球的进化论观点。它还被具体的国家关注所影响：对美国例外论这一神助论版本的质疑和对在历史和社会科学中的具体行动的向导的寻求。对例外论的迷恋始于19世纪90年代的弗雷德里克·杰克逊·特纳（1861～1932）的关于边界的第一批文字作品。在这些著作中，他寻求从一个地理学的观点考察美国例外论的经济和社会基础，而且，在一个更大的意义上把美国

[4] Georg Iggers,《德国的历史概念：从赫尔德到当今史学思想的民族传统》（*The German Conception of History: The National Tradition of Historical Thought from Herder to the Present*, Middletown, Conn. : Wesleyan University Press, 1968），第197页。

[5] Gabriel Monod,《历史学简报》（Bulletin historique），《历史评论》（*Revue historique*），61（1896），第322页～第327页。

的经验确定为对世界演化的描述。

对实际发展的兴趣是由詹姆斯·H.罗宾逊(1863～1936)在名为《新史学》(*The New History*,1912)这一宣言中发展的,"新史学"也成为这个运动的名字了。对于罗宾逊来说,历史学作为在加速变化中的社会的必要记忆发挥作用,但是,由于被社会科学所丰富,它还必须提供种种模式,为的是"理解现存的状况和主张,并且它们只能……通过或多或少谨慎地遵循产生它们的条件得到解释"。罗宾逊的"历史意识(historical-mindedness)"导致了时间顺序的一个颠倒:"到目前为止,现时已是过去的心甘情愿的牺牲者;现在,为了向前发展,我们开启过去并充分利用它的时代已经到来了。"[6]在历史学家趋向于内转而且在社会科学要求独立自主性的时刻,罗宾逊在自由主义的发展概念的名义下为它们的合作辩护。他的预言和他的对于不同学科实践之间的和解的呼吁是模糊的和折中的,而且他的无所不包的观点筑基于召唤了兰普雷希特尤其是贝尔的社会心理学。作为结果,他提出的研究社会的不同方法之间连接的精确形式仍是不清楚的。[7]

396

《年鉴》历史学的兴起

这三个把历史学与诸社会科学结合起来的艰难尝试共同享有一个重要的系谱和有限的未来。在德国,这一情况是最清楚的。除了极少数例外(弗里德里希·迈内克和奥托·辛策是较为温和的),绝大多数德国历史学家都积极反对兰普雷希特的"实证主义的"提议。诸社会科学也不欢迎这一计划,马克斯·韦伯尤其对这一计划持批评态度。

在美国,新史学运动虽然只代表了历史学家中的少数,但是在20年中一直都非常引人注目。罗宾逊是哥伦比亚大学(Columbia University)的具有影响力的教师,而且在专业领域非常活跃,他的宗旨被查尔斯·毕尔德和玛丽·毕尔德以及宣传家如哈里·E.巴恩斯在《历史学与对诸社会科学的考察》(*The History and Prospects of the Social Sciences*,1925)一书和《社会力量》(*Social Forces*)这类杂志中所传播。作为一个把诸社会科学并入历史学实践的计划,它仍然是模糊的和未实现的。人们做出的几个艰难尝试,如由阿瑟·M.施莱辛格和迪克森·R.福克斯主编的20卷本《美国生活史》(*History of American Life*),被判定为"不像样的和杂乱无章的",是"一个在没有统一思想的情况下把大量现象综合在一起的尝试"。[8] 新史学在操作中的成功证明了这些进

[6] J. H. Robinson,《新史学:说明现代史景观的论文》(*The New History: Essays Illustrating the Modern Historical Outlook*, New York: Macmillan, 1912),第24页。

[7] John Higham,《历史:美国的专业学术》(*History: Professional Scholarship in America*, Baltimore: Johns Hopkins University Press, 1983),第118页。

[8] Peter Novick,《那一崇高的梦想:"客观性问题"与美国历史专业》(*That Noble Dream: The "Objectivity Question" and the American Historical Profession*, Cambridge: Cambridge University Press, 1988),第178页。

步论的历史学家们有限的社会-历史学的首创精神:特纳和他的一些学生利用地理学来分析地区的发展,还有毕尔德及其追随者的努力,受到经济学家E. R. A. 塞利格曼的《历史的经济学解释》(*Economic Interpretation of History*, 1902)一书影响,他们把美国的政治史建立在经济集团和利益冲突的基础之上。毕尔德的《美国文明的兴起》(*The Rise of American Civilization*, 1928)还把某些注意力投向妇女、教育和其他文化问题。但是,这些社会-历史学的努力仍然从属于政治史,而且,当毕尔德和卡尔·贝克尔怀疑客观可能性——这一学科所定义的目标时,他们增加了他们同事对新史学计划的怀疑态度。

对于他们来说,社会科学正在美国大学内扩展。在1923年,社会科学研究理事会(Social Science Research Council)关注于防止孤立,呼吁在所有学科之间进行"交叉受精",美国历史协会(American Historical Association)犹犹豫豫地加入了这一尝试。但是,这一合作没有取得任何成果。新史学家对如何进行合作还不敢确定,而社会科学家,他们本来就依恋着他们的计划的完全的非伦理概念,也怀疑历史学家能对他们有所贡献。

397

在法国产生了与这些最初经历的联系,这是一个在20世纪初关于社会科学共性的争论最为公开的国家,也是一个直到20世纪50年代初亨利·贝尔一直在其中传播思想、散发著述的国家。然而,在贝尔的活动仍处在大学之外并缺少学术的合法性的同时,《年鉴》运动却在大学之内产生。在一开始,两位历史学家,一位是近代史学家吕西安·费夫尔(1878～1956),另一位是中世纪史学家马克·布洛赫(1886～1944),宣布了一个简单的计划:围绕着历史学建立社会科学共性。他们已经受到迪尔凯姆及其学派的影响,而且也受到西米昂的辩论的影响。他们与贝尔的关系也非常密切,而且受到保罗·维达尔·白兰士(1845～1918)的地理学的影响,在他们的眼里,这一地理学被用于作为一门综合学科的典范。在他们面前,空间是清晰的:在法国的大学中,历史学科比它的合作者要强大得多,因为迪尔凯姆主义的社会学由于其创建者的去世和在第一次世界大战中一些成员的消失而受到削弱。他们在1929年在斯特拉斯堡大学(University of Strasbourg),这是一所虽处于外围但却特别著名的大学,以杂志《经济社会史年鉴》(*Annales d'histoire économique et sociale*)发动了进攻。

像在他们之前的迪尔凯姆和西米昂一样,布洛赫与费夫尔以驳斥诸学科的划分为开端。对于全部的有关世界上正在发展的社会的知识来说,他们想使这一新的杂志成为一个互惠互竞、互相验证的场所。为这一目的作证的人是编委会的地理学家、经济学家和政治学家,而且在很快就国际化的《年鉴》网络中,这些证人更多。他们的个人偏好是用"社会的历史",但是,正如费夫尔后来所写的那样:"像'社会的'这样一个如此含糊的词语似乎被创造出来……就是为了用于作为一本杂志的象征符号,这本杂志认为,它不应用高墙把它自己封闭起来……不存在经济的和社会的历史。只存在历史,而且历史本身就在它的全部统一性中。”[9]这一灵活的概念与迪尔凯姆主义认识论蛮横的强硬形成对比。布洛赫与费夫尔并没有选择聚集在一个正统观念或学派周围,因为他们的决定——组织围绕在历史学周围的诸学科之间的交流,取决于“社会知识”这样一个唯意志论的、经验主义的和折中的概念,除了这个概念将要经历的重新的系统阐述以外,它还将成为《年鉴》运动的标志。他们提出了双重对立的大纲:历史学与处理当代社会现实之不同社会科学方法之间的对立——它丰富了对过去的理解模式;与此相反的是过去的经验与现在的解释之间的对立。因此,社会时间的复杂性与历史经验的不同模态充当了跨学科实践的主轴。

398

这一重新的系统阐述与另一个重要变化相联系。对于迪尔凯姆及其门生来说,恰恰只有**方法**能够统一种种社会科学。但是,对于从事《年鉴》冒险事业的历史学家与来自其他学科的他们的同事来说,恰恰是所有科学的假定的共同**客体**——在社会中的“人”,将扮演这一角色。长期以来,在法国“人文科学(sciences de l'homme)”一词比“社会科学(sciences sociales)”一词更为流行,这不是偶然的。他们的模式比起迪尔凯姆主义的社会学家的模式来更不具有雄心大志,更为谦逊,但是,它却是一个可直接使用的模式。它被证明为异常多产,而且在法国之外,在从 20 世纪 30 年代到 70 年代的接连不断的浪潮中得到了承认。

虽然是少数,而且从来没有掌握主导地位,但是,《年鉴》的历史学家却把他们自己确立在学术体系的核心。他们的研究和教学机构成了法国社会科学的主要实验场所,它是 1948 年成立的高等研究实验学校第六部(Sixth Section of the Ecole Pratique des Hautes Etudes),在 1975 年,它成了社会科学高等研究学校(Ecole des Hautes Etudes en Sciences Sociales)。

延续一个世纪的而且将其自身视为折中主义的《年鉴》运动是不可能保持不变的。由于它的可塑性,《年鉴》能够适应不同的思想和制度的环境。从来不存在一个单一的《年鉴》“范式”,而是存在一系列范式。[10] 这些范式共同享有同一个目的:把历史学视为不同人文科学之间相交的特许的场所。费尔南·布罗代尔(1902～1985)在他的最著名的关于“永恒(La longue durée)”的论文中表达了这一目的。由于在 1958 年发表,所以这篇文章是在法国发动结构主义的攻势的时候问世的,这是一场在理论上反历史的、在实践上关注把社会科学从历史学家的规则中解放出来的运动。在这一背景中,布罗代尔再次要求跨学科性的一个“普世的”概念。[11]

[9] Lucien Febvre,《为了历史的战斗》(*Combats pour L'histoire*, Paris: Armand Colin, 1953),第 20 页。这篇论文从 1941 年写起。

[10] Trajan Stoianovich,《法国的史学方法:〈年鉴〉范式》(*French Historical Method: The* Annales *Paradigm*, Ithaca, N. Y.: Cornell University Press, 1976);关于一个相反的观点,请参看 Jacques Revel,《历史学与社会科学,〈年鉴〉范式》(*Histoire et sciences sociales, Les paradigmes des* Annales),《经济,社会,文明年鉴》(*Annales, Economies, Sociétés, Civilisations*),6(1979),第 1350 页～第 1376 页。

[11] Fernand Braudel,《历史学与社会科学:永恒的语言》(Histoire et sciences sociales: la longue durée),《经济,社会,文明年鉴》,4(1958);在《历史文献》(*Ecrits sur l'histoire*, Paris: Flammarion, 1972) 中再版,第 42 页。

跨学科性在实质上是一个实践的问题。《年鉴》运动不是一个理论运动——毫无疑问,这既是它的弱点,又是它的强势。诸学科之间的交流通过借用的方式而最为频繁地实现。某些合作者是有特权的:首先是地理学,它以它的维达尔式的版本(Vidalian version)展示了观点的增加如何能够丰富对社会现象的研究;其次是经济学,在20世纪50年代和60年代,围绕着关于增长的争论;最后是社会学和在20世纪70年代开始出现的社会文化人类学。50年来,直到20世纪80年代重新规划,《年鉴》一直保持着全球的和综合的方向,它不太关注确立例证的体系或辨认因果关系的严密的结构,而是更加关注大概说明不同现象之间的各种相互关系的多样性。对于《年鉴》来说,历史学和社会科学不是通过简单化和抽象化发挥作用,而是通过复杂化发挥作用。以它们的相交的观点,它们将把它们的客体变得更为复杂,而且以不确定的相互联系的网络产生的意义来丰富它们。[12]

399

虽然具有某些局限性,但是《年鉴》的经验仍是独特的,这是由于它灵活的然而又是强有力的规划大纲;还由于它从历史学与科学之间的权力斗争中获得益处,在法国,这一斗争对历史学特别有利;也由于历史学家所具有的践踏其他学科之领域的便利条件。布罗代尔式的(Braudelian)地理历史学、思想史学(histoire des mentalités)和20世纪70年代的历史人类学就是一些出于这些首创精神的混合产物。

对比美国的经验

让我们把这一经验与美国同期的情况进行对比。即使在新史学筋疲力尽之后,历史学与社会科学之间的联系也没有被完全摧毁。正如约翰·海厄姆指出的那样,在20世纪30年代末,文化人类学与社群社会学施加了某些影响。但是,在第二次世界大战的前夜,这一合作关系受到严重的挑战。在两次世界大战间的几十年中,社会科学的根基比以往更牢固,而且正重新定义它们的议程,使它们自己远离正在衰弱的进化论观点,这一观点曾允许它们与历史学家的观点保持接触。正如多萝西·罗斯已经有力证明的那样,它们的计划已经"接受历史的方式并普遍应用"了。[13] 在20世纪40年代和50年代,它们日甚一日地把特权赋予一个既是功能主义的又是结构主义的分析方法。它们的目的成了在一个更庞大的社会理论框架中的社会行为的统计方法,这一社会理论框架被人们想象为一部巨大的综合机械。塔尔科特·帕森斯的著作,尤其是《社会系统》(*The Social System*,1951)一书,是这一抽象经验主义的象征,这部著作把极端的理论上的雄心大志与苛求的概念的和方法的精炼结合起来。远离于这种观点,它

〔12〕"联系"(Zusammenhang)——社会事实的相互依赖性,作为与"社会学抽象"(Sociological abstraction)相对立的概念,要归功于Lucien Febvre的《一个被提出的坏问题:法国改革的起源与改革的原因》(Une question mal posée: les origines de la Réforme Française et les causes de la Réforme),《历史评论》,161(1929),第1页~第73页。

〔13〕Dorothy Ross,《美国社会科学的起源》(*The Origins of American Social Science*, Cambridge: Cambridge University Press, 1991),第470页。

可被理解为这样的科学思想:美国要成为头号世界强国,它确信它自身和它的社会和政治价值标准——它们被冷战期间的孤立主义所引诱,而且它确信它的综合差异与抵牾的能力应充当所有当代社会的范式。这一对例外论的新阐述,被经历"美国的时刻(American moment)"的信仰所支撑,在20世纪50年代和60年代居于主导地位。[14] 它放弃了历史学以采纳一个在本质上是静态的观点。它还强调了历史学家的工作的理论和方法的不足之处,听任经济学家、社会学家和政治学家去诉求于"现代化"和"发展"这类概念,这类概念指社会的内在功能,而不指用历史术语分析的过程。

400

因此,作为一个学科的历史学发现它自己处于一个从属的地位。在社会科学家的心目中,历史学至多只能提供事实资料。但是,历史学家本身倾向于撤回并捍卫他们自己的调查研究方式;他们组成了专业队伍来支撑它的独立自主性,而且它的某些著名成员如罗伯特·帕尔玛和J. H. 赫克斯特,都对社会科学的科学主张提出质疑。人们并没有焚毁所有通向社会科学的桥梁。像理查德·霍夫施塔特、H. 斯图尔特·休斯和大卫·M. 波特这类权威人物,提醒历史学家应该在概念的严密和科学的程序方面向社会科学家学习。[15] 在他们的研究中,他们检验了借自社会学和心理学的概念,如霍夫施塔特在他的《改革时代》(*Age of Reform*,1955)一书中对"现状焦虑(status anxiety)"这一概念的应用。社会科学研究理事会通过一系列出版物组织了持续的观念对抗,其中最有争议的是《社会科学与历史研究》(*The Social Sciences and Historical Study*,1954)。但是,这些主要人物之间的争论在实际上是可能的吗?他们坚定地站在不同的立场上,这些立场在很大程度上是相互矛盾的,尤其是不平等的。那些仍然坚信交叉受精的必要性的人经常采用经济学、社会学、人口统计学和政治学的概念的假定和操作技术。在20世纪60年代,对于社会科学史来说,李·本森是这一运动的最初倡导者之一。它影响了政治史和社会史,尤其是城市史和集体行为史,最为重要的是,影响了由罗伯特·福格尔、道格拉斯·诺斯和斯坦利·恩格尔曼建立的新经济学史(New Economic History)。这些经济史学家利用计量经济学与反事实的方法,这些技术都不为历史学家所熟悉,而且它们能够使人考虑在思想上引起强烈争论的问题,如在美国的奴隶制问题。[16] 这一目的是把在其他学科尝试并检验过的方法应用于历史事实,它的范围并不超出一种工具的和实证主义的观点,这种观点产生于对数量化的关注。经济史学家戴维·兰德斯和社会史学家查尔斯·提利降低了历史学的雄心大志,他们发

401

[14] 这个不同意见载于C. Mright Mills的《社会学的想象》(*The Sociological Imagination*, New York: Oxford University Press, 1959)。

[15] David M. Potter,《富人:经济的富足与美国人的特性》(*People of Plenty: Economic Abundance and the American Character*, Chicago: University of Chicago Press, 1954),引言;Richard Hofstadter,《历史学与社会科学》(History and the Social Sciences),见Fritz Stern编,《历史的多样性》(*Varieties of History*, New York: Meridian, 1956);H. Stuart Hughes,《史学家与社会科学家》(The Historian and the Social Scientist),《美国史学评论》(*American Historical Review*),66(1960),第20页~第46页。

[16] Robert Fogel和Douglass North,《铁路与经济的增长》(*Railroads and Economic Growth*, Baltimore: Johns Hopkins University Press, 1964);Robert Fogel与Stanley Engerman,《历史的关键时刻:美国黑人奴隶制的经济学》(*Time on the Cross: The Economics of American Negro Slavery*, Boston: Little Brown, 1974)。

现它“不是一个整体的学科”,而且对寻找关于人类的知识的共同任务只贡献了一个时间的和全球的“视角”。它必须向社会科学求教以确定它的问题,而且它必须遵循实验标准,构建一个从假设走向经验证明的程序。“社会科学方法是以问题为导向的。它假定,存在一个超越时间和空间的人类行为的一致性,并且它同样是可以被研究的;而且,像社会科学家一样,历史学家要从发现、证实或说明这类一致性的角度来选择他们的问题。这一目的是产生对大量特殊内容的概括性陈述,以使类比和预报成为可能。”[17]从 1976 年开始,学科综合的计划在社会科学史协会(Social Science History Association)找到了一个牢固的机构总部。

自 20 世纪 60 年代以来的马克思与社会科学

在对“历史学 + 社会科学”的更有说服力的概念化中,虽然马克思的思想也是其中之一,但是,他的影响并不是决定性的,是因为以下原因:在西方,尤其是在美国,对马克思主义提出的问题的怀疑;在东方,官方马克思主义对待“资产阶级”社会科学的蔑视态度;许多马克思主义知识分子对理论命题的兴趣,而不是对具体计划的兴趣。在这一领域里的实验是法国的皮埃尔 · 维拉尔和居伊 · 布瓦这类“独来独往的人”的工作,或波兰的维托尔 · 库拉这类“离经叛道者”的工作。这一最多产的研究工作是被如下的思想传统激发出来的,它们或是处于主流历史学研究的边缘(如各种各样的英国马克思主义,无论是 E. P. 汤普森的,还是 E. J. 霍布斯鲍姆的,或是佩里 · 安德森的),或者就是非正统的历史研究,如葛兰西影响意大利历史学家的复杂思潮。

自 20 世纪 60 年代以来,马克思主义的影响主要是间接的、普及的和思想理念上的,而不是实际操作的。在 60 年代,在西方国家发展出一种新的社会和政治批判理论,它对战后占主导地位的合意的模式提出质疑。在英美世界的新左派,对几乎无所不在的法兰克福学派的重新发现,和产生于欧文 · 戈夫曼和米歇尔 · 福柯这类思想家的普遍的对制度的批判的氛围,这三者共同使得历史学家对集体经历的众多数量和差异性敏感起来,而且通过强调危机、断裂、边缘性和从中心模式的偏离这些现象,这三者也共同促进了一个“从下面看到的”历史学的发展。这一敏感性(有时是民粹主义的敏感性)发现了早先计划的回声,像《年鉴》和英国杂志《过去和现在》(*Past and Present*, 1952)的那些计划,而且使它们重新转向占主导地位的社会群体,尤其是妇女。社会史成了历史学科与社会科学之间最有利的交汇场所。 402

在英国和美国,历史学首先与社会学结成了联盟。历史社会学(重新)发现了托克维尔、韦伯和卡尔 · 波兰尼,而且使它自身远离结构 - 功能主义、抽象经验主义和经济

[17] David S. Landes 与 Charles Tilly 编,《历史与社会科学》(*History and Social Science*, Englewood Cliffs, N. J.: Prentice Hall, 1991),第 470 页。

主义。由于受到汤普森、霍布斯鲍姆、伯灵顿·摩尔(小)和安东尼·吉登斯的著作的启示,它寻求综合这两个学科的程序。[18]

在德国,同样的和睦关系也能被发现。在这里,经过长期的衰落,社会史在20世纪60年代和70年代将它自身确立起来,而且调动了德国社会学传统的所有财富:韦伯,但是也有"经由马克斯·韦伯而被认知的马克思",和法兰克福学派。[19] 集中于德国历史经验的特殊性,由汉斯-乌里希·韦乐(1931～)、于尔根·科卡(1941～)和比勒费尔德小组发展起来的社会史是那些最复杂的艰难尝试之一,它们把批判概念化与从社会科学借来的分析程序综合成对宏大的历史过程的分析,这些历史过程如现代化、科层化和19世纪的社会阶级的形成。[20]

在法国和大多数西方国家,正是人类学成为主要的合作者,从而创造了不同的产品系列:真实和稀有的民族历史学的经历;克洛德·莱维-斯特劳斯的结构人类学的严格模式在对神话研究中的应用;和分析之技术工具的转换,如那些恢复了历史人口统计学的技术工具和开创了家族史研究的技术工具。在20世纪70年代和80年代,历史人类学满腔热情地把它的注意力转向"日常生活"的变化无穷的经历——那些被德国《日常历史》(Alltagsgeschichte)赋予价值的经历和那些为国际历史学杂志提供资料的经历。除了我们已经引证的那些著作以外,著名的著作包括美国的《社会与历史比较研究》(*Comparative Studies in Society and History*, 1958)和《跨学科史杂志》(*Journal of Interdisciplinary History*, 1970),意大利的《史记》(*Quaderni Storici*, 1974),德国的《历史与社会》(*Geschichte und Gesellschaft*, 1975),英国的《社会史》(*Social History*, 1976)和后来的俄罗斯的《奥德修斯》(*Odysseus*, 1991)和德国的《历史人类学》(*Historische Anthropologie*, 1993)。学科之间的互相借用统辖了历史学家之领域的巨大的扩展,与之相伴的是实践的激增和研究目的的分散。

103

问题的重新评价

在整个20世纪,已经产生了历史学与社会科学之间的两类对抗与合作。第一个类型把社会科学或其中之一视为正式确定的习惯规则的一个理论或标准,历史学家被邀请来将他们自己与这一理论或标准联系起来。正是这一类型,促成了1900年左右的迪尔凯姆主义的计划、20世纪60年代莱维-斯特劳斯的结构主义和美国的社会科

[18] 参看 Theda Skocpol 编,《历史社会学中的观点与方法》(*Vision and Method in Historical Sociology*, Cambridge: Cambridge University Press, 1984)。

[19] Georg Iggers,《20世纪的编史学:从科学的客观性到后现代的挑战》(*Historiography in the Twentieth Century: From Scientific Objectivity to the Postmodern Challenge*, Hanover, N. H.: Wesleyan University Press, 1997),第71页,更普遍地出现在第5章。

[20] Hans-Ulrich Wehler,《历史社会学与历史的撰写》(*Historische Sozialwissenschaft und Geschichtsschreibung*, Göttingen: Vandenhoek & Ruprecht, 1980); Jürgen Kocka,《社会史,概念发展的问题》(*Sozialgeschichte, Begriff-Entwicklung-Probleme*, Göttingen: Vandenhoek & Ruprecht, 1986),第2版。

学史。更为普通和更为灵活变通的第二个类型是在借用之体制之下的概念化和程序的转变,它或多或少有些生硬。这大多是历史学家的首创。但是,在任何一个模式中,历史学和社会科学的立场是不平等的。社会科学在第一个模式中确定了结合的条件;在这两个模式之中,历史学都承担着被置于从属地位的危险,只有《年鉴》的经历是个明显例外。

在20世纪的最后20年里,这一情况显著地改变了。一系列的重新评价为这一事实而深感遗憾,即:"历史学和社会科学的……综合,没有成功。"[21]从前坚定的、乐观的甚至得意洋洋的计划性的野心被这样一个公认所代替:各学科之间的合作是困难的,跨学科性不是规则。这一反动使人们的注意力返回到争论的核心:跨学科性在是一个答案之前首先是一个问题。

与此同时,以一种或多或少不太规则的方式,大多数社会科学都发生了人们所说的"向历史的转向"。[22] 这一现象是复杂的和模糊的。它显示了诸学科的新的不确定性,即:因为它们不大确信它们的基础和它们的有效性,所以它们又转向它们自己的历史,并对它们的概念、制度和社会系谱提出质疑。历史学和社会科学一样,也经历了一个"反思的时刻"。这一向历史的转向还与伟大的综合范例的失败或至少是加速的衰落相对应,这些范例成为社会科学之科学目的和社会世界之可理解性的基础,它们还引出了考虑社会现象的历史真实性的要求,这不仅仅是从它们是一段历史的产物的这个意义上来说的,而且也是从它们的现实化就是历史的这一意义上来说的。例如,一些经济学家提出了关于经济现象的不可逆性的问题和在历史时期中的它们的盖棺论定的问题。为神话和仪式的结构分析而受到培训的某些人类学家,试图解释这些神话和仪式在其中流行并发挥效力的背景。

诸转变的任何一个在20世纪末都不是稳定的,它们组成的集合起源于几个不同的命题,所有命题对于我们的主题来说都具有不同的含意。在20世纪80年代末和90年代初的最明显和最具有影响力的计划是社会知识的后现代主义的解构计划。它的最大的成功是在美国,但是,从这里出发,它影响了英美世界和英美世界以外的相当一大片土地。在它的最激进的形式中,这一新的历史主义是怀疑性相对主义的起源,怀疑性相对主义对社会科学的特殊领域的存在和关于社会的任何知识的可能性提出质疑。在后现代主义的庇护下,社会科学之间的合作在本质上必定是批判性的。这是一个被德理达和利奥塔的那类哲学提议所激发的运动,而且这一运动还倾向于把社会现实化简为推论的成果或文化产品,并化简为我们以之理解它们的文本;它还是一个显著地影响美国学术机构之不同外围的运动。这样一个结合暗示,对于后现代主义的转

404

[21] Andrew Abbott,《历史与社会学:遗失的综合》(History and Sociology: The Lost Synthesis),见 E. H. Monkkonen 编,《雇用过去:在全部社会科学中的历史的应用》(*Engaging the Past: The Uses of History across the Social Sciences*, Durham, N. C.: Duke University Press, 1994),第77页。

[22] T. J. McDonald 编,《在人文科学中的历史转向》(*The Historic Turn in the Human Sciences*, Ann Arbor: University of Michigan Press, 1996)。

向来说,社会学的方法本身也许就是必要的。

在法国,20 世纪末的发展是不同的。随着认识论的混乱时期的结束,很快出现了一个为社会科学(其中包括历史学)重新确定空间的艰难尝试。两个主题是占主导地位的。第一个主题试图重新考虑学科的一致性——不是对科学的空间进行划分,而是改善社会科学间的流通,以说明它们所构建的不同观点之间的分歧为起始。第二个主题(一个更全球化的主题)重新发现了对所有社会科学之共同历史性的旧时的韦伯主义的阐述,它招致我们承认对一个特殊科学体制的要求,这一科学体制把它自己与自然科学体制区分开来,在自然科学中,解释的工作总是通过科学程序与客体的构建相联系,其中包括描述、解释和证明的具体程序。[23] 以这种反思为起始,人们也许能以较新的术语继续进行历史学与社会科学之间的艰难对话。

(辛岩　译)

〔23〕 Jean-Claude Passeron,《社会学的论证:自然论证的不适宜的地方》(*Le Raisonnement sociologique: L'espace non-poppérien du raisonnement naturel*, Paris: Nathan, 1991)。

第三部分

社会科学的国际化

22

完全不同的世界中的现代性科学

407

安德鲁·E.巴谢伊

马克·布洛赫曾说,历史是“人类在时间中的科学……(时间是)一种具体而富有生机的实在,是一股不可逆转、奔腾向前的急流……事件在时间中得以汇聚,意义由时间得以澄明”。[1] 由此类推,社会科学是现代性的科学,“是一项现代世界的事业。它植根于这样一种尝试:关于实在发展出的系统的、世俗的知识,这种知识多少是在经验上得以确认的。这种尝试自16世纪以来就开始盛行,并成为我们现代世界的重要构成部分”。[2] 简言之,如时间之于历史,现代性也使得社会科学得以在其中汇聚和阐发。

或许直到20世纪60年代末,常识还都认为**现代的**等价于**西方的**,西方化等价于现代化。自1989年以来发生的一系列全球性的事件,再次给舆论以某些口实,以重申这一常识的观点,尤其是以新自由主义经济变革的名义重申这一观点。下面的章节尽管在进路、焦点和论证上各有不同,但都认为**现代的**等于**西方的**这一等式(无论是支持还是反对它)更多的是一种意识形态的,而不是历史的立场。因为在各种特殊的历史发展的前方,并不存在一个单一的、普遍的现代性。西方导向的“趋向全球均一化”尽管是强有力的(在塞尔日·拉杜什看来,也是破坏性的),却不可能成功。[3] 现代化的道路是多种多样的,这些不同的道路将导致不同的现代性。

同时,我们既不能承认把“现代的”一词空洞化地解读为“当代的”,也不应把西方的内容从更大的现代性定义中排除出去。如我们在这些章节中所做的,要理解社会科学的国际化,就要理解(外来的)西方性对于(本土的)现代化不仅仅是一种对立的关系,也是整体中的一部分。正是这种历史的“整体”,这种在某些情形中强迫性地把本土的与西方的因素相结合,以构成独特的国家现代性的做法,形成了超越“大西洋框架”的社会科学的许多活跃的和可理解性的研究领域。

408

[1] Marc Bloch,《历史学家的技艺》(*The Historian's Craft*, New York: Vintage, 1953),第27页~第28页。

[2] Immanuel Wallerstein, Calestous Juma, Evelyn For Keller, Jurgen Kocka, Dominique Lecourt, V. Y. Mudimbe, Kinhide Mushakoji, Ilya Prigogine, Peter J. Tallor 和 Michel-Rolph Trouillot,《开放社会科学》(*Open the Social Sciences*, Stanford, Calif. I: Stanford University Press, 1996),第2页。

[3] 见 Serge Latouche,《世界的西方化》(*The Westernization of the World*, Cambridge: Polity Press, 1966)。

因此,我们可以假设:在一个特定的国家框架中社会科学所采用的形式,实质上依赖于这个国家所采取的制度性的现代化道路,尤其是依赖于在这种发展中的自主性(或者相反地,他治性)的程度。无疑,国际化社会科学的主题、问题和制度形式,都会起源于西方学术的这一或那一核心的思想,它们很难不留下这些早期的烙印,如历史学派经济学之于日本,进化论和马克思主义(起初经由日本)之于中国,功利主义和实证主义之于印度,英国社会人类学之于非洲,以及迪尔凯姆社会学之于埃及等。然而,关键的确在于:这样的推动并不必然保持在这种核心思想的**控制**之下;采用社会科学的语言和方法本身,并不等于精神上的自我殖民。相反,更重要的是"并非本土起源,却能自主同化"。[4] 因此,迫切的历史问题,是如何说明和评价各个国家和区域社会科学形式的特殊性(或彼此的相似性)。一种起源于西方的论说和实践的复杂的系统,是如何在西方之外获得意义的呢?它们是如何穿越现代性的"时空"被翻译的呢?它们是如何本土化和自我复制,与本土的知识系统又处于何种关系呢?换言之,社会科学中国际化的动力学又是什么呢?

下面的案例研究中,以中国、日本、印度、伊斯兰世界、非洲、拉丁美洲、东欧和俄罗斯的社会科学的发展为例,讨论了国际化过程的特征。从这些案例中,可以发现一些共同的主题,同样也可以发现一些更为广泛的相关联的以年代为序的框架。无论是在后发展中的帝国(如日本和俄罗斯),还是在先前的(半)殖民地国家,社会科学都倾向于以推进**国家的发展**为己任。而且,通常会感觉到来自西方的威胁或紧迫的竞争。在每一个案例中,这种发展都意味着与之前国家的遗产相碰撞。这些遗产总被看做是物质上落后的根源,也是相对于西方文化差异的根源——问题就在于这二者之间的关系。但无论落后的原因是什么,社会科学**总是**致力于它的废除,从而也就免不了其时常出现的自相矛盾的特性。什么是"国家的进步"?它的代价又是什么?发展是否意味着舍弃"传统"?还是需要它的协同作用?是应当废弃本土性?还是应当重建本土性?从自主发展的观点看,在一个确定的社会中,什么是其任何情形下都特有的问题,或是持久性的领域?在一种更广泛的意义上,社会科学家是否有可能无须借助于起始于国外的概念范畴和(后)叙述的联合体,仅凭切身的生活体验——或至少是经由本土化表述规则得出的经验,就确定出分析领域?

409

依此框架,国际化将意味着在管理技巧和高等教育方面承受不同的**殖民**遗产(高等教育在诸如印度、埃及、韩国等的制度上有着重要的意义,但在摩洛哥和撒哈拉以南的非洲国家则几乎可以忽略);意味着通过仔细思考按照帝国主义的规则详细阐述的社会探究的范畴得出结论并且超越它们(如在印度"种姓"、非洲的"部落"等)。只有如此,本土的文化,自己的知识或是声音才能重新获得,国家才能创立,舍此别无他途。

[4] Rikki Kersten,《战后日本的民主政治:丸山真男与自治权研究》(*Democracy in Postwar Japan: Maruyama Masao and the Search for Autonomy*, London: Routledge, 1966),第131页。

由于其在国家构建中的工具特性(无论是否由殖民主义转换而来),西方之外的社会科学在其形成期,经常是直接由国家支持发展(或是有些情形中,国家权力支离破碎,在外国赞助下发展的)。其历史首先是作为一种**制度性变迁**,之后才很成功或不太成功地呈现为学术上的框架。当然,这种学术如何管理和持续的问题依然存在。但是,看来大学、研究机构和博物馆的确都倾向于维持社会科学中的专业化,凝固其中的学科同一性,而不是直接地从属于国家机构。制度性变迁对于某种程度的精神上的**去殖民化**,或是**本土化**也是十分重要的。值得重复的是:这些词汇并不意味着从社会科学中一揽子地"清除"外国的因素,甚至也不意味着把这些因素**翻译成**某种本地有意义的东西。[5]

也许,说斯拉夫派和西方派之争的演变(包括民粹主义的出现)被复制并且拓展到其他社会(它们每一个都面临着确定自身发展道路问题)并不过分。因为这场争论标志着俄罗斯成为第一个"发展中社会"。西方社会科学的国际化和西方社会科学的自主地同化,都是对于一种有效公式的多层面的和深刻矛盾着的追求的一部分。这些被称为"差异应用"的公式,可以仅以如下几种为例:"中学为体,西学为用","大和为魂,西方为技","俄罗斯式社会主义","具有中国特色的社会主义","伊斯兰经济"。通过这样一种过程,民族的过去或者说传统,**与**现代的现实有选择地相互融合发展,在本质上不可避免的相互竞争中,朝着构造民族文化的目标前进。[6]

然而,社会科学并不仅仅与文化或是同一性相关。通过"差异应用"来寻求进步的困难,正是由于它要求在真实的制度和实践上进行变革(或是试图去支撑)的世界,在很大程度上,既由政治领域之外的力量来统一,也由其来划分。帝国主义、民主、革命、同盟国和轴心国之间改变世界的冲突、冷战、非殖民化浪潮和"三个世界"(或北南划分)的全球格局的出现:就它们参与改进了社会而言,这些事件也塑造了那里的社会科学。

由此,不管是通过斯宾塞哲学的考察,还是稍后马克思主义的考察,所有得到公认的社会形态都经受了对其功能性的"科学的"评判。斯宾塞哲学的进化论设定了一个从"军国主义者"的社会向"商业化"(工业化)社会的巨大转换;这一进程,是以那些表面上不怎么为人们所称道的高等文明为中介的。在这些框架中,例如在中国,政府有时不得不刺激和支持那些暂时偏离正轨的进程,因为这恰恰被西方认为是正确的。就马克思主义而言,它应该在资本主义西方之外的贫瘠土地上落足,但是正如进化论一样,引进(农民以替代产业工人)替换是可能的,而它对资本主义产业化的批判则具有强大的说服力。[7] 马克思主义不同于斯宾塞哲学学说之处,首先在于它能以高得多的

〔5〕 见 Wallerstein 等,《开放社会科学》,第 56 页~第 57 页。

〔6〕 "差异应用"是日本历史学家丸山真男的术语。见他的《日本的国家主义:理论背景和展望》(Nationalism in Japan: Its Theoretical Background and Prospects, 1951),见诸他的《现代日本政治中的思想和行为》(*Thought and Behavior in Modern Japanese Politics*, Oxford: Oxford University Press, 1969),第 135 页~第 156 页。

〔7〕 见 Eric J. Hobsbawm,《帝国的时代》(*The Age of Empire*, New York: Vintage, 1989),第 267 页~第 269 页。

程度，组织成一种政治力量，以（不管是用于善还是恶）利用和引导表面上由阶级冲突所产生的能量；其次，在于它献身于实现一种确定形式的人类社会；其三，在于它的文本教义的“与时俱进”的发展，这些发展集合起来，给了它以堪称优秀的社会科学的地位。

显然，这些体系都是这样一种观念的具体化：不管以多少生命为代价，进步是必需的，也是有保障的。现代化的观念也同样如此。在某种意义上，它寻求区分斯宾塞哲学的进化论和革命的马克思主义之间的不同。所谓的“现代化理论”在拒绝对暴力转换的需求的同时，保留了后者的先驱者的信仰。它赞成总体的发展目标，支持从“传统的”社会到“现代的”社会的有意的转变，拥护主要由第一世界的精英和部分第三世界自身的热诚的现代化主义者为第三世界人民所确立的路线。尽管有时，这与第二世界，即社会主义世界，形成讽刺性和破坏性的敌对状态。在 20 世纪 60 年代初作为社会科学中的一个概念，也作为不同“世界”之间关系的结构要素而甚嚣尘上的现代化，到 60 年代末遭到了强烈质疑，由此再也没有恢复它一度享有的权威。从目前后冷战时期的视野来看，那种大多数现代化“理论家”的幼稚的自信（的确可称为傲慢自大），和来自左派的对于他们的彻底否定，都不过是极权主义的反映。其后几乎绝大多数社会主义政权（不仅仅是那些前苏维埃阵营）的崩溃，它们随之而采取的向资本主义转变的政策，以及中国当前的发展进程，确实都迫使我们以一种更有节制的和成熟的眼光，来看待现代化及其对它的批评。

经济发展（伴之以发达国家中的经济增长）的概念，在现代化道路的消亡中得以幸免。确实，它如今十分兴旺繁荣：就复杂性和全球范围而言，“发展”可能是全部知识生产产业中最大的一支，也是要求社会科学家最深入和密切地参与其各种进程的一支。惟其如此，它也就受到了来自诸如萨米尔·阿明和塞尔日·拉杜什，安德烈·冈德·弗兰克和伊曼纽尔·沃勒斯坦，阿图罗·埃斯柯瓦尔和伊万·依利希等人的尖锐批评。迄今，它依然是国际上社会科学（争辩中）的关键词。一方面，**政府**作为发展的第一位的动因（并且由此具有使用概念上的优先权）已经去中心；动因已经多元化。如沃勒斯坦所指出的，所谓的“世界体系”产生出了外围（包括在它内部的边缘）的反体系；这些必然会被理论化，会经受历史的检验，本质上不是作为反对发展的理论，而是作为可供选择的模式。“经典样本”在本土“社会”中的传播，全球化的资本，超国家的政治实体，已经导致了有必要重新界定诸如政治权力、市场及其假定的收益这样的关键概念。在某种程度上，与这样的转变相并行的，是西方社会科学中“绿色的”和女性主义的进路的崛起；而伴随着后者而来的，是要重新思考众多重要的概念前提：这种对解释和语言上的关注，是与社会科学与自然科学之间界线的“淡薄”相一致的。正如同时代表了来自“北方”和“南方”的一群社会科学家的沃勒斯坦所表达的：

> 存在一种超越现代社会和现代思想的形式普遍性的更深层的普遍性吗？它的普遍性足以容纳各种矛盾吗？我们能否推进一种多元的普遍性呢？它就像是印

度的万神殿中的神，有着许多化身？……只有一种多元的普遍性才能使我们把握我们已经生活和正在生活于其中的社会现实的丰富多样性。[8]

412

然而，让我们还是回到“发展”问题，不能说国际化的社会科学完全失去了它作为“道德-实践”活动的意义。阿玛蒂亚·森的著名的质询（第三世界中的亿万妇女由于贫穷和疾病而失去了什么？）重新唤起了这些意义。依利希对于发展的批评或许“低估了为现代劳动分工所创造的需求，事实上的确与人民的意愿相对应的程度”，但这不过是再一次加强了这一强烈而持久的命令：随着它周围世界的重组，社会科学必须重新思考其前提和语言。“发展”作为一个术语，其使用必须与对下述问题的限定结合起来：谁的发展？由谁来发展？为谁发展？[9] 然而，森的问题意味着需要在条件上有一个转变，这些条件是局域的，但又有普遍性。只要国际化的社会科学把握这样的条件，并且能帮助和加速这样的转变，它就具有其持续的任务和同一性。

因此，正如其在西方一样，社会科学在西方之外也是现代性的科学。**现代性**标示出一种情况，或是一种困境，在其中持续地与西方的联系成为一种重要的，但并非唯一的因素。没有任何一种现代性形式不与这种联系相关。这种重要性明显地制度化了，这可以从学术架构中社会科学从业者的不断集中看出，也可以从那些在某种程度上**已本土化的**思想范畴和学科划分中看到——它们外在的起源仍然可以识别出来，但并不决定它们的命运。一种文化间的转换和创造已经发生，但与西方的联系却几乎各有不同的术语。这种不对称的遗产是根深蒂固的。因此，社会科学的国际化已经在历史的和生存的“空间”中展开。不管愿意不愿意，这种空间形成于现代世界的文化和政治之间。

（胡新和　译）

[8] 见 Wallerstein 等，《开放社会科学》，第 59 页～第 60 页。

[9] 关于 Illich 的引文取自 Michael Ignatieff 在 Adam Kuper 和 Jessica Kuper 编，《社会科学百科全书》（*The Social Science Encyclopedia*, London: Routledge, 1985）上的词条，第 376 页～第 377 页。也可参见 Frederick Cooper 和 Randall Packard 编，《国际发展和社会科学》（*International Development and the Social Sciences*, Berkeley: University of California, 1977）；Wolfgang Sachs 编，《发展辞典》（*The Development Dictionary*, London: Zed Books, 1993）；Majid Rahnema 与 Victoria Bawtree 编，《后发展读本》（*The Post-Development Reader*, London: Zed Books, 1997）。

23

413

20世纪 拉丁美洲的社会科学

乔治·巴朗

本章是对有限的几个拉丁美洲国家中的社会学、人类学、政治学和经济学发展的有选择的概述。在回顾了世纪之交自由主义遗产、实证主义和社会进化论的影响之后,以公共教育为核心主题,本章讨论了社会学和文化人类学在阿根廷、墨西哥和巴西的兴起。作为在欧洲和北美新近确立的学科,社会学由于其对科学综合的承诺而得到了知识界的采纳。人类学则由于与自然科学的联系而具有了合法性,虽然它的实用之处在于文化的发现。从20世纪40年代到70年代,随着发展成为灵丹妙药,经济学在拉丁美洲就处于支配地位。经济的增长必然带来现代化,虽然这两者的关系并没有被看做是必然的。20世纪70年代占主导地位的框架,即经济依附论,是一场理论运动的产物。这场运动是由马克思主义的第三世界观点反对当时盛行的中间偏左的改革主义的政策而引发的。从20世纪80年代直到世纪末,社会科学与高等教育的扩展一直联系在一起。(建立在对国家和社会问题的新视角基础上的)政治学的复兴,人类学中以及学生交往中对文化认同的关注以及新古典经济学框架的支配,这些都是这段理论和主题多样化时期的明显特征。本章结尾对全球化世界中的拉丁美洲社会科学做了反思。

序言:拉丁美洲的实证主义与社会进化思想

国内战争几十年之后,从19世纪70年代到第一次世界大战期间,拉丁美洲的共和国经历了以出口为主的经济扩张。同时,这一时期的政治秩序通常是由武力强加的,但却由自由主义的意识形态和新近采纳的宪法合法化了。自由主义的主张支持了进步和科学的信念,由法国传统塑造的这种自由主义主张往往是把科学服务于世俗国家,把国家看做是通过公共教育而带来变化的主体。这种自由主义的世俗化纲领、自由贸易、社会改革和公共教育受到了孔德实证主义哲学的深刻影响,这使得它具有了专家治国和极权主义的倾向。在这种背景中构造的教育制度强调的是百科全书式的

414

学习、科学实践的训练和对世俗主义和国家控制的依附。[1]

孔德实证主义哲学通过教育领导者们的努力产生了很大影响，这些领导者在 19 世纪的最后 25 年中使自由主义政治得到了特别的关注。在墨西哥，加比诺·巴雷达(1818～1881)促进了全新《国家食品法》(*Escuela Nacional Preparatoria*)的诞生和胡阿雷斯总统对教育改革的授权。波菲里奥·迪亚斯长期的极权主义统治(1884～1910)受到了所谓的"**认证**"(cientificos)学校毕业生的深刻影响，这个学校的根本目标就是遵循孔德和圣西门的教诲，把科学带入国家管理。巴西的实证主义者在军事学校(Escola Militar)中特别有影响，当时在与巴拉圭的战争(1865～1870)之后，军人在政治上逐渐活跃，而且他们站在共和主义者一边。许多人依附于共济会，这样他们就感到自己疏远了更密切地认同于天主教会的君主。1888 年奴隶制的废除和共和国在次年的建立，都彰显了实证主义的口号"**秩序和进步**"，这些话被题写在巴西的国旗上。一个实证主义者、军校的数学教授本杰明·贡斯当(1836～1891)成为共和国第一任政府的教育部长。在智利，何塞·维多利诺·拉斯塔里亚在他的出版于 1875 年的著作《实证政治教程》(*Lecciones de politica positiva*)中根据孔德实证主义哲学确立了政治学的科学基础。第二代实证主义者瓦伦丁·莱特列尔(1852～1919)于 1889 年建立了智利大学教育学研究所，成为这个国家自由主义政治的思想领袖直至去世。

在理解社会方面，赫伯特·斯宾塞对拉丁美洲作家来说是最能带来灵感的源泉；他在地中海国家也有广泛的读者。种族是一个核心的概念，常常被用作指向在不同时代发展的民族或人种的生物学术语。有三个主要的种族影响(印度、非洲和伊伯利亚)常常被看做对社会进步是有害的。种族主义导致了自我贬低，倾向于传播另一种自由主义的灵丹妙药——来自欧洲的移民。斯宾塞与孔德不同，他赞成限制国家的权力，他的立场被用来支持自由市场政策。 415

社会进化论产生于当时的种族歧视和种族混杂的罪恶中，或产生于当时的地理环境中的灾害中。在这个大陆的大多数地区，非洲的奴隶制长期以来一直是一种合理的实践；即使是进入了 20 世纪，本土族群仍然缺乏基本的公民权利和政治权利。在快速进行城市化和现代化的国家，譬如阿根廷，投机商和放高利贷者的物质享乐主义，还有极端利己主义都使社会关系恶化。塞萨雷·龙勃罗梭创建的意大利犯罪学学派采用了生物学的或医学的框架，解释诸如卖淫、犯罪、精神失常和无政府状态等现象。20 世纪最初几十年的优生学既是一种科学运动，也是一场社会运动，促进了对外来移民和人口出生率的控制。

虽然社会科学是由种族的生物学观念构成的，但仍然转向了政府支持的教育，并把它作为建设国家的手段，这个国家没有社会集团间的巨大差异和矛盾冲突。对社会

[1] Charles A. Hale,《拉丁美洲政治观念和意识形态(1870～1930)》(Political Ideas and Ideologies in Latin America, 1870—1930)，载于 Leslie Bethell 编,《20 世纪拉丁美洲的观念和意识形态》(*Ideas and Ideologies in Twentieth Century Latin America*, Cambridge: Cambridge University Press, 1996)。

和文化的经验研究缺乏传统，但实证主义的传播带来了对统计数据、观察和分类的尊重。在工程师、医生和其他专业人员领导下的政府部门收集信息，出版关于教育、犯罪、住房和工人阶级生活标准的报告。

教育和国家的建设：从20世纪初到30年代

在世纪转折时的阿根廷，社会学在知识分子中逐渐流行起来，他们试图理解快速变化的社会。出口的增长和欧洲来的移民正在快速地转变着这个幅员辽阔、人口稀疏的国家，把布宜诺斯艾利斯变成了一个大城市。关注的焦点是社会问题，产生于外来移民、城市付酬工作、家庭的破裂、犯罪和无政府主义。政治秩序刚刚确立起来，社会融合尚未实现。

埃内斯托·克萨达（1858～1934）和何塞·因赫尼埃罗斯（1877～1925）试图在这种背景中创立学院派的社会学。他们与国际学术界都有着密切的联系，但他们政见不同。因赫尼埃罗斯在政治上是忠实的左派知识分子的早期代表，处于政治权力的边缘；而克萨达则更多地从学术层面阐述了民族主义的教育纲领。

埃内斯托·克萨达于1904年成为布宜诺斯艾利斯大学新成立的哲学与文学学院的第一任社会学主任。他也教授政治经济学，是一个训练有素的历史学家。克萨达特别广泛地阅读了德国历史主义和经济学著作。他推崇古斯塔夫·冯·施莫勒试图从社会科学事业中寻找民族之根，但他同样很熟悉马歇尔和英国的政治经济学，他发现它们过于抽象和演绎。他是美国政治和社会科学院的成员，曾在《年鉴》（*Annals*）上发表了论阿根廷社会进化的文章。克萨达的文章产生于关于劳动立法的政治争论，集中论述如何把工人团结到国家社会之中。劳动立法作为对外来移民工人的无政府主义倾向的矫正方法被提出。[2] 与阿根廷的思想主流不同，他的解释框架是要走向历史决定论，而不是占主导地位的社会进化论。他认识到加强地方社团的必要，而这些却常常因为中央政府强制推行国家秩序而无法实现。

416

由于受命报道德国大学历史教学的经验，在那里这是用于加强民族认同的课程中的核心内容，克萨达由此得到结论，一个国家要想树立民族精神，教育是关键。用西班牙语教学和学习国家的历史和地理，就会使由地区差异和20个欧洲国家的大量移民所分裂的国家趋于统一。这也是矫正无政府主义和虚无主义泛滥的最好办法。他的工作就是要确立“爱国”教育的新标准，即规定使用官方语言西班牙语，禁止使用其他语言，倾向于教授具有民族认同的历史和地理。

[2] Eduardo A. Zimmermann,《自由主义的改革：阿根廷的社会变革（1890～1916）》（*Los Liberales reformistas: La cuestion social en la Argentina, 1890—1916*, Buenos Aires: Sudamericana, 1995）; Ernesto Quesada, “La *Epoca de Rosas* y el reformismo institutional del cambio de siglo”, 载于 Fernando J. Devoto 编，*La histroiografia argentina en el siglo XX*（Buenos Aires: Centro Editor de America Latina, 1993）。

出生于意大利的何塞·因赫尼埃罗斯是一位神经学家和精神病学家,也是精神疗法的早期提倡者。他把社会学理解为一门综合科学,认为应当把动物学研究的方法应用于人类社会。虽然各民族是为了适应不断变迁的历史因素而出现的,但人类的多样性,包括种族差异,很大程度上是为了适应完全不同的自然环境的结果。[3] 因赫尼埃罗斯还采纳了古斯塔夫·勒邦的关于各文明心理差异的生物学基础的理论。勒邦的观点在阿根廷特别有影响,这个国家关心的是要消除本土的和非洲影响带来的痕迹,而诸如因赫尼埃罗斯这样的社会主义作家就分享了具有生物学倾向的种族主义术语。然而,这些观点承认环境在遗传过程中的作用,这就导致了对社会改革结果的乐观主义。[4]

417

作为一名社会改革家,因赫尼埃罗斯关注的是资本主义社会的功能障碍。工人必须通过制定恰当的法律得到保护,也必须得到卫生实施的保护。因赫尼埃罗斯在布宜诺斯艾利斯的医学院担任教师,并在公共心理健康协会和监狱的犯罪学学会工作,他在专业医学期刊上发表了关于精神病学、犯罪学和法医学的文章。他的文章收集在《阿根廷的社会学》(*Argentine Sociology*)一书中,他确立了这门学科的自由主义传统,试图捍卫这门学科的科学地位,把它看做是生物学的延续,是对社会有机体的研究。然而,他没有表明这门新科学是如何收集、分类和分析社会素材的。作为阿根廷社会主义党的好战成员和党的出版物的作者,因赫尼埃罗斯被剥夺了法医学主任的地位,这导致他离开阿根廷,在国外待了好几年。直到他于 1914 年从欧洲回国,他成为大学改革的拥护者,随后又成为俄国革命的赞赏者。在许多方面,他的经历为众多阿根廷左派知识分子树立了一个榜样,他们在公立大学中找到了极不稳定的学术空间。

与克萨达和因赫尼埃罗斯这样的学院派不同,一些专门从事社会改革的人通过政府机构在劳工、农业和外来移民等领域发挥着自己的作用。他们的领袖是胡安·比亚留脱·马斯和胡安·阿尔西纳,前者出版了两卷本的专著《本世纪初阿根廷工人阶级状况》(*El estado de las clases obreras argentinas a comienzos de siglo*, 1904),后者出版了《阿根廷共和国的工人》(*El obrero en la Republica Argentina*, 1905),他们负责许多社会问题的研究。城市和国家人口普查既提供了数据源,又成为对外来移民、住房、健康和家庭等问题做专题研究的机会。所有这些工作都在 1916 年举行的纪念阿根廷独立一百周年的社会科学大会上得到了展现。由克萨达和因赫尼埃罗斯组织的分组会议集中讨论了工人阶级的生活标准和社会立法的必要性;其他的会议则讨论了童工和女工、失业、罢工、住房、互助社团和外来移民问题。然而,大多数分组讨论都具有法律倾向,它们的目的通常是要促进法律改革。20 世纪头 20 年中提交给法学院的近百篇论文都集中在劳工问题上。

[3] Oscar Teran,《实证主义在阿根廷的兴起》(*Positivismo y nacion en la Argentina*, Buenos Aires: Puntosur, 1987)。

[4] Nancy L. Stepan,《优生学的时刻:拉丁美洲的种族、性别和民族》(*The Hour of Eugenics: Race, Gender and Nation in Latin America*, Ithaca, N. Y.: Cornell University Press, 1991)。

大学中的社会科学学科很快就成为反对教育界中偏向顽固的传统经院派的实证主义行动的牺牲品。虽然天主教在正式的场合受到了自由主义政府世俗政策的攻击，但它仍然保持着强大的力量，特别是在内地省份。对“盎格鲁撒克逊人的”资本主义和物质享乐主义的拒绝得到了新一代民族主义作家的支持，他们从西班牙的精神遗产中寻找灵感；1930 年，20 世纪第一次成功的军事政变使得他们能够在公共教育中施加越来越多的影响。他们遵循德国哲学家威廉·狄尔泰和海因里希·李凯尔特的思想，支持在自然科学和文化科学之间的严格区分，反对在社会研究中的经验方法和普遍规律。法学院抛弃了对工作条件和劳动风险的研究，转而支持更为形式化的法学研究。基于人口普查数据的统计报告和社会分析的微弱传统被打断了；从 1914 年到 1947 年中没有做过全国人口普查。只有新兴的经济学领域——特别是以亚利桑德罗·邦基为核心的小组和《阿根廷经济学杂志》(*Revista de Economia Argentina*)，更进一步地发展了这个传统，出版了一系列关于早期工业化和城市化的社会和人口统计学的研究论文，这些揭示并悲伤地宣布了大量外来移民的终结、下降的出生率和人口的低增长率。[5]

418

在墨西哥，需要政府在教育领域内积极行动的国家建设，也奠定了社会科学发展的基础，这个国家在地理上和文化上都是拉丁美洲的一个极端。曼纽尔·加米欧(1883～1960)给墨西哥带去了文化人类学，以便证明在前哥伦布时期的文化、同时期本土族群和国家的革命理想两者之间具有文化上的连续性。[6] 加米欧最初在国家博物馆学习考古学，1907 年毕业，后来得到奖学金到哥伦比亚大学学习文化人类学，师承弗朗茨·博厄斯，注重田野工作，把文化评估看做是基本的人类学概念。然而，挥舞国家主义和公众利益旗帜的墨西哥革命(1910～1917)，却反对精英主义和具有外国倾向的波菲里奥·迪亚斯的认证(cientificos)政策，加米欧就使自己的工作更接近墨西哥的政治要求而不是北美的学术要求。他关于文化的理念虽然受到了博厄斯的强烈影响，但逐渐成形于从成百上千的地区文化认同中建立一元的墨西哥民族的政治目标。

加米欧的主要成就是三卷本对特奥蒂瓦坎(Teotihuacan)的当代和历史文化研究专题著作《特奥蒂瓦坎流域的人口》(*La Poblacion del Valle de Teotihuacan*)，出版于 1921 年，他在书中反对种族主义，接受了基于“文化区域”概念的文化发展理论。然而，与博厄斯不同，加米欧采纳了文明进步的观念，因而反对文化相对主义。博厄斯关注语言的差异，把这看做是确立文化区域边界的重要工具，而加米欧则更关心它们的趋同。研究语言的差异和变化是为了推进双语教学，用此办法希望使墨西哥的多语种族群达到民族融合。

〔5〕 Juan J. Llach, *La Argentina que no fue*, Buenos Aires: IDES, 1985。

〔6〕 Guillermo de la Pena,《民族极端主义和墨西哥人类学的历史》(Nacionales y extranjeros en la historia de la antropologia mexicana)，载于 Mechthild Rutsch 编，《墨西哥人类学史》(*La historia de la antropologia en Mexico*, Mexico City: Plaza y Valdes, 1996)。

加米欧是新近成立的农业秘书处人类学部主任，这是主管本土事务的第一个政府机构；他由于出版了《锻造祖国》（*Forjando Patria*，1916）而引人注目，这是形成本土运动的一个民族主义宣言。他关于研究文化区域的计划得到了总统令的批准，作为官方政策而被采纳。何塞·瓦斯孔塞洛斯，是制定文化政策的主要知识分子，在乡村教育和壁画艺术方面推进了加米欧在人类学中的工作。1924 年这个部门归于教育部，这样，**本土教育**（indigenismo）就成为教育政策的基础。由于政治原因，当加米欧离职时，师从哥伦比亚大学约翰·杜威的莫伊西斯·萨恩斯成了支持双语教学和乡村教育的主导力量。

419

在墨西哥，由于文化人类学、语言学和考古学是作为服务于国家和政府的应用社会科学发展的，理论问题就变得高度意识形态化了，而且与国家政治纠缠在一起。加米欧的工作带来了应用人类学的漫长冲突路线。阿方索·卡索（1896～1970）于 1948 年建立了国立土著研究所（Instituto Nacional Indigenista），组织了遍及全国的地区系统计划，并以一个协作中心负责推进和研究活动。人类学家通常负责指导这些地区中心。人类学与中央政府之间的这种密切联系，成为年轻一代知识分子批评的焦点。他们在 20 世纪 60 年代期间接受教育，并受到了 1968 年学生运动的影响，把他们的老师看做是墨西哥政府的“有机知识分子”。

在拉丁美洲建立的第一个长期存在的社会科学机构总部是在巴西的圣保罗，在 20 世纪 30 年代期间作为以建设新国家为目的的教育本位计划的组成部分。工业的兴起、大量外来移民的涌入和与中央集权相对的地方权利的张扬，这些都造成了现代大学的出现，而社会科学在大学中就占据着一个稳定合法的地位。[7]

到 20 世纪 20 年代，巴西有了一些声望很高的职业学校，培养圣保罗的政治和文化精英，但仍然没有大学。为了满足培训教师的需要，以便扩大公共教育体系，一群作家和教育专家就开始筹建地区大学，他们中的许多人都熟知迪尔凯姆的著作，或者曾在法国学习过。随着一个由乔治·杜马领导的法国学者协会的加入，他们提出了在培训教师和发展基础科学的新机构中建立哲学、科学和文学学校核心地位的想法，而这个法国学者协会就曾在圣保罗创办了一个法国公立中学。地理学家皮埃尔·蒙贝格、历史学家费尔南·布罗代尔和人类学家克洛德·莱维－斯特劳斯设计了全部课程，并教授了第一轮。随后是一些年轻有为的学者，如经济学家弗朗索瓦·佩鲁和地理学家皮埃尔·达封泰尼斯。某些人由于战争的原因定居在了圣保罗，包括罗歇·巴斯蒂德。他们引入了很高的标准和基于注重专题论著的学术风格。然而，法国的社会学和民族学的特征主要是依赖于档案工作，而不是田野的方法。迪尔凯姆的社会学和马塞尔·莫斯的民族学就是明显的例子，只有克洛德·莱维－斯特劳斯和罗歇·巴斯蒂德反叛

420

〔7〕 Sergio Miceli 编，《巴西社会科学史》（*Historia das ciencias sociais no Brasil*, vol. 1, Sao Paulo: Vertice, 1989）。

了高高在上的大师们。[8]

1931 年的教育改革把社会学确立为一门在中等教育中开设的法定课程。来自工人阶级和外来移民出身的学生通常是得到了教育部的奖学金资助才被吸引到学校的，而第一届毕业生中 40% 以上都是妇女，而这在职业学校中并不常见。大学把教学和研究确立为合法的职业，当缺乏受过良好训练的人来填补新的位置时，许多毕业生就留在学校。教授分级所需要的博士论文和学位论文都取决于个人的研究以及对相关书目的熟悉程度。

在 20 世纪 30 年代期间的圣保罗，另一个思想计划以社会科学作为它的核心。1933 年建立的公费社会学和政治学学校（Escola Livre de Sociologia e Politica）强调了经验知识以及与直接的社会环境更为重要的接触。跟随罗伯特·帕克在芝加哥学习的端纳·皮尔松从 1935 年到 1937 年在巴伊亚州（Bahia）首先做了关于种族关系的田野工作。他后来搬到了圣保罗，在 Escola 工作，在这里他首创了研究生项目。皮尔松给 Escola 带来了学术上的转向，非常强调经验研究。《社会学》（*Sociologia*）杂志成为这个学科在拉丁美洲的第一份杂志。皮尔松与他的同事和学生们开展了对单个城镇的社区研究，以便描述在城市化之前的“民间”文化，这是受到了罗伯特·雷德菲尔德工作的启示。作为一所私立的研究生院，Escola 与政府教育体系没有任何联系，因而在教师培训和课程设置上没有任何影响；结果，它没有创出一种工作的学术风格或思想流派。作为一个研究机构，它的工作也没有与政策发生关系，虽然这曾是学校的办学初衷，因为它完全是处于一种具有国外倾向的学术氛围中。但它仍然影响到了福罗里斯坦·费尔南德斯，他毕业于圣保罗大学，后来成为 20 世纪 50 年代新一代社会科学家们的导师。

然而，20 世纪 30 年代著名的社会科学家并不是与这些教育计划联系在一起的。吉尔伯托·弗里尔（1900～1987）在 20 年代初期受到弗朗茨·博厄斯的影响，在哥伦比亚大学学习文化人类学，他返回位于巴西东北部的家乡伯南布哥（Pernambuco）后，成为一个不在乎学科界限或身份的知识分子，他发表了许多关于历史和文化问题的文章，还是一个活跃的记者和小说家。他早期发表于 30 年代的关于巴西奴隶制和种族关系的著作已经被翻译成多种语言，至今仍然被视为对这些问题作学术争论时重要的出发点。[9] 弗朗西斯哥·何塞·欧利维腊·维安那（1885～1951）是一位法学教授，他批评自由立宪主义的思想，认为它没有解决巴西的现实。他用种族和地理学的方法对巴西社会和文化的研究以及他对社团主义的捍卫，都在由盖图罗·瓦格斯确立的所谓“新国家”（Estado Novo, 1937～1945）期间的极权主义统治的政治和思想氛围中得

421

[8] Fernando Limongi，《圣保罗大学的顾问和客户》（Mentors e clienteles da Universidade de Sao Paulo），载于 Miceli 编，*Historia das ciencias sociais no Brasil*。

[9] 他的最著名著作的英译本是《大厦与陋屋：近代巴西的形成》（*The Mansion and the Shanties: The Making of Modern Brazil*, New York: Knopf, 1963）。

到了很好的响应。

发达与不发达：第二次世界大战到 70 年代

在经济学成为一门确定的大学学科之前，经济发展是作为一个概念出现在拉丁美洲的，随后才合法地努力建设这个学科。20 世纪 30 年代经济危机带来的世界贸易变化及其给国家经济政策带来的挑战，产生了对专业经济学家的需要。具有丰富实践经验的自学成材的经济学家和具有海外学术背景的经济学家，共同推进了专业学派的发展。第二次世界大战之后，联合国内的政府间机构最初促成了这门专业在政府机构中的合法地位，与美国的大学和基金会也建立了特别密切的联系。冷战导致了北美逐渐关注拉丁美洲，美国更多地卷入政府政策和努力维护反对共产主义的政府统治。在这种背景中，经济理论和研究伴随着与经济政策，因而与政治之间的密切联系，成为服务于政府的主导专业，成为形成知识阶层中公众观点的强大力量，成为社会科学中的最强有力的学科。

20 世纪最初几十年的经济学家一般都是受过法学或工程学的训练，并且在政府、商业或银行业有实践经验。关于经济问题的争论，譬如消费税和货币政策等，都是在现有的源于欧洲的理论中展开的。大多数人都倾向于自由贸易，根据李嘉图的相对优势理论制定他们的政策，而政府从关税中得到收益的需要更为实际。许多拉丁美洲国家在 1930 年以前成功地融合于扩张的世界市场，就最好地证明了对自由贸易的支持。除了极少的例外，政府中只有统计报告，而没有真正的经济学研究。在大学里，商业和会计学院在第一次世界大战后越来越多。虽然它们也常常被称作经济学院，但它们在学术上却是很弱的，总是吸收不太优秀的学生学习商业管理。一个经济学家的资格在很大程度上是通过在政府或大公司，特别是在银行业中的经历确立的。 422

劳尔·普利维什(1901～1986)无疑是这个时期最为著名和有影响力的经济学家，而且是终身多产的作家，他是这条规则的一个例外。[10] 他在 20 世纪 20 年代初期新成立的布宜诺斯艾利斯大学商学院学习经济学，很幸运地，罗克·贡特拉在那里教授数理经济学。普利维什最初为阿根廷大庄园主协会“乡村协会”(the Sociedad Rural)工作，后来被派往澳大利亚深造农业经济学，学习了当时流行的国际贸易理论。

1929 年 10 月的华尔街大崩盘导致了阿根廷放弃金本位制，引入兑换控制；这个国家在 1930 年的第一次成功军事政变，使得极端权力落入了中央政府的手里。普利维什参加了政府的几次外交使团和国际会议，这时政府试图控制住阿根廷出口值的下滑。1934 年，他发表了第一篇有影响的关于出口值下滑的文章，批评了正统的均衡理

〔10〕 Joseph L. Love,《1930 年以来拉丁美洲的经济学观念和意识形态》(Economic Ideas and Ideologies in Latin America since 1930)，载于 Bethel 编，《20 世纪拉丁美洲的观念和意识形态》。

论。随后不久,他成为新近成立的中央银行行长,他在中央银行成立了一个研究部和一本主要从事经济学研究的杂志。这些研究关注于货币政策及其在贸易圈中的作用。作为财政部长的主要顾问,普利维什促进了实业家政策的制定。到第二次世界大战结束时,他提出了一种中心-边缘理论,用来解释不发达地区的经济。这个论证既是理论上的,也是历史的:它把拉丁美洲的发展与资本主义经济中心从英国向美国的转变联系起来了。[11] 通过参与战后经济协议,他建立了一个由志趣相投的经济学家组成的关系网络,在智利的圣地亚哥,他们支持创立了拉丁美洲经济委员会(Economic Commission for Latin American,简称ECLA)。

智利的工业化比其他大多数拉丁美洲国家完成得要充分。它还拥有更为连续的学术传统,这是基于1839年成立的国立大学。1935年智利大学开始在商学院之外讲授现代经济学。这个学院与公共部门有紧密的联系,支持国家对经济的干预。智利政府通过游说使得ECLA在圣地亚哥建立,而它与大学之间的联系又使得经济学专业获得了更多的合法性。1953年,普利维什在圣地亚哥组织了第一次经济学院区域会议。在ECLA的支持下,智利大学于1957年建立了研究生项目,用于来自整个拉丁美洲的学生。ECLA是一个"思想库",它带来了理论、研究和学说,同时也为政府培养了经济学家。

1950年,ECLA出版了《拉丁美洲的经济发展及其首要问题》(*The Economic Development of Latin America and Its Principal Problems*),这被艾伯特·赫希曼称作"ECLA宣言",它成为经济学家、政策制定者、社会科学家们的法定读物。中心-边缘理论以及关于农业出口国贸易价格比率下降的论点,成为"结构主义"学派的基本概念。就像保罗·罗森斯坦-罗丹和查尔斯·金德尔伯格在战争期间的著作以及弗朗索瓦·佩鲁、雅各布·温纳和汉斯·辛格在随后几年的著作,都与普利维什的理论和ECLA有着密切的联系。

在巴西,第一所经济学院是由尤吉尼奥·居丁(1886～1986)和奥克塔维奥·戈维亚·德·布尔赫斯于1945年在里约热内卢创立的,他们是巴西政府的经济顾问。尤吉尼奥·居丁是一位资深工程师,他于1943年出版了巴西第一本现代经济学教科书。在参加了1944年的布雷顿森林会议和访问了哈佛大学之后,他开设了强调数学、统计方法和新古典经济学理论的课程。居丁还领导着新近成立的巴西经济学研究所(Instituto Brasileiro de Economia),该研究所受到盖图罗·瓦格斯基金会的支持,真正地把经济研究应用于国家管理,包括在国民收入和生产核算体系和价格指数方面的工作。这个研究所(而不是学院)成为这个项目的学术和政治中心,它出版了一本关于经济学理论的杂志,还有一本关于统计信息的杂志,它倾向于有一个强有力的中央银行

[11] Joseph L. Love,《打造第三世界:对罗马尼亚和巴西之不发达的理论化》(*Crafting the Third World: Theorizing Underdevelopment in Rumania and Brazil*, Stanford, Calif.: Stanford University Press, 1996)。

去控制通货膨胀,但是反对贸易保护主义政策。[12]

虽然 ECLA 产生了广泛的影响,但另一些具有相似理论和政策倾向的竞争对手(学院)也很快成立了。1955 年,智利的天主教大学和美国的芝加哥大学建立了一个研究和教学联合项目,由美国国际发展事务局提供奖学金和客座教授基金。天主教大学的这个项目成为拉丁美洲第一个对积极从事研究的接受外国教育的经济学家提供全职职位的项目。米尔顿・弗里德曼的自由市场新古典主义和他的同事阿诺・哈伯格的教学和建议,得到了"芝加哥学派"的贯彻,他们设计了皮诺切克当政时期(1973～1990)的经济和社会政策。在阿根廷,经济学在 50 年代后期也被确立为几所主要公立大学中的学科,芝加哥学派的经济学在两个省份即门多萨(Mendoza)和图库曼(Tucuman)中逐渐成为主要学派,虽然它在布宜诺斯艾利斯的主要大学中还相对不太重要。在巴西,盖图罗・瓦格斯基金会遵循的是芝加哥学派的倾向。

424

智利大学也得到了外国的资助,先是来自洛克菲勒基金会,然后是来自福特基金会,目的是为了把它的研究生培养计划扩大为全面的博士培养计划。在美国经济学家约瑟夫・格伦瓦尔德的领导之下,加上来自这些基金会的资助,智利人也得到了美国的研究生奖学金。在 60 年代初期,这所大学的结构主义的和以政府为核心的进路与天主教大学的自由市场倾向展开了对学术权力和公共权力的竞争。

ECLA 和智利大学对社会学分析和政治分析的偏好倾向,导致了在 50 年代中期拉丁美洲一群主要的社会科学家与 UNESCO 共同合作,在圣地亚哥建立了拉丁美洲社会科学学院(Latin American School for the Social Sciences, 简称 FLACSO)。这个大学在 60 年代早期还建立了社会经济研究中心,提供跨学科的研究和培训,同时,ECLA 也建立了一个社会和政治计划研究所(Institute for Social and Political Planning, 简称 ILPES),由西班牙的社会学家何塞・梅迪纳・埃赫瓦里阿领导。FLACSO 对来自整个这个地区的小部分学生提供两年全日制社会学硕士课程的奖学金。他们的课程设置完全是受到了北美的研究生培养项目的影响,虽然教师大多都是来自欧洲。几年之后,这个学院又增加了政治学学位。由于这是一个由拉丁美洲的主要社会学家支持的新项目,所以它能够吸收到聪明的、比较有实践经验的学生。这些学生通常会在美国或欧洲继续拿到博士学位,之后才返回自己的国家,在随后的几十年中,他们对这个地区的社会科学大规模革新发挥了重要作用。

20 世纪六七十年代的思想环境受到了古巴革命和蔓延于整个拉丁美洲的游击运动的强烈影响,也受到了这段时期许多军事接管所释放的政治压迫的影响。社会科学同时体验了激进和压制。在发展的拉丁美洲政治学和社会学中,马克思主义成为得到高度重视的理论观点。在这个地区,意大利人安东尼奥・葛兰西的影响比在其他任何

[12] Maria Rita Loureiro, *Os economistas no governo: Gestao economica e democracia*(Ria de Janeiro: Fundacao Getulio Vargas, 1997)。

地方（除了在意大利之外）都要来得早些，并且更为深刻，通常还伴随有包含大量霸权思想的依附论。[13] 从70年代到80年代早期，路易斯·阿尔都塞和他的法国学派提供的马克思主义的结构主义变体也被广泛地融入拉丁美洲社会科学，虽然这种影响持续的时间并不长。

425

20世纪60年代，FLACSO和ECLA吸引了来自巴西和阿根廷的许多社会科学家寻求学术的或政治的避难，包括了费尔南多·H. 卡多索。他最初的工作是与他在圣保罗的老师福罗里斯坦·费尔南德斯和罗歇·巴斯蒂德共同从事的关于种族关系的研究项目，这集中在社会流动、肤色以及巴西南部的奴隶制历史的研究。作为圣保罗大学一名年轻的教员，他组织一群年轻的社会科学家和哲学家举办了关于马克思的研讨班。卡多索还组织了一个关于工业和劳动社会学的研究小组，与法国社会学家乔治·弗里德曼和阿兰·图尔纳保持着密切的关系。1963年，他前往巴黎继续他关于Paulista工业企业家的研究。回国之后，他开始了对阿根廷、墨西哥和巴西的企业家和经济政策的比较研究，但这由于1964年4月的军事政变而被迫中断，也迫使他流亡到智利。因为预言了工业资本家在拉丁美洲资本主义发展中的积极政治作用，马克思主义的整个框架被灵活地应用于理解在这三个国家出现的政治联盟。[14]

在他逗留于智利期间，卡多索试图将在前十年中曾影响过他的各种理论整合在一起。通过与一位年轻的智利社会学家恩佐·法莱图的合作，他发表了那些年中在这个领域最有影响的社会学专著，这就是《拉丁美洲的依附和发展》（*Dependency and Development in Latin America*）。该书以西班牙文出版于1969年，1979年被译成英文。这是一部历史导向的著作，它受到了ECLA观点的启发，特别是受到了巴西经济学家塞尔索·富尔塔多著作的启发，[15]他也流亡到智利。在资本主义体系内的经济依附成为首要的解释框架，但它表现出对制定经济政策的政治过程的关注。当时在智利的其他马克思主义学者，特别是安德烈·冈瑟·弗兰克，也根据依附的概念和不发达是一个历史过程的观念，完全抵制ECLA的经济改革政策。[16] 卡多索曾担任国际社会学协会主席，随后献身于巴西的政治活动，并于1994年当选为这个国家的总统，他经常感谢ECLA对他关于发达和不发达拉丁美洲的观点的影响。[17]

426

通常在ECLA的传统中发展的社会学，也受到美国现代化理论的影响，在拉丁美洲发展出多种理论和政治倾向。吉诺·赫尔马尼（1911～1979）是一位自学成材的社会学家，他是这个领域中最有影响的现代化理论家。赫尔马尼出生于意大利，20世纪30

〔13〕 Jose Arico, *La cola del diablo: itinerario de Gramsci en Amercia Latina*(Buenos Aires: Siglo XXL, 1988)。

〔14〕 Joseph A Kahl,《拉丁美洲的现代化、探索和依附：赫尔马尼、冈萨雷斯·卡萨诺瓦和卡多索》(*Modernization, Exploitation and Dependency in Latin America: Germani, Gonzalez Casanova and Cardoso*, New Brunswick, N. J.: Transaction, 1976)。

〔15〕 Celso Furtado,《发达与不发达》(*Development and Underdevelopment*, Berkeley: University of California Press, 1964)。

〔16〕 Andre Gunther Frank,《拉丁美洲的资本主义和不发达：对智利和巴西的历史研究》(*Capitalism and Underdevelopment in Latin America: Historical Studies of Chile and Brazil*, New York: Monthly Review Press, 1967)。

〔17〕 Fernando H. Cardoso,《复制品的原创性：CEPAL和发展的观念》(The Originality of a Copy: CEPAL and the Idea of Development)，载于《CEPAL评论》(*CEPAL Review*)，2(1977)，第7页～第40页。

年代初在罗马大学商学院学习。因参加反法西斯活动而被捕入狱，在监狱中他结识了一些共产主义知识分子。一年后获得了假释，他参加了关于历史、文学、哲学、心理学和社会学的讲座；他阅读了帕累托的著作（这在法西斯的意大利是得到官方允许的），还偶然读到了迪尔凯姆的著作。[18] 1934年，他定居阿根廷，1938年，他在布宜诺斯艾利斯大学注册了哲学课程。虽然教的内容是无聊和过时的，但他在图书馆里找到了许多法国社会学著作，以及新近的美国社会学文献，包括帕森斯的《社会行动的结构》（*The Structure of Social Action*）、《美国社会学评论》（*American Sociological Review*）、《美国社会学杂志》（*American Journal of Sociology*）。当社会学教授、历史学家李嘉图·莱文决定开始研究当时的阿根廷时，赫尔马尼就成为他的助手，发表了几篇关于布宜诺斯艾利斯中产阶级的文章。然而，布宜诺斯艾利斯大学在1945年被军事管制，赫尔马尼和许多教师都失去了工作。胡安·D.庇隆政府（1946～1955）实行对大学生活的密切政治控制政策，学术的社会科学几乎没有用武之地。

在那些年里，赫尔马尼开始收集社会学和社会心理学方面的资料，翻译了埃里希·弗洛姆、哈罗德·拉斯基、卡尔·曼海姆和雷蒙·阿龙以及其他人的著作，并于1955年出版了一本书《阿根廷的社会结构》（*Estructura social de la Argentina*），由此确立了他在社会学中的声誉。这本书从社会人口统计学的观点分析阿根廷的社会结构，关注于外国移民和国内乡村到城市的移民给阿根廷带来的变化，分析家庭规模和组成的变化，把它们看做是现代化的一个后果。关于社会阶级和选举社会学方面的章节，显示出他对当时的美国社会学的谙熟。

庇隆主义（Peronism）的垮台使他得以重返布宜诺斯艾利斯大学，他在那里创立了一个系，并于1957年开设了社会学的学位项目。这个项目的课程以及它把训练与研究联系起来的方法，都极大地受到了美国项目的启发，并受到了洛克菲勒基金会和福特基金会的资助。年轻的教员们获得了奖学金到欧美的大学或智利的FLACSO继续研究生学习。赫尔马尼指导了关于外来移民、社会流动和布宜诺斯艾利斯的城市化等问题的大规模调查，这在布宜诺斯艾利斯还是首次，并与其他拉丁美洲国家的社会学家共同从事一项比较研究计划。同时，他还撰写了关于现代化和发展问题的几篇论文。他的理论框架主要来自塔尔科特·帕森斯、金斯利·戴维斯和卡尔·多伊奇等人对现代化问题的结构功能方法，但在埃里希·弗洛姆和大卫·里斯曼的启发下，他倾向于研究社会心理现象，而不是经济结构现象，这与该领域中的主流理论形成对比。当他转向关注意大利本土、阿根廷以及其他国家的极权主义倾向时，他把法西斯主义和民粹主义归因于城市化和现代化带来的社会结构迅速和不均衡的变化。 427

在墨西哥，经过了多年的政治动荡之后，学术的社会科学和人文学在20世纪40年代得到了复兴，这得益于一大批西班牙流亡知识分子的到来，他们构成了墨西哥大学

[18] Kahl，《拉丁美洲的现代化、探索和依附》。

(Colegio de Mexico)的核心力量。他们大多数人都在历史或哲学方面受过训练,但只有某些人比如何塞·梅迪纳·埃赫瓦里阿把自己看做是在从事社会科学研究。他们在政府的文化经济基金(Fondo de Cultura Economica)支持下建立了一个很大规模的出版社,翻译欧洲经典和当代著作。在20世纪50年代,墨西哥银行以及ECLA在当地的办事处都成为现代经济学研究的基地。在20世纪60年代初期,墨西哥大学在经济学家维克托·乌尔基迪的领导下开始了第一个在经济和人口学科的研究和研究生培养项目。在墨西哥国立自治大学(Universidad Nacional Autonoma de Mexico, 简称UNAM),教学和研究在不同的机构进行,巴勃罗·冈萨雷斯·卡萨诺瓦成为领袖人物。他在墨西哥学习历史,然后去巴黎与社会学家居尔维什和弗里德曼以及历史学家费尔南·布罗代尔共事。在墨西哥,社会科学的思想传统在人类学和历史学中更为强大,冈萨雷斯·卡萨诺瓦在UNAM建立了社会学项目。1963年,他出版了很有影响的《墨西哥的民主》(*Democracy in Mexico*),一本研究社会与文化的二元性的专著,这种二元性是殖民主义的遗产。殖民主义依然存在于墨西哥社会中,阻碍了民主结构和政治参与。

冈萨雷斯·卡萨诺瓦追随赫尔马尼帮助建立了智利的FLACSO,并在里约热内卢建立了一个比较研究中心,这些都受到UNESCO的资助。他们还以同样的方式在1967年帮助建立了拉丁美洲社会科学委员会(Latin American Council for the Social Sciences, 简称CLACSO),这成为该地区研究网络大厦的重要中心。CLACSO最能代表公立大学和政府部门之外的社会科学研究,这盛行于某些军管国家如阿根廷、巴西和智利中尚不稳定的独立研究中心中。[19]

世纪的终结:高等教育与主题的多样化

428

在20世纪80年代这个时期,先前几十年的剧烈动荡和极权主义统治逐渐走向终结。到了90年代,所有的主要国家都建立了立宪选举的政府,拥有比较有力的议会。冷战的结束促使在饱受战争和革命蹂躏长达20年之久的事端纷争的中美洲地区达成和平协议。然而,80年代经济停滞不前,使得原本就很微弱的福利国家地方变体的经济调整政策更加弱化了,能够带来经济持续增长或纠正极端不平等的市场亲和政策也失败了,这些都缓和了对民主的狂热。

在这种背景下,社会科学出现了两种倾向。一种是被结合为大学的学科,由此扩展了高等教育体系;另一种是扩大了理论和主题的多样性。作为问题驱动的思想议题也在相当大程度上变得更为温和,实用调查支配了经验研究。

直到1950年,拉丁美洲仅有75所大学和25万多的学生,入学率大约是2%。从

[19] Jose Joaquin Brunner 和 Alicia Barrios, *Inquisicion, mercado y filantropia: Ciencias sociales y autoritarismo en Argentina, Brasil, Chile y Uruguay*(Santiago: FLACSO, 1987)。

1950 年到 1994 年间，大学的数量从 75 所猛增到 800 多所，学生入学率也从年龄 20 岁～24岁人口中的 2% 猛增到 19%。[20] 尽管学生们都趋向于在业余时间学习，而且许多机构的规格也很低，但高等教育大众化则是一个不争的事实。社会科学的本科生入学率相当可观，虽然大部分还是学习商学和法学课程。

从研究生项目和研究资助观点看，在 20 世纪 70 年代期间研究生学习成为从事学术生涯的必要条件之后，巴西的体系在这个地区是最为先进的。该地区几乎半数进入研究生项目的学生都在巴西的大学（虽然巴西的整个高等教育入学率低于平均水平），而且得到了有力的奖学金计划和慷慨的研究基金的资助。除了巴西之外，只有墨西哥拥有社会科学方面的发达的研究体系和研究生培养中心。研究生项目最初集中于墨西哥大学和第一所国立大学 UNAM，在 20 世纪 80 年代期间，该项目就扩展到了全国。在拉丁美洲的其他地方，这种情况是新近才出现的，而且对研究工作和研究生培养的公共支持力度也很微弱，虽然 FLACSO 的学校网络在 20 世纪 70 年代中期之后从智利基地扩展到了许多地方。

在各门学科中，政治科学因人们对政府的关注得到了复兴，这种关注是从世纪之交立宪主义争论以来一直缺失的。社团主义与极权主义、对政党体系和政治代表的分析、中央与地方和地区政治之间的对立，这些都成为研究的热门题目。其中经济政策的制定、利益集团的作用和政府的相对自主性尤其成为历史和当代问题研究的最受欢迎的题目。通过美国大学的区域研究计划的中间作用，对这些题目的研究就与拉丁美洲、中南欧洲以及近期的亚洲民主政治研究密切地联系起来。[21]

429

文化人类学也明显地表现出相当程度的扩展和复兴。在 20 世纪 60 年代至 70 年代，文化人类学大部分已经从最初对种族特性和人种的关注转向了农业经济，最近又转向了对大众文化和多元文化主义的分析。随着全球化大众传媒的日益增长，文化认同问题吸引了人类学家和人际关系专家的关注，他们通常被看做是文化政策方面的专家。

作为一门学科的社会学到了世纪末已经失去了主要吸引力，其踌躇满志的发展纲领烟消云散了，形形色色的理论倾向的分散性和过强的专业性都抑制了它成为一种公共框架。相反，经济学与其他的社会科学向背而立，成为能够名利双收的专业，也成为经济政策制定和政治权力的基础。随着新古典主义理论逐渐占据上风，“货币主义”取代了“结构主义”，虽然凯恩斯和新凯恩斯主义者仍然有不少的追随者。

随着高等教育的发展，妇女在除了经济学外的所有社会科学中都有上佳表现，而且活跃于拉丁美洲的女性主义运动中。从 20 世纪 80 年代开始，对性别在社会和政治

〔20〕 Carmen Garcia Guadilla, *Situacion y principales dinamicas de transformacion de la educacion superior en America Latina* (Caracas: CRESALC, 1996)。

〔21〕 Arturo Valenzuela,《政治学与拉丁美洲研究》(Political Science and the Study of Latin America)，载于 Christopher Mitchell 编，《拉丁美洲研究中的变化观点：从六个学科看》(*Changing Perspectives in Latin American Studies: Insights from Six Disciplines*, Stanford, Calif.: Stanford University Press, 1988)。

中作用的更大关注，导致了人们在相当程度上修正了对传统题目的分析，并形成了新的话题。同样在这个时期，日渐衰落的民族国家权力，因拉丁美洲的非法毒品贸易而加剧，[22]为地方和种族的认同更多地在文化和政治上施加影响提供了更大的空间，并使社会科学家的注意力转向了种族的、人种的和宗教的运动。

全球化世界中的拉丁美洲的社会科学

拉丁美洲的社会科学最初形成于新近产生的民族社会这个政治背景之中，民族社会所处的世界则是由帝国列强和扩张的世界市场主导的。与处于世界经济体系边缘地带的其他地区不同，拉丁美洲国家自 19 世纪以来大部分都已经摆脱了直接的殖民统治。相反，世界上的其他地区都没有如此广泛地受到西方思想的影响，事实上，没有哪种主要的可选的思想传统在起源上不是西方的，即使适合当地的实际。在最初的阶段，民族社会和新国家的建立正是思想关注的重要焦点，而拉丁美洲的社会科学试图利用可用的概念和理论框架去分析在这个地区出现的现代国家中，什么是要保留的或促进其发展的。

20 世纪 30 年代，随着世界市场的崩溃和拉丁美洲经济的相对封闭，这个背景发生了根本的变化。工业化替代进口的思想和政策强化了民族主义和社团主义，并对社会科学中的自主思想发展提供了有力支持，尽管这种发展是欧美观念的继续。这是一个内省的阶段，拉丁美洲的知识分子在此期间调整和修正了西方的概念理论，由此产生了他们自己的关于国家和地区现实的观点。社会科学常常成功地产生了原创性的观点。然而，他们所关心的那些关键性观点和工具，却被民族国家用来从地方权力当局的离心力量中获取更多的自主性，并在帝国主义列强和跨国公司中分得利益。

伴随着冷战结束而带来的意识形态和理论上的崩溃，导致了拉丁美洲像在西方世界中的其他国家那样对社会科学在当代社会中的意义和使命产生了相当的混淆。认识论上的虚无主义、狭隘的专业化和社会科学中盲目地受市场驱动的研究项目联手并肩。纵然我们在拉丁美洲中看到的更多的是世界范围的多样的、各种不同的社会科学，但就在这里，就在现在，在一个依然享有共同语言和共享文化感优势的地区，存在着来自大规模的国家和国际水平上的高等教育体系的学术共同体。

（江怡　译）

[22] Manuel Castells,《千年的终结》(*End of Millennium*, Oxford: Blackwell, 1998)。

24

俄罗斯、中欧和东欧的心理学

431

杰罗米尔·詹诺查克　伊丽娜·希罗金娜

如果我们像许多学者那样假设,心理学主要发源于欧洲,而且是作为19世纪下半叶的特殊的科学学科出现的,[1]我们就可能发问,特殊的民族背景情况是如何影响这一学科发展的。例如,俄罗斯、中欧、东欧特殊的社会和文化背景曾否促进其心理学的最初发展?我们能否像一位历史学家近来所宣称的那样,说在人文科学方面有着特殊的"俄罗斯方式"?[2] 在苏联和其他社会主义国家的"共产主义实验"对人文科学产生了什么结果?把共产主义国家和西方分隔数十年的铁幕曾否创造出一种"光辉的孤立",由于在别处围绕心理学争论纷起,曾否在这孤立之中,此学科获得毫无阻碍的发展?或者由于这种情况产生了一块文化和学术飞地,这飞地助长了区域性的狭隘倾向,从而妨碍了此学科的发展?

对这些问题无法获得明确的答复。一方面,1917年以后的俄罗斯和第二次世界大战以后的一些东欧和中欧国家,由于政治压力,在当地的心理学研究方面出现了特殊的曲折。另一方面,在这些国家中,又有着许多思想概念方面的发展值得密切注意。就与西方心理学相关方面而言,诸如在心理学与哲学,心理学与生理学的关系问题上,在心理学的理论、实践与人类本性的改造之间的互动等问题上,也有着激烈的理论性争论。

这一地区的地理历史和政治情况具有极端多样性,所以我不能认为它们属于同一个类型。把中欧、东欧国家和俄罗斯作为一个地区来对待将引起政治上的争议。然而,反映这一历史瞬间,对这一地区的所有国家是共同的瞬间(共产主义政府统治时期),如何影响着人文科学的方向,这将是本章的目的。

432

〔1〕 Roger Smith,《丰塔纳人类科学史》(*The Fontana History of the Human Sciences*, London: Fontana Press, 1997);在美国是《诺顿人类科学史》(*The Norton History of the Humam Sciences*)。William R. Woodward 和 Mitchell G. Ash 编,《疑难的科学:19世纪思潮中的心理学》(*The Problematic Science: Psychology in Nineteenth-Century Thought*, New York: Praeger, 1982)。

〔2〕 Mikhail G. Yaroshevsky,《行为科学:俄罗斯方式》(*Nauka o povedenii: Russkii put'*, *The science of behavior: The Russian Way*, Moscow: Akademiia pedagogicheskikh i Social'nykh nauk, 1996)。

介于神经生理学与人文科学之间的俄罗斯心理学

18 世纪 60 年代前期,俄罗斯随着禁止农奴制和其他政治改革,开始了现代化的进程。许多人相信科学是推进这个进程的关键,尤其自然科学吸引着许多年轻的俄罗斯人。19 世纪 60 年代、70 年代出现了一大批颇有成就的科学家,如化学家季米特里·伊万诺维奇·门捷列夫和亚历山大·米哈伊洛维奇·布特列洛夫,生物学家伊万·彼得罗维奇·巴甫洛夫(1849~1936)和伊利亚·伊里奇·梅契尼科夫,数学家桑雅·卡巴列夫斯基。自然科学方面的进步影响着对于人类本性的了解,科学家们认为,人类本性是由大脑和环境决定的。19 世纪 60 年代这一代人,信奉路德维希·毕希纳、卡尔·福格特和雅科布·摩莱肖特等人的激进唯物主义思想。人们可能会想起费奥多尔·陀斯妥也夫斯基的小说《群魔》(*The Devils*)中的角色,他设立圣坛,使用了这个并非神圣的三位一体(这里指上面提到的三人,基督教中指圣父、圣子及圣灵合为一体之神——译者注)的书本替代了圣经。[3] 后来,科学家们在对待科学和政治的观点上就更为谨慎了。

现代化重新引发了亲西方派和亲斯拉夫派之间过去的斗争。前者十分强调欧洲和俄罗斯带有共性的每一事物,而亲斯拉夫文化的人都着重俄罗斯的独特性。这独特性植根于东正教的制度和土地公有的**村社**(obshchina)习俗。灵魂和肉体之争以及自由意志问题,都成了热烈讨论的问题。在 1861 年,两种出版物引发了讨论,一种是 G. H. 刘易斯的 2 卷本《人类生理学》(*The Physiology of Common Life*, 1859~1860)的译著,另外一种是年轻激进分子评论家德米特里·伊万诺维奇·彼沙瑞夫(1840~1868)所写的文章《生命的进程》(*The Process of Life*)。后者极力赞成心理学现象应更多地从本质的物质进程去进行归纳。随着上述出版物之后,又发表了帕姆菲尔·得尼洛维奇·尤尔克维奇(1826~1874)的一系列文章,他是神学和斯拉夫文化的教授,反对从物质进程方面去探讨心理学。

在这样的背景情况下,伊万·米哈伊洛维奇·谢切诺夫(1829~1905)的生物学著作引起了热烈反应,那是毫不奇怪的了。[4] 谢切诺夫从莫斯科大学毕业之后,就去国外的赫尔曼·亥姆霍兹、卡尔·路德维希和克劳德·伯纳德实验室工作了。从青蛙的反射实验中,他相信他已从青蛙的丘脑部位发现了能够抑制这种肌肉运动行为的中心。这样,谢切诺夫希望对于探索已久的自愿行动能够提出解释了,那就是行动被肌

433

[3] Fyodor M. Dostoevsky,《群魔》(*The Devils*),第二部分,第 6 章,第 2 节。

[4] Edwin G. Boring,《实验心理学历史》(*A History of Experimental Psychology*, New York: Appleton Century Crofts, 1950),第 636 页;Mikhail G. Yaroshevsky,《伊万·米哈伊洛维奇·谢切诺夫(1829~1905)》(*Ivan Mikhailovich Sechenov, 1829—1905*, Leningrad: Nauka, 1968)。

体所控制而并不仅仅被某一种刺激所触发。[5] 1863 年他发表了一篇短论《大脑的反射》(*Reflexes of the Brain*),以便使更多的读者有所了解,这篇短论的副标题是“意图介绍心理过程的生理学基础”(*An Attempt to Introduce Physiological Foundations for Psychic Processes*),颇具挑战意味。他解释道,大脑作用时和各反射期是连接在一起的:分为开始(刺激)、中枢神经过程、结尾(外部行为)三个阶段。反射的中枢阶段就是大家所知的自愿过程和思想;他把后者形容为“延迟结果的反射”。谢切诺夫后来放弃了他在抑制作用方面的实验性研究,但是他在《思想的要素》(*Elements of Mind*, 1878)一文中,继续遵循世界公认的概念,即反射是大脑三部分作用的解释。

谢切诺夫的论战式的短论有着久远的影响。此文一发表立刻遭到自由派法学教授康斯坦丁·德米特里耶维奇·卡维林(1818～1885)的批判。他反对谢切诺夫的关于精神的局限性观点,反对他排斥内省心理学方法和他的文化人为现象的研究。后来,尼古拉·亚可夫里维奇·格罗特(1852～1899)和格奥尔吉·伊万诺维奇·切尔帕诺夫(1862～1936),他们是德国心理学家威廉·冯特(1832～1920)的追随者,也都反对自愿行为的反射理论。他们解释说,意志作为意识的主观运动,是特殊的心理能量和个人自身的表现,与动机和行为的心理因果性相联系,并与创造性相联系。[6] 俄罗斯第一份心理学杂志《哲学和心理学问题》(*Voprosy filosofii i psikhologii*, *Questions of philosophy and psychology*, 1889—1918)的编辑格罗特,在创刊号上就开始了对自由意志和决定论的讨论。切尔帕诺夫在莫斯科和基辅从事教学工作,在他的一本名为《大脑和精神》(*Brain and Mind*)的书中(此书在 1900 年出版后到 1917 年革命期间,再版了许多次),他对于心理学开展了唯物主义者方式的强有力批判。

唯物主义者和他们的对立者的分歧,部分原因是由于学术地位的不同而引起的。通常,前者有科学和医学的背景,在医学院校工作;后者往往据有人文学科部门的位置(即所谓文史哲部门)。传统上,在俄罗斯大学里,哲学都属于这些部门。不过,还有一个因素助长了这种分裂:在革命前的俄罗斯,唯物主义者方式是与激进的政治反对派坚定地联系在一起的。可选择的观点也往往只是在部分知识分子中更多的改革主义和有时出现的保守主义而已。谢切诺夫是个典型的例子:他与大学的领导官员争吵,他的著作被审查,而激进的自由的舆论捧他为民族英雄。对当时俄罗斯生理学家以及后来的心理学家来说,把自己定位为“谢切诺夫学派”的成员成为一种时尚。[7]

〔5〕 Roger Smith,《抑制:精神和大脑科学的历史和意义》(*Inhibition: History and Meaning in the Sciences of Mind and Brain*, London: Free Association Books and Berkeley: University of California Press, 1992),第 3 章。

〔6〕 Elena A. Budilova,《19 世纪末叶和 20 世纪初叶俄罗斯心理科学中唯物主义和唯心主义的斗争》(*Bor'ba materializma i idealizma v russkoi psikhologicheskoi nauke, vtoraia polovina XIX —nachalo XX v.*, *The Struggle between Materlism and Idealism in Russian Psychological Science, Late Nineteenth and Early Twentieth Centuries*, Moscow: Izdatelstvo Akademii nauk SSSR, 1960),第 8 章。

〔7〕 Mikhail G. Yaroshevsky,《疑难的科学》,Woodward 和 Ash 编,见其中第 231 页～第 254 页的《科学发展的逻辑和科学学派:伊万·米哈伊洛维奇·谢切诺夫的例子》(The logic of scientific development and the scientific school: The example of Ivan Mikhailovich Sechenov)。

弗拉基米尔·米哈伊洛维奇·别赫捷列夫(1857～1927)和伊万·彼得罗维奇·巴甫洛夫,虽然不是谢切诺夫的直接学生,但他们也沿着这谱系跟随谢切诺夫而去,至少在正式场合是如此。他们两人都在俄国和德国学习过,并且都具有专业资格,在心理学和神经学的权威领域工作过。巴甫洛夫由于在消化腺作用的研究方面成果卓著而获得过诺贝尔奖(1904);别赫捷列夫是一位神经学家,是第一位对于大家所知道的别赫捷列夫病(或叫做脊柱关节炎)作临床解释的学者。以后他们二位都开始研究机体和环境之间的关系。有一种重要现象,即经过训练学习后的反应,巴甫洛夫称之为条件反射;而别赫捷列夫则称之为联想反射。从此开始,两人都相信他们的工作与心理学有关。巴甫洛夫偶然把他的工作称为"实验心理学";别赫捷列夫用的是"客观心理学"一词。后来两人又都把术语作了改变,别赫捷列夫宁愿用"反射学"一词,而巴甫洛夫则用"高级神经活动学说"一词。别赫捷列夫是一位积极的公众人物,巴甫洛夫则尽量避免出头露面,但是两人在自由知识分子中都有深远影响。[8]

虽然心理学课程传统上都在人文科系教授,但是第一个心理学实验室和实验心理学的课程却被引进了医学院校。第一个实验室是别赫捷列夫于1885年在喀山建立的。1895年,莫斯科大学精神病门诊所所长谢尔盖·塞吉维奇·科尔萨科夫(1854～1900)创建了一个实验室,由他的助手精神病学家阿达莱昂·阿达莱昂诺维奇·托卡斯基(1859～1901)当主任。1896年在敖德萨,尼古拉·尼古拉耶维奇·朗格(1858～1921)第一次在人文科系成立了实验室。1912年,莫斯科大学成立了心理学学院,心理学作为人文学科的一部分予以定制,这是在这方面出现的一个高潮。[9]

尽管唯物主义者方式具有优势,在苏维埃年代它占有压倒优势,但对于具有19世纪中叶机械唯物论特征的严酷决定论,人们当中常出现一些抵制。从谢切诺夫开始,生理学家们企图把反射的概念搞得更为深奥微妙,使其能够与自发性和意志等现象相适应。谢切诺夫"发现"了抑制的中心区域;巴甫洛夫推测研究了"自由反射"和"目的反射";别赫捷列夫把政治事件以"集体反射"这样的词汇来加以形容,因此他以折中主义而臭名昭著。稍后,生理学家阿历克塞·阿历克塞维奇·乌克托姆斯基(1875～1942)采用了"显性性状"的概念,即大脑的某一部分在每一瞬间对大脑的所有其他部分具有支配的优势。尼古拉·亚历克塞德洛维奇·伯恩斯坦(1896～1966)公然批判条件反射,说它不适宜于用来形容人类的活动,并提倡用新的"行为生理学"来替代巴

435

〔8〕 David Joravsky,《俄罗斯心理学:批判的历史》(*Russian Psychology: A critical History*, Oxford Blackwell, 1989),第3章,第5章;Daniel P. Todes,《巴甫洛夫的生理工厂》(*Pavlov's Physiology Factory*),《爱西斯》(*Isis*),88(1977),第205页～第246页。

〔9〕 Vladimir Umrikhin,《俄罗斯和世界心理学:分歧之路的共同起源》(Russian and World Psychology: A Common Origin of Divergent Paths),载于Elena L. Grigorenko, Patricia Ruzgis和Robert J. Sternberg编,《俄罗斯心理学的过去、现在和将来》(*Psychology in Russian: Past, Present and Future*, Commack, N. Y.: Nova Science Publishers, 1997),第17页～第38页。

甫洛夫的过分简单化的模型。[10]

心理学与社会

俄罗斯暴虐的沙皇政权几乎剥夺了所有社会集团的权利,当然也剥夺了自由职业者的权利。甚至那些愿意与国家合作的人也感到在当时的政治框架下,他们的工作不会有什么效果。例如:行政机构中的医生责备沙皇政府使大多数群众处于贫困状态,阻碍了一切为公共卫生保健提供服务的努力。在世纪交替之际,医生中的最激进分子宣称,医治俄罗斯人民最有效的方法是推翻这个君主政体。精神病学家宣称缺乏政治自由导致了神经疾病的蔓延,他们特别坚持认为真正的社会保健应当始于政治改革。[11] 这就是为什么大多数医务工作者和教育工作者都向往着社会主义革命并为共产主义国家服务。

俄罗斯人在教育和公共卫生方面进行的辩论,其来源是民粹派思想(narodniki,民粹派是俄罗斯19世纪60年代、70年代投身于工农教育运动的知识分子)。他们受到像列夫·尼古拉耶维奇·托尔斯泰(1828～1910)这样的精神领袖的影响。托尔斯泰在自己的庄院里为农民子女开设了学校,并亲自上课,还为他的学生编教材。在俄罗斯的教育学运动也得益于妇女解放;教育成了许多有才能的妇女充实自己的一个领域。心理学家、哲学家和医生们为此运动做出了贡献。他们对西方的新事物,包括儿科学和德国的实验教育学都很敏感。1906年到1917年之间,俄罗斯在教育和儿童心理学专业方面的专家们组织了六个会议,都以实验教育学命名。1901年,心理学家亚历山大·彼得罗维奇·涅恰也夫(1870～1943)成立了第一个实验教育学的实验室,其中包括了专业心理学家和学校教师的广泛实验计划。1906年,莫斯科教育学协会公布了儿科学教程。两年后,别赫捷列夫在圣彼得堡建立了儿科医学院,对入院治疗的从出生到三岁的儿童进行日常观察和研究。[12]

436

这种发展趋势在1917年后仍然继续着。在苏维埃政权的早期年代里,有一种超乎一切的关心,那就是要改善公共教育,消除普遍存在的文盲,激励新一代儿童摆脱革命前"资产阶级"价值观、理想观的影响。人们工作的真正目标是造就"新人"的理想。

[10] Alex Kozulin,《乌托邦的心理学:朝向苏维埃心理学的社会历史》(*Psychology in Utopia: Toward a Social History of Soviet Psychology*, Cambridge, Mass.: Harvard University Press, 1984),第3章;Irina Sirotkina,《N. A. 伯恩斯坦:"巴甫洛夫会议"前后的年代》(N. A. Bernstein: The Years before and After "Pavlov session"),载于《俄罗斯历史研究》(*Russian Studies in History*),34(1995),第24页～第36页。

[11] Nacy Mandelker Frieden,《改革和革命时期的俄罗斯医生(1856～1905)》(*Russian Physicians in an Era of Reform and Revolution, 1856—1905*, Princeton, N. J.: Princeton University Press, 1981); Julie Vail Brown,《俄罗斯精神病学的专业化》(The Professionalization of Russian Psychiatry),1981年在宾夕法尼亚大学写的博士论文;Irina Sirotkina,《诊断学著作的天才:俄罗斯精神病学的文化历史》(*Diagnosing Literary Genius: A Cultural History of Russian Psychiatry*, Baltmore: Johns Hopkins University Press, 2002),第5章。

[12] Artur V. Petrovskii,《心理学历史和理论中的问题:选集》(*Voprosy istorii i teorii psikhologii. Izbrannye trudy, Problems in the history and theory of psychology: Selected works*, Moscow: Pedagogika, 1984),第42页～第46页。

虽然苏维埃政权对此花言巧语地宣传,这教育计划并未显示出具有什么不平常的教育思想。19 世纪末,心理学家詹姆斯·麦基恩·卡特尔曾经说过,在美国每年在公立中小学花费一亿五千多万美元,企图“改变人类本性”。[13] 整个 20 世纪 20 年代,发展的心理学和教育方面的研究,肯定受到了列宁夫人娜捷施达·康斯坦丁诺夫娜·克鲁普斯卡娅(1869～1939)的积极关怀。在政府赞助下,苏联的儿科学家创办了一本专刊,建立了各种机构,包括了中央儿科学实验室,组织会议,并在学校引入儿科学家的职位。那些主要的专家如列夫·谢苗诺维奇·维戈茨基(1896～1934)、巴维尔·彼得罗维奇·布朗斯基(1884～1941)、米哈伊尔·拉科夫里维奇·巴索夫(1892～1931)和阿龙·博里索维奇·扎尔金德(1888～1936),都在此运动中发挥了积极的作用。[14]

维戈茨基在他的《心理学危机的历史意义》(*The Historical Meaning of the Crisis in Psychology*, 写于 1927 年,发表于 1982 年)一文中提出建议,解决心理学家们正经历的危机的办法是通过实践。他希望那些如儿科学、医学心理学和心理技术学等新领域将会在唯物主义心理学家、唯心主义心理学家之间消除争论,恢复学科的统一,帮助其重新取得自然科学的地位。心理技术学家们,承诺要增进工作效率,关照好工人的福利,因此他们也获得了政府的支持。中央劳动研究所成立于 1921 年,研究职业选择、职业方向、工作强度、职业训练方法、劳动进程组织等各方面的问题;像在儿科学中一样,在心理学测试方面也作出了重大努力。主要的心理技术学专家如伊萨克·纳夫托洛维奇·什皮尔林(1891～1937?)、阿历克塞·卡皮托诺维奇·加斯捷夫(1882～1941?)和所罗门·格里戈里耶维奇·格勒施泰因(1896～1967)获得了国际上的承认;1931 年,国际心理技术学大会在莫斯科召开。[15]

437

1929 年,许多心理学方面的首创进取性被“大突破”运动所遏制——那是一场为克服国家落后,在资本主义包围下建立社会主义社会的、伴随着政治迫害的政治进攻。学校教师把儿科学视为威胁,批判其滥用测试。1936 年 7 月共产党命令将其禁止。在 1934 年到 1936 年之间,有关心理技术学的期刊被停刊,研究中心被关闭。许多心理学家和其他知识分子,在古拉格群岛上死去。[16] 与此同时,由于在策略上与占统治地位的意识形态作了些调和,研究内容潜在地转换到较少受到批判的课题上。这样,儿科学这门学科支撑着维持了下来。第二次世界大战期间,意识形态方面的压迫略为松弛,心理学家们对伤兵大脑和运动神经功能的恢复作了研究,也研究了战斗条件下认知的过程。教育和研究机构也都普遍地维持了下来,其中绝大多数都搬迁到了这个国

[13] 引自 John M. O'Donnell 的《行为主义起源:美国心理学(1870 ～1920)》(*The Origins of Behaviorism: American Psycholgy, 1870—1920*, New York: New York University Press, 1985),第 153 页。

[14] René van der Veer and Jaan Valsiner,《理解维戈茨基:对于综合性的探索》(*Understanding Vygotsky: A quest for synthesis*, Oxford: Blackwell , 1991),第 294 页;Alexander Etkind,《不可能有的爱神:俄罗斯精神分析史》(*Eros of the Impossible: The History of Psychoanalysis in Russian*, Boulder, Colo. : Westview Press, 1997),第 8 章。

[15] Kozulin,《乌托邦的心理学》,第 15 页～第 16 页。

[16] Mikhail G. Yaroshevsky 编,2 卷本《被压迫的科学》(*Repressirovannaia nauka*, *The oppressed science*, Leningrad/Petersburg: Nauka, 1991—1994)。

家的边远地区。[17]

重塑人性

虽然复活的神话和人类本身一样古老,但是第一次系统地由政府支持进行改变人类本性的研究,发生于1917年以后的俄罗斯。甚至在1917年以前,俄罗斯的知识分子接受了启蒙运动的信念:只要不被不良教育和不幸的生活条件所破坏,人类本性是善良的。他们谈论人类问题及其失误时常常归结于"环境"或者"背景"(sreda),这是对于不公正的社会环境、贫穷和压迫性政权的委婉说法。俄罗斯具有自由思想的知识分子,和他们的西方同行一样,希望在改造社会中,人性得到改善。

这就赋予了关于生物的(遗传特性)和社会的(后天学习而得的特性)因素在人类发展中的作用的讨论一种鲜明的特色。当19世纪晚期,俄罗斯大多数知识分子激烈反对塞萨雷·龙勃罗梭的天生犯罪型的观念。马克思主义(社会哲学的一种样式)也赞同从社会的角度进行解释。当1917年之后,人文科学学者们对于马克思主义不是自愿接受就是被迫接受,人类行为主要由社会所决定,这一观点成了官方的观点。20年代末,有一位历史学家已经注意到,这种立场"至少**在形式上**已为苏联绝大多数心理学家所接受,也包括了原来倾向于生物学的反射论者"。[18] 甚至在评估生物学理论时,也使用了社会学术语。如别赫捷列夫的反射论,巴甫洛夫的条件反射论,主要被理解为是服务于新社会的学习理论。在1923年,一位共产党的代言人尼古拉·伊万诺维奇·布哈林(1888～1938)把巴甫洛夫的理论称为"唯物主义思想铁工具箱中的工具"。[19]

438

事物的另一方面是,革命者把人类本性看成是可以任意揉捏,最后被动地屈从于无所顾忌的管理和操纵。因此,有一位共产党员干部,名叫埃马努伊尔·谢苗诺维奇·安切曼(1891～1966),他在第一次世界大战之前就读于彼得堡的别赫捷列夫的心理神经学学院,在他的著作中提出的观点,在形式上怪异荒唐。20年代初,安切曼希望有一场"人类本性的革命",并提出了"生理学通行证"的说法,以监控有机体的变化。[20]

[17] Andrei V. Brushlinskii 编,《20世纪俄罗斯的心理科学》(*Psikhologicheskaia nauka v Rossii XX stoletiia*, *Psychological science in twentieth-century Russia*, Moscow: Institut psikhologii, 1997),第3章。

[18] Raymond A. Bauer,《苏维埃心理学新人》(*The New Man in Soviet Psychology*, Cambridge, Mass.: Havard University Press, 1952),第83页。

[19] 引自 Sergei A. Bogdanchikov,《马克思主义心理学起源:K. N. 科尔尼洛夫和 G. I. 切尔帕诺夫之间的讨论》(*Proiskhozhdenie marksistskoi psikhologii: Diskussiia mezhdu K. N. Kornilovym i G. I. Chelpanovym*, *The origins of Marxist psychology: The discussion between K. N. Kornilov and G. I. Chelpanov*, Saratov: Saratovskii iuridicheskii Universitet, 2000),第7页。也可参阅 Daniel P. Todes,《巴甫洛夫和布尔什维克》(Pavlov and the Bolshevikes),载于《生命科学的历史和哲学》(*History and Philosophy of the Life Sciences*),17(1995),第379页～第418页。

[20] David Joravsky,《苏维埃马克思主义和自然科学(1917～1932)》(*Soviet Marxism and Natural Science, 1917—1932*, New York: Columbia University Press, 1961),第93页～第97页;George Windholz,《埃马努伊尔·安切曼—— 一位苏维埃行动主义者和时代精神的共性》(Emmanuil Enchmen— A Soviet Behaviorist and the Commonality of Zeitgest),载于《心理学记录》(*The Psychological Record*),45(1995),第517页～第533页。

他的观念不管怎样富有乌托邦式的幻想，总不失为对于西方优生学的怀旧。例如，使人回忆起恩斯特·鲁金计划为每个人完成一个"心理生物工程"(Psycho-biogram)，用以控制人口。[21] 但是马克思主义哲学家却严厉地批判了安切曼。这些哲学家对任何涉及的不与社会的解释相一致的生物学解释，都要加以质疑。

事实上，在苏联，社会决定论已成为官方的立场，这就造成了知识分子问题，并导致了政治后果。大家想当然地认为，在社会主义社会人民就会通过许多方式，使自己变得更好；心理学家、教师、医务工作者、社会从业人员都希望为社会的发展做出贡献。但是，在这过程中，生物学的位置却成了一个潜在的危险问题。在20世纪30年代中期，从生物学角度对人类本性的阐述解释已变得越来越不可接受，就像苏联的一位遗传学历史学家所评论的那样："那联系生物学和社会的领域无不遭到了大突破运动的祸害。"[22] 围绕丑菲·邓尼索维奇·李森科(1898～1976)维护的本性随着意志而改变这样一个观念的公开争论，使得问题大为复杂了，[23] 这尤其反映在后来苏联六七十年代发生的本性/教养问题的争论上。正如俄罗斯一位科学历史学家所说，因为"本性"的支持者受到政治迫害，具有独立思想的知识分子认为他们是"好人"(反斯大林主义者，反教条主义者)，而把他们的对手则视为"坏蛋"(党的干部，亲李森科分子)。[24]

439

然而，在心理学界，对于人类本性的社会和文化决定论的理解，似乎还不太使人反感，因为当时支持这种观点的学科领导人，如维戈茨基、谢尔盖·列昂尼多维奇·鲁宾斯坦(1889～1960)和阿历克塞·尼古拉耶维奇·列昂节夫(1903～1979)等，人们对他们的正直并无怀疑。他们的概念与巴甫洛夫的理念相共处，这样就为阿那托里·亚历克塞德洛维奇·斯米尔诺夫(1894～1980)关于记忆的研究，为波里斯·米哈伊洛维奇·泰普洛夫(1890～1965)、维拉蒂米尔·得米特里维奇·尼贝利兹辛(1930～1972)和英娜·维拉蒂米洛夫娜·拉维奇－舍尔博(1927～)关于个体差异方面的研究留存了空间。[25] 随着共产主义思想体系的衰落，以及1991年苏联的解体，新苏维埃人的思想成了嘲讽的对象。与此同时，人类本性是社会和文化的产物，这个观点在更加宽泛的基础上仍然站得住，并广为心理学家们所接受。个体的心理状态是可以改善和调节的这一信念仍然是心理学事业的核心问题。[26]

〔21〕 Paul Weindling,《在国家统一和纳粹主义期间的健康、种族和德国政治(1870～1945)》(*Health, Race and German Politics Between National Unification and Nazism, 1870—1945*, Cambridge University Press, 1989)，第384页～第385页。

〔22〕 Mark B. Adams,《作为革命的俄罗斯社会医学的优生学》(Eugenics as social medicine in revolutionary Russia)，载于Susan Gross Solomon和John F. Hutchinson编，《革命的俄罗斯的健康与社会》(*Health and Socity in Revolutionary Russia*, Bloomington: Indiana University Press, 1990)，第218页～第219页。

〔23〕 David Joravsky,《李森科事件》(*The Lysenko Affair*, Chicago: University of Chicago Press, 1986); Nikolai Krementsov,《斯大林主义者的科学》(*Stalinist Science*, Princeton: N. J. Princeton University Press, 1997)。

〔24〕 Loren R. Graham,《苏联的哲学和人类行为》(*Philosophy and Human Behavior in the Soviet Union*, New York: Columbia University Press, 1987)，第6章。

〔25〕 Elena L. Grigorenko和Inna V. Ravich-Shcherbo,《俄罗斯心理遗传学：肖像素描》(Russian Psychogenetics: Sketches for the Portrait)，载于Grigorenko Ruzqis和Sternberg编，《俄罗斯心理学》(*Psychology in Russian*)，第83页～第121页。

〔26〕 Michel Foucault,《自我的技术》(Technologies of the Self)，载于Luther H. Martin, Huck Gutman和Patrick H. Hutton编，《自我的技术》(*Technologies of the Self*, London: Tavistock, 1988); Nikolas Rose,《支配自我：隐私自我的形成》(*Governing the self: The shaping of the private self*, London: Free Association Books, 1999)。

心理学理论与马克思主义

心理学从一开始就是一门争论的科学。它的构成就涉及到哲学和生理学边缘的界定问题。心理学在俄罗斯的情况并不例外。20 世纪初叶切尔帕诺夫,一位主要的学术心理学家,他在积极探讨问题的同时,还建立了实验室。1907 年他在莫斯科大学发表就职演说,演说的题目就是《论心理学与哲学的关系》(*On the Relation of Psychology to Philosophy*)。马克思主义者与之辩论,也从此开始了部分方法论的讨论。这些对后来苏联的心理学研究产生了深刻的影响。20 世纪早期,西方的心理学是以心理学理论的多元增生为标志的。就像在现代,马克思主义也可意味着多种形式的变化。 *440*

甚至在十月革命前,马克思主义作为西方主义的现代形式,就征服了许多俄国知识分子的心灵,虽然其中有些人,像哲学家尼古拉·亚历克塞德洛维奇·别尔嘉耶夫(1874～1948)和谢尔盖·尼古拉耶维奇·布尔加科夫(1871～1944)后来却变成了马克思主义的激烈反对者。有些马克思主义思想家包括格奥尔吉·瓦连廷诺维奇·普列汉诺夫(1856～1918)和弗拉基米尔·伊里奇·列宁(1870～1924)在内,在关于阶级意识、社会模式、历史人物的作用等方面都写过文章,虽然他们在政治上的先入为主妨碍了学术上的对话。像社会心理学这样一个学科,马克思主义的社会学可以对它发生潜在的影响,但是,它却独立于马克思主义而发展着。别赫捷列夫在群众暗示、群众心理问题上都有著作。俄罗斯和波兰法律教授列夫·约瑟夫维奇·彼特拉日茨基(1867～1931)对法律给予了心理学的解释。而俄罗斯、乌克兰语言学家亚历山大·阿法纳瑟维奇·波帖勃尼亚(1835～1891)对说话的个人行动和作为历史现象的语言进行了区分。[27] 20 世纪初,群众运动、战争和革命为心理学研究提供了丰富的材料。别赫捷列夫在他的《集体反射学》(*Collective Reflexology*,1921)一书中,企图以联想反射的理论对上述事件作出解释;他的社会心理学被认为促进了后来的群体实验。[28] 1917 年以前,除了律师米哈伊尔·安得烈维奇·雷斯涅尔(1868～1928)之外,心理学界还是没有代表人物参与促进作为科学方法论的马克思主义。[29]

革命对于行为科学和社会科学有着各种影响。因为马克思主义有其自身的哲学和社会学,所以留给非马克思主义哲学和社会学的发展空间就迅速消失了;20 年代初期,这些学科的代表人物,不是移民国外,就是被驱逐出境。与此同时,那些党的代言

〔27〕 Elena A. Budilova,《俄罗斯科学中社会心理学问题》(*Sotsial'no-psikhologicheskie problemy v russkoi nauke*, *Problems of social psychology in Rusian science*, Moscow: Nauka, 1983)。

〔28〕 Gordon W. Allport,《现代社会心理学的历史背景》(The historical Background of Modern Social Psychology),载于 Gardner Lindzey 和 Elliot Aronson 编,《社会心理学手册》(*The handbook of social psychology*, Reading, Mass: Addison-Wesley, 1968),第 1 卷,第 65 页。

〔29〕 Mikhail A. Reisner,《L. I. 彼得拉日茨基的理论,马克思主义和社会思想》(*Teoriia L. I. Petrazhitskogo, marksizm i sotsial'naia ideologiia*, *L. I. Petrazhitsky's theory, Marxism, and the Social Ideology*, St. Petersburg: Vol'f, 1909)。

人如列宁、布哈林和阿那托里·瓦西里维奇·卢那察尔斯基(1875～1933)宣称新社会应当传承某些过去的传统。这种姿态允许心理科学得以发展,只要科学家对苏维埃政权抱有积极的态度。面对要把马克思主义考虑进去的要求,学术心理科学家首先希望采取调和的态度,允许马克思主义进入社会心理学领域,而把他们认为那些属于意识形态的东西排除在心理学其他领域之外。这种观点的代言人是切尔帕诺夫,他当时仍然是莫斯科心理学研究所所长。与之相对照,年轻一代的心理学家则热诚地接受以马克思主义为基础,重建心理科学的观念。这种斗争,部分的是为了竞争有限的研究经费:一群年轻的心理学家,其中有些是切尔帕诺夫的学生,想要控制装备良好的莫斯科研究所。1923 年切尔帕诺夫被迫离开该所,其职位被康斯坦丁·尼古拉耶维奇·科尔尼洛夫(1879～1957)所取代。据一位当时的参与者说,这些新一代心理学家们相信,只要在老屋里换上新家具、新装备,他们就能够使心理学真正科学化了。科尔尼洛夫宣称,他正在以"反应学"的名义建设真正的马克思主义心理学;他利用反应的观点,在意识和反射之间进行调和,然而他进行的整合并不成功。[30]

科尔尼洛夫以及追随他的其他心理学家们信奉辩证唯物主义的另一个理由,是他们把它看成为有机体的生理学概念和内省心理学之间的一条中间道路。[31] 当 20 年代,大家对于科学心理学的理解主要限于研究反射和行为,马克思主义者的争论有助于把意识、动机和品格等概念恢复原貌。同样,与此相似,在 50 年代,在苏联科学院和医学院联席会议之后(1950),巴甫洛夫的高级神经活动的理论被树立为人文科学的典型;心理学家们巧妙处理了哲学上的各种争端,因而继续维护了他们学科的独立性。

有时候,马克思主义者所进行的改造重建,采取的是不当的方式。这样,在 20 年代到 30 年代之间,改造重建参与者往往利用重新评估"资产阶级"的概念,有意偏离学术讨论,常把官方批评的心理分析或格式塔心理学(Gestaltpsychologie)与某人联系起来,导致他丧失学术地位或带来政治迫害。1953 年斯大林逝世以后,斯大林主义在苏共二十大会议上遭到公开批判(1956),往昔遭禁的心理学领域经历了复苏,菲里普·维尼阿米诺维奇·巴辛(1905～1992)所著《"无意识"问题》(*The Problems of the "Unconscious"*, 1968)一文,重新回归到心理分析的主题上来。十来年以后,到 1979 年,在格鲁吉亚第比利斯召开了关于无意识问题的国际座谈会。那里是德米特里·尼古拉雅维奇·乌兹纳泽(1886～1950)的故乡。他的关于定势理论(ustanovka)或者无意识状态的理论被认为是"弗洛伊德学说在苏联的替代物"。[32] 政治形势变化的另一个迹象是以前被污蔑为对社会现象进行资产阶级心理学分析的社会心理学得以平反。

1966 年在莫斯科举行了第 18 届国际心理学大会,为苏联心理学家宣扬他们的研

[30] Aleksandr R. Luria 著,Michael Cole 和 Sheila Cole 编,《思想的形成:亲自叙述苏维埃的心理学》(*The Making of Mind: A Personal Account of Soviet Psychology*, Cambridge: Cambridge University Press, 1979)。

[31] Graham,《科学、哲学和人类行为》(*Science, Philosophy and Human Behavior*),第 5 章。

[32] 同上,《苏维埃弗洛伊德学说》(Soviet Freudism)一节。

究成果提供了机会,他们的研究至少有一部分是他们在与马克思主义的对话中受到激励的。西方发现了列昂节夫、亚历山大·罗曼诺维奇·吕里亚(1902～1977)、鲁宾斯坦、斯米尔诺夫、泰普洛夫和维戈茨基的著作。如前述,马克思主义者的论文有助于他们的研究,使之在唯物主义的基础上超越反射理论,深化哲学方面的讨论。苏联心理学家们建设性地利用了至少两种包含德国古典哲学元素的马克思主义观念,一种是发展意识的实践(实践活动)的意义,另一种是把社会关系看做人类的本质。在此我们将简单提及下面四位理论家。

谢尔盖·列昂尼多维奇·鲁宾斯坦,第一次世界大战前他在马尔堡研究新康德主义哲学。当他回到敖德萨以后,他先在中学后在大学里教授哲学。在敖德萨他发表了《创造性的自我活动原则》(*The Principle of Creative Self-Activity*, 1922)的未完稿。在文章中,他主张,个人通过创造性的行为和自发的活动来构成自身本质。1930 年,鲁宾斯坦在列宁格勒位居显要,在那里他写出了当时作为标准教材的《心理学基础》(*The Foundations of Psychology*, 1935);在他写的《卡尔·马克思著作中的心理学问题》一文中(*Psychological Problems in the Works of Karl Marx*, 1934),他探讨了黑格尔、马克思关于实践的概念,他以此为基础,阐述了性格、意识和活动是统一的理论。1942 年,他的《一般心理学基础》(*Foundations of General Psychology*)一书(他的 1935 年著作的扩大版),获得了斯大林奖。而鲁宾斯坦还被任命为莫斯科心理研究所所长。40 年代后期,即当发动斯大林仇外的反"世界主义"运动的时候,鲁宾斯坦被撤职;在他逝世前不久的 1956 年,他得以重回学术界。[33]

维戈茨基是所谓的精神发展的社会文化理论的创造者,并因此而闻名。他部分地受到了人性是一种社会现象的马克思主义概念的影响,他声称技术上的、心理上的手段和社会关系调节着精神活动。他的文化发展的遗传规律称,在儿童成长的过程中,每一心理功能显示两次,第一次显现在人与人之间的社会平台上,另一次显现在儿童内在的心理平台上。1934 年,他因肺病英年早逝后不久,发表了他的有巨大价值的专论《思想与语言》(*Thought and Language*)。维戈茨基的社会文化理论对于心理学各个领域都有深远的影响;但是在国际上,却远远迟至 1956 年,等到他的著作重新出版后,才得到大家的认可。[34]

443

维戈茨基的较为年轻的同事和朋友亚历山大·罗曼诺维奇·吕里亚原先有兴趣于心理分析;他早期研究情感反应,他的专题论文《人类冲突性质》(*The Nature of*

[33] Ksenia A. Abul'khanova 和 Andrei V. Brushlinskii,《S. L. 鲁宾斯坦的哲学心理概念》(*Filosofsko-psikhologicheskaia kontseptsiia S. L. Rubinshteina, S. L. Rubinshtein's conception of philosophical psychology*, Moscow: Nauka, 1989); Graham,《科学、哲学和人类行为》,第 176 页～第 184 页。

[34] Alex Kozulin,《维戈茨基的心理学:思想传记》(*Vygotsky's Psychology: A Biography of Ideas*, Cambridge, Mass.: Havard University Press, 1990); Van der Veer and Valsiner,《理解维戈茨基》(Understanding Vygotsky); James Wertsch,《维戈茨基和精神的社会构成》(*Vygotsky and the Social Formation of Mind*, Cambridge, Mass.: Havard University Press, 1985); Mikhail G. Yaroshevsky,《列夫·维戈茨基》(*Lev Vygotsky*, Moscow: Progress, 1989)。

Human Conflicts, 1932）发表于美国。30 年代，吕里亚和他的研究组，在苏联中亚地区研究变化的文化和社会环境下的认识过程的发展，但是这研究成果被官方批判，著作的出版被迟延达数十年之久。于是吕里亚改行研究神经心理学；他在研究发生心理作用所在大脑部位的定位方面，获得了国际上的认可。[35]

维戈茨基的另一位亲密同事阿历克塞·尼古拉耶维奇·列昂节夫，在他的文章《记忆的发展》（*The Development of Memory*, 1931）中，探索了人类记忆的特殊方式。他主张，记忆被心理手段所调节，如像专门制造出来的信号。当 30 年代早期，苏联大突破运动刚刚过去，列昂节夫和他的研究小组迁往乌克兰的哈尔科夫，那里远离首都，因此在政治上曝光较少。在那里他们重新定向，从精神和实践两个层面去分析人类活动。活动的概念与马克思主义的实践观点相关联，从思想批判的角度相对较为安全；与此同时，列昂节夫和他的学派在此研究中取得了一系列丰富的成果。[36]

苏联的学者在很早阶段，就对"心理学应独立于社会和政治环境"这一早期的信念已不抱幻想。用列昂节夫的话来说，他们明白了"在当今世界上，心理学要履行思想的职能，服务于阶级的利益，而不去理会这一点是不可能的"。[37] 苏联心理学家们因此不必"解构"这个科学神话，以便去辩解说，知识依附于产生它的环境。不过，他们也从经验得知，就像在李森科事件中那样无耻喧嚣的所谓社会建构是长久不了的。一些学者相信，这就是苏联对于科学实验的教训：当建立他们的学科的时候，心理学家们既发现了心理学材料的柔韧性，又发现了它的抵抗的尖锐性。[38]

心理学与奥地利马克思主义

444

像沙皇俄国一样，奥匈帝国在 20 世纪交替之际有着一种居于支配地位的文化。然而奥地利的德国文化更具世界主义色彩而较少民族中心主义，部分原因是它在外部与强大的德国文化有联系，在帝国内部的非德国文化又有着相当的影响。

德国的哲学和心理学，尤其约翰·弗里德里希·赫尔巴特（1776～1841）的著作，一开始渗透进了奥地利的心理学中。受赫尔巴特的启发，第一篇欧洲专题论文就使用了"社会心理学"这样的术语——这就是古斯塔夫·A. 林德纳（1828～1887）的《作为社会科学基础的社会心理学观念》（*Ideas about the Psychology of Society as the Foundation of Social Science*, 1871 年在奥地利发表）。林德纳是位教育家，他应用了赫尔巴特的思

[35] Michael Cole 和 Slavia Scribner,《文化和思想：心理学导言》（*Culture and Thought: A psychological Introduction*, New York: Wiley, 1974）; Elena D. Khomskaia,《亚历山大·罗曼诺维奇·吕里亚：一部科学的传记》（*Aleksandr Romanovich Luria: Nauchnaia biografiia, Aleksandr Romanovich Luria: A scientific biography*, Moscow: Voenizdat, 1992）。

[36] Vladimir P. Zinchenko,《危机或者灾难？》（Krizis ili katastrofa?, Crisis or catastrophe?），载于《哲学问题》（*Voprosy Filosofii*），5（1993），第 4 页～第 10 页。

[37] 引自 Graham 的《科学、哲学和人类行为》的导言到第 5 章。

[38] Loren R. Graham,《我们在科学技术方面从俄罗斯经验中学到了什么？》（*What have we learned about science and technology from the Russian experience?*, Stanford, Calf. : Stanford University Press, 1998），第 1 章。

想,即如果各个人之间的社会关系足够接近,并能相互影响的话,那么各个人在社会中的表现,与概念在其个人精神中的表现,几乎是相同的。

虽然说赫尔巴特学派的意识的基本原理对于年轻的西格蒙德·弗洛伊德(1856~1939)未来的理论施加了直接影响的这种说法有点夸张,但弗洛伊德声称阅读过林德纳的教科书。[39] 弗洛伊德出生于摩拉维亚,几乎一生都在维也纳度过。与他早期一起工作的同事大多来自奥地利和匈牙利。精神分析学(因其现代主义者无意识的概念,与医药科学和人文科学都有着关联)被认为是奥地利世界主义文化的产物。

在奥地利20世纪交替之际,像在俄罗斯一样,马克思主义对包括精神分析学在内的人文科学施加了相当大的影响。但是与在苏联的发展情况形成对比(在苏联,马克思主义逐渐成为一种具有压迫性的思想),奥托·鲍尔(1882~1938)和马克斯·阿德勒(1873~1937)所代表的奥地利马克思主义都具有认识多元论和人本主义伦理观的特性。精神分析学和奥地利马克思主义的第一次相遇是在1909年的一场题为《论心理学和马克思主义》(*On Psychology and Marxism*)的演讲,讲演是阿尔弗雷德·阿德勒(1870~1937)在一次弗洛伊德的"星期三心理学学会"上进行的。虽然,弗洛伊德自己对马克思主义有怀疑,他自己的社会心理学观点的发展独立于马克思主义的社会学思想,但是他的追随者保罗·费德恩(1871~1950)、威廉·赖希(1897~1957)和奥托·芬尼奇尔(1898~1946)却将精神分析学和奥地利马克思主义汇合了起来。[40] 而奥地利马克思主义者鲍尔和马克斯·阿德勒,反过来又借用了阿尔弗雷德·阿德勒的个体心理学的观点,尤其是他在教育和过度补偿方面的观点。

第一次世界大战后,尽管缺乏经费和学术活动方面的设施,但是在第一奥地利共和国期间,在人文科学和社会科学的研究方面,还是硕果累累。在维也纳,包括精神分析协会在内,维也纳圈也都鼓励在认识论和科学逻辑方面进行探讨。维也纳圈的工作反映在恩斯特·马赫(1838~1916)的影响方面。马赫曾在格拉茨、布拉格、维也纳担任教学工作。他的哲学体系影响了感觉心理学理论。[41] 围绕着卡尔·比勒(1879~1963)为首的大学心理学系和夏洛特·比勒(1893~1974)的儿童辅导治疗所,形成了其他知识分子中心。

445

在不稳定的制度环境中,人文科学学者们转向社会导向的和实际的工作,这一点受到社会主义维也纳政府的鼓励。阿尔弗雷德·阿德勒组建了儿童辅导中心的网络系统。比勒等人则建立了一个管理型研究机构,用以协调大学和实际研究工作之间的

[39] Henri F. Ellenberger,《无意识的发现:动力精神病学的历史和演进》(*The Discovery of the Unconscious: The History and Evolution of Dynamic Psychiatry*, London: Allen Lane, 1970),第536页。

[40] Ernst Glaser,《在奥地利马克思主义领域中》(*Im Umfeld des Austromarxism, In the area of Austromarxism*, Vienna: Europa Verlag, 1981),第260页。

[41] Mitchell G. Ash,《德国文化中的格式塔心理学(1890~1967):整体论和探求客观现实》(*Gestalt Psychology in German Culture, 1890—1967: Holism and the Quest for Objectivity*, Cambridge: Cambridge University Press, 1995),第60页~第67页。

关系,研究大部分都在医疗机构中进行。然而,有些社会科学家,如经济学家约瑟夫·熊彼得(1883～1950)和心理学家雅可布·莫伦诺(1892～1974),则离开祖国,这和在苏联出现的移民他国的情形一样。[42]

虽然奥地利马克思主义与苏联的活动理论和社会文化发展的理论相比较,并未产生理论上的成果,但是推进了社会心理学的研究。保罗·费利克斯·拉扎斯菲尔德(1901～1976,他是卡尔·比勒训练出来的心理学教师)曾写过,他的注意力被奥地利马克思主义引向社会话题,因此他开始研究青年工人社区和农村公社了。在奥托·鲍尔的影响之下,拉扎斯菲尔德和他的同事玛丽·雅霍达、汉斯·蔡塞尔对维也纳附近的一个高失业状态的村社进行了开创性研究,文章标题译为《Marienthal:对于一个失业村社的研究》(*Die Arbeitslosen von Marienthal*, 英译为 *Marienthal: Study of an Unemployed Community*, 1933)。[43]

奥地利学者和法兰克福社会研究所之间的接触反映了德语文化的世界主义性质。卡尔·格林贝格,奥地利马克思主义的代表,从维也纳去法兰克福,成为研究所第二任所长。拉扎斯菲尔德对工人的心理研究做出了贡献。这个研究是在法兰克福研究所由马克斯·霍克海默(1895～1973)组织,由埃里希·弗洛姆(1900～1980)所指导。[44] 1934年出现了意大利式的法西斯主义,1938年出现了德国式的法西斯主义。从此在奥地利,马克思主义与心理学之间的对话停止了。

在中欧与东欧寻求民族同一性

446

即使把俄罗斯和受德国统治的奥地利除外,中、东欧地区各国在政治、经济和文化上都各不相同。第一次世界大战之前,其中有些国家是独立的(如罗马尼亚、塞尔维亚和保加利亚),但大部分国家当时是奥匈帝国的一部分。在两次战争之间,它们都成了独立的国家,并追求在经济上和文化上达到西欧国家的水平。

在这些国家里,心理学的发展规模比较小,但与欧洲其他地区,保持了平行发展的态势:比如开始了冯特(德国心理学哲学家)模型的实验心理学;把心理学引进了大学课程并将心理学实际应用于教育、卫生和商业等领域;在德国民族心理学、法国模仿理论和大众心理学的影响下,开始了社会心理学的研究;并开始了心理学和马克思主义

[42] Christian Fleck 和 Helga Nowotny,《发展中的一种边缘学科:欧洲背景下的奥地利社会学》(A marginal discipline in the making: Austrian sociology in Euoropean context),载于 Birgitta Nedelmann 和 Piotr Sztompka 编,《欧洲社会学:寻求同一性》(*Sociology in Europe: In search of identity*, Berlin: de Gruyter, 1933),第104页～第109页。

[43] Smith,《丰塔纳人类科学史》,第616页～第622页,第803页。并阅此卷中 Peter Wagner 的第34章。

[44] Paul Lazarsfeld,《社会研究历史中的插曲:自传》(An Episode in the History of Social Research: A Memoir),此文载于 Talcott Parsons, Edward Shils 和 Paul Lazarsfeld 所著《社会学家自传》(*Soziologie-autobiographisch*, Stuttgart: Enke, 1975),第149页～第156页;Martin Jay,《辩证的想象:法兰克福学派和社会研究所的历史(1923～1950)》(*The Dialectical Imagination: A History of The Frankfurt School and the Institute of Social Research, 1923—1950*, London: Heinemann, 1972),第9页～第10页。

的相互影响。在这些国家心理学虽然在文化生活方面并无特别突出的位置,但却促进了对于社会问题的科学讨论,因而有助于这些国家的现代化。[45]

在这些国家中,很有意义的心理学话题是民族性格或民族精神。这个问题的浮现是出于民族发展的愿望。在奥匈帝国当时的情形下,培育出了浪漫主义、民粹主义形态的民族主义。在哈布斯堡王朝(Habsburg monarchy)的统治下,按奥斯萨卡·贾西(1875～1957)的观点认为,王朝荣耀昌盛,却抑制了特殊的德国爱国主义精神的表达,不过,还留有空间,可以让各属国在本地区的文化民族主义范围内表达其爱国主义。[46]

民族精神的想法引出了一个民族之魂(Volksseele)的概念。这概念是莫里茨·拉扎鲁斯(1824～1903)、海曼·施泰因塔尔(1823～1899)民族心理学(Völkerpsychologie)的一部分,尤其是威廉·冯特民族心理学的一个组成部分。民族心理学意味着研究文化方面的表述(例如:语言、神话和习俗等),这里又可分为两个部分:一个是一般性的总的方面,与分布于不同时空的人民的相异性无关,而另一部分则具有文化上的特殊性。[47] 民族特点的研究扎根于后者,更多地着眼于民族志方面的探讨。第一次世界大战前,在匈牙利,贾西从事于民族心理学方面的著述;后来如民粹主义作家久洛·伊利耶斯(1902～1983),发展了一种叫做"社会志"的研究课题,专门对农民和其他社会群体进行研究。桑德罗·卡拉克索尼(1891～1952)联系语法文化、历史上的消极抵抗现象和村民的心理,分析了匈牙利人的精神状态。[48]

447

在波兰,社会学发达,人民具有为民族统一和独立的斗争传统。这些因素奠定了民族精神研究的基础。波兰第一位社会心理学专论作者,就是著名的政治家兹格蒙德·巴里基(1858～1916)。他认为表现为利他主义和准备随时为国家牺牲的骑士精神,是他们民族性格的重要特征。斯坦尼斯劳·M.斯图顿基(1887～1944)研究了波兰人的心理学和人类类型学之间的关系,以当时的国际文献为基础发表了一本民族比较心理学著作。[49]

在罗马尼亚,社会学家迪米特卢·德雷奇海斯库(1875～1945),通过历史分析了罗马尼亚民族的心理,而心理学家康斯坦丁·拉杜莱斯库-莫特卢(1868～1957),试

[45] Ivo Banac 和 Katherine Verdery 编,《东欧两次战争期间的国民性格和国民思想》(*National Character and National Ideology in Interwar Eastern Europe*, Yale Russian and Eastern European Publications No. 13, New Haven, Conn.: Yale Center for International and Area Studies, 1995)。

[46] Oscar Jászi,《哈布斯堡王朝的解体》(*The Dissolution of the Habsburg Monarchy*, Chicago: University of Chicago Press, 1929),第447页～第448页。

[47] Gustav Jahoda,《文化和精神的十字路口:人性理论的持续和变化》(*Crossroads between culture and mind: Continuities and change in the theories of human nature*, New York: Harvester Wheatsheaf, 1992),第150页～第151页。

[48] Gyula Illyés,《来自普斯陶的人民》(*A Pusztán népe*, *People from Puszta*, 1936),第3版(Budapest: Szépirodalmi Könyvkiadó, 1969);Sandor Karácsony,《匈牙利人的思想》(*A magyar észjárás*, *The Hungarian mentality*, 1939),第2版(Budapest: Magvetö, 1985)。

[49] Zygmunt Balicki,《社会心理学》(*Psykhologia spoleczna*, *Social psychology*, Lwow: Altenberg, 1908),和他的《民族利己主义和道德规范》(*Egoizm narodowy wobec etyki*, *National egoism and ethics*, Lwow: Towarzystwo Wydawnicze, 1914);Stanislaw M. Studencki,《波兰人的心理生理类型》(*O typie psycho-fizycznym Polaka*, *On the psycho-physical type of the Pole*, Poznan: Chrzeocÿańsko-Narodowe Nauczycielstwo, 1931),以及他的《民族比较心理学》(*Psykhologia porownawcza narodow*, *Comparative psychology of nations*, Warsaw: Szkól Powszechnych, 1935)。

图以经验为根据，对他们的民族性格，尤其对善于交际和富有感情的特点进行了研究。在关于村民的心理研究中，社会学家底米特里·古斯梯（1880～1955），提出了一种民族性格的模型，这种模型包含了宇宙论的、生物学的、心理学的和历史的因素。[50]

在保加利亚对民族性格的研究由安东·T. 斯特拉希米洛夫（1872～1937）开创，后继者是伊万·M. 哈德齐斯基（1907～1944），他从历史的观点，对保加利亚农民和店主的生活方式和心理进行了研究。斯突伊安·P. 柯斯特洛柯夫（1866～1949），开发了对民族精神多学科的研究，根据他的观点认为，保加利亚人都是勤俭朴素，多疑而活泼，并且富有坚持性。[51]

律师巴尔塔萨·博吉希奇（1834～1908），地理学家和民族学家约凡·科维伊奇（1865～1927），心理学家米哈罗·罗斯托哈（1878～1966）对塞尔维亚人、克罗地亚人和斯洛文尼亚人的心理都进行了研究。博吉希奇是利用调查询问表的方法，研究了法律规范及其对于人民生活的影响。科维伊奇则是对巴尔干各族人民进行直接观察，并与对他们的历史案卷、民谣、古迹的分析相结合来进行研究。罗斯托哈分析了民族性的道德意义。他认为民族性的本质在于认识归属感，这种归属感产生于他们的感情之中。[52]

托马斯·马萨利克（1850～1937）是一个社会学家、哲学家，也是捷克斯洛伐克的第一任总统。他认为信仰宗教、认真工作是捷克民族性格的最优特点。与此同时，他批评捷克人缺乏意志、感情摇摆、观点不能始终如一，并且有虚假的殉难倾向。同样，社会学家、社会心理学家伊曼纽尔·哈鲁普尼（1879～1958）评论说，他的同胞们开始做事的时候虽然很积极，目的性很强，但是缺乏完成工作所需的坚持下去的毅力。他把这个特点与捷克语中重音的定位联系起来，也与捷克民族历史的不稳定性联系起来作了研究。后一点也是政治作家费迪南德·佩洛特卡（1895～1978）强调的一个因素。[53]

心理学家安东·朱洛夫斯基（1908～1985）把斯洛伐克人的民族精神与宗教联系

[50] Dumitru Draghicescu,《论罗马尼亚民族心理学》(*Din psihologia poporului roman*, *On Romanian national psychology*, Bucuresti: Alcalay, 1907); Constantin Radulescu-Motru,《我们民族的灵魂》(*Sufletul neamului nostru*, *Soul of our nation*, Bucharest: Lumen, 1910); Dimitrie Gusti,《罗马尼亚的专题著作及其专题创作活动》(*La Monographie et l'action monographique en Roumanie*, *The monograph and monographic activity in Romania*, Paris: Collections de l'Institut de Driot comparé de l'Université de Paris, 1935)。

[51] Anton T. Strashimirov,《关于保加利亚人的书籍》(*Kniga za bolgarite*, *Book on Bulgarians*, Sofia: Voenen Zhurnal, 1918); Ivan M. Khadzhiiski,《我们民族的生活和精神》(*Bit i dushevnost na nashia narod*, *The life and mentality of our nation*, 1940, 1945), 第 3 版(Sofia: Bolgarski pisatel, 1966); Stoian P. Kosturkov,《论保加利亚人的心理》(*Vrkhu psikhologiiata na bolgarina*, *On the psychology of the Bulgarian*, Sofia: Narodna kniga, 1949)。

[52] Baltazar Bogišic,《斯拉夫人的法律习惯》(*Pravni obitchai u Slovena*, *Legal customs of the Slavs*, Zagreb: Jugoslavenska akademia znanosti i umjetnosti, 1866); Jovan Cvijic,《巴尔干半岛上的人文地理》(*La péninsula Balkanique, Géographie humaine*, Paris: Armand Colin, 1918); Mihailo Rostohar,《民族性及其道德意义》(*Národnost a její mravní význam*, *Nationality and its moral significance*, Prague: Library of the Minority Museum, 1913)。

[53] Thomas G. Masaryk,《捷克历史的意义》(*The Meaning of Czech History*, Chapel Hill: University of North Carolina Press, 1974), Rene Wellek 编; Emanuel Chalupný,《捷克民族的特性》(*Národní povaha eská*, *The Czech national character*, Prague: Lesching, 1907); Ferdinand Peroutka,《我们是同一类人》(*Jaci jsme*, *The kind people we are*, Praha: Borový, 1924)。

了起来。他把内部因素(例如:能力、感情过敏、容易冲动、执著和诚挚等)和外部因素(例如:勤劳谦虚、正义感、面对生活的积极态度)作了明确的区分。[54]

这些国家的作家们普遍使用了民族性格这个概念作为转向内部的一种方式,达到民族自我界定和文化方面的发展的目的。所以他们对于民族精神的研究就包括了汲取历史经验教训,发现积极的特性,批判消极的特性。这样的研究与同时期在一些国家中仅将民族性格概念化的做法形成了对比。在那里创建国家地位的问题大体上已经解决。现在谈一下那些比较大的国家的情况。法国人阿尔弗雷德·富耶的《欧洲人心理学提纲》(*Psychological Outline of European People*, 1903)、德国人里夏德·米勒-弗赖恩费尔的《德国人的心理学及其文化》(*Psychology of German Man and His Culture*, 1922)和俄国人尼古拉·亚历克塞德洛维奇·别尔嘉耶夫的《俄罗斯人的灵魂》(*The Soul of Russia*, 1915),都论述了他们的民族特点具有稳定性,比起民族同一的建设方面,他们更注重国家的外部任务。不过在所有这些研究中,学术上的目标常夹杂缠绕着政治目的。

随着社会调查和群体实验性研究的出现,民族性格的研究衰退了。第二次世界大战后,心理学家对研究受控条件下的群体行为更有兴趣,而且普遍不再概括地撰写群体(包括民族)方面的问题。[55] 在东欧、中欧和在俄罗斯的心理学家,希望他们的工作像西方的研究工作一样,在同一水平上被接受认可。20世纪末,由于他们参加了西方的专业机构,如社会科学研究理事会的跨国社会心理学委员会和实验社会心理学欧洲协会等,上述国家的研究人员都已充分进入人文科学的国际研究网络。

449

(李志兴 译)

[54] Anton Jurovský,《斯洛伐克人的民族性格》(Slovenská národná povaha, The Slovak national character),载于3卷本《斯洛伐克民族历史及地理》(*Slovenská vlastiveda, Slovak national history and geography*, Bratislava: Slovenská akadémia vied a umení, 1943),第2卷,第335页～第398页。

[55] Smith,《丰塔纳人类科学史》,第763页。

25

450

埃及与摩洛哥的社会学

阿兰·鲁西隆

在殖民地时期,社会学及一般意义上的社会科学是通过转移欧洲的理论、概念、方法和质询而传入从土耳其至摩洛哥的这片区域的。这些学术转移活动,起初遵循法国传统,紧接着是其对手英美传统。转移活动为刚刚面向社会科学研究的各社会提供了契机,让它们能以学术的方式表达它们的世界,这也是它们各自的宗主国部署"开化团"(civilizing missions)的前奏。随后,新一代的本地精英也利用社会科学的各门学科来建构本民族的机构,并积极反对殖民学术中所反映出的自我形象。

社会科学相对早熟的发展产生了知识的积累,这些知识在质上和量上都因国家的不同而有很大的差异。[1] 然而,这一进程的一个主要结果就是加强了对这一部分世界统一性的表达。将"阿拉伯世界"或"阿拉伯-伊斯兰世界"说成是一个社会科学国际化进程已经完成的舞台,或者是一种共同的同一性(不论是阿拉伯,还是穆斯林)肯定是成问题的,尽管从事这些学科的人们通过各种泛阿拉伯或泛伊斯兰社会科学协会——例如阿拉伯社会学家协会(1985)——已经肯定了这种同一性。这种方法既抹煞了特定的民族发展,也难以对西方社会科学的角色进行定位,因为在独立后的很长时间里,西方社会科学在当地社会科学的创造与再创造过程中一直发挥着作用;而且,这种方法还预示着要塑造一个与东方学家和/或民族主义学者建构的本质主义同一性相对应的副本。

451

因此,本章将分析社会学——包括人类学和民族学——在埃及、摩洛哥出现和建立的方式,并对比两种背景下社会学不同的发展轨迹。在埃及,社会学作为一门学术科目,最初是由埃及学者教授给本国学者而发展起来的,并且被理解为像慈善活动那样的"社会福利工作";埃及独立之后,社会学仍然存在着,有时它辅助国家权力,但通常是屈从于它的指令和控制。在摩洛哥,一直到独立,这门学科完全被殖民主义者控制着;此后在摩洛哥人的手中,社会学才具有了一种批判的立场;但在20世纪70年代,

[1] Jacques Berque,《马格里布社会学125年》(Cent vingt-cinq ans de sociologie maghrébine),载于《经济、社会和文化年鉴》(*Annales Économies, Sociétés, Civilisations*),11(1956年7月～9月),第296页～第324页。

它又被剔除出大学，此后它的存在总是很短暂。

然而，在这两种背景下，殖民化的干预产生了共同的复杂问题。面对殖民的“**他者**”(Other)，社会学家建构了一种相反的范式——**自我**变革，它将身份认同置于社会科学构建的中心。学者们以两极化的方式构想着**自我**变革：社会变革需要建立一支科学主义的先锋队，它为“现代性”创造必要的条件；而且，社会变革需要回归到被历史所误导、被输入所混杂的原本的真实性。埃及和摩洛哥在社会学以及社会科学方面的共同特征是，它们都面对这些基本的两难境地。它们应对这些两难境地的不同方式，则构成了它们各自的特点。

为“他者”进行的知识积累

当欧洲列强开始对有关埃及和摩洛哥的知识进行系统积累的时候，这些社会只实践过有限的和常规的自我表达模式：如素丹的书信(rasâ'il sultaniya)，它包含一些社会和政治哲学内容；散论性(khitat)文献，即地方性的编年史，其中绝大多数是圣徒的言行录；bida' 文集，记录受谴责的革新，它有时关注一些实践中的现实问题。阿里·穆巴拉克的不朽著作《有关繁荣的散论》(*Al-khitat al-tawfîqiya*)，虽写于19世纪晚期，却有助于后来学者的研究工作。[2] 同样，这些社会也只能通过外交人员、商人以及各种冒险者，有限地了解关于欧洲社会发展的信息。到19世纪末，随着奥斯曼帝国的衰落，欧洲人在一些大城市建立了自己的据点，新的视野开始展现，而且有更多的旅行者前往欧洲。[3] 西方社会科学在埃及或摩洛哥并没有先行者，但埃及和摩洛哥的许多社会科学学者宣称，这位先行者就是14世纪的阿拉伯历史哲学家伊本·赫尔顿，是他创立了这门学科。 152

摩洛哥：穆斯林社会学与安抚政策

19世纪80年代，阿尔及利亚的殖民政党发起了对摩洛哥概貌的最初考察。[4] 此后，在法国保护国的资助下，一套规模宏大的知识丛书被汇集起来，从而建立了“穆斯林社会学”。[5] 1904年，摩洛哥科学团着手汇编一套用于指导伊斯兰事务的规范，以挑战宗主国的东方学家们，因为他们被看做是法国殖民思想主要的实验者。这些自封的专家对参与东方学家的讨论似乎没有多少兴趣，而更热衷于调查摩洛哥地区的无限

〔2〕 参见 Jacques Berque,《埃及、帝国主义和革命》(*Egypte, impérialisme et révolution*, Paris: Gallimard, 1967)。

〔3〕 这种无与伦比的时尚在埃及人 Rifâ'a al Tahtâwi 对其1826年至1831年巴黎旅居生活的记述中可以看到，题目是《巴黎览胜精粹》(*Takîls al-ibrîz fi talkhîs bâris*, Cairo, 1834)。

〔4〕 例如，1888年在巴黎出版的《对摩洛哥的承认(1883～1884)》(*Reconnaissance au Maroc, 1883—1884*)。

〔5〕 有关围绕摩洛哥的辩论，见 Daniel Rivet,《利奥泰和法国在摩洛哥摄政政体的建立(1912～1925)》(*Lyautey et l'institution du protectorat français au Maroc, 1912—1925*, 3 vols, Paris: L'Harmattan, 1996)。

多样性。1920 年，科学团被改组成为土著事务社会学部（Section Sociologique des Affaires Indigènes of the Residence），并在 1925 年将其宗旨传给了拉巴特的摩洛哥高级研究所（Institut des Hautes Études Marocaines，简称 IHEM）。该研究所与别的机构合作，出版了两部摩洛哥图册，一部是关于圣徒传记的，包括圣徒的地理分布、zâwiya-s、圣地和宗教组织——这些研究对象常为主流的伊斯兰学所摒弃；另一部是关于方言的，它也不被阿拉伯语言学所重视。“阿拉伯局”（Bureaux arabes）官员们的报告、笔记、回忆录以及雅克·柏尔克所描述的他们的那种“异国情结”和“感官主义”，也都为最初的知识积累增添了动力。“他们（受圣西门主义的帮助）距建立一门真正的、能同古典人文学相媲美的东方人文学并不遥远，它是法国沙文主义和对阿拉伯城邦（cité arabe）的忠诚这两种东西的奇怪结合。”但这一立场并不能使他们倾向于遵循科学交流所要求的那些成文规范。[6] 这种穆斯林社会学只能处于宗主国学术研究以及迪尔凯姆实证主义学科领域的边缘地带并不令人感到惊奇。人们可以发现，弗雷德里克·勒普莱在 1877 年对摩洛哥手工艺者的生活方式只发生过短暂的兴趣；[7] 埃米尔·迪尔凯姆曾对柏柏尔人的部落制度做过记录；马塞尔·莫斯的学生夏尔·勒库尔则在摩洛哥高级研究所讲授过一些课程。[8]

爱德华·米肖－贝莱尔（1857～1930）在 1907 年开始担任科学团的领导，他是那个最初的开拓时代和专题研究时代的一个标志性的人物。他的社会志（与社会学相反）立足于注重细节的民族学和历史学交汇的区域，特别是前伊斯兰时期的那些因素，“这些无可置疑的多神崇拜的残余物是伊斯兰教所无法摧毁的。”[9] 这种研究古物的风尚，为法国的开化团提供了辩护。正是米肖－贝莱尔第一个清楚地表明了一种双重的对立，它是殖民知识积累和保护国政治学得以建立的基础。如勒南所说，这种对立激起了人们探求“在无依无靠的柏柏尔人当中非洲的真正深度”，他们是“土生土长的，坚定而勤劳，他们是这片土地真正的主人”。[10] 伊斯兰教被认为是强加给这些土著及其“残余的多神崇拜”的，而社会学在其后看到了同法国政治世俗化和共和主义相类似的东西。殖民当局则利用这些分歧来挑拨离间，加强殖民控制。[11] 对包括米肖－贝莱尔在内的观察者来说，附庸国阿拉维政府的财政机构对领土和人口的控制（bled

453

〔6〕 Berque，《埃及、帝国主义和革命》，第 299 页～第 300 页。

〔7〕 J.-P. Buisson，《弗雷德里克·勒普莱和摩洛哥一个手艺人家庭生活水平的研究》（Frédéric Le Play et l'étude de niveau de vie d'une famille d'artisans marocains），载于《摩洛哥经济和社会简报》（*Bulletin économique et social du Maroc*），59（1953），第 71 页～第 83 页。

〔8〕 Lucette Valensi，《从中心看马格里布：它在法国社会学学派中的位置》（Le Maghreb vu du centre: sa place dans l'école sociologique française），见 Jean-Claude vatin 编，《认识马格里布：社会科学和殖民化》（*Connaissances du Maghreb: Sciences sociales et colonisaton*, Paris: CNRS, 1984）。

〔9〕 E. Michaux-Bellaire，《科学团在摩洛哥》（La mission scientifique au Maroc），引自 F. Hourouro，《摩洛哥的政治社会学：米肖－贝莱尔的情况》（*Sociologie politique au Maroc: Le cas de Michaux-Bellaire*, Casablanca: Afrique-Orient, 1988），第 126 页。

〔10〕 引自 Berque，《埃及、帝国主义和革命》，第 306 页。

〔11〕 Daniel Rivet，《从利奥泰到穆罕默德五世的摩洛哥：保护国的两面性》（*Le Maroc de Lyautey à Mohammed V: le double visage du Protectorat*, Paris: Denoël, 1999），第 10 章。

makhzen)与允许不同政见的存在(bled siba)之间的对立似乎是摩洛哥政治体系的关键,是这个保护国必须不惜一切代价维持的。其后,制定了两项政策,一是针对法国统治时期摩洛哥政府(makhzen)的,旨在从上至下进行改良;二是利用地方权力斗争的"部落"政策,旨在发展一种附庸关系,它将依靠殖民权力来压制和反对阿拉维政府。

海军上尉罗贝尔·蒙塔涅(1893～1954)曾被派遣去研究摩洛哥南部的反叛部落,目的是进行安抚,他后来对摩洛哥背景下存在的这种"令人惊奇的矛盾"加以系统化和理论化。[12] 像在一个由不同颜色组成的棋盘上的各个相同部分之间建立某些规则,社会学家的任务就是协调各部落(即柏柏人)和摩洛哥政府之间的关系,它成为这一系统的主要矛盾及其运作的必要条件。然而,使蒙塔涅成为"一个时代真正的大家和一种体系的真正创始人的东西",[13]是他对殖民科学所确立的进一步的目标,即重组摩洛哥的社会结构。蒙塔涅的《摩洛哥无产阶级的诞生》(*Naissance du prolétariat marocain*)[14]汇编了1948年至1950年大规模集体调查的成果。这些调查乐观地描述了乡村人口不断移入城市中心以及部落结构逐渐消解的城市化进程,并将其视为灌输和推广殖民秩序的最有效机制。这一论点带有一种原发的、挥之不去的反民族主义倾向,即使到今天,摩洛哥的社会科学学者仍对蒙塔涅的作品感到不悦。

454

1956年3月2日摩洛哥最终取得独立之前,殖民化的社会学已经有时间对其分析范式进行重估。雅克·柏尔克(1910～1995)关于摩洛哥和马格里布的大部分作品出现在殖民政权统治的背景下。他当时是一名文职行政人员,但其著作却建立在一种批判的方法之上。[15] 在柏尔克被委派到"农民现代化部门"(Secteur de modernisation du paysannat)之后,情况更是如此。该机构的宗旨就像他描述的那样:"在一个单一的社会运动中,将土著社团的兴起和法国殖民保护联系并融合在一起。"[16]在专门针对蒙塔涅的发问中("北非的部族是什么?"),[17]他质疑了殖民化知识的整套丛书,该问题在20世纪60年代成了英美人类学采用新范式的一个起始问题。

在整个殖民时代,穆斯林社会学是专门为了外国使用而被设计的。土著摩洛哥人只是信息的提供者,而绝非这种知识的接受者,没有一种关于摩洛哥社会的内生性知识积累会产生在这种环境中。艾尔－哈吉维(1874～1956)是那个时代最重要的知识分子,曾任"法国殖民统治时期摩洛哥政府"公共教育部长,是保护国中最有学识的合

〔12〕 Robert Montagne,《摩洛哥南部的柏柏尔人和马克赞人:论定居的柏柏尔人(施卢赫人)的政治变革》(*Les Berbères et le Makhzen dans le sud du Maroc: Essai sur la transformation politique des Berbères sédentaires [groupe Chleuh]* , Paris: Alcan, 1930),第Ⅶ页～第Ⅷ页。

〔13〕 Abdelkebir Khatibi,《摩洛哥社会学小结》(*Bilan de la sociologie au Maroc*, Rabat: Association pour la Recherche en Sciences Humaines, 1967),第16页。

〔14〕 1951年由Peyronnet & Cie在巴黎出版。

〔15〕 见Jacques Berques,《瑟克萨瓦人,上阿特拉斯山脉西部的社会结构研究》(*Les Seksawa, recherche sur les structures sociales du Haut-Atlas occidental*, Paris: Presses Universitaires de France, 1954)。

〔16〕 见1945年10月的《摩洛哥信息公报》(Bulletin d'information du Maroc),引自Khatibi,《摩洛哥社会学概论》,第21页。

〔17〕 参见他的《献给吕西安·费夫尔》(*Hommage à Lucien Febvre*, Paris: Armand Colin, 1953)。

作者之一,在其所著的《穆斯林法学史》(*fiqh*)中,对摩洛哥社会的变革进行了深思。穆克哈塔·艾尔·苏西(1900～1963)的著作从内部看跟穆斯林人类学最为相似,在保护宗教科学('ilm)的项目中,他着手研究了亚柏柏人(Sous Berber)文化。穆斯林社会学及其方法所没有揭露的东西,将一个棘手的问题留给了第一代本土社会学家,即如何来处置这种知识的积累,这种知识关注他们的过去,并刻意将自身作为一面置于他们和其社会之间的,但产生扭曲图像的镜子。

埃及:通过社会科学产生的学术复兴

在19世纪晚期王朝时代的埃及的原民族政府中,好几个研究机构已经恢复了自1798年波拿巴远征团中的学者所开始的系统的知识积累。1875年,推行现代化的统治者伊斯梅尔建立了埃及总督地理协会(Société Khédiviale de Géographie),成了在东部非洲的西方探险家的大本营。1910年,未来的福阿德国王建立了埃及总督政治经济、统计和立法协会(Société Khédiviale d'Economie Politique, de Statistique et de Législation),其刊物《当代埃及》(*L'Egypte contemporaine*)涉及"国家生活的所有方面,它立足于日常基础,变革计划——无论是法律、经济还是社会属性,以及农学家、银行、商人所需要的必要信息,即那些涉及埃及的官方文件、统计数据、书目资料,这些东西可以说是最客观,并备有文献资料的研究的对象"。[18] 1918年,福阿德王储还恢复了波拿巴的埃及学院(Institut d'Egypte),它聚集了很多学科的专家,并宣布继续从事"话说埃及"(Déscription de l'Egypte)的研究计划。[19]

455

这些学会的成员大部分是非埃及人,其活动主要是辅助对埃及的开发。1904年,欧洲列强们一致"诚恳地"同意要对埃及进行开发,但这并不能简单地被归结为殖民主义的目的。埃及的情况不同于被隔离开的法属摩洛哥,而且埃及也不是为英国保留的,尽管它在1882年占领了埃及,但是从没有完全获得国际社会承认的保护关系。从埃及王朝的观点看,这些机构(例如,1908年成立的大学、埃及的驻外使馆、动物园、植物园)是证明其文明尊严与特权完整性的主权国家的特征。而且,这些学会是有特权的领域,埃及精英的政治经济利益,以及法国和意大利殖民利益在此汇聚,因此为系统批判英国政治提供了空间。

埃及的经历有别于摩洛哥的决定性因素在于这些学会的教学法的观点。早在1826年至1831年间,法国科学考察团的一位著名人物若马尔就根据穆罕默德·阿里的指示组织了一个埃及学生团前往巴黎。1890年至1925年期间,知识和好书出版协会(Société pour le Savoir et la Publication des Livres Utiles)就翻译出版了200部著作。这

[18] 《当代埃及》(*Egypt contemporain*),1:1(1910),第2页。
[19] 见 Alain Roussillon,《知识的分享:埃及前殖民知识的影响》(Le partage des saviors: effets d'antériorité du savoir colonial en Egypte),《伊斯兰教社会学年鉴》(*Annales islamologiques*),26(1992年秋),第207页～第249页。

些译著之一,埃德蒙·德莫兰的《盎格鲁萨克逊人的优越性属于谁》(*A quoi tient la supériorité des Anglo-Saxons*, 1899)一书,后来就给穆罕默德·奥马尔提供过灵感,他回复了德莫兰的论题,并用阿拉伯语在《埃及人的馈赠及其迟钝的秘密》(*Présent des Egyptians et le secret de leur arrièration*)一书中作了详细的阐述,这或许是本土学者对埃及社会学的首次贡献。[20] 1900 年,该协会还出版了嘎希姆·阿明的两部重要著作《妇女的解放》(*L'émancipation de la femme*)和《新女性》(*La femme nouvelle*)。

1908 年埃及大学的建立是一个重要的转折点。一些著名的东方学家,如路易·马西尼翁、乔治·奥卡尔、加斯东·维特、罗伯特·克雷斯韦尔、卡洛·纳利诺以及乔治·德·桑蒂利亚纳,都曾在目瞪口呆的学生面前讲授过有关伊斯兰文明的课程。这些学生当中就有塔哈·侯赛因,即后来的"阿拉伯文学系的主任"(doyen des lettres arabes)。[21] 尽管直到 1913 年埃及人才在索邦大学(the Sorbonne)获得了第一个博士学位,而且比利时的统计学家 M. G. 奥瑟莱必须等到 1925 年才能教授他的第一堂课,但社会学在大学的教学计划中仍是一个不可或缺的组成部分。迪尔凯姆实证主义的学术传统很好地适应了埃及人对社会科学的需求。迪尔凯姆的社会学基本上是对社会内聚力的一种思考。正如雷蒙·阿龙所言,即使他的思想不具有革命性,但也会关注文明的危机,这种危机"是由建立在宗教基础之上的传统伦理道德的不可替代性决定的"。社会学"应该有助于重建一种能满足科学精神需要的伦理规范"。[22] 这正是一种以相反的方向对大学进行改革的计划,即使科学精神能够满足先前存在的道德要求。此外,迪尔凯姆实证主义的社会学为学术介入社会和政府事务提供了一种模式;在 20 世纪上半叶"文化复兴"(nahda)的背景下,知识分子在探寻一种社会学范式,它允许把现代性和忠诚性都整合到**自我**及其历史中去。这些概念,如失范、公论、机构和组织的团结、集体道德,允许新的埃及社会学对埃及正在经历的社会进程进行概念分析和表述。社会学家被指定为这一进程的仲裁者,因此,毫无疑问,埃及学院社会学具有根深蒂固的保守性特征。

456

埃及的社会学家注重他们的学科得到官方承认,他们的毕业生被任命到政府机构,而且他们热衷于借用迪尔凯姆实证主义的社会学的概念体系来改造穆斯林的思想,因此几乎没有多少时间去研究自己的社会。从这个角度看,法国传统没有能维持其在学院中的地位,也未能进入埃及的社会领域。而其他的对手则利用各种不同的理论形式,重新占据了各个学会,并将自己的范式和方法强加于社会学。从 20 世纪 30

[20] 见 Alain Roussillon,《社会变革和中产阶级的产生:穆罕默德·奥马尔和埃及人的迟钝》(Réforme sociale et production des classes moyennes: Muhammad 'Umar et l'arrièration des Egyptiens),见 Alain Roussillon 编,《在社会变革和全国运动之间:身份认同与埃及的现代化》(*Entre réforme sociale et Movement national: identité et modernisation en Egypte*, Cairo: CEDEJ, 1994)。

[21] Donald Reid,《开罗大学和现代埃及的形成》(*Cairo University and the Making of Modern Egypt*, Cambridge: Cambridge University Press, 1990)。

[22] Raymond Aron,《社会学思想的诸阶段》(*Les étapes de la pensée sociologique*, Paris: Gallimard, 1967),第 309 页～第 310 页。

年代起，在保守政府应对大萧条的背景下，慈善机构以及与援助有关的机构日益关注起社会知识的科学形式。1929年成立的先驱者协会、社会改革联盟（1935）、民族复兴协会（1939）以及最重要的埃及社会研究协会（1937），同时提出了动员的种种模式并建议进行启发式的调查。[23] 实际上，这些协会被国家承认，他们的成员被允许进入新的专业职位，包括1939年在他们的鼓动下成立的社会事务部的一些职位。但是，国家可以控制他们的活动、预算和组织。因此，这些组织具有结构性的“非政治主义”特征，他们明确拒绝参与党派政治斗争，这种立场表明他们更倾向于充当政治决策者的专家或顾问的角色。

457

政府和这些社会工作机构之间的妥协，对埃及的社会学范式产生了一定的影响，直接决定了如何搜集和组织知识。这一目标很明显是由“社会专家”设计的“社会工程”之一，旨在研究“社会问题”。我已经分析过的那种“三个困境的范式”，[24] 对社会工作机构的非政治立场形成了具有启发性的交流。“贫穷、疾病和愚昧形成的恶性循环”被认为是一个封闭的系统，其中的每一种社会疾病既是研究的对象，又是阻碍社会进步的障碍，并且不确定地产生其他社会疾病。新的研究目标不再是社会凝聚力的模式，而是其在某种意义上的对立物，即社会离散的症状以及战胜它的手段。青少年犯罪、保护妇女和儿童、工人和农民的生活条件、贝都因人的人口，都被认为是类似的问题，可以用来鉴别那些由进步引起的“非遗传性”问题，决定研究传统的方法并给文明危机中的传统和问题进行定位。由于输入了理性的组织形式，东方社会正在遭受着这场文明危机。这种范式更多的是美国的，而不是英国的，主要由温德尔·克莱兰引进，此人是埃及社会研究协会的创建人、社会事务部的顾问和开罗美国大学海外部的校长，致力于研究针对科普特人的新教激进主义。许多埃及的学位候选人被派到美国学习此类专门的知识，他们主要受社会事务部奖学金的资助。1952年之后，他们最终将自己的才能服务于新近独立的国家。

对社会问题的关注，因其在实践方面的紧迫性而替代了社会学的目标，这具有重要的意义。在专家们实践中的问题是，相对本土社会改良技术的掌握而言，对它的知识积累太少。对传统社会的研究，只有作为对这一目标的支持或辅助，才被认为是合理的。社会学所取得的成功，不在于它所运用模式的内在和谐性，而在于它有能力削弱那些障碍以适应社会结构所持续产生的现代性。

[23] Alain Roussillon，《20世纪40年代处于转折点的埃及的社会和政治的变革》（Réforme sociale et politique en Egypte au tournant des années 1940），载于《起源、社会科学和历史》（*Genèses, sciences sociales et histoire*），5（1991），第55页～第80页。

[24] 出处同上。

社会科学的民族化：社会学家的发明

在埃及，如同在摩洛哥一样，独立（它们分别在1952年和1956年所获得）为社会科学的建立提供了决定性的推动力，也提出了双重的任务：重新界定这些学科的使命并建立制度化和专业化的新结构。毫无疑问，社会学有了一个新的开端，但并没有根本的突破，因为新的定向主要在于复制以前的模式。在埃及，大学继续在同样的学术基础上培养着新的一代人，并逐步在迪尔凯姆实证主义的底层上加入了马克思主义和功能主义，而将社会工程学留给了由政府控制的机构。在摩洛哥，社会学仍未建立一个坚实的学术基础。它的过度的激进主义同再度传统化的政府发生了冲突，它只能非正规地寻求它的道路，主要是通过国外的或非学术的渠道。 458

摩洛哥：批判社会学的初步成果

在独立的早期，殖民结构在许多部门中（农业、教学、自由职业、新闻业）仍然完全地存在着，因此它延长了相关配套知识的针对性和适用性。然而，在相对和平的条件下废除保护制度，为殖民社会中的最进步因素接受非殖民化提供了空间。很快，法国的协作者（coopérants）便参与其中，他们在行政和经济"摩洛哥化"的准备过程中发挥了非常重要的作用。尽管法国在大学、研究机构以及受训的专家方面没有留下什么影响，但仍有保罗·帕斯孔（1932～1985）这样的个人在继续工作，试图为摩洛哥的本土科学领域奠定理论基础。帕斯孔的组织，包括一小群年轻的摩洛哥知识分子，计划了一个"摩洛哥的全球视野"的项目，但作为自封的社会学家，他们也试图建立一种批判的、自主的和应用的社会科学。[25] 批判的社会科学提供了反对殖民秩序和"旧摩洛哥"的机会，它将记录传统规范的丧失并研究因生产模式和生产关系变革所导致的社会经济结构的变化。通过"复合社会"这一范畴（帕斯孔混合了马克思主义、局部主义以及乔治·居尔维什和雅克·柏尔克的理论，用以详细说明这一范畴），帕斯孔解释了摩洛哥社会分层结构，并阐释了那些具有竞争性的社会秩序，包括政治的、法律的、社会的、象征的，通过这些秩序，生活方式和生产方式自愿的和被动的变革才会出现。[26] 459

帕斯孔和他的组织不仅从政府那里寻求自主性，也从私人利益集团那里寻求自主性。1959年，他们成立了自己的应用研究机构——人文科学跨学科研究小组（Equipe Interdisciplinaire de Recherche en Science Humaines）。直到1963年，这个组织作为一个

[25] Abdallah Saaf，《摩洛哥的知识政策》（*Politique du savoir au Maroc*, Rabat: SMER, 1991），第20页。

[26] Paul Pascon，1977年发表于丹吉尔，正式的社会学博士论文《马拉喀什的阿乌兹人：社会史和土地结构》（Le Haouz de Marrakech, Histoire social et structures agraires）；以及 Alidelmajid Arrif, D. Shroeter, Mohamed Tozy 和 Henzi Van Der Wusten，《伊里格家族和塔泽瓦尔特人社会史》（*La maison d'Iligh et l'histoire du Tazerwalt*, Rabat: SMER, 1984）。还可参见《摩洛哥经济和社会简报》1986年1月第155页～第156页对 Pascon 的颂扬。

平等主义的工作者的自我管理合作社，主要同民间力量全国联盟（Union National des Forces Populaires）以及一些部委的技术服务部门一起工作。整个20世纪六七十年代，帕斯孔对摩洛哥社会学民族化的贡献，源于他作为马拉喀什阿乌兹农业开发地区办公室（Office Régionale de Mise en Valeur Agricole de Haouz de Marrakech）负责人的地位，也由于他在哈桑二世农学和兽医学院（Institut Agronomique et Vétérinaire Hassan II）的教学工作。在他领导的研究队伍中，对社会史的探索与殖民社会学遗留下来的对领土管理的研究相互交融在一起。帕斯孔回到了雅克·柏尔克的结论，他试图在农村社会寻找空间，以重新恢复一个“历史的方案，它能提供一种可信的、能反对外国资本主义控制的选择”。帕斯孔注解道，这一方案在世纪之交的时代是缺乏的，在20世纪70年代依旧缺乏。[27]

在年轻国家新的高等学术机构中，1960年在拉巴特建立的社会学研究所，成为摩洛哥社会科学制度化另一个学术模式的出发点。学术地位并不妨碍这门社会学将自己看成是批判的和激进的，至少在它的咒语式的方式上是如此，这种方式建立在一种我们称之为文化主义的方案的基础上，这种文化主义是以过度的反文化主义形式表现的。阿卜杜凯比尔·哈提比纲领性的陈述，仍是纲领性的：“阿拉伯世界社会学的根本任务是要提供一种双重的批判，（1）解构那些源自社会学知识的概念以及那些代表阿拉伯世界的话语，因为它们来自西方，具有欧洲中心论的特征；（2）同时，阿拉伯世界各种不同的社会，应该对这些概念进行批判以为己用。”[28]这些知识分子反对东方主义和殖民主义的知识形式，[29]但肯定他们所称的第三世界社会的“正规性”。用哈提比的话说，为从内部获得这种正规性，人们所需要的是：“消解民族学”以便支持历史，重新恢复**自我**以便“根据阿拉伯语的规则建构概念工具”。[30] 教学和讨论成为社会学研究所的主要活动，在1965学年至1966学年，就有266名研究者。研究主要限定在城市生活和语言方面，这些领域中的殖民影响是很少有争议的。因为缺乏部委和政府的控制，进入农村地区实际上是不可能的。马克思主义有足够的空间来发起这种批判，因为它更多的是政治性的，而不是认识论性的，它的宗旨是将社会科学融入到社会运动中去。

460

社会学教学的左倾潮流，伴随着1967年至1968年学生抗议活动的共鸣和摩洛哥大学急速的政治化而进一步加强，并导致了1970年社会学研究所的关闭以及大学中社会学和社会科学系的衰落。世纪之末，尽管在一些法学院、经济学院以及人文系中仍然教授社会学，但“社会学家”的专业称谓只是在一些外国的大学中才能取得并得到

[27] Paul Pascon,《对殖民现象研究的理论框架的再思考》（Repenser le cadre théorique de l'étude du phénomène coloniale），载于《摩洛哥法律、政治和经济杂志》（*Revue juridique, politique et economique du Maroc*），5（1979），第133页。

[28] Abdelkebir Khatibi,《阿拉伯世界社会学：状况》（Sociologie du monde arabe, Positions），载于《摩洛哥经济和社会简报》，126（1975年1月），第1页。

[29] 包括 Jaques Berque 的知识形式。Khatibi 在其《多元的马格里布》（*Maghreb pluriel*, Paris: Denoël, 1983）发表了一篇充满敌意的文章《迷失方向的东方主义》（L'orientalism désorienté）来反对 Berque。

[30] Khatibi,《阿拉伯世界的社会学》，第9页。

认可。20 世纪 70 年代晚期以来，大学课程的阿拉伯化成为民族主义独立政党的首要目标之一，并得到了进一步的实施。社会事务在一种真正的“伊斯兰教”世界观的框架内得以重组，但这种世界观以及大量的教材和参考书，实际上也主要是从中东地区特别是埃及输入的。

在摩洛哥，社会学被继续实践着（《摩洛哥经济和社会简报》一直存在着），而且，摩洛哥也涌现出了一些卓越的社会学家，包括一些用阿拉伯语写作的。但这门学科主要的追寻已转向在其他领域中发现更肥沃的土壤，即在历史学和地理学中，在那里，坚实的专业传统已得到巩固；在人类学中，仍存在着它过去同世界殖民秩序相妥协的影子。

最终，在 20 世纪 60 年代晚期和 70 年代早期，**他者**的观点又重新回来了，但这种立场与穆斯林殖民社会学的开创者们根本不同。埃内斯特·格尔纳、克利福德·吉尔兹、威廉·扎特曼、戴维·哈特、约翰·沃特伯里和戴尔·埃歇尔曼曾聚集摩洛哥，使它成为探讨的话题，探讨主要围绕着局部主义的人类学和政治学而展开。这些人的到来，吸引了越来越多的摩洛哥社会科学研究者前往美国的大学，从而结束了法国和摩洛哥之间在非殖民化过程中仍然存在着的交流。历史学家阿卜杜拉·拉鲁伊严厉地批判了这种人类学，他说：“英美的研究实际上只是对以前没有被接受的东西加以简单再造而已：即蒙塔涅的民主被重新命名为局部化，柏尔克的**压制**（repression）被命名为边缘化；这在某种程度上是多余的。”[31] 除了对某些建构之中过分的系统特征保留外，最让人难以接受的似乎是这样一种方法，它使社会学者将摩洛哥同一种“永恒的马格里布”（éternel maghrébin）联系在一起，这就如同人类学家、新东方主义政治学家，甚至还有马克思主义政治学家，以相同的方法处理伊本·赫尔顿一样。[32] 但是，这些著作除了它所宣称的科学和客观性之外，也能系统地关注那些关于摩洛哥社会组成的可兹利用的知识，这一进程在某些方面是禁止内部的人研究的。[33]

161

埃及：将社会学革命化？

尽管 1952 年革命被与之有利害关系的政党描绘成一种根本性的决裂，但埃及社会学的机构网络和理论及方法论的取舍，仍承认 20 世纪三四十年代所做出的选择。[34] 革命只是重新确定了社会学的目标，让其关注经济社会的发展、民族主义的团结，并致

[31] Abdallah Laroui,《摩洛哥民族主义的社会和文化根源》(*Les origines sociales et culturelles du nationalism marocain*, Paris: Maspero, 1977)，第 177 页。

[32] 例如，Yves Lacoste,《伊本·赫尔顿》(*Ibn Khaldun*, Paris: Maspero, 1966)。

[33] 见 Rémy Leveau,《摩洛哥的小土地所有者，王权的保卫者》(*Le fellah marocain, défenseur du trône*, Paris: FNSP, 1973)。

[34] 见 Alain Roussillon,《解释共和政体的埃及：革命和超越》(Republican Egypt Interpreted: Revolution and Beyond)，见 Martin W. Daly 编，《剑桥埃及史》第 2 卷《近代埃及：从 1517 年至 20 世纪末》(*The Cambridge History of Egypt*, vol. 2: *Modern Egypt, from 1517 to the End of the Twentieth Century*)，第 334 页～第 393 页。

力于建设纳赛尔主义所宣称的“阿拉伯社会主义”。社会学家和社会工作者之间的关系，社会学家和国家之间的关系，仍然是通常的那种情况，就像埃及社会学和国外主导的社会学领域之间的关系那样。

在大学中，社会学系的多样性（在写作本书的时候，20 个埃及大学中的每一个都有一个社会学系）保证了专门人才在一般的社会学方面，或在其主要的次级学科（如城市社会学、农村社会学、工业社会学和军事社会学）方面，能受到学术训练。而且，这些社会学系建立时也偶然地同其他一些被界定为社会学的行业相关，因此同其他科学领域有多种不同的关系，如：在开罗大学它同哲学系结合在一起，在亚历山大的社会科学研究所是人类学，在艾因・沙姆斯大学（University of 'Ayn Shams）是心理学系，在艾资哈尔伊斯兰系女生部则同伊斯兰教的神学、人口统计学以及性别研究结合在一起。再生产式的逻辑保证这些社会学的统一性，它在该领域中树立的权威是与目标和方法论的专业化联系在一起的。自 20 世纪 80 年代中期以后，埃及社会科学研究人员的消耗呈日益上升的趋势。一批社会公益系开始同社会学系并列出现，并授予了几千个新的博士学位。

462

尽管这样受过训练的专业人才很多，但荒谬的是，学院社会学却未能给有关埃及社会的系统知识提供多少帮助。20 世纪 80 年代早期以来，这个学科每年积累的参考文献目录有 2000 条之多，其中大部分是些手册、课本、重复冗余的汇编以及糟糕的译文。大部分硕士和博士学位论文仅仅局限在澄清某个社会学概念，或某一思想学派的方法与埃及背景的相关性等诸如此类的题目上。

与大学平行的还有一系列的研究机构，它们是纳赛尔主义国家在 20 世纪 50 年代后期开始建立的，旨在系统地积累有关埃及社会的知识。1964 年公共动员和统计中央局建立，它发布和出版了很多统计数据。除此之外，最重要的研究机构有：国家计划研究所（1960）、开罗人口统计中心（1964）和国家犯罪学与社会研究中心（National Center for Criminological and Social Research, 简称 NCCSR，1956）。这些研究机构的建立，是为了分析“埃及社会 1952 年革命以来伴随着社会变革而出现的社会问题和文化问题，尤其是那些与社会解体和文化欠发达有关的问题”。[35] 在 NCCSR 中所体现的社会学、社会心理学以及犯罪学的结合，显示了在权威主义变革过程中，能够形成一种探索性的态势。血亲复仇、卖淫、青少年犯罪、滥用毒品等，是 NCCSR 进行社会调查的首要课题，它们将社会科学同对关于抑制的新的阐释和新的抑制技术的需求联系在了一起。根据一种更为积极的解释，社会科学被请来为国家发起的改革铺路，鉴别与国家行为相关的各种问题和阻碍。因此，在 20 世纪 60 年代，研究大众传播工具和精英群体的

[35] 见 1982 年 NCCSR 在其成立 25 周年之际用阿拉伯文出版的文献《开罗科学成就评价（1957 ～1982）》（Evaluation des réalizations scientifiques du Caire, 1957—1982）。

重要性日益上升。[36]

社会学的革命化意味着可以毫不费力地借用社会公益的博爱模式以适用新的社会主义和阿拉伯民族主义立场。在解散了政党、抛弃了穆斯林兄弟会和共产党人之后,纳赛尔政权便求助于一系列社会公益协会,其有经验的劳动力和非政治的特征非常适合它。实际上,负责执行革命政策的正是自由主义的保守派的成员,他们特别重视土地改革和教育体系的实施。

另一方面,重新控制自己命运的埃及也加速了源自西欧和美国的知识的转移。在埃及,20 世纪六七十年代可以说是英美功能主义及其多个变种的黄金时代。甚至散布于埃及的马列主义观念,也通过尼科斯·普兰查斯、路易斯·阿尔都塞和约翰·刘易斯这样的西方解释者的著作而得到渗透。社会科学领域就像是一个学术流派的折中拼凑物,它是根据埃及知识分子和学者在西方大学中的经历构建起来的,这种经历一直是人们进入此学科之权力位置的条件。 *463*

社会学的民族化并没有摆脱外国专家,统治当局往往更倾向于他们。革命所必然进行的一次最早的大规模社会人类学调查(研究修建阿斯旺水坝而进行的努比亚人搬迁),就是由开罗美国大学的社会研究中心负责的。尽管埃及和美国的关系不断恶化,但这项职责使美国大学将自己塑造成埃及社会科学领域中一个公平的研究机构。外国的研究,尤其是美国的研究,在整个 20 世纪 70 年代持续地增强,以至于到 1982 年,《金字塔报》(*Al-Ahrâm*)经济副刊发表了题为《美国人对埃及的描述》(*Une description américaine de l'Egypte*)的文章,刻薄地攻击外国的研究,谈到了波拿巴的学者的殖民计划。美国的研究被指责为使埃及陷于服从地位,并阻止埃及人自己的知识发展。与之同谋的埃及知识分子被说成是"同美国的大学合作以博得名利,隐藏在这种合作背后的则是对埃及未来而言令人怀疑的一种政治梦想"。[37] 与此同时,在外国研究范围内所取得的成果表明,本土社会科学研究者对于积累自己社会的相关知识并未做出多少贡献。因此,从 20 世纪 80 年代起,埃及的社会学感到自身已经陷入了危机。

埃及和摩洛哥:危机中的社会学家

在埃及,如同在摩洛哥一样,社会科学的危机也许是西方社会科学国际化这枚硬币的另一面。[38] 如果说危机在埃及表现为社会学家被缩减的方案的无效性,那么在摩 *464*

〔36〕 Alain Roussillon,《埃及的埃及人的社会学:著作目录基本知识》(*La Sociologie égyptienne de l'Egypte: éléments de bibliographie*, Paris: CEDEJ, 1988),第 264 页。

〔37〕《美国人对埃及的描述:政治和安全方面的现象》(Une description américaine de l'Egypte: les dimensions politiques et sécuritaires du phénomène),载于 *Al-Ahrâm al-iqtisâdi*, 1982 年 10 月 4 日,第 19 页。

〔38〕 这场危机在埃及方面的情况 Alain Roussillon 在《当代埃及处于危机中的知识分子》(Intellectuels en crise dans l'Egypte contemporaine)中论述过。见 Gilles Kepel 和 Yann Richard 编,《知识分子和当代伊斯兰战士》(*Intellectuels et militants de l'Islam contemporain*, Paris: Seuil, 1990)。

洛哥则表现为社会科学阿拉伯化的方案同实施的有效性之间的鸿沟。20 世纪 60 年代在法国培养的那一代学者,在 70 年代初已经把自己的课程阿拉伯化了,但他们也开始承认,阿拉伯化实际上将新的一代人同国际化的知识体系隔离开来,而此前讲法语的前辈们则已经进入了这一领域。学科的阿拉伯化重新恢复了那些概念系统的模式,而这些东西即便不是传统的,至少也是同当代的社会科学潮流相脱节的。

20 世纪八九十年代,在埃及号召社会科学实施阿拉伯或伊斯兰范式的呼声越来越大。社会科学研究者被告知,他们应该把自己从那些泊来的模式中解放出来,因为这些模式无法长久地维持一种本质性的**自我**,割裂了学科与社会身份认同之间的关系。这里有必要强调这两种呼声(da'wa)的同质性。阿拉伯或伊斯兰社会科学方案,要求证明阿拉伯伊斯兰共同体的统一性,要求鉴别外来因素或 al-wâfid("来源于外部",而且占据主导的东西),并且要求设计可以接受的现代化道路。任何一个研究领域,都要显示出纯正性(asâla)和混杂性(tashwîh,字面意思为"使变形")之间,以及传承(turâth)和同代(mu'âsara)[39]之间的对立统一。这种文化主义的社会科学,不仅被他们的文化概念定义为"被穆斯林阿拉伯人所分享的东西",而且他们的方法是,将**起源**放在这一方案的核心位置。结果,这种阿拉伯伊斯兰社会科学,至少在埃及人当中并未有益于理论建设。相反地,在印度尼西亚、马来西亚以及后来的伊朗,社会科学的伊斯兰化被确定为最为连贯的目标。

20 世纪 80 年代末,摩洛哥的社会科学开始了再一次的制度化。社会学和政治学(这两门被国家排斥的学科)并未重新获得它们已经失去的自主性,但它们开始采用学科的特征。科学研究大学研究所(Institut Universitaire de Recherches Scientifique)的建立有助于专业研究者的出现,他们的出版物主要用法语写成,并公之于众。[40] 最重要的是——如纳吉布·布代巴拉所言,承认需要"冷静地观察去殖民化";20 世纪 80 年代后期开始,这一方案成为摩洛哥社会科学关注的中心。[41] 历史学和地理学是最为合法、根基最深的学科,它们对"旧摩洛哥"表示哀悼,因其允许社会科学将殖民时代作为知识对象加以研究。随之产生的讨论,借助于对殖民科学产生条件的批判,使有选择地借鉴殖民科学成为可能,并且允许将殖民科学与殖民时代区分开来。[42] 只有这时才可能问,在什么条件下,殖民事实有助于一个独立的摩洛哥的出现。

465

[39] 参看 Jacques Berque,《今日阿拉伯的语言》(*Langages arabes du présent*, Paris: Gallimard, 1974),还可参见 Alain Roussillon 的《讨论中的新原教旨主义者:"真实性和现代性"——阿拉伯世界身份认同的挑战》(Les nouveaux fondamentalists en colloque: "authenticité" et "modernité"—les défits de l' dentité dans le monde arabe),载于 *Maghreb-Machrek*, 107(1985 年 1 月～3 月),第 5 页～第 22 页。

[40] Abdallah Saaf 在《马格里布社会科学出版业:摩洛哥》(L'édition en sciences sociales au Maghreb: Aspects marocains)一文中仔细分析了这种情况。见他的《社会科学,精神科学?》(*Sciences sociales, sciences morales?*Tunis: Alif-IRMC, 1995)。

[41] Negib Bouderbala,《冷静考察殖民化:对非殖民化思想领域的殖民化的认识》(Pour un regard froid sur la colonization. La perception de la colonisation dans le champs de la pensée décolonisée),见 Jean-Claude Vatin 编,《认识马格里布:社会科学和殖民化》(*Connaissances du Maghreb, sciences sociales et colonisation*, Paris: CNRS, 1984)。

[42] Fanny Colonna 和 Claude Haïm-Brahimi,《殖民科学的有用性》(Du bon usage de la science coloniale),载于 *Le mal de voir* (Paris: Chaiers Jussieu, Université de Paris, 1976)。

在20世纪六七十年代民族主义浪潮的影响之下，只有殖民化过程的政治和经济方面才受到关注。民族主义范式的相对消退以及“冷静的观察”，已经开始强调殖民化的文化方面，其中包括摩洛哥的社会科学著作主要用法语写作这一事实。阿拉伯语的社会学著作（很少有实地调查，更多的是关于社会秩序的伊斯兰基础的理论著作，或重建摩洛哥历史的理论著作）着力于强调摩洛哥学术生活在语言上的两极分化。

相对于他们的不同之处，埃及和摩洛哥的社会学家还具有更多共同的东西，那就是在反对殖民化变革的历史逻辑下，他们建构了一种身份认同变革的正相对立的范式。其方案的改革主义结构，塑造了他们同权力、合法性以及他异性之间的关系。在这两个国家中，这些紧张状态的汇合在社会学中产生了危机，但与其说是身份认同危机，不如说是行为系统的危机，以及塑造身份认同这一目标所形成的表达系统的危机。只有放弃本质性身份认同这一特权，只有将埃及和摩洛哥重新引入社会科学的国际化进程（不再仅仅限于同西方的关系，也不再充当实验场地的角色，相反，而是作为关于自己社会和其他社会的知识的创造者的时候），这种危机才会停止。

（王希　译　张伯霖对法文注释作了校对）

26

466

非洲的社会科学

欧文·希霍恩

自欧洲探险家最初开始研究非洲以来，这块大陆就成了各种理论的试验场。这些理论对科学总体上的发展，特别是社会理论的发展，都起了非常重要的作用。社会文化人类学家、经济学家以及政治学家在非洲所进行的研究，已经提出了一些对各学科极为重要的概念和理论。社会科学对非洲的影响也同样深远。从殖民时期起，政策制定者和发展规划者就试图将社会科学作为实行社会变革的一种手段。非洲人对社会科学各学科的发展（即本章的主题）极大地受到了所有这些努力的影响。

非洲社会科学的著作家们可以分成两个相互辩论的阵营。第一个阵营由非洲中心论学者组成，他们正在全神贯注地纠正知识创造中的不平等权力关系。他们试图表明，除传授知识的传统科学外，还有其他获取知识的途径。他们还试图揭示，非洲的知识体系被排除在大学课程设置和科学史之外，而且非洲的学术在全球学术界遭受边缘化。[1] 另一个阵营则没有重视这些权力关系的重要性，而是主张建立一个普遍的、非洲人也能在其中发挥作用的科学知识创造体系。[2] 由于缺乏共同语言，这两个阵营的交谈实际上是话不投机，就陷入争论的非对话（nondialogue）当中。我不想在这种论战中采取某种立场，而只想讨论一下双方都必须予以重视的非洲社会科学的一些特征。

467

我的讨论分为三个部分。第一部分回顾非洲高等教育和社会科学研究在殖民地时期的历史，重点是教学和研究机构在当时建立的社会条件以及殖民遗产的长期影响。接着，我将审视单个社会科学学科，找出在非洲的研究所取得的一些成果以及非洲对诸学科所产生的各种各样的影响。最后一部分讨论 1980 年之后的非洲经济、政

〔1〕 Thandika Mkandawire，《非洲的社会科学：打破地方界限、达成国际存在》（The Social Sciences in Africa: Breaking Local Barriers and Negotiating International Presence），载于《非洲研究评论》（*African Studies Review*），40（1997），第 15 页～第 36 页；Paul Tiyambe Zeleza，《制造中的非洲研究和危机》（*Manufacturing African Studies and Crises*, Dakar: CODESRIA, 1997）；Jacob F. Ade Ajayi, Lameck H. K. Goma 和 G. Ampah Johnson，《非洲高等教育的经历》（*The African Experience with Higher Education*, London : James Currey; Athens: Ohio State University, 1996），第 21 页～第 27 页；Molefi Asante，《非洲中心论观念》（*The Africentric Idea*, Philadephia: Temple University Press, 1998）。

〔2〕 Robert H. Bates, Valentin Y. Mudimbe 和 Jean O'Barr，《非洲和诸学科：非洲的学术研究对社会科学和人文科学的贡献》（*Africa and the Disciplines: The Contribution of Research in Africa to the Social Sciences and Humanities*, Chicago: University of Chicago Press, 1993）。

治危机对大学的影响，表明社会科学在国家控制的大学之外的研究中心将继续欣欣向荣。

殖民遗产

尽管非洲人在当地机构从事社会科学研究可追溯到20世纪60年代，但如果说殖民主义之后的那一代非洲社会科学家是“白手起家”则并不正确。[3] 非洲的大学在历史上是同海外的大学联系在一起的，其教学和研究计划是建立在殖民时期所奠定的基础之上的。肯尼亚社会科学家阿里·马兹鲁伊在他的电视纪录片《非洲人》(*The Africans*)中谈到了非洲的“三重遗产”：土著非洲传统、伊斯兰教传统和西方传统。这种观点并不是第一次被提出。西非有影响的学者爱德华·威尔莫特·布莱登(1832～1912)在讨论殖民地时期非洲的伊斯兰教和基督教时就使用了同样的术语。三重遗产的论题表明对两大宗教的中性(neutrality)的信仰，以及非洲人能够利用这两大宗教来使其社会变得更加美好的信念。[4] 考虑到组成三重遗产的三个传统的不平等性，将其称作两种殖民主义或许更为正确。伊斯兰教传统和西方传统都认为非洲的知识体系是落后的，而西方传统的教育体系已培养出了好几代非洲领导人。这几群改变了宗教信仰的人的著作清楚地表明，西方社会思想比伊斯兰教哲学和非洲传统哲学享有更高的声望。即使是在20世纪末期，当全球社会都愿意接受非西方的医学、艺术和哲学传统时，绝大多数非洲的大学也没有将伊斯兰教学者包括在政治学、社会学或经济理论的课程当中，而是依赖标准的欧美教科书。基督教教会学校对当地的知识发挥着影响力，它们决定了当地知识的哪些方面可以被书写记录下来，因此对非洲知识体系的删除产生的影响最大。不仅当地的历史知识、宗教知识以及其他知识要接受各种形式的审查和净化，就连传教士自身也成了当地知识的监护人。正如一位历史学家所指出的那样，教会学校的教科书取代了当地的长者成了历史知识的源泉。[5]

468

在殖民地社会，教育被高度政治化。许多围绕着采取哪一种教育政策的辩论和斗争成为分裂殖民地社会的热点问题。教育是精英们的事，大部分民众被排除在外。但是，除开始阶段进入秘密社团外，传统的非正式教育仍然与社会化进程结合在一起。尽管非洲的精英们把教育看做是达到上流社会流动性以及同欧洲人平等的一种手段，但殖民地非洲时期政府教育工作者和教会学校则试图控制被殖民化的民众所受教育

〔3〕 Thandika Mhandawire, 转引自 Anders Hjort af Ornäs and Stefan de Vylder,《非洲的社会科学：非洲社会科学研究发展理事会在泛非合作中的作用》(*Social Sciences in Africa: The Role of CODESRIA in Pan-African Cooperation*, Stockholm: SAREC, 1991)。

〔4〕 Ali A. Mazrui,《非洲人：三重遗产》(*The Africans: A Triple Heritage*, New York: Little Brown; London: BBC Publications, 1986); Valentin Y. Mudimbe,《非洲的发明：灵知、哲学和知识的次序》(*The Invention of Africa: Gnosis, Philosophy, and the Order of Knowledge*, Bloomington: Indiana University Press, 1988), 第115页。

〔5〕 Andrew Roberts,《奔巴史：1900年以前赞比亚东北部政治发展和变迁》(*A History of the Bemba: Political Growth and Change in North-eastern Zambia before 1900*, London: Longman, 1973), 第30页。

的性质和水平。殖民地劳动力的社会分工是建立在种族基础之上的，反对殖民教育政策的人批评说，将非洲学生排斥在高等教育之外是企图将非欧洲人限定在手工劳动。殖民地社会的这种分工复制了宗主国体系下的分工。在这种分工下，欧洲国家是工业中心和智力中心，殖民地从遥远的地方供应原料和原始数据。非洲在知识创造中的作用就是提供在欧洲进行处理的原始数据。

所有宗主国列强们都把它们的殖民地当做各种科学研究和实验的实验室。欧洲探险家和冒险家竞相“发现”这块大陆腹地的河流、湖泊、山脉以及瀑布的同时，对非洲人的人体测量的研究以及对其社会的民族志的调查也很快发展起来。这项科学工作同确立政治区域、绘制地图以及对殖民地臣民人口进行的研究是紧密联系在一起的。在 1885 年至 1886 年的柏林会议上，欧洲列强瓜分非洲大陆和随意设立边界和国家时，这样获得的知识却在很大程度上被忽略了。殖民地的这些边界给殖民管理者们带来了种种问题。在有着巨大文化差异的地区，他们面临着建立官僚管理机构的困难任务。许多身份同一性问题、民族主义问题以及原生民族主义问题，仍持续地困扰着非洲发展，同时也激发了政治学、人类学、经济学的研究。所有这些，加上当地研究能力的缺乏，都是这段殖民历史的遗产。

整个 19 世纪，地理学家、社会文化人类学家、经济学家和其他科学家在殖民地非洲所做的工作几乎无一例外都是由欧洲人进行的，几乎没有任何非洲的知识分子。美国主要大学的研究人员直到第二次世界大战之后才对非洲发生了浓厚兴趣。在非洲知识分子当中——为数不多的来自独立国家利比里亚和埃塞俄比亚的非洲学者，大西洋沿岸非洲殖民地富裕的克利奥尔家庭（Creole families）成员以及伊斯兰教传统的学者——没有一位对社会科学的发展做出过任何重大贡献，发展社会科学是欧洲知识贵族的专门任务。

469

非洲精英小群体中的一些成员游历到欧洲并在那里上大学，但他们的人数寥寥无几。相比之下，教会教育的著名批评家爱德华·威尔莫特·布莱登却离开了西印度群岛圣托马斯岛上的故乡来到利比里亚接受在美国无法得到的教育，他曾被美国的罗格斯大学（Rutgers University）拒绝入学。[6] 布莱登被认为是第一位拥护泛非主义、具有对黑人文化传统自豪感和“非洲个性”观念的作家。作为一名“殊相论者”（particularist），他宣称土著观念在非洲发展中具有特殊作用，但他也认为殖民化是将非洲提升到文明的一种方式，尤其是通过英语这个中介。[7] 对布莱登和他同时代的人来说，西方教育的异化问题并不比殖民主义的种族歧视问题重大。因此，来自殖民地的非洲学者们专心于他们生活和工作中的各种政治事件，主要关注的是民族解放的目标。布莱登之后，许多其他北美和西印度群岛的非洲裔知识分子都加入了非洲对话，

〔6〕 见 Ajayi, Goma 和 Johnson 编，《非洲经历》，第 18 页～第 19 页。
〔7〕 Mudimbe，《非洲的发明》，第 103 页。

一些人生活工作在非洲,直接影响着一代代更为年轻的非洲学者。共同的祖籍、共同的殖民主义的经历,以及对泛非统一的渴望,使得他们也体验了殖民地知识分子在西方社会所经历的身份同一性危机。

具有讽刺意味的是,正是在欧洲求学期间,那些受过教育的精英当中的一些成员才开始第一次欣赏和重视非洲文化。对黑人文化传统自豪感运动的创始人,如塞内加尔的列奥波尔德·塞达·桑戈尔(1906～2001),是从欧洲的非洲学家那里认识非洲的。桑戈尔的对黑人文化传统自豪感学说,特别是他在直觉的非洲文明和理性的希腊文明之间所做的对比,受到了莱维-布吕尔的关于原始智力的著作的影响,也受到他曾参加过的法国人类学家马塞尔·格里奥尔关于非洲文化演讲的影响。[8] 相比之下,曾在伦敦大学学习的乔莫·肯雅塔运用他童年的亲身经历来阐述吉库尤族(Kikuyu)文化,这一点我们稍后还会提到。桑戈尔倾向于从总体上阐述黑人文化,而没有提供任何一个特定的非洲社会的详细知识。肯雅塔和桑戈尔之间的区别或许反映了英法教育体制以及殖民主义政策的不同,但非洲人在伦敦或巴黎遭遇欧洲知识霸权时所感受到的不自在则几乎没有什么区别。[9] 在欧洲城市中,他们感觉到在知识创造过程中被边缘化,于是开始同激进的欧洲人建立了联系,其中的一些人是反对殖民统治的。因此,尽管大多数受过教育的非洲精英仍然对他们西方老师的自由政治哲学忠心耿耿,但许多非洲学生变成了反对殖民主义的积极分子。只要非洲的图书馆和大学的设施没有西方的好,那么很多非洲学者就仍然要背井离乡,去西方寻求有关自己的知识。

470

在移民人口较多的非洲殖民地,欧洲人很早就开始了科学研究。他们在殖民地建立了教学和研究机构以便为移民社会的经济和文化需要服务。在南非,人们很早就认识到了科学研究对于殖民地现代化的重要性,政府聘用科学家研究殖民地社会各种各样的问题。为讲英语的南非人设立的开普敦大学始建于1829年,为讲阿非利卡语的南非人设立的斯泰伦博什大学(Stellenbosch University)始建于1866年,而为黑人学生建立的黑尔堡学院(Fort Hare College)也可追溯到1916年。1948年国民党掌权和实施歧视性的班图教育政策之前,黑尔堡是英属南部非洲和东部非洲殖民地受过教育的非洲精英的主要学术中心。

斯泰伦博什大学不仅适应了阿非利卡人的文化、神学和农业科学的需要,而且逐渐变得重要起来。国民党总理、种族隔离制度的理论家亨德里克·维沃尔德(1901～1966),曾担任该校的应用心理学教授至1932年,担任社会学和社会福利救济工作教授至1937年。生于荷兰并在德国大学接受教育的维沃尔德,是一名忠实的阿非利卡

[8] Andrew D. Roberts,《非洲的矛盾倾向》(African Cross-currents),载于 Andrew D. Roberts 编,《剑桥非洲史》第7卷《1905～1940》(*The Cambridge history of Africa*, vol. 7: *From 1905—1940*, Cambridge: Cambridge University Press, 1986),第261页。

[9] Mkwandawire,《非洲的社会科学》,第103页。

民族主义者，怀有强烈的反英、反犹太人（anti-Semitic）以及种族主义的观点，这些从其社会科学中可以反映出来。维尔沃德是班图教育政策的设计师，国民党利用这项政策系统地剥夺了南非黑人使用国家最好的教育设施的权利，将他们送往在黑人家园的低标准的民族教育机构。在这些机构中培养出的非洲知识分子发现自身陷入了一种禁止他们充分参与科学研究和发展的体制。班图教育是种族隔离制度的一个核心组成部分，该制度认为，每一种族应当独立于其他种族发展，维尔沃德这样的阿非利卡社会科学家就试图证明这一点。

471　在非洲其他地方，殖民教育的发展各不相同。缺乏欧洲定居者使得一个受过教育的非洲精英阶层得以出现，尽管这一进程在所有的殖民地都受到了传教士和行政官员的阻挠，他们的教育政策与阿非利卡民族主义者的教育政策是类似的。当地的非洲精英为建立一所以英国的大学为原型、由非洲人掌管的世俗机构进行了斗争之后，教会传教学会于1826年在塞拉利昂的弗里敦建立了一所贸易培训机构——福拉湾学院（Fourah Bay College）。1876年，该学院并入达拉谟大学（University of Durham）。[10] 尽管埃塞俄比亚的非洲基督教学术史及其著述体系的历史很悠久，并且它也不是任何一个欧洲列强的殖民地，但只是到20世纪30年代才建立起了第一所国立大学。埃塞俄比亚的大学体系和课程设置以欧美传统为基础，其设计与海外的原型相比也毫不逊色。

独立的基督教会有时同大学一道，成为滋生孕育原生民族主义观念的反殖民主义情绪的场所。由于拒绝对《圣经》进行殖民主义和欧洲中心论的解释，以及传教士未能与他们的非洲教友经常进行交流，因此支持犹太复国运动者的教会和埃塞俄比亚的教会都倾向于将它们的目标扩展到民族或国家自由之外，并支持泛非解放。福拉湾学院的导师詹姆斯·约翰逊（1835～1917），因其著作推进了一个独立于欧洲控制的泛非基督教国家的观念而受到了第一届泛非大会的尊敬。[11] 尽管伊斯兰教也是全球性的宗教，但伊斯兰抵抗运动，如1927年成立的埃及穆斯林兄弟会，似乎更具民族性，更关注当地的问题。[12]

因此，直到20世纪60年代获得独立，科学研究掌握在欧洲人的手中，非洲知识分子对社会科学研究的贡献并不显著。赢得独立之后，教育部门的规模以及大学入学的规模都在快速增长。不仅非洲国家的政府建立了许多国立大学，而且留学奖学金，主要是到美国，也可以广泛地得到，因为全球权力集团互相竞争，要在这些新兴国家的年

〔10〕 Ajayi, Goma 和 Johnson 编，《非洲经历》，第21页～第27页。

〔11〕 E. A. Ayandele，《独立以来的非洲》（Africa since Independence），John D. Omer-Cooper, Emmanuel A. Ayandele, R. G. Gavin 和 Adiele. E. Afigbo 主编，《现代非洲的形成（1800～1960）》第2卷《19世纪末至现在》（*The Making of Modern Africa, 1800—1960*, vol. 2: *The Late 19th Century to the Present Day*, London: Longman, 1971），第379页。

〔12〕 Ali A. Mazrui 和 J. F. Ade Ajayi，《非洲哲学和科学的趋势》（Trends in Philosophy and Science in Africa），见 Ali A. Mazrui 编，《1935年以来的非洲：联合国教科文组织非洲通史》（*Africa Since 1935: The UNESCO General History of Africa VIII*, Berkeley: University of California Press, 1993），第8卷，第668页。

轻领导人中间赢得影响。非洲各国政府将大学看做是用于社会变革的培训和研究机构，并优先进行以发展为导向的研究和教学项目。自然科学和工程学被认为比社会科学更重要，因而吸引了更优秀的学生和更多的资助。然而，非洲学者和非洲学家们在社会科学研究方面也迎来了成绩卓著、硕果累累的一段时期。

资产阶级经济学、发展经济学和政治经济学

独立后，经济学被用来计划、实施和评估各种发展项目。自20世纪四五十年代以来，当欧洲殖民列强开始实施已安排好的计划时，经济思想的这种功用就已被付诸实施。在尽可能快地发展这一愿望的激发下，它已变成了刚刚独立的非洲各国政府工作的核心部分，也得到了国际机构的支持。联合国发展的十年（20世纪60年代）将国际专家带到非洲工作，经济学家在大学和开发机构中做出了同样多的研究。因此，政府、世界银行和大学研究人员紧密地互相影响着。

在新独立国家中，凯恩斯经济理论和马克思经济理论为许多独立之后的发展规划提供了理论基础。在许多非洲国家将现有的工业国有化或者建立国有进口替代工业的同时，大学则开始培训经济学家以便规划和实施国家的发展，并对国有企业的经理们进行企业管理技能的培训。这些经济学毕业生是国家官员而不是企业经理。相比之下，在罗德西亚（津巴布韦的旧称——译者注）和南非有移民定居的殖民地的大学中，却讲授一门与会计学相结合的不同的经济学。欧洲移民们忙着建造着资本主义工业和农业的飞地。他们的家庭农场、采矿企业以及制造工业需要企业管理人员、销售经理和其他商业专业人员。

由于参与了各种发展规划，非洲学家们对经济学各派别的贡献是非常巨大的，尽管经济发展是非洲遭受失败最为深刻的一个领域。[13] 社会主义和资本主义意识形态之间的论战对大学的教学和科研项目产生了影响，并激发了经济学思想。“资产阶级经济学”（Bourgeois economics）被看做是资本主义导向的现代化学派的核心组成部分，而明确地阐明了依附论和马克思政治经济学的左派经济学家们则认为它是帝国主义的一种工具。非洲为社会主义和资本主义发展道路的比较研究提供了机遇，也为在农业发展、工业化和经济发展中走资本主义道路的倡导人和走社会主义道路的倡导人之间的辩论提供了一个场所。

关于发展最为精彩的研究来自东非的意识形态论战。1967年，坦桑尼亚发起了“乌贾马”（Ujamaa）社会主义实验并开始实行一项集体自力更生的政策。20多年后，乌贾马被放弃并被普遍认为是一项失败的实验。然而，它的的确确使得学生和更为有

〔13〕 Paul Collier,《非洲和经济学研究》（Africa and the Study of Economics），见 Bates, Mudimbe 和 O'Barr 编，《非洲和诸学科》，第58页～第82页。

经验的研究人员从事了大量的关于发展战略的政治、经济和社会学研究。[14] 坦桑尼亚的和居住在国外的研究人员不仅仔细研究了坦桑尼亚的乌贾马实验,还把它同肯尼亚的资本主义模式进行了比较。就坦桑尼亚自身而言,国企和私企之间的区别、中国的援助和西方国家的援助的影响,都被细致地加以研究并被加入了有关发展研究的著述中。也许,对这些研究活动最有影响的贡献来自经济史学家沃尔特·罗德尼,他利用拉美的依附论和芝加哥培养的经济学家安德烈·冈德·弗兰克的欠发展理论来解释非洲为什么欠发达。[15] 20 世纪七八十年代在坦桑尼亚所做的研究同新左派学者当时正在欧洲和美洲所进行的工作密切相关,因此它既是一项国际性的努力,也是一项国家性的努力,而且同样具有重大意义的是,来自好几个国家的非洲社会科学家们第一次参与了这一富有创造性的研究和辩论过程。

发展经济学的其他思想脉络来自威廉·亚瑟·刘易斯的工作。刘易斯出生于圣卢西亚(St. Lucia),曾担任许多非洲和加勒比国家政府的顾问,1963 年被授予骑士头衔,1979 年与他人共同获得诺贝尔经济学奖。[16] 刘易斯的经济理论显然来自他在非洲的工作。他的工业发展理论建立在劳动力无限供给的基础之上,试图绘制一条这样的路线图:通过有计划的工业化手段摆脱经济落后。刘易斯提出高工资会降低经济增长和外国投资。他的廉价劳动力理论被用来决定一些非洲国家政府的工资政策,尤其是那些雇佣国际劳工局顾问的国家。劳动力后向倾斜供给曲线(backward-slopping supply curve for labor)概念表明高工资实际会降低劳动力供应,被用来证明沿用殖民时期工资政策的正确性。[17] 正如刘易斯的批评家们指出的那样,这种方法几乎没有注意非经济性的国家干预,这些干预使得殖民时期非洲的工业不可能发展。埃及经济学家萨米尔·阿明将“作为劳动力储备的非洲”的经济停滞归因于流动劳工的低工资和土地转让的共同作用。[18] 从政治层面上来看,对新独立的国家来说,刘易斯的方法实行起来很困难,因为在许多情况下,民族主义政治家们正是通过强调殖民政权的歧视性工资政策来获得支持,反对殖民统治。20 世纪 90 年代,赞成和反对外国投资的理由、低工资和高工资以及刘易斯首先提出的劳动密集型和资本密集型的生产方式,仍处在辩论当中。

474

非洲经济学家们也在努力消除政治巴尔干化对市场的限制性影响。许多泛非主

[14] L. Adele Jinadu,《社会科学和非洲的发展:埃塞俄比亚、莫桑比克、坦桑尼亚和津巴布韦》(*The Social Sciences and Development in Africa: Ethiopia, Mozambique, Tanzania and Zimbabwe*, Stockholm: Swedish Agency for Research Co-operation with Developing Countries, 1985),第 96 页～第 131 页。

[15] Walter Rodney,《欧洲是如何使非洲欠发达的》(*How Europe Underdeveloped Africa*, Dar es Salaam: Tanzania Publishing House, 1972)。

[16] Mazrui, Ajayi,《非洲哲学和科学的趋势》,第 656 页～第 657 页。

[17] C. C. Wrigley,《经济史诸方面》(Aspects of Economic History),载于 Roberts 编,《剑桥非洲史》,第 123 页～第 124 页。

[18] W. Arthur Lewis,《无限劳工供应下的经济发展》(Economic Development with Unlimited Supplies of Labour),载于《曼彻斯特学报之经济和社会研究》(*Manchester School of Economic and Social Studies*),22(1954),第 139 页～第 191 页;Samir Amin,《黑非洲的欠发展和依附》(Underdevelopment and Dependence in Black Africa),载于《现代非洲研究杂志》(*Journal of Modern African Studies*),10(1972),第 503 页～第 524 页。

义政治家将经济一体化放在了非洲解放最显著的位置，但当他们一旦成为总统，就意识到实施起来非常困难。建立一体化经济失败的尝试包括：加纳－几内亚联盟、纳赛尔统治下的埃及为首的阿拉伯联合共和国、1959年的马里－塞内加尔联盟，以及东非共同体。设在亚的斯亚贝巴的非洲经济委员会（Economic Commission for Africa, 简称ECA）的经济学家或许比任何其他人走得都远，他们试图制定一项非洲经济一体化政策。在阿德巴约·阿德德吉教授的带领下，非经委经济学家的一个小组制订了“拉各斯行动计划”，成为非洲经济一体化最重要的蓝图。尽管该计划得到了非洲统一组织（Organization of African Unity, 简称OAU）各国元首的支持，但归根到底并没有得到实施，因为非经委影响政府政策的能力非常有限。非经委经济学家的对手——替世界银行工作的经济学家们则抛弃了不合实际的国家计划和经济联盟，他们身后有国际金融机构的影响力，因此能够直接干预非洲的中央银行和计划部。尽管非洲统一组织用来实施“拉各斯行动计划”的机构依然存在，但该计划已被束之高阁。

随着非洲社会主义实验的终结，国有企业被解体，大多数经济学家的研究兴趣转向了对结构调整政策的研究。与此同时，激进学术的衰落为经济学中自由主义传统的繁荣提供了空间。20世纪90年代，为国际金融机构工作的非洲人以及设在内罗毕的非洲经济研究共同体的研究人员的影响尤为重大。占据主导地位的研究领域包括：非正式部门、家庭经济学、将女权主义的理论引入经济理论、土地改革经济学以及市场自由化经济学。1980年之后，政治经济学处于衰落之中，但还没有被完全消除。这一点我们将在后面的章节中看到。 475

政治学与后殖民主义国家

与经济学相比，政治学是一门更具冷战色彩的社会科学，不仅是这一领域吸引了绝大多数美国的非洲学家，而且它也是新独立的非洲国家的快速政治变革提出挑战最多的一个学科，因此需要持续不断的研究。取代独立时期建立起来的多党议会制的军政权和一党制国家往往不稳定，非洲观察人士努力去理解统治不同国家的社会主义的、君主制的以及其他政权所组成的复杂混合体。与经济学或文化人类学中有关非洲的研究相比，政治学中关于民族冲突、腐败、代理人制以及新世袭制这些问题的研究，多年来已产生了更多的与美国相关的博士论文。[19]

就非洲自身而言，领导了独立斗争的民族主义领袖们提出了许多具有创造性的政治理论。两次世界大战的暴虐引发了在欧洲的非洲士兵和学生们对西方文明的怀疑。由于教育和通信系统的改善，他们返回非洲后就能够动员民众反对殖民主义，他们的

〔19〕 Michael Chege 和 Goran Hyden，《研究和知识：社会科学》（Research and Knowledge: Social Sciences），载于 John Middleton 编，《撒哈拉以南非洲百科全书》（*Encyclopedia of Africa South of the Sahara*, New York: Scribner's, 1997），第596页～第601页。

民族主义观念渗透到了工会、大众政党以及普通民众。争取独立的斗争使不同背景的非洲知识分子更激进和政治化,并把他们转变成了政治思想家。因此,佛得角的农学家阿米卡尔·卡布拉尔(1924～1973)在几内亚比绍领导了反对葡萄牙殖民主义的武装斗争。他的关于非洲需要更正其历史的革命理论以及他对农村人口的族体和文化资源的分析,成为在非洲具体情况下运用马克思主义的重要典范,并在大学的政治科学教程中被讲授。

出生在马提尼克岛(Martinique,位于拉丁美洲——译者注)的阿尔及利亚心理学家弗朗茨·法农(1925～1961)也是一位对激进非洲政治学家们产生过重要影响的人物。他有关殖民暴力会对受压迫人民心灵产生持久影响的观点,以及关于革命暴力的情绪宣泄作用的观点,就连黑豹党(Black Panther Party)里的非洲裔美国激进分子也仔细研究过。在非洲,他关于城市流浪无产者的革命潜力的观点,对政治理论和政治实践产生了持久的影响,像利比里亚和塞拉利昂这些国家中的青年政治激进主义分子发动的许多反叛就反映了这一点。法农关于非洲统治阶级与生俱来没有能力通过仿效欧美来发展这块大陆的猜测性著作,仍然在激励着非洲的政治科学家发展后殖民主义国家的种种理论。

476

20世纪70年代,一党制国家的非洲马克思主义的变体,由前葡属殖民地的民族解放运动的激进化和贝宁、埃塞俄比亚、刚果(布拉柴维尔)的亲苏政权转变而来。在非洲的背景下,对政党政治进行创造性的马克思主义分析并不多见。激进的非洲知识分子在分析非洲政治时往往利用毛泽东思想或列宁主义的关于先锋党和工农联盟的观点,这取决于他们的意识形态是倾向于中国还是苏联。

加纳总统夸梅·恩克努马(1909～1972)、坦桑尼亚总统朱利叶斯·尼雷尔(1922～1999)以及赞比亚总统肯尼斯·卡翁达(1924～)作为非洲社会主义思想家本身都是很有影响力的。恩克努马是忠诚的泛非主义者,他的著述主要关注的是新殖民主义威胁,以及泛非主义者如何才能反击它。在执政不到十年后,恩克努马就被军事政变推翻,其影响也略微减弱。另一方面,尼雷尔和卡翁达幸免于政变阴谋,统治他们的国家超过20年。他们试图推行非洲社会主义并著书立说阐述其哲学,但两人都在有生之年看到了非洲社会主义梦想的破灭。

具有讽刺意味的是,这些国立大学的奠基者并没有对他们的社会科学家的工作给予太多的重视。尼雷尔的非洲"乌贾马"被认为是建立在传统亲属关系结构基础之上的。但是,与来自达累斯萨拉姆大学的政治经济学家的研究相比,他在道德基础上对资本主义所做的批评与莎士比亚的《威尼斯商人》中——尼雷尔曾将其翻译成了斯瓦希里语(kiswahili)——所表现出的批评更为相似。[20] 类似地,尼雷尔关于一党民主国家的模式也不是基于他对非洲政治体制的知识,甚至也不是基于非洲或欧洲学者的主

〔20〕 Mazrui 和 Ajayi,《非洲哲学和科学的趋势》,第674页。

要研究,而是基于盖伊·克拉顿－布罗克的一部很少有人知晓的著作。这部著作将民主简化为非洲式的意见一致的政治:“长者们坐在大树下交谈,直到取得一致。”[21]

达累斯萨拉姆大学对尼雷尔这样的领袖们正在建立的后殖民国家的性质进行了辩论。他们的研究可以被描绘成将马克思主义理论应用于非洲的具体情况。乌干达的亚什·坦登在其收集的达累斯萨拉姆大学的论文集中对其做了总结。这些研究记录了这种创造性的力量,它在20世纪70年代吸引这所大学,并在非洲的政治科学以及东非的政治发展中留下了它的印记。[22] 乌干达总统约韦里·穆塞韦尼发动起义反对伊蒂·阿明和米尔顿·奥博特时,他的一些灵感就来自弗朗茨·法农对暴力的分析,穆塞韦尼在达累斯萨拉姆大学学习期间曾论述过它。[23] 南部非洲和东部非洲不同国家的许多政治领袖们都参加了20世纪70年代大学里的辩论,当时达累斯萨拉姆大学是政治流亡者的避难所。

477

尽管肯尼亚的政治科学家阿里·马兹鲁伊不属于达累斯萨拉姆大学的非洲学者的激进派,但他的许多著作都集中论述去殖民化进程,并就非洲的解放表现出了与那些激进的政治科学家们类似的关心。他还发展了许多针对非洲的分析模式,应用于诸如性别、暴力、国际关系和文化这些广泛的领域。

20世纪80年代,非洲社会主义实验被放弃预示着苏联社会主义行将发生的垮台,政治学也随之出现了一个转变。曾利用冷战从两大权力集团那里获取援助的一党制国家和军人执政的国家,发觉自身面临国内外要求民主化的压力。在那种背景下,现代化学派变得更为突出,许多美国培养的政治学家都在这一学派中工作。现代化理论家们自身也转变了立场:他们曾经将军官们看做是实现现代化的精英,现在则认为良好的政府管理和民主化对经济发展至关重要。[24] 现代化学派还对新世袭国家的保护者－受保护者的(主从)关系(patron-client relationships)的作用、部族主义和民族关系对政党政治的影响以及民主化和经济发展之间的关系进行了研究。尽管对后殖民国家的关心并没有减少,但对此之外的公民社会以及其他进程的关注一直持续到了20世纪90年代。政治学家的工作已经同社会文化人类学家、心理学家以及经济学家的工作日益发生重叠。

[21] D. W. Nabudere,《非洲一党制国家及其采用的哲学根源》(The One Party State in Africa and Its Assumed Philosophical Roots),载于 Peter Meyns 和 Dani Wadada Nabudere 主编,《民主和非洲的一党制国家》(*Democracy and the One Party State in Africa*, Hamburg: Institu für Afrika-Kunde, 1989),第2页。

[22] Yash Tandon 编,《达累斯萨拉姆大学关于阶级、国家和帝国主义的辩论》(*University of Dares Salaam Debate on Class, State and Imperialism*, Dar es Salaam: Tanzania Publishing House, 1982)。

[23] Yoweri Museveni,《法农的暴力理论:在被解放的莫桑比克的验证》(Fanon's Theory on Violence: Its Verification in Liberated Mozambique),载于 Nathan Shamuyarira 编,《南部非洲解放论文》(*Essays on the Liberation of Southern Africa*, Dar es Salaam: Tanzania Publishing House, 1971),第1页～第24页。

[24] Goran Hyden,《政治学和非洲研究》(Political Science and the Study of Africa),见 Middleton 编,《非洲百科全书》,第429页～第431页。

社会学与社会文化人类学

在后殖民时代的非洲,也许争议最多的社会科学就是社会文化人类学。它的历史与殖民主义的历史如此紧密地联系在一起,对它的研究和教学与殖民政府的需要如此密切,以至于许多非洲人仍将其看做是欧洲统治的一种工具。尽管许多杰出的人类学家从个人的角度来说也极力反对殖民主义,尽管在非洲所进行的研究也帮助社会科学家来提炼社会理论,但这些事实并没有改善人类学在非洲学者眼中的地位。社会文化人类学作为殖民政府的一种工具,在许多诸如习惯法和部族权威这些关键领域发挥其有效性,但它也让非洲人反感,因为它是关于原始社会、非洲人的饮食、宗教信仰以及政治体系的研究,实质上是一门热带社会学,专门研究原始宗教仪式的符号性分析、城镇背景下部族主义、现代背景下传统和落后的持续存在。社会学家将此与欧洲农民社会的现代化进行比较,只会加深种族歧视的观点。

在殖民统治时期,欧洲社会文化人类学家迎来了以非洲为中心的研究和理论的黄金时期。E. E. 埃文斯 - 普里查德对巫术和魔力的研究,马克思·格卢克曼对法律体系的研究,乔治·巴朗迪埃、克莱德·米切尔和本特·松德克勒对城市化、现代化和非洲基督教的研究,都成为这一学科中的经典题目。非洲研究不仅有助于欧洲人建立“**他者**”(the Other),而且还可以做一些比较,来看当地对西方文化做出的反应,如在独立非洲教会和太平洋上的船货崇拜之间的比较。

在殖民统治时期研究社会文化人类学的为数不多的非洲人当中,几个政要非常突出,如肯尼亚开国总统乔莫·肯雅塔、莫桑比克民族主义者爱德华多·门德拉恩以及加纳总统科菲·布西亚。肯雅塔在伦敦经济学院是布罗尼斯拉夫·马林诺夫斯基的学生,他写了一本书《面对肯尼亚山》(*Facing Mount Kenya*, 1938)主要表达吉库尤文化民族主义。按照其老师的英国传统来看,这本书不是一本民族志,而是一本民族主义的人类学著作,它像民族主义语言一样在身份政治学中发挥着重要的作用。[25]

独立之后,人类学在许多非洲大学里被降级为社会学的一个次级学科,一些机构在其教学或研究项目中都不包括人类学。许多社会学系为本科生讲授农村社会学、城市社会学、工业社会学和理论社会学课程,都与社会福利工作和人口统计学联系在一起。这就意味着同其他社会科学的情况相比,非洲的人类学研究在更大程度上主要是由欧美的非洲学家进行的。20 世纪 70 年代,对于政治经济学的兴趣引发了关于生产模式的一些讨论,这些模式是建立在社会文化人类学家所做研究的基础之上的,但对人类学的观点仍然持否定态度。八九十年代,对全球化问题的研究不断地模糊了学科之间的界限,崇尚跨学科方法的研究人员研究了诸如权力、贫困、民主化、性别和性行

[25] Jomo Kenyatta,《面对肯尼亚山》(*Facing Mount Kenya*, London: Heinemann, 1979)。

为、种族和民族同一性、传染病和其他与健康相关的问题。社会文化人类学所特别宣称的自己是建立在长期野外工作基础之上的社会科学,似乎不再站得住脚。旷日持久的田野工作的高昂费用也意味着人类学家利用了可替代的研究方法,从而产生了一门更具个人色彩、更具思辨性和文学性的民族志,然而对非洲读者来说,它与古老的部落民族志相比更没有什么吸引力。

南非杰出的人类学家戴维·哈蒙德-图克1997年对南非人类学派的评论中提到,南非人类学的未来取决于黑人学者在多大程度上被吸引到这门学科上来。[26] 也许,黑人学者会对这样一种人类学方法产生兴趣,它能够回答与他们自身生活息息相关的种种问题。20世纪90年代,强调民族身份同一性的人类学研究吸引了黑人学者的目光。在埃塞俄比亚,挪威援助的一个新的社会文化人类学硕士学位计划表明,非洲对人类学的态度正在发生着变化。[27] 民族学所包括的各门科学,被看做是解决埃塞俄比亚政权所称的"民族问题"(the national question)的宝贵资源。树立和界定身份的愿望也推动着非洲知识分子关注"在寻求建立有关非洲思想和社会之精华的新理论的过程中,对经典的民族志进行研究和再解释"。[28] 这一愿望就在对自我鉴定的能强烈感受到的需要中,不会存在于其他方面。

从国立大学到区域性研究网络

在关于发展的著作中,20世纪80年代被称作"失落的十年"。殖民地时期形成的传统经济出口商品价格的下跌以及民主政权的缺乏,导致了非洲长期的政治和经济危机,对大学造成了很多的损失。在欧美,费用的上涨和物资的减少影响到了对研究的资助;但在非洲,则导致了作为研究和教学中心的大学的衰落。此外,统治阶级不仅可以挪用科研基金、扼杀学术自由,甚至剥夺学生和教职工的生命,而且还免受惩罚。因此,独立头20年所取得的成就随之丧失。最优秀的教授移居海外,由于政治冲突或物资匮乏,大学频繁地被关闭。 480

为了扭转这种衰落的局面,在国外并没有寻找到更好机遇的一些学者,仍在海外捐助者资助的全国性的和泛非研究网络中进行研究。大学里不再常有的研究、出版以及定期的会议,仍被一些组织的成员继续着,如非洲社会科学研究发展理事会(Council for the Development of Social Science Research in Africa, 简称CODESRIA)。它设在塞内

[26] William David Hammond-Tooke,《不完美的解释者:南非的人类学家(1920～1990)》(*Imperfect Interpreters: South Africa's Anthropologists, 1920—1990*, Johannesburg: Witwatersrand University Press, 1997)。

[27] Rene Devisch and Peter Crossman,《咨询人员关于内生化和非洲大学的报告:六所非洲大学的内生化开始阶段的调查》(*Consultants' Report on Endoginisation and African Universities: A Survey of Endoginisation Initiatives at Six African Universities*, Leuven: Africa Research Centre, Department of Social and Cultural Anthropology, 1998),第13页。

[28] T. O. Beidelman,《人类学和非洲研究》(Anthropology and the Study of Africa),载于Middleton编,《非洲百科全书》,第55页～第57页。

加尔，与一些著名学者建立了联系，如埃及的经济学家、第三世界论坛主席萨米尔·阿明、尼日利亚的政治科学家阿黛尔·吉纳杜和克劳德·阿克、加纳的政治科学家伊曼纽埃尔·汉森、马拉维的经济学家坦迪卡·姆坎达维里和南非的社会文化人类学家阿奇·马费杰。实际上，同样是这些人，他们活跃在科研网络和大学教员当中，影响着各自的国立大学和全球学术界对社会科学有限的优先权采取的决策。这些研究网络在一个泛非社会科学团体范围内运作，虽处于形成阶段，但却有效地防止了非洲社会科学研究的完全崩溃。

除非洲社会科学研究发展理事会之外，设在埃塞俄比亚的东非社会科学研究组织(Organization for Social Science Research in Eastern Africa, 简称 OSSREA)，设在津巴布韦的非洲政治学协会(African Association of Political Science, 简称 AAPS)和南部非洲政治经济政策研究所(Southern African Political Economy Series, 简称 SAPES)以及设在内罗毕的非洲经济研究共同体，都由讲英语的国家控制，其研究和教学计划大多是政策导向型的，并依赖于海外的资金援助。与大学不同，他们可以为生产力建设(capacity building)和国家发展做出贡献，而相对独立于国家的干预而运作。1991 年，非洲经济委员会前执行秘书阿德巴约·阿德德吉建立了“非洲第一个思想库”——非洲发展与战略研究中心(The African Center for Development and Strategic Studies, 简称 ACDESS)，为在大学之外的社会科学研究创造了另外一种可能。[29]

20 世纪 90 年代之初的非洲，种族隔离制度的终结以及几乎同时发生的前一党制国家和军政权的民主化，加深人们的这种感觉，即这块大陆的解放最终得以完成。整个非洲大陆出现了一种乐观主义情绪，希望也在传播，因为获得真正的发展已经成为可能。正如 20 世纪 60 年代那样，这是又一个独立的十年。关于非洲的第二次解放，对政权变革的绝大多数分析表明，人们期望的越多，失望来得越快。军政权、一党控制的议会甚至是政府无所作为的国家仍然比比皆是。经济结构调整仍然受制于以华盛顿为基地的经济学家们的压力，而非洲国家的政府执行起来也缺乏热情。

在这样的现实背景下，一些非洲领导人在“非洲复兴”的口号下发起了一场政治运动。这场运动背后的推动力量就南非副总统塔博·姆贝基，* 一位受过训练的经济学家。[30] 要想知道这场运动对社会科学会产生什么样的影响还为时尚早，但迄今，它主要是由文化民族主义驱动的。

本章说明了 20 世纪后期主要的社会工程项目，国家建设和经济发展如何激发和阻碍了非洲的社会科学研究。非洲社会科学的工具主义的姿态被指责危害了基础研究。然而，建立一个更好的现代社会一直是社会科学家们的当务之急，尽管历史为不

[29] Adebayo Adedeji 编，《全世界之内的非洲：超越剥夺和依附》(*Africa within the World: Beyond Dispossession and Dependence*, London: Zed Books; Ijebu-Ode: ACDESS, 1993)。

* 现为南非总统。——译者

[30] Thabo Mbeki，《非洲复兴：南非和世界》，1998 年 4 月 9 日在联合国大学的演讲(The African Renaissance: South Africa and the World, http://www.unu.edu/Hq/unupress/mbeki.html)，1998 年 4 月 9 日。

同的社会带来了不同的问题。[31] 教学和发展规划的质量取决于研究的质量,而研究的质量或许有赖于当今的政治。达累斯萨拉姆大学的经历就证明了这一点。非洲复兴,如果要避免先前变革这块大陆所犯的种种错误的话,就必须找到一个方法来拓宽通向社会科学的道路,而不是限制它。

(李文刚 译)

〔31〕 Jinadu,《社会科学和非洲的发展》,第 11 页。

27

印度的社会科学

帕塔·查特吉

首先，本文大致从轮廓上介绍一下从 18 世纪晚期至今的印度现代社会科学的历史。它起源于欧洲启蒙运动时期的一个关于印度的"发现"的记载，并由此开创了一个印度学研究的新领域。然后，本文还描述了有关印度社会知识的现代学科的一些实践，这其中涉及到一些在英国殖民统治制度之下创立的管理机构，也涉及了印度民族主义运动事业。在本文的最后一个部分，解决的是这样一个问题：后殖民时代学科专业化。关注的重点在历史学、经济学、社会学、社会人类学和政治学等诸学科。

殖民的起源

在印度现代社会知识制度化的早期历史上，有一个决定性的事件，即孟加拉亚洲学会（Asiatic Society of Bengal）于 1784 年在加尔各答成立。其倡导者是威廉·琼斯（1746～1794），在当时，他不仅是东印度公司（East India Company）的一名官员，同时也是那个时代一名颇为专业的语言学家。在之后将近一个多世纪的历史过程中，在对印度这个国家的历史、哲学、宗教信仰、语言、文学、艺术、建筑学、法律、贸易以及生产等知识的鼓动、组织和传播上，亚洲学会一直是主要的机构。在印度工作的那些欧洲学者们，绝大多数都和这个学会有或深或浅的渊源关系。在他们的帮助之下，在现代学术世界里，开辟出一个印度学知识的专门领域。[1]

在语言学的研究中首先要提到的是，在 19 世纪的欧洲，印度学知识对于社会知识的科学学科的发展，变得很重要。那时进行的以波尼尼（约公元前 400 年）的古典文本为基础的梵语语法研究，继续了弗里德里希·冯·施莱格尔、弗朗茨·葆扑和欧仁·比尔努夫这些学者们开拓性的工作，为现代的语言分析提供了一些基础，并且推动了比较语言学领域的发展。对语言间关系的追溯建立起印欧语系的共同特征；而反过

[1] O. P. Kejariwal，《孟加拉亚洲学会与印度过去的探索（1784～1838）》（*The Asiatic Society of Bengal and the Discovery of India's Past, 1784—1838*, Delhi: Oxford University Press, 1988）。

来，在 19 世纪的后半叶，它又产生了关于一个共同的雅利安种族的种种理论，即认为这个种族有两个分支，分别迁移并定居在欧洲和印度。[2]

欧洲印度学家们对于古梵语和古巴利语文本的收集和研究造就了这样观点——印度文明是一个充满哲学和美学雄辩的伟大的古代文明。这些古文本资料的收编和翻译为欧洲语言的工作，最先是由亚洲学会进行的，但是后来，也更为著名的是，由弗里德里希·马克斯·缪勒（1823～1900）收入其主编的《东方圣书》（*The Sacred Books of the East*）系列丛书，使得欧洲知识界有了许多可用的材料来构建称之为“India”的独特鲜明的文明实体。19 世纪，在描述一个历史事件的出现和现代世界的特征时，社会理论的每一个主流都很强调这种实体。英国的政治经济学家和功利主义者，法国的实证主义者，以及庞大理论体系的构建者诸如黑格尔、马克思和韦伯，他们都对如何定义印度在世界历史发展中的定位问题给予了极大的关注。

印度学家们处理的几乎全是“高等”（处于优势地位的婆罗门）传统的宗教、哲学和文学艺术的文本，受此局限，他们创造的印度的形象是极度抽象的。然而，在印度大地上的英国殖民统治者，在继他们的军事征服之后，面临的任务是提高税收和在这块广袤的次大陆上维持统治秩序。而这些任务的执行，意味着需要收集和记录大批的经验信息，这些关于印度巨大区域的巨细之事的信息，经常是由社会工程的项目所形成和提供的。对于 18 世纪的重农主义者，19 世纪的功利主义者和自由主义的改革者，以及 20 世纪的福利论者而言，在社会工程的项目中，殖民地扮演的就是一个实验室的角色。从整体上来说，到目前为止，各种官方信息依然是关于印度社会实际生活的知识和学问的最主要来源。

这些学问的产生和组织有四种主要的形式。最早的是有关**土地税收的历史记录**的文件。在征服孟加拉之后没过多久，英国官方开始汇编详尽的当地的索偿权、官位、权利和特权的历史资料，包括官方的和民间的；还汇编了关于各个阶层的人对土地的使用和分配的历史资料。很快，这些资料成为关于税收历史和土地分配的正式出版的材料，并形成定期出版的丛书，由各区组织，每过 30 年或 40 年更新一次。

官方获取信息的第二种形式是**调查**。早在 1765 年，在英属印度，为了绘制被征服领地的地图，官方就开始采用实地调查的形式了。核心机构是印度调查局（Survey of India），但是，在整个 19 世纪期间，几乎成立了近一打的其他专业化并持续经营的调查组织，它们获取并累积了很多关于印度自然资源和社会文化特征的信息。 484

人口普查是获得殖民地信息的第三种制度化的形式。在首先进行了一次区域性的人口统计的尝试之后，从 1871 年开始，印度人口普查每十年进行一次。普查汇编了英属印度全体国民的各种基本信息，包括年龄、职业、种姓、宗教信仰、文化程度、出生地和当前住所等。普查报告不仅列出了详细的统计信息，还包括了许多的分析性研究

[2] Thomas Trautmann,《雅利安人和英属印度》（*Aryans and British India*, Berkeley: University of California Press, 1997）。

结果,例如关于种姓体系的分析、宗教信仰分析、人口出生率和发病率的分析,以及国内组织和经济结构的分析。这些普查提供了基本的资料,这些资料被众多的官方出版物广泛地使用,例如《帝国词典》(*Imperial Gazetteers*)丛书,几乎收编了英属印度每个地区所有的相关信息,还有《部落和种姓》(*Tribes and Castes*)丛书,在其中,官方学者把印度每个地区的各部落人口和详细的种姓民族志全都整理出来。

第四种形式是**博物馆**,考古学和艺术学的标本,文本以及手稿都被收集和保存在此并供学者使用。第一个大规模的博物馆是1814年在亚洲学会附近建立的。其中的收藏品后来成为1866年在加尔各答成立的印度博物馆(Indian Museum)的核心内容,它也是最重要的皇家博物馆。1874年,考古调查研究会(Archaeological Survey)成立,其目的是为考古场所建档,主持遗址的挖掘,保护历史遗址,在遗址上就地建设博物馆,扩充考古学标本的收藏。[3]

大量已公布的官方信息为欧洲学者们构建系统庞大的印度社会本质的理论架构提供了基础。一般公认,有三种制度可以作为解释印度社会如此持久不变的谜团的关键:种姓等级制度、专制君主制和村落社会。种姓等级制度被认为是在强制施行严格的劳动力分工,从而阻碍了社会的流动性;东方的专制统治意味着沉迷于奢侈消费的权贵阶层单方面从农民群体中榨取过多的财富;而在很大程度上自给自足和自治的村落社会必然导致一种低水平的生存型生产。有人主张,这就解释了为什么尽管上层建筑频繁变动,而印度社会的发展却几近停滞并对这种变化不做任何响应。

民族主义的构筑

485 第一家为印度人学习现代西方知识而开设的正规机构,是1817年于加尔各答建立的印度学院(Hindu College)。在随后的几十年间,西式教育的学院和学校在印度大地上广泛地开花结果。1857年,在孟买、加尔各答和马德拉斯分别成立了三所大学,规范了教学的课程并开始采用统一考试。主要是在民族主义教育家和社会改革者的推动下,19世纪的整个后半叶,中等教育和高等教育有了较大的扩张和发展,开始教授西方现代自然科学和人文科学,并同时采用英语和现代印度语进行双语教学。

到那时为止,尤其在像加尔各答、孟买、浦那和马德拉斯这样的大城市,一个公开讨论社会问题和政治问题的平台已经形成。许多属于新的学术团体或与特殊的杂志和报纸有各种关系的知识分子们,往往热衷于参加这种涉及广泛信息的而且在理论上深奥微妙的讨论。这些公共知识分子中的许多人士以教师或律师为职业,但在20世

〔3〕 Bernard S. Cohn,《殖民主义与它的知识形式:在印度的英国人》(*Colonialism and Its Forms of Knowledge: The British in India*, Princeton, N. J.: Princeton University Press, 1996); C. A. Bayly,《帝国与信息:印度社会的情报搜集和社会交往(1780～1870)》(*Empire and Information: Intelligence Gathering and Social Communication in India, 1780—1870*, Cambridge: Cambridge University Press, 1996)。

纪早期的几十年中,大学各系中还没有正式的社会科学的学科建制,而他们就成为一批先驱者,针对印度的社会问题,写出了具有现代科学知识的作品。

就印度历史作品传统流派而言,主要有两种类型。一种来源于《往世书》(Puranic)中宇宙起源史或梵文神话传统,其中关于神和女神的神话故事,毫无疑问,与世俗王朝史中的国王与王后结合在一起。另一种类型是宫廷历史传统,主要是以波斯语为在印度的穆斯林统治者而写,以编年史的形式将国王和王朝的事迹记录下来。到 18 世纪,这两种类型有时候结合成为区域性的形式——以当地语言写成的关于那些著名的拥有大量土地或从事贸易的家族的谱系历史。

这些形式很快就被取代了。19 世纪晚期,随着西方历史编撰模式的传入并逐渐被认可,新兴印度知识分子的中坚们也开始采用这种方式来为印度编史。孟加拉著名小说家班基姆·钱德拉·查特帕德哈依(1838～1894)在他的讲道词中说道:"我们必须有我们自己的历史!"[4]这很典型地代表了这股推动力量。由印度人主持编写的现代历史主要是在通过与英国人编著的印度历史的对话中出现的,其中最有影响的是詹姆斯·密尔(1773～1836)、蒙斯图尔特·埃尔芬斯顿(1779～1859)和文森特·A. 史密斯(1848～1920)三位的作品。印度的历史学家们被印度学家们关于古代印度/雅利安文明是伟大的这一观念强烈地吸引着,他们大多致力于文字和其他材料来源的寻找发现、鉴定证明以及注疏工作,因为那些资料可以解释早期印度的社会情况。他们坚定的民族主义信念,也导致他们拒绝接受那些关于东方专制君主的怀有偏见的历史归纳,把关于印度研究的主要焦点放在构建一个有充分可信度的历史编年表以及前伊斯兰统治时期的政治王朝大事记上。R. G. 班达卡的《德干的早期历史》(*The Early History of the Deccan*, 1884)和 H. C. 拉柴杜利的《古印度的政治史》(*Political History of Ancient India*, 1923)是这些研究中最为重要的两个例子。20 世纪早期的民族主义的历史学家也关注去揭示早期印度那种有责任的君主政体和地方统治中的代议机制的存在。比较有影响的例子是 K. P. 查耶斯华的《印度政体》(*Hindu Polity*, 1918)和拉特哈·库莫德·穆克奇的《印度根本的统一性》(*Fundamental Unity of India*, 1914)和《古印度的地方政府》(*Local Government in Ancient India*, 1919)。

486

在印度学的构架中有一个较为普遍的比喻,它是这样描述的:紧随着一个有着卓越文明的古代时期的是中世纪的黑暗时期。这一说法得到了许多英国研究印度的历史学家的论述的支持,他们把伊斯兰教统治者描绘成褊狭的、腐化堕落的和极度残忍的。尽管 W. H. 莫兰(1868～1938)促进并率先对莫卧儿帝国时期的资源进行了更加系统的、可靠的利用,但在他全面的记述下的莫卧儿时期的印度仍然像是一个中世纪的暴政,这种暴政一直到英国统治的出现才得以免除。一些研究伊斯兰教统治时期的、很有影响的印度历史学家,如查杜纳斯·萨卡尔和艾萨瓦里·普拉萨德,也遵循了

〔4〕 Bankimchandra Chattopadhyay,《班基姆文集》(*Bankim Rachanabali*, Calcutta: Sahitya Samsad, 1956),第 2 卷,第 337 页。

这种模式。与这种趋势逆向而行的是另外一些历史著作,例如罕默默德·哈比卜(1927～)和K.M.阿什拉夫(1935～)的著作,他们试图把伊斯兰君主和莫卧儿帝国时期描述成印度历史上一个独特的阶段,它拥有自己的经济的、社会的和文化的成就。在这个阶段里,伊斯兰世界的文明因素创造性地与非伊斯兰的文明因素融合在一起,从而产生了一个新的综合体。同时,还有一些历史学家,比如I.H.奎雷西,在他于1942年发表的一篇文章中,强调了印度那些穆斯林君主政体鲜明的伊斯兰教特征,并坚持认为它们是仁慈的、宽容的并有效率的统治体系。[5]

19世纪晚期开始,有关英国统治时期的民族主义的记述开始出现,并且用印度语记述的要比用英语记述的多。与这种情况相伴随,出现了一些新的努力——收集、保护和传播关于地方的和区域性的历史资料,这些努力受到了不同地区的学术团体、文艺协会和诸侯国的支持。以在孟加拉为例,由阿克萨伊·库玛尔·梅特雷亚(1861～1930)所写的第一篇重要的批评性的民族主义的历史文章中,把1757年英国对孟加拉的征服描述成腐败与卑劣阴谋的结果。与英国记录相反的是,它把西拉杰-乌德-德拉,这个孟加拉最后一位统治者描绘为一个勇敢的、爱国的人,也是一个被出卖的牺牲者。在印度北部,布哈拉登图·赫里谢金德尔(1850～1885)和Kashi Nagari Pracharini Sabha* 在北印度发行了一系列有高度影响的历史丛书,通过讲述印度在穆斯林统治下承受七个世纪"外来压迫"的故事,为民族主义注入了新的情感内容。在马哈拉施特拉(Maharashtra)同样如此,作为印度人的堡垒,马拉地帝国(Maratha Empire)被民族主义历史赋予了强烈的再生情感。在诸如V.K.拉贾瓦得、V.S.哈雷和G.S.萨德赛等人的倡导下,完成了许多诸如收集、编辑和出版历史资料的有价值的工作。在迈索尔和特拉凡哥尔-考琴(Travancore-Cochin)的贵族统治的各邦的支持下,许多区域性王国的历史得以收编并出版,使用的语言是泰米尔语、埃纳德语(Kannada)和玛拉亚兰语(Malayalam)。

487

20世纪早期产生于大学各系中的学院派历史,经常选择很多诸如马拉地和锡克帝国历史等课题来显示他们民族主义的隶属关系,而对英国统治时期明显重要的历史事件却很少选择。关于这些历史事件的记录都来自非学术圈,诸如V.D.萨瓦卡的将强烈反英的1857年起义这一历史事件作为第一次印度独立战争的论述。

对印度新兴的知识分子产生深远影响的第一批欧洲现代社会哲学思想是英国的功利主义和法国的实证主义。杰里米·边沁和约翰·斯图尔特·密尔的著作,还有奥古斯特·孔德和后来的赫伯特·斯宾塞等人的作品,在19世纪中叶成立于加尔各答的许多新兴的学术团体中,受到了热烈的讨论。1867年,孟加拉社会科学协会(Bengal

[5] C. H. Philips编,《印度、巴基斯坦和锡兰的历史学家们》(*Historians of India, Pakistan and Ceylon*, London: Oxford University Press, 1961)。

* Kashi Nagari Pracharini Sabha,是为振兴梵文文字和北印度语而成立的庞大机构。在19世纪末,Sabha决定以梵文出版一部大部头的北印度语字典。他们从各种资料中收集了大量的北印度语词汇。参见:http://www.softfonts.com/devanagari.html。——责编

Social Science Association）在孟加拉成立，以“促进社会科学的发展”。詹姆斯·朗、拉尔·贝哈里·戴伊、伊斯瓦尔·昌卓尔·维迪亚莎葛、阿卜杜尔·拉提夫、拉金德拉·拉尔·米特拉和罗梅希·钱德拉·杜特，这些孟加拉新兴知识分子觉醒的代表人物，活跃在这个团体中。他们的思想通过新兴的孟加拉期刊新闻传播开来。而那些最重要的社会思想者，如班基姆·钱德拉·查特帕德哈依和布德·莫克豪帕特哈耶，尽管不属于任何特定的圈子，也对同时期的西方社会哲学思想极为熟悉。[6]

受到新兴的社会学关注的印度社会的主要制度是种姓制度，这一点是毫不奇怪的。在现代社会历史分析工具的武装下，从 19 世纪晚期开始，印度思想家们就试图撰写关于印度种姓体系的学术论文。相比于欧洲学者们提出的那些理论，这种种姓体系更为或者说他们声称更为博大精深而且更具有文化的敏感性。大部分的这种作品，如 S. V. 凯特卡（1909～）、贝诺伊·库玛尔·萨克尔（1914～）和布彭德拉·纳什·杜特（1944～）的作品，以及后来由 P. V. 凯因（1930～1962）编著的多卷本的《法论史》（*History of Dharmasastras*），构成了对经典的，主要是婆罗门教的文献的社会学解释。很多这样的作品都表达了一种民族主义的渴望——发现种姓社会制度中合理的内核，这种内核建立在诸如劳动力分工和保持和谐统一的需要等概念的基础上，而这种社会整体的统一性就表现在自然的和社会的差别中。

第一个为把正式的社会学的研究作为一门学术学科而成立社会学系的是孟买大学。这是 1919 年，在帕特里克·格迪斯的倡导下完成的。格迪斯是一个城镇规划者，也是一名地理学家，他的职业生涯的大部分都是在印度度过的。他在孟买的学生 G. S. 古尔耶，在剑桥大学完成博士课程之后，回到了孟买来领导这个系。通常认为，古尔耶是印度学院派社会学的创始人。孟买大学社会学系培养了一大批颇有才气的学生，在 20 世纪 50 年代期间，他们将控制社会学和社会人类学领域。另外一个有深远影响的社会学系是勒克瑙大学（University of Lucknow）的社会学系，拉德哈·卡马尔·莫克哈吉（1889～1968）、D. P. 莫克基（1894～1961）和 D. N. 马宗达（1903～1960）是其领导者和创始人。在很大程度上，就是这一时期，印度社会学家们开始把他们的注意力从对文献阐释转向对同时代印度的社会制度与实践的经验性研究和分析上来的。

488

甚至于在 20 世纪早期的几十年间，印度知识界还不习惯于对社会学和人类学进行严格的区分。在那些先驱者中——他们从事的研究在今天被公认为是人类学研究，萨罗特·旃陀罗·若伊（1878～1942）是最杰出的人物。他是生活在南部比哈尔的兰契小镇的一位律师，那是一个主要由部落族群定居的地区，他写了许多关于奥拉昂族、蒙达族和其他部落民族的开创性的民族志的论文。1921 年，他还创办了《印度人》（*Man in India*），它是印度第一批人类学杂志之一。另外一位先驱是阿南塔克里希纳·伊耶，在 20 世纪头十年里，他主要研究考琴和迈索尔地区的部落和种姓制度。1929

〔6〕 Bela Dutt Gupta，《印度的社会学》（*Sociology in India*, Calcutta: Centre for Sociological Research, 1972）。

年，尼马尔·库玛尔·波什出版了他的《文化人类学》(*Cultural Anthropology*)，其中提出了文化的功能理论。D. N. 马宗达对霍(Ho)部落、廓尔(Kol)部落、考瓦(Korwa)部落和其他一些部落群体进行了大量的人类学研究；而维内尔·艾温对印度中部和东北部的部落进行了研究。一直到20世纪40年代，印度的人类学研究在很大程度上还意味着对部落民族的研究。

1916年，当印度动物学调查协会(Zoological Survey of India)成立时，其中包含有一个人类学的部门。1945年，印度独立前不到两年，在这个部门中众多人类学家的一再恳求下，政府决定成立一个印度人类学调查协会(Anthropological Survey of India)。这个协会的研究几乎完全由体质人类学和人体测量学研究所控制。

在印度，参与关于经济问题的公共讨论的第一代人大约活跃在19世纪中叶。他们很精通亚当·斯密、大卫·李嘉图、托马斯·罗伯特·马尔萨斯和约翰·斯图尔特·密尔等人的作品，并且大部分人都是自由贸易学说的热心支持者。但是到20世纪的最后25年，讨论经济问题的主要的印度政论家都成为弗里德里希·李斯特和德国历史学派及英国政治经济学批评家的敬慕者。

19世纪末期，大多数关于经济的重要的印度著作都出自西部印度，主要是在孟买和浦那。那里是印度企业家创办第一批现代化企业的地方，大部分关于经济问题的表达最清晰的民族主义思考在这儿出现也不奇怪。达达拜·瑙罗吉(1825～1917)，是这一时期最具统计思想的作家，因为他对印度的“经济流失”的证明而名满天下。他解释说，印度与英国贸易持续的出口顺差是殖民经济结构性的不平衡的一个症状，也是购买力从印度到英国的净转移。

489

民族主义经济思考的更为精细的一个框架是由G. V. 乔希、M. G. 拉那德(1842～1901)和G. K. 戈卡莱(1866～1915)等人建立的。他们的主张源自对用反复增税来维持预算平衡的殖民政策的批评。他们指出，这种出现在印度各部门内部的不平衡是专制政策的结果，他们还赞成把民族经济看做是一个整体的这一更为全面和细致的观点。他们的观点为工业化是发展民族经济、消除贫困的途径这一观点的一部分。在他们的自由主义政治观点的限制内，他们也赞成国家应保护和支持那些面对国外竞争的、处于发展初期的产业。他们的看法受到了罗梅希·钱德拉·杜特出版的二卷本《印度经济史》(*Economic History of India*, 1900, 1902)的支持，这本书是第一次对大约在1800年以后印度经济的反工业化的学术-历史的记载。这些民族主义的著作代表了印度经济思考最有影响力的倾向，这种倾向将会一直持续到20世纪晚期。[7]

一直到19世纪和20世纪之交，政治经济学才作为历史研究的一部分，在印度的大学和学院里教授。1909年经济学第一个教授席位在加尔各答大学设立，并且开设了第

〔7〕 B. N. Ganguli,《印度经济思想：19世纪的观点》(*Indian Economic Thought: Nineteenth-Century Perspectives*, New Delhi: Tata McGraw-Hill, 1977)。

一个研究生荣誉课程。很快,其他大学纷纷效仿,到20世纪20年代,第一代受过专业教育的经济学者们开始在各大学经济系占据学术地位。

从20世纪20年代开始,在印度掀起了一股研究专论的出版浪潮,主要解决与印度经济各个方面相关的经验描述和理论问题。举例来说,V. K. R. V. 劳分别给出了对印度1925年至1929年和1931年至1932年两个时期国民收入第一次系统的和可信的估算(发表于1939年和1940年)。C. N. 魏姬和S. K. 穆拉恩简,在1927年发表的文章中,对关于货币政策的民族主义观点作了更多细致的解释。在这篇文章中,他们赞成在国内保持印度的黄金储备和外汇储备,他们也赞成允许物价水平和卢比汇率之间的互动调整。B. N. 甘古利在1938年发表了关于恒河流域农业生产的第一篇系统的研究论文,恒河流域是这个国家最大的农业生产区。

如果从最具有影响的研究主题来考虑的话,那么在后殖民时期的印度,有两个领域在两次世界大战期间有了重大发展,它们是关税保护和有计划的工业化。杰杭艾尔·科耶奇(1924～)和B. P. 阿达卡(1941～)的作品强烈地坚持要对发展初期的产业进行保护,因为那些产业面临着被不公平的外国竞争挤垮的危险。关于印度有计划的工业化的第一本书并不是由一个经济学家而是由一个工程师-管理者莫克尚甘旦·维维瓦拉亚(1861～1962)完成的,他于1934年出版了《印度计划经济》(*Planned Economy for India*)一书。此书中第一次包含了对"计划"这一观念的详细阐述,即认为"计划"是由专家执行的技术上的运用,以工业化作为快速发展和消除贫困的关键。10年之后,在普什塔姆达斯·萨库拉达斯领导下,一群印度工业家们制订了第一个重要的计划文件,后来成为著名的《孟买计划》(Bombay Plan)。在印度独立后,计划成为最重要的和最具挑战性的领域,从而获得了印度经济学家们的关注。[8]

490

印度独立后的社会科学

1947年印度独立时,全国共有20所大学。到20世纪80年代早期,全国已经超过了200所。出现这种急剧扩张的结果,是因为联邦和各邦政府给予高等教育几乎全部的指导和资金支持。特别要指出的是,社会科学的教学和研究有了较大规模的发展。1969年,政府成立了印度社会科学研究理事会(Indian Council of Social Science Research, 简称ICSSR)以促进和协调社会科学学科中高等的研究。在之后的整个20年的时间里,这个委员会建立了一个覆盖全国的包括25家研究机构和地区中心的网络系统。另外,1972年成立了印度历史研究理事会(Indian Council of Historical Research, 简称ICHR)。

〔8〕 Bhabatosh Datta,《印度经济思想:20世纪的观点(1900～1950)》(*Indian Economic Thought: Twentieth-Century Perspectives, 1900—1950*, New Delhi: Tata McGraw-Hill, 1978)。

20 世纪 50 年代以来,印度社会科学的教学基础得到了巨大的扩展,而且,这时的研究和教学都更紧密地与国际接轨,尤其是与英美的各学科的专业标准、程序和风格相一致。与殖民时期不同的是,这时大多数研究生阶段的教学都是以印度语授课。在这些专业学科的推动下,出现了以这些印度语写作的社会科学文献。然而,实际上所有高级研究仍然采用英语,这是印度社会学家们进行专业交流的语言。

491 独立之后,两种主要的政治性的关注造就了印度的历史学术——(1)对殖民统治和反殖民斗争的评价;(2)现代主权国家的历史意识的形成。这两种关注均受到了现实情况的强烈影响,即伴随着独立而来的是国家的分裂,这种分裂是按宗教信仰的分界线进行的。

在独立后的至少 30 年间,印度的编史工作基本上都在忙着向历史学术界描述一个现代的、在专业上极其精深的印度民族主义历史。但到 20 世纪 50 年代,它分裂为两种倾向,其中一种在 R. C. 马宗达主编的 11 卷的《印度人民的历史和文化》(*History and Culture of the Indian People*, 1951～1980)中得到了最为详细的例证。这个系列出版物得到了一个名叫 Bharatiya Vidya Bhavan 的私立教育托拉斯的赞助,很强烈地指向了所谓的"印度民族主义"。它是一个庆典,庆祝将远古时代作为印度教文明的历史;它是一种处理方法,将穆斯林统治的几个世纪作为外来压迫的一段时期;它是一个声明,宣告了反殖民运动是受到穆斯林分离主义挑战的印度民族主义中的一员。这种指向受到了自我描述为"世俗论者"的另一种倾向的反驳。它从各邦的机构中得到官方的支持,但同时也被一批马克思主义的历史学家推动着。它强调了参与构成古代印度和中世纪印度的宗教信仰要素和文化要素的多重性,还把自由运动描述为由一个复合的印度民族进行的反殖民斗争,这个复合的民族中既包括印度教徒的政见,也包括穆斯林地方自治主义者的政见。在印度历史委员会(Indian History Congress, 简称 IHC)的支持下,开始于 1957 年至今仍未完成的《印度通史》(*Comprehensive History of India*),一般认为包含了关于这种立场的最充分的陈述。

从总体上来说,始于 20 世纪 50 年代的历史学术仍然以不断提高的专业化、技术的日趋老练以及对新的研究领域和历史资料的探究为标志。关于印度早期历史的工作,过去在很大程度上倾向于严重依赖文献资料,现在也开始转向以从急剧增多的考古资料、铭文资料及货币资料中获得的实物证据为基础。由于 20 世纪 20 年代,在印度河流域发现了门鸠达罗(Mohenjo-Daro)和哈拉帕(Harappa)遗址,印度的早期历史被往前推进了好几个世纪。20 世纪 50 年代晚期开始,在印度西部和巴基斯坦进行了新的发掘,将雅利安人之前哈拉帕文化推前到公元前 3000 年。这些实物证据引起了人们对于雅利安人从印度北部入侵这一早期理论的怀疑,并且导致很多历史学家开始思考从印度城邦到吠陀社会构成的转变,这种转变是持续了几个世纪的历史渐变和融合的组成部分。[9]

另一个被长期争论的问题是关于印度各邦的本质。主流的民族主义倾向是把现代化之前的印度的邦描述为一元的、有核心集权组织的、领土范围确定的、有一个强势的统治者领导并有等级森严的官僚体制管理。在很多方面,这种强大的"国家性"的模式——孔雀王朝(约公元前 322～公元前 185)与笈多帝国(约 320～510)就是最好的例证——也许足以证明古代印度文明的先进性。1956 年,既是数学家又是马克思主义的历史学家的 D. D. 桥赏弥,提出了印度封建主义两个发展途径的观点,即一种自上而下,而另一种自下而上。R. S. 夏尔马在他 1965 年出版的《印度的封建主义》(*Indian Feudalism*)一书中论述道:在后笈多时期的印度北部出现了一种分裂的、零散的封建城邦结构。这个观点最初受到的挑战主要是基于以下原因:印度的例证并不符合在欧洲历史中广为人知的封建主义的模式。尽管如此,在整个 20 世纪 70 年代和 80 年代,当围绕如何去描述前现代的印度的邦的特征而进行争论时,历史学家们仍然沿用夏尔马的理论,提出了关于封建主义在印度的一些特殊变体的观点,然而这些观点也没有被广泛地接受。另一个由波顿・斯坦发展了的观点主要是基于从印度南部获得的证据。斯坦提出了介于非国家的部落统治模式和莫卧儿帝国那种官僚体制国家之间的分化国家的概念。这些争论带来的结果之一是一种更为伟大的觉悟,这种觉悟尤其在罗米拉・塔帕众多有名的著作中有所总结,它关注了所有时期和地区的变体,也认识到城邦结构的出现是一种变化中的社会进程。在殖民主义编史学和民族主义编史学中,那种传统的将古代时期和中世纪时期等同于印度教时期和穆斯林统治时期的观点受到了强烈的质疑。如今普遍的说法是,中世纪时期早期的起点,比 12 世纪土耳其 - 阿富汗王国在印度北部建立的时间还要早 300 年或 400 年。[10]

492

在阿里格尔穆斯林大学(Aligarh Muslim University)的历史学家们的努力之下,关于德里苏丹帝国(Delhi Sultanate, 1206～1526)和莫卧儿帝国(1526～1858)的研究在细节上、在精确性上以及在理论的融会贯通方面取得了长足进步。关于苏丹帝国的权威的著作是以 1970 年出版的《印度通史》第 5 卷的形式出现的,此卷由罕默默德・哈比卜和 K. A. 尼扎米主编。伊尔凡・哈比卜于 1963 年出版的《莫卧儿印度的农业体系》(*Agrarian System of Mughal India*),是一本对莫卧儿帝国十分详尽的研究记录。其中认为,这个集权的官僚政治国家是在内部冲突的重压下衰败的,这些冲突尤其是以一系列农民起义的形式表现出来。这本书后来成为对莫卧儿时期研究的经典著作。这部作品中的大部分内容都集中关注经济生产、土地税收体系和官僚政治的结构问题,而在很大程度上避免提及社会、宗教信仰及文化等问题。在 20 世纪 80 年代和 90 年代,关于 18 世纪是一个衰退和无序的时期的传统观点,受到了修正主义历史学的挑战。

〔9〕 Romila Thapar,《解释早期印度》(*Interpreting Early India*, Delhi: Oxford University Press, 1992)。

〔10〕 Herman Kulke 编,《印度的城邦(1000～1700)》(*The State in India, 1000—1700*, Delhi: Oxford University Press, 1995)。

修正主义历史学主张，并非如上所述，18世纪更应被描述为是一个在本土经济事业、国家建设以及文化革新方面重新开始的时期。而在诸如波顿·斯坦、C. A. 贝利、穆扎发·阿兰、桑贾伊·苏拉马尼亚姆和其他一些历史学家们之间展开的论战中，争论的焦点现在已经转移到最新发现的欧洲殖民主义早期对印度的潜在价值的历史意义上来。

直到20世纪70年代，关于殖民时期的作品，一方面由在印度出现的民族主义历史学占主导，是关于殖民剥削和印度人民反独裁统治的反殖民斗争的历史；另一方面由英国和美国的南亚研究中心编写的最新历史作品为主导，把印度的民族主义看做是在英国统治之下产生的追逐私利的印度精英们对权力的争夺。在这个论战中双方都深入地利用了大量的殖民档案材料，并且极大地拓展了民间记录、文学材料、图画材料和口头资料的范围。在这个过程中，从20世纪80年代开始，与被压迫群体和边缘群体（包括农民、低等级种姓、部落民族、妇女、宗教信仰的少数民族和语言上的少数民族）的历史记录有关的一整套新问题开始被争论。这一**特称研究**小组的作品，就是久负盛名的例子。它不仅表明这些群体所具有的独特的历史不可被包含在“国家”历史这一概念中，而且还反映了国家历史本身，即文化政治与各地区、各阶层、各种姓和性别之间的新问题。一个相关方面是，被充分研究的区域历史的出现，对传统假设提出了有力质疑，传统认为印度北部的各发展阶段在某种程度上说，是“印度”历史的各时期和各阶段划分的关键。

必须提到的是，印度历史著作因卷入高度敏感的政治问题而发生混乱的程度。在这些政治问题中，宗教信仰的地方自治主义很有可能是最具争议性的，但也包括了地区性的、语言上的、种姓的和部落的身份认同等问题。在许多这样的争论中，历史证据被整理用于支持某些特定的政治主张。专业领域和大众领域因语言被清楚地分割开（学术研究用英语，而大众化的传播用印度语），在此情况下，一些历史学家为维持他们的专业化角色的完整性而担忧。另外一些历史学家试图寻求更加有效的方式来普及未经歪曲的历史研究成果。

印度社会学家和人类学家在此学科中与国际倾向的最新接触，意味着他们的研究形式和内容的显著变化。[11] 在20世纪50年代和60年代中，最有影响力的方向是现代化的结构－功能理论，其研究的优先领域是当代印度农村社会，特别是变迁进程中的小村落。一个乡村通常被视为一个有机整体，其各部分由不同种姓群体组成。在这个框架中，被详细调查的问题是当地种姓结构、宗派主义、保护－被保护关系、种姓和社会等级之间的关系以及乡村与外部世界的关系。这个形式从由M. N. 斯利尼瓦斯编辑的书名为《印度的农村》（*India's Villages*, 1955）的农村研究文集中明显地表现出来。

〔11〕 印度独立后关于社会学的著作主要由印度社会科学研究理事会出版了两套系列的著作，它们的名称均为《社会学与社会人类学研究概要》（*A Survey of Research in Sociology and Social Anthropology*），出版于1972年和1985年。

关于社会变迁,斯利尼瓦斯认为在当代印度社会中,存在两种流动形式(即梵语化和西方化),他的这一观点非常有影响力。梵语化意味着通过采纳上层种姓的文化形态而获得向上的流动——这个进程在印度的历史中是长期可见的。西方化是近年来产生的新现象,以采纳现代西方的文化形态作为社会权力和声望的标志。

面对现代化,印度社会学现在面临着详细阐述印度传统文化核心的任务,种姓制度依然是受到关注的主要热点。大约在20世纪60年代晚期,至少有三位社会学家曾经尝试系统地阐述印度社会的基础结构和它当时正在经历的变迁,这些社会学家及其著作是伊拉瓦蒂·卡维和她的《印度社会:一种解释》(*Hindu Society: An Interpretation*, 1965)、路易·迪蒙和他的《等级人》(*Homo Hierarchicus*, 1966)及密尔顿·辛格和他的《当一个伟大的传统现代化的时候》(*When a Great Tradition Modernizes*, 1972)。在60年代这十年间,印度德里大学的社会学系在M. N. 斯利尼瓦斯的领导之下,在印度成为社会学和社会人类学领域教学与研究的首要中心。在国外,芝加哥大学成为研究印度文化人类学的一个十分重要的中心。

20世纪70年代,结构主义的影响为种姓结构、血缘结构、宗教仪式和宗教信仰等数个研究领域所感应,尤其突出的是J. P. S. 奥博瑞和维纳·达斯研究的那些领域。同一时期,人们对马克思主义的研究方法产生了很大的兴趣,尤其是在种姓和阶层的关系的研究和在社会运动的研究上。特别要提出的是,M. S. A. 劳和A. R. 德赛组织了许多关于殖民时期和当代时期发生在印度的多种社会运动的研究论文集。另外一个值得关注的论文集是近期由K. 苏雷什·辛格编辑的43卷的《印度人民》(*People of India*)丛书。在这套丛书中,对于现存于印度的超过4500个的"村落",印度人类学调查协会试图提出相应的比较民族志的研究。这项研究计划是对殖民知识成果的回忆,当然,这其中并不包括后殖民地时期的民族国家的机构所进行的研究。

一个实施有计划工业化规划的发展型国家的出现,将一整套全新的理论问题和经验问题摆在印度经济学家们的面前。20世纪50年代,一个关键性的人物是P. C. 马哈拉诺毕斯,他既是一个物理学家也是一个统计学家,当时他负责为印度政府草拟极其重要的第二个五年计划(Second Five-Year Plan)。以他在加尔各答的研究基地——印度统计学研究所(Indian Statistical Institute)为起点,他组织了一系列连续的关于经济发展和计划的讨论和培训课程,当时世界上几乎每一位重要的经济学家和统计学家都参与其中。那个时候,加尔各答的普来希登西学院(Presidency College)成为经济教学的主要中心,并在30多年间,为社会稳定地提供了大量杰出的经济学专业的毕业生。马哈拉诺毕斯也帮助组建了一个巨大的官方网络,用以收集和出版经济分析所需的统计信息。20世纪60年代,在V. K. R. V. 劳领导下的德里经济学院(Delhi School of Economics)成为这个国家研究生教育和研究的主要中心。

495

从20世纪60年代开始,在经济学几乎所有的分支中,印度经济学家已然在最先进的国际水平上参与了专业的研究和教育工作。尽管如此,无论是在理论方面还是在实践方面，经济发展和经济计划依然占据着经济学的中心地位。对经济政策中福利方面的研究，尤其是对经济增长与正义和公平问题之间的关系的研究，在20世纪60年代晚期逐渐凸显出来。阿玛蒂亚·森、萨克哈莫·查克拉瓦底和贾格迪什·巴格沃蒂是20世纪60年代中，对有关经济发展的不断增加的文献做出重大贡献的众多学者中的代表。

到20世纪70年代，当计划经历给人们带来的最初的欣快症过去之后，一些重要的关于在发展经济学中某些特殊的印度主题的论战出现了。第一个议题是关于印度庞大的农业部门在经济发展中的角色定位：对于经济发展，它是个限制力量吗？或者它能否通过结构的重新调整而成为发展进程中的贡献力量？伴随着这个争论的，是大量的经验研究，这些研究有关于农村地区的佃农、租佃及雇佣的形式的，有关于农场规模和生产力的关系的，有关于产品和信贷市场的，还有关于印度农业其他许多的制度特征的。第二个议题是关于为促进工业发展而进行的公共投资的作用。对此产生争论的主要有两方，其中，一方对进口替代战略和由政府倡导的工业化的经济效率的理论基础提出疑问；而另一方则主张，如果没有充分的公共投资，发展和公平都会受到损害。前一个集团主要依赖传统的、新古典主义的观点，大部分都属于微观经济学理论；反之，后一个集团则绝大部分运用沿袭了约翰·梅纳德·凯恩斯和米歇尔·卡莱克传统的宏观经济学进行推理论证。从20世纪80年代开始，一个重要因素（即第三个议题）被加进这些争论中，那就是外国经济的作用，特别是国外直接投资的作用。这个议题不仅引起了关于发展的长期和短期含意的疑问，也引起了关于分配公平和国家主权的疑问。第四个议题与技术有关——技术引进及其适当性，技术的采用和传播，对技术变革的持续能力，技术创新和本土化发展的可能性等。近几年来，印度的讨论一直被引向一个很重要的可供比较的视角，即所谓东亚和东南亚工业化的成功经历，这同样也是几个南美国家所面临的经济问题。第五个议题在各个方面都与前四个相关，即政府的税收政策和货币政策，以及各种经济制度的依法调整。[12]

496

在殖民时期的晚期，印度的现代政治理念主要是精神上的自由主义和方法上的法定立宪主义。然而，与这一主流一起出现的还有另一种与之相对应的思想倾向。从大约1920年以来的近30年中，甘地主义的领导者们坚持着对工业资本主义和现代国家的批评，并且为他们所主张的更少暴力和更多宽容的政治社会——乡村社会这一“传统”社会而辩护。现代印度政治理念最具深远意义的产物就是成文于1946年至1950年的印度宪法，它具有势不可挡的自由主义倾向，又在某几点上结合了“传统主义者”的观点。

〔12〕 Deepak Nayyar 编，《工业的增长与停滞：印度的争论》（*Industrial Growth and Stagnation: The Debate in India*, Delhi: Oxford University Press, 1994）；Dilip Mukherjee 编，《印度的工业化：政策与实施》（*Indian Industrialization: Policies and Performance*, Delhi: Oxford University Press, 1995）；Prabhat Patnaik 编，《宏观经济学》（*Macroeconomics*, Delhi: Oxford University Press, 1995）。

20 世纪 50 年代印度的政治学中占有统治地位的框架是自由主义的现代化理论框架。尽管现代国家的一些重要制度是在殖民统治时期建立起来的,但现在的印度已经可称为处于一个发展自己的民主进程和进行现代公民权实践的阶段。诸如建立于种姓制度、宗教忠诚基础上的保护关系和建立于种族特点基础上的团结等特征,都被视为不发达的遗迹,将会随着更加广泛的民主参与而消失。然而最终,更多有关这一现代化理论的更加复杂的版本出现了,像出版于 1967 年的劳埃德和苏珊娜·鲁道夫的关于现代化的理论著作,主张(即使是推测性地)像种姓制度和宗教信仰这样的传统元素会通过自我转变来适应现代政治制度,并成为政治现代性本身的一部分。

拉杰尼·柯达里提出了最富影响的新政治制度理念。他的这一著作发表于 1970 年,被认为是支配印度国大党统治的"强有力核心"。通过运用大量的结构 - 功能模型,柯达里将"国会制度"形容为执政党联系从中央到地方的各级政府和党群的制度系统,在其内部协调不同意见,通过联盟和合意的形式,确保制度的合法性和完整性。然而,到 20 世纪 70 年代中期,随着独裁主义的发展和一小部分国大党领袖手中权力的不断集中,特别是从 1975 年到 1977 年的国家内部紧急状态(法)的出现,合意的国会制度模式变得不那么具有说服力了。

马克思主义的解释能够更好地将冲突和国家权力的压制功能描述为印度政治的系统特征。国家,特别是它的核心组织,被视为这样一个场所,在其中数个占优势地位的阶层谁也无法单纯凭借自己的力量取得霸权,它们既试图相互挫败对方也试图制定出结盟协议。然而对地方社会制度和微小级别的政治进程的核心解释方面,马克思主义的方法却较少成功。

497

在这里,结构 - 功能理论被更加普遍地使用着。它设想国会制度首先是一个途径,通过它,众多占优势地位的地方集团结合为单一执政组织。国大党内部派系,被认为是完善这一制度的主要形式:即下级党群派系之间的冲突被上级国大党领导的调解技巧所化解。之后,在 20 世纪 70 年代,随着国大党的中央集权化,这种调解方式让位于被称为公民投票政治制度,在此制度中,普选成为对国大党最高领袖英迪拉·甘地领导权的公民复决。这种转变允许了国大党领导阶层从贫困者、低级种姓阶层和少数派中拉选票获得支持率,而不通过地方性占统治地位的集团。

在现代化中的印度社会,印度政治学中占主导的方法趋向于接受发展的国家的角色。然而,也有对发展的国家的批评意见,它从根本上质疑了现代化的规划,并将它说成是充满了矛盾、暴力和把弱势群体边缘化的规划。举例来说,阿希斯·南迪主张每当现代主义的政府试图将一系列来源于现代西方的制度强加于印度社会时,总是失败的。因为这些制度与印度地方社会的集体生活的日常实践格格不入。[13]

随着自 20 世纪 50 年代开始的各学科的专业化,大量社会科学期刊在印度出现。

〔13〕 Partha Chatterjee 编,《印度的政府与政治》(*State and Politics in India*, Delhi: Oxford University Press, 1997)。

其中,《印度经济和社会历史评论》(*Indian Economic and Social History Review*)和《印度社会学论文集》(*Contributions to Indian Sociology*)特别具有影响力。然而,最卓越的是出版于孟买的《经济与政治周刊》(*Economic and Political Weekly*),它独一无二地将新闻周刊、当前经济大事评论杂志、对所有社会科学学科进行高级研究的专业性杂志和印度学术事件新闻简报所具有的功能结合起来。卓越的社会科学家也扮演着印度公共知识分子的角色,他们在纸质的新闻媒介和电视媒体中介入政治、经济和文化争论。同时大量社会科学活动被视为对印度政府的政策和思想体系提供支持,不过,仍有活跃的批评性成分在支持反对的立场和运动。近几年尤为突出的是,出现了与学术专业化有关的行动主义联盟,特别体现在非政府机构的各种活动中和乡村发展、缓解贫困、健康、文化普及、妇女问题及人权等诸多领域中。在这一新兴发展领域中,社会科学研究直接变成与公众领域相关的问题。

(张和军 译 孙晶 校)

28

中国的社会科学

498

柯兰君

在中国,社会科学作为学院式学科的历史非常短。从 1952 年到 80 年代*早期,社会科学在中华人民共和国遭到了取缔。** 但同时,中国的社会科学却拥有一个深厚的传统,特别是传统的中国社会学研究,它与北美和西欧一起,在 30 年代形成了世界上第三个活跃的中心。[1] 在其被取缔时期,中国的社会科学在世界科学史上成了一个被遗忘的部分。中国的社会科学研究逐渐被忘却,不只是因为自身在中国长期被忽视以及语言的障碍,而且也是因为美国和欧洲研究的自我封闭。

这一章主要处理中国的体制化社会科学,严格说来,也包括那些并不特别与中国有关的研究。它特别与我所谓的"中国的社会科学"有关,涉及到那些以中国化或本土化社会科学为目标的方式,以及那些可以看做是一种独特的社会科学"中国学派"的方式。我将强调这个定义的一些特别的方面,并且将描绘中国社会科学发展过程中的一些重要时刻。这一章以清代中国学者的本土学术领域为开篇;其目的是描绘这些作为智性空间的本土学术领域,是如何被作为一种知识框架来接受西方科学这样一种新知识体的。第二节说明了在科举制度废除后,一种科学发展的社会空间是如何在 20 年代被创造出来的,以及社会学、经济学和政治学是如何成为学院学科的。在第三节中,通过举出一些卓越的人物,我将介绍几种不同的中国化社会科学的策略,努力刻画出 30 年代中国社会科学的全盛期的特点。在第四节中将再次处理二战以后台湾和香港的社会科学本土化的主题。第五节将处理中华人民共和国对社会科学的取缔和复兴,就中国社会科学史的断裂和连续提出一些问题。

499

* 本章如无特别说明,年代前的世纪均为 20 世纪,故省略。——责编

** 这与史实有误。"社会科学"在新中国成立后并没有被取缔,当时在中国科学院内设有"哲学社会科学部"并下设文学、史学、哲学、经济学、语言学、法学、民族学和宗教学等研究所。但有关"社会学"方面的研究曾受到某种程度的限制。从本文的内容来看,作者主要谈的也仅是"社会学"方面的,若以"社会学"来概括"社会科学"是欠妥的。——译者

[1] Maurice Freedman,《中国社会研究:M. 弗雷德曼文集》(*The Study of Chinese Society: Essays by M. Freedman*, Stanford, Galif.: Stanford University Press, 1979), G. W. Skinner 编,第 379 页。

中国本土的学术领域与早期对西方社会科学的接受

西方社会科学引入中国既得力于又受阻于社会伦理性的儒家规范。传统中国的帝国权力的行使,是通过一种精心构造的官僚政治的民事服务,而并非是通过分封贵族的等级制来实现的。用来保护这种权力的儒家规范,发展出一套以社会准则和人伦关系之解释为主题的广泛著述,发展成对中国人的日常生活有着巨大影响的教义。在这一意义上,一般来讲,古代中国的社会思想,尤其是儒家思想,似乎就具有压倒性的"社会学式的"(sociologistic)特点。[2] 现代社会科学的出现正是受到了这种对社会现象的热切兴趣之激励。不过,因为传统社会伦理追求那些努力塑造个体行为模式的规范性目标,所以社会思考倾向于教条性而非批判性。在一种家长式的权力结构的条件之下,批判仅能够以一种对儒家思想再诠释的形式而加以表达。而在进入20世纪以后,儒家学术却有助于塑造中国知识分子的批判性思考。

儒家论述中的重要思想转折发展在17世纪和18世纪。考证学的拥护者怀疑作为支配性意识形态的宋代新儒学,并且努力以一种经验的方式取代他们的道德哲学。为重构古代文化的纯洁性以及概念和表达的精确性,他们运用了新的朴学(philological)研究方法。[3] 清代朴学家们的反形而上学声音,对应着以数学化的天文学对宇宙论之取代。这种发展在清代早期得到了耶稣会士的著作以及康熙对数学研究感兴趣而不断增加的支持。不过,数学仍然被视为是与古典文本相结合的。"在传统中国学术中不存在人文知识与纯粹自然科学知识之间的区别。"[4]

500 在19世纪和20世纪交替前不久,因1895年第一次中日战争中国的失败,证实了外国列强在技术和政治上的优越性,此后中国文化界对西方社会理论的兴趣不断提高。为了使中国能够维持自己的强国地位,有了开始了解西方的兴趣。[5] 与洋务运动(1860～1895)的自强策略相对比(这一运动由于其仅仅寻求从西方吸纳自然科学、逻辑和军事技能,而已经被当成是一次失败的尝试),1898年的变法运动也对外国的社会理论、政治体制以及经济政策发生了兴趣。中国的思想氛围已经发展到了这种程度,社会进化理论得到了特别的采纳,改革派希望将其作为重构国家和社会的关键。

中国是绕道于日本接受西方社会科学的。由于地理上的邻近和文化上的相似性,

〔2〕 Benjamin Schwartz,《中国的社会角色和社会学主义,特别涉及儒家》(Social Role and Sociologism in China, with Particular Reference to Confucianism),收于他的《中国及其他》(*China and other Matters*, Cambridge, Mass.: Harvard University Press, 1996),第76页。

〔3〕 Benjamin Elman,《从理学到朴学:晚期帝制中国变化的知识与社会方面》(*From Philosophy to Philology: Intellectual and Social Aspects of Change in Late Imperial China*, Cambridge, Mass.: Harvard University Press, 1984),第254页;也见第27页～第28页,第54页。

〔4〕 Limin Bai,《清代前中期的数学研究和知识转变》(Mathematical Study and Intellectual Transition in the Early and Mid-Qing),《晚期帝制中国》(*Late Imperial China*),16(1995),第29页,第50页。

〔5〕 Hengyü Kuo,《中国与所谓的"野蛮":一个精神史的立场》(*China und die "Brabaren": Eine geistesgeschichtliche Standortbestimmung*, Pfullingen: Neske, 1967),第34页。

也由于生活费用相对低廉,日本是比欧美更受欢迎的海外留学目的地。不过,更重要的是,日本被视为通过以西方为榜样的改革而已经强大起来的典范,在中国,人们坚信,日本正是由于对西学的吸收而促进了其简单有效的包容力。梁启超(1873～1929)在1899年变法革新运动失败之后,在日本政治流亡了十余年,通过从日译本的翻译,他在中国特别成功地传播了西方社会科学。在当时,这是一次引进社会科学术语的公共实践;这种术语的使用被认为是有同时代特色的和现代化的,在20世纪早期的中国被广泛接受。

直接从英文而来的翻译也很容易得到,其中的佼佼者严复(1854～1921)也像梁启超一样属于改革者的核心。严复翻译的作品包括托马斯·赫胥黎的《天演论》(今译为《进化与伦理》,*Evolution and Ethics*, 1898),亚当·斯密的《国富论》(*The Wealth of Nations*, 1901～1902),赫伯特·斯宾塞的《群学肄言》(今译为《社会学研究》,*The Study of Sociology*, 1903),约翰·斯图尔特·密尔的《群己权界论》(今译为《论自由》,*On Liberty*, 1903)。严复试图激发起当时中国学者对西方社会科学之意义的兴趣。[6]与从日译本而来的翻译相比,严复没有像那样总是用新造的中文词语"社会学"来表达西学概念,例如他在翻译斯宾塞的《社会学原理》一书时,*就没有把"sociology"译成"社会学",而是使用较不普遍的术语"群学"——字面上的意思是"群体的学说"。严复对这个词的使用可以回溯到儒家代表人物之一的荀子,力图表达一种关于个体与社会关系的特殊理解。它反映了与进化论的密切联系,而进化论是许多早期社会科学翻译的主题。

因此,传统中国文化和清代的儒家正统为科学研究留出了智性空间。但是这并不能够产生一种制度化的社会空间或是产生科学研究方法的创造性发展。科学毕竟被认为是一个需要把握和吸收的知识体。此外,在19世纪的中国,新教传教使团也推动了科学教育,这种科学教育实际不是作为新研究的基础,而只是作为品格形成的一个因素。为了建立起一种科学形象,通过其与传统学术形式的重合而赢得正当性,他们将这种新知识与传统哲学范畴联系起来。这种方式竟然将西学扎根于中国古代,由此来证明中国学术的优越性。[7]

501

学科的体制化

从1910年到1930年,中国的社会科学的教学与研究的方式极其多样,在1905年科举制废除后,一个种类广泛的教育体制已经形成。在大学和学院里,国外著作的翻

〔6〕 参见 Benjamin Schwartz,《寻求富强:严复和西方》(*In Search of Wealth and Power: Yen Fu and the West*, Cambridge, Mass.: Belknap Press of Harvard University Press, 1983)。

* 其实严复未曾翻译此书,而只翻译了此书的导言 *The Study of Sociology*。——译者

〔7〕 David Reynolds,《重绘中国的知识地图:19世纪中国科学的画像》(Redrawing China's Intellectual Map: Images of Science in Nineteenth Century China),《晚期帝制中国》,12(1991),第31页,第37页～第38页。

译与接受构成了社会科学课程的基础。在 20 世纪前半期,社会科学家们以多种方式试验着将新知识建设性地用作实现现代化的工具。在制度化社会科学的过程之中,有多种影响发挥了作用——通过最新建立的中国高等教育制度,通过教会大学和学院,通过海外科学基金,而且在国民政府于 1928 年确立之后,又由国民党不断加大推动力度。不过,在中国大学里的社会科学更多地代替了儒家传统而成为官僚生涯的准备,美国的教会社会学家则在基督教社会改革的背景中努力教授经验性的社会研究。

首先,主要的学校类型是一种采自日本的类型,以提供法律和行政训练为主。大约开始于 1906 年,社会学、法学和政治学的课程就已经开设。这样的学校与国家行政和社会组织问题紧密地联结在一起,对应着传统的中国职业模式。在儒家传统之中,学生觉察到社会科学知识的获得,是一种让自己获取政府位置以及从事行政事务资格的恰当方式。[8] 从 20 年代中期开始,在中国,大学和学院的数量增长很快,伴随与此,也带动了社会科学课程以及学院系科的增长。中国的大学制度一般来讲在政治学和经济学方面提供的课程种类远多于基督教会学院所提供的。不过,在社会学方面,基督教会学院提供的课程则大约两倍于其他课程。

502

在国民党统治下,国民政府更倾向于政治学和经济学的建设,因为这些学科看起来对于国家建设更有用处。另一方面,社会学则与社会主义和激进政治发生了联系。这种联系,部分地是由于那些仍然相对新鲜并且听起来相似的社会学、社会科学和社会主义等术语引起的暗示;例如,左翼的上海大学(Shanghai University)就以常规的社会学课程的名义主要提供了马克思主义学说的教学。[9] 随着国共分裂,上海大学在 1927 年被关闭。为了阻止马克思主义和其他左倾读物的出版和翻译,国民党政府通过了一系列审查法,而且在 30 年代和 40 年代期间反复加强。不过,许多书籍和杂志通过使用经过掩饰的标题,诸如《社会科学导论》(*Introduction to the Social Sciences*),成功地溜过了审查官的指缝。[10]

设立有政治学、经济学和社会学系的中国的大学,主要集中在上海、北京、南京和广州等大城市里。抗日战争于 1937 年全面爆发之后,许多大学临时迁到中国南部和西南部的未被日本人占领地区。这起到了在中国内部空间中扩展社会科学体制的副作用。在 40 年代之前,各个学院的学科仍然基本上保留着相对地位和规模而没有什么变化。经济学具有了最优越的地位,紧随其后的是政治学,相差并不太远而居于第三的是社会学。[11]

〔8〕 江勇振(Yung-chen Chiang),《中国的社会工程与社会科学(1898 ～1949)》(*Social Engineering and the Social Sciences in China, 1898—1949*, Harvard University, 1986),博士论文,第 20 页。

〔9〕 叶文心(Wen-hsin Yeh),《被疏离的学术界:民国的文化与政治(1919 ～1937)》(*The Alienated Academy: Culture and Politics in Republican China, 1919—1937*, Cambridge: Cambridge University Press, 1990),第 156 页～157 页。

〔10〕 徐丁丽霞(Lee-hsia Hsu Ting),《现代中国出版的政府控制(1900 ～1949)》(*Government Control of the Press in Modern China, 1900—1949*, Cambridge, Mass.: Harvard University Press, 1974),第 83 页。

〔11〕 孙中兴(Chung-Hsing Sun),《1949 年之前中国社会科学的发展》(*The Development of the Social Sciences in China before* 1949, Columbia University, 1987),博士论文,第 104 页。

在来自美国的教会社会学家的影响之下，经验性的社会研究在基督教教会大学和学院里茁壮成长。美国的基督教倾向的社会调查运动之发展，以及早期在中国传教的失败，都加强了中国传教团中社会改革派（social reform wing）的力量。连同美国对中国教育和高等教育体系发展的大规模参与，这一点在教会大学里带来一种实践，即在那里经验性的社会研究紧密地与社会工作联系在一起。“普林斯顿在中国”（Princeton-in-China）的活动与约翰·斯蒂沃特·伯格斯（1883～1949）的工作在这里都非常卓越，这些导致了在1922年建成了中国最大的社会学系——北京的燕京大学（Yanjing University）社会学系。伯格斯正像他后来的战友西德尼·D. 甘博（1890～1968），追求的是双重目标。他试图一方面通过收集经验材料来支持基督教社会工作，而另一方面则想告诉中国学生他们自己社会中的社会问题。1921年由甘博和伯格斯编著的《北京：社会调查》（*Peking: A Social Survey*）一书，在其研究目标、调查方法以及陈述方式上都基本上遵循美国“斯普林费尔德调查”（Springfield survey, 1914），而成为第一部“经典的”社会学研究著作。这项调查被用作面向北京全城的一个社区社会福利计划的根据。尽管在科学上获得了成功，但其作为一个训练基督教社会工作者计划的种种努力却未能实现，因为基督教青年会（YMCA）和洛克菲勒基金会都不愿意资助这个计划。洛克菲勒基金会却反而在1926年支持了北京社会研究所（Peking Institute for Social Research）的成立，这是一个由中国人（陶孟和与李景汉）领导的研究所。在当时活跃的劳工运动以及许多劳工抗争的背景下，这个研究所实施了一系列关于城市劳工生活条件的研究，其中包括家庭预算分析。在北京社会研究所之外，在社会科学领域仅有另一个专以研究为目的的研究所被建立起来，这就是建立于1928年的中央研究院社会科学研究所（Institute for Social Sciences at the Academia Sinica）。它分散在两处，一是南京的民族学和经济学部，一是上海的社会学和法学部。[12] 在经济研究领域，隶属于天津大学（Tianjin University）的南开经济学研究所（Nankai Institute of Economics）地位突出。这个研究所的首要研究目标是对工业化对中国的影响和范围提供一份广泛的评估。在洛克菲勒基金会的影响下，其研究重点在30年代早期转换到了农业、乡村工业和地方政府方面。

503

对中国方面来说，把科学教育从基督教导向中分离出来的要求不断增强。这与美国的教育和研究政策密切相关，这种政策把自己的社会模式的普遍化看做是科学普遍性的证明。位于这种政策核心的是一个中国精英集团，传教目标显然在他们那里难以成功实现。在这个方向上采取的最重要步骤是促使中国学生能够到海外留学。虽然洛克菲勒基金会把在中国建立的现代机构看做是科学传播的工具，但海外留学的概念

〔12〕 Tso-liang Ch'en,《中国的社会科学工作》（Work of Social Sciences Done in China），在燕京大学政治系时的未发表手稿，第78页～第79页。

则更强调受到良好训练的人本身才是科学传播的工具。[13] 1908 年在美国宣布放弃一504半庚子赔款(Boxer Indemnity Fund)之后,中国政府用这些资金资助中国学生到美国去学习。就像在中国一样,这些留学生的兴趣显然在社会科学和人文科学方面。

第一代海外留学回国的社会科学家们采用学术等级制,推动了社会科学在中国的专业化。他们积极从事于建立学术组织,并成为新成立的研究机构的领导者。这些社会科学家并未遭遇到那些在技术和自然科学领域中的归国留学生所面临的障碍,由于中国滞后的工业发展,他们回国后难以发挥自己之所学,而且在中国社会他们也很少得到社会承认。与此不同,社会科学家们所获得的知识则几乎是一直被热切期望地运用于中国社会的。

20 世纪 30 年代社会科学中国化的策略

20 年代后期完成的著作,强调经验研究以及关于中国社会的经济和社会资料的收集。从 1927 年到 1935 年间,甚至出现了一个社会调查运动。在这期间,进行了 9000 多项研究,其中 1739 项在全国范围内展开,其余是地方性的研究。[14] 这些研究中有 2/3集中于经济主题,1/4 集中在社会话题。只有 6% 是在处理政治问题。在 30 年代早期农业和乡村研究的数量有了相当大的增长,其主要原因在于外来竞争导致的乡村贸易的衰落以及耕地危机的激烈化。这个潮流是受到了乡村建设运动的刺激,乡建运动方案是在回应国共合作破裂后共产党的新的农民政策。在 1937 年中日战争爆发以及几所大学内迁之后,农业和乡村研究也接受了其他力量的推动。

30 年代的十年,是中国社会科学的全盛期。中国社会科学家们共有着从西方获取知识并运用这些知识以服务于中国社会的现代化和发展这一目标。尽管在这个意义上,我们可以确认在那个时期的中国社会科学家们当中有一个共同目标,但我仍然犹豫于是否可以将其称为一个"中国社会学学派"。[15] 正是在这个领域当中,运用于处理505中国社会危机的研究方法和科学策略,分歧非常之大。为了阐明这一点,我在这里提供几个例证,来说明中国社会科学家们是如何使西方知识适应于中国的状况的。

对"社会科学中国化"的要求是首先在定县群众教育运动中得到表达的。当时,最大而且也最著名的改革方案,是由晏阳初(1893～1990)领导的河北定县的乡村建设运动。而社会学家李景汉(1894～1987)在 1924 年留美回国后,成为中国社会调查运动中最重要的提倡者之一,完成了对这个县城的许多社会调查。李景汉收集到的信息,成了晏阳初在定县农民自助计划制订中的关键性资料。这个计划包括农耕工艺、个人

[13] Peter Buck,《美国科学与现代中国(1876 ～1936)》(*American Science and Modern China, 1876—1936*, Cambridge: Cambridge University Press, 1980),第 48 页。

[14] Yuren Liu,《中国社会调查运动》,1936 年在燕京大学的硕士论文。

[15] Bronislaw Malinowsiki,《费孝通〈江村经济〉序》(Preface to Fei Hsiao-tung, *Peasant Life in China: A Field Study of Country Life in the Yangtze Valley*, New York: Dutton, 1939),第 xxiii 页。

卫生以及乡村自治组织等领域的基本教育和知识的传授。作为一个应用社会科学理论的典型例子，李景汉的《定县社会概况调查》（*Social survey of Dingxian*, 1933），成了中国社会调查运动的一个典范性研究。在该书的序言中，晏阳初把运用社会调查和以社会改革为目标的中国社会的社会科学研究，刻画为“社会学的中国化”。

陈翰笙（1897～2004）也努力使用调查方法将社会科学中国化，不过是从一个马克思主义的观点出发的。在芝加哥和柏林修完经济史之后，1924 年他成了北京大学（Peking University）最年轻的教授。之后不久，他被任命为中央研究院社会学研究所的领导。在 1929 年到 1933 年间，陈指导了广泛的社会调查，诸如土地分配以及中国官僚与外国资本之间的相互关系，这些都为激进土地改革的政治实践提供了经验性的基础论据。[16] 1934 年，他被迫离开了中央研究院，因为他是一名共产党员，但他建立一个“中国土地经济研究社”，以便于能够继续他的研究。他与之前的社会科学家一起，批评了乡村建设运动和定县实验的改革方法，以及在南京金陵大学（Jinling University）的约翰·鲁森·巴克（1890～1962）指导下的耕地调查，他认为这些调查都把中国农业问题简化成了一个农耕工艺问题。

因为一些方法的而不是政治的理由，吴文藻（1895～1985）和他在燕京大学社会学系的社会人类学组，明确地将自己从社会调查方法中分离了出来。虽然他们也认识到了中国社会对于社会改革的基本需要，但是他们尖锐地批评了定量调查，他们把定量调查看做是一种不科学的方法。他们也批评了科学与社会工作的紧密结合和大学与政府机构的紧密结合。吴文藻在 30 年代中期成了燕京大学社会学系的主任，替换了许世濂（1909～），许曾经确定了这个系的社会工作方向。在 30 年代后半期，吴文藻发动了一场中国社会学研究的巨变。受英美社会人类学的影响，他批评社会科学调查方法缺乏科学自主性，强调社会人类学的社区研究的益处。吴文藻支持社会学和人类学在中国实现一种系统性连接，而且把功能学派社区研究的引进，看做是通向社会学中国化的恰当道路。为了把中国社会内部不同发展阶段彼此联系起来，他致力于建立一种比较方法。[17] 吴论证说，只有在发展出一种独立的科学能力之后，社会学中国化才是可能的，这是一种建立科学假设的能力，是一种能够在实际研究中得到证实的能力。他的很多学生获得了国际赞誉，诸如林耀华（《金翼》，*The Golden Wing*, 1944）、杨庆堃（《一个早期共产主义变迁中的村庄》，*A Chinese Village in Early Communist Transition*, 1959）、许烺光（《祖荫下》，*Under the Ancestor's Shadow*, 1948）。

506

费孝通（1910～2005）是吴文藻学生中最著名的。费孝通对经验性的社会研究的兴趣是由罗伯特·E. 帕克激发的，派克在 1932 年应吴文藻的邀请担任了燕京大学教

[16] 陈翰笙（Chen Hanseng），《木的差异》（上海，1930）和他的《工业资本与中国农民》（*Industrial Captial and Chinese Peasants*, New York: Garland Publishing, 1946）及《华南的耕地问题》（*Agrarian Problems in Southernmost China*，上海：广州岭南大学，1936）。

[17] 吴的方法依循的是 Alfred Radcliffe-Brown，《中国乡村社会的社会学调查建议》（Proposals for a Sociological Survey of Village Life in China），《社会研究》（Kanton），1（1937），第 2 页，第 4 页～第 5 页，第 9 页。

职。当时与燕京大学毗邻的清华大学(Qinghua University)的很有能力的史禄国(S. M. Shirokogoroff)教授,则传授给费孝通以人类学现场调查研究的方法。从1936年到1938年间,费孝通留学英国,在布罗尼斯拉夫·马林诺夫斯基的指导下,写出了今天被作为中国社区研究经典之作的《江村经济》(*Peasant Life in China*, 1939)。不过,相对于强调马林诺夫斯基的"浪漫空想"的沉寂平衡,[18]在费孝通看来,社会研究是一种控制和指导由外部因素所引起社会变化的工具。[19] 例如,在他1947年以《乡土中国》为名出版的讨论中国农耕社会学的比较文化讲义中,他分析了西方工业体系和中国农耕社会之间的冲突。[20] 这部著作发展了他的关于中国乡村工业化的思想,他把中国乡村工业化看做是另一条通向现代化的道路。

507 不同于这些经验定向的方法,南京大学(Nanjing University)的文化社会学家孙本文(1891～1979)却通过发展一种文化社会学,而在理论层次上寻求中国化社会学。在东西文化论争背景之下——由于1931年日本入侵满洲,这场论争具有一种民族主义倾向,孙把文化看做是一种"民族的本质",这组成了一个广泛的以中国为中心的社会学计划的核心。[21] 这样的努力表明,经常听到的那些说法,即认为海外归来的中国社会学家和人类学家不过是他们曾受训练的科学学派的代言人,是多么误导人们。

台湾和香港的社会科学

第二次世界大战后,台湾和香港作为中国社会科学的基地出现。这个运动在很大程度上是由中国大陆移民推动的,诸如农耕社会学家杨懋春(1905～1985),他在美国停留一段时间之后于1958年去了台湾;匹兹堡大学(University of Pittsburgh)的杨庆堃,则曾经支持建立了香港的社会学。在台湾,国民党维持着一般性的实用主义的社会科学概念,以及特殊意义上的实用主义的社会学概念。这个领域一直很薄弱,是因为人员和设备都有限。教学材料和在大陆的社会科学家的著作极其缺乏,大多数社会科学家们都留在了大陆,向新建立的中华人民共和国表示了忠诚,因此,他们的著作因为政治理由而遭禁。不过在香港,相关的由中国社会科学家所写的著作却仍然容易获得。

英国殖民政府统治下的政治稳定和学术自由,为香港社会科学发展提供了肥沃的土壤。然而,在50年代和60年代期间,它们在学术范围内的发展仍然很缓慢,迟至60年代晚期,社会学研究尚未恢复。香港主要的社会科学机构是中文大学(Chinese

〔18〕 Karl-Heinz Kohl,《抵抗与渴望,民族学史》(*Abwehr und Verlangen, Zur Geschichte der Ethnologie*, Frankfurt am Main: Qumran, 1987),第46页。

〔19〕 David Arkush,《费孝通与革命中国的社会学》(*Fei Hisao-tung and Sociology in Revolutionary China*, Cambridge: Cambridge University Press, 1981),第55页～第56页。

〔20〕 《乡土中国》(*From the soil: The Foundations of Chinese Society*, Berkeley: University of California Press, 1992)的英译本由Gary Hamilton和Wang Zheng翻译。该书并非费孝通与张之毅合著的《云南三村》(*Earthbound China: A Study of Rural Economy in Yunnan*, Chicago: University of Chicago Press, 1945)。

〔21〕 孙本文,《当代中国社会学》(南京:胜利出版社,1948),第284页～第286页。

University)和香港大学(Hong Kong University)。根据主要倡议者之一的意见,香港的社会学首先与英美的社会学关系紧密;其次,也强调对中国社会的研究。[22] 许多科学家都是在英美大学接受研究生训练的,他们的论文发表也都以英美科学共同体为目标。例如,在香港并没有社会学杂志出版。而且,在60年代和70年代期间,正是在香港,那些指导关于中国研究的西方社会科学家们,设法通过与大陆移民的访谈来弥补他们在指导关于大陆的现场调查研究上的单一。在这点上最重要的机构是大学服务中心(Universities Service Center),这个中心先是由美国基金会建立,后来合并进了中文大学图书馆。尽管进入80年代后,社会学的基础研究仍然在香港居主流地位,但政府对最近的现代化的反应,包括了对解决当地问题的新关注。

508

关于台湾社会学的发展,根据萧新煌的研究,有四个不同的中国社会学家的代际:[23]

(1)战后去台湾的社会学家。例如,谢正夫在法国留学回来后曾服务于国民政府,负责社会事务。后来,在他支持下引进了一个社会学课程,并在台湾建立了一个中国社会学学社(Chinese Sociological Society)。杨懋春教授农村社会学,1960年担任了国立台湾大学农学院(College of Agriculture of National Taiwan University)新建的农业推广系(Department of Agricultural Extension)主任。他的研究有一个实用的焦点,并且维持着与乡村重建中美联合委员会(China—United States Joint Commission for Rural Reconstruction)的紧密联系。这一实用研究在台湾土地改革的成功中扮演了十分有意义的角色。另一位有影响的第一代社会学家是龙冠海,他的研究集中在城市发展社会学上。

(2)在大陆受教育,但在去台湾之前并未从事该领域研究的中国社会科学家。文崇一属于这个群体。

(3)战后在台湾成长起来的社会学家,但他们主要在海外受教育。第三代社会学家(包括萧本人)是在70年代晚期开始扮演有影响的角色。

(4)第三代成员的学生,他们在台湾接受教育。

70年代以后,台湾的社会科学反映了美国研究者的理论和方法。1979年1月美国与台湾断交之后,以及在台湾经济繁荣的状况下,当地知识分子开始了自我反思的过程,成了作家和艺术家们的所谓本土化运动的一部分。[24] 会议、争论以及民意调查的大量涌现,表明了需要中国社会科学也参与进来。来自中国香港和美国甚至是中华人民共和国的中国同行们也都卷入其中。这标志着中国化问题的再次引入——在中

[22] 李沛良(Rance Lee),《香港社会学》(Sociology in Hong Kong),见 Man Singh Das 编,《亚洲社会学》(*Sociology in Asia*, New Delhi: Prints India, 1989),第101页。

[23] 萧新煌,《三十年来台湾的社会学:历史与结构的探讨》,收于赖泽涵编,《三十年来我国人文暨社会科学之回顾与展望》(台北:东大出版公司,1987),第342页。

[24] Bettina Gransow,《中国社会学:中国化和全球化》(Chinese Sociology: Sinicisation and Globalization),《国际社会学》(*International Sociology*),8:1(1993),第103页。

断了将近40年之后。

509 在中国学者中的民意调查显示，在80年代和90年代的台湾和香港，社会科学中国化或本土化的想法极受欢迎。不过，这些调查也显示，接受询问的大多数社会科学家们希望维持一种广泛通用的方式。争论的核心是这样的议题，诸如，社会科学和行为科学中国化是否仅仅意味着将它们运用于中国的状况之下，还是需要一种独立的理论框架。在争论中也提出了一些问题：这样的假设是否必须以在中国社会中的经验研究为基础；将普遍有效性纳入社会科学理论的要求是否与其发展道路上的文化根性相协调。

正如30年代一样，关于本土化社会科学的内容，再次出现了不同的观点。例如，台湾社会心理学家黄光国提出"建立本土化理论"，这是一个与众多作者作为中国人的民族身份有关的术语，同时也涉及到他们对避免知识殖民化的努力。[25] 因而他似乎在本土的科学方法与本土科学家之间互换了概念。[26] 社会学家叶启政和高承恕追随法兰克福学派的路线，在批判和诠释学的层次上要求一种社会科学的中国化。[27] 关于东亚的经济繁荣，80年代和90年代的分析，基于中国式企业组织中家庭结构和商业网络的重要性，越来越多地强调商贸的社会文化方面。不过，当时对中国科学家在科学共同体内部自身所处位置的反省，要比30年代的争论中曾有过的多得多。在80年代后期，这个话题逐渐蔓延到了中华人民共和国，在那里刚刚开始重建社会科学的过程。

中华人民共和国的社会科学重建

在两次不成功的重组（1949～1952）和重建（1956～1957）社会科学的努力之后，510 社会科学作为学院学科一直被取缔到70年代末期。社会科学是作为邓小平的现代化努力的一部分最终再次引入中国的。通过中国社会科学院（Chinese Academy of Social Sciences）的建立和许多大学中社会科学系科的建设，以及学术杂志和研究机构的创设，社会科学研究和教学很快地在中华人民共和国赢得了一个稳固的停泊处。

1949年后留在大陆的中国社会科学家们，普遍期待着他们的新政治领袖会贯彻民主统一战线政策，中国共产党会伸出援助之手来帮助他们。但是，伸出的手证明是紧握着的拳头，社会科学学科很快便难以幸存。中国政府与苏联共产党的政策严格保持一致，在1952年取消了社会科学——包括社会学、政治学、法学和除了政治经济学之

[25] Michael Harris Bond 和黄光国，《中国人的社会心理》（The Social Psychology of Chinese People），收于《中国人的心理》（*The Psychology of the Chinese People*, Hong Kong: Oxford University Press, 1986），M. H. Bond 编，第217页。

[26] 见 Michael Cernea，《本土人类学家与发展导向的研究》（Indigenous Anthropologists and Development-Oriented Research），收于 Hussein Farim 编，《非西方国家的本土人类学》（*Indigenous Anthropology in Non-Western Countries*, Durham, N. C.: Carolina Academic Press, 1982），第121页～第137页。

[27] 杨国枢与文崇一编，《社会暨行为科学研究的中国化》（Taibei: Yongyu Press, 1982），第44页～第46页，第139页，第147页～第148页。

外的经济学。大多数社会科学家被转移到了相关领域，诸如统计学，或是被分配到诸如1951年建立的中央民族学院（Central Institute for Nationalities）和北京政法学院（Peking Institute for Politics and Law）等研究中心。

共产党领袖通过宣称所有这些社会科学都展现了阶级性而正当化了他们的做法。他们认为，在中国社会主义社会中，历史唯物主义承担了所有进步社会科学的任务，而其余一切都是应该谴责的资产阶级科学。进而言之，在1951年和1952年朝鲜战争的背景之下，共产党的反美主义把那些曾经在1949年之前留美学习的知识分子作为靶子，怀疑他们曾经或多或少地具有资产阶级态度。毛泽东的党组织担心这样的社会科学家会挑战共产党人的权力垄断。他们的社会改革方式，被看做是与共产党作为一个社会革命组织的自我定位在智性上的竞争，而且他们大多在政治上同情民主同盟（Democratic League），这是一个在40年代建立的知识分子的党。

像社会学家费孝通、潘光旦、李景汉、陈达和吴景超，以及经济史家陈真汉、人口统计学家马寅初，在1956年和1957年短时期“百花齐放”（Hundred Flowers Movement）的政治解放运动中为社会学的重建而大声疾呼。许多人被打成“右派”，忍受批斗揭发直到1976年“文化大革命”（Cultural Revolution）结束。他们的作品出版被禁止。单单社会学书籍和文章中被列为“禁书”的就超过1000种（其中包括许多1949年之前的杰出著作）。[28]

511

社会研究是否在社会科学学科被取缔之后仍然继续的问题，曾经经常被提出。[29]的确，50年代和60年代期间，社会调查受到控制。作为一种社会研究的“无产阶级”形式的积极模式，它们必须与最迟于1957年反右斗争（Anti-Rightist Movement）中出现的“资产阶级”社会学的消极形象进行斗争。毛泽东的《农业合作化问题》（*The Question of Agricultural Cooperation*, 1955）是这种无产阶级社会研究的原型。在1963年至1965年社会主义教育运动（Socialist Education Movement）期间广泛收集的关于“四种历史”（家庭、村庄、公社和工厂）的材料，被用来建设一种理想化的社会史。1949年是“解放前”的旧社会和“解放后”的新社会的分界线。这种社会研究形式直接与意识形态教育的目的有关；正如有人所说，这至多是一种社会研究中的“社会主义现实主义”的类型。那个时代经济统计学的建设，也是这种情况。

随着禁令的升格，出现了一种政治自由，它是在将社会学作为独立的科学学科的建设的运动中表现出来的，这些学科将历史唯物主义作为它们的意识形态主旋律。这个运动代表了一种妥协态度，即承认共产党的领导地位，同时也给予社会科学家足够的自主性以建设他们自己的学科。审查制度和政治压力不再直接针对社会科学本身，

〔28〕 Bettina Gransow，《中国社会学史》（*Geschichte der Chinesischen Soziologie*, Frankfurt: Campus, 1992），第145页。

〔29〕 黄绍伦（Siu-lun Wong），《中华人民共和国的社会研究》（Social Enquiries in the People's Republic of China），见《社会学》（*Sociology*），9（1975），第459页～第476页；Lucy Jen Huang，《社会学在中华人民共和国的地位》（The Status of Sociology in People's Republic of China），收于Man Singh das编，《亚洲社会学》，第111页～第138页。

而却针对单个学科内部。

因为有数十年之久的取缔,1949 年之前受教育的研究人员仍然构成了中国社会学研究的脊梁,甚至在 80 年代早期仍然如此。他们的经验和广泛的知识,虽然有点过时,但有更近期的西方文献翻译浪潮作为补充。这些翻译作品都服从于严格的检查制度,而且也不太容易被学生和年轻的研究者得到。

80 年代和 90 年代社会学研究的主要焦点(正如在 1949 年之前一样)是经验研究。一般意义上的社会问题,以及特殊意义上的婚姻和家庭议题,都首先被给予了最高度的优先性。诸如失业、青少年犯罪以及住房短缺等社会议题,在“文革”之后具有特别的紧迫性。社会科学关于社会工作的传统关注,再次受到重视,特别是被北京大学社会学系长期任职的主任袁方所重视。例如,雷洁琼(1905～)论家庭社会学的著作与政府严格的计划生育政策有关。同时发生在农业部门的改革旨在提高农民家庭作为基本经济单位的地位。这种改革导致了传统习惯的复活,诸如包办婚姻、婚礼的大操大办、纳妾以及对男性子孙的偏爱。

512

费孝通的小城镇研究在最初时期的经验研究中颇为突出。[30] 随着对他早期研究的深化,费孝通进一步提炼了他的作为一种适应于中国的现代化策略的乡村工业化理论,补充了乡村城市化的概念。建基于对地方经济传统的功能主义的分析,寻求一种(自发的)微观发展与(控制下的)宏观发展之间相互适应的现代化道路。同时,费孝通的研究计划代表了一种含蓄的努力,即在对传统经济行为复活的经验性分析中,为一种恰当的现代化理论选取素材。这个计划在与世界银行(World Bank)的合作指导下,也是许多乡村工业研究的一个出发点。

80 年代中期改革向工业部门和城市的推广,对于经济和社会科学而言意义重大,因为它们现在要面对现代化政策的挑战。这一点特别与经济学有关。在既定政治框架里,经济学争论涉及到在曾经是计划经济的中国经济体制当中引进市场因素的策略。讨论又重拾 60 年代起关于经济自由化论争中的观念,而且国外理论也被讨论,包括西方的方式,特别是东欧改革的经济学家们的理论,诸如布拉斯(Brus)、锡克(Sik)、朗格(Lange),特别是克奈(Kornai)。许多中国经济学家赞同为了提高企业效率将国家所有权与企业管理权分离的要求。工业改革和价格改革被视为是同样必要的,不过在究竟哪一个应该优先进行改革上出现了观点分歧。争论的一边是以北京大学的经济学家厉以宁为代表,他曾经是前总理赵紫阳的顾问。他认为国有企业的所有权改革应该优先于价格改革,首先改造成为股份合作制公司。另一学派在中国社会科学院吴敬琏的领导下,支持一种价格体系、企业和宏观管理体系的整体性改革。[31]

[30] 费孝通等,《中国的小城镇:功能、问题与前景》(*Small Towns in China—Functions, Problems and Prospects*, 北京:新世界出版社,1986);费孝通,《小城镇,大问题:江苏省小城镇研究论文选》(南京:江苏人民出版社,1984)。

[31] Robert Hsu,《中国的经济理论(1979 ～1988)》(*Economic Theories in China, 1979—1988*, Cambridge: Cambridge University Press, 1991),第 19 页。

在改革政治策略的背景之下，80 年代后期，态度调查和公共民意测验经历了一次彻底繁荣，它们常常被从一种工具性视野加以理解。虽然政治领导人最初支持调查方法，是为了利用公众的积极态度来为他们自己的意图服务，但是就城市人口的高期望可能不再是合适的这一点来说，这样的方法违背了他们的意愿，而且调查也越来越暴露了批评性态度。[32] 由全国人大主办的、发挥着前总理赵紫阳智囊团作用的中国经济体制改革研究所(Chinese Economic System Reform Research Institute)，是联系观点调查和国家政策的主要例证。这个研究所在 1989 年解散。

513

在经济改革之后，80 年代和 90 年代出现了许多新的社会现象和社会问题，其中包括乡村向城市的移民潮、中产阶级和新组合的出现、就业问题(特别针对妇女)、贪污腐败和乡村宗族组织的复活等。90 年代早期开始的一系列所谓蓝皮书的出版，提供了对当代中国快速社会变化过程的持续考察。

许多社会学的理论化追求，都包含着对适合中国的现代化理论的寻求。内生现代化理论很快便表明其在很多方面不足以分析，且不说是解决，像中国这样社会的问题，这样的社会正在应付自外而来的现代化，并且处于重新适应高度精密复杂和历史上曾经高度发展的文化的过程当中。处理传统文化与现代化间关系的努力，从儒家与资本主义的关系的争论中获益不少，这场争论发生在中华人民共和国之外，而且是在东亚经济高涨的背景下展开。这些辩论的核心是马克斯·韦伯的著作。韦伯的著作曾在台湾和香港得到了批判性的接受，抑或被认为与韦伯的新教伦理相类似的儒家伦理理论的出发点，这种伦理被看做是东亚现代化背后的驱动力。[33] 在中华人民共和国，社会学家们则在追问，对于中国的现代化，我们究竟能够从韦伯的著作中学到什么；关于阻碍发展的因素，我们又能从韦伯的著作中学到什么。

在中国，社会科学的历史是以不连续为标志的。充满热情的生产力和创造力的时期与停滞、压抑和被迫孤立的时期交替出现。这显然不是一个知识的稳定发展或积累的情况。然而，在中国社会科学史上，也能找到一些连续的形式。一个是社会科学对中国的严格限定的政治条件的依赖。另一个是在研究资金方面对国外学术组织的依赖。第三是那些仍然保持着热情和献身精神的知识分子与学者们(尽管经历了政治上的困境和虐待)的个人工作。第四是为了中国社会现代化的目的而对社会科学的工具化。最后，是在中国从 30 年代持续至今的对社会科学中国化或本土化形式的要求。正如社会科学曾经在民国时期运用不同策略以复兴这个国家一样，在 80 年代和 90 年代它们被指向改革政治策略的成功之路，虽然这里个人在关于手段和目标的看法之间也有着很大不同。

514

[32] Stanley Rose,《后毛泽东时代中国公共舆论的兴衰》(The Rise [and Fall] of Public Opinion in Post-Mao China)，收于 Richard Baum 编，《后毛泽东时代中国的改革与反动：走向天安门之路》(*Reform and Reaction in Post-Mao China: The Road to Tiananmen*, New York: Routledge, 1991)，第 60 页。

[33] 金耀基，《儒家伦理与经济发展：韦伯学说的重谈》，收于李亦园、杨国枢与文崇一编，《现代化与中国化论集》(台北：桂冠，1985)，第 29 页～第 55 页。

对社会科学中国化的要求清楚说明了中国社会科学家们进行反思的连续过程，尤其是由社会学家，他们曾经不断被迫面对**跨文化**理解和传播的挑战。正如20世纪中国社会的现代化不能仅仅被简化为一个不断西方化的过程，这样一种简化也不能运用到中国社会科学发展上来。属于中国社会的特殊社会文化特征不仅偏离了西方现代化的道路，而且也要求它们自己的新的，且更精确的社会科学分析工具。

（张志强　译）

29

日本的社会科学

515

安德鲁·E.巴谢伊

本章是以五个前后相承的"阶段",也可以说是从定义问题、设定分析框架以及推动学科发展几方面的知识倾向,来追溯日本社会科学史的。重要的是,它们也有助于设定公共话语中的集体作用(collective agency)的范围:日本是什么?——是一个以天皇为主体的国家,还是一个以阶级为主体的国家?是一个以"现代"个体为主体的国家,还是一个以单一民族为主体的国家?对这个问题的回答一直偏向于精英机构和精英学者的原因,很大程度上如同许多其他"新近发达国家"一样,是由于日本的社会科学是在国家的呵护下成长的,而且是在精英学术和非精英学术之间的不平等竞争中获得发展的;没有思想的"自由市场"。因此,它也是形式主义的,在这个意义上,我是根据从业者们自身自觉的职业行为来考察"社会科学"的。

新传统主义与特殊的霸权

日本是亚洲第一个取得现代化成功的国家。为坚决抵抗西方的支配,明治时代(1868～1912)的精英们,通过无情盘剥农民,被迫开始进行工业化和军事化。这种努力最初得到了某种程度上不受约束的亲英派们的支持。社会达尔文主义、进步理论和个体与民族进步的道德体系是那个时代的主题。不过,明治政府的创立者也明白,日本从来都不是工业化或帝国建设的先驱。他们寻求文化的自我保护和民族富强,但同时避免那些困扰先驱者们的难题,简而言之,要做一个有效的追随者。

从19世纪80年代后期开始,随着明治宪法(1889)和天皇《教育敕语》(1890)的颁布,政治家、官员、商人、教育家和政治评论家们越来越多地根据面对西方影响的民族文化持续生命力,来定义"成功"的概念。他们宣称,尽管受到了工业化的损害,但服从性和强烈的集体意识这些封建价值标准(在日本依然居于压倒性的农耕社会里随处可见),仍然可以用作联系人民与政府的纽带。日本的"独特"传统会同时作为个人主

516

义和激进意识形态（在他们看来，这是现代社会特有的病态）的制动器。[1] 简而言之，日本已经经由而非不顾传统实现了现代化；一个崭新的、新传统的**现代化模式**已经出现在世界历史舞台上。一种有机例外论（其意义是，日本的现代化模式具有种族独特性，因而具有内在纯洁性）持久有力地塑造了日本的集体自我形象和对外关系。

不过，成功却带来了挫折和焦虑。尽管在世纪之交有两次打赢的战争和不平等条约的修订，日本人仍然反复记起（而且困扰于）自己与大西洋列强的"文明"之间在种族、宗教和地理上的疏远。凡尔赛会议（Versailles Conference）之后的十年中，起初，日本以一个被剥夺了正当势力范围的充满仇恨的"穷国"现身世界，但不久便跻身为亚洲第一。与此同时，日本帝国点燃了亚洲反殖民的民族主义火焰，这种民族主义怒火同时针对着西方（尤其是英国）**和日本自己**。不过，日本的官方与舆论界从未理解这种他们所挑起的力量；他们认为这种力量足以促使亚洲联合起来反对西方，而且当民族主义的敌意转向日本时，他们可以运用暴力来消除它。一种野蛮的缺乏远见的想法（是同一种新传统的例外论的重要部分）进入了日本人的思想。正是这一点，而不是对天生身份认同缺失的绝望，最终导致了全面战争以及彻底失败。这些成了日本现代史的重点。

最近，与战争经历相关的巨大裂痕已经开始弱化，至少足以允许将日本的"新传统"价值标准和发展模式看做是在最近几十年中其他亚洲社会工业化的典范。不过，熟悉和表面的相似，不应该被认为是亲密；日本与其邻居们的关系说到底，仍然很敏感。在日本新传统主义的起源和发展中，以及在其朝向例外论的趋势（且与其斗争）中，日本的社会科学提供了一个理解为什么会出现这种情况的手段。

新传统主义坚持认为，日本的成就和经验，在本质上与其他民族的成就和经验是不可比的；而且新传统主义或许还培养了一种怀疑态度，认为与外部世界的深入交流是不可能的。荒谬的是，这种"不可比性"出自日本表面上看来独一无二的能力，一种在不牺牲所谓"民族本质"的前提下，适应物质上"更优越的"文化中强大动力的能力。社会科学正是这样一种动力，它们以种种个别学科的形式，经由翻译或是国外专家而引进日本。在最近的战后恢复时代，社会科学的主要范围包括了法律、行政管理、政治经济以及历史科学的大多数领域，特别是那些曾在英、法、德、美实践过的领域。到今天为止，专业组织乃至于学科意识在日本仍然很缺乏。这更多的是一种急切的，甚至是争强好胜式的力求精通的风气，而不是批判性的反思或综合的风气。这样说不会降低它的知识趣味，但出于本章的目的，这种"前专业的"行为属于日本社会科学的"史

517

[1] 伊藤博文（Ito Hirobumi），《关于新宪法通过的一些回忆》（Some Reminiscences of the Grant of the New Constitution），收于大隈重信（Okuma Shigenobu）编，《新日本50年》（*Fifty Years of New Japan*, New York: Dutton, 1909），第1卷，第122页～第132页；穗积陈重（Hozumi Nobushige），《敬奉祖先与日本法》（*Ancestor Worship and Japanese Law*, Tokyo: Z. P. Maruya, 1901）；Thorstein Veblen，《日本的机遇》（The Opportunity of Japan, 1915），收于他的《变化中的秩序论文集》（*Essays in Our Changing Order*, New York: Viking Press, 1930），第248页～第266页。

前”范围。[2] 社会科学的“历史”,是以专业化和“国家化”的双重现象为开端的,并伴随着学院社会科学的主线的出现;而学院社会科学是由特殊论的一种或另外的形式来表现其特征的:社会科学的最终价值标准在于能够“源出于或还原于日本的社会关系脉络”。[3] 社会科学开始为新传统整合的目标服务;它是日本民族进步和“生存斗争”的武器。

对那个时代的人来说,这种例外主义霸权的机构无疑是显而易见的。成立于1887年的国家科学会(Association for State Science),从官场和帝国大学中吸收会员,而成立于1890年的国家经济会(Association for State and Economy)也同样如此。到19世纪80年代,普鲁士式“国家科学”所伴生的特权,已经引发了观察者,尤其是新闻记者们和作家们的评论(有些完全是批评)。它还不只是把国家尊崇为“社会”科学的核心。日本早期对“国家科学”的翻译,倾向于强调其最为保守的方面,以至于带来了对更为自由主义的观念的伤害,就像洛伦兹·冯·施泰因反映了德国工人阶级规模及其政治力量的“社会君主制”观念。与对国家形而上学基础及国家合法性的关心相比,“国家科学”也更关心“法治”的行政技术。[4] 国家合法性的问题,通过宣称天皇是天照大神的后裔,已经在天皇制的创立中得到解决,它也是一个学者们噤若寒蝉的分析禁区。1892年,曾受教于路德维希·里斯的现代日本编史学奠基人久米邦武(1839～1931),曾因为发表了一篇带有当时流行的人类学和比较宗教学观点的文章,声称神道教(Shintō)是“天崇拜的残余”而丢掉了他在东京帝国大学的教职。

对放任主义或古典经济学的舍弃,是同一个广泛运动的产物。两者从19世纪70年代早期曾得到了有力传播。虽然私立大学,诸如经济学方面的庆应义塾大学(Keiō University)及稍后的一桥大学(Hitotsubashi University)、法律方面的中央大学(Chūō University)和后来的早稻田大学(Waseda University)继续与英国方法保持联系,但是东京帝国大学(Tokyo Imperial University)与它的帝国大学同伴们却坚定地被拉向德国历史学派。对于国家学说而言,不只是复制模仿而已。大岛贞益(1845～1906)翻译的弗里德里希·李斯特的《国民经济体系》(*System der Nationalökonomie*, 1841),非常著名。大岛是国家经济学的创始人,也是巴克尔和马尔萨斯著作的译者,他大体上支持李斯特派的原则。不过他强烈反对李斯特所论证的,欧洲殖民主义代表了一种世界劳动的自然分工;而且,他也与李斯特不同,他相信小生产者农业,而不只是工业,应该受到国家保护。进而言之,大岛对古典政治经济学的评价,与他们有着细微差别。尽管英国自由主义有助于“消除我们的顽固”,但他坚持认为“政治自由和贸易自由是相当不同的;政治自由使一国人民自由,贸易自由则意味着以损害提供它的国家为前提而使他

518

〔2〕 石田雄(Ishida Takeshi),《日本的社会科学》(*The social sciences in Japan*, Tokyo: Daigaku Shuppankai, 1984),第1章。
〔3〕 Robert N. Bellah,《日本的文化认同:对和辻哲郎作品的反思》(*Japan's Cultural Identity: Some Reflections on the Work of Watsuji Tetsurō*),载于《亚洲研究杂志》(*Journal of Asian Studies*),24:4(August 1965),第574页～第575页。
〔4〕 石田雄,《日本的社会科学》,第40页。

国人获得自由……”[5]

在历史学派的尾声,作为其知识后裔的德国“社会政策”思想,急切地进入了官方和学院话语。19世纪80年代严厉的通货紧缩政策,大大促进了耕地租赁率和城市移民率。大约在德国成立该协会之后20年,1896年日本社会政策协会(Japanese Social Policy Association)成立,而且一直运作到1924年。1909年,该协会已经拥有会员122名,会员来自学术界、政界以及温和的工人圈。除了鼓励学院经济学和经验社会研究的发展之外(这是日本首次在与“国家”科学相对的意义上使用“社会”科学这个词),该协会努力防止曾经严重伤害英国的阶级冲突以及由之产生的蔓延到欧洲大陆的激进运动。这种姿态促使该协会鼓吹保护性的工厂立法,这也使它遭受了商业界的根本敌意,商业界对劳资“温情关系”中官僚政治“干预”的抵制阻止了该法案的通过,这种情况一直持续到1911年。[6] 该协会也呼吁国家采取行动,通过颁布法律,把那些潜在的城市移民保留在乡村,以延缓其他不可避免的劳工激进运动。

在即将进入世纪之交时,最早的社会学家的专业团体开始形成,与此同时,社会学课程也开始在大学里开设。如同社会政策的实践者们那样,社会学家也受到了怀疑,认为他们对“社会”(城市中“下等阶层们”)的兴趣,不是出于研究的目的而是政治宣传。[7] 在日俄战争时代的狂热气氛中,职业社会学家不得不把自己的事业与日本社会主义者中少数不安分群体的颠覆性活动区别开来。建部遯吾(1871~1945),担任东京帝大社会学教席,宣称社会学“开创于孔德,而在建部手里达到最高峰”;他追求一种民族有机论(national organicism)——后来他把这种民族有机论命名为一种“国家社会观”,打击任何“怀疑的、否定的、破坏性的和暂时的”个人主义和民主观念。[8] 这正是职业化的代价。尽管如此,新观念(特别是西美尔的新思想)以及新问题(诸如城市贫困)的压力,开始促使社会学学科超越框限它的保守主义。

519

毫无疑问,一些社会学家是在方法论上对从事乡村研究不感兴趣。不过还有一些别的障碍。1898年的民法,把“家族”(而不是个体)定义为社会的标准单位。除去以前的武士家族(家族模型便以此为基础)以及某些巨商家族之外,与表面上的传统家族最为接近的真实状况,只能在乡村找到。因此,“家族”(虽然要比君主制较少野蛮性)在法律和意识形态的双重保护之下,抵挡了社会学的详细检查,与此同时,一个高度理想化的形象——作为“坚实核心”的俭朴的自耕农,被树立起来为全国所效仿。

[5] 大岛贞益,《论当前局势》(On the current situation, 1896),收于吉野作造编,《明治文化全书》(*Compendium of Meiji culture*, Tokyo: Nihon Hyōronsha, 1929),第9卷,第462页,第464页。

[6] Kenneth Pyle,《追随者的好处:德国经济学和日本官僚(1890~1925)》(The Advantages of Followership: German Economics and Japanese Bureaucrats, 1890—1925),载于《日本研究杂志》(*Journal of Japanese Studies*),1:1(Autumn 1974),第127页~第164页;石田雄,《日本的社会科学》,第51页~第71页。

[7] Nozomu Kawamura,《社会学和日本社会》(*Sociology and Society of Japan*, London: Kegan Paul, 1994),第46页~第50页;石田雄,《日本的社会科学》,第45页~第50页。

[8] Kawamura Nozomu,《日本社会学史研究》(*Studies in the history of Japanese sociology*, Tokyo: Ningen no Kagakusha, 1975),第2卷,第6页~第11页。

不过,按照它自己的条件,这种保护也是很成问题的。尽管保护的范围不断变换,但乡村资本主义的发展却不可逆转,这一点国家也曾做出承诺。在民族例外论框架内工作的官员们,以工具性的态度看待传统,而少有兴趣去保护他们所无法控制的地方习俗。因而这也预示着民俗研究这一新学科形成的动力是缺失的,柳田国男(1875～1962)是民俗学奠基人,也是民俗学的具有强大影响力的实践者。人类学、社会学和民族学**在**日本的发展,以及**来自**日本的自觉的本土社会科学的发展,如果没有柳田的影响,都是不可想象的。

柳田出生在一个贫困的乡村汉学者家里,是第六子,后来被一个高级法官家庭收养。柳田在农商务省(Ministry of Agriculture and Commerce)及之后的工作中,表现出极强的文学天赋。柳田曾记录了许多地方故事和传说,对他来说,记录的"仅仅是他感觉到的东西,并没有增加或删减一字或一句",从这些作品开始,柳田发展了他的核心概念——由"常民(jōmin)"的家庭居住的原始、自然乡村。对于柳田来说,常民是无声和无形的"真正的日本人",他们的亘古不变的生活方式(包括古代效力于皇室的关系方式)现在受到了"家园毁灭(domicide)"的威胁,它来自东京作为现代秩序之核心的官僚政治和资本主义。 *520*

柳田的民俗学,在一定意义上是对原始日本人(ur-Japanese)的搜寻,他首先在内地的"山民"中间追寻,然后逐渐沿着联系日本与冲绳的"海路"探寻下去。18 世纪的学者们渴望从中国观念和理想的长期支配所带来的"外来"污染中拯救日本并重构日本传统,柳田借助于此,最终把他的方案描绘成一种"新本土主义"——新国学。他坚定地承诺要把民俗学建设成一种本土的"土生土长的**科学**"。特别在 20 世纪 20 年代之后,当马克思主义把阶级观念带到社会思想前沿之际,柳田创作了大量方法论作品,强调收集、分类和细致比较地方传说和故事、习惯、方言研究等的必要。它们的要点只有一个,就是要证明被称为"同一者的多样变化"存在于所有的阶级和地域。[9]

在 1945 年之前,柳田的主题被一些学院社会学家接受并进一步扩展,诸如有贺喜左卫门(1897～1979),他特别强调了作为日本社会关系一般结构原则的等级制"家庭"。正如 20 世纪 30 年代和 40 年代在日本殖民地研究中所应用的那样,柳田的方法也适合于战后:人类学家中根千枝(1926～),在她著名的《日本社会》(*Japanese Society*, 1970)一书中,便沿用了有贺喜从柳田论家庭的著作中发展出来的"纵向社会"概念。在与反现代化论的"人民的历史"学派有关的另一个分支那里,柳田以受到威胁的常民群体的名义对现代化的批判,也为"左翼民粹主义者"所接受。[10]

[9] 柳田国男,《当地生活方式研究法》(Research methods for the study of local lifeways, 1935)与《民间传说传播论》(An essay on the transmission of folklore, 1934),见他的《定本柳田国男集》(Chikuma Shobō, 1964),第 25 卷。也可参看 Hashimoto Mitsuru 和 H. D. Harootunian 的论文,收于 Stephen Vlastos 编,《现代性的镜象:现代日本被发明的传统》(*Mirror of Modernity: Invented Traditions of Modern Japan*, Berkeley: University of California Press, 1998)。

[10] 川田稔(Kawada Minoru),《柳田国男:思想史研究》(*Yanagita Kunio: A study in intellectual history*, Tokyo: Miraisha, 1985);梶木刚(Kajiki Go),《柳田国男的思想》(*The thought of Yanagita Kunio*, Tokyo: Keisō Shobō, 1990)。

走向多元化：自由主义的挑战

20 世纪开端，第一批被设计独立于国家学说传统的政治科学课程，在那时的东京帝国大学法学部开设。对于这一新潮流的开创者小野塚喜平次（1870～1944）而言，国家并非自我激励的主体或已经实现的形而上学原则，而是一个经验研究的适当而合法的对象。他小心地放弃了对于学术的任何政治用途（至少在口头上，而很难说在事实上），同时他开始探寻将政治"科学"从将它等同于行政技术这种状态中解放出来。不过，应该指出的是，政治经济学作为独立的大学系科，仅仅是私立机构诸如早稻田大学的特点；而在各帝国大学中，政治科学是作为法律和行政学部当中的一个分科而被教授的。

521

到大正时代（Taishō era, 1912～1926）初期，随着寡头权威的逐渐减弱以及同时发生的中产阶级、工人阶级的成长，普选和劳工权利运动开始兴起。这些运动受到了教育改革和教育快速普及的支持，也受到发行量极大的有关舆论和娱乐的报纸杂志的支持，这些报纸和杂志都呈爆炸式的增长。社会对政治学的冲击（即使当它以民粹民族主义为标志的时候），对以农业为基础的民族例外论霸权，以及旨在提升帝国地位的"官方化的"社会科学的权威，也提出了广泛而多样的挑战。

在构想一种自由主义政体方面，美浓部达吉（1873～1948）和吉野作造（1878～1933）做出了有意义的努力——前者是一位宪法学者，后者是小野塚喜平次路线上的政治科学家。他们在东京帝大法学部任职期间，都寻求拓宽政治体制"代表"人民的包容力，最后他们的目光都集中在把议会作为体现这种代表性的合适场合。他们两人都深信，个体自由（**脱离**传统束缚，**实现**更广泛的社会和政治参与）是现代化时代的活的精神，这种趋势是日本不应该也不能避免的。不过，他们在更深入的理论贡献上却明显地不一致：美浓部的"天皇机关说"具有普遍和形式的特征，并不强调天皇制的历史功能，而是强调日本一旦处于现代国家理性化体制中时对天皇制必要的限制。吉野则赞成"民本主义（people-as-the-base-ism）"，采取了相反的方针，不仅声称公民权可以在不攻击或削弱天皇权力的前提下得到扩大，而且还认为这种扩大是与天皇制本身的进步传统相一致的。[11] 对于基督徒吉野来说，政治为大众福利所引导，其目标在于修复个体与制度之间的适当的（和谐的）关系。

美浓部和吉野的思想广为人们接受。美浓部的方法影响了一代官僚的培养，同时，吉野的方法则推动了一场最终获得成功的要求男性普选权的大众运动。总之，它们代表了战前政治思想和实践中的本土自由主义的局限。它们对于社会科学的意义，

522

〔11〕 美浓部达吉，《宪法讲座》（*Lectures on the Constitution*, Tokyo: Yūhikaku, 1912, 1918）、《日本宪法》（*The Japanese Consititution*, Tokyo: Yūhikaku, 1921）和《宪法的实质》（*The Consititution in essence*, Tokyo: Yūhikaku, 1922）；吉野作造、冈义武（Oka Yoshitake）编，《吉野作造批评论文选》（*Selected critical essays of Yoshino Sakuzō*, Tokyo: Iwanami Bunko, 1975）。

较少表现在对特殊概念的贡献上,而在于他们所维护的观念:划时代的政治变革,是可以通过精英阶层与广大社会选民之间协调一致的运作,来构想和实现的,并且无须诉诸暴力。但是,为了实现这种可能性,一种在方法上独立的、以经验为基础的政治科学是必要的。开始的部分的确完成了,但其影响则很有限。把政治过程包含在社会学进程内部的看法,限制了政治科学的发展,到 1910 年后的十年中,社会学的发展超过了政治科学。[12] 更为必然的是,一种独立政治科学最终会要求一种面对天皇制本身的直接概念的"对抗",而事实上这就意味着去国家化(denationalization),那是不可设想的。

正是在这期间,经济学也连同社会学一起获得了学院公民权。经济学在某些方面成了最国际化、最为量化(尽管只是最初如此)和学院化的社会科学。第一次世界大战后,在主要大学里创建了独立的经济学系。也许由于处于帝国核心的压力,东京帝大的经济科特别倾向于意识形态和派系斗争,而京都大学(Kyoto University)的经济科,则作为令人尊敬的《京都大学经济学评论》(*Kyoto University Economic Review*)的主办者默默地赢得了国际地位。东京商学院(Tokyo Commercial College, 即后来的一桥大学)与庆应义塾大学的经济学系科一直都很著名。受到了作为社会科学实质上同义词的马克思主义(其发展后面将会讨论)之出现的刺激,两次大战中间经济学的核心成就,是在一种严格的理论框架下,对当时日本经济进行考察的开创性尝试。边际主义者和凯恩斯主义者都在社会政策实践者的旁边抢到了位子。不过,到 20 世纪 30 年代中期,马克思主义的经济学家确实已经成为一个身份明确的学派——而且不久之后,也为此遭到了迫害。

左右田喜一郎(1881～1927),准确地说是一位经济学家,他在日本第一次明确地阐述了社会科学的哲学,或者更准确地说是"文化"科学的哲学。左右田是一位坚定的世界主义者,也是一位在经济学和哲学之间轻松换位的独立学者,他在欧洲留学十年,曾师从著名的亨里希·李凯尔特。在他领导左右田银行之时,他把韦伯和西美尔的方法论著作引介给了日本读者。在政治上,他支持"黎明会"的精英自由主义,这个组织的公开论坛有时能吸引数以千计的听众。左右田与"文化主义"关系最为密切,这种思想认为,每个人能够而且必须"保存其独特的价值,并在此意义上参与到文化产品的创造中来,从而使其绝对自由……的实现成为可能"。[13] 左右田的重要性在于,他明确阐述了新康德主义关于自然和文化知识之间的区分。自然作为一位没有自我意识的参与者,对文化也有着反作用力,在这种反作用力当中,知识和行动的主体获得对自身如其本来的自觉。经过这样的识别和界定,"文化"的概念能够为方法论的自主性作为及其组成部分的各种科学的分化提供基础。但是,新康德主义(包括左右田式的新康德

523

[12] 蠟山政道,《现代日本政治科学的发展》(*The development of modern political science in Japan*, 1949, Tokyo: Shinsensha, 1971),第 82 页～第 92 页,第 142 页～第 143 页。

[13] 左右田喜一郎,《文化价值标准与有限性概念》(*Cultural values and the concept of limit*, 1922, Tokyo: Iwanami, 1972),第 61 页;石田雄,《日本的社会科学》,第 99 页;蠟山政道,《现代日本政治科学的发展》,第 141 页～第 142 页。

主义)在实质上是缺乏社会观念的。因此,一种结果是在方法论争论中的徒劳无益。另一方面,当参与这些争论的年轻一代知识分子们普遍地信奉马克思主义并把它作为最优越的社会科学的时候,他们倾向于要求马克思主义在方法方面,也能表现出恰当的严密性。在这个意义上,"新康德主义是马克思主义的辩证前提"。[14]

在米田庄太郎(1873～1945)的社会学中仿效了左右田喜一郎的形式主义,他追随西美尔,把社会定义为个体之间心智互动的过程,而排除了国家或家庭,并且他的学科任务就是研究这些关联**形式**。这一特殊兴趣的两种发展相继出现。米田自己(在1919年)把现代"知识阶级"在很大程度上等同于新出现的中产阶级,因为其收入是通过知识或技术专能而获得的。由于这个群体的人数太多而无法全部为旧的精英阶级所吸纳,因而,就逐渐形成了与无产阶级的联系。米田论证说,这个"运动"是一个极其重要的社会问题,对工人阶级的政治前途来说,尤其如此。到了米田的学生高田保马(1883～1972)的时候,强调的与其说是互动的形式不如说是结合的形式,还强调了个体之间,特别是社会阶级内部共存的意愿。社会的结合,无论是被迫还是自愿,都是一个超越了西美尔的孤立个体之间"心智互动"的客观事实。这样的著作显然不考虑城市社会互动的新形式,它包含了对"普遍性"原则的探寻,而且同样地构成了对所有层次上的乡村社会的霸权"现实"的含蓄批判。在这个意义上,它很符合美浓部达吉的"天皇机关说"所声称的普遍主义。然而,正如在20世纪30年代由柳田国男不断高涨的本土主义和高田保马向礼俗社会(Gemeinschaft)的靠近所表明的那样,由国家所阐述的乡村"遗迹",是与这种普遍主义不相一致的。[15]

实用经验社会科学是由学术界之外的基督徒和其他社会改革者们所开创的,也包括一些大学老师和学者,他们都加入了工会和诸如私营的大原社会问题研究所(Ōhara Institute for Social Research)等机构。其中特别值得注意的是福音传道者贺川丰彦(1888～1960,在那个时代,是世界上最著名的人之一),他在Shinkawa的贫民窟生活了四年半,编写了他的神户和大阪调查。他广泛论述了对那些为贫困所折磨而分裂和受伤的人格进行"人性构建"的必要性。他对流氓无产阶级的研究(其中包括大量的贱民)试图囊括现代大规模贫困的**经验**,以社会病原学为开端,逐渐扩展到对就(失)业模式、家庭形式、消费习惯、饮食、不良恶行和犯罪的思考。在1918年米骚动和1923年关东大地震(以及随后对在东京的朝鲜人的大屠杀)之前几年,贺川便明确预见到,社会等级的下降,将使那些自我调节能力较弱的个体倾向于群众暴力,这种情况很快就发生了。[16]

524

尽管他对劳工、佃农和流氓无产者运动给予了强有力的支持,但他从根本上关心

[14] 石田雄,《日本的社会科学》,第100页,第290页～第291页。

[15] Kawamura,《社会学与日本社会》,第54页～第57页。

[16] 贺川丰彦,《穷人心理学研究》(A Study in the psychology of the poor, 1915)与《人性损伤与人性构建》(Human suffering and human construction, 1920),见他的《贺川丰彦全集》(*Collected works of Kagawa Toyohiko*, Tokyo: Kirisuto Shinbunsha, 1973),分散于第8卷和第9卷。

的是道德的提升，而且在他的社会分析中忠于一种乐观进化论。他对“人性构建”的那些具体的希望，与美浓部、吉野、左右田的自由主义的设想一起，都在20世纪30年代的经济萧条和政治反动的大动荡中失败了。自由主义（在共产主义社会的环境中是个必不可少的刺激物）仍然在夹缝中生存，不过，它缺乏独立的制度基础和动力。在行动的和学院的马克思主义同时遭到镇压之后，帝国大学中的自由主义者继续成为“国家政体”保护者的牺牲品，有时则以大学自主性本身的名义而被牺牲掉了。

激进社会科学：马克思主义的影响及其命运

在日本战败后的一段时期内，政治科学家蠟山政道（1895～1980）写文章论辩说，自由主义政治科学曾经为左和右两种意识形态力量所包围，也为左右两种力量所撕扯，不过，不应该再被战后的学者们所忽视。[17] 蠟山的辩护书根本不起作用，国家力量事实上仍然支持右翼；与左翼的争斗是不公平的。个体与国家或团体之间被认为存在着一种自然和谐的关系，任何对抗都需要给出特别的理由。因此，蠟山在识别来自左翼的新“威胁”时是正确的，像将“社会”的形象和含意尖锐化成为阶级和阶级斗争的形象和含意，这一点在马克思主义中得到了特别的体现。正如福田德三（他是社会政策的坚定支持者，也是对日本社会发展进行开拓性研究的创始人）所指出的那样：“社会主义和社会政策——不，事实上与‘社会的’这个术语相关的一切，在今天至少都把阶级斗争作为它们的主要关切。”[18]

525

19世纪90年代晚期，马克思主义曾被引进日本，但是，随后发生的俄国革命、米骚动以及相关的工人罢工，都证实了以冲突为核心的社会进步观念的有效性，这一观念也为日本社会主义运动中工团主义者与马克思主义者之间的长期斗争，提供了动力。在这个过程当中，马克思主义超越了其作为暴力革命运动意识形态的角色，而实质上变成了“社会科学”的同义词——这个术语直到此时才第一次被普遍使用。《资本论》的全译本出版于1919年和1925年间；《马克思恩格斯全集》的改造社版（1925～1927）仅第一版便卖出了1.5万套。如同在别处一样，马克思主义在日本的传播，不仅依赖于一种公认的政党的存在——这个政党以《资本论》为核心经典，而且也依赖于弗里德里希·恩格斯、考茨基、弗拉基米尔·伊里奇·列宁和尼古拉·伊万诺维奇·布哈林著作的流行。河上肇（1879～1946），这位日本马克思主义经济学的奠基人（而且最终参加了共产党），虽然在某些重要方面从未赞同历史唯物主义，但他仍然是年轻知识分子们至关重要的“传道者”。他对马克思主义的宣传导致了“社会科学”研究群体在大学和高等学校（甚至在中等学校）里大量增加，而教育官员对它们的查禁也早在

〔17〕 蠟山政道，《现代日本政治科学的发展》，散见各处。
〔18〕 福田德三，《社会政策与阶级斗争》（*Social policy and class struggle*, Tokyo: Ōkura Shoten, 1922），第3页。

20 世纪 20 年代中期就开始了。因此更必然地，许多年轻大学生前往魏玛德国研究原著，并与德国（和讲德语的）马克思主义者进行交流，这些马克思主义者的立场代表了从实证主义、修正主义到黑格尔主义的全部领域。

不论如何变化，马克思主义都是“现代日本第一个以总体的而又条理清晰的方式，促使人们理智地说明社会体制变革的世界观”。[19] 它的影响最大，是因为其他不同的社会科学学科作为孤立的科学以“工具性的方式”发展；而且与欧洲相比，日本还未曾经历进化论或实证主义体系的危机和崩溃，就像斯宾塞和孔德的理论曾经历过的那样。不过，马克思主义中的每种力量，都随之带来了相应的缺陷。体系化的特征可能蜕变为教条主义；而它的公认的普遍性则取消了它的外来根源（而且强化了日本在历史上落后的知识“客体”地位）；它批判式的方法经常挑起纷争，带来组织破裂。

终极而言，马克思主义的主张同义于社会科学，是源自它对日本社会本身的**分析**，它反映了（仅仅在一些重要的方面超越了）刚刚描述过的所有紧张状态和问题。它的主要贡献表现在“对日本资本主义的论争”，这场争论从 20 世纪 20 年代晚期持续到了 30 年代中期。关于革命目标和策略的政治分歧引发了这场论争，而论争的任务是历史性地描述日本资本主义和现代国家的发展过程。所谓的“讲座协”（Kōza-ha），追随共产国际 1927 年和 1932 年“有关日本的文件”的立场，集中分析了控制着专制主义帝国体制的顽固而强大的“封建”势力。日本资本主义是一种“特殊”的杂种。它的资产阶级政治制度是不成熟的或是畸形的，整个国家机构建立在半封建生产关系的广大基础之上，而决定这一生产关系的农民阶级几乎没有受到 1868 年的政治事件*的影响。因此社会科学的任务，就在于阐明究竟是什么阻碍了民主革命的完成，而民主革命是作为分成两个阶段向社会主义迈进的必要的第一步。持不同意见的“劳农协”（Rōnō-ha），认识到日本相比于西方在时间上的滞后，采取了一种更具结合性的观点，把日本视为金融资本主义的帝国主义体系成员之一。这便必然意味着在维新之前，日本农耕经济中已经发展出了具有原始资产阶级支配的生产关系特征。明治维新（Meiji Restoration）是日本的资产阶级革命；封建主义的“残余”，虽然仍然强有力，但却是从属性的，将会在社会主义革命中被扫荡干净。

关于资本主义的论争从本质上讲是无法解决的；到 1938 年，这场论争以其参与者或被捕或沉默而结束。因为这场论争与左派的国内政治纲领关系密切，所以同情的旁观者经常被迫表态支持其中一方或另一方。这在很大程度上模糊了争论的真实意义，也模糊了触发这种争论的理解上的分歧，不过这并非完全是马克思主义不可避免的结果。例如，经济学家宇野弘藏（1897～1977）论证指出，日本的资本主义是一种“后发展”的经典范例，资本主义的生产模式是以工业而非农业为媒介的。这意味着“讲座

[19] 丸山真男，《近代日本的知识分子》（Intellectuals in modern Japan），收于他的《从后卫出发》（*From the rear guard*, Tokyo: Miraisha, 1982），第 107 页～第 108 页。

* 指明治维新。——译者

协”对“半封建”农民阶级的强调,和“劳农协”对其所发现的农村分化证据的坚持,都是不合适的。[20] 直到20世纪60年代,随着农民阶级实质上的消失,“讲座-劳农”论争时过境迁,从整体上考察日本战前资本主义结构才**在政治上**获得许可。

作为政治迫害的主要受害者,日本马克思主义者都被英雄化了。但是我们也必须认识到,危机中的“民族共同体”竭力发出一种积极的诉求——这种诉求从本质上使日本社会科学内部的批判动力难以发挥作用,而这种社会科学在马克思主义的庇护之下采取了体系化的形式。长期远离“资产阶级”社会学的社会思想家们,欣然回应共同体的召唤。在面对与民族共同体的公开决裂(囚禁、流放、被迫沉默)和某种妥协的生活之间的抉择之际,很多人选择了“回归日本”。

527

“回归”意味着与国家的结盟,更具体地说,是与20世纪20年代晚期和30年代早期正在稳步取得领导权的公开的改革派官员们以及他们在军方的伙伴结盟。特别在1931年入侵满洲之后,国家、军队以及部分学术界和新闻界人士,都被当时的意大利、德国和苏联的工业和经济组织模式所吸引。南满铁路株式会社(South Manchurian Railway)早已雇用了数以千计的研究人员;而在本土则加倍努力打造以总体战为目标的经济。诸如“昭和研究会(Shōwa Research Association)”和“内阁企画部(Cabinet Planning Board)”这样的组织,同时接受学术界的和政府的经济学家为会员,其中包括像学识渊博的有泽广巳(1896～1988)这样的学者。对于这样的学者而言,在他们的专长和直接为日本努力从事的战争作贡献的压力之间已经毫无选择余地,这使得他们难以拒绝为国家战争服务。

由于军事需求的不断高涨,难以承受的资源紧张意味着这些战时经济计划有很多都难以奏效。但它们的失败一定不会让那些推动计划者努力奋斗的思想模式失去光彩。在“自由主义”阶段,他们批判资本主义的修辞方法和内容实质,在很大程度上都来自马克思主义,虽然他们政治纲领中的决定性因素是更为“李斯特式”的自给自足的民族和集团需求。由于后一个理由,在知性层次上,倾向于将“阶级”变成“民族”,把“民族”作为历史变革的更为优先的能动主体;而在政治层次上,马克思主义者则能够停止与“法西斯主义者”的战斗。日本社会科学中官僚政治与激进思想之间的交叉不仅颇为典型,而且也意义重大:它标志着一个技术知识分子阶层的形成,他们在经济政策和计划方面的专长,在1945年后被动员起来不间断地用于追求战后的恢复和发展。

战后的社会科学：现代主义与现代化

战后初期的数十年中,社会科学可以等同于众所周知的“现代主义”,也可以等同

[20] 宇野弘藏,《资本主义建立中的乡村分化过程》(*The process of rural differentiation in the establishiment of capitalism*, 1935),见于降旗节雄(Furihata Setsuo)编,《战时的抵抗与自主:向一个创造性的战后时代推进》(*Resistance and autonomy in wartime: Impetus for a creative postwar era*, Tokyo: Shakai Hyōronsha, 1989),第151页～第174页。

于对作为一个国家和社会的日本的"负面特殊性"的抨击。这种社会科学在时间上的开端是战败和被占领，其批判的源头是揭露日本灾难原因的动力。战争与导致战争的过程，证明了一种历史的病态：天皇制、日本的帝国体制，这种历史的病态被用于与理性化的有组织的民族生活相敌对，并且一直使日本无法与其邻邦共处。与马克思主义一道并最终取代了它的现代主义，继续将日本现代化扭曲的和失败的第一阶段**完成**。现代主义激发出一种并非直接是政治上的"民主启蒙"，它虽然从占领者的言辞和政策中得到了某种暗示，但其根源来自战前的马克思主义和自由主义的某些方面，以及战争经验本身。这个术语是由马克思主义批评家杜撰的，但却广为使用。

战后不久的现代主义作品，倾向于把战争描绘成一个返祖性的非理性插曲。不过，随着时间的流逝，经济动员的制度上的"有效性"和各种理性化形式，连同朝向社会平均化（social leveling）的无可置辩的潮流，这些作为塑造战后经济体制的要素，都逐渐得到承认。计划和"实用"社会科学的重要性，仅仅由于新的体制而得到加强，而且相当重要的是由于被占领早期阶段的新政"基础结构"的存在。很多社会科学家认为（或梦想），现在的问题是去决定一个民主的日本是走资本主义道路还是走社会主义道路。无论是哪条道路（正如政府自身所认定的那样），搜集资料和定义问题的基本工作，都要求众多经济学家的努力——新获释或是允许回到学术岗位上的马克思主义者，凯恩斯主义的通才（诸如中山伊知郎），与政策专家（劳工方面的大河内一郎，农业方面的东畑精一），他们都曾经为战时的非理性而恼怒，一直等待着用武之机。[21]

日本最终并没有走上一条与资本主义背道而驰的道路。不过，马克思主义经济学家在政府中的强大影响力，是战后初期数十年的显著特征，而在学院派经济学家中，马克思主义方法的影响力也同样广泛。虽然最终为他们的美国化同行所遮掩，这种"经济学左派"在战后现代化的名为"柔软的下部结构"或"看不见的基础"的理论上，做出过关键性的贡献，它的重要人物有有泽广巳和都留重人（1912～）。[22]

然而，现代主义本质上与效率无关；"战后"也不只是代表着需要经过磨炼的专门技术加以解决的艰苦物质条件。位于战后核心的是一种标志着日本近期历史的**断裂**的感觉和对强大与"复活"的渴望。就其最有影响力的方面而言，现代主义的道德定向与它的科学定向具有同样的意义。为一定程度的集体负罪感所驱动的现代主义者，表达的与其说是对日本在亚洲侵略中的受害者的负罪感，不如更抽象地说，是对历史本身的负罪感。与此相结合的是一种牺牲感，因为一代人被国家恣意浪费掉了。这种"悔悟共同体"强烈的自私自利在今天遭致了批评，正如发生的事实是，现代主义很快

〔21〕特别调查委员会（Special Survey Committee），《战后日本经济的重建》（日本外务省，1946年9月，*Postwar Reconstruction of the Japanese Economy*，Tokyo：University of Tokyo Press，1992）。

〔22〕Takeuchi Kei，《日本社会科学的知识环境》（The intellectual environment of Japanese social science），见于山之内靖，Murakami Junichi, Ninomiya Hiroyuki, Sasaki Takeshi, Shiozawa Yūten, Sugiyama Mitsunobu, Kang Sangjung 和 Sudō Osamu 编，《社会科学的运作》（*Social science at work*），为《社会科学的方法》（*The methods of social science*, Tokyo: Iwanami Shoten, 1993）第4卷，第43页。

地忽略了帝国的外表,而迫切渴望根除被征服政权的病态。不过,在与马克思主义协作式的竞争中,正是这种道德严肃性赋予现代主义以长期持久的力量。[23]

何种社会科学是现代主义?我们可以从丸山真男(1914~1996)和大塚久雄(1907~1996)的著作摘取一些说法:前者是最重要的日本政治思想史家和积极活动的政治科学家,后者是欧洲经济史家,后来关注现在所谓的"南北"差异问题。正如丸山真男在1947年所写的,现在的任务是"实现明治维新未能实现的任务:完成民主革命"和"面对人的自由问题本身",不过,自由的承担者不再是古典自由主义的"市民","而是……以工人和农民为核心的广大劳动群众"。而且,关键的问题"不是群众的感性解放,而是群众应该如何而且是如何彻底地获得一种新的规范性自觉"[24]。

在这里,我们可以设想一下马克思主义和康德主义(或是新康德主义和韦伯主义)的沉重的义务,它们就像外膜一样把现代主义者与两次战争之间时期的智育联结起来。在丸山的思想中,同样包含有强烈的唯名论和社会契约论因素,在他那里,现代主义等同于一种动力,它能创造出有能力抵抗权威的具有判断力的众多公民,这就是:人民民主(homo democraticus)。大塚则探求马克思与韦伯的结合,与此同时则维持对两者文本的忠实,在他那里,长期奋斗的目标是伦理的创制者(ethical producer),一个在社会平等中起作用的具有正义感的人。大塚论证说,战后日本不再能够继续依赖于封建性的"公正"而生存,必须为现代的"平等"而奋斗。最近一个对于大塚的有趣批评发现,大塚并不是一个十足的尼采主义者,他其实很乐观地相信重建日本的真实可能性,只要沿着"伦理化个人主义的"路线,去正面回应韦伯的"铁笼"预言。现在有人指出,大塚的伦理标准缺乏政治性(而且还不承认引用了他在战时论生产力的著作),因此具有明显的吸纳性(co-optable)。[25]

在一个人的思想中发现吸纳(co-optation)的各种根源,的确是个成果;像丸山和大塚这样坚定的现代主义者,总会有同党和诽谤者。不过,空前的经济增长与政治上的失败(1960年,激进主义学术人士寻求中止日本在外交和军事上对美国的附属关系,转而支持不结盟)一道,为现代主义的"结构性"吸纳进入**现代化**讨论开辟了道路。作为一套可操作的概念,现代化定形于20世纪60年代初,是它在美国学术中积极扩散以及在日本诸如《思想》与《中央公论》这样"有极高知识品位的"期刊中大力传播的结果。这种方法强烈主张回到明治时代并最终回到德川时代,把这两个时代作为日本惊人的经济持续增长的"先驱";重新发现了"传统"(譬如经由教育普及和乡村商业)对后来工业化成功的贡献。

530

川岛武宜(1909~1992),东京大学杰出的法律社会学家,也是大塚久雄密切的合

[23] 丸山真男,《近代日本的知识分子》。
[24] 丸山真男,《日本自由主义思想的形式与特征》(Nihon ni okeru jiyū ishiki no keisei to tokushitsu, 1947年8月),见于他的《战中与战后之间》(*Senchū to sengo no aida*, Tokyo: Misuzu Shobā, 1976),第305页。
[25] 山之内靖,《战后半世纪的社会科学和历史意识》(Social science and historical awareness in the postwar half-century),载于《历史学研究》(*Rekishigaku kenkyū*),no. 689(1996年10月),第32页~第43页。

作者，在现代化论中发现了一种分析工具，“不仅能够用于所谓‘东方’和‘西方’的社会变迁，而且也能够分析较低发展水平国家和‘新兴国家’”。实际上，他想象“有这种理论上的可能性，即把所有这些事例当做一个过程不同而方向相同的世界历史运动”。川岛的希望超出了分析结果：

> 预见当代世界历史的宏大运动指向何种方向及经由何种路径；找出这一路线，经过它能够更为迅速地为人类带来真正幸福——这是人类热切的渴望，也是社会科学家最为重要的任务。在此所讨论的方法，就可以被视为朝着那个方向的一种努力。[26]

川岛自己保留了很多战后早期现代主义的主观主义者的斗争主义（agonism），在他看来，社会科学的任务，就是通过一场革命性破坏——特别是一场精神革命，来引导旨在克服“传统”社会及其价值标准的斗争。它的外在参照者，是从西方革命史中抽象出来的高度理想化的现代性典型。不过，在紧随的十年中，现代化开始把国家历史发展的连续过程当中，从一个阶段到另一个阶段的最平稳可能的连续性，作为优先的价值标准。国家历史发展的连续过程可以被记录在以 GNP 最大化为终结的一整套可计量的方法中。**现代主义**具有自觉的意识形态的特点，它把社会科学的“价值中立（value freedom）”，看做是在把当前现实从传统主义者的意识的扭曲中解放出来的过程中，通过斗争而取得的东西；**现代化**则倾向于认为，“价值中立”或客观性，是通过可测量的社会或行为指标的证明而加以确立的。其重要的外在参照者就是当代美国，一个“早就已经（always already）”现代化的社会，而且表面上已经从“意识形态”，特别是阶级和阶级斗争的意识形态中解脱出来的社会。

531

根据现代化的方法，日本已经不只是一个“案例”；正是谈到日本，“案例”这个术语自身在分析历史变化过程中首次赢得了可信性。到 1961 年，就这点而言，日本已经被确认为一个榜样，对照着它，那些纯粹的“案例”（土耳其、俄罗斯、伊朗、墨西哥、韩国，以及一般意义上的“发展中社会”和“新兴国家”）得以被衡量。趋同（保证美国化）就是提供给所有“成功的”现代化者的承诺；所有的文化差异最终只是功能性标尺上不同位置的问题。[27]

从科学到文化

日本式的现代化由两个因素构成：“增长主义”与“文化主义”，这两个因素是到 20

[26] 川岛武宜，《“现代化”的意义》（The meaning of “modernization”），载于《思想》（*Shisō*），no. 473（1963 年 11 月），第 8 页。

[27] 石田雄，《社会科学再考》（*Social science reconsidered*, Tokyo: Daigaku Shuppankai, 1995），第 28 页～第 34 页，第 100 页～第110 页；和田春树（Wada Haruki），《现代化论》（Kindaikaron），见于历史学研究会和日本史研究会编，《日本史讲座》（*Symposium on Japanese history*, Tokyo: Daigaku Shuppankai, 1971）之第 9 卷：《日本史的争论》（*Debates in Japanese history*），第 255 页～第 282 页。

世纪60年代结束时开始分离的。前者出于自身的目的，把对量化的歌颂与对工业产品的物价稳定措施结合了起来，为实用新古典的和凯恩斯主义的经济学（被称之为现代经济学）与经济计量学提供了一种巨大的刺激，而且开始瓦解马克思主义方法的权威地位。统计崇拜是不可避免的。

生产是日本的国家目的；那么，政治性的问题是，为谁生产？而更为根本的问题是，战后增长是如何发生的，又如何能够维持？政府的和学院的经济学家们对这种可能绝无仅有的经济形势进行周期性的和“宏观”结构的分析；这种经济形势是由继承下来的工业结构的二元论和所谓“战后特性”影响（重建的必要，被占领后改革的遗产等）之结合体所创造的。不过，随着时间的流逝，公司的角色和习惯、组织和互动的表面上的传统模式以及动员和激发劳工的能力，都被公认为是至关重要的，这些都吸引着日本的和人数不断增加的美国研究者努力进行研究。

当然，从战后早期对传统的谴责到对传统的复原，在日本的现代社会或公民社会的定义中注入了一种必要的固化剂。美国的社会科学家们，既有专家又有比较学者，都特别地对日本公司调整中等和高等教育以适合生产模范职员的能力印象深刻，即使只有（重要的）少数人能够有望获得声望较高的公司“终生雇佣”。随着公司网络连锁资本经营及其与国家之间不断加深的密切关系，社会科学家的注意力也转向了公司网络更大的经济作用。一种普遍化（西方式）的现代社会的观念，期望独立的非国家组织（法律和习俗的领域、志愿组织，诸如此类等），运作在社会“平等”的市场化关系基础之上，而替代这种观念的日本的现代化则被看成是在人际关系中维持和促进“新封建主义”。这一点证明了“文化”是增长的关键，而且文化并不意味着趋同，而只意味着深刻的、意义深远的差异。

532

“增长主义”的巅峰随着明治维新百年国家庆典和“1970年世界博览会”而到来。看起来“增长主义”和“文化主义”似乎还将继续协同运作。但越南战争却引发了对美国万能的幻觉严格的检查，其中包括战争伤亡人数和作为一种可计量（可引导）过程的现代化观念。作为这场冲突的投机商，日本政府和公司也信誉扫地。在国内，增长主义的代价也如期而至，表现形式有：惊人的环境污染、城市的过分拥堵，以及这样的观念：公司利益驱动下对劳工的无限制的专横要求是正当的。无论个人生活还是大众生活，似乎都不再具有内在的重要性。

这种局面应该说已经为马克思主义提供了一个极好的机会。在一定程度上也确实如此：到20世纪60年代，马克思主义已经作为一种需求而被制度化了，在许多日本大学系科里马克思主义开始与“现代”经济学相提并论。最有影响的学派是宇野弘藏的政治经济学体系，这一学派连同丸山真男的政治科学和大塚久雄的历史经济学，被描述为战后日本社会科学的三个主流。[28] 从20世纪30年代晚期开始，宇野就已经探

〔28〕 降旗节雄对宇野弘藏文章的评注，此文在脚注20中已引用。

究对《资本论》进行逻辑的(黑格尔式的)重构,发展出一种政治经济学"基本原理"的独创性框架,同时还有个资本主义发展三阶段的历史模型,这个模型以"当代分析"为其终结。宇野学派将马克思主义典范描述为一种关于政治经济学的"客观的"科学;经济科学与意识形态活动之间的严格分别,以及把资本刻画为一种具有完全再生能力的"结构",是这一典范的标志。虽然宇野区别科学与意识形态的动机来自他对斯大林主义的政治化的强烈反感,但他的理论体系的隐患是,如果把马克思主义**仅仅**解释为一门科学的话,那么它很容易为更"有效的"科学所取代。

然而,在20世纪70年代初发生的事情,已经远远超出了对"更好的"科学的探求。正如"经验研究",或是显露为出租专长的意识形态(正如它的批评者所指责的那样,这不是"价值中立",而是"价值缺失"),或是显露为一种寂静主义的从量到质、从"科学"到"文化"的转向,都是通过社会科学扩展开来。日本论述社会构造的著述中——20世纪70年代中根千枝和十年后村上安介(1931～1993)的著作,都表现出一种可以被称之为"超现代"观点的愈来愈浓厚的色彩:这种观点认为,正是"前现代"的组织模式和思维方法的连续性使日本空前经济增长成为可能。在这些分析家看来,日本社会组织的生命力源自它们的文化支撑:理性化了的依赖性,团体人格主义和集体性工具理性。[29] 在"讲座协"马克思主义和战后现代主义中,"文化"(和共同体)代表"落后",是对理性的束缚。现在,不再需要非团体公民社会的仲裁或校验机制,也不再需要趋同于其他先进工业社会的承诺,日本的"文化"对先驱者的定义并不是"资本主义",它因为和民主连在一起几乎从未被提及,而是一种信息导向和关系导向的新"体制"。日本已经体现出一种不仅是后马克思主义和后社会主义的未来,而且也是后个人主义和后资本主义的未来。

533

不过,其他类型的文化观和共同体观,也在社会科学中有所呈现。在20世纪70年代,批判经济学从体系性马克思主义向地方住民运动和反污染运动的特别背景转移。正如都留重人、宫本宪一和宇泽弘文在著作中所攻击的目标,较少的是"资本主义",而相对更多的是"增长主义"本身的具体病态:大规模建筑计划的倾向,急速攀升的土地价格,匆忙而不可靠的工程设计,环境和社会的破坏。[30] 这样的著作或明确或含蓄地论证指出,对社会科学的检验不在于它对"增长"的贡献,而在于它能够给那些生活在各自地域的或是作为一个民族共同体的人们,提供知识资源,帮助他们经受住在发达经济中不可避免的增长与衰退的循环,这些循环宿命性地纠缠着世界。

从最终结果来看,文化主义并不能在增长主义衰落之后幸存。冷战的结束相应着经济"泡沫"的爆发,导致了半个世纪里最严重的经济衰退。处于"自由化"的外在压

〔29〕 Murakami 的最后著作《反古典的政治经济分析:对下个世纪的梦想》(*An Anticlassical Political-Economic Analysis: A Vision for the Next Century*, Stanford, Calif.: Stanford University Press, 1996), Kozo Yamamura 英译。

〔30〕 都留重人,《日本资本主义:创造性的失败及其超越》(*Japan's Capitalism: Creative Defeat and Beyond*, Cambridge: Cambridge University Press, 1993);宇泽弘文,《著作集》(*Collected Writings*, Tokyo: Iwanami Shoten, 1994),第1卷,第6页～第8页,第10页～第12页。

力、严重的政治腐败以及曾经标志着工业经济上层的团体人格主义衰亡迹象的包围中，"文化主义"的霸权已经渐渐变得七零八落。社会科学的含意模糊不清。由宗教社会学家所创作的引人注目的作品（受到奥姆真理教事件和阪神大地震这样社会创伤的刺激），对德川时代的历史探询的新模式，以及关于地方的和少数群体的民族志研究，所有这些都显示出潜在的生命力。而在由山之内靖代表的另外一些人对当代日本的"系统社会"战时根源的分析中，一种有希望的理论突破似乎正在进行中，因为当代日本的"系统社会"既超越了旧的数个历史阶段的观念，也超越了文化永恒主义。[31] 另一方面，日本社会科学没有强烈而迫切的核心关注：没有想象的民族共同体，没有革命的追求，没有需要塑造的"现代"民主人格，也没有首要的增长。日本 - 西方框架似乎已经弱化，但是建立在日本 - 亚洲轴心上的新社会科学所具有的现实可能性，尚不清晰。这个地区的关系史似乎对形成这样的社会科学颇为不利，更不用说 20 世纪 90 年代后期不断加深的普遍的不确定性了。当前的局面或许最好刻画为一种意义不确定的多元性——虽然不是一种多元主义。

534

（张志强　译）

〔31〕 山之内靖，《系统社会的现代位相》（*Contemporary aspects of system society*, Tokyo: Iwanami Shoten, 1996）；及由山之内靖等编 12 卷文集，《岩波讲座：社会科学的方法》（*Iwanami Symposium: The methodology of the social sciences*, Tokyo: Iwanami Shoten, 1993）。

第四部分

作为公共生活和私人生活的论述与实践的社会科学

30

社会科学的应用

彼得·瓦格纳

537

为了社会改良而发展社会知识这一观念,在启蒙运动时代就已经呈现出了它的现代形式。在许多方面,美国革命和法国大革命就是那种发展的顶峰,而且是现代社会政治理论的第一次大规模的“应用”。在这同一时期,这些革命常常被解释为已经导致了这样一种环境,在其中,有益的社会知识使得社会生活的稳步改善成为可能。在那种环境中也创造出了社会科学的思维方式。[1]

新的、后革命的局面改变了社会科学的认识地位,尽管这一点只是渐渐地才被人们承认的。任何理解社会和政治领域的尝试,目前都必须涉及自由的基本条件;但是(像17世纪和18世纪初叶现代政治理论创建时期的传统那样)只强调自由并不足以理解社会秩序。因此,用埃德蒙·伯克的话说,如果“自由对个人的结果是,他们可以做他们乐意做的事,在我们冒险作出祝贺之前,(我们)应当弄清楚什么将是他们乐意去做的”。[2] 早期社会科学的应用,定位在为解决这种情况提供多种方法。为了了解什么是个人乐意去做的事,那些新兴的社会科学致力于以发展经验研究的策略来提供实用的知识。另一方面,在那些社会科学中,对现实的社会秩序的关心,转变成了这样一种尝试,即辨认人类天性和他们的社会化方式中的某种内在的理论秩序,亦即人类的倾向及其结果的可预见性和稳定性。

538

理论传统的应用

社会科学的理论传统的根源,主要存在于这种政治问题群中。社会科学家对人类行为的可预见性和集体秩序的稳定性的关心,构成了四种主要的论证方式,它们描绘

〔1〕 Johan Heillbron, Lars Magnusson 和 Björn Wittrock 编,《社会科学的兴起与现代性的形成》(*The Rise of the Social Sciences and the Formation of Modernity*),载于《科学社会学年鉴 20》(*Sociology of the Sciences Yearbook 20*, Dordrecht: Kluwer, 1998);也可参见 Göran Therborn,《科学、阶级与社会》(*Science, Class and Society*, London: New Left Books, 1976);Geoffrey Hawthorn,《启蒙与失望:社会学的历史》(*Enlightenment and Despair: A History of Sociology*, Cambridge: Cambridge University Press, 1976)。

〔2〕 Edmund Burke,《法国大革命反思录》(*Reflections on the Revolution in France*, 1790, Oxford: Oxford University Press, 1993),L. G. Mitchell 编,第8页～第9页。

出了社会科学在其两个世纪的历史中的特点。有些理论家论证说,社会位置决定了人类的倾向和行为。这种思想有两种主要的变体。对于这四种论证方式的第一种,人们也许会将它称为文化理论,它强调的是基于某种共同背景的价值观和倾向的近似性。因此,作为文化－语言统一体的国家就被看做是一个主要的归属关系的总体,这种归属关系使得欧洲人有了认同感;经过了必要的修正之后,文化人类学把这种观点传播到世界其他地方。第二种是基于利益的理论,它们强调的是社会结构位置的相似性,因而强调利益的共同性。这种探讨在社会学这一学科的形成过程中发挥了强有力的作用,按照这种探讨,社会分层和阶级是决定利益及其派生物——行动的关键范畴。

第三种是推论上的保持人类活动平衡的策略,它与文化主义的或社会学的思想截然对立。按照个人主义的理性主义的推理,应当使个人获得全部的支配权,不应有任何社会秩序束缚他们的行为。依据从政治经济学延伸到新古典经济学、再延伸到理性选择的推理的传统,在这里就可以用不同的方法来理解:虽然他们看起来都是完全独立的、具有理性的个体,而且每个个体都追求自己的利益,但正是这种缺乏协调的追求,将会导致整个社会的幸福。在这三种论证中,最后一种把行动的决定因素几乎完全置于人类之中,而前两种则几乎完全把它置于外在的社会文化环境,从这种意义上讲,它们构成了一个非常奇特的组合。第四种方法是行为统计方法,运用这种方法,不需要作这些假设,但是要对个人的态度和行为进行统计和概括,并且要用数学方法加以处理,以便发现经验规律。这种方法可以而且已经被结合到其他三种方法之中了。

对社会生活的这四种探讨都沿用已久了,对它们的优点和弱点也已经讨论许多年了。对于我们考察社会科学的应用来说,重要的是它们都已经有了发展,人们不是把它们当做纯粹的思想计划,而是以这样一种观点来发展它们的,即要辨认和增强那些会给社会领域带来稳定性的社会生活的要素。理性主义的个人主义认为,一个由自由的个体构成的社会将使财富最大化,这种观念既支持了有关消除行动障碍的论点(例如在引入商业自由时),有时候,也支持了有关阻止集体行动的论点(例如工会和商业联合会采取的行动)。那种依据社会地位来阐释人的利益的社会经济学思想,既揭示了结构功能主义所说的协调的基本条件,也揭示了马克思主义所说的社会矛盾。迪尔凯姆的团结理论与法兰西第三共和国关于团结的政治意识形态的联系,就是对这些基本社会理论阐述模式的这种应用的一个重要例子。文化－语言观使人们对组织起更大的集体有了理解;它是“国家即统一的政治组织”这一思想的基础,从而也是19世纪的民族主义的基础。行为统计方法承认人类可以聚集为集体,这与前二者并无不同,但是,它很少以关于这种聚集背后的社会纽带的极端假设为前提。不仅在国家组织的旨在追踪人口增长的统计机构中,而且,在对贫困和异化问题感兴趣的私人组织中,尤其是在英国和美国,这种方法十分盛行。

539

大约在19世纪末,作为学术研究场所的大学的内部合并时期(本书第二部分对此有详细的讨论),这些推论模式为社会科学的一些关键学科(文化人类学、社会学、经济学和统计学)奠定了思想基础。现在,尽管这些推理模式的似合理性和适用性已经随着时间和空间发生了变化,但更重要的是应该强调,这些把社会理论与社会问题联系起来的方法都已经得到了应用。不过,它们现有的应用方式(除了新古典经济学的部分例外以外),几乎没有以前的那种单纯形式了,而是与一些例如经验主义的社会研究所提供的实证知识混合在一起。

对经验主义的社会知识的需求

在19世纪,一些增加关于新的社会领域的实证知识的尝试日益增长,它们与上述那些对基本的社会理论阐述的模式平行发展,而且具有几乎同样的目标和抱负。不过,理论试图提供为什么这样一个社会领域能够团结在一起的理由,而经验研究则探讨社会和谐的经历,或者,更经常和始终如一的是,探讨社会的紧张和压力。的确,许多经验研究尝试的一个出发点,就是注意到启蒙运动或自由主义者关于社会生活的自动协调的诺言已经不能再维持下去了。[3] 在19世纪,新的都市文明和工业文明迅速改变了更多欧洲人和美国人的生活和工作环境,其广泛的影响导致了日趋严重的焦虑。这些往往被概略地称为"社会问题"(或"劳工问题")的变化,逐渐使自己成为议会团体、政府的委员会以及私人的具有改革精神的学术团体关注的议题。探讨新知识的动力,常常来自偏爱工业化,但也或多或少提倡具有深远影响的社会改革的现代化的社会政治组织。这些组织逐渐接受了这样的观念,即致力于解决"社会问题"的政治行动,应当以对基本的社会问题的广泛和系统的经验分析为基础。在社会科学的制度化时期,对深层社会问题的意识的增长,使社会科学逐渐成型。

540

在法国,自19世纪初以来,社会研究就受到了所谓"开明的行政官员"的鼓励和追求,这些官员是伴随着法国大革命的思想传统和拿破仑一世时期的制度改革成长起来的。因此,他们对社会持有一种积极的具有现代化取向的观点,而且对国家在正在进行的改革中的作用,也持有相同观点。到了该世纪中叶,在弗雷德里克·勒普莱的思想中出现了一种更为保守的选择,他的目的在于维护和重建传统的社会结构,但他同样也依赖对社会的系统观察。在英国,具有改革精神的人常常从属于维多利亚女王时代的英格兰权力机构,他们一起组织了许多改革团体,其中有些与学术界有着密切的联系。[4] 例如,在布尔战争期间部队招募新兵时,对骑兵的健康检查,揭示了许多英国人的生活条件很糟糕。在那些具有改革精神的团体中,费边社(Fabian Society)在伦敦

〔3〕 Peter Wagner, Björn Wittrock 和 Hellmut Wollmann,《社会科学与现代国家》(Social Sciences and Modern States),载于 Peter Wagner, Carol H. Weiss, Björn Wittrock 和 Hellmut Wollmann 编,《社会科学与现代国家:民族经历与理论的十字路口》(*Social Sciences and Modern States: National Experiences and Theoretical Crossroads*, Cambridge: Cambridge University Press, 1991),第28页~第85页。

〔4〕 参见,例如 Sheldon Rothblatt,《教师的革命:维多利亚女王时代的英格兰的剑桥与社团》(*The Revolution of the Dons: Cambridge and Society in Victorian England*, Cambridge: Cambridge University Press, 1981)。

政治经济学院(London School of Economics and Political Science)的建立过程中起到了领导作用,该学院既是一所大学也是一个研究中心,一直以既从事学术探讨又致力于问题定向研究而著称。[5] 在德国,在俾斯麦政府成立后不久,社会政策协会(Verein für Socialpolitik)就变成了有关"社会问题"的经验研究的主要发起者和组织者。在美国,社会科学研究在协会的组织和改革的定向方面,从一开始就具有与欧洲国家同样的特点。创建于1865年的美国社会科学联合会(American Social Science Association,简称ASSA)持有这样的观点,即社会科学家是帮助改善社会生活的模范公民,而不是专业的、无利害关系的研究人员。19世纪末和20世纪初,这个原型组织被不断出现的专业协会淹没了,这些协会是从ASSA中分离出来的,而它们很快又发生了分化。[6]

541

虽然比较观察的范围可以很容易地扩大,但在关注全国性问题上表现的明显的一致性绝不能掩饰这样一个事实,即对解决方法的认同甚至对问题的界定,被作为意义迥异的论述和制度格局的前提。就我们的目的而言,国家在解决问题中的作用和知识生产者在国家和社会中的地位,才会被认为是比较重要的方面。[7]

国家、专业与自由主义的转变

可以把各种形式的社会知识和政策干预的出现,作为追溯超越社会自由观之局限性的不同方法的第一步。对于法国而言,这种变化是与1848年失败的大革命的经验密切相关的。因此,显而易见,仅有某种民主政体的形式还无法为社会体制问题提供一个解决办法。与之相对照的是,在意大利和德国,渗透自由思想的革命尝试失败之后,社会问题的出现往往是与国家政治体制的基础相对应的。在这两个国家,从1861年到1871年的十年的国家建设过程,完全改变了政治争论的范围和政治学家的取向。通过社会知识进行社会改良的思想,似乎已经找到了其代理者:民族国家。对于社会政策协会的创建与第二帝国的成立之间的密切联系,协会的创办者明确地指出:"现在国家问题已经解决了,我们最重要的任务就是解决社会问题。"[8]

[5] Dietrich Rueschemeyer 和 Ronan van Rossem,《社会政策协会与费边社:关于与政策相关的知识的社会学研究》(The Verein für Sozialpolitik and the Fabian Society: A Study in the Sociology of Police-Relevant Knowledge),载于 Dietrich Rueschemeyer 和 Theda Skocpol 编,《社会知识与现代社会政策的起源》(*Social Knowledge and the Origins of Modern Social Policies*, Princeton, N. J.: Princeton University Press; New York: Russel Sage Foundation, 1996),第117页～第162页。

[6] Thomas L. Haskell,《专业社会科学的出现:美国社会科学联合会与19世纪的权威危机》(*The Emergence of Professional Social Science: The American Social Science Association and the Nineteenth-Century Crisis of Authority*, Urbana: University of Illinois Press, 1977); Petty Manicas,《社会科学学科:美国模式》(The Social Science Disciplines: The American Model),载于 Peter Wagner,Björn Wittrock 和 Richard Whitley 编,《论社会:社会科学学科的形成》(*Discourses on Society: The Shaping of the Social Science Disciplines*, Dordrecht: Kluwer, 1991),第45页～第71页。

[7] 关于以下讨论,更为详细的论述请参见 Björn Wittrock 和 Peter Wagner,《社会科学与早期福利国家的建立》(Social Science and the Building of the Early Welfare State),载于 Rueschemeyer 和 Skocpol 编,《社会知识》,第90页～第113页。

[8] Gustav Schöneberg(转引自 Ursula Schäfer),《国家经济史和作为社会科学的社会统计学》(*Historische Nationalökonomie und Sozialstatistik als Gesellschaftswissenschaften*, Wien: Böhlau, 1971),第286页。

在19世纪行将结束的时候,在大量的多种社会探索的基础上,国家社会政策的解释在欧洲大陆被广泛而极力地推行。如果这些政策是基于社会利益的或者是基于文化–语言的,它们实际上会扩展责任共同体的思想,就像那个时期集体主义社会理论已经阐明的那样。在这种新的思想和政治情况下,似乎可以合理地论证说,国家是相应的负有责任的共同体,而政府是它的集体代理者,可以说,就是制定和执行社会政策的手和脑。民族国家被看做是一个装载着各种规章制度和资源的"天然的"容器,它遍布于某块限定的疆土,并且对之进行控制。不过,在美国情况则有所不同,在那里还没有一个强有力的中央政府。与法国和德国(暂时忽略在这些背景中思想的多样性)形成对照的是,在美国,社会研究者们往往不愿意把国家和社会设想为超越个体或与个体无关的集体的实体。即使把个人主义的自由主义说成是在整个美国的历史中占主流的政治思想传统有些言过其实,[9]在美国,这种思想的对手——市民共和主义,相比于激励了欧洲的社会改革者的民族主义、社会主义以及机体论等的各种变体来说,仍然具有更多的自由主义和个人主义的色彩。这种美国政治文化的个人主义的变体所导致的一个结果是,在美国,心理学和社会心理学在社会科学中的地位比在其他国家更为重要。正如埃伦·赫尔曼在她所撰写的那一章中评论的那样,许多社会问题都是在个体心理学的层次上讨论的。

542

可以把美国情况的这种思想特性与一种制度特征联系在一起,正是这种制度特征导致了那些曾经倡导社会改革的学术组织的创办者的策略。在美国,这些改革的倡导者以调查为基础,他们反对腐败政治尤其是庇护政治,同时,一般来说,他们也常常对增加国家权力表示怀疑。他们倾向于倡导一种有关改革和权限的互补性策略,这是一种"以专业为基础的"社会政策。如果在美国像在欧洲大陆一样,社会责任的扩展成为议题,那么,这些专业就会被设计成一种在社会政治行动领域施展权威的非国家集权主义的方式。在美国,社会科学的学术制度化的这种特殊的形式,亦即各种学科协会,就是这种考虑的结果。正如朱莉·鲁本在第36章指出的那样,专业地位也关系到有限的美国社会科学家对教育研究的参与。

在欧洲大陆,尤其是在德国,对于身处具有很高威望的国营学术机构的教授们来说,正相反,从学术、制度和社会方面来看,把政府视为一种重要的政策机构,而把他们自己当做是其智囊,这是很自然的。美国的社会改革者根据自由政治的理论,不仅怀疑国家干预的"正当性",而且也找不出令人信服的理由把追求名誉的策略与国家联系在一起。他们的权威是以一些非常自主的专业之存在所固有的知识主张为基础的,而不是像在欧洲那样,是以(作为国家建设过程中的重要机构的)大学代表的学术地位和社会地位为基础的。

543

[9] 例如,像 Louis Hartz 在《美国的自由主义传统》(*The Liberal Tradition in America*, New York: Harcourt, Brace and World, 1955)中所说的那样。

大众民主和工业资本主义时代的知识形态（一）：认识格局的转变

作为刚才描述过的过程的综合结果，到了1900年，可以利用的对社会进行理论阐述的方式、经验研究策略以及社会知识的生产组织形式，已经有许多种了。在20世纪上半叶，这些要素又以（本节将要讨论的）认识重新定向和（下一节将要分析的）组织观的重大转变的方式，重新进行了组合。这一过程的结果是这样一些认识实践的出现，即当它们出现在国家、企业和协会中时，它们就会被定位来为那些寡头政治集团服务。这些实践虽然没有放弃社会科学在解释方面的那些抱负，但已经改变了它们，并且使社会科学的基本理论模式发生了转向。

随后的许多详细的分析都可以用这种观点来解读。对于经济学的理论研究怎样利用国家这一最重要的社会组织概念，来探讨历史上多种不断改变的关系，阿兰·德罗西埃进行了考察。凯恩斯主义或各种福利国家理论，通过限制新古典经济学进入社会领域，或者通过引入一些意在改变经济活动的社会结果的附加假设，改造了新古典经济学。但是，它们仍然沿用它的基本理论观点。正如埃伦·菲茨帕特里克指出的那样，当对社会福利的关心被提到议事日程上时，经济学的思维方式也发生了改变，通过社会研究，有一点已经变得众所周知了，即这一时期趋向于一种历史－制度经济学，它认为经济思想的应用是由社会环境的真正本质决定的。可是，对社会福利的关心也为社会结构思想的应用作了准备，这种思想可以确定贫困具有社会原因，从而把责任从个体转向社会环境，并且承认这一论点：公共政策可以合理地对这些情况进行干预。

由于对美国的非洲裔美国人家庭的福利状况特别关注，对福利的研究便与种族概念联系在一起了，并且又成了一种为特定的社会状况提供非个人理由的方式（在这里，更倾向于是文化或生物学方面的，而不是社会结构方面的）。在20世纪，这种论点逐渐发展。从19世纪末以后，正如艾拉萨·巴尔坎证明的那样，种族研究的主要作用，就是为民族主义时代的政策限定提供论证，并且为在优生学研究基础上引进改善国家人口质量的方法提供论证。构成这种关注的背景是，在欧洲许多国家有大量的人口移出，而在美国则有大量的人口移入。尽管关于人类差异的现代思想的起点强调文化－语言的特征，但在19世纪末，这类思想却愈来愈多地诉诸所谓准确的科学方法所揭示的生物学特征。对这些“发现”的拒斥，以及在纳粹战败后有种族偏见的政策在政治上名誉扫地，导致人们又回归到文化研究方向。正如戴维·霍林格尔分析的那样，在两次世界大战之间的人类学争论中出现或重新出现的文化相对主义，就是当代论述人类差异的理论形式。在过去的20年中，它与在制度上承认多样性的政治主张以及促进多样性的政治主张日益紧密地联系在一起。人们不仅在文化、语言、宗教、少数民族等方面提出了多样性的权利要求，而且在早期的妇女运动和女权主义的学术研究强调了

544

权利平等之后,有人对性关系也提出了多样性的权利要求(参见罗莎琳德·罗森堡撰写的那一章)。

最后,在20世纪,行为统计的论证模式最重要的面向应用的表现方式之一,就是调查研究。统计论证从来没有与政策目的完全分离,因为在统计学家宣布其成为某种甚至就是**这种**社会科学之前,统计机构就先在政府领域出现了,各种探究也在这里兴旺了起来。调查研究在方法论上依赖于对抽样的新的理解,当大众民主政治的参与者需要了解有关他们已不认识的选民倾向的信息,并且当大众消费市场的生产者面临同样的问题时,调查研究有了强劲的发展(参见苏珊·赫布斯特撰写的那一章)。[10]

大众民主和工业资本主义时代的知识形态(二):社会科学政策取向的突破

调查研究这一个案使得逐渐浮现的社会科学的政策取向变得非常清楚了,它对社会科学的理论和认识论的影响,也非常清楚了。正如我们业已看到的那样,新的政策取向并非标志着任何根本性断裂的出现;以前发展出来的推理模式仍然在发挥着作用。但是,新的政策取向已经使研究实践和组织形式发生了重大转变。值得注意的是,政策取向本身依赖于它与社会组织的某种特征的相关性,从一定程度上讲,这种组织是新颖的,而且,经验社会科学以前从未对之进行过探讨。这就是各种形式的大规模科层-等级社会组织,其中包括(尤其是在欧洲大陆,具有完全统治能力的)中央政府的行政部门,以及巨型企业集团和其他形式的私人组织,它们日益成为美国社会的一个显著特征。

545

从这个角度考虑,简略地考察一下组织分析的历史是很重要的。尤其是从面向应用的观点看,人们可能曾经希望,随着对福利和其他政策的兴趣的提高,会出现一种关于政府活动的经验科学。然而,特别是在欧洲,从政府一直处于经验考察之外这个意义上讲,它长期以来首先是一个社会行动者。虽然曾有过一些尝试,但是,至少在美国以外,在社会科学的"古典"时期,亦即19世纪末和20世纪初,人们并未成功地建立起可以称作一门学科的政治学。政治事物的研究包含了多种不同的基本要素,如公法、半失败的管理学、选举研究以及社会政策研究等,在"现代的"学科分化后,这些政治事物研究的残余部分变得非常不连贯了。[11] 对于这样一种发展,在这样一种背景下也许

[10] Alain Desrosiètes,《与整体相关的部分?怎样概括:典型抽样的史前史》(The Part in Relation to the Whole? How to Generalise: A Prehistory of Representative Sampling),载于Martin Bulmer, Kevin Bales和Kathryn Kish Sklar编,《从历史看社会调查(1880～1940)》(*The Social Survey in Historical Perspective, 1880—1940*, Cambridge: Cambridge University Press, 1991),第217页～第244页。

[11] Peter Wagner,《政治学论述在社会科学中的地位:欧洲世纪交替时的政治学》(The Place of the Discourse on Politics among the Social Sciences: Political Science in Turn-of-the Century Europe),载于Sakari Hänninen和Kari Palonen编,《文本、语境和概念:政治学和语言权力研究》(*Texts, Contexts, Concepts: Studies on Politics and Power in Language*, Helsinki: Finnish Political Science Association, 1990),第262～第281页。

能得到最好的理解：正如前面已经描述过的那样，后启蒙运动的抱负是，试图通过社会固有的运动规律而不是通过源于某个中心的命令来理解社会。

当19世纪末政府、企业和政党中的官僚体制变得日益重要时，显而易见，政府不会消亡，而社会的自组织却可能不复存在了。这些考察本质上属于关于组织和科层的政治社会学，后来又转变成一种组织理论，在第二次世界大战之后，这种理论几乎成了管理研究和政治学的新学科的主要范式。同样地，从增强组织功能着眼对组织的研究，也在20世纪成了面向应用的社会科学的主要形式之一（正如彼得·米勒从说明需求的角度所作的讨论，以及彼得·瓦格纳顺便探讨的那样）。在20世纪，尤其是在第二次世界大战之后，组织研究构成了许多政策取向研究的中枢部分。

对组织的关注是社会科学中新兴的政策取向的一个显著特征。这些社会科学学科要求在一些方面发生非常重要的取向转变。首先，它们日益关注广义的政策参与者，尤其是公共行政部门的高层决策者和企业组织的高层决策者。其次，研究的实际中心日益转向了作为公共行政管理对象的政策领域，作为政党争取对象的选民，以及作为市场导向的组织的类似目标的消费者。第三，**概念性**考察日益强调社会环境中的目标取向型组织的功能。

546

在所有这三个方面，都可以看到社会科学运行模式方面的重要变化。新的研究机构，常常仿效哥伦比亚大学应用社会研究室（Bureau of Applied Social Research at Columbia University），从事委托研究。这些机构可能是以公立或私立大学为基础，可能是营利性的也可能是非营利性的；而其组织背景的差异，导致了多种不同的研究取向。不过，无论是通过市场的联系抑或通过学术机构的联系，这些机构总是依赖于委托的研究项目的。赞助者显然都是一些大型的组织，它们完全能够负担所需的知识生产的费用。这些组织主要是一些公共机构、大型企业公司（包括媒体，这点很重要）以及政党组织。一些新的社会科学探索领域形成了，它们集中在这些组织的利益和活动方面，例如教育和社会福利、市场研究和舆论研究等。所需要的知识必须解决提出这种要求的那些人的问题，这是很自然的。在20世纪包罗万象的大众社会中，各种组织日益使它们的活动转向大量它们对其动机和取向知之甚少的人群。正像这些组织为了它们的目标所要求的那样，在有关这些人群的知识的生产中，社会科学研究的份额不断增加。

虽然在早期，例如在特奥多尔·阿多诺对“管理型社会”的兴起及其附属的社会知识形式的分析中，偶尔也会出现一些批评，但在20世纪70年代，这些发展在社会科学团体中受到的批评日益增多了。基金的增加和研究机构以及大学的院系的数目的增长，受到了广泛欢迎，但人们也开始担心社会科学研究的学术基础的逐渐削弱，这种削弱是因受需求驱使的知识生产与学术研究之间的不平衡日益扩大而导致的。然而，许多有关这类担心的论述，把学术机构中的社会科学的学科建设视为理所当然，并且认为这样的安排是标准的基线，依据它就可以对新的发展进行评价。有一种不同的分析,把知识应用和理论推理模式本身,放在了知识生产与社会政治制度之关系的长期的历史发展的背景之中,从而在相当程度上改变了这种局面。这种分析并没有假设,可能存在一种纯粹的社会知识形式,它并不受到创造它的情境的影响,从而可以提供所需的测量杆,来评价作为社会科学政策和研究基金行动结果的"认识标准的偏移"。[12] 更确切地说,这种分析通向了一种历史的政治社会学,它与知识社会学和(社会)科学社会学有着全面的联系。

547

转变的契机:国内战争与国际战争

为此目的,需要对20世纪发展的一些关键方面进行更为详细的分析。根据观察,在这样一种转变过程中,很明显"管理型社会"并不是稳步发展的,而只是以微不足道的跳跃和突发的形式出现的,这一观察提供了这种分析的第一个方面。其他后来的分析则强调了,例如,在社会科学的这种发展中,战争作为加速契机或转变契机的重要性。

在美国,国内战争标志着第一个这样的契机,它的确为有组织的社会科学的发展提供了基础。在欧洲,19世纪60年代的战争以新的意大利和德国的民族国家以及法国的第三共和国而告终,它们为社会科学研究提供了一种更为重要的动力。类似地,在西班牙,早期的社会科学是从该国的不断发展的历史事件中建立起来的,尤其是从西班牙-美国战争(1898)后接踵而至的帝国地位的丧失这一经历中发展起来的。19世纪70年代见证了社会科学研究活动的繁荣,其中许多活动的确致力于为正在组建的国家社团提供其必需的知识。相比之下,人们并不怎么关心理论和学科的加强。只是在后来,主要是从19世纪90年代以后,在社会学中被称为"古典时代"的那个时期,它才成为人们注意的中心。

不过,对于知识利用的新形式的发展而言,第一次世界大战比19世纪末的那些战争更为重要。这场战争的拖延远远超出了原来的预期,并且比以往的任何战争涉及了更多的人口和经济问题,它的筹划本身需要关于这两方面的更为深刻和更详尽的知识。心理学和精神病学提供了一些方法,例如通过智力测验来评价人的能力,以便在战争中对他们进行最有效的部署;或者通过对"炮弹休克"或其他形式的战争创伤的研究,来确定战争经历对他们的影响(参见伊丽莎白·伦贝克、约翰·卡森和埃伦·赫尔曼撰写的那几章)。在19世纪末的几十年中,对经济中市场机制的生命力和优点的怀疑已经出现了。向"管理经济"或"有组织的资本主义"的转变,至少在美国和德国高速发展的经济中,正在全面进行(参见彼得·米勒撰写的那一章)。不过,正是这样一

〔12〕 Aant Elzinga,《研究、科层机构与认识标准的偏移》(Research, Bureaucracy and the Drift of Epistemic Criteria),载于Björn Wittrock和Aant Elzinga编,《大学的研究体系:科学家大本营的公共政策》(*The University Research System: Public Policies of the Home of Scientists*, Stockholm: Almqvist and Wiksell, 1958)。

548 种需要，即为了军事生产和军事组织这一特殊目的而要在短时间内动员所有生产力，导致了政府深思熟虑的通过公共干预和规划增加经济效益的努力（参见阿兰·德罗西埃和彼得·瓦格纳撰写的那几章）。为此目的，也把经济学、统计学以及组织知识等动员了起来。

这场战争以及作为其终结的和平最为显著的结果，就是中断了战前几十年的国际化趋势。甚至在1870年以后，一些国家社团本身就把资源开发列为了优先考虑的问题，社会科学也被拉来参与到这一努力中。然而，在这个新的时代，知识的增加会直接转化为更深入的理解和更有效的行动这一信念被动摇了。在20世纪20年代，人们一方面希望工业社会能够回归到一种平稳发展的道路上，另一方面又对它们回归的条件已经永远消失了感到失望，如果说在那时，学术观点仍然在这种希望与失望之间摇摆，那么，到了30年代，这样一种观点已经占据了优势，即这些社会已经进入了一种迥然不同的轨道，对此需要新的知识和新的公共干预形式。不过，对这种见解的反应是多种多样的。一方面，无论是在民主社会还是在集权主义社会，用于考察大众社会的调查研究和统计调查等方法不仅得到了改进，并且越来越多地被用于改善对经济状况和人们生活条件的认识。[13] 另一方面，有人认为，正在进行中的社会变革导致了分裂的和过于专门化的社会科学学科的失败，它需要一些全新的理论纲领和研究纲领的详尽阐述，例如最初由马克斯·霍克海默在1931年提出、后来被称为"批判理论"那样的学说。[14] 作为一种中间的观点和策略，正在形成的对经济的"温和控制"（即后来所谓的凯恩斯主义）以及"民主规划"，试图尽可能适应新的环境需要，以便维持社会制度和保证政策的完整。[15]

在这种背景下，第二次世界大战产生了双重作用。像第一次世界大战一样，战争筹划本身导致了日益增加的中央规划的发展和运用。不过，它的结果似乎表明，这第三种策略亦即凯恩斯主义的民主干预，虽然最初只限于用在第一世界，但原则上是可行的。在美国国内的反贫困斗争的伴随下，另一场不同的战争——冷战，利用了因观 549 点不同而被称为"现代的"或"资产阶级的"社会科学，试图证明这种模式具有优越性。自"古典时代"以来，为了分析当代社会及其发展逻辑，人们在提出一种全面的社会理论和研究策略方面所作的最为系统的努力，就是现代化理论，在20世纪50年代和60年代，人们就是在这种环境下对这一理论进行了详尽的阐述（参见迈克尔·E. 莱瑟姆

[13] 参见，例如 J. Adam Tooze，《对活跃经济的认识：法国和德国的统计经济学史反思》（La connaissance de l'activité économique: Réflexions sur l'histoire de la statistique écononuique en France et en Allemagne），载于 Bénédicte Zimmermann, Claude Didry 和 Peter Wagner 编，《国家的阵痛：法国和德国的历史转折点》（*Le travail et la nation: Histoire croisée de la France et de l'Allemagne*, Paris: Editions de la Maison des Sciences de l'Homme, 1999），第55页～第79页。

[14] Max Horkheimer，《当今社会哲学的地位与社会研究所的任务》（*Die gegenwärtige Lage der Sozialphilosophie und die Aufgaben eines Instituts für Sozialforschung*, Frankfurter Universitätsreden, vol. 37, Frankfurt am Main: Englert und Schlosser, 1931）。

[15] Peter A. Hall 编，《经济思想的政治力量：跨越国度的凯恩斯主义》（*The Political Power of Economic Ideas: Keynesianism across Nations*, Princeton, N. J.: Princeton University Press, 1989）。

撰写的那一章)。

这一理论究竟在何种程度上有助于对西方社会的理解,仍然有争议。不过,有一点是肯定的:那些范围空前的社会研究成果,就是在该理论的庇护下取得的。相当重要地,这些研究尤其是受这样一种希望和期待驱使的:既然大多数的概念都有效,那么,只要运用目标正确的经验研究把为数不多的理论缺口弥补上就行了。与此同时,有益的知识的有效性是毫无疑问的这一观点又复苏了。只是在20世纪70年代,当危机迹象已经出现并且愈积愈多后,那些有关"理性革命"的假设才开始被怀疑,甚至被其倡导者怀疑。对这一危机的第一个反应不是质疑理性革命的正确性,而是探究它的运作模式。关于"知识的利用"的研究,最初是为了探索对知识的恰当应用的障碍,希望可以一发现这些障碍就消除它们,在70年代,这一研究成了社会科学中非常兴旺的领域之一。可是,在这一研究活动的过程中,恰恰是知识应用的模型本身日益受到质疑。在80年代,许多社会科学的"内省转向"起源之一就是这种经历。[16]

实用的社会知识的危机:批判、退却和改进

对20世纪社会科学应用经历的回顾,可以得到两个重要的结论。一方面,大众民主的和工业资本主义的社会的标志是,人们热情地努力增加有关这些社会的活动方式的知识,以及有关这些社会的成员的知识。甚至似乎可以合理地以一种非常特别的方式,把这种对知识的需求与启蒙运动计划的失败联系起来。至少按照其最乐观的观点,后者曾假设,一旦人类获得了进行各种奋斗的自主权,理性的运用就会导致社会生活以一种自我控制和自我组织的方式和谐地发展。在大众民主的和工业资本主义的社会中,的确引入了不同形式的经济自由和政治自由(尽管对这一陈述需要许多限定),但是,新的制度安排还远远不能一劳永逸地解决所有问题,它们又导致了一些新的社会政治问题,而这些问题需要新的知识和理解。

550

不过,另一方面,正是这种对实用知识的追求的基础,原则上排除了这一观念,即任何以人类生活的"科学化"为手段的管理逻辑,可以以任何明确的方式表现自己的权威。虽然阿多诺和米歇尔·福柯似乎设想了相反的情况,但并不存在学科专业化的总体逻辑,或管理社会之兴起的总体逻辑。其理由如下:第一,在自20世纪60年代末开始的西方论战中,以及在现在通常所说的后殖民地时期的讨论中,对政治观点形式上的具体化过程,一直存在着强烈的抵制。第二,现代主义社会科学的方法论本身,似乎对具体化过程加了限制。在这种环境下,人们也许会想到的一个关键术语是"复杂

[16] Björn Wittrock,《社会知识与公共政策:互动的八种模式》(Social Knowledge and Public Policy: Eight Models of Interaction),载于 Helga Nowotny 和 Jane Lambiri Dimaki 编,《社会科学研究的生产者与应用者之间艰难的对话》(*The Difficult Dialogue between Producers and Users of Social Science Research*, Vienna: European Centre for Social Welfare Training and Research, 1985),第89页~第109页;Ulrich Beck 和 Wolfgang Bonß,《社会学与现代化》(Soziologie und Modernisierung),载于《社会领域》(*Soziale Welt*),35(1984),第381页~第406页。

性”,现代社会的“复杂性”甚至连最精深的研究技术也无法理解。第三,根据社会科学的哲学观点,社会生活和人类的作用日益表现出具有浓重的历史色彩,不断在导致一些独特的和不可预知的情况。人们用解释而不是说明来论述这种能动性和历史性,每一种解释都要运用语言才能实现,而语言表达的可能性是无限宽广的。

这些论点的混合是不可评估的,而这种组合的结果是,导致了人们在 20 世纪最后的 30 年中,对社会科学应用的含义进行了卓有成效的批评。对于这种批评,有两种修正可能是最著名的。一种修正是比较温和的,这就是出现了从纯粹的普遍模式或理论的应用,向日益精致化的理论设计或研究设计的转变。各种不同的方法混合在一起,它们的利用要根据对它们应用于其中的情况的评价和经验说明来决定。在第四部分的诸章中,这种反作用在有关经济管理和会计实务的分析中最为明显。另一种修正是比较激进的,虽然有时候,这恰恰是在同一方向上更进了一步:我们有时会看到,人们放弃了任何普遍的合理性,随之而来的是,根据各种特殊的合理性和潜在的相互竞争的合理性进行概念解释。这种变化最显著的例子,可能就是关于社会的文化主义整体论的理论路线,在以生物学为基础的种族理论的影响下变得激进了,转向了文化相对主义,并且从强调平等的性别研究转向了强调多样性的性别研究。不过,对任何单一合理性的支配地位的激进反思的基础,在现代化、会计学以及规划等领域中也可以找到。

在英国和美国,与这些批判反思相伴的是撒切尔政府和里根政府在 20 世纪 80 年代初期所导致的一场政治要求的危机。对知识利用的主导模式的批评,与这样一种更为根深蒂固的信念联系在一起:社会科学应当与强有力的和干预主义的政府联姻;这样一来,这种批评就鼓励了对基础研究基金和委托研究基金的削减和结构性改革。新自由主义作为一种主流的经济意识形态,的确复兴了各种社会自我调节的学说,在这些学说中,关于社会境况的详细的经验证明既无地位,也无必要。附带说一句,也许应当注意的是,甚至一些关于社会的生物学理论也在这一背景下重新露面,因为按照新的基因知识,它们可以宣称与个体有关,而且它们可以与合理性选择问题联系起来。

551

持续的变化,持续的问题

作为结论,绘制这样一幅图画也许是很诱人的,在这幅画中,对政府与经济的关系的新自由主义的理解,永远处在对社会和文化的“后现代主义的”理解的和谐关系之中。前者需要社会科学,可能仅仅是作为一种思考各种市场与等级森严的组织之间关系的基本框架;后者允许多元化、多样性和复杂性,因而会需要那种有关“文化研究”的社会科学。不过,正是依据最近对“非自省的”社会科学的批评,人们不应当屈从于这种诱惑。

正如有些作者在本书中指出的那样,社会科学跨国度、跨地区的应用总是在不断变化。在欧洲,这样的社会科学仍然要比在美国重要得多:这些科学要使自己适应国家和政府需要,并且,其实际取向对于公共政策和政府干预具有一种实用性。与之形成对照的是,在美国,获得了更大进展的是,对个人及其发展的研究,以及通过人道行业,包括一些自助群体和运动,对这种研究的可能的应用。在有关大规模组织可能与社会相互作用的方式的研究方面,例如在为企业或政治团体所作的民意测验和调查研究中,大多数方法论方面的进展仍然来源于美国。不过,这种知识手段的重要性在欧洲也有了相当的提高。研究机构也迅速增加了,它们以各种各样的方式与社会活动的参与者(包括工会、社会运动以及非政府组织)联系在一起。

更为普遍的是,无论是权力/知识复合体对生活世界的日益渗透这一命题,还是回归到自我调节的社会模式这一相反的观点,都不可能是固定不变的。在后启蒙运动社会中,有一些持续存在的问题群,它们对实用的社会知识总是有需求,而这种知识决不可能永久地解决它们。(这一见解本身,支持了以前的这一论点,即对人们发现自己身处其中的社会政治状况的各种可能的解释,总会存在一些差异。)也许,对知识的需求是受这样一种愿望驱使的,即要使组织的策略更具有可预见性。但是,证明现有的差异和多样性是合理的,这可能也是必需的。无论是哪种情况,都不可能成功地对某种社会政治状况加以控制,因为人类总有可能以一些不可知的方式行事。然而,有一种意义深远的变化贯穿了所有的社会和不同的历史时期,这种变化不仅表现在对完全认识社会领域这一希望的赞同方面,而且表现在持有这一希望的目的方面,还表现在用以实现这一抱负的理性的、制度的和政治的方法方面。 552

(鲁旭东　译)

31

553

管理经济

阿兰·德罗西埃

18 世纪以来,经济学总是被关于国家和市场关系的争论打断。它的历史打上了一系列的学说和政治格局的烙印,而这两者之间或多或少是相互关联的。它们在历史上往往被理解为与占主导地位的思想和制度实践相关:重商主义、计划主义、自由主义、福利国家、凯恩斯主义以及新自由主义。无论不同国家各自的主导倾向如何,它们都逐渐建立了统计观测系统。然而这些统计系统的发展普遍呈现出一种不可避免的、意义单一的倾向,与丰富多彩的学说的进展、国家管理和引导经济的实践几乎没有关系。经济思想史文献,或者更确切地说,涉及国家和经济学知识之间相互作用的历史文献,几乎没有强调统计描述模式对国家和市场关系的不同历史构型的特殊意义。[1] 总之,人们基本上不把政治经济学史和统计学史这两种历史放在一起描述,把它们的问题一起讨论的情况就更少了。

经济史文献中的这种隔阂的原因非常简单。在历史上统计学被认为是一种工具,是一种次要的方法论,是为经济研究及其在政治上的延伸部分提供经验实证的技术性工具。依据这种"辉格党"式的关于科学进步及其应用的观念,统计学(被理解为信息及分析这些信息的数学工具这二者的产物)的进展并不是自主地与经济思想和实践联系在一起的。正是由于这种原因,统计学的历史特征在经济学史文献中被忽视了,而且人们没有对此提出疑问。这里"统计学"指以序列、指数、经济计量模型等形式以及其他许多计算机程序包可利用的工具对定量数据的采集、记录和分析。

554

国家在经济事务中的角色的概念化的历史,为分析统计工具与其社会和认知环境之间的关系提供了一条主线。在下文中,我将以非常简练的方式来陈述五种典型的历史结构。**直接干预**包括相当广泛的观点,从重商主义、柯尔培尔主义一直到社会主义计划经济。法国的 Etat ingénieur(工程国家,或者说,由工程师管理的国家)是这些形

[1] Mary O. Furner 和 Barry Supple,《国家和经济学知识:美国和英国的经历》(*The State and Economic Knowledge: The American and British Experiences*, Cambridge: Cambridge University Press, 1990); Michael J. Lacey 和 Mary O. Furner,《英国和美国的国家和社会调查》(*The State and Social Investigation in British and United States*, Cambridge: Cambridge University Press, 1993)。

态的一种。另一个极端,**古典自由主义**则把这种干预最小化并且赞成市场力量不受约束地发挥作用。**福利国家**(l'État providence)寻求保护工薪制雇员,使之免遭上述市场逻辑向他们工作的扩展所带来的影响。**凯恩斯主义**在不动摇对市场依赖的基础上赋予国家为社会提供宏观经济指导的责任。最后,**新自由主义**把国家设想为试图影响微观经济的变动,即通过基于理性选择理论之上的激励体制尽力对微观经济产生影响。刚才列出的五种结构并不意味着描述历史进步的连续阶段,它们既不在历史上也不在逻辑上相互排斥。在具体的历史环境中,它们经常是相互融合的。以这种方式理想化这些结构仅仅为了提供一个框架,以此来梳理每一阶段所使用的统计工具的历史。[2]

工程国家:产出与人

这种结构历史悠久。按照它的逻辑,国家要承担很多与私人企业领域相关的职责。例如,在17世纪的法国,柯尔培尔建立了造船和织毯的皇家机构。同样,彼得大帝在俄国建立了工业。在法国,综合工科学校在大革命后不久,就开始培养那些与国家利益相关的领域如采矿、桥梁和公路以及军备等方面的工程师。综合技术学校的毕业生习惯于从技术的角度而不是市场的观点来监督法国经济的各大部分。在工程国家的传统下,他们作为规划者的功能具有一种合法性,但美国的"公共工程师"从来没有获得这种合法性。[3] 克洛德·亨利·德·圣西门(1760～1825)从理论上阐述了国家工程师的作用,他的名字和以科学、技术为基础的工业思想学派联系在一起。这对马克思主义经济学与东方国家集团的中央计划有着重要的影响——尽管列宁同样尊崇弗雷德里克·W.泰勒根据量化的工时-动作研究在资本主义企业中组织劳动的做法。

555

某些历史环境尤其适合于国家对经济的直接组织。两次世界大战对所有参战国而言,都使得将资源进一步集中和系统的标准化成为必要,尤其在军工企业。曼哈顿计划是国家直接干预经济的最典型的例子,尤其在因不愿意对经济进行直接干预而出名的国家里。同样,基于这一原因,仅仅为了冷战,美国在20世纪60年代分配给其太空项目的那些资源也是可以理解的。甚至那些最大限度实施市场经济的国家,在某些历史环境下也经历了国家对经济的直接干预。

〔2〕 Margo Anderson,《美国的人口普查:社会的历史》(*The American Census: A Social History*, New Haven, Conn: Yale University Press, 1998); Joseph Duncan 和 William Shelton,《美国政府的统计革新(1926～1976)》(*Revolution in United States Government Statistics, 1926—1976*, Washington, D. C.: U. S. Department of Commerce, 1978);关于英国的情况,参见 Roger Davidson,《白厅、维多利亚时代后期的劳工问题和爱德华七世的英国:官方统计和社会控制研究》(*Whitehall and the Labour Problem in Late Victorian and Edwandian British: A Study in Official Statistics and Social Control*, London: Croom Helm, 1985);关于比较的观点,参见 Alain Desrosières,《大数的政治学:统计推理的历史》(*The Politics of Large Numbers: A History of Statistical Reasoning*, Cambridge, Mass.: Harvard University Press, 1998)。

〔3〕 Theodore Porter,《相信数字:追求科学和公共生活中的客观性》(*Trust in Numbers: The Pursuit of Objectivity in Science and Public Life*, Princeton, N. J.: Princeton University Press, 1995)。

20 世纪 30 年代的大萧条,在当时通常被认为是古典市场经济的危机。它引起的严肃的反思导致了关于国家作用的新学说的出现。这些学说可以分成两组:中央计划和凯恩斯主义。当然,计划经济在苏联被推到了极致;然而 20 世纪 30 年代的西欧,整个政治谱系的经济学家和政治哲学家,从社团主义右派到社会主义左派,都对这一学说进行了讨论;同样地,天主教和新教的基督教宗教改革者也对此进行了讨论。这些思潮尽管在其他方面是非常不同的,但在反对经济自由主义方面是一致的,无论是出于国家主义、人道主义还是出于马克思主义的理由。凯恩斯主义是不太激进的一种选择,因为它的目的不是取代市场经济。1945 年以来,在法国、荷兰和挪威等一些国家的实践中,计划主义和凯恩斯主义是以不同的比例混合在一起的。但无论如何,分析上的差别对理解 1940 年到 1980 年期间所使用的统计学和经济模型的发展是有用的。

为此,思考一下以下说法还是有所裨益的,这种说法在 20 世纪 40 年代为国民核算奠定基础的那些经济学家中已经很流行了[4]:“人们可以把一个国家的经济看成一个单一的大企业的经济。”姑且把它在教育学上的用途搁置一边,这种说法指出了经济学以及国民核算上的一个专门性概念,这个概念的主要工具是投入 - 产出分析,该分析遵循列昂捷夫的产业交换表。它的格式貌似描述单个企业不同车间原材料流动轨迹的图表。支持国民核算体系的经济学家为他们的方法辩护,认为这些方法是超越意识形态联系的,对资本主义经济和社会主义经济都适用。对他们来说重要的是商品和服务的产出和流通,而由价格体系衍生出来的它们的货币形式只是计算宏观经济总量的工具。对工程国家来说,各种商品的产出量和消费量是最主要的量。国家对满足人们需求负有直接责任,就像一个企业的技术主管手头必须有足够的配件供给来维持生产一样。

556

这个例子揭示了工程国家所需要的那些统计资料的历史特征,它们就如同军队里将军所需的信息那样。人们要估量生产与消费的数量、供给与装备以及起码的人力。人口统计变量,例如出生率和外来移民率,都是这样一些被国家关注的问题,在这方面,长期为其人口忧虑的法国就是一个范例。另一方面,更直接涉及到经济体市场方面的信息没有成为这种统计规划关注的中心。正是这一方面遭到了 20 世纪 30 年代和 40 年代那些自由主义经济学家口头上的批评,这些经济学家追随弗里德里希·哈耶克的思想反对计划经济。在缺少市场价格所揭示的信息的情况下怎样能够安排资源来实现最优配置呢? 一些社会主义经济学家如奥斯卡·兰格,试图设想一种能够“模拟”市场的计划体制,从而把所设想的两种体制的优点结合在一起。[5] 在这样一种混合体制中,统计学知识的构成可能是非常复杂的。在 1989 年之前存在的社会主义

〔4〕 John W. Kendrick,《国民收入账户的历史发展》(The Historical Development of National Income Accounts),载于《政治经济学史》(*History of Political Economy*),2(1970),第 284 页～第 315 页。

〔5〕 Bruce Caldwell,《哈耶克与社会主义》(Hayek and Socialism),载于《经济学文献杂志》(*Journal of Economic Literatures*),35(1997 年 12 月),第 1856 页～第 1890 页。

国家的情况中,价格实质上是非常随意的。它们的统计系统基本上是由对一些生产单位账户的计量组成,这些统计信息被送交到主管实施经济计划的中央办公室。法国的例子又揭示了另外一个方面,计划从来没有以一种纯粹的形式出现,从20世纪50年代开始,人们就自觉地把凯恩斯主义纲领附加在计划之上。[6]

从某种意义上说,与计划紧密结合的统计学形式就是这种统计学史的核心。一开始就附着于重商主义体系之上的这种"国家科学",源自于君主可即刻用之于课税及组建军队的信息采集。对于18世纪政治算术的创立者来说,形成其最初主题的是人口问题以及农业和工业的财富问题。然而,在同一时期,法国的杜尔哥和重农主义者以及英国的亚当·斯密,发展了一种不同的关于市场-国家关系的观念。一种不同的统计学会很及时地出现,以便适应新的经济自由主义体系。 557

自由主义国家:交换与价格

在纯粹的市场理论最抽象的表述中,统计被认为是多余的。不同生产者之间的商业交换和竞争所形成的众所周知的价格,传递了这种经济组织形式所需的所有信息。如果自由主义的教条主义者拒绝中央的、有指导作用的机构,那么自由主义对很多类型的统计信息都是无用的。统计机构,即便是一个常设的人口普查管理机构,在美国很长一段时间里一直被国家经济作用的反对者所抵制。市场经济的理论家,例如让-巴蒂斯特·萨伊、奥古斯丁·库尔诺和里昂·瓦尔拉斯,不愿意运用经济统计支持他们的假说—演绎推理。[7] 虽然统计知识对工程国家是至关重要的,但是,如果可以想象有纯粹的自由主义国家的话,那么对于这样的国家,它的存在的确是荒谬的。

然而,许多机构和它们的统计工作已经被某种商业经济的需求直接证实是合理的。第一个这样的统计应用于国际商务——关税、汇率和货币管理。英国贸易部统计局成立于1833年,当时正值一系列政治和经济改革使资本主义市场从各种过去遗留下来的障碍(例如1795年对穷人救济的《斯宾汉姆兰法案》[Speenhamland Act])中解脱出来。《谷物法》在这一时期引起了激烈的争论:谷物的进口应该取消关税吗?企业家们通常是乐意的,因为谷物的自由贸易能够降低食品价格,从而可以降低工资。但土地所有者及其产业同盟则反对废除《谷物法》。他们的争论极大地促进了对价格和工资的特别统计调查。因此,相对于纯粹理论上的自由主义,"真正的"自由主义意味着国家扮演着一个经济情报机构的角色,它收集和传递经济部门需要的信息,以便在市场上正常运作。

[6] François Fourquet,《国家账目:国家统计局与计划的历史》(*Les comptes de la puissance: Historie de la comptabilité nationale et du Plan*, Paris: Encres, 1980)。

[7] Claude Ménard,《抵抗统计学的三种形式:萨伊、库尔诺和瓦尔拉斯》(Three Forms of Resistance to Statistics: Say, Cournot, Walras),载于《政治经济学史》,12(1980),第524页~第541页。

另一个自相矛盾的例子出现在美国20世纪末对工业集中问题的争论中，即认为正是对国家干预的需求，所以竞争市场的所有优点才能够实现。同样地，为了能够完成进而应用反托拉斯立法，关于市场功能的精确统计信息是必要的。用来反对卡特尔的立法哲学根本不同于工程国家的立法哲学，后者的目的是，通过标准化和生产集中所导致的经济规模来降低生产成本。相反，自由主义国家则期望，类似的生产成本的降低是由不同的非垄断企业之间的竞争而产生的。与这些对立的哲学体系相对应的是完全不同的统计体系。工程国家的运作建立在技术系数和生产函数的基础上，更一般地说，是建立在公司的内部分析基础上的。自由国家关注的中心是市场交换本身，以及以买卖双方的行为为基础的价格变动所产生的影响。最后一个例子使一种政治经济学和一种统计信息认知体系的**共同构建**变得清晰了。切莫把统计体系看做是与特定的历史时期所产生的特定问题有纯粹技术或外在的相关性。

558

最后，如果没有对统计数据有规则的和集中的采集及其广泛传播，对市场的社会和经济调节是不可能的。19世纪后期出现的美国农业统计就是这样一个例子。这个计划包括收集、集中，然后尽可能快地传递关于收成的最新信息。当农业统计提供的信息为买卖双方共同拥有时，就会在全国范围内建立趋于同一和稳定的农业价格，所以能够尽可能地保证生产者的收益。那些包括通过抽样调查来预测收成的精心设计的体系在20世纪20年代就建立了，并在此之后逐渐发展起来。与以前一样，统计信息最根本的目标是使市场透明化。然而这种进展也可以从另一种角度来解释，即它的目的是反对盲目的和残酷的竞争，从而对农场主尤其是对最弱小的群体提供经济保护。直到19世纪末，它展现了国家干预经济事务的另一种形态的兴起。**福利国家**寻求保证卡尔·波兰尼所谓的“社会的自我保护”，[8]以此来抵御劳动力、土地以及货币的自由市场所导致的破坏。

福利国家：对工人的保护

19世纪80年代到90年代期间，在对治理贫困的适当方法经过了长达一个世纪的争论之后，几乎所有的欧洲工业国家都建立了新的劳动事务署或“劳工统计局”。快速的工业增长导致了城市工人的集中，而这些工人最初来自于农村地区。以美国为例，很多人是从欧洲移民来的。城市工业环境的极端贫困问题，传统上由当地的慈善机构和救助组织负责处理。但是到了19世纪末，极大增长的城市贫困人口数量，激起了对这一问题及其可能的解决方式彻底的重新思考。受1873年至1895年经济危机的刺激，这种重构向着两种完全不同的方向发展，它们都对统计方法产生了重要的和不可逆转的影响。第一种思潮从达尔文的进化论中获得了灵感，这就是弗朗西斯·高尔顿

559

[8] Karl Polanyi,《大转变》(*The Great Transformation*, New York: Farrar, 1944)。

和卡尔·皮尔逊的优生学理论。他们从个人能力的生物学理论中寻找贫困产生的原因和治理方法,设想个人能力是先天的和遗传的。他们认为,通过类似于喂养动物的优选过程,人口的质量能够提高。由于没有考虑少数边缘群体,这些思想在实践中很快就从公共讨论中消失了。然而在这种优生学家的"生物统计学"的框架内,首次出现了对数学统计及其相关性、回归和检验的系统阐述。[9] 20 世纪前十年,这些统计上的形式主义体系被经济学家如美国的亨利·摩尔和法国的马塞尔·勒努瓦所接受,并且被应用于 1930 年成为计量经济学的学科之中。[10]

对贫困主题思考的第二种思潮与第一种思潮不同,它不是把贫困的原因和治理方案定位在生物学方面而是定位在社会和法律方面。那时已经有了劳动力市场,劳动力的价格也就是工资水平。如果没有特殊的保护和调节,劳工的生活将继续表现出 19 世纪资本主义的不稳定和贫困的特征。唯有国家能够以法律形式来保证养老金和失业、疾病以及事故保险,从而保护工人。1880 年到 1900 年期间创立的劳工局探索并且实施这一新的国家形式,这种形式最终被称为福利制国家或者 L'Etat providence(与前面不同,原文如此——责编)。直到 1920 年,随着国际劳工处(International Labor Office)的创立,这种运动呈现出了国际性,该组织收集并整理由各个工业化国家提供的统计和司法信息。

1880 年至 1930 年期间,劳动统计从所研究的价值及调查方法方面促进了官方统计学的革新。工资、就业数量、失业率、贸易繁荣水平、工人预算以及生活成本指数自此以后成了公众关心的问题,而且,尤其是通过立法,受到了国家的干预。它们被提到了统计局的议事日程,统计局开始以代表性样本为基础来创造新的调查形式,以便对这些样本进行计量。以前,详尽的调查和政府的管理记录是统计信息的唯一来源。意味着近似性观念的概率抽样,被视为与官方统计的精确性和确定性不相容,从而缺乏公共合法性。 *560*

然而,福利国家制度的这种思想是建立在**保险**这一观念基础之上的。通过对新劳动统计所描述的各种事件的可能性(用频率来衡量)的统计计算,确保了对风险的规避。因此福利国家制度是与概率密切关联的。正是它使得阿道夫·凯特莱(1796～1874)的主要机构运转起来:总值的统计平均数表现出稳定性和可预测性,而这些在个体层次上是欠缺的。这是保险的理论基础。它的方法被应用于国家人口水平的问题,依照这种逻辑,国家人口水平可以被想象为一个可从中抽取样本的概率的大缸。考虑到不确定性,或者"置信区间",这些测量结果能够外推到所有人口。因此,政治哲学和福利国家的认知方案是紧密重叠的。这种新型国家和新型统计方法是同时被创建的。

[9] Donald Mackenzie,《英国的统计学(1865～1930):科学知识的社会构建》(*Statistics in Britain, 1865—1930: The Social Construction of Scientific Knowledge*, Edinburgh: Edinburgh University Press, 1981)。

[10] Mary Morgan,《计量经济学思想史》(*The History of Econometric Ideas*, Cambridge: Cambridge University Press, 1990)。

凯恩斯主义国家：分解全球需求

作为19世纪80年代经济危机的后果，对雇佣劳动的保护以及使之为闻名的统计调查进入到国家权力机关的议程。因此，第一种形式的福利国家产生了，最出名的是俾斯麦领导下的德国。20世纪30年代的危机对"全球供给"和"全球需求"即商品和服务的总量之间的宏观经济均衡产生了相似的后果。至关重要的是，国家为保证经济均衡而实施的中央调节这一理念不仅在理论上得到了系统的阐述（凯恩斯，1936），而且，通过国民核算表以及描述供给和需求不同的组成关系的统计序列，很快得以实施。同样，国家和统计学是一起被创立的。当国家被赋予新的责任，要求它在不牺牲市场经济的条件下来保持宏观经济均衡时，一种新的描述和分析模式——国民核算和宏观经济计量模型产生了，例如，20世纪30年代初期由荷兰的简·丁伯根（1903～1994）创立的系统。[11]

凯恩斯主义观点中最重要的创新是把经济描述为一个整体，通过几个宏观经济流来展现，这些经济流是可测度的，并且可以组合在理论上具有连贯性和详尽性的会计报表中。这个模型直接与一种政治经济学联系在一起，从20世纪50年代开始，它激励了统计变量及其生产模式的完全重组。凯恩斯主义模型和它的双重约束（会计报表要么依据部门要么依据操作的整理达到均衡）之间的一致性，引起了人们对现存统计资源中的差距和矛盾的注意。更加意味深长的是，改变统计资源的用途同时改变了它们的特征。例如：19世纪以来，家庭的预算调查已经开展，其首要的目的是描述工薪家庭的需求和开销与工资的关系。这是福利国家最典型的统计，首先关注雇佣劳动。在20世纪50年代期间，这些已经转换为对整个人口消费的统计。现在，它们描述所有商品和服务的市场，而不再像1940年之前所进行的小规模调查那样仅仅局限于劳动力市场。从这个例子可以清楚地看到，统计调查与它应用的背景是分不开的。这一点经常被忘记，信息的生产者和消费者之间制度上和认知上的分工使人们看不清这一点。

561

这里对福利国家和凯恩斯主义国家的区分，当然是一种概括性的描述。它对应于与国家的历史、调整经济的国家作用和与这些干预相联系的统计学相关的两个完全不同的阶段。第一个阶段即保护雇佣劳动，在1880年到1900年获得了显著的发展。第二个阶段是宏观经济引导，出现于1930～1950年间。但是自从20世纪50年代以来，行动的两种形式和认识的两种形式都已经紧密地联系在一起，至少在西欧国家（法国、德国和英国）是如此。社会保障如养老金、医疗和失业保险以及家庭补助，成了职工收入的主要成分，同样也是凯恩斯主义模型设定的全球需求的主要成分。由于这个原

[11] Don Partinkin，《凯恩斯和计量经济学：两次大战期间宏观经济革命的相互影响》（Keynes and Econometrics: On Interaction between Macroeconomic Revolutions of the Interwar Period），载于《计量经济学》（*Econometrica*），44（1976），第1091页～第1123页。

因,20 世纪 70 年代及 80 年代的危机同 30 年代的危机相比有不同的社会结果,并且失业也呈现出不同的形式。这也是两次危机几乎以相对立的方式被诠释的原因。20 世纪 30 年代的大萧条,被诠释为市场经济的危机和自由放任政策的危机,导致了政府作用和社会保护作用的扩张。相反,20 世纪 80 年代的经济衰退被解释为这种 50 年以前发明的凯恩斯主义和福利国家制度解决方案的失败。凯恩斯主义和福利国家受到逐渐兴起的以罗纳德·里根和玛格丽特·撒切尔为代表的新自由主义思想的挑战,以减少国家对经济的管理的名义,他们都削减了官方统计的资金。

法国与荷兰计划的比较

对工程国家和凯恩斯主义国家的这种区分并不是绝对的。在法国,从 1950 年到 1970 年,这些活动方式和经济分析都是交织在一起的。后来的欧洲共同市场的缔造者让·莫奈,于 1945 年创立了 Commissariat Général du Plan,或者说综合计划部。法国的计划把三个要素结合在一起,这三个要素是:支持大规模公共和私人基础设施投资的预测,特别要预测那些在二次大战的破坏后所需投资的融资;以专门委员会而不是议会讨论的形式,建立经济和社会参与者之间的协商和对话的程序;最后,建立在国民核算基础上的经济分析和信息体系。这种构造把工程国家(包括许多以前的综合工科学校的学生在内)、凯恩斯主义国家及其国民核算、宏观经济分析以及最后不断社会主义化的国家融合在一起。社会主义化国家为对减少社会不平等有特殊兴趣的社会群体提供了论坛,从而促进了这样的调查和使用社会指标来描述它们。

562

直到 1970 年,法国的社会和认知网络还没有应用宏观计量模型,如简·丁伯根的那些模型,以及劳伦斯·R. 克莱因和阿瑟·戈德伯格的那些模型,这看起来有些令人惊讶。[12] 在荷兰,从 20 世纪 30 年代以来这些模型就被使用了。不过,法国和荷兰仍有很多共同的地方。作为对就业和战争所造成的严重破坏的反应,他们在 1945 年都成立了经济计划局,这是一种被其他西方强国所排斥的观念。德国人、英国人和美国人都把这种观念视为市场规则的对立物,是被纳粹和苏联的集权主义社会污染的思想。而两个具有超凡魅力的人,法国的莫奈和荷兰的简·丁伯根,使这些部门具体化了。丁伯根在 1936 年设计了第一个经济计量模型,他的人格有助于解释荷兰对这些模型的强调以及这些模型在解决社会和政治争论方面的卓越性。在选举大战中,荷兰的政党让他们的经济计划符合于丁伯根的模型,并且依据经济增长、通货膨胀、失业和对外贸易等结果对计划作出判断。

在 1970 年以前的法国,有关计划的讨论出现在政党体系之外,也没有被任何经济

[12] Ronald Bodkin, Lawrence Klein 和 Kanta Marwah 主编,《宏观经济计量模型构建的历史》(*A History of Macroeconometric Model-Building*, Aldershot: Edward Elgar, 1991)。

计量模型检验。相反，通过计划委员会的协商形成的决策，以工程师和统计学家的语言实施，他们倾向于把经济视为一个大企业而不是一个竞争的市场。作为国家精英集团的成员，这些工程师处于官方专家的位置，他们很自然地运用以列昂捷夫的投入－产出表为特征的技术理性的语言。相比之下，荷兰的规划者经常是政府机构之外具有专业职位的大学教师。同样，他们的劳动也被应用于几个世纪以来以国际贸易为定向的一种经济体。对他们来说，市场波动是既定的。荷兰模型的方程寻求模拟这种变动的方式，而法国的程序则混合了工程师的观点和凯恩斯主义的“比较经济静态分析”——良好记录的过去和预期的未来之间的比较，它们在计划委员会内提供了讨论的基石。

563

荷兰人使他们自己适应于自由市场经济的动态波动，就如同一个人试图爬上一匹正在奔驰的快马。目标的制定要密切关注经济流。经济计划的程序隐含了目标模型化和方法模型化之间存在密切的联系，并且强调实际的结果。荷兰经济模型中的方程被设计为模拟经济的真实路径。法国采取了一种更加技术和数量化的方式来刻画经济，而不考虑价格的实际波动。在目标年，要使经济轨迹与计划的结果相一致。法国的计划安排给一种社会程序以特权，这就是专家、国家会计师、委员会和劳工集团之间复杂的连续协商过程。法国的计划通过在委员会框架内各社会群体的协商来模拟经济运行。

新自由主义国家：多中心主义与激励机制

这里所描述的国家形式的共同之处是，它们都被赋予了一个中心。这一点甚至适用于自由主义国家，在自由主义国家，反托拉斯法或农业市场的透明所需要的统计数据肯定不可避免地被集中。相比而言，新自由主义国家被认为是管理节点的集合，或者界线分明的地域——它们的相互关系是根据法律协商、签订契约和规定的。联邦制国家或主权国家的联盟如欧盟，提供了如此形态的根本不同的例子。所有这些都建立在辅助性、程序性、协商性和网络性的概念上。[13] 最大可能的自由被留给了社会的地方组织，而仅把那些地方组织不能令人信赖地使用的权力赋予更高级的组织。已经建立的程序详细说明了协商和决策的结构，但是没有产生实质性的规则。行动和决策的场所众多且相互联系，信息就在那里被收集并使用。包括集体责任在内的问题迅速增加了：如环境、生物伦理学、虐待儿童、吸食毒品、阻止艾滋病和其他的新疾病的扩散、少数民族文化的保护、性别平等、国内和工业环境的安全、消费商品的质量标准等等。

564

每种情况都包括对适当统计、责任区分和评估方法的即时协商。信息在描述、行动和

〔13〕 Robert Nelson，《经济学专业和公共政策制定》（The Economics Profession and the Making of Public Policy），载于《经济学文献杂志》，25（1987年3月），第49页～第91页。

评估循环链的每一个环节被采集和利用。

新自由主义国家的公共活动所包含的激励比管制要多。例如,财政激励被认为与微观经济理论有关,它使用了一种关于个人的合理动因、偏好、效用、最优化以及外部性的语言。一个典型的基于微观经济立法的例子是,建立污染权市场,这被认为是比管制所作的限定更有效率的方式。通过研究数据或者完成准实验可以评估这些程序,其目的是测度和模型化参与者的行为,也包括公共机构的行为。最后一点界定了新自由主义国家与它的那些先驱之间至关紧要的区别。它和现代的理性预期思想有密切关系。依据这一理论,干预主义的政策例如凯恩斯主义,将会不知所措,因为参与者在公共决策的预期中将会修正他们的行为。[14] 从这个观点看,任何参与者都不能超出这一博弈之外,国家当然也不例外。毋宁说,这种关系可分解为几个"指导中心",它们自己也是行为者,所有"指导中心"都在相同的经济和社会学的模型参数下行动。

本章的观点,即统计工具总是与新的国家形式并行发展,可以视为是与新自由主义的敏感性相一致的。现实主义者对统计学的理解长期占支配地位,他们仅把统计学看成一种简单的测度工具,并不受其研究的现实的影响;就像遭到理性预期批评的那种理解:国家是外在于社会的。就统计知识的生产是经济指导的必要组成部分而言,毫不奇怪,管理的分权化和内生化伴随着类似的"计算中心"的重构,统计数据就是由这些"计算中心"生产的。它们从来都不仅仅是"数据",而是昂贵的社会过程的结果,该过程的经济上和认知上的组成部分是它们想要描述的全球社会的一部分。

(王善华 译 鲁旭东 校)

[14] D. K. H. Begg,《宏观经济学中的理性预期革命:理论和根据》(*The Rational Expectations Revolution in Macroeconomics: Theories and Evidence*, Oxford: Oxford University Press, 1982);Albert O. Hirschman,《反应的修辞法:反常、无益和危险》(*The Rhetoric of Reaction: Perversity, Futility, Jeopardy*, Cambridge, Mass.: Harvard University Press, 1991)。

32

565

管理和会计学

彼得·米勒

会计学是20世纪后期最有影响力的量化形式之一。它创立了明显客观化的资金流,某些西方社会对此给予了相当的重视,它使得以完全不同的方式对工序和人员的管理与调整成为可能。对于从车间工人和部门管理者到医生和教师等如此广泛的职业,会计学的计算实践试图影响人们的行为和约束人们的活动;在某种意义上和某种程度上,这在一个世纪以前是难以想象的。然而会计学也是所有量化学科中最容易被人忽视和最不显眼的。当经济学家、统计学家和保险精算师的概念和实践在学术上得到了仔细考察时,会计师的那些概念和实践要么被放在不显眼的地方,要么就被降为更大的故事情节中的次要角色。只是最近,这种情形才开始得以扭转。[1]

当会计学确实成为公众考察的对象时,人们只是典型地关注会计学的外在形式,即商业企业提供给股东和其他的外部集团的财务状况报告以及对这些报告的审计报告。但是会计学还有一个"隐蔽"的维度:即在组织内部进行的财务监管、报告和评估,这即便是在公司内部也典型地被认为是机密。这一方面被称为管理或成本会计,它由诸如预算、成本和投资评估这些实践所组成,这是本章关注的焦点。

到现在为止,管理会计几乎已经成为管理的同义词,它能够上升到公司的管理层,是与阿尔弗雷德·钱德勒所谓的"管理资本主义"密切相关的。"管理资本主义"指基于职业经理人管理的多单位大型企业而对生产和销售过程的组织。[2] 我的历史叙述开始于钱德勒的目标,着重强调大约自1920年以来的管理会计学实践的转化。它关注的中心是,管理会计学以什么方式改革,以便可以对个人进行说明和比较,使个人有责任感,从而使企业可以控制。会计学是那些管理人们行为的间接方式中最重要的一

566

〔1〕 参见 Anthony G. Hopwood 和 Peter Miller 编,《作为社会和制度实践的会计学》(*Accounting as Social Institutional Practice*, Cambridge: Cambridge University Press, 1994);也可参见创刊于1976年的《会计学、组织和社会》杂志(*Accounting, Organizations, and Society*)。会计学的一个"局外人"的观点是由 Theodore M. Porter 提出的,见他的《相信数字:追求科学和公共生活中的客观性》(*Trust in Numbers: The Pursuit of Objectivity in Science and Public Life*, Princeton, N. J.: Princeton University Press, 1995)。

〔2〕 Alfred D. Chandler,《看得见的手:美国企业的管理革命》(*The Visible Hand: The Managerial Revolution in American Business*, Cambridge, Mass.: Harvard University Press, 1977)。

种，通过它，社会机构寻求依据更广泛的经济或政治目标来管理个人的生活。[3]

会计学的优势，在很大程度上可归结为它具有这样一种公认的能力，即把各种不同的、不可比较的现象转化为单一的财务数据，例如投资回报率或净现值。它能使那些实物特征或地理位置可能很少或根本就不同的活动和过程，例如汽车装配、食品生产和提供健康护理等，变得可以比较。忠实于那些显然确定无疑的财务数据现实，使会计学获得了许多合理的依据。正是由于会计学量化和抽象化的特点才使它声称具有客观性和中立性，具有超越纷争的立场，远离争论和政治利益。

在 20 世纪期间，以内部控制为目的的会计学实践，已经上升到公司的管理层，并在合法性上更进一步。本章将考察这一过程的三个关键阶段。第一阶段从 1900 年到 1930 年，该期间的标准成本计算和预算成为成本会计科目的一部分。第二阶段处于两次世界大战之间，从经济学中引入了固定成本和可变成本的概念。第三个阶段是第二次世界大战后的 20 年，贴现技术和经济学家的货币时间价值概念的引入，完成了会计学中投资评估实践的转化。

为了理解管理会计的兴起，我们需要注意会计学与其他学科之间的联系——尤其是经济学和工程学。它与企业管理之间的联系同样也是很重要的，企业管理赋予了会计学很多意义、重要性以及合理性。那些基本概念，如在科学管理中得到清晰阐述的“效率”，以及管理科学文献中出现的“决策制定者”，已经为管理会计提供了基本的理论说明，并为其计算实践规定了任务。[4] 管理会计本质上是一种奇特的混合体，它同时既是管理实践又是社会科学。 567

个人化效率

1900 年到 1930 年间，标准成本计算和预算的发明使成本会计发生了转变，它的领域也极大地扩展了。[5] 到 1930 年止，在大西洋两岸，成本会计能够建立在预先确定的或标准的成本基础上，而不再局限于事后确定实际成本。人们开始使用差值或者“方差”对浪费和效率进行评估，这种差值是指实际承受的成本和事先确立的正常的或标准的成本之间的差额。成本会计能够使管理层注意到“可预防的低效率”，从而使这些

[3] Peter Miller 和 Nikolas Rose,《管理经济生活》(Governing Economic Life)，载于《经济与社会》(*Economy and Society*)，19 (1990)，第 1 页～第 31 页；Nikolas Rose 和 Peter Miller,《国家以外的政治力量：政府的问题集》(Political Power beyond the State: Problematics of Government)，载于《英国社会学杂志》(*British Journal of Sociology*)，43 (1992)，第 173 页～第 205 页。

[4] 关于会计学的角色，参见 Anthony G. Hopwood,《会计学运作背景研究初探》(On Trying to Study Accounting in the Contexts in which It Operates)，载于《会计学、组织和社会》，8 (1983)，第 287 页～第 305 页；Stuart Burchell, Colin Clubb, Anthony Hopwood, John Hughes 和 Janine Nahapiet,《组织和社会中会计学的角色》(The Roles of Accounting in Organizations and Society)，载于《会计学、组织和社会》，5 (1980)，第 5 页～第 27 页。

[5] Peter Miller 和 Timothy O'Leary,《会计学与可管理的人员的结构》(Accounting and the Construction of the Governable Person)，载于《会计学、组织和社会》，12 (1987)，第 235 页～第 265 页；Peter Miller 和 Timothy O'Leary,《可预测的个人的管理》(Governing the Calculable Person)，载于 Hopwood 和 Miller 编，《作为社会和制度实践的会计学》(*Accounting as Social and Institutional Practice*)，第 98 页～第 115 页。

情况被消除。[6] 这种发展使新的管理工厂的方式成为可能。效率现已实现了个人化，进而使得各个层次的雇员能够对规定的标准或执行规范负责。

标准成本计算很大程度上要归功于起源于美国的后来被称为"科学管理"的运动。事实上，弗雷德里克·W. 泰勒发表于1903年的有关商店管理的论文，就包含了许多后来生成标准成本计算的基本要素。通过美国效率工程师哈林顿·埃默森[7]所阐明的成本计算的框架，泰勒主义于1930年促使G. 查特·哈里森详尽阐述的完全一体化的标准成本计算和预算体系得以定型。[8] 泰勒著名的《科学管理原理》(*Principles of Scientific Management*)一书力图通过批评那些他认为是隐藏在个人日常行为中的广泛和巨大的无形浪费，来寻求提高国家的效率。[9] 其他人，如弗兰克·吉尔布雷斯和莉莲·吉尔布雷斯，也加入了他的革新运动。[10] 对于一些形成已久的行业实践诸如砌砖，人们对据信在这种活动所有细小的部分中存在的浪费进行了剖析。[11]

568

泰勒和他的追随者把低效率等同于外行的知识与实践。如果要使个人在他们的工作中付出最大的努力，无论是在车间还是在办公室，科学管理都需要"专家"的干预。他们所假设的科学的专门知识能够赋予这些管理干预以合理性。在美国，对工程行业来说，科学管理表现得几乎就像是救世主，因为这个行业的领导者正是这么设想的。埃默森认为效率"不是一个伦理或财务或社会问题，而是一个工程学问题"。他继续说，人们应该从"工程学专业而不是任何其他的专业"来寻求"治疗我们人类特有的那些疾病的方法"。[12]

然而如果能够使效率规范具有财务形式，那么可能取得的成就还会更大。早在1886年，后来成为美国机械工程师协会(American Society of Mechanical Engineers)主席和泰勒的导师的H. R. 汤，就希望把工程师解释成经济学家。[13] 毕竟，效率最终必须采取成本节约的形式。埃默森回应了这些观点，认为工程师和会计师在发现和分析无效率这一任务中需要合作。最后，其职业横跨工业工程学、注册会计师和成本会计师等专业的G. 查特·哈里森，巩固了工程学和会计学的暂时联合，他的著作第一次全面表

[6] G. Chester Harrison,《标准成本计算》(*Standard Costing*, New York: Ronald Press, 1930),第8页。

[7] Harrington Emerson,《效率:运营和工资的基础》(*Efficiency as a Basis for Operation and Wages*, New York: Engineering Magazine Co., 1919)。

[8] Ellis M. Sowell,《标准成本的理论和方法的演进》(*The Evolution of the Theories and Techniques of Standard Costs*, Tuscaloosa: University of Alabama Press, 1973)。

[9] Frederick Winslow Taylor,《科学管理原理》(*The Principles of Scientific Management*, New York: Harper and Brothers, 1913)。

[10] Frank B. Gilbreth,《实用动作研究》(*Applied Motion Study*, New York: Sturgis and Walton, 1917); Frank B. Gilbreth 和 Lilian M. Gilbreth,《疲劳研究:消除人类最大的不必要的浪费》(*Fatigue Study: The Elimination of Humanity's Greatest Unnecessary Waste*, New York: Sturgis and Walton, 1916)。

[11] Horace B. Drury,《科学管理》(*Scientific Management*, New York: Columbia University Press, 1915)。

[12] Emerson,《效率:运营和工资的基础》,第5页。

[13] Henry R. Towne,《作为经济学家的工程师》(The Engineer as Economist),载于《美国机械工程师协会学报》(*Transactions of American Society of Mechanical Engineers*),7(1886),第428页～第432页。

述了标准成本计算。[14] 标准成本计算使科学管理的工程学概念在财务上变得明白和可以预测。

不过,效率的个体化并不仅仅局限于车间。科学管理运动的领导者设想,他们的规则最终要包含每一个人,当然也包括管理者自己在内,而标准成本计算则提供了实现这种可能性的工具。哈里森证明,标准成本同样可适用于“工厂里日工资5美元的卡车司机或者年薪5000美元的主管人员”。如果没有这种分析模式,“谁也不能发挥他最大的潜力”。[15] 虽然工程师们曾经把标准成本计算视为仅仅是科学管理的附加物,但由于以货币形式表达工程师之标准化雄心,会计学的便利方法导致了深远的和持久的质变。

这样,计算成本方式上一个显而易见的简单的技术革新,导致了企业管理方式的一种意义深远的转变。它为企业中的每一个人都提供了效率的规范和标准。它在工人和老板之间提供了一种据称是中立的和客观的计算工具。规章制度是建立在事实知识以及摆脱某种规范的基础上的。那些迄今为止仍属于工程师领域的思想和工具,将要成为改革后的成本会计学的基石,而改革后的成本会计学创立了一个新型的、个体化的工厂管理模式。随着标准成本计算的发展,人们越来越确信,企业管理是会计学领域的一部分。 569

成本与决策的结合

在两次世界大战之间,成本会计学经历了另一个重要转变,在这一过程中它被赋予了一个定义明确的角色,即“决策”的基础,管理者现在认定决策是他们的主要作用。会计学的这种转变汲取的思想和工具来自于经济学而不是工程学。固定成本和可变成本以及边际成本的概念促进了这种变化的发生。成本-产销量-利润计算和收支平衡曲线使这些思想得以实施并使它们具有了可视的形式。

早在20世纪20年代期间,芝加哥大学商学院和政治经济学系的学生们观看了J. M. 克拉克所描述的“一个在很大程度上是归纳性的经济理论的实验”。他的对象是闲置的产能或不随产出变动的成本。他走得如此之远,以至于思考是否“经济思想的整体一定要成为一门‘间接费用成本经济学’”。克拉克认为,经济理论不仅对经济学研究生是有用的,而且对会计师也是有用的,他们应该知道“来自于公平的经济科学观点的成本的意义”。正是成本的定义“在某种意义上体现了不可能的目标,他的实际方案只是与这一目标近似”。[16]

[14] David Solomons,《成本计算的历史发展》(The Historical Development of Costing),载于David Solomons编,《成本分析研究》(*Studies in Cost Analysis*, London: Sweet and Maxwell),第2版。

[15] Harrison,《标准成本计算》,第27页~第28页。

[16] John M. Clark,《营业成本的经济学研究》(*Studies in the Economics of Overhead Costs*, Chicago: University of Chicago Press, 1923),第ix页~第x页。

克拉克不是会计师，但是他认为“局外人的非常规观点”可能有助于“对能够或不能期望成本会计学做什么这一问题作出启示”。[17] 他论证说，成本分析不应该受财务会计的法则束缚。成本会计可能包括某些项目，为了制定损益表，这些项目可以排除。他指出铁路已经清楚地揭示了间接费用成本概念的重要性。因为早在19世纪中叶人们已经认识到，可以以很少或没有额外的成本在铁路上进行额外的运输。[18] 鉴于额外的运输不用负担固定成本，亦即成本不随着运输量而增加，可以认为价格区别对待是正当的。他认为，无论如何，要确定可追溯到个体载货量或商业单位的确切的成本份额是不可能的。[19] 起初，铁路被视为不同于其他的产业，因为它们的相当一部分成本是“常数”或者是固定的，但是很快这种论点也被用于其他产业。“固定”成本和“可变”成本的区别成为成本分类的一般规则。

570

克拉克关注成本会计学的“潜在功能”。他证明，这些功能是多重的，需要一种被他描述为“成本分析”或“成本统计”的“弹性技术”。按照克拉克的观点，成本会计学的功能是多种多样的：帮助决定销售商品正常的或满意的价格；帮助确定大降价的最低的界限；确定哪种商品最有利润以及哪种没有利润；控制存货；评估存货的价值；检测不同工序和不同部门的效率；检查损失、浪费和失窃；从商品生产的成本中分离出“闲置成本”，以及“盯住”财务账目。“为了成本分析，需要大量不同的概念和成本核定数据，自然会导致对能以充分的变化满足这些完全独立的要求的技术发展的需求。”[20]这些必要条件有：包括所有投资利益在内的“生产的总体经济牺牲性”；差量成本；实际成本的完整记录和可以据以把它们加以比较的效率实施标准；剩余成本；总经营费用。他的目的是确定成本分析有一种特殊的管理作用，即能够体现经济科学上不言而喻的事实。

在大西洋的彼岸，十多年以后，另一些人以类似的术语进行了争论。作为对会计师所理解的成本变动形态的修正，一些经济学概念再次被提了出来。在这方面，关键的人物是罗纳德·爱德华兹和罗纳德·科斯，这两人均来自伦敦政治经济学院（London School of Economics and Political Science，简称LSE）。爱德华兹是一个“特别偏重会计学的商业管理讲座的演讲者”，他有十年专职会计师的从业经验。但这丝毫没有妨碍他运用经济学的语言和概念来表述他所谓的“商人的企业家问题”。他证明，与成本相比，最重要的问题是“成本随产出变化的程度”。因此，成本的可避免性和不可避免性应该是主要的关注点。他把“可变成本”定义为生产一单位产品引起的必须支付的额外支出。那些剩下的就是“固定成本”。成本会计学应该基于“差额”成本或

〔17〕 同上书，第234页。
〔18〕 Chandler，《看得见的手》；Porter，《相信数字：在科学和公共生活中追求客观性》；Solomons，《成本计算的历史发展》。
〔19〕 Clark，《营业成本的经济学研究》，第10页。
〔20〕 同上书，第236页、第257页。

“边际”成本,因为它们是随着产出变动的成本。[21] 成本会计师应该忽略不变的支出,他们不应该把他们的时间用在计算部门固定支出的随意配置上。成本会计学应该致力于企业家的问题,这意味着要关注边际收益和边际成本。 571

更进一步的具有决定性意义的步骤,是把成本会计学和决策范畴联系在一起。后来成为LSE经济学讲师的罗纳德·科斯在这一方面特别有影响。虽然克拉克和爱德华兹都诉诸边际成本概念来探求改变成本会计学,但他们都没有明确而坚定地把这些概念与决策的不偏不倚的观念联系起来。正如科斯在《会计师》(*The Accountant*)杂志中,在陈述什么是他认为的成本会计学的基本概念时评论的那样:“如果采用一项特殊的**决策**,那么就必须关注导致结果的变量,与**企业决策**有关的变量就是成本和/或收益中的变量。这种推理适用于每一种企业**决策**。”他继续说,企业决策应该取决于“对未来的评估”。[22] 他的“一般规则”是,只要边际收益预期超过边际成本,总产出的可避免成本少于总收益,一个公司就应该增加生产量。即使在现实中可以实现这种方式的看法是“乌托邦式的”,他还是期望“成本会计师可以因此改进他的考虑成本变量的方法,从而有利于商人的目标”。[23]

同一年里,再回到大西洋的另一边,把主管人员描述为决策制定者的新文献正在涌现。查斯特·巴纳德的《主管人员的作用》(*The Functions of the Executive*)一书把决策制定看做是“繁重的任务”,一种“人们一般试图躲避”的任务。但他们无法回避。通过组织分配的互动决策构成了“组织行动的必要过程,它会继续把合作系统的要素综合到具体系统中”。[24] 最近形成的雇佣管理者阶层有一种独特的作用,他们控制着大型多部门企业,这种作用在并行发展的商业管理文献中得到了重申。芝加哥大学的威廉·瓦特在20世纪40年代中期一些颇有影响的讲座中,明确把这种作用与会计学联系到一起。瓦特毫不含糊地认为:“从管理的观点看,收集某一企业的财务数据的唯一理由是必须作出决策。”他继续说,会计记录“对管理之所以有用,只不过是因为它们提供了决策制定的基础”。[25]

类似于这样的观点,尽管在1950年仍然相对新颖,但在接下来的20多年内将变成一种规范。20世纪50年代和60年代期间,这种决策思想以及学院派和管理者用以把决策模型化的工具,将变成财务计划和控制的核心部分。新的经济学分析为会计学提供了一些最基本的工具,如成本-产销量-利润平衡图和收支平衡分析。同样重要的 572

[21] Ronald S. Edwards,《成本会计学的理论基础》(The Rationale of Cost Accounting),载于J. M. Buchanan和G. F. Thirlby编,《伦敦经济学院成本论文集》(*LSE Essays of Cost*, New York: New York University Press, 1981),第76页、第81页,最初发表于Arnold Plant编,《现代商业问题》(*Some Modern Business Problems*, London: Longman, 1937)。

[22] Ronald H. Coase,《商业组织和会计师》(Business Organization and the Accountant, 1938),载于Buchanan和Thirlby编,《伦敦经济学院成本论文集》,第98页、第100页。

[23] Coase,《商业组织和会计师》,第102页。

[24] Chester I. Barnard,《主管人员的作用》(*The Functions of the Executive*, Cambridge, Mass.: Harvard University Press, 1938),第189页、第187页。

[25] William J. Vatter,《管理会计学》(*Managerial Accounting*, New York: Prentice Hall, 1950),第102页、第506页。

是，人们为成本会计提供了一条途径，通过它，成本会计可以上升到公司管理层。通过把成本与选择结合在一起，把这些选择称作决策，并在决策概念与管理实践之间建立起联系，成本会计学获得了一种新的管理意义。成本会计学逐渐转变为管理会计学，并且涵盖了更广的范围。

使未来成为可预测的

通过提出一种新的规划和评估大规模投资的方式，经济学的概念和计算也促进了管理会计学的发展。这是建立在货币时间价值（这种思想指，假设一定数量的货币今天比未来的一天更值钱）以及相关的贴现实践（期望未来某一天把现金流转换到现在的价值）基础上的。

在被推荐为评估和比较投资建议的管理工具之前，贴现技术已经存在很长时间了。早在16世纪，在保险精算实践中已经牢固地确立了复利原则，17世纪后期年金表开始出现。在1900年左右的几十年里，以贴现和净现值的应用为基础，工程学和政治经济学发展了一种不同的描述和计算的现代方式。[26]

在会计学领域中，甚至到了20世纪30年代，对在投资评估中使用贴现实践仍有相当大的敌意。在英国，1938年爱德华兹发表在《会计师》杂志上的一系列论文引起了激烈争论。爱德华兹坚持认为，当考察可供选择的投资时，“必须排除时间的影响，这可以通过把所有的收益贴现到它们在某一给定时间例如投资日的价值来实现”。[27] 这引起了他在伦敦经济学院的同事斯坦利·罗兰敏捷而尖锐的反驳。罗兰宣称他“绝对不同意”，并且对这一预期感到惊恐：“他的伦敦经济学院的某些同事与这些观点有关联。”[28]有趣的不仅仅是罗兰的严厉回答，还有他给会计学定位的方式。他认为可能“爱德华兹先生变得‘狂暴’了”，他开辟了经济学家对会计师猛烈攻击的多条战线。谈到“经济学家全体一致的典型特征”，他认为爱德华兹“用大棒击打会计师的头部，目的是要使他们流着血弯下腰。他喜欢这种运动”。[29] 罗兰在一个声明中对作为客观和安全领域的会计总账的诉求令人回味，很让人感动；与之相对照的是，他认为经济学家

[26] Ian Hacking，《概率的出现》（*The Emergence of Probability*, Cambridge: Cambridge University Press, 1975）；Robert H. Parker，《从历史的视角看已贴现现金流》（Discounted Cash Flow in Historical Perspective），载于《会计研究杂志》（*Journal of Accounting Research*），6（1968），第58页～第71页；Theodore M. Porter，《统计思维的兴起（1820～1900）》（*The Rise of Statistical Thinking, 1820—1900*, Princeton, N. J.: Princeton University Press, 1986）。

[27] Ronald S. Edwards，《收入的本质和衡量：（一）～（十三）》（The Nature and Measurement of Income: I—XIII），载于《会计师》（*The Accountant*），99（1938年7月～9月），第13页～第15页，第45页～第47页，第81页～第83页，第121页～第124页，第153页～第156页，第185页～第189页，第221页～第224页，第253页～第256页，第289页～第291页，第325页～第327页，第361页～第364页，第397页～第401页，第429页～第432页，此段话在第14页。

[28] Stanley W. Rowland，《收入的本质和衡量》（The Nature and Measurement of Income），载于《会计师》，1938年9月24日，第426页。

[29] Stanley W. Rowland，《收入的本质和衡量（二）：一个反驳》（The Nature and Measurement of Income—II: A Rejoinder），载于《会计师》，1938年10月15日，第519页。

的世界是投机和浮华性的，他完全拒绝了爱德华兹的观点。他建议，让我们"丢弃这些噩梦般的想法，回到冷静的理智统治的世界。让会计师面对账本，充满信心地把它当做他的所有方案依靠的基石。让会计师在现在即将成为过去时记录下它，让他把揭开隐藏未来面纱的有风险的工作留给别人"。[30] 爱德华兹在答复时指出，增加的净值概念在经济理论上或在保险精算学上"既不新鲜也不奇怪"。[31] 罗兰仍然非常不满意，他斥责爱德华兹的理论是"完全疯狂的"和"危险的废话"，是一种"把假设伪装成真理"的理论。[32]

十多年以后，在美国，有人一再向管理者们强调贴现原则。乔尔·丁可能是美国最有影响的贴现技术的支持者，他在 1951 年的《资本预算》(*Capital Budgeting*)[33] 一书中对这些原则的重要性仍不确定。然而三年以后，在发表于极具影响力的《哈佛商业评论》(*Harvard Business Review*)上的一篇文章中，他却毫不含糊。他认为，贴现原则为寻求理解投资决策的管理者提供了新颖的理论框架。一种新的经济学财务思想应该代替会计学思想，支付方法是最典型的代表。这意味着不仅仅是一种技术代替另一种技术，而是对投资的认识发生了根本的变化。他论证说，经济学推理，尤其是关于货币的时间价值的推理，应该反映在所有的投资决策中。在投资决策中，经济学专业知识应该取代个人的直觉和拇指法则。这将允许对投资机会进行排序，把它们与其他可供选择的投资机会进行比较，并且考虑它们对公司的净经济价值。"资本生产率"是决定性的检验，是个人投资计划之经济价值的客观度量。因为"在精确性、真实性、实用性和敏感性方面，可以证明，计算收益率的已贴现现金流方法优于现有的其他方式"。它的应用范围几乎没有限制，不仅对工厂和机器的投资，而且对福利和有关声望的投资例如体育馆、乡村俱乐部和豪华办公场所等，都应参照"资本生产率的指导方向"来进行分析。投资决策会对"整个公司的启迪性知识氛围"很有裨益，在这种氛围中，所有相关的人员都应当理解资本支出的经济学。[34] 具备财务专家的知识将会使管理者成为一个精打细算的人。由于普遍提高了学术界和商学院的经济学知识的声望，丁在这方面的雄心获得了支持。[35]

574

在英国，几年后，对贴现原则在投资评估中的应用的支持达到了普遍的程度。到 1959 年末，《会计学》(*Accountancy*)杂志上的一篇论文强调了货币时间价值在比较预

[30] Rowland,《收入的本质和衡量(二):一个反驳》,第 522 页。

[31] Ronald S. Edwards,《收入的本质和衡量》,载于《会计师》上的通信,1938 年 10 月 22 日,第 575 页。

[32] Rowland,《收入的本质和衡量》,9 月 24 日,第 609 页～第 610 页。

[33] Joel Dean,《资本预算》(*Capital Budgeting*, New York: Columbia University Press, 1951)。

[34] Joel Dean,《资本生产率的度量》(Measuring the Productivity of Capital),载于《哈佛商业评论》(*Harvard Business Review*),32(1954),第 120 页～第 130 页,参见第 121 页、第 129 页和第 130 页。

[35] 例如,参见 Jack Hirshleifer,《最优投资决策的理论》(On the Theory of Optimal Investment Decision),载于《政治经济学杂志》(*Journal of Political Economy*),66(1958 年 8 月),第 329 页～第 352 页;James H. Lorie 和 Leonard J. Savage,《资本配置的三个问题》(Three Problems in Rationing Capital),载于《商业杂志》(*Journal of Business*),28(1955 年 10 月),第 229 页～第 239 页;Franco Modigliani 和 Marcus H. Miller,《资本成本、公司金融和投资理论》(The Cost of Capital, Corporation Finance, and the Theory of Investment),载于《美国经济评论》(*American Economic Review*),48(1958 年 6 月),第 261 页～第 297 页。

期投资回报率上的重要性。[36] 1961 年,同一杂志上的一系列重要文章,就现值计算方法优于投资回报率和控制资本支出的回收期法,以相当大的篇幅进行了激烈争论。[37] 大部分讨论随后而来。其中包括:特邀雷诺仕对有关现值方法的一系列批评所作的回应,该文已发表在美国的一份顶尖专业会计学杂志上;《会计学》杂志发表了一篇关于贴现现金流分析原则和计算方法的补充指南;同一份杂志的一篇社论推荐了一个电视系列节目,该节目介绍了现代会计和统计技术,如应用中的已贴现现金流等。[38] 讨论并不仅仅局限于会计学方面的杂志,它还出现在 1964 年的《经济学家》(*The Economist*)杂志以及雨后春笋般出现的新文献中,它们都称赞大范围的商业决策中贴现程序所表现出的优点。[39]

575 到了 20 世纪 60 年代后半期,英国的气氛与 20 世纪 30 年代后期相比发生了根本的变化。对已贴现现金流技术的兴趣已经达到了这样的程度,当伦敦和地方注册会计师协会(London and District Society of Chartered Accountant)组织一次对话节目时,邀请考陶尔兹公司(Courtaulds)的首席经济顾问就此技术进行讲演。由于来听讲演的人数超出了场地的容量,以至不得不拒绝给一些会员发放入场券。那些出席会议的人没有失望,因为讲演者"使听众如此专注,以至于当他偶尔提到某个部分在注释中时,翻书的沙沙声就如同打雷似的,每一个人都忘记了外面的啤酒和三明治"。[40]

这里讨论的三个阶段绝不可能穷尽成本会计和管理会计的全部内容。但是,它们有助于记录整个 20 世纪会计学自下而上向公司管理层运动的过程。它们也表明了在企业常规的私人范围内,管理会计已经提供了管理个人行为的计算方法。它们还说明了会计学对其他专业领域的渗透,尤其是经济学和工程学。

在 20 世纪 80 年代早期,会计学的许多方面受到了质疑。对工厂的重新认识包含着这样一种新的关注,即美国的公司过分或只依赖财务数据进行管理。20 世纪的前几十年中,会计学信守了划定财务领域界限的承诺,即它应当是中立的、客观的和可计算的,它允许对人和工序进行远程控制。但是在过去 20 多年左右的时间里,管理会计接二连三地遭到批评。正是这种专业知识的远程和抽象的本质,以前曾被认为是一个主要优点,现在却被认为是一个问题了。仅仅通过财务数据来管理的理想遭到越来越多

[36] H. J. H. Sisson 和 C. R. Goodman,《资本支出决策:衡量预期回报》(Capital Expenditure Decision: Measuring the Prospective Return),《会计师》,70(1959),第 597 页~第 600 页。

[37] P. D. Reynolds,《控制资本支出》(Control of Capital Expenditure),载于《会计学》(*Accountancy*),72(1961 年 7 月),第 397 页~第 404 页;1961 年 8 月,第 471 页~第 475 页;1961 年 9 月,第 538 页~第 545 页。

[38] 参见,例如 P. D. Reynolds,《商业数学》(Business Mathematics),载于《会计学》,72(1964 年 9 月),第 819 页~第 820 页;1964 年 10 月,第 881 页~第 882 页;1964 年 11 月,第 1039 页~第 1040 页。

[39] 例如 A. M. Alfred,《已贴现现金流和公司规划》(Discounted Cash Flow and Corporate Planning),载于《伍尔维奇经济学论文》(*Woolwich Economic Papers*),3(1964),第 1 页~第 18 页;A. M. Alfred 和 J. B. Evans,《利用已贴现现金流评价投资项目》(*Appraisal of Investment Projects by Discounted Cash Flow*, London: Chapman and Hall, 1965);Anthony J. Merrett 和 Allen Sykes,《资本项目的资金支持和分析》(*The Finance and Analysis of Capital Projects*, London: Longmans Green, 1963);Louis W. Robson,《与增加的生产率相关的资本投资》(Capital Investment in Relation to Increased Productivity),《会计学》,74(1963 年 12 月),第 1068 页~第 1075 页。

[40] 《会计学》,1967 年 3 月,第 156 页。

的质疑。[41] 大公司的财务理念,尤其在美国,似乎导致人们优先关注的是减少短期成本而不是增强长期竞争。一种困扰着美国工业的普遍短视,可以追溯到计算实践和会计学思想。而这又可追溯到宣传和传播这些专业知识的机构如商业学校、大学和管理咨询公司,它们多年来一直倡导“新管理的正统观念”。人们仍然可以看到对财务专业知识的这种质疑的含义,但从会计学已开始被认为是管理学的同义词方面来说,它具有潜在的深远意义。在这样的情况下,这种质疑不再仅仅是对一种专业知识的挑战,而是对现在人们所设想的商业管理的核心部分的挑战。 576

这些最近的发展听起来像是在发警告,要阻止任何反面乌托邦式的设想:世界完全由会计数字统治。在地理范围超出北美和英国的国家也是这样。这里描述的事件几乎完全是英美国家的,尽管标志着这些地区特征的这种财务思想是广泛传播的,但它并不是普遍的,这里描述的历史因而也必然是不完全的。对公司完全或大部分被财务数据统治的设想,与许多国家的管理实践并不相符。公司的管理有许多方式,而且彼此差异很大。尽管西方和非西方的管理模式的对比可能是最引人注目的,但即便是在欧洲国家中仍然有相当大的差异。从这种意义上说,需要多种“会计学”史。不过,这些区域史可能逐渐趋同或至少是重叠,就像这里所描述的观念和实践,那些推进财务专业知识的商业学校、咨询公司和大学中的机构,将变得愈来愈全球化。

(王善华 译 鲁旭东 校)

[41] H. Thomas Johnson 和 Robert S. Kaplan,《相关损失:管理会计学的起落》(*Relevance Lost: The Rise and Fall of Management Accounting*, Boston: Havard Business School Press, 1987);Peter Miller 和 Timothy O'Leary,《会计学专业知识和产品政治学:经济学的公民责权和公司治理模型》(Accounting Expertise and the Politics of the Product: Economic Citizenship and Modes of Corporate Governance),载于《会计学、组织和社会》,18(1993),第 187 页～第 206 页。

33

政治和企业中的民意调查

577

苏珊·赫布斯特

调查研究的历史还相对比较短,因为合计选择倾向的系统性实践仅仅可以追溯到19世纪。早在19世纪以前,学者、政治家和商人们就对舆论的性质非常感兴趣,但是对流行观点的定量化这种复杂的技术性尝试可以追踪到对它进行讨论和理论化之后很久。20世纪,随着大量商业公司投身于统计个人意见、选择倾向和态度,许多西方民主国家见证了调查研究数量上惊人的涌现。本文将着重论述调查研究发展的三个阶段:19世纪中期美国预选民意调查的激增;1930年至1950年最重要的时期,并存于数个国家机构中;对民主政府中舆论研究作用的当代争论。

“舆论”这个术语本身的含义是与历史环境相联系的,它的测量方法也是如此。这个时代,我们所有的人已经习惯了大众媒体上投票数据的恒流,也习惯了它们潜在的前提——舆论能够被定义为个人意见的集合。但是舆论不可能总是通过集合的方式被概念化或被测量。例如,法国财政部长雅克·内克尔(1732～1804)提出舆论等同于“社会精神”。[1] 根植在传播和交谈中的舆论是一个明智的法庭,当必须对重大事件做出回应时,它使社会稳定并且缓慢而合理地前进。内克尔把这个时期的沙龙(精英们聚集在大客厅中一起讨论政治、艺术和宗教)看做是舆论的表现和指标——与今天的投票选举和民意调查相去甚远。

在19世纪,由作家、社会改革家、政党工人、市场商人等组成的一个批评群体,通过表达普通公民的观点的方式,开始考虑把系统的意见集合当做提高民主生活的工具。英国和美国的社会改革家调查了城市人口的生活条件,同时就公民对政治的看法进行民意调查变得日益流行和普遍。19世纪的预选民意调查在民意调查的历史上是一个关键的发展,因为它第一次标志着广泛的舆论研究(尽管常常被忽视)被充分地结合到了选举活动、新闻报刊和社会生活中。

578

〔1〕 引自Keith Michael Baker,《发明法国大革命:18世纪法国政治文化随笔集》(*Inventing the French Revolution: Essays on French Political Culture in the Eighteenth Century*, Cambridge: Cambridge University Press, 1990),第193页。

19 世纪美国的政治民意调查

从 19 世纪中期到 20 世纪早期,美国的各政党工作人员、新闻记者和市民中的积极分子以小成本和巨大的恒心与热情进行调查研究。他们的调查是政治性民意调查,为建构政党实力、增加投资、竞选运动和选举预测等明确目的而实施。预选民意调查就典型地聚焦在公民在即将到来的总统选举中将怎样投票上。许多民意调查是由各政党工作人员实施的;新闻记者们坐船或火车到全国各地旅行,也是为了进行关于政治选举的民意调查。各政党工作人员想了解投票人的选择倾向,以便他们能够把资金用在那些他们希望说服的选民身上。新闻记者们,作为大众传播新的基础的人力因素,有不同的目的。他们希望刺激读者在"马赛"上的兴趣,提供关于投票者意图种类的趣味性报告,达到提高发行额的目的。早期新闻业对民意调查的兴趣在今天依然是明显的,现在的报纸和新闻网络是民意调查的主要实施者,而且也是调查提供者的重要客户。

选举期间,预选民意调查的结果能在当地和主要的区域性报纸上找到。《芝加哥论坛》(*Chicago Tribune*,创刊于 1847 年)是一种日报,它对预选民意调查非常感兴趣,既可以当做选举预报器也可以作为说服工具。它是一份坚定的共和党报纸,自从 1855 年约瑟夫·米迪尔(1832～1899)购买它之后,在芝加哥的发行量是最高的。米迪尔是共和党的领袖和亚伯拉罕·林肯的重要支持者,因此在 1860 年林肯和他的对手史蒂芬·道格拉斯之间的总统竞选中,报纸编辑把大量共和党人有影响力的文字放到有关总统竞选的文章中。下面列举的 10 月 7 日版的《论坛》上关于预选民意调查的报告是这种民意调查的代表:

> 星期四他们从希尔斯代尔(Hillsdale)到印第安纳州的歌珊(Goshen)作了一次短途旅行,对总统候选人进行了投票,结果是:男性 368 人、女性 433 人支持林肯,他总共得 796 票(原文如此);男性 156 人,女性 60 人支持道格拉斯,他总共得 216 票;男性 5 人,女性 1 人支持布雷肯里奇。林肯总共多了 574 票。下述是本月 4 号的早上在从盖尔斯堡(Galesburg)到昆西(Quincy)的火车上对几个总统提名人的投票表决,林肯得 110 票、道格拉斯得 43 票、布雷肯里奇得 4 票。[2]

579

尽管是男性独有选举权,但这次民意调查和其他的民意调查都包括了女性的选择倾向,可能是为了吸引作为消费者的女性读者。

民意调查不是仅仅局限于各政党工作人员和专业新闻记者中。19 世纪中后期,美国民众通常互相进行民意调查,并把这些数据送到各政党工作人员和那时党派性强的报纸那里。例如,1856 年夏天,一位有雄心的绅士(很可能是一个旅行推销员)对东北部2886人就他们在即将到来的选举中的选择倾向进行了民意调查,并且在《纽约时报》

〔2〕《芝加哥论坛》(*Chicago Tribune*),1860 年 10 月 7 日,第 2 页。

(*New York Times*)上公布了他的报告。[3] 许多民众进行了小范围的民意调查,就总统竞选询问他们的邻居、朋友、俱乐部伙伴和工厂同事。这些预选民意测验者是非常热心的各政党党员,试图要证明他们所支持的报纸上的候选人将会获胜。

19 世纪美国的大量民意调查反映了那个时期的政治文化,一个党派性炫耀的公开展示、公众辩论和围绕选举的普遍狂欢气氛的时代。[4] 预选民意调查是竞选活动的一个必要部分,它鼓动公众在选举前令人激动的预期时刻投象征性的票。然而除了主要政党和自由派人士高水平的政治参与之间日益增长的激烈竞争的原因外,这种独特形式的定量化舆论评估在这些年的兴起还有其他特殊原因。一个最重要的原因是美国新闻媒体不断变化的本性。在 19 世纪中后期,报纸致力于增加它们的读者群和通过广告收入支持它们的运作。为了提高发行额,报纸挖掘了许多新的故事体裁和报道技术。出版预选民意调查是其中的一个手段,因为读者对候选人之间的竞争非常感兴趣(今天仍旧如此),并且对他们身边的人的选择倾向很好奇。[5]

580

20 世纪 30 年代随着抽样调查的最后胜利,预选民意调查衰落了,但它的伟大时代以何种方式预示了后来舆论测量方面的发展呢? 第一,预选民意调查提供了一种把公众看法的复杂性降低成一组可计算的、容易报道的数字的方法,这对庞大的民主国家非常重要,因为政党、新闻记者和市场商人都在寻找有效传达和影响舆论的方法。第二,对大量公众进行民意调查(即使是短暂时刻)至少要从解决大规模的人口数量的问题开始,要尽可能快地收集大量的意见。预选民意调查体现了这样一种选择倾向:收集意见的数量要高于反应的深度。第三,在 19 世纪,舆论评估和新闻业之间的亲密关系很牢固。新闻记者在民意调查的发展和调查研究的传播上是重要参与者,数十年后,他们成为乔治·盖洛普(1901～1984)这样一些民意调查专家的客户和主要收入来源。第四,民意调查在 19 世纪是如此的广泛和流行,它表明人们能够表达自己关于政治的独立的意见。既然如此,那么或许他们也能够明确表达其他的要求。越来越多的个体公民被当做知识渊博的独立参与者,他们对自己的选择有非常好的判断力。信息文化已经发生了微小却引人注目的变化。到 19 世纪晚期,随着有读写能力人数的增

[3] Susan Herbst,《有限的发言权:民意调查怎样塑造美国政治》(*Numbered Voices: How Opinion Polling Has Shaped American Politics*, Chicago: University of Chicago Press, 1995),第 69 页～第 87 页。

[4] Michael McGerr,《大众政治的衰落:美国北部(1865 ～1928)》(*The Decline of Popular Politics: The American North, 1865—1928*, New York: Oxford University Press, 1986);Jean Baker,《政党事务:19 世纪中期北方民主主义者的政治文化》(*Affairs of Party: The Political Culture of Northern Democrats in the Mid-Nineteenth Century*, Ithaca, N. Y.: Cornell University Press, 1983)。

[5] Elisabeth Noelle-Neumann,《沉默的螺旋线:舆论——我们社会的皮肤》(*The Spiral of Silence: Public Opinion — Our Social Skin*, Chicago: University of Chicago Press, 1984);Carroll J. Glynn, Ronald E. Ostman 和 Daniel G. McDonald,《观点、理解力和社会现实》(Opinions, Perception, and Social Reality),载于 Theodore L. Glasser 和 Charles T. Salmon 编,《舆论和赞同的传播》(*Public Opinion and the Communication of Consent*, New York: Guilford Press, 1995),第 249 页～第 277 页;Michael Schudson,《发现新闻:美国新闻报纸的社会历史》(*Discovering the News: A Social History of American Newspapers*, New York: Basic Books, 1978)。

加,专业杂志激增;为了满足需要信息的饥渴的公众,还制订了公共教育计划。[6]

抽样调查的诞生

1936 年,《文艺文摘》(*Literary Digest*),一本流行的政治杂志和美国历史上最大型的预选民意调查的组织者,没能成功地预测富兰克林・罗斯福和阿尔夫・兰登之间总统竞选的结果。《文艺文摘》民意调查的大规模系统(在整个 20 世纪头几十年中,每次总统竞选之前都占据主导地位的邮件调查)依赖于大量的公众记录(例如汽车登记,电话物主身份)以确定对调查作出回应的人的身份。同年,乔治・盖洛普通过使用抽样方法学正确地预言了竞选,因而使他自己成为那个较早时期中首要的民意调查专家。20 世纪 30 年代后,由旅行新闻记者和普通民众操作的预选民意调查在主要报纸上非常少见,专业政治民意调查者(盖洛普、罗帕、克罗斯雷)开始承担起把投票者的选择倾向制成表格的任务。

抽样作为一种数据收集方法仅仅在 20 世纪的头数十年被应用。盖洛普是那些承认抽样在新闻业和政治上有价值的最初研究者中的一个,他在 1936 年的成功可能是历史上这个方法唯一最引人注目的应用。抽样彻底改变了调查研究的实践,它使我们可以不用进行人口普查而只须对少量人口进行民意调查,同时在人口的代表性上达到更高的准确性。典型抽样法的最早提倡者是挪威统计学家安德斯・N. 凯尔(1838～1919),他使用有目的的抽样方法,通过与人口普查的数据进行比较证实了他的结果的有效性。凯尔与统计学专业的领导人物进行了勇敢斗争,试图使他们相信,既然人口覆盖是如此广泛而又难以完成,典型抽样法就是可能的也是必需的。经济学家阿瑟・L. 鲍利(1869～1957)最先把随机抽样运用在社会研究中,他调查了几个英国城镇,把他的成果出版在题为《谋生与贫困》(*Livelihood and Poverty*, 1915)的册子上。统计学家耶日・奈曼(1894～1981)指出了随机抽样作为分层抽样组成部分的重要性,他关于这个论题的文章在 1934 年出版,被认为是随后数十年来关于抽样的最重要的统计工作的基础。[7] 这篇论文的重要贡献是它对随机选择的论证。一个人必须把人口划分成社会阶层或部分,这是由一个可调节的利益变量决定的,然后在那些阶层内随机地选择单元(例如一个国家的行政区,一个城市的家庭)进行调查。

581

〔6〕 Theodore Morrison,《肖陶扩村:美国教育、宗教和艺术中心》(*Chautauqua: A Certer for Education, Religion, and the Arts in America*, Chicago: University of Chicago Press, 1974);Morton Keller,《政府事务:19 世纪美国晚期的公众生活》(*Affairs of State: Public Life in Late Nineteenth Century America*, Cambridge, Mass.: Harvard University Press, 1977)。

〔7〕 William Kruskal 和 Frederick Mosteller,《典型抽样(四):统计学思想的历史(1895～1939)》(Representative Sampling IV: The History of the Concept in Statistics, 1895—1939),《国际统计学评论》(*International Statistical Review*),48(1980),第 169 页～第 195 页;Alain Desrosières,《部分与整体的关系:怎样归纳? 典型抽样的背景》(The Part in Relation to the Whole: How to Generalise? The Prehistory of Representative Sampling),载于 Martin Bulmer,Kevin Bales 和 Kathryn Kish Sklar 编,《历史透视中的社会调查(1880～1940)》(*The Social Survey in Historical Perspective, 1880—1940*, Cambridge: Cambridge University Press, 1991)。

当抽样因为社会调查的目的而部分地得到发展的时候，它也同时在农业和采矿业等领域内被检测和应用。事实上，民意调查专家埃米尔·胡尔尧（1892～1953，20世纪30年代早期，他是富兰克林·罗斯福最亲密的顾问之一）在华尔街是以矿业分析家的身份开始他的职业生涯的。通过评估矿石，他掌握了抽样理论，并且把它运用到对政治气候的评估上。[8]

在那些运用新的抽样方法的企业家、理论家和政府官员中，盖洛普是最突出的。在这个实践中他居领导地位部分是因为他的独创力，也是因为他先前作为理论家和报纸研究者的成功，这使他获得了许多有影响力的商业人士和学者的注意。盖洛普在成为一名政治民意调查专家后，作为精英而进入华盛顿圈子。在此之前，他是一位产业家。他帮助广告客户系统化他们的知识，这些知识是关于哪些视觉的和口头的信息能说服消费者购买产品，而哪些是不能的。尽管盖洛普在建立政治研究事务之前是在消费者环境上开始他的事业并不广为人知，但政治民意调查的许多方面都能追溯到市场研究。盖洛普提倡在商业和政治领域中使用抽样调查，把它作为特殊的美国式方法——一种散播民主的工具。一位公众意愿的热烈鼓吹者把民意调查刻画成为"民主脉搏"把脉的手指。[9] 盖洛普在证明民意调查产业发展的正确性上倾注了大量心血，他提出调查是表示民主的首要方法。盖洛普和其他早期的民意调查专家废除了表述和测量意见的其他方法，如政治集会、写信给编辑或代表和城镇会议等（不是调查方法有价值的竞争对手，而是有偏差的技术），在促进民主的目标上毫无用处。这些方法的无能为力导致要考虑舆论测量的其他方法可能蕴涵商业利益，但是它也显露了对舆论特性的狭隘认识，批评家随后发现了其令人震惊的一面。

582

从1930年以来，市场研究者、政治民意调查专家、学院派调查研究者和政府调查员之间保持大量的信息沟通，因为他们采用同一种方法。他们已经在努力发展最好的抽样技术以概括广大的人口，同样，这也是对抗低回应率、问卷偏见和会见者劝诱错误等最有效的方法。当盖洛普在公众注意力的聚光灯下工作时，制造公司对市场研究的依赖在两次世界大战之间的时期已经正式形成。例如，在通用汽车公司里，一位消费者研究的积极提倡者亨利·韦弗（1889～1949），为了了解20世纪头几十年汽车购买者的需求进行了广泛的尝试。很长时间以来，汽车和住宅同等并列为最大的消费商品，弄清楚司机在汽车上的期望对汽车制造商仍旧是至关重要的。到1939年为止，通用汽车公司每年给韦弗的预算是30万至50万美元用来调查消费者的选择倾向。历

〔8〕 Melvin G. Holli,《埃米尔·E. 胡尔尧：密歇根州的总统的民意调查专家》(Emil E. Hurja: Michigan's Presidential Pollster),《密歇根州历史评论》(*Michigan Historical Review*),21(1995年秋),第125页～第138页。

〔9〕 George Gallup 和 Saul Rae,《民主政治的脉搏：舆论调查和它怎么运转》(*The Pulse of Democracy: The Public Opinion Poll and How It Works*, New York: Greenwood Press, 1940)。

史学家莎丽·克拉克指出,这在那一时期的任何公司中都可能是最多的内部调查预算。[10] 通用汽车公司很早就认识到,他们对汽车购买者了解得越多,就能够在设计和销售这些昂贵商品时采取更有策略的行动。

到20世纪30年代后期,市场调查已经非常流行了,大量的公司要么是建立了自己的调查部门,要么委托市场调查公司为它们进行调查。商业领域中的市场专家对抽样调查具有高度的信心。由专业市场调查者林登·O. 布朗(1903～1966)教授写的一本早期教材在1937年出版,他的这本《市场调查和分析》(*Market Research and Analysis*)后来再版了多次,书中雄辩地论证了抽样的作用,并且为市场调查的学生提供了基本知识。不管布朗是否知道布思关于伦敦的贫穷的著作,还是弗洛伦斯·凯利绘制的关于Hull House的图表,他对融合人口统计学和地理学的研究也非常有兴趣。但比他之前的绘图法前辈更进一步的是,布朗不仅致力于调查个人的居住环境,也调查他们的喜好。这种在地理学、人口统计和舆论方面兴趣的汇合,已经成为20世纪后期学院的研究、政治研究和市场研究的特色。[11]

583

当盖洛普和其他人在20世纪30年代至40年代进行工业和政治民意调查的时候,专业学者也在许多相似的项目上艰辛地工作着。保罗·费利克斯·拉扎斯菲尔德(1901～1976)就是这些最早的研究者中的一个,这位来自奥地利的移民后来成为社会学领域中最杰出的理论家和方法学家之一。在一篇自传文章中,拉扎斯菲尔德回忆到在两次大战之间的维也纳,当他还是一名社会学专业的学生时,他和他的同伴很难通过宣传让人们信服,这种挑战促使他正式研究心理学。在年轻的时候,他就高谈阔论了这样的公式:"斗争革命需要经济学(马克思),一次成功的革命需要工程师(俄国),一次失败的革命呼唤心理学(维也纳)。"[12]在维也纳大学,拉扎斯菲尔德获得应用数学博士学位,并且开始和心理学家合作。1930年,他开始了对Marienthal的集中研究,Marienthal是奥地利南部的一个村庄,遭到了失业的破坏。这次研究成果与汉斯·蔡塞尔和玛丽·雅霍达一起署名出版,标志着他的研究转移到社会学领域。[13]

1937年,拉扎斯菲尔德与哈德利·坎特里尔、弗兰克·斯坦通和其他人一起在普林斯顿大学(Princeton University)成立了无线电广播研究办公室,从洛克菲勒基金会得到资助。研究所成立的目的是研究无线电广播对听众的影响。人们怎样处理通过新

[10] Sally Clarke,《消费者、信息和通用公司的市场营销效率(1921～1940)》(Consumers, Information, and Marketing Efficiency at GM, 1921—1940),《商业和经济历史》(*Business and Economic History*),25(1996年秋),第186页～第195页。

[11] Lyndon Brown,《市场研究和分析》(*Market Research and Analysis*, New York: Ronald Press, 1937)。

[12] Paul F. Lazarsfeld,《社会研究历史中的一段插曲:一个研究报告》(An Episode in the History of Social Research: A Memoir),载于Donald Fleming和Bernard Bailyn编,《知识分子迁移:欧洲和美国(1930～1960)》(*The Intellectual Migration: Europe and America, 1930—1960*, Cambridge, Mass.: Harvard University Press, 1969);也参考Todd Gitlin,《媒体社会学:优势范例》(Media Sociology: The Dominant Paradigm),载于《理论和社会》(*Theory and Society*),6(1978),第205页～第249页。

[13] Marie Jahoda, Paul Lazarsfeld和Hans Zeisel,《Marienthal:失业群体社会学》(*Marienthal: The Sociology of an Unemployed Community*, 1932, Chicago, Aldine, Atherton, 1971)。

的信息传播技术接收到的信息，它的力量（被阿道夫·希特勒如此有效地使用过）怎样才能利用好？随后，拉扎斯菲尔德转到了哥伦比亚大学应用社会研究室，在那里，他与罗伯特·默顿、埃利胡·卡茨及其他人一起合作研究信息传播媒体对消费者和政治行为的影响。之后，他写了多种调查研究和统计学方面的方法论小册子，其中一些仍旧在调查表设计开发和数据分析中被引用。[14]

584

20 世纪 30 年代至 40 年代期间，美国调查研究团体虽然规模小但一直在发展，并且因为成员有限，在政治民意调查专家、市场研究员和学者之间不断地进行智力交流。这一点在此期间的杂志上表现很明显——《观点与态度研究国际期刊》（*International Journal of Opinion and Attitude Research*）和《舆论季刊》（*Public Opinion Quarterly*），都是在 1937 年创刊的。作为工业、政府和学院讨论调查研究的论坛，它们直到今天仍在出版。调查技术没有被束缚于特别的领域，理论上，一个人可以使用相同的抽样技术并凭经验来设计调查表，而不用考虑调查主题。数据分析同样是标准化的，它通常依赖于为研究结果的报告而设计的复合表格和一般线性模型。然而在每个领域中的调查有不同的特性，因为每个领域都有自己的限制。例如，在新闻业和政治活动中，为了有"新闻价值"调查必须快速地被操作。这种时效性压力排除了某些数据收集和分析技术。在工业、政府和学院中，常常有更多的时间对技术进行试验或者对某个小问题进行重复调查。

在 1948 年美国竞选活动中的那次悲惨的政治投票之后，出现了一个有趣的争论，它凸现了不同领域中的差异。1948 年早秋，一些主要的政治民意调查专家停止了民意调查，他们确信托马斯·E. 杜威将很轻易地打败哈里·杜鲁门。当然他们错了，而且受到了新闻界和杜鲁门本人的羞辱，于是这些人随时准备贬低基于民意调查的政治预测。紧随这个错误，市场研究者开始反省他们自己的技术。难道市场研究也受到 1948 年选举预测的错误的影响了吗？这个时期杰出的市场研究者弗兰克·科坦特在 1948 年 11 月辩论说，1948 年的"意外失败"对他的研究领域没有任何影响。他解释说，市场商人根据事实和行为来调查个人而不是仅仅根据意见。"没有真正的理由让我们（对调查）的信念发生动摇。"[15] 事实上，市场研究者过去和现在的确征求过人们的看法。但是，市场商人要求的仅仅是消费者需求的一般感觉，他们不必提供行为的精确预测。

[14] Paul Lazarsfeld，《质疑的技巧》（The Art of Asking Why），载于《国家市场评论》（*National Marketing Review*），1（1935 年夏），第 1 页～第 13 页，和他的《定性分析：历史与批判论文集》（*Qualitative Analysis: Historical and Critical Essays*, Boston: Allynand Bacon, 1972）。

[15] Frank Coutant，《市场调查和选举预测的差异》（The Difference between Market Research and Election Forecasting），《观点与态度研究国际期刊》（*International Journal of Opinion and Attitude Research*），2（1948 ～1949），第 569 页～第 574 页。

民意调查在欧洲的发展

20 世纪三四十年代对美国的调查研究团体来说是令人振奋的,因为这一时期大量的个人和协会致力于观点理论和调查技术的发展。同样对人口进行调查的观点在欧洲也受到了巨大的关注,它是一些最早的社会调查的发生地。像在美国一样,德国民意调查的兴起主要来源于市场研究。例如,取得了成功的消费者研究学会在 1934 年成立了,目的是为委托人收集各种各样的消费者意见和进行那时所谓的"市场观察"。[16] 585

在意大利情况更复杂,因为法西斯政府与民意调查的观点正相对抗。有趣的是,战争期间,盖洛普和其他美国研究者的舆论调查被意大利的法西斯政权所熟知,甚至《批判法西斯主义》(*Critica Fascista*)都在杂志上出版了。尽管如此,像山德罗·里瑙罗指出的一样,没有人宣称调查研究暗示着民主主义。意大利出版的美国和欧洲的民意调查往往都有一个否认民意调查的价值的注解。法西斯政权操纵它自己的特工系统对受到怀疑的政治派别进行监控,甚至为了探究广播宣传的效果而雇佣一个公司进行了粗糙的调查。在 1942 年一份特别英勇的公众决议中,特列斯特大学(University of Trieste)的统计学教授皮耶尔保罗·卢扎托·费吉兹(1900～1989)请求政府为了建立民主制度而利用科学的调查研究。这些呼声得到了另一位杰出统计学家科拉多·基尼(1884～1965)的响应,他主张由政府组织舆论调查是反民主的,因为它能使政治家更有效地操纵舆论。通过质疑被收集数据的质量,基尼有足够的资格怀疑民意调查技术。虽然法西斯分子顽固地拒绝使用舆论调查,但 1946 年战争结束后,费吉兹立即在米兰成立了意大利第一个舆论研究所(the Doxa)。值得注意的是,意大利的情况与美国的不同,意大利调查研究的推进是从学院派统计学家中脱颖而出的,不是来源于市场研究。同样,意大利也没有政治性预选民意调查的传统。[17]

直到 20 世纪 60 年代晚期,法国精英才承认民意调查和调查研究是有价值的。尽管法国目前在已公布的民意调查方面居领先地位,选举之前无线电广播就已经开始了竞争,但是几十年来法国公共官员和知识分子一直反对调查研究。新闻报纸没有委托调查,在政治中民意调查的观点仿佛是不合适的,因为当选的议会和政党被认为是舆论最可靠的代表。有趣的是,甚至是社会科学家(那些在其他国家里概率抽样和调查 586

[16] Christoph Conrad,《在德国两次战争期间由独立机构操作的市场调查研究:商业、政府和学院研究》(On Market Research Conducted by Independent Organizations in Interwar Germany: Between Business, State, and Academic Research, Opinion Research in the History of Modern Democracies, Free University, Berlin, 1997),此文是提交给"现代民主历史中的观点研究"会议的论文。

[17] Sandro Rinauro,《意大利舆论调查在法西斯主义和民主主义之间的传播》(The Diffusion of Public Opinion Surveys in Italy Between Fascism and Democracy, Opinion Research in the History of Modern Democracies, Free University, Berlin, 1997),此文是提交给"现代民主历史中的观点研究"会议的论文。

研究的积极支持者）也抵制民意调查，认为它不能够抓住法国公众情感独特的、结构化的和复杂的特性。著名的战后社会学家乔治·居尔维什认为民意调查是“盖洛普先生的荒谬方法”。[18]

美国学院派民意调查机构

美国的调查研究的根源可以追溯到19世纪晚期市场调查和政治预选民意调查，真正的对观念形态的学术研究是从在二战期间和之后建立起来的调查中心开始的。这些飞地不仅主要致力于社会和政治观点研究，而且致力于抽样和调查设计的方法论、认识论的问题群的研究。在20世纪40年代，三个重要的以大学为基地的调查研究中心建立起来了。一个是哥伦比亚的拉扎斯菲尔德应用社会研究室，它正式成立于1944年，在那里研究者们常常通过对特定团体的详细研究，来探究传播媒介对选举模式、观念形态和消费者行为的影响。1941年在丹佛大学成立了国家民意研究中心（National Opinion Research Center，简称NORC），随后中心所在地迁移到了芝加哥大学，一直到现在。国家民意研究中心是由盖洛普的同事哈里·菲尔德创办的，它的使命是要成为“美国第一个非赢利的、非商业性的测量舆论的机构”。基于在商业运作之外扩展调查研究的目的，菲尔德选择了公众服务的定位方针。另一个大型调查策划和执行机构是密歇根大学的调查研究中心（Survey Research Center，简称SRC），它从事应用和基础研究。密歇根调查研究中心的科研项目不仅包括选举行为的大型调查，也包括对产业工人的研究和收入动态的研究。国家民意研究中心和密歇根调查研究中心在今天更加复杂、竞争更激烈的调查研究领域中依然非常繁荣，并且引领着调查方法论的发展。[19]

587 学院派调查机构掌握着基础研究，但是它们的主要客户之一常常是美国政府，在健康、福利、犯罪和金融等许多领域，政府每年都提供资金支持大量的民意调查。然而，今天在调查研究上的最大财政支出不是联邦政府花费的，而是商业公司。这表明了一种从早期阶段的转移，那时大学在民意调查研究上是非常突出的。美国营销协会（American Marketing Association）主席N. H. 伊格在1940年指出，报告给《市场营销杂志》（*Journal of Marketing*）的所有市场营销方案中的57%是由学院实施的，30%是由政府研究者实施的，仅仅11%是由厂商实施的。[20]

[18] Loïc Blondiaux，《怎样突破迪尔凯姆？让·施特策尔与战后法国社会学（1945～1958）》（Comment rompre avec Durkheim? Jean Stoetzel et la sociologie française de l'après-guerre, 1945—1958），载于《法国社会学评论》（*Revue francaise de sociologie*），32（1991），第411页～第442页。

[19] Jean Converse，《美国的调查研究：根源和发生（1890～1960）》（*Survey Research in the United States: Roots and Emergence, 1890—1960*, Berkeley: University of California Press, 1987）。

[20] N. H. Engle，《市场营销研究中的裂缝》（Gaps in Marketing Research），《市场营销杂志》（*Journal of Marketing*），4（1940年4月），第345页～第353页。

民意调查的使用对舆论的影响

当然,调查意味着收集舆论方面的数据,但是为了重塑观点的监督也在独特地进行着。盖洛普总是宣称在民主的名义下工作,但是他提供给新闻报纸和其他委托人的数据是被策略性地使用着,就像 19 世纪的预选民意调查所做的那样,是为了赢得选票和吸引消费者。20 世纪三四十年代的学院调查者和市场研究者的确在智力上和方法上特别关注,对他们来说非常清楚的是,磨快评估观点的工具最终对舆论说服者(例如政治家、公共关系公司、政治活动家和广告客户)是非常有用的。

舆论研究使更加有目的的说服可行,这一点是显而易见的,但是舆论测量和大众媒体的扩散和多相性之间的亲密关系常常被忽视。要是没有控制舆论的广泛的媒体基础(出版和无线广播)以及对这个复杂基础的敏锐理解,调查研究的数据就不会特别有用。在所有的时代,那些希望通过舆论数据来说服公众或消费者的人被迫对媒体前景进行同时性评估。关于舆论的数据对于培养新闻记者的技巧、建立一个称职的公共关系策划执行部门、提炼能够使投票者感动而引起共鸣的措辞或写作有影响力的广告册等方面贡献很小。例如,19 世纪的政治工作人员常常通过预选民意调查收集大量的数据。但是,即使有广泛的舆论知识(虽然无系统性),政党工作人员也受到新闻记者的成见、让民众听从的困难、组织集会和印刷小册子的费用、对立党派组织的实力和特别的竞选活动的速度与剧烈程度等的限制。

目前,民众很难发现舆论数据收集和公共关系成果之间隐藏的联系。他们知道他们自己正在被直接邮件、无线广播广告、电话销售和其他方法所培养。然而,经常驱使这些活动的大规模舆论收集的努力是无形的,因为它们被包含在政党、政府和私人公司拥有的大规模专有数据库中。尽管图书馆中的人口普查数据对所有公民都是公开的,但是加在人口普查小册子中的描绘政治选择倾向、心理记录表数据和购买行为的复杂任务增强了说服公众的企图。[21]

588

民意调查、说服和民主政治

目前,民意调查实际上是普遍存在的。[22] 因为它表达了“人民”的观点而常常被认为是正当的和受到称赞,成为一种以客观数字的形式记录舆论的重要机制。然而,对这些数据的使用和影响的担忧日益增加。这担忧存在于学者和新闻记者中,也存在于最常使用那些统计数据的决策者中。民意调查由于几个原因受到的有力批判,其中包

〔21〕 Lawrence R. Jacobs 和 Robert Y. Shapiro,《政治家不拉皮条:政治操作和民主回应的丧失》(*Politicians Don't Pander: Political Manipulation and the Loss of Democratic Responsiveness*, Chicago: University of Chicago Press, 2000)。

〔22〕 参看《舆论季刊》(*Public Opinion Quarterly*),15 周年期(1987 年冬)关于民意调查发展和工业变化的论文集。

括:对调查数据的支配超过了舆论表达的其他形式,民意调查的方法使公众讨论狭隘化,民意调查与其反映的社会结构本身的不相称。

一些批评家认为无所不在的调查已经合理化了,传播舆论的可能性范围已经变得更加有限。理想的做法是,民意调查应该被当做评估公共选择倾向的多种方法中的一种。不过,由于报纸和其他媒体充斥着投票数据,由于网络投票的激增以及商家要不断满足客户的需要,舆论的表达更难于数量化而被更多地忽视了。例如,当关于同一论题的专业随机抽样调查表明论证者是少数派时,新闻记者很少有动机通过 100 个人来强调政治论证。投票数据拥有论证所不具备的许多吸引力。它们更有效率,具有"不容怀疑的新闻"的外表。这一点吸引着新闻记者在一个混乱而复杂的公共领域寻求可靠客观的新闻。并且如果新闻记者认为政治集会、写信给公共官员、中心小组(focus groups)、政治戏剧和激进艺术等比投票具有更少的"新闻价值",那么这些民众参与的活动形式将失去它们的有效性。[23]

民意调查因为以特殊的方式定义了公众问题而不可避免地使公众讨论狭隘化。包括理论研究者在内的民意调查专家都不能避免使问题狭隘化,只要他们还草拟问题和给定的回答的调查表。例如,在选举活动中,来自于第三方的候选人在早期的选举投票中通常很少获得支持,因为他们在公众参与的调查中是鲜为人知的。在随后的投票中,这些候选人的名字开始从选票上消失,因而也从竞选报纸上消失。已经失去了新闻界的注意,他们的声音几乎彻底失效。[24]新闻记者们不管是否是故意的,都让公众以为竞选系统中仅仅只有两个主要的政党,对这个系统的挑战者,仅仅是偶然的例外,都要忽略不计。调查也使公众讨论狭隘化,因为它仅仅聚焦在特定的论题或政策选择上而排除了其他。一些学者已经指出,在民意调查专家、决策者、新闻记者和其他精英所认为的"政治性"论题和公众所想的之间常常存在着分裂。那些实施和依赖调查的人把社会问题设计成高度政治性的和引起分裂的,或者完全忽视它们的政治共鸣性质。这些选择能强有力地影响公众的认识和参与行动。[25]

589

通过调查的方法来测量舆论的另一个具有讽刺意味的问题来源于这样一个事实:投票表决赋予所有投票者的判断同等重要性。像盖洛普自己曾经孜孜不倦地所指出的一样,这一点具有民主共鸣的吸引力。根据抽样和随机选择的逻辑,我们所有的人都有同等的机会被民意调查专家所选中而参与某个调查。民意调查通过忽略社会不平等和避开政策构成的关键方面,因而忽视了社会机构和权力动态的复杂性。有时候

[23] Herbst,《有限的发言权》;Benjamin Ginsberg,《被迷惑的公众:大众的看法怎样增进政府权力》(*The Captive Public: How Mass Opinion Promotes State Power*, New York: Basic Books, 1986)。

[24] Joshua Meyrowitz,《媒体议程发展的问题:竞选规模的竞争逻辑的案例研究》(The Problem of Getting on the Media Agenda: A Case Study in Competing Logics of Campaign Coverage),载于 Kathleen E. Kendall 编,《总统竞选演说》(*Presidential Campaign Discourse*, Albany: State University of New York Press, 1995)。

[25] Pierre Bourdieu,《舆论不存在》(Public Opinion Does Not Exist),载于 Armand Mattelart 和 Seth Siegelaub 编,《传播和等级斗争》(*Communication and Class Struggle*, New York: International General, 1979)。

在某个政策讨论中取得了胜利的“舆论”，根本不是通过调查得到的舆论，仅仅是被特殊利益集团、领导者或其他政党构造的舆论。[26]

自从调查在19世纪中期被提出，又在整个20世纪得到精炼，这些工具对领导者、市场商人、新闻记者和许多其他社会行动者都是有吸引力和实用的——从工具性和象征性观点来看。然而，无论我们把特定的方法和指标精炼得多么好，舆论都只是一个模糊不清的统一体，在任何民主制度里都将属于伟大的奋斗目标。沃尔特·李普曼（1889～1974）和其他人（从事与舆论有关的写作）共同指出，我们试图在民主制度中提供舆论，就像虚构一部小说。[27] 调查应该被看做是一种评估和影响公共选择倾向的野心勃勃的、具有煽动性的方法，但它也应该被看做是一种努力：将舆论狭隘化为单个人的、匿名的观点的总和，这些观点是由采访者出于自己特殊的利害关系和动机而征求来的。

590

（张红安　译）

〔26〕 Susan Herbst，《辨认舆论：政治行动者怎样看待民主进程》（*Reading Public Opinion: How Political Actors View the Democratic Process*, Chicago: University of Chicago Press, 1998）；Herbert Blumer，《舆论和对舆论的民意调查》（Public Opinion and Public Opinion Polling），载于《美国社会学评论》（*American Sociological Review*），13（1948），第242页～第249页。

〔27〕 Walter Lippmann，《幻想社会》（*The Phantom Public*, New York: Harcourt Brace, 1925）和他的《舆论》（*Public Opinion*, New York: Free Press, 1965）。

34

591

20世纪的社会科学与社会计划

彼得·瓦格纳

广义上的当代社会科学出现在美国革命和法国大革命之后。它们以各种不同的方式讨论了新的后革命时期的政治形势，这些就使人类能够而且的确被要求去创造自己的社会行为和政治秩序的规则。从社会科学的思想传统肇始，就始终是要面对现代的不确定性而使社会变得可以预测，或者是用更有力的说法，根据改进的主要计划去重新塑造这个社会。[1]

为政府和政策目标提供和使用社会知识的一般观念的确并不新鲜。17世纪～18世纪的立法和政策科学完全是用来供绝对统治者使用的；"统计学"这个名称就恰好表明了，它是用于政府目的的科学。然而，后革命时期的情况在两个方面就完全不同了。一方面，对人民自决权的承诺（即使常常是勉强的）带来了大量极为不确定的因素，而这似乎就限制了可预测性知识的可能性。另一方面，这种彻底的开放性伴随着希望对社会及其理性个体的自组织，这就使得对支配社会和人类行为规律的寻求超越了（在某种程度上是代替了）对关于社会的实际知识增长的愿望。

结果，整个19世纪都共存着两种对立的社会科学概念，它们对社会计划有着不同的态度。它们都预期在可靠的社会知识方面会有稳定的增长。但并非每个人都相信，592 这种知识应当被生动地翻译为社会中的有计划干预。或许，有理性能力的人类之间自由行动的互动，会自动地增加人类的幸福，就像政治经济学的传统和后来的新古典经济学认为的那样；或许，人类的渐进式进化决定了人类社会从低级到高级的历史过程，这就使得干预变得没有效果，毫无必要了。于是，虽然有许多先前的宣告，但基于社会科学知识的社会计划，则更多是20世纪的而不是19世纪的独特现象。

[1] Johan Heilbron, Lars Magnusson 和 Björn Wittrock 编，《社会科学的兴起与现代性的形成》（*The Rise of the Social Sciences and the Formation of Modernity*），载于《科学社会学年鉴20》（*Sociology of the Sciences Yearbook 20*, Dordrecht: Kluwer, 1998）。特别参见 Robert Wokler，《从政治学到社会科学的启蒙过程》（The Enlightenment Passage from Political to Social Science），第35页～第76页，和 Peter Wagner，《确定性和秩序，自由和偶然：作为经验政治哲学的社会科学的诞生》（Certainty and Order, Liberty and Contingency: The Birth of Social Science as Empirical Political Philosophy），第241页～第263页。

改良主义的社会科学与社会问题

大致地说,从 19 世纪中叶开始,对社会自我调整的乐观看法遇到了越来越多的困难,这是由于遇到了越来越多对贫困、卖淫以及每况愈下的人口健康状况的批评。这些罪恶被普遍看做是前所未有的,最初被理解为在走向新的社会秩序过程中的过渡问题,是现代性诞生的阵痛。现在它们开始被看做是对社会秩序的持续潜在的危险,因为它们与其他的主要社会变革共同表现出来,比如工业化和城市化,因为它们与普遍的不满密切联系在一起。

在这种背景中,社会科学清晰的政策倾向(以及广义上的计划倾向)的形式,(重新)出现在一些国家当中。他们的起点通常是用经验的方法去说明社会问题的状况,这种对策为各种各样的活动家所采用,如卫生学家、世纪中叶法国围绕弗雷德里克·勒普莱的小组、英国的道德改革家、美国镀金时代的"骑墙派"(mugwump)知识分子、德意志帝国的工厂观察员。通常来说,改良主义更为接近比较综合的学术抱负,也和半学术半政治的学会建立了紧密的联系,比如美国社会科学联合会(American Social Science Association)、德国历史经济学家的社会政策协会(Verein für Socialpolitik)、费边社(Fabian Society)、勒普莱社会活动学会(LePlay Société D'action Sociale)。[2]

在大多数情况下,直接采取的方法就是在方法论方面的经验观察,这正是保守的政治改良主义所采取的方法,这样一种改良主义目的是要捍卫现有的秩序。[3] 统计学通常被看做是重新塑造已经呈现出不满情况的社会现实之秩序的方法。[4] 这特别表现在新近构成的国家中,如意大利和德国,在这些国家中,社会的凝聚和团结的确要少于其他更为稳定的国家。 593

这些努力的一个结果就是把社会科学工作直接地与国家的利益联系在一起,使社会知识有利于政策的制定,这种制定政策的方式对后革命时期是崭新的,在某种程度上联系到早期的政治学和司法学。这种具有国家倾向的社会科学确定了这个时代的主要政治问题,通常被称作"社会问题",这被解释为从早期限制性的自由主义(或者是像德国那样的传统体制)缓慢地转变为一种完全一揽子的秩序。在政治上,承认"社会

[2] Dietrich Rueschemeyer 和 Theda Skocpol 编,《社会知识与现代社会政策的起源》(*Social Knowledge and the Origins of Modern Social Policies*, Princeton, N. J.: Princeton University Press; New York: Russell Sage Foundation, 1996); Dorothy Ross,《美国社会科学的起源》(*The Origins of American Social Science*, Cambridge: Cambridge University Press, 1991),第 3 章;Peter T. Manicas,《社会科学的历史和哲学》(*A History and Philosophy of the Social Sciences*, Oxford: Blackwell, 1987)。

[3] Peter Wagner, Björn Wittrock, and Hellmut Wollmann,《社会科学和现代国家》(Social Sciences and Modern States),载于 Peter Wagner, Carol H. Weiss, Björn Wittrock 和 Hellmut Wollmann 编,《社会科学和现代国家:民族经验与理论难题》(*Social Sciences and Modern States: National Experiences and Theoretical Crossroads*, Cambridge: Cambridge University Press, 1991),第 28 页~第 85 页。

[4] Theodore M. Porter,《统计思想的兴起(1820 ~1900)》(*The Rise of Statistical Thinking, 1820—1900*, Princeton, N. J.: Princeton University Press, 1986)。

问题”的独特性也就意味着完结了社会自我调整的观念或意识形态。然而,国家在必要时增加干预,一般并不被看做是与先前实践活动彻底决裂。社会精英们只是比先前更多地欢迎人们的需要。经验的社会分析被用来证明改革的需要,反对精英们的抵制,并用来推进和提出各种所需的标准。[5]

要达到这个目的,最初并不需要面对具体的认识论或本体论问题。宽泛地说,一种认真的经验实在论对这种以问题为核心的社会科学就足够了。因此,19 世纪中叶之后,在具有政策倾向的社会科学家中普遍流行一种温和的实证主义,它宣称扩展了实证的知识,有时会提到奥古斯特·孔德的名字,但却没有最初的实证社会学纲领中的虔诚的热情。[6]

社会科学与自由主义的危机

社会科学与政策制定之间关系的主要转变逐渐开始于 1870 年之后,在世纪之交前后引起了争端。最初的改良主义逐渐被看做是不足以形成社会的共识,无论是在政治观点上还是在社会知识的观点上。

594

从政治上说,自由主义的精英们认为,工业化、城市化、有组织的工人阶级的出现、同时产生的全社会所有成员对平等权利的要求,这些都对政治制度的自由主义观念提出了严重的、几乎是难以处理的问题。这个时代的大多数“现实主义者的”政治社会学,包括欧洲的罗伯特·米歇尔斯、维尔弗雷多·帕累托和马克斯·韦伯以及美国的约翰·杜威的著作都是在寻求确认所需要的制度调整。至少根据欧洲人的观点,精英们的某些结论似乎是不可避免的。而内心更为保守的作者们,特别是在欧洲大陆,则把相同的证据解释为肯定了他们的观点,即认为自由主义是站不住脚的。然而,他们从这个立场感受到的却是向一种新的秩序的转型,而不是对现有秩序的调整。因而,用政治学的术语说,生命攸关的是去理解自由主义的这种转型。[7]

最终,这种政治平衡是为了加强集体主义的倾向;而个人的自主性则遭到了忽略,被用来支持集体主义的意志。社会主义和民族主义都提供了这种集体主义政治哲学

[5] Michael J. Lacey 和 Mary O. Furner 编,《英美的国家与社会研究》(*The State and Social Investigation in Britain and the United States*, Cambridge: Woodrow Wilson Center and Cambridge University Press, 1993);Mary O. Furner 和 Barry Supple 编,《国家与经济知识:英美经验》(*The State and Economic Knowledge: The American and British Experiences*, New York: Woodrow Wilson Center and Cambridge University Press, 1990),特别参见 Mary O. Furner,《认识资本主义:公共研究和长期繁荣时期的劳工问题》(*Knowing Capitalism: Public Investigation and the Labor Question in the Long Progressive Era*),第 241 页～第 286 页。

[6] Gillis J. Harp,《实证主义的共和国:奥古斯特·孔德与美国自由主义的重建(1865 ～1920)》(*Positivist Republic: Auguste Comte and the Reconstruction of American Liberalism, 1865—1920*, University Park: Pennsylvania State University Press, 1995);Terence R. Wright,《人性的宗教:孔德实证主义对维多利亚时代英国的影响》(*The Religion of Humanity: The Impact of Comtean Positivism on Victorian Britain*, Cambridge: Cambridge University Press, 1986),特别参见第 269 页～第 270 页。

[7] Steven Seidman,《自由主义和欧洲社会理论的起源》(*Liberalism and the Origins of European Social Theory*, Oxford: Blackwell, 1983);Peter Wagner,《现代性的社会学》(*A Sociology of Modernity*, London: Routledge, 1994),第 4 章。

的不同形式;但先前的自由主义者则顺从于将个人责任从政治核心转移的社会变化。美国的改革派和欧洲的社会民主党表现为社会主义与自由主义之间新的、常常是不稳定的联盟。随之而来的是一群新的政治精英,他们赞同专业化和科学,反对以往精英派的封建主义和代理人制,但也常常带来技术专政和国家中心论,这就对更为早期的自由主义的多元论和民主产生了怀疑。[8]

政治倾向上的变化是不再信仰自由主义是可行的了,这种变化在认识论上就相应于对启蒙传统的其他核心信条、人类行为以及人类社会可理解性的重新怀疑。世纪转折期间,如今被看做在思想上是极富成果的,甚至被看做是社会科学许多领域中的经典时代,特别明显地表现在社会学、心理学和经济学之中。然而,当时的大多数工作却受到一种危机感的驱使,就是感觉到社会科学中原有的认识论、本体论和方法论的假定都是不恰当的。

在认识论方面,社会科学认识到它自己不得不抛弃表示社会实在的观念,转而接受这样一种观点,即认为概念构造既依赖于观察和知觉的手段和形式,也依赖于观察者在社会中的利益。美国的实用主义最为清楚地代表了重新定位,但同样,常常是更为充满紧张的讨论标志出了欧洲的争论,明显的代表就是马克斯·韦伯的方法论著作。曾经被看做是不证自明的关键性概念,现在则得到了仔细检查和重新解释——一方面是集合词,如"社会"、"国家"、"人民"和"宗教";另一方面是指称人类和连续存在感觉的词,如"个体"、"行为"、"自我"、"心理"等。关于这些概念的确定性特别重要,因为从集体现象和人类个体之间的某种稳定关系来说,去对政治秩序加以理论化都是必不可少的,无论是以这种还是以那种形式。这种认识论和本体论的疑问对方法论产生了反响。譬如,统计学的方法总是依赖于关于集合体(主要是国家)和它们的组成部分(主要是个人或家庭)的假定。如果关于这些概念的确定性受到了动摇,那么研究方法论的基础也就会表现为受到了动摇。[9]

595

结果,世纪之交的方法比先前的社会科学更为怀疑人类历史的宿命进程,也很少会使人相信,经验观察对人类社会的规律会提供直接的洞见。这种不确定性被看做是限制了出于政策和计划目的的社会知识的可行性。先前的号召是为了获取更好的知识,这些知识能带来更好的行动;根据这种看法,基于不确定知识的行动就会带来不确定的后果。的确,世纪之交的争论标志着社会哲学化与经验研究之间的断裂,前者试图提出这样一些洞见,后者依然继续甚至不断地扩展这些洞见,但却一直与这些问题无关。然而,在 20 世纪的头几十年中,知行之间的全新观念被提议证明它们与政策有

[8] James T. Kloppenberg,《不确定的胜利:欧美的社会民主和改革主义(1870 ~ 1920)》(*Uncertain Victory: Social Democracy and Progressivism in European and American Thought, 1870—1920*, New York: Oxford University Press, 1986)。

[9] Alain Desrosières,《宏大数字的政治:统计学兴起的历史》(*La politique des grands nombres: Histoire de la raison statistique*, Paris: La Dècouverte, 1993); Peter Wagner,《社会学和偶然性:对认识论的历史化》(Sociology and Contingency: Historicizing Epistemology),载于《社会科学资讯》(*Social Science Information*), 34(1995),第 179 页～第 204 页。

着更为密切的关系。第一次世界大战的世界政治危机影响到了对这种紧迫感的考虑和对这些争论的关注。

大众社会中的社会计划：第一次尝试

第一次世界大战无论如何是一次巨大的社会计划实验。它出乎预料地持续了很长时间，同样又是未曾料想地卷入了大范围的人口，而且造成了贸易中断和物资短缺，这些都导致了政府不断努力去指导经济和社会活动，大多数情况下（但有时也没有）得到雇主、工会和其他社会组织的赞同。在战争的后期，人们普遍认为，这种计划优于自由的和市场的管理形式。第一届魏玛政府中的某些官僚得出不太有说服力的直接的结论，认为这是布尔什维克革命的后果，但第一次世界大战的影响却是遍及了整个西方世界。随着对国家计划的热情的退却，自由市场民主主义似乎在20世纪20年代得到了复兴，但在1929年世界经济危机之后，计划的情绪再次得到了复苏。社会科学现在就直接被卷入到了计划的运动之中。[10]

596

奥地利的经济学家鲁道夫·希法亭对奥地利马克思主义做出过贡献，但在魏玛时期曾在德国社会民主运动中很活跃，他甚至在战争之前就提出了“有组织的资本主义”（organized capitalism）这个概念。这个概念意味着，资本主义是可以加以组织的，而从改革派的观点看来，这种组织是可以建立起来的。到了20世纪20年代，基尔世界经济研究所（Kiel Institute for the World Economy）的一群泛左翼经济学家则提出了类似的观点，其中的某些人还卷入了30年代初的经济计划争论之中，当时，这种观点很是吸引了一些经济学家以及从美国的新政自由主义者到苏联当权者这样一些政策制定者。这场国际争论的广泛性的证明就是1932年阿姆斯特丹世界经济和社会大会（Amsterdam World Economic and Social Congress of 1932）。[11] 美国、法国和德国等许多国家在两次大战之间都建立了经济研究所，提供经验信息，这样它就潜在地参与到计划干预中。

这场争论大部分是在经济学范围内展开的，而同时也提出了更为广泛的社会计划的观念。最为全面的大概是由比利时的心理学家、社会主义者亨德里克·德·曼提出的《工作计划》（*Plan de travail*），他在1929至1933年间在法兰克福大学任教授。这个计划最初在1933年比利时工人党中提出，随后在比利时、荷兰和法国引起了普遍争议，它在这些国家支持了社会主义政党的改革派的再定位。德·曼的例子特别清楚地

[10] Peter Wagner，《社会科学与国家：法国、意大利和荷兰（1870～1980）》（*Sozialwissenschaften und Staat: Frankreich, Italien, Deutschland, 1870—1980*, Frankfurt am Main: Campus, 1990），第9章。

[11] Matthias von Bergen，《凯恩斯主义的格言：“现代组织”背景中的计划之争》（*Vor dem Keynesianismus: Die Planwirtschaftsdebatte der frben dreissiger Jahre im Kontext der “organisierten Moderne”*, Berlin: WZB, 1995）；Guy Alchon，《看不见的计划之手：20世纪20年代的资本主义、社会科学和国家》（*The Invisible Hand of Planning: Capitalism, Social Science, and the State in the 1920s*, Princeton, N. J.: Princeton University Press, 1985）。

表明了特定的社会主义改革派对社会计划的热情,也表明了它所具有的社会哲学基础。德·曼精通马克思主义和社会民主理论。但他在德国期间放弃了社会决定论,而赞同心理学上的间接唯意志论,这使得达到社会主义成为一件“意志和表象”的事情,而不是发展物质力量。[12] 在这方面,他同意其他大多数社会理论。然而,他并没有局限在这样一个可能的结论,即社会生活的可断定性已经减退,而是强调指出,一旦抛弃了决定论,就会增加整个社会的可变性。 597

在约翰·梅纳德·凯恩斯经济思想中可以看到相关的发展。早在 20 世纪 20 年代,凯恩斯就已经强调了经济生活是相对不确定的,以挑战率直的新古典主义对整全信息和理性行为的假设。他的普通经济学理论已经构建到了相当高的程度,而在关键之处却是依赖于对经济生活中的“因素”的确认,这些因素在社会历史和心理上都是可变的,所以就要求专门的确认,而不是一般的推演。在法国,迪尔凯姆学派的经济社会学家莫里斯·阿尔布瓦克斯论证了对社会秩序条件的理论化与对经济生活的经验观察之间的联系,这种方法表明了与凯恩斯方法在原则上的亲密关系。阿尔布瓦克斯赞助创办了法国经济调查机构,该机构建立于 1938 年,名为经济情况研究所(Institut de Conjoncture),它的相当重要的目的就是详细说明有效政治干预所需的条件。[13]

对决定论的批评、对直接目标可变性的强调以及有计划的政治行动,这些共同结合起来形成了一种根本的、批判性的认识论预设,即在重要的意义上,人类社会不是被发现和揭示出来的,而是被创造和发明出来的。这构成了两次大战期间社会科学中计划之争的一个派别。而另一派别的代表人物则完全割断了他们与世纪之交的社会理论之间的联系,为社会科学确立了全新的(也可以说是“现代的”)基础。这里的关键因素是维也纳学派的“科学的世界观”以及统一科学运动,它们前所未有地把实证主义哲学、社会主义思想和现代社会学研究联系起来了,或者像通常所说的那样,把孔德、马克思和行为主义混合起来了。[14] 在这场争论和不确定性的思想背景和政治背景中,拥护者希望重新确认现代性的社会纲领,把社会学重新看做是一门科学,它在认识论上具有与自然科学同等的立场。他们把它看做是完全相同的事业的一部分,生产可以信赖的知识,并参与到预测和计划中。

从思想和政治方面来说,这种方法的来源可以追溯到世纪之交和两次大战期间的奥地利的特殊情况,特别是可以追溯到维也纳,它既是哈布斯堡帝国的首都和主要城 598

〔12〕 Hendrik de Man,《社会主义的心理学》(*Zur Psychologie des Sozialismus*, Jena: E. Diedrichs, 1926)。

〔13〕 Alain Desrosières,《形式的历史:1940 年的统计学》(Histoire de formes: statistiques et sciences sociales avant 1940),载于《法国社会学评论》(*Revue française de sociologie*),26(1985),第 307 页。

〔14〕 John Torrance,《社会学在奥地利的兴起(1885 ~1935)》(The Emergence of Sociology in Austria, 1885—1935),载于《欧洲社会学文存》(*Archives européennes de sociologie*),17(1976),第 459 页;Laurence D. Smith,《行为主义和逻辑实证主义》(*Behaviorism and Logical Positivism*, Stanford, Calif.: Stanford University Press, 1986)。

市,也是第一次世界大战后的新奥地利共和国的首都和主要城市。[15] 奥地利的社会主义者和“奥地利马克思主义者”在哈布斯堡帝国消沉的时代一直仅仅做理论建设,而在共和国时期他们在维也纳获得了大量选票并成为选举中的多数派,这为社会计划工作带来了实验的空间。这种社会计划的主要活动家和理论家之一是奥托·纽拉特,他的著作是《科学的世界观》(*The Scientific World-View*)、《社会主义和逻辑经验主义》(*Socialism and Logical Empiricism*)以及《经验社会学》(*Empirical Sociology*)。这个运动中的年轻成员是数学家保罗·费利克斯·拉扎斯菲尔德。纽拉特和拉扎斯菲尔德的例子可以证明政治与社会哲学在这段时期的具体联系。

纽拉特确信,科学理性与政治进步是并驾齐驱的,而他有这种认识,是由于他把自己以及其他人看做是联合起来共同反对形而上学的世界观和非法的权力,这两者同样是不可分的一对。他见证了这种科学-政治的世界观在战争经济中是如何发挥作用的,并参加了萨克森和巴伐利亚的战后革命政府,致力于使生产方式社会化的努力。自从被从德国驱逐之后,他变成了维也纳的主要改革者,试图在城市政策中推行理性模式。他在关于计划、统计和社会主义的论著中阐述了这样一个观点,个人的理性一旦得到发展空间,就会在本质上等同于科学理性。结果,“社会技术”就可以在抛弃了一切形而上学的经验和实证的社会学的基础上发展,而社会学家也就变成了“社会工程师”。虽然现在看来这种观点过于粗浅,但纽拉特却把他的政治看做是完全符合最为理性的,因而也是他那个时代最为先进的科学和科学哲学,即他所归属的维也纳学派的逻辑实证主义。正如有人指出的那样,我们可以把纽拉特与路德维希·维特根斯坦的关系大致看做类似于汉斯·艾斯勒与阿诺德·勋伯格的关系。[16]

年轻的拉扎斯菲尔德同样具有明确的社会主义倾向,他被夏洛特·比勒和卡尔·比勒选中进入维也纳大学心理学研究所(Psychological Institute of the University of Vienna)从事统计工作,他们为市政府做研究工作。他建立了维也纳大学的经济心理学研究小组(Research Unit of Economic Psychology),这就需要与奥地利广播公司(Austrian Radio Company)和法兰克福社会研究所(Frankfurt Institute for Social Research)建立研究合同。拉扎斯菲尔德以这种方式开创了社会研究的体制与运作模式,他和纽约哥伦比亚大学的应用社会研究室(Bureau of Applied Social Research)由此也在后来变得名声大噪。这就是以大学为基础但以商业方式运作的研究所从事委托调查研究的开始,这种模式不久就从美国传播到了欧洲,在第二次世界大战以后又传播到了世界其他地方。拉扎斯菲尔德本人把这称做“管理性研究”(administrative research),这项研究是为资助

599

〔15〕 Carl Schorske,《重审维也纳学派:政治与文化》(*Fin-de-siècle Vienna: Politics and Culture*, London: Weidenfeld and Nicolson, 1980);Allan Janik 和 Stephen Toulmin,《维特根斯坦的维也纳》(*Wittgenstein's Vienna*, London: Weidenfeld and Nicolson, 1973);Michael Pollak,《1900 年的维也纳:未定的迷茫》(*Vienne 1900: Une identitè blessèe*, Paris: Gallimard, 1992);Helmut Gruber,《红色的维也纳》(*Red Vienna*, New York: Oxford University Press, 1991)。

〔16〕 Elisabeth Nemeth,《奥托·纽拉特和维也纳学派:作为方法的科学革命》(*Otto Neurath und der Wiener Kreis: Revolutionäre Wissenschaftlichkeit als Anspruch*, Frankfurt am Main: Campus, 1981),第 77 页。

者的计划目的服务，而无需设定具体的目标。

拉扎斯菲尔德的思想发展再次表明了政治和认识论同时发生的从古典社会理论到应用社会研究的转变。[17] 拉扎斯菲尔德本人与奥地利的马克思主义关系密切，他体验到了在“红色维也纳”要把改革主义的观点付诸实践的难处。特别是要把政治领袖与改革政策为之推行的人民预先统一起来的观点（这是社会主义的启蒙观念），就表明了是一种虚幻。在政治实践中，不会出现这种和谐的联盟。的确，人民的意志并非为声称服务于人民的政策制定者所知。经验的社会研究被用作从人民到精英传递知识的方式，并且总是牢记，所需要的这种知识是由精英的政治可行性观点构成的，这些都包含在研究合同的条件之中。移居美国之后，拉扎斯菲尔德遗憾地接受了他的政治动机和研究观念不可避免的分离，而他的研究观念却是没有改变的。

这种经验实证主义的社会学是对由自由主义危机所带来的日益增长的社会知识需求做出的一种特别的和极其清晰的反应。其他人也有这样的反应，但表达得不太严格。在荷兰，社会计划的出现与对 Zuiderzee 低洼地的干燥处理有关，这片湿地可以用于农业和居住。两次战争期间以“社会志”（sociography）著称的荷兰社会学提出了一种经验应用倾向。当时的主要代表人物 H. N. 特 · 维恩阐述了对 Zuiderzee 进行移民的建议，由此表明可以从社会学上引导社会计划。在美国，主要的例子是由胡佛总统提议并由威廉 · F. 奥格本于 1929 年提交的关于《近期社会动向》（*Recent Social Trends*）的联邦报告，它试图用社会统计的方法把握社会发展的主线，以此作为政府行动的指南。新政伴随着国家资源计划部（National Resources Planning Board）的建立和田纳西地区当局（Tennessee Valley Authority）的较长时间管理，试图使计划基于社会知识。

自 20 世纪 20 年代晚期以来，我们可以看出经验实证主义社会科学的大致轮廓，主要倾向于应用，也可以看出在具体制度上的发展，这逐渐形成了社会科学在战后第二个时期的形象。这种社会科学摆脱了对“古典时期”的怀疑。经验社会研究的具体形式回避了把个人与大众社会联系起来的问题。对认识论和概念问题的怀疑并没有完全消除，但它们被看做是包含在其中了，即从可以看到的最为可靠的成分开始，即经验观察、收集关于个人偏好以及行为的数据。与更为广泛的社会和政治领域相关的结论是通过聚集了这些数据而得到的；而编排问题则是出于“社会控制”的政策需要。因而，“温和的”行为主义就与类似的“温和的”实用主义并驾齐驱了。[18]

600

这种行为的社会研究把单个的人及其行为看做方法论上的出发点。它通常反对任何把行为当做“毫无理由的”或用维也纳学派的术语说是“形而上学的”先验假定，因而可以把它看做是从政治现代性的一个基本信条——个人自主性的首要性中得出

[17] Michael Pollak，《多民族的科学之父保罗 · F. 拉扎斯菲尔德》（Paul F. Lazarsfeld— fondateur d' une multinationale scientifique），载于《社会科学研究杂志》（*Actes de la recherche en sciences sociales*），25（1979），第 45 页～第 59 页。

[18] Ross，《美国社会科学的起源》（*Origins of American Social Science*），第 9 章。

的一个关键前提,但并非是没有问题的前提。[19] 然而,这种个人主义完全不同于自由政治理论中所主张的个人主义,也不同于新古典经济学中的个人主义,在这些个人主义中,个人的理性是被预设的。在行为社会研究中,社会规律性只有通过研究个人的话语和行为才能被发现,而无论如何都是无法被推理出来的。但一旦确定了这种规律性,它们就会通过改变各种可能的行动而重新得到塑造,例如,从产品的广告宣传或政党纲领的进步的角度来说。

新古典经济学是一种后启蒙的理论,一种自由现代性的主张,在这种意义上,它断定了由具有理性的(即理性化的)个人组成的社会是自我调整的。行为社会研究是一种后自由主义的技术(即现代性组织者的工具,也是“现代”社会计划者的工具),在这种意义上,它把个人解释为可以服从于政策行为和计划。这种方法的基本认识的变化是把个人相互分离开来,忽略了他们具有的社会关系,把这种单个个体聚合而成的大众与国家相并列。“社会统计和社会研究的一个隐含假定……是:单个的人可以被看做是外在相关的个体。国家及其个人都是社会统计和社会研究得以产生的概念。”在这里,社会学回应了与巴尔扎克小说有关的社会分析:“社会把每人都分离开来,以便更好地支配他们,把一切都尽量细分以便削弱它。它支配着运算单位,支配着数字图表。”[20]

601

计划与自由:计划的社会哲学

对这种形式的社会知识和计划的实施依然非常不确定,关于对计划和组织以及相应的社会知识形式的渴望是否真的可以与自由民主和谐共存的问题,已经出现了怀疑的声音。特别是根据极权主义政权的经验,他们是社会计划的最早、最强的推动者,大众和精英之间由经验的社会科学促成的这种直接传递模式是没有说服力的。保守派在美国特别强大,个人主义的价值观在那里有着坚实的基础,而要接受计划的必要性却是极其勉强的。

到了20世纪30年代中叶,人们对于进入新时代曾经有过的热情已经消退了,更多的是对走向计划的社会和政治意义的反思性争论。美国社会学学会(American Sociological Society)1935年的会议讨论的主题就是社会计划的人性方面,这提供了一个场合去评论实用主义政治哲学的最新发展,重新思考“社会控制”问题。人们普遍认为,自第一次世界大战以来已经出现了一个更具干预主义的国家,它深陷于计划之中。

[19] Wagner,《确定性与秩序,自由和偶然》;Judith N. Shklar,《亚历山大·汉密尔顿和政治学的语言》(Alexander Hamilton and the Language of Political Science),载于 Anthony Pagden 编,《近代欧洲的政治理论语言》(*The Languages of Political Theory in Early-Modern Europe*, Cambridge: Cambridge University Press, 1987),第346页。

[20] Dag Österberg,《元社会学:对社会思想的起源和可靠性的探究》(*Metasociology: An Inquiry into the Origins and Validity of Social Thought*, Oslo: Norwegian University Press, 1988),第44页;Desrosières,《宏大数字的政治》;Wagner,《现代性的社会学》,第7章;Honoré de Balzac,《乡巴佬》(*Le curé de village*, 1841),引用于 Gerd Gigerenzer, Zeno Swijtink, Theodore Porter, Lorraine Daston, John Beatty 和 Lorenz Krüger,《偶然性的帝国》(*The Empire of Chance*, Cambridge: Cambridge University Press, 1989),第2章。

社会学家们争论了究竟如何坚持对自主性和民主的承诺这个问题。埃内斯特·W.伯格斯不得不接受卡耐基基金会关于教育问题报告的结论:"美国社会在过去的几百年中一直是在从个人主义的边缘经济走向集体主义的社会经济。"然而,他又坚持认为,美国的计划必须"符合更多的个人主义、民主和人道主义",这些正是美国社会的道德基础。[21] 与之相比,威廉·F.奥格本则以更为技术专家式的风格断定道:"在所预测到的条件下丧失某些自由应当是在意料之内的,因为这正是更高程度组织的意义所在。"[22]刘易斯·洛文把最新发展看做是一个长期的过程,即一种"有组织团体的持续扩展,个人只有通过团体才能行动,以便形成公共政策"。但他并没有把这些变化看做如同政治问题转变一样有明确的得失,"因而,问题的关键并不是统治与自由的对立,而是社会控制与个人和少数人无限制的经济权力之间的对立。"他用理论术语确定了权利概念的根本转变:

602

> 随着计划的展开,它将会把我们政治思考的重点从形式权利的观念,转向基于能力的"真实权利"概念;从作为财产保护者的国家概念,转向充分利用我们的自然和经济资源中的领导概念;从作为平衡个人权利的法律概念,转向调整社会关系的过程概念;从原子论的个人主义理论,转向社会团结和合作行动的理论;从依赖于所谓的形而上学的自私仁慈,转向对经济和社会力量做出科学指导的可能性的可以证明的假设。[23]

通过把这个问题表述为形式的权利与实质的承诺之间的历史性转换,洛文就抓住了现代自由政治的基本矛盾,而这恰恰构成了法国大革命之后的社会政治争论的特点,虽然常常是更为隐含的;这个矛盾目前再次成为讨论的焦点问题。[24]

这场社会计划运动在美国并没有带来如同在某些欧洲国家所产生的同样势头,反而由于美国传统的个人主义而遭遇到了更为原则性的批评;尽管如此,第二次世界大战的突发情况还是见证了社会科学被卷入了大规模的计划活动之中,被看做相当重要地改进了军事行动的效力,而且限制或减轻了它们的社会含义和"副作用"(side effects)。哈罗德·拉斯韦尔和丹尼尔·勒纳主编的《政策学》(*The Policy Sciences*, 1951)一书就证明了,来自所有学科的社会科学家既卷入了战争计划,又愿意重新考虑

[21] Ernest W. Burgess,《社会计划和大多数人》(Social Planning and the Mores),载于 Ernest W. Burgess 和 Herbert Blumer 编,《社会计划的人性方面:美国社会学学会 1935 年会议文选》(*Human Side of Social Planning: Selected Papers from the Proceedings of the American Sociological Society 1935*, Chicago: American Sociological Society, 1935),第 33 页。

[22] William F. Ogburn,《人类及其机制》(Man and His Institutions),载于 Burgess 和 Blumer 编,《社会计划的人性方面》,第 37 页。

[23] Lewis L. Lorwin,《民主中的计划》(Planning in a Democracy),载于 Burgess 和 Blumer 编,《社会计划的人性方面》,第 42 页,第 44 页,第 47 页～第 48 页。

[24] William H. Sewell, Jr,《艺术家、工厂的工人以及法国工人阶级的构成(1789 ～1848)》(Artisans, Factory Workers, and the Formation of the French Working Class, 1789—1848),载于 Ira Katznelson 和 Aristide R. Zolberg 编,《工人阶级的构成:19 世纪的欧美模式》(*Working-Class Formation: Nineteenth-Century Patterns in Europe and the United States*, Princeton, N. J.: Princeton University Press, 1986),第 60 页;Jacques Donzelot,《社会的机械化》(The Mobilization of Society),载于 Graham Burchell, Colin Gordon 和 Peter Miller 编,《福柯效应:对管理性质的研究》(*The Foucault Effect: Studies in Governmentality*, Chicago: University of Chicago Press, 1991),第 171 页。

根据那些(通常注定是会成功的)经验而为计划和政策的目的去使用社会知识的可能性。

在欧洲,由卡尔·曼海姆表达的关于社会计划的最为深刻的反思,既在社会知识的基础观念的方面,也在相关的政治哲学方面。在他的早期著作中,当时他生活在欧洲大陆,他提出了一种知识社会学和知识分子的作用的理论,对正在形成的大众社会中出现的问题进行原则性的重新表述。《重构时代的人与社会》(*Man and Society in an Age of Reconstruction*)最早的译本是1935年的德文版,它以通俗的话语把西方社会的主要转变刻画为高度组织化的大众社会中的"自由主义和民主的危机"。依赖于放任主义必然会导致"失调"。在1940年出版的相当大的英文扩充版中,曼海姆认为,他已经对作为英国流亡者在民主制度下生活的计划有了充分的经验,由此得出结论,"自由和计划"是可以通过某种"民主计划的综合"而相互兼容的。[25]

603

类的综合:社会计划的第二次尝试

大战之后,那些自由民主的运行模式似乎极为成功地把自由民主转变为了无所不包的大众社会,首先是美国、英国和瑞典,这些模式被(重新)输入到了欧洲大陆。"民主计划"和"现代社会科学"是这些运行模式的两个关键因素,费了很大的力气才把它们牢固地移植到了欧洲大陆的土壤之中。[26]

联合国的文化组织UNESCO和以美国为主的私人基金会积极地推进以应用的观点从事对当代政策问题的经验研究的社会科学。保罗·拉扎斯菲尔德本人就参与了奥地利的社会研究机构的建立。《政策学》被左翼的改革家们译为法文,并由雷蒙·阿龙做序出版,他早年曾论证了更为"归纳的"而不是哲学的社会学,这使他在应用和计划倾向的社会科学的发展中获得了声誉。

社会科学的关键领域需要与社会计划有认识上的关联。在经济学中,凯恩斯主义者的理论推进了对那些被看做是宏观经济控制的关键变量的经济指标的研究。在社会学中,阐明现代化理论和发展理论的基础是功能主义和系统论,现代化理论和发展理论被"应用"在据称是需要发展的那些社会中。量化的社会研究蓬勃发展。虽然学院派的社会学、经济学和政治学也出现了"量化的转向"(quantitative turn),但这种社会知识的逐渐增加代表了政府部门、商业组织和政治党派的要求,以满足他们的政策和组织计划的需要。政策分析的专门方法论得到推进,诸如成本-效益的分析和计划、

604

[25] Karl Mannheim,《重构时代的人与社会》(Man and Society in an Age of Reconstruction, London: Routledge, 1940);《诊断我们的时代:战争时期的社会学论文》(Diagnosis of Our Time: Wartime Essays of a Sociologist, London: Routledge, 1943);《自由、权力和民主的计划》(*Freedom, Power and Democratic Planning*, London: Routledge, 1951);Colin Loader,《卡尔·曼海姆的思想发展:文化、政治和计划》(*The Intellectual Development of Karl Mannheim: Culture, Politics, and Planning*, Cambridge: Cambridge University Press, 1985);David Kettler和Volker Meja,《卡尔·曼海姆和自由主义的危机:这些新时代的秘密》(*Karl Mannheim and the Crisis of Liberalism: The Secret of These New Times*, New Brunswick, N. J.: Transaction, 1995)。

[26] Wagner,《社会科学与国家》,第四部分。

程序和预算系统(planning,programming and budgeting systems,简称 PPBS)。

这种努力同样遭到了反对。譬如,特奥多尔·W.阿多诺就批评社会学转变为统计学和行政学,成为“管理型社会”的知识形式。汉娜·阿伦特的全面研究——《人类的状态》(*The Human Condition*)就从根本上批评了统计学和行为主义,认为它们削弱了对人类行为的概念化和理解。然而,在20世纪50年代到70年代之间,美国和欧洲的社会科学逐渐具有了政策和计划的倾向。这种情景可以刻画为它主要关注于政策、策略和管理,以及它在概念上关注于公共的和私人的有目标的组织及其领导者的作用。

在社会科学哲学方面,卡尔·波普尔的新实证主义提供了两次战争之间的建议的更加温和的版本,因为它们通常是非常技术专家式的社会科学。他的“经验社会技术”的看法可以解释为“零碎的社会实验”,这完全是根据“反复实验”,直接反对“乌托邦式的社会工程”。波普尔在认识论和政治学之间建立了新的联系,他的方法比两次战争之间的其他建议表现得更为温和与迟疑。[27] 波普尔和阿多诺在1961年德国社会学家的会议上就他们的观点展开了争论。当时,他们的那种反思性的社会哲学思考已经为日益增加的经验的、更多是应用性的社会研究所取代。

在公共领域中,年轻一代的社会科学家与具有现代化倾向的、渴望权力的政治家之间在改革话语上的联合,带来了趋于政策倾向社会科学的新的转变。在20世纪60年代的美国,肯尼迪政府的改革动力被转变为约翰逊政府时期的大社会和向贫困开战的纲领。这些社会计划的构想是软性的,就是说,它们都基于刺激和鼓励,而不是命令和限制,同时,它们代表了有计划的社会变化的主要纲领。[28]

605

20世纪60年代～70年代在许多欧洲国家形成了类似的话语联盟,这通常是在政府趋向于大多数人希望改革的背景中。在许多方面,这些联盟多少类似于第一次世界大战后具有社会主义倾向的学者与改革派的行政官员共同结成的那种联盟。最新成立的一些联合体在某种程度上是由新近的历史经验调和而成的,而这些联合体无论是在社会科学方面还是在政策的制定上都做出了大量持久的努力。

而且,人们普遍认为,潜在的激烈的冲突和争斗(在其中,某一集团得到的利益恰恰是别的集团缺失的),可以借助于社会科学知识而转变为总体积极的合作游戏。[29] 与以前的努力相比,这第二次广泛的社会计划运动是由极权主义的历史经验塑造而成

〔27〕 Karl R. Popper,《开放的社会及其敌人》(*The Open Society and Its Enemies*, London: Routledge, 1945),第162页～第163页,第291页。

〔28〕 Gareth Davies,《从机遇到承担:大社会的自由主义的转换和衰落》(*From Opportunity to Entitlement: The Transformation and Decline of Great Society Liberalism*, Lawrence: University Press of Kansas, 1996);Lance deHaven-Smith,《对政策分析的哲学批评:林德布洛姆、哈贝马斯和大社会》(*Philosophical Critiques of Policy Analysis: Lindblom, Habermas and the Great Society*, Gainesville: University of Florida Press, 1988);Henry J. Aaron,《观看大社会》(*The Great Society in Perspective*, Washington, D. C.: Brookings, 1978);Herman van Gunsteren,《追求控制:对公共事务中以理性为中心的规则方法的批评》(*The Quest of Control: A Critique of the Rational-Central-Rule Approach in Public Affairs*, London: Wiley, 1976)。

〔29〕 Pierre Massé,《反大众的计划》(*Le Plan ou l'Anti-Hasard*, Paris: Gallimard, 1965),第18页;Pierre Massé,《对计划承诺的自我批评》(*Autocritique des années soixante par un Commissaire au Plan*, Bulletin de l'Institut d'histoire du temps présent, Supplément no. 1, série "Politique économique," no. 1, Paris: l'Institut d'histoire du temps présent, 1981),第38页。

的，而通过强调民主的共识就旨在避免极权主义的重现。这就会防止计划成为自由的敌人。[30] 另一方面，新一代的计划者明显地具有比第一次计划运动者更为先进的关于推进社会科学的观点。思想上的进步，特别是在方法论上，注定需要更为坚定的对社会实在的认识把握。这与明显的"意识形态终结"共同意味着，基于社会计划的社会科学看来似乎最终是可以实现的。

从20世纪80年代早期回顾到60年代，一位法国的政府研究人员罗伯特·弗雷斯曾谈到普遍的"关于从认识上全面掌握社会的乐观主义"。他写道：

> 这个研究导致的是具有的一种包罗万象的氛围，这是由于政府希望能够带来结果的一种功能性用法——毫无疑问，也是由于赋予了负责任的管理者更为强烈的、连续的[知识]增长的观念这样一种乐观主义。人们谈到知识的鸿沟，而现在它即将合拢。在某种意义上，客观就是对真实详尽的描述，正如对时代问题的要求中被证明的那样，一个时代是与广泛调查显著相关的，这些调查有关于消费、收入、生活方式的；也有关于地区和国家经济核算的；还有关于全球公共行为系统的模式的等等。[31]

这种关于计划的乐观主义在把社会科学作为自身的一个对象时就达到了顶点。20世纪70年代期间，经济合作与发展组织（Organization for Economic Cooperation and Development，简称OECD）就提出了一种"社会科学政策"，旨在完善其对政策制定的贡献。OECD还在各国（法国、挪威、芬兰、日本）中委托从事社会科学的状态的国家分析任务，以发现缺点和提高效率。某些研究者曾谈到了一种一揽子的"社会科学规划"。[32]

606

计划欣快症之后

自20世纪70年代中期之后，越来越多的迹象表明，社会计划达不到这些高预期的要求。计划危机的主要例子就是产生了无法控制的经济衰退，以及同时出现的上升的通货膨胀和失业率，这些都使凯恩斯主义的信誉受到了质疑，因为它似乎排除了这种"滞胀"（stagflation）。在经济学中，这种经验导致了在思想上转向货币主义和"供应经济学的"方法，同时更少地强调公共干预，返回到市场管理。在其他与政策和计划有关的社会科学中也出现了类似的再定位。作为对把社会科学应用于政治实践的结果的一个回应，人们直接关注的是这样一种表面上全新的现象，如"意外的后果"，"任性的结果"，"贯彻的问题"。社会现实表明了对有计划干预的反抗。

虽然这两种现象之间的精确关系还需要进一步的探索，但政策科学的危机似乎始

[30] Firmin Oulès，《经济计划和民主》（*Economic Planning and Democracy*, Harmondsworth: Penguin, 1966）。

[31] Robert Fraisse，《论社会科学：功利性、依赖性、自主性》（Les sciences socials: utilisation, dépendance, autonomie），载于《工作社会学》（*Sociologie du Travail*），23（1981），第372页。

[32] Michael Pollak，《社会科学的计划性》（La planification des sciences sociales），载于《社会科学研究杂志》（*Actes de la recherche en sciences socials*），no. 2/3（1976），第105页～第121页。

终得到了深化，由客观主义认识论的转向以及在学院派的社会科学中过分强调定量方法论所引起。[33] “解释的转向”，或者更广义地说，人文科学中的“语言的转向”，对献身于当代社会研究的各门科学都一直具有强大的（虽然并非是相等的）影响。强调社会的语言学构成和对社会现象允许各种可能的解释，使得社会科学返回到了一个重新考虑认识论、本体论和方法论的时期，这显示出了与20世纪初的“古典时代”具有许多相似之处。

一个世纪以前，这些怀疑由这样一种信念得到了暂时的解决，即认为社会是不确定的，因而是容易发生变化的，同时认为行为者有能力足以根据自我意志而改变社会。这种观点的结合就可能产生有计划倾向的社会科学。在目前的条件下，赞同社会的不确定性或偶然性的声音可能比一个世纪以前更为强大。但是存在一个强大的行为者的信念，似乎更明显地动摇了。就目前而言，在有计划倾向的社会科学和学院派的社会科学中存在的双重再定位，都伴随着放弃包罗万象的社会计划的观念。由此，作为整个权力中心的国家强权人物，承载普遍主义价值和追求普遍有效知识的强权人物，几乎都从公共辩论中消失了。如果有人寻求一种观点可以来替换这些强有力的观点，那么唯一的对手似乎就会是这样一种新自由主义和理性主义的信念，人类的相互作用的最优化不需要有意识的计划。这样一种想法在自创生系统（autopoietic systems）的理论中可以看到，但最初的假定却完全是相反的。然而，经过漫长的运作，可能出现一种传统概念的“较弱”形式，这时的国家是作为“调和者”，就像包曼提出的，而知识分子则作为“解释者”。[34]

607

不过，目前普遍缺乏值得信服的对社会做出社会学的表述，更没有社会的计划，但这并不意味着不再提出对社会的认识表述，或已经放弃了计划。相反，商业组织以及其他组织都依赖于战略计划，它们在空前的规模上使用专门的知识。目前大量出现的市场评价和民意调查，就明显地证明了计划持续的活力。国家政府和国家市场的相对削弱，就产生了这种对与计划相关知识的不断增长的需求。在产生这种知识的过程中，就不断地产生着对社会的表述。然而，这种计划与20世纪60年代的社会计划相比就没有那么全面和协调，产生它们的大多数背景都缺少对公共认可的承诺，虽然这遭到了批评并且那些机构一直在转换之中，但这仍然是大学和学术界的特点。这并不是目前处于危机中的计划观念，而是在具有公众透明度和认可度的条件下可能得到全面的社会计划。

（江怡　译）

[33] Frank Fischer，《专家治国和专家政治学》（*Technocracy and the Politics of Expertise*, Newbury Park, Calif.: Sage, 1990）；John S. Dryzek 和 Douglas Torgerson 编，《民主与政策科学》（*Democracy and the Policy Sciences*, Dordrecht: Kluwer, 1993）。

[34] Jean-François Lyotard，《思想的氛围及其他论文》（*Le tombeau de l'intellectuel, et autres papiers*, Paris: Galilée, 1984）；Zygmunt Bauman，《立法者和解释者：论现代性、后现代性和知识分子》（*Legislators and Interpreters: On Modernity, Post-Modernity and Intellectuals*, Cambridge: Polity, 1987）。

35

608

社会福利

埃伦·菲茨帕特里克

在经济增长中贫困的持续存在,已经引起工业化开始以来关于国家对社会福利职责的争论。社会调研人员声称经验主义的研究是有效改革的必要条件,他们在制定关于穷人政策的过程中,扮演了首要的角色。随后,学院社会科学家们发展了理论模型、统计资料和定义社会问题的语言,并被国家、社会以及政治运动等工作方面所采用。不论好坏,现代社会科学家们的观念已经对撰写20世纪社会福利政策的历史有帮助,并影响着数百万人民的生活命运。

系统化的社会调查

社会调查和社会福利政策之间的关系问题是与矫正人类贫穷的努力同时出现的。无论是在欧洲还是美国,“应获得救济”和“不应获得救济”的穷人的概念,都已在一些最早设法减少贫困之苦的措施中出现,例如伊丽莎白时期的济贫法和早期美国对穷人“命令离开”和“警告离开”的策略。数据的收集、分析及获得援助者的规定,由区别真正需要帮助的人和无病呻吟的人之政策的逻辑性来进行,并且要尽量减少对国家的依赖。[1]

609

在18世纪和19世纪,古典政治经济学支持由道德缺欠导致贫穷这种长期拥有的偏见。按照这个观点,追求私人利益的个人不仅根本不需要国家任何援助,而且他们

〔1〕 Theda Skocpol,《政府的构成,社会科学和经济社会政策的发展》(Government Structures, Social Science, and the Development of Economic and Social Policies),载于 Martin Bulmer 编,《社会科学研究和政府》(*Social Science Research and Government*, Cambridge: Cambridge University Press, 1987),第40页～第50页;Walter Trattner,《从济贫法到福利国家》(*From Poor Law to Welfare State*, New York: Free Press, 1984);James Leiby,《美国社会福利和社会福利工作史》(*A History of Social Welfare and Social Work in the United States*, New York: Columbia University Press, 1978);James Patterson,《美国反对贫穷的斗争(1900～1980)》(*America's Struggle against Poverty, 1900—1980*, Cambridge, Mass.: Harvard University Press, 1981);Michael Katz,《美国史中的贫穷和政策》(*Poverty and Policy in American History*, New York: Academic Press, 1983);Dietrich Rueschemeyer 和 Theda Skocpol 编,《国家,社会知识和现代社会政策的由来》(*States, Social Knowledge, and the Origins of Modern Social Policies*, Princeton, N. J.: Princeton University Press, 1996);Peter Flora 和 Arnold Heidenheimer 编,《欧洲和美国福利国家的发展》(*The Development of Welfare States in Europe and America*, New Brunswick, N. J.: Transaction, 1981)。

只有在天赋自由的制度内才能富足。托马斯·罗伯特·马尔萨斯认为,济贫法破坏了应当承认穷人"他们自己是贫困的原因"这种认识。在英国,反对劳工和工厂立法的人们,利用古典的政治经济学证明漠视工人阶级和穷人命运是正当的。他们早在1840年就遇到强大的挑战,这挑战来自弗里德里希·恩格斯对英国工人阶级状况的调查,也来自卡尔·马克思和恩格斯在1848年《共产党宣言》中提倡的革命变革。为达到支持国家改善贫穷状况从而避免革命的目的,自由主义运动也强调了社会调查。[2]

为了揭露贫困的本质及范围,工人阶级团体的调研人员计算了穷人人数,而且详述了他们按当地标准的生活习惯。19世纪80年代,在查尔斯·布思和他的继承者所进行格外详尽的社会调查中,这些努力达到了顶点。它们不仅提供了收集数据的方法,而且实现了重要的政治目的:当英国地方和国家政府一个个放弃较早的放任主义(laissez faire)的立场时,监测穷人的调查为自由主义的改良支持者提供资料,并为社会救助系统(system of social provision)的发展奠定理性的基础。这种研究主要的是在学院之外,不会伪装为纯粹研究,它可使英国的调研人员把这一领域的经验教训带到他们作为英国公仆和改革的激进分子的角色中。[3]

在德国,社会调查和政府政策分开实施。19世纪60年代开始,年轻的德国社会科学工作者迫切要求关注工人斗争。1872年,学院教研员、其他专业人员、工会会员和社会激进分子组成社会政策协会(Verein für Sozialpolitik)领导研究,并督促新德意志帝国改善德国工人阶级的状况。

19世纪80年代期间,在俾斯麦首相领导下开始行动,他颁布了广泛的社会保险措施(包括健康、事故、残疾和老年保险),努力地防止阶级冲突,并巩固国家权力。当时,社会政策协会不赞成德意志帝国,而且不愿与它继续联盟,在协会成员诸如马克斯·韦伯、沃纳·松巴特和费迪南德·滕尼斯等影响下,设法把社会科学研究与社会政策必须要做的事分开。与此类似的把实用的命令与纯粹的研究之间的关系分开,这一情况以后在美国也会发生,虽然发生的环境不同。[4]

610

在美国,社会救助仍然需要大量私人的和当地组织的资助。虽然美国普遍地赞美

[2] Sidney Fine,《放任主义和一般福利国家》(*Laissez Faire and the General Welfare State*, Ann Arbor: University of Michigan Press, 1967),第5页～第10页。

[3] Martin Bulmer, Kevin Bales 和 Kathryn Kish Sklar,《在历史观点中的社会调查》(The Social Survey in Historical Perspective),载于 Martin Bulmer, Kevin Bales 和 Kathryn Kish Sklar 编,《在历史观点中的社会调查(1880～1940)》(*The Social Survey in Historical Perspective, 1880—1940*, Cambridge: Cambridge University Press, 1991),第1页～第48页;Martin Bulmer,《社会政策研究发展的国家背景:英美对贫穷和社会福利的比较研究》(National Contexts for the Development of Social Policy Research: British and American Research on Poverty and Social Welfare Compared),载于 Peter Wagner, Carol Hirschon Weiss, Björn Wittrock 和 Helmut Wollman 编,《社会科学和现代国家》(*Social Sciences and Modern States*, Cambridge: Cambridge University Press, 1991),第148页～第167页;Eileen Yeo,《在社会观点中的社会调查(1830～1930)》(The Social Survey in Social Perspective, 1830—1930),载于 Bulmer, Bales 和 Sklar 编,《在历史观点中的社会调查》,第49页～第65页。

[4] Irmela Gorges,《德国1933年以前的社会调查》(The Social Survey in Germany before 1933), Bulmer, Bales 和 Sklar,《在历史观点中的社会调查》(The Social Survey in Historical Perspective),载于 Bulmer, Bales 和 Sklar 编,《在历史观点中的社会调查》,第316页～第339页,第16页～第17页;Anthony Oberschall,《德国经验的社会研究(1848～1914)》(*Empirical Social Research in Germany, 1848—1914*, The Hague: Mouton, 1965)。

和效仿英式的社会调查,但没有导致美国国家计划机构的生成,也没有扩展它19世纪晚期和20世纪早期的社会保险计划。这一分享来的社会调查的传统和调研人员良好的愿望,没有产生任何一个解决社会问题的办法。社会的、经济的和政治的力量决定了现代社会中的社会科学研究的使用方法。在美国,缺乏工人政党和反抗联邦权力的运用,限制了社会救助政策。[5]

美国内战在统一社会福利政策和推动社会调查方面起到了早期的作用,即使很大程度上是暂时的。1861年,产生了美国清洁卫生委员会(United States Sanitary Commission),第一个国家公共卫生计划,是一个具有研究性教育性倾向的计划。1865年产生了难民、自由民和被抛弃土地管理局(Bureau of Refugees, Freedmen, and Abandoned Lands),第一个联邦社会福利机构,汇编广泛的记录。这一机构设法满足南部被解放的人的需要。战争导致了制定内战养老金制度,以便救助联邦退伍军人及其亲属,这在美国历史上是为该目的最大的社会支出计划。[6]

工业化、城市化、移民入境和现代研究型综合大学的出现,终于证实了推进社会调查和社会福利政策这项工作有着更深远的意义。这一推动力部分来自中产阶级美国人,他们对新的外来移民感到恐慌,也对城市贫困和政治腐败感到恐慌。不只是工人政党、像工人骑士会(Knights of Labor)那样的劳工组织、商业工会会员、社会主义者,平民党首脑也强烈地要求展开公开的辩论,批评政治、经济的不平等,并要求长远的改革。甚至最温和的劳动激进分子提倡的具体的、也常是广泛宏伟的立法改革,胜过犹豫不决的中产阶级激进分子的建议,而且不包括由慈善官员和权力精英所支持的辛勤监督下的救助系统。[7]

611

早在19世纪60年代,中产阶级的改革者已力求探索更加常规化的、官僚政治的、见多识广的方法,以处理救济和其他社会需要问题。第一个国家慈善局,建立在19世纪60年代,试图协调国家投资的公共福利机构,并以合理化程序和标准化的管理使之得到有效利用。在进行调查和准备广泛的报告时,他们使社会调查成为社会福利管理一个固有的特征,而且把事实调查结果紧密地与有效的救济原因结合起来。[8]

有效的社会福利政策依赖于社会科学知识的进步,从制度上第一个明确表示这一信念的是1865年成立的美国社会科学联合会(American Social Science Association, 简称

[5] Bulmer,《社会政策研究发展的国家背景》;Trattner,《从济贫法到福利国家》,Skocpol,《政府的构成》。

[6] Trattner,《从济贫法到福利国家》,第5章;Theda Skocpol,《保护士兵和母亲:美国社会政策的政治由来》(*Protecting Soldiers and Mothers: The Political Origins of Social Policy in the United States*, Cambridge, Mass.: Harvard University Press, 1992); Phyllis Day,《社会福利的新历史》(*A New History of Social Welfare*, New York: Prentice Hall, 1989),第7章;Ira Berlin, Barbara J. Fields, Steven F. Miller, Joseph P. Reidy 和 Leslie S. Rowland,《终于自由了》(*Free at Last*, New York: New Press, 1992); Donald Nieman,《实行法律:自由民管理局和黑人法律权利(1865～1868)》(*To Set the Law in Motion: The Freedmen's Bureau and the Legal Rights of Blacks, 1865 to 1868*, Millwood, N. Y.: KTO Press, 1979)。

[7] Leon Fink,《工人的民主政治:工人骑士会和美国的政治》(*Workingrnen's Democracy: The Knights of Labor and American Politics*, Urbana: University of Illinois Press, 1983); John L. Thomas,《可取代的美国》(*Alternative America*, Cambridge, Mass.: Belknap Press, 1983); David Montgomery,《劳工大厦的倒塌》(*The Fall of the House of Labor*, Cambridge: Cambridge University Press, 1987)。

[8] Trattner,《从济贫法到福利国家》,第5章;Leiby,《美国社会福利和社会福利工作史》,第6章～第8章。

ASSA)。为了模仿欧洲团体例如英国的促进社会科学国家协会(Britain's Nation Association for the Promotion of Social Science),ASSA联合了学院社会科学家、慈善团体工作者和商业及专业的精英。ASSA强调,他们的增进知识的计划、促进健全的社会立法和防止犯罪以及支持公共道德的努力,只有通过收集关于社会问题(如贫穷、犯罪、放纵和卖淫等)的数据才能够实现。

这种利益的联盟不久就分裂了。19世纪70年代,国家慈善团体工作者决心要实行"实用的"事情以反对抽象的或理论上的事情,他们组成自己的专业组织。学院社会科学家们早在19世纪80年代就退回到了专业组织中,部分原因是担心他们作为知识分子和科学专家的身份,因提倡者的角色而受到损害。但经济学家们继续关注改善贫穷的状况。理查德·T.伊利和其他左翼伦理经济学家们向美国经济协会(American Economic Association, 1883)的宪章宣言中的放任主义发起挑战,他们中的某些人拥有社会主义理想。直到19世纪90年代,在学院内激进抗议的政治思潮和日益坚持正统的专业标准的情况下,导致许多学者撤退。尽管如此,一种历史-制度主义和新古典主义理论的混合体继续集中关注于"现实主义"的能够修改经济法则的力量上。虽然有这种制度上的改变,但在社会调研、社会福利工作与社会科学诸领域之间还有相当部分重叠。[9]

作为社会科学的社会福利工作

这种相互联系在英国和美国的慈善机构协会(Charity Organization Societies,简称COS)内特别明显。在协调各自国家中国家和地方慈善组织的繁荣的网络的愿望下,COS被组织起来,它派遣代理干部(许多人是妇女)参加工人阶级社区,在那里他们设法"按科学方法"确定谁应得到救济。到1900年为止,仅仅在美国的城市就有超过100个这样的慈善组织。 612

对那些做慈善工作的人来说,"科学"就意味着试图通过拥有在中央登记处登记的穷人详细的记录——谁已经找到援助,他们得到多少(从谁那里),而且谁是潜在的"可以救赎的",使了解的材料系统化。针对申请者救济的采访,也是社会福利工作者的科学慈善概念中必不可少的。最后,对贫穷原因进行的调查和研究,既考虑到总体又考虑到特殊的个人情况,构成了完整的慈善社会大厦的基础。

[9] Thomas Haskell,《美国社会科学的出现:美国社会科学联合会和19世纪权力危机》(*The Emergence of American Social Science: The American Social Science Association and the Nineteenth-Century Crisis of Authority*, Urbana: University of Illinois Press, 1977); Dorothy Ross,《美国社会科学的起源》(*Origins of American Social Science*, Cambridge: Cambridge University Press, 1991),第6章和各处;Mary Furner,《拥护和客观现实:美国社会科学专业化的危机(1865~1905)》(*Advocacy and Objectivity: A Crisis in the Professionalization of American Social Science, 1865—1905*, Lexington: University of Kentucky Press, 1975); James T. Kloppenberg,《不确定的胜利:社会民主主义和渐进主义》(*Uncertain Victory: Social Democracy and Progressivism*, New York: Oxford University Press, 1986); Fine,《放任主义和一般福利国家》。

尽管有这些意图,或者也许因为它们,COS 的行动很少超越集中在个人的贫穷和社会福利的概念。把贫穷归咎于个人的道德过失(如懒惰、酗酒、滥用毒品,以及一般的不注意节俭、不注意正派清白的生活),这种思想倾向非常普遍。在英国,1909 年皇家专门调查委员会(Royal Commission)关于《济贫法》(Poor Laws)多数派的报告,它代表了许多 COS 成员的想法,对由前 COS 成员、费边社的社会主义者比阿特丽里斯·韦布在她的少数派调查结果中提出的广泛的国家福利措施甚为反对。英国慈善工作者在赫伯特·斯宾塞的著作中找到对他们观点的支持,他援引自然法详述并证明他对国家行动(state action)的反对是正当的。斯宾塞一面论证公共救济只能鼓励不正当的生存甚至是不正当的滋生蔓延,同时他又赞同私人对穷困者的援助,只要这样做不会使社会中最不幸的人增加就行。甚至像海伦·鲍桑葵这样特别强调同情和教育、有影响力的英国 COS 官员对贫困问题进行的全面的争论,也从未超出斯宾塞的可怕预言或深具道德说教的维多利亚时代的贫困概念的范围。更重要的是,即使是 COS 的人道主义承诺也不能离开他们有意为之服务的主要的社会和政治的目的——最明显的是尽量减少依赖性。[10]

在美国,许多慈善组织随声附和这些观点。他们厌恶向增加的救济机构捐助,并认为自己是凌驾于救济之上的,便建立介绍机构并拒绝提供直接援助。然而,许多美国慈善协会逐渐开始直接分配现金补助给贫困者。虽然如此,在 20 世纪早期,当美国改革家们试图通过像母亲抚恤金项目那样使社会救助制度化和国有化时,某些有影响力的慈善官员却止步不前。他们当中有玛丽·瑞奇蒙德,她是巴尔的摩慈善机构的秘书长和现代生活环境调查(casework)方法的奠基人。瑞奇蒙德认为联邦和州的社会福利项目是一个潜在的腐化的食槽,也是一种靠政府滋养有伤国家元气的依赖的手段,而且还是一种对个人化的贫困户生活环境调查方法的不适当的替代物。

613

当美国在社会福利缓慢发展的花费上很显眼时,上述感情和意见远非她个人所有。甚至作为日益增多的主体的文献,其中的大部分都是由慈善工作者们汇编的,为贫穷的社会和经济根源提供证明,但其中许多是反对制定广泛社会福利措施的。在慈善组织机构的工作中或倾向上,根本没有质疑那种反对意见。因为他们关注的是特殊的穷困事例,而不是集体的贫穷。在这种情况下,社会调查和社会福利工作的这种结合既没有为大量的社会救助体系提供思想基础,也没有提供政治基础。大不列颠联合王国中的议会政治制度、工党和有效的行政组织的存在,为影响政府政策和制定广泛的社会保险系统创造了极大的可能性。斯堪的纳维亚的情况也是如此,在那里精英对庞大的国家行动感兴趣,学院经济学家中有人政治上参与,以及国家愿意接受德国的

[10] Jane Lewis,《社会调研、社会理论以及社会福利工作在解决维多利亚女王后期的和爱德华七世时代的社会问题中的地位》(The Place of Social Investigation, Social Theory, and Social Work in the Approach to Late Victorian and Edwardian Social Problems),载于 Bulmer, Bales 和 Sklar 编,《在历史观点中的社会调查》,第 148 页～第 169 页;Leiby,《美国社会福利和社会福利工作史》,第 8 章。

社会保险模式，增强了政府统计署的存在。[11]

美国和欧洲慈善机构中妇女的作用值得特别的关注，因为在这种组织中的工作有助于巩固妇女对社会福利工作这一领域的控制。19 世纪期间，中产阶级妇女援用伴随贫穷而来的道德上的退化以及由城市工业社会给妇女儿童带来的威胁，作为妇女参加公众生活的基本理论。1893 年，当它号召资产阶级妇女要为“贫困阶级”服务的时候，做社会援助工作的德国少女组织和妇女组织就响应了这种意见。这个组织与传统德国的慈善机构不同，因为强调掌握关于社会问题的系统知识，也需要在社会实践中的精心训练。由于这些原因，德国的社会福利工作的教育兴盛起来，其受训者被安置在由庞大的德国社会福利规划创建的城市职业网中。因此，在欧洲和美国，虽然许多妇女作为志愿者加入社会服务组织，但当慈善机构在世纪交替时变得更专业化和科层化时，她们长期的工作经验逐渐使她们成为受聘的社会福利工作者。[12]

614

19 世纪晚期，妇女们同样地积极从事小社区娱乐教育和社会中心活动，这是又一个把社会科学与社会福利结合起来的强大的力量，它有时还包含了更广泛的对社会救助的想象。这种小社区娱乐教育和社会中心活动有其起因，1884 年在那里为了传播文化价值和缩小贫富差距，设法把受过高等教育的人迁入贫困社区，建立了 Toynbee Hall。在美国，小社区很快成了受高等教育妇女的领域，她们感到在那里可以为她们的才能、职业抱负和她们对社区的希望找到一席之地。

虽然计划给穷人提供直接的实际的服务，但小社区强调整个穷人群体的共同困境，而不像慈善组织机构协会做的那样，把个人客户的工作放在重要的地位。这样的一种态度，很快把小社区拉进了更大的公众领域，在那里其成员积极参与时兴的关于贫穷和社会不平等的根源的对话。这些社会中心最重要的贡献，就是将广泛的社会调查工作深入到穷人的生活中。

在这方面，没有其他小社区比 1889 年在芝加哥建立的简·亚当斯（1860～1935）的 Hull House 更著名的。针对它的研究计划方案，特别是 1895 年出版的《Hull House 的图表和论文》（*Hull House Maps and Papers*），其方法论的缜密和对城市邻里开创性的分析，给人留下深刻的印象，为芝加哥大学的城市社会学起到开道铺路的作用。亚当

[11] Lewis，《社会调研的地位》（The Place of Social Investigation）；Tratmer，《从济贫法到福利国家》，第 5 章；Skocpol，《保护士兵和母亲》，第 424 页～第 426 页；Peter Flora 和 Jens Alber，《西欧福利国家的现代化、民主化和发展》（Modernization, Democratization, and the Development of Welfare States in Western Europe），载于 Flora 和 Heidenheimer 编，《欧洲和美国福利国家的发展》，第 37 页～第 80 页；Stein Kuhlne，《世界的模式，国家和统计：19 世纪 90 年代斯堪的纳维亚的社会福利解决方案》（International Modeling, States, and Statistics: Scandinavian Social Security Solutions in the 1890s），载于 Rueschemeyer 和 Skocpol 编，《国家，社会知识和现代社会政策的由来》，第 233 页～第 263 页。

[12] Linda Gordon，《被同情却没有权利》（*Pitied but Not Entitled*, New York: Free Press, 1994）；Kathryn Kish Sklar，《美国福利制度创建中妇女权力的历史基础（1830～1930）》（The Historical Foundations of Women's Power in the Creation of the American Welfare State, 1830—1930），载于 Seth Koven 和 Sonya Michel 编，《新世界的母亲们》（*Mothers of a New World*, New York: Routledge, 1993），第 49 页～第 93 页；Christoph Sachsse，《社会的母亲：资产阶级的妇女运动和德国福利制度的形成（1890～1920）》（Social Mothers: The Bourgeois Women's Movement and German Welfare State Formation, 1890—1920），载于 Koven 和 Michel 编，《新世界的母亲们》，第 142 页～第 149 页；Jean Quataert，《德国的妇女工作和早期的福利制度》（Woman's Work and the Early Welfare State in Germany），载于 Koven 和 Michel 编，《新世界的母亲们》，第 159 页～第 187 页。

斯主要是同意支持一个有机的社会构想,在那里,个人的自我实现是与社会的幸福联系在一起的,并且依靠全体人来促进公众福利。她和其他小社区领导者所提出的对社会问题的环境解释,帮助穷人除掉道德的污名,而且还对社会达尔文主义者关于持续贫穷的解释进行重要反驳。[13]

615 在美国20世纪早期把联邦政府拉到社会救助中来的系列活动中,小社区产生了一些领导人物。弗洛伦斯·凯利是国家消费者联合会(National Consumers' League)的领袖,茱莉亚·拉脱富是第一个儿童管理署的署长,她的助理和继承者葛瑞丝·阿博特,以及像全国妇女俱乐部总会(General Federation of Women's Clubs)等妇女志愿协会都属激进主义分子,她们代表妇女和孩子们的利益进行积极的游说,获得一些关键性的胜利。最值得注意的是母亲抚恤金的制定,一个适度的月度付款方案给带有孩子的贫困妇女(常常是寡妇);到1920年,在大多数慈善官员反对的情况下,40个州的母亲抚恤金已经被制定成法律。有讽刺意味的是,只有列入经济情况和道德标准清单的单身母亲,才有资格赋予社会福利工作者担任重要管理角色(他们中的许多人反对这个计划)。

1921年,国会通过的谢泼德—汤纳法案(Sheppard—Towner Act),是美国史上第一个明确的联邦社会福利方案。它提供各州国家补助金,建立降低婴儿死亡率和改善母亲孩子健康状况的方案。几乎遍及45个州的3000个中心得到国家资助。作为谢泼德—汤纳法案最重要管理者的儿童管理署,成为联邦政府管理全国社会福利工作者的核心权力机构。值得注意的是,有些人希望,作为一个不需要检查的方案,谢泼德—汤纳法案将为帮助所有贫困市民的社会福利事业的更加广阔的体系提供一个开放的契机。[14]

在许多欧洲国家,"母性主义者"对慷慨的社会福利政策的推动很明显。20世纪早期,劳工运动中的挪威妇女提出关于母亲抚恤金的建议,她们的目标顺利地被工党(Labor Party)采纳运用。在瑞典,女性社会民主党人在其国家早期的"家庭政策"发展中,发挥了重要作用。活跃于工党中的英国妇女也积极寻求更慷慨的社会福利项目,来回应劳动妇女的特殊需要。例如,妇女劳工协会(Women's Labor League)迫切要求日托、同工同酬和公平的雇佣机会。

1912年在美国,只有短时间存在的进步党(Progressive Party)支持20世纪早期自

[13] Allen Davis,《社会改革的先锋》(*Spearheads for Social Reform*, New York: Oxford University Press, 1967); Jane Addams,《在Hull House的20年》(*Twenty Years at Hull House*, New York: New American Library, 1981); Kathryn Kish Sklar,《Hull House的图表和论文》(Hull House Maps and Papers),载于Bulmer,Bales和Sklar编,《在历史观点中的社会调查》,第111页~第147页。

[14] Skocpol,《保护士兵和母亲》,第8章~第9章;Joanne Goodwin,《性别和福利改革的政治》(*Gender and the Politics of Welfare Reform*, Chicago: University of Chicago Press, 1997); Robyn Muncy,《在美国改革中创造妇女管治权》(*Creating a Female Dominion in American Reform*, New York: Oxford University Press, 1991); Molly Ladd-Taylor,《母亲工作:妇女、儿童福利和国家(1890~1930)》(*Mother-Work: Women, Child Welfare and the State, 1890—1930*, Urbana: University of Illinois Press, 1994)。

由主义改革家提倡的全部社会福利理想。然而,即使在这些最自由主义的改革家中,也有人反对"普遍主义者"的欧洲式的社会保险方案的深入发展。例如,儿童管理署的领导人物支持妇女在家里带孩子的观念;正像我们将看到的,他们对健康家庭的构想影响到后来美国社会福利政策的方向。[15] 的确,对社会救助根本没有个体的"社会福利工作"的看法,但19世纪晚期,日益朝专业化发展的社会福利工作毫无疑问地授予生活环境调查(casework)方法以特权。使社会科学与社会福利培训结合起来的努力并没有改变对个体的关注,特别是当心理学也越来越强调这一点。在英国,慈善组织建立一个社会学学院,1912年它被纳入伦敦经济政治学学院(London School of Economics and Political Science)。但具有讽刺意味的是,变化的结果,却使社会福利工作和社会科学调查分开得更加明显。在20世纪20年代的美国,由芝加哥培养的两位社会科学家索福尼斯巴·布雷肯里奇和伊迪丝·阿博特所建立的芝加哥大学社会服务管理学院(University of Chicago's School of Social Service Administration)大声呼喊反对精神病学的社会福利工作趋势。它强调政治经济学、政治学、法学、社会学以及历史研究的培训,作为研究和改善社会福利政策的基础。然而,生活环境调查仍然是英国和美国社会福利工作培训的中心。这种方法从现代科学借来理论模式,提取现代社会科学经验主义的主旨,但是它却丝毫不以依赖性向个人式的调查方法发起挑战,因为这种依赖性源自慈善传统,并越来越得到弗洛伊德心理学的支持。[16]

616

从社会保险到福利事业

虽然在20世纪早期,美国学院社会科学家评估了理论、客观性和"纯粹"研究,但他们仍旧有旺盛的精力组织关于社会福利政策的公开辩论。在短文和书籍中,以及通过美国劳工立法协会(American Association for Labor Legislation, 简称AALL)的游说,经

[15] Gordon,《被同情却没有权利》;Blanche Coll,《安全网:福利和社会福利(1929~1979)》(*Safety Net: Welfare and Social Security, 1929—1979*, New Brunswick, N. J.: Rutgers University Press, 1995)。Day,《新社会福利史》(*New History of Social Welfare*),第292页~第293页;Anne-Lise Seip和Hilde Ibsen,《家庭福利,哪个政策呢? 挪威儿童津贴之路》(Family Welfare, Which Policy? Norway's Road to Child Allowances),第40页~第59页;Ann-Sofie Ohlander,《看不见的儿童吗? 19世纪初至60年代瑞典为社会民主家庭政策而奋斗》(The Invisible Child? The Struggle for a Social Democratic Family Policy in Sweden, 1900—1960s),第60页~第72页;Pat Thane,《性别的构想对于创建英国福利国家的影响》(Visions of Gender in the Making of the British Welfare State),第93页~第118页;以上均载于Gisela Bock和Pat Thane编,《母性和性别政策》(*Maternity and Gender Policies*, New York: Routledge, 1991);Pat Thane,《英国工党的妇女和福利制度的建设(1906~1939)》(Women in the British Labour Party and the Construction of the Welfare State, 1906—1939),载于Koven和Michel编,《新世界的母亲们》,第343页~第377页;Skocpol,《保护士兵和母亲》;Ulla Wikander, Alice Kessler-Harris和Jane Lewis,《保护妇女:欧洲、美国和澳大利亚的劳工立法(1880~1920)》(*Protecting Women: Labor Legislation in Europe, the United States, and Australia, 1880—1920*, Urbana: University of Illinois Press, 1995)。

[16] Leiby,《美国社会福利和社会福利工作史》,第8章~第9章及各处;Lewis,《社会调研的地位》,第150页;Ellen Fitzpatrick,《无止境的改革运动:女社会科学家和渐进的改革》(*Endless Crusade: Women Social Scientists and Progressive Reform*, New York: Oxford University Press, 1991);Steven J. Diner,《探索社会福利的学术研究》(Scholarship in Quest of Social Welfare),载于《社会服务评论》(*Social Service Review*),51(1977年3月),第1页~第68页;Steven Diner,《部门和学科》(Department and Discipline),载于《密涅瓦》(*Minerva*),13, no. 4(1975年冬),第514页~第553页;Bulmer,《社会政策研究发展的国家背景》,第152页~第153页。

济学家约翰·R.科蒙斯和他的威斯康星大学(University of Wisconsin)的学生以及其他有同样思想的学者一起解释了工业资本主义经济的不断变化的情况是如何使最节约和最专注的工人陷入贫困的。虽然他们的解决方法在细节方面有所不同,但这些社会科学家强调需要用"保险"来对抗大灾难,胜过一旦遭不幸给予施舍或救济。这样的学者在试着为工人设置立足之地时,他们设法从社会救助(social provision)中去掉"施舍"的污点。他们大力提倡"工人保险",包括工人补偿、失业保险、政府对劳工市场的调节,以及社会主义者艾萨克·鲁宾诺提出的健康和老年保险等,使公开辩论进行得生气勃勃。

617 在整个20世纪20年代,激进的社会科学家、政府官员、政治家、工会会员(trade unionists)和生意人的联盟支持有限的改革。在20世纪初的10年中,42个州制定工人补偿法。其他州已经通过立法,调整工时和确定最低工资。但AALL从1915～1920年争取健康保险的活动失败了,即使在威斯康星州,科蒙斯和他的同事们都充当推动失业保险的先锋,直到1932年该项立法才成立。[17]

大萧条标志着美国社会福利政策史上的转折点,它在20世纪余下的时间中为美国对贫穷救济的态度及政策设置了参数。学院社会科学家和社会福利工作者都为该结果出力,特别是在由大萧条产生的至关重要的社会福利计划的创立中,此计划即1935年的社会福利法案。

社会福利工作者、经济学家和其他专家,许多是来自威斯康星州附近,他们受富兰克林·罗斯福的劳工秘书弗朗茨·柏金斯(以前是小社区工作者)的邀请,参与创建社会保险法案(Social Security Act)。在威斯康星大学经济学家埃德温·威特指导下,他们帮助收集编纂广泛的社会保险选项,社会福利法案就由此精心制定出来了。最后形成的立法是个混合型法律。它通过制定能适用于全体工人的老年和失业保险这一国家捐助计划,合并了经济学家和其他人的普遍主义的目标,并使之结合为一体。同时,它又致力于妇女激进分子提出的家庭和儿童问题。特别是那些在儿童管理署工作的社会福利工作者,想要解决类似母亲抚恤金那样的联邦政府补助金问题,便制定了救济依赖儿童计划(Aid to Dependent Children, 简称ADC)。

虽然有些在儿童管理署内或署外工作的社会福利工作者想要这个计划包括所有的贫穷孩子,但当救济依赖儿童计划由国会颁布时,只包括失去"父母供养"的穷孩子。直到20世纪50年代,照看那些孩子的人才开始得到资助。给予各州相当大的自主决定权力确定合格性,并且提供的资助水平非常适度。在女改革家最后的一次败仗中,618 该计划的管理工作,正如激进分子所希望的,从儿童管理署转移到劳工部。救济依赖儿童计划按照当地和州的水平执行时,社会福利工作者的任务便是谨慎评估儿童家庭

[17] Skocpol,《保护士兵和母亲》,第3章～第4章;Edward Berkowitz,《社会福利先生:威尔伯·J.科恩的一生》(*Mr. Social Security: The Life of Wilbur J. Cohen*, Lawrence: University Press of Kansas, 1995),第1章。

环境以确定其是否合格。[18]

社会福利法使存在已久的“应获得救济”和“不应获得救济”穷人的各种类别制度化。依照该法创建的社会保险计划规定了一类救济接受者,他们值得政府帮助,因为他们曾经工作并对此计划有贡献。但是合乎救济依赖儿童计划的条件的那些人,他们是纯粹靠政府供养的。在大萧条期间,公众援助不像过去受到激烈的指责,但在20世纪50年代,社会保险和公众援助的裂痕加深了。因为只救济那些没有父母供养的孩子,它意外地奖励了家庭失序,使之更不受欢迎。事实上,作为一个需要检查的计划,ADC在很大程度上也是自主决定的政策,也确保该计划会继续是一个争论激烈的和政治化的主题。[19]

在20世纪30年代建立的美国社会救助系统,明显地与许多欧洲国家那些系统差别很大,因为前者加入了个人负有责任的市场原则。社会保险服从于一种强调就业胜于救济品的机会结构,并且比较赞成捐助的项目。历史轨迹也不同。不但英国和德国,而且荷兰、奥地利、瑞士、法国、瑞典和意大利在1935年都制定老年、疾病和失业保险计划。[20]

这些差异有助于解释为什么整个20世纪后半叶在美国的关于公众救济的辩论多有争吵,虽然多数西方国家拥有广泛的承担更重负担的社会救济系统。当社会福利部组织的公众救济计划公开以后,保守派和自由派中的某些人都对“福利”感觉不舒服,即使是在自由主义汹涌澎湃的19世纪60年代。尽管新中产阶级授权了一些计划,例如花费昂贵的医疗保险制度,它为老年人提供医疗保险,但许多人仍认为福利是令人不快的国家资源消耗,是不合适的计划,它一直被不愿工作的那些人用以自肥。尽管大多数福利接受者是白种人,但在19世纪五六十年代,当非洲裔美国人得到更多享有该计划的机会时,在许多人头脑里,种族却不可避免地与福利计划联系在一起。

619

社会科学家在这些争论中起了显著的作用。在富裕中持续的贫困的重新发现,由迈克尔·哈林顿在他1962年出版的著作《另一个美国》(*The Other America*)中和随后在肯尼迪政府和约翰逊政府与贫困作战(War on Poverty)中作为例证,促使一些社会科学家重温贫困理论,并说清楚贫穷和种族之间的关系。奥斯卡·刘易斯在民族志的研究中,对“贫穷文化”使波多黎各人和墨西哥人停留在社会边缘,再现了世世代代低级生活水准和贫穷生活前景的情况,并对此作了理论总结。社会学家丹尼尔·帕特里克·莫尼汉是当时约翰逊政府成员,他一直在探索对贫穷持续性的解释(尽管有新的反贫穷措施不断出台)。1964年,他在报告《黑人家庭:为国家行为申辩》(*The Negro*

[18] Coll,《安全网》,第4章及各处;Martha Derthick,《社会福利决策》(*Policymaking of Social Security*, Washington, D. C.: Brookings Institution, 1979);Gordon,《被同情却没有权利》。

[19] Coll,《安全网》;Gordon,《被同情却没有权利》;Michael Katz,《不应获得救济的穷人》(*The Undeserving Poor*, New York: Pantheon, 1989)。

[20] Flora和Alber,《西欧福利国家的现代化,民主化和发展》;Skocpol,《政府的构成》;Wittrock和Wagner,《社会科学和现代国家》。

Family: The Case for National Action)中，重新构造"贫穷文化"的观念。莫尼汉论证道：非洲裔美国人的贫困境遇周而复始循环不已的部分原因在于黑人家庭结构的弱点。从奴隶制度以后，社会的和政治的环境已经削弱了黑人男子的实力，并把黑人家庭推向母权制；这种病态情况再生了城市贫困和对福利的依赖。

尽管20世纪60年代期间，莫尼汉的观念受到激烈攻击，但当政治重心转向右倾时，以穷人特性解释贫穷的持续性的观念却流行起来。保守派的乔治·吉尔德在1981年出版的《富有和贫穷》(*Wealth and Poverty*)中宣称：穷人拒绝工作，并且因懒惰得到福利制度的奖励。查尔斯·默里在1984年出版的《丧失立足之地》(*Losing Ground*)中强调道：实际上，贫困因反贫困的措施而**增加**了。非洲裔美国人中的婚外出生者和对福利的依赖胜过对工作和自我主动性的依赖，助长了贫困的增加。[21]

虽然吉尔德和默里都不是综合大学毕业的社会科学家，但他们都设法利用社会科学研究支持对福利进行尖锐批评。有保守派利益集团的财政资助以及保守派政治家的关注，他们影响美国公众的能力胜过了学院社会科学家。他们的观点引起了中产阶级美国人的兴趣，这些人责备60年代社会福利的开始使他们收入降低，70年代期间使美国的经济实力下降，他们的观点也向批评膨胀的联邦赤字的批评家提供了弹药。

19世纪80年代，新闻记者描述了年轻黑人的"下层阶级"：没工作、吃救济、涉嫌少年犯罪或更严重的罪行、耽于毒品，若是个十来岁的少女，时常已经怀孕了。他们缺乏道德价值观，生活在美国的社会边缘。某一大量发行的杂志报道说，他们是"不可及的"。在努力提高对城市穷人更准确的了解中，像威廉·尤利乌斯·威尔森那样的学院社会学家发表的论文指出：男性失业是持续贫困的关键因素。在解释"真正贫困的人"的生活时，他强调好的工作缺失远比缺乏价值观更要紧。这种观点使政治上的"工作福利制"(即把公众救济的合格性与就业联系在一起的计划)将会很容易地解决福利问题的主张复杂化了。尽管在贫民区内(inner-city)缺乏工资适当的工作，但对工作福利制的狂热却不断增长。[22]

620

到20世纪结束，有关"福利"的论战也蔓延到欧洲。在美国和许多欧洲国家中，全球化的经济、低工资服务部门工作的激增和上升的政府开销这些后工业化社会的倾向减少了对扩展的社会福利政策的支持。社会福利工作者时常在穷人的需求和资源缺乏之间进行调停。许多人被迫在官僚政治的结构中操作，那就限制了他们的选择自由，也侵蚀了他们的技能。就他们来说，社会科学家还必须建构连贯的和一致的行动计划以解除依赖性，这是其20世纪早期的前辈们所希望的。考虑到基本的政治不同

[21] Katz,《不应获得救济的穷人》，第1章、第3章及各处。

[22] Katz,《不应获得救济的穷人》，第5章；William Julius Wilson,《真正贫穷的人》(*The Truly Disadvantaged*, Chicago: University of Chicago Press, 1987)；William Julius Wilson,《当没有工作的时候》(*When Work Disappears*, New York: Knopf, 1996)。贫穷的概念是由美国社会科学家在这个世纪明确说明的，见 Alice O'Connor,《贫困知识：社会科学、社会政策和20世纪美国史上的穷人》(*Poverty Knowledge: Social Science, Social Policy, and the Poor in Twentieth-Century U.S. History*, Princeton, N. J.: Princeton University Press, 2001)。

意见是对贫穷本质和处理社会需要的最好的方法之判断的核心问题,这个目标本身可能只是个幻想。社会科学和社会福利政策的联姻没有结束,政治的派别纠纷和令人气馁的持续贫困的现实也没有结束,然而这一点是能被人们理解的。

（孟繁红　译）

36

621

教　育

朱莉·A.鲁本

各种社会科学是通过对教育有着强烈兴趣的一种哲学传统,才发展起来的。哲学家指望教育能提供有关人性的证据,他们认为教育是一块培养人的素质和加强社会关系的阵地。因此,教育与很广泛的问题纠缠在一起,这些问题是社会科学工作者们从哲学那里继承来的:人性是什么?它是怎样形成的?能改变它吗?我们如何能解释人的不同?社会是怎样和为什么构成的?社会关系最好的形式是什么?如何能创建和保持社会的关系?

尽管社会科学所关注的核心是教育,但社会科学工作者们对教育的兴趣则有增有减。第一代社会科学工作者们把教育当做一个实验室,在实验室里探究社会和心理的理论。他们认为教育是实际应用他们新知识的一个出口,并且认为教育是一种社会和政治改革的工具。可是当各种社会科学在20世纪变得专业化以后,早期的这种狂热就逐渐消失了。自从20世纪20年代以来,社会科学工作者与教育的联系合作就已经无计划地随意发展了。有时教育是在学科研究议程的最前列,可它经常是后退到外围。

这种变化无常的关系曾经受到许多因素的影响,其中包括:社会科学工作者融入大学,他们改变对激进主义的态度,大学与中学的关系和教师的培养,把教育的发展当做一个独立的研究领域。因为国家与国家的这些条件不同,所以社会科学和教育的关系在不同的国家就会有不同的发展。这一章将集中关注美国,但为了突出制度管理上独特的作用,而且也为了指明各国不同的环境相似的情况,还要对英国和德国的这种发展进行比较。

教育与哲学传统

622

启蒙思想家强调教育对自由的、理性的人和稳定的市民社会的发展的重要性。约翰·洛克(1636～1704)认为儿童是一张白板(tabula rasa),天生就没有知识,因此要十分重视环境和教育对他们的影响。在1693出版的《有关教育的某些思想》(*Some*

Thoughts Concerning Education)中,洛克批评当时通用的教育实践,特别批评古典语言的突出地位,及靠死记硬背学习和身体体罚的教育方式:教育要有效,就必须建立在人的兴趣和经验上。由于思想上重视君子风度,他赞成家庭教育,而且认为个性化教育是唯一能达到教育主要目的(即培养美德)的有效方法。洛克的著作产生出许多另外的关于教育的论文,目的是循循善诱地培养不依靠教堂教条的道德。最著名的是让-雅克·卢梭出版于1761年的《爱弥尔》(*Emile*),提倡"自然"教育并详细阐述了一系列发展的阶段,每个阶段需要有它自己的学习方法,这种方法适合于每个学生的兴趣和能力。[1]

18世纪的中叶,强调个性教育退居次要地位,而把学校看做是知识和道德改良的来源。约翰·海因里希·裴斯泰洛齐(1746～1827)是全体儿童要受教育的提倡者,他认为成功的教学应以心理学知识为基础。他努力倡导应用知识,研究不同年龄的孩子如何学习以达到课堂教学计划的要求。其他人像弗里德里希·福禄培尔和约翰·弗里德里希·赫尔巴特,以他为榜样,写了以心理学为方向的教学法的论文。另外,像哲学家亚当·斯密、托马斯·杰弗逊和约翰·费希特,他们都讲过教育对政治和经济的重要性。[2]

这种普遍对教育的兴趣,密切地与国家大力承办教育的发展有关。开始在18世纪中叶,普鲁士率先引路,发展一种国家正式批准的学校和师范学校的普及制度。教育学被引进为师范学校和大学的一门教授学科。一条法令要求在康尼斯堡大学(University of Konigsberg)教授教育学,导致伊曼努尔·康德发表许多重要的论教育学的讲话。到了19世纪,在德国,教育学被建成为哲学的分支和大学的学科。[3]

受普鲁士成功的鼓舞,美国教育改革者倡导建立公立中小学校,目的是在新共和国内启发道德品质和培养公共美德。由郝瑞斯·门恩(1746～1859)和亨利·巴纳德(1811～1900)领导的公立小学校运动,迫使国家建立综合性的小学,招收所有的孩子,不论贫富,并且提供他们统一的课程。尽管在实行中,这种广泛性受到种族和阶层的限制,但到19世纪60年代,在美国东北部和中西部各州,公立小学校改革者很大程度上已经达到他们的目的。[4]

623

公立小学校提倡者在一系列新教育杂志上,也呼吁"教育科学",它会从精神哲学那里得到最好的教学原理,并引进像裴斯泰洛齐那样的欧洲作家的思想。他们也成功

[1] John Locke,《有关教育的某些思想》(*Some Thoughts Concerning Education*, New York: Oxford University Press, 1989), John W. Yolton 和 Jean S. Yolton 编;Jean-Jacques Rousseau,《爱弥尔》或《论教育》(*Emile; or, On Education*, New York: Basic Books, 1979), Allan Bloom 译。

[2] Robert B. Downs,《现代教育学之父——海因里希·裴斯泰洛齐》(*Heinrich Pestalozzi, Father of Modern Pedagogy*, Boston: Twayne, 1975)。

[3] Andy Green,《教育和国家组织》(*Education and State Formation*, New York: St. Martin's Press, 1990); Immanuel Kant,《教育》(*Education*, Ann Arbor: University of Michigan Press, 1960), Annette Churton 译。

[4] Carl F. Kaestle,《共和国的栋梁:公立小学校和美国社会(1780～1860)》(*Pillars of the Republic: Common Schools and American Society, 1780—1860*, New York: Hill and Wang, 1983)。

地为建立师范学校，培养具有现代教育方法的教师进行游说活动。可是实际上，早期的师范学校主要教授未来教师公立小学校课程。因此在19世纪，教育学没有在师范学校得到发展，它也没被确定为一门大学的学科。[5]

在19世纪的英国，提倡教育改革的人，不像在普鲁士甚至不像在美国那样成功。英国没有建立一种普遍的、国家经营的学校制度，却通过政府向现有的自办学校投资来扩大教育，增强了现有等级和宗教的分裂。虽然到这个世纪的中叶，英国已确立不少教师培训学院，但它们不被要求作教师的资格证明，力量又很弱，以至于不能强调教育理论了。[6]

教育与社会科学的发展

19世纪中叶以后，教育学成为其一部分的哲学传统，开始受到严苛的详细检查。批评家声称，哲学是抽象的和教条的，而且不能满足现代社会智力和实际的需要。通过把哲学建立在经验研究的基础上，他们想把哲学重塑为"社会科学"。美国和其他国家的社会科学支持者的改革主义倾向，确保了教育会成为他们研究议程的核心部分。

在美国，社会科学的支持者于1865年组成美国社会科学联合会（American Social Science Association，简称ASSA）。ASSA假定，实施社会政策的最大阻碍是信息量的不足。于是它鼓励收集和发布统计材料，使之成为社会改革的一个手段。联合会的教育部门承担有关所有教育形式的任务，并且鼓励有关教育改革的争论。[7]

624

ASSA的著名人员包括大学的领导人，例如查尔斯·W.爱略特和丹尼尔·科伊特·基尔曼，他们也努力改革公立中小学校。他们认为这种改革对推行他们在大学的变革非常重要，而且认为教育是展示他们的机构服务于社会的天然的舞台。哈佛大学的校长爱略特是全国教育协会（National Education Association，简称NEA）有影响力的中学课程改革"十人委员会"的主席。哥伦比亚大学的校长尼古拉斯·默里·巴特勒和斯坦福大学的校长大卫·斯塔尔·乔丹也领导NEA，当芝加哥大学的威廉·瑞恩内·哈泼努力领导改革芝加哥公立中小学校的时候，基尔曼和他的继承者约翰·霍普金斯大学（Johns Hopkins University）的伊拉·雷姆森和弗兰克·J.古德诺（1859～1939）

[5] Jason R. Robarts,《探索19世纪的教育科学》（The Quest for a Science of Education in the Nineteenth Century），载于《教育史季刊》（*History of Education Quarterly*），8（1968），第431页～第446页；Jurgen Herbst,《悲痛地讲授：美国文化中教师教育和专业化》（*And Sadly Teach: Teacher Education and Professionalization in American Culture*, Madison: University of Wisconsin Press, 1989）。

[6] Harry Judge, Michel Lemosse, Lynn Paine 和 Michael Sedlak,《大学和教师：法国、美国和英国》（*The University and the Teachers: France, the United States, England*, Wallingford: Triangle Journals, 1994），第160页～第164页；Brian Simon,《英国为什么没有教育学？》（Why No Pedagogy in England?），载于 Brian Simon 和 William Taylor 编，《80年代的教育》（*Education in the Eighties*, London: Batsford, 1981），第129页～第133页。

[7] Thomas L. Haskell,《专业社会科学的出现：美国社会科学协会和19世纪威信危机》（*The Emergence of Professional Social Science: The American Social Science Association and the Nineteenth-Century Crisis of Authority*, Urbana: University of Illinois Press, 1977）。

都在巴尔的摩教育局任职。州立大学的校长们以密歇根大学建立州立中学"公认为合格"的标准制度为榜样,设法把他们自己和他们领导的机构安放在他们州教育系统的领导者位置上。这些大学的校长支持那些同他们一起努力引导美国学校发展的教学人员。[8]

考虑到他们改革主义的倾向,社会科学工作者不需要大学管理人员过多的激励推动,就会对教育感兴趣。约翰·杜威(1859～1952)的著作,例证地说明进步时期社会科学、社会改革和教育之间的联系。杜威曾在约翰·霍普金斯大学学习哲学和心理学,当他在密歇根大学教授心理学时受到鼓励去考察过教育。1894 年杜威转到芝加哥大学后,创办实验室学院,为教育家提供检验他们理论的地点;为社会科学工作者提供一个环境,便于在那里探究个人和社会的交叉点。当杜威在芝加哥时,他联合像简·亚当斯那样的社会改革家,和像埃拉·弗莱格·杨那样的教师一起激励他的进步教育理论的发展,这一理论把创作以儿童为核心的课程和把民主的课堂教育学同实现美国民主主义制度的希望结合起来。[9]

625

杜威是几位理解教育与心理学结合的价值的大学教师中的一员。G. 斯坦利·霍尔(1844～1924)是最活跃的心理学提倡者之一,领导美国儿童研究运动,创建教师和家长的联系网络,并发放有关儿童生活各个方面的问卷。这一运动的目标是收集编辑统计数字,确定认识和感情发展阶段,从而为适合儿童发展的教育学提供知识基础。其他突出的心理学家像哥伦比亚的詹姆斯·卡特尔,与霍尔有共同的热忱,鼓励他们的学生探寻与教育有关的研究。在 1910 年,美国心理学家中超过 1/3 的人都对教育感兴趣。这种兴趣影响到美国心理学家中的研究实践,并对美国教育留下深刻的印象。心理学家针对群体和个人心智的差别之研究,作为遗物留给后世;而且他们开发试验项目,目标在于容许学校根据学生的"能力"对他们加以区别。在 20 世纪,测验和分类形成了美国大部分公立中小学的组织结构。[10]

爱德华·L. 桑代克(1874～1949)领导的心理学家,处于 20 世纪早期美国教育思想的支配地位。桑代克是一位多产的研究者,他影响了教育研究方法,学习理论和课堂实践。他的《智力和社会测量理论导论》(*An Introduction to the Theory of Mental and Social Measurements*, 1904)一书,有助于定义一种与众不同的心理学研究风格,它建立

〔8〕 Hugh Hawkins,《哈佛和美国之间:查尔斯·W. 爱略特的教育领导地位》(*Between Harvard and America: The Educational Leadership of Charles W. Eliot*, New York: Oxford University Press, 1972),第 8 章;Steven J. Diner,《城市和它的大学:芝加哥的公共政策(1892 ～1919)》(*A City and Its Universities: Public Policy in Chicago, 1892—1919*, Chapel Hill: University of North Carolina Press, 1980),第 4 章。

〔9〕 对 Dewey 的教育理论成熟的论述,见 Jo Ann Boydston 编,《约翰·杜威:中期著作》(*John Dewey: The Middle Works* [1916], Carbondale: Southern Illinois University Press, 1980)第 9 卷,《民主主义和教育》(*Democracy and Education*)。

〔10〕 Dorothy Ross,《G. 斯坦利·霍尔:作为先知的心理学家》(G. Stanley Hall: The Psychologist as Prophet, Chicago: University of Chicago Press, 1972);John M. O'Donnell,《行为主义的来源:美国的心理学(1870 ～1920)》(*The Origins of Behaviorism: American Psychology, 1870—1920*, New York: New York University Press, 1985);Kurt Danziger,《构建学科:历史心理学研究的来源》(*Constructing the Subject: Historical Origins of Psychological Research*, Cambridge: Cambridge University Press, 1990),第 7 章～第 8 章。

在群体而不是个人资料的基础上。他对动物的研究,为学习的行为主义理论打下基础。这一理论强调刺激－反应增强作用。他也设计一系列实验,论证学问极少能从一个人转给另一个人,向精神学科的老观念挑战。他主张智力大多是遗传来的,他赞成分设课程,这样“较少智力”的学生就不会浪费时间学习他们不适合的学习科目。他对学校科目心理学的研究和他的许多教科书对于如何培养教师以及教师如何教学生,影响很大。[11]

虽然心理学家对教育研究产生过最主要的影响,但社会科学工作者在其他学科方面同样也发挥了重要作用。例如社会学家莱斯特·弗兰克·沃德(1841～1913),抵制放任主义并且争论道,社会的干预会促使智力迅速发展。他说,发展依靠普遍拥有的受教育权利,因为一个激进主义政府需要整个社会各阶层的智能才干。芝加哥大学一位社会学家阿尔比恩·斯莫尔(1854～1926)也强调教育是社会改革的潜在工具,主张学校应该放弃它们的传统课程,要围绕个人的社会经验重新制定授课内容。[12]

626

其他社会学家像爱德华·A. 罗斯和查尔斯·霍顿·库利的著作,在20世纪的早期促进开展有关课程改革的争论。教育家采用社会管理的观点,探求如何使公共教育成为更有效的社会融合的手段。他们认为,围绕生活场所(如家庭和工作中)组织的有实用倾向的课程,可以帮助个人适应社会。这一新课程可吸收社会科学的内容,而且许多社会科学工作者帮助设计公立中小学校课程“模型”。例如,美国政治科学协会(American Political Science Association)帮助创建和提倡“社区公民学”,使之成为诸课程中的一门新课程,这是由NEA的1916年中等教育重组委员会推荐的。[13]

社会科学工作者也努力从事重新改组学校管理系统的研究。一位哥伦比亚大学的政治科学家弗兰克·J. 古德诺把他的学科中有关管理效率和有效城市管理的规则——如减少选举职员人数,权力集中化,促进熟练的管理技术与政治分开,都运用到学校管理系统中。从1893年到1913年,有10万以上人口城市内的学校董事会平均人数,由21.5人减少到10.2人。排除选区选举,代之以董事会人员全市选举。另外,管区内的权力日益集中在监督人的办公室,而不是集中在选举出的董事会和/或各个学校。通过一系列政治斗争完成这些改革,在这场斗争中社会科学工作者明确列举证据

[11] Geraldine Jonçich,《明智的实证主义者:爱德华·L. 桑代克的传记》(*The Sane Positivist: A Biography of Edward L. Thorndike*, Middletown, Conn.: Wesleyan University Press, 1968);Ellen Condliff Lagemann,《教育研究的多元世界》(The Plural Worlds of Educational Research),载于《教育史季刊》,29(1989),第2页;Kurt Danziger,《20世纪早期实践中社会背景与研究实践》(Social Context and Investigative Practice in Early Twentieth-Century Practice),载于Mitchell G. Ash和William R. Woodward编,《在20世纪思想和社会中的心理学》(*Psychology in Twentieth-Century Thought and Society*, Cambridge: Cambridge University Press, 1987),第13页～第34页。

[12] Herbert M. Kliebard,《为美国课程而努力(1893～1958)》(*The Struggle for the American Curriculum, 1893—1958*, New York: Routledge, 1995),第2版,第21页～第22页,第52页～第54页。

[13] Barry M. Franklin,《建立美国社区:学校课程和社会管理研究》(*Building the American Community: The School Curriculum and the Search for Social Control*, Philadelphia: Falmer Press, 1986);Julie A. Reuben,《超越政治:社区公民学和重新定义进步时期公民身份》(Beyond Politics: Community Civics and the Redefinition of Citizenship in the Progressive Era),载于《教育史季刊》,37(1997),第399页～第420页。

支持改革。[14]

英国和美国一样，社会科学发展与教育相联系。1856 年创立的英国国家社会科学促进协会（British National Association for the Promotion of Social Science）的议程促进了社会改革问题的经验主义研究，其中包括教育问题。查尔斯·布思提倡社会调查，在出版于 1892～1897 年的大规模的《伦敦人民的生活和劳动》（*Life and Labour of the People of London*）丛书中，谈到其他主题时提到阶层与教育成绩的关系。迈克尔·塞德勒（1861～1943）把社会调查方法明确地用在 1903 至 1906 年间发表的一系列英国城市调查的教育方面。这些调查用来帮助贯彻 1902 年教育法案（Education Act of 1902），从而创建一个地方教育权力机关的全国系统，具有对私立学校更大的监督权力，而且对中学教育、技术教育和教师培训担负更多的责任。[15]

627

英国心理学家也支持教育改革。几个来自教学一线的第一代心理学家，包括约翰·亚当斯和珀西·纳恩，他们对进步教育学深感兴趣，使心理学成为进一步学习和研究的普通科目。英国心理学家查尔斯·斯皮曼（1863～1945）和西里尔·伯特（1883～1970）对智力和智商测验感兴趣。像他们的美国同道一样，他们协助鉴定个体的智力差异，并建议教育家采取适合于不同组群（例如"有缺陷"和"有天才"的学生）的教学计划。[16]

在英国，社会科学工作者和教育之间的关系，按照不同制度的模式发展。和他们的美国同道不同，在二次大战之前，贵族式的英国大学大多忽视社会科学和教育。许多心理学家在大学没有机会的情况下，在师资培训学院找到工作。西里尔·伯特最终被委任为享有声望的伦敦大学学院（University College London）心理学教授之职，他用 20 年时间，在伦敦全日制培训学院（London Day Training College）教授教育心理学，并担任伦敦郡议会顾问。其他社会科学工作者和政府部门一起，负责收集有关教育的资料。[17]

在德国，教育问题也引起社会科学家的关注。威廉·普莱尔（1841～1897）影响 G. 斯坦利·霍尔，发展了一套以进化理论为基础的经验主义儿童研究计划。他把自己有关儿童发展的观念用于教育，反对死记硬背的学习方式，赞成古典中学式的课程改革。恩斯特·梅伊曼和威廉·雷伊促进德国教育心理学的发展，1905 年创办《实验教育学》（*Die Experimentelle Pädagogik*）杂志。社会学家约翰·孔拉特和弗朗茨·欧伦堡

[14] Frank J. Goodnow，《市政问题》（*Municipal Problems*, New York: Macmillan, 1897）；David B. Tyack，《一个最好的体制：美国城市教育史》（*The One Best System: A History of American Urban Education*, Cambridge, Mass.: Harvard University Press, 1974），第 4 部分。

[15] Raymond A. Kent，《英国经验主义社会学史》（*A History of British Empirical Sociology*, Aldershot: Gower, 1981），第 52 页～第63 页；W. F. Connell，《20 世纪世界教育史》（*A History of Education in the Twentieth Century World*, New York: Teachers College Press, 1980），第 98 页。

[16] Adrian Wooldridge，《智力的测量：英国的教育与心理学（约 1860 ～1990）》（*Measuring the Mind: Education and Psychology in England c. 1860—1990*, Cambridge: Cambridge University Press, 1994）。

[17] Wooldridge，《智力的测量》，第 6 章。

完成许多德国大学学生的统计研究。因为教育学在德国大学中牢固的地位肯定了哲学方法对教育问题的持续的重要性，所以，德国社会科学工作者在教育思想方面的支配地位没有达到他们的美国同道所占的地位。[18]

628

教育兴趣的衰退

第一次世界大战后，社会科学家与教育的联系松弛了。当他们的学科建立得更好以后，学术社会科学工作者开始喜欢理论研究胜于实用研究。当教育研究者的专业化使社会科学工作者疏远了教育时，教育工作者与社会科学工作者之间关于某些研究类型的价值不同的意见，也促进这一转变。

大学中"基础"研究的声望日渐增高，促成了社会科学工作者对教育兴趣的衰退。在美国，精英大学的社会科学工作者，因为他们研究理论而不研究实际问题，使他们有别于"较小"机构中的同事。因为社会科学工作者比较受大学欢迎，这个模式被英国效仿。西里尔·伯特在被委任为伦敦大学学院心理学教授后，他放弃教育研究，把精力投入心理测量学理论。[19]

社会科学工作者加强他们研究"客观性"的努力，进一步疏远了教育。20 世纪 20 年代的美国许多社会学者，因为感到他们建立的某些知识领域缺乏进步而悲伤，反对他们前辈的改良主义。虽然参与社会改革活动曾燃起社会学者早期对教育的兴趣，但新的发展方向使他们气馁。这个变化明显地反映在 F. 斯图尔特·钱普林的职业生涯中，他是美国社会学客观主义最主要的提倡者之一。钱普林的学位论文在 1911 年作为《教育和民德》(*Education and the Mores*)一书发表，反映他的社会进化观点和他对改革传统教育的希望。在第一次世界大战后，钱普林成为一位以社会指数统计分析为基础的纪实社会学的提倡者，他放弃研究社会进化论，并停止研究教育。[20]

虽然心理学者也开始对"基础"工作比对"应用"工作更加注重，但比起其他学科的同僚们，他们对教育保持着更大的兴趣。心理学的"科学"运动(行为主义)被锻造成一种教育工具，很容易应用在大量公立中小学校所需要的对个人情况的分类排序。根据刘易斯·M. 特曼(1877～1956)的研究，智能测定一直是整个 20 世纪心理学研究

629

[18] Siegfried Jaeger,《儿童心理学来源：威廉·普莱尔》(Origins of Child Psychology: William Preyer)，载于 William R. Woodward 和 Mitchell G. Ash 编，《成问题的科学：19 世纪思想的心理学》(*The Problematic Science: Psychology in Nineteenth-Century Thought*, New York: Praeger, 1982)，第 300 页～第 321 页；Marc Depaepe,《1945 年以前德国和美国教育心理学发展中的同异研究》(Differences and Similarities in the Development of Educational Psychology in Germany and the United States before 1945)，载于《教育学史》(*Paedagogica Historica*)，23(1997)，第 45 页～第 68 页；Anthony Obershall,《德国经验主义社会研究(1848～1914)》(*Empirical Social Research in Germany, 1848—1914*, The Hague: Mouton, 1965)，第 92 页～第 95 页。

[19] Julie A. Reuben,《现代学院的构成：智力的转变和道德边缘化》(*The Making of the Modern University: Intellectual Transformation and Marginalization of Morality*, Chicago: University of Chicago Press, 1996)，第 181 页；Wooldridge,《智力的测量》，第 94 页～第 96 页。

[20] Robert C. Bannister,《社会学和科学主义：美国探寻客观性(1880～1940)》(*Sociology and Scientism: The American Quest for Objectivity, 1880—1940*, Chapel Hill: University of North Carolina Press, 1987)，第 10 章。

的一个重要领域。约翰·B.沃森的行为主义在20世纪20年代也激发大批儿童养育手册出版。伯尔赫斯·弗雷德里克·斯金纳(1904～1990)吸取20世纪三四十年代对动物行为的实验经验,在50年代期间开展改革教育的计划。他认为课堂设置不考虑刺激的变动,不考虑对包含于精通学校科目中的复杂行为因素的关注,也不考虑为有效学习而必须增强的频率;他提倡使用教学机器来改变这些局限性。可是,甚至在心理学中,教育也从未像它在20世纪转折时那样是这学科的中心。第一次世界大战以后,心理学工作者发现他们自己还有许多领域可以发挥他们的专门技能。当广告、工业、军队和医学变成心理学专门知识的消费者时,教育就失去了它在应用心理学方面卓越的位置。[21]

执业教育家的需要与社会科学工作者研究兴趣之间的紧张关系,也减少了对应用教育研究的吸引力。教学者想要解答孩子的行为问题,并不必要对一般成熟理论感兴趣。另一方面,心理学者研究学习是为了了解心理过程,而不必对教孩子们阅读感兴趣。这些不同在社会科学工作者和教育工作者一起工作时,就暴露出来,而且不限于美国。例如,在20世纪20年代期间,类似的冲突发生在卡尔·比勒和夏洛特·比勒两位心理学者和维也纳学校董事会之间,后者提供给他们资金和实验室空间。[22]

美国独立的教育研究增长,使社会科学工作者和教育之间的分裂尖锐了。从19世纪晚期开始,大学雇请教员教授教育课程。为取得较多的自治权和较高社会地位,他们谋求单独建立教育系或教育学院的要求成功了,并且试图通过培养学校管理者和指导教育研究,以影响教育政策。这些以教育学院为基础的新大学的教员尽力使教育研究专业化,在1916年建立美国教育研究协会(American Educational Research Association,简称AERA),在1920年开办《教育研究杂志》(*Journal of Educational Research*)。[23]

虽然美国教育研究协会的创始人分享了社会科学工作者的研究方法,但他们觉得,为保住公立中小学领导的支持,他们从事的研究需要立即应用于实践。他们一致认为社会科学研究很多是太抽象了,于是开始培养他们自己的博士,这些学生的研究将按照学校的需要进行。但许多社会科学工作者和大学管理者都不尊重这种研究形式。作为一种女性化职业的教学的卑微地位以及师资培训学院的坏名誉,也使社会科学工作者不大愿意研究教育,恐怕受这个领域的拙劣形象的玷污。[24]

630

[21] Skinner 引自 Robert Glaser,《B. F. 斯金纳对教育的贡献和相反的影响》(The Contributions of B. F. Skinner to Education and Some Counterinfluences),载于 Patrick Suppes 编,《教育研究的影响:一些个案研究》(*Impact of Research on Education: Some Case Studies*, Washington, D. C.: National Academy of Education, 1978),第219页。

[22] Mitchell G. Ash,《在两次战争期间维也纳的心理学和政治学:维也纳心理研究所(1922～1942)》(Psychology and Politics in Interwar Vienna: The Vienna Psychological Institute, 1922—1942),载于 Ash 和 Woodward 编,《20世纪思想中的心理学和社会》(*Psychology in Twentieth-Century Thought and Society*),第143页～第164页。

[23] Geraldine Jonçich Clifford 和 James W. Guthrie,《教育学校略论:职业教育学大纲》(*Ed School: A Brief for Professional Education*, Chicago: University of Chicago Press, 1988)。

[24] Arthur G. Powell,《不确定的职业:哈佛大学和寻求教育权威》(*The Uncertain Profession: Harvard and the Search for Educational Authority*, Cambridge, Mass.: Harvard University Press, 1980)。

英国与此不同的职业化模式,没有引起社会科学和教育之间明显的裂痕。在一份1925年委员会的报告建议大学要更多地参与教师的培养之后,有些大学建立了教育系,但伦敦大学教育研究所(Institute of Education at the University of London)除外,他们力量太弱,不能促进研究项目发展。教育研究所由心理学者领导,而且,整个20世纪60年代都与国家首要的伦敦大学学院心理学系保持紧密联系。当教育系在50年代晚期开始发展的时候,教育领域被看做是一项实践活动,它的原理是从4个学术性学科——心理学、社会学、历史和哲学中发展起来。这一模式在大学各系被制度化了,确保社会科学工作者继续对教育研究起重要作用。[25]

教育兴趣的复兴

20世纪60年代期间,因为美国的公共政策开始把教育和社会科学工作者关心的问题,如种族主义、贫穷和经济发展联系起来,所以,其社会科学工作者大多回到对教育的研究上。回顾往事,1954年最高法院有关《布朗诉教育局案》(*Brown v. Board of Education*),可看做是这种复兴兴趣的开始。种族隔离的学校是不合法的,这判决指的是两位非洲裔美国心理学家肯尼思·克拉克(1914～)和玛米·菲普斯·克拉克(1917～1983)的研究。他们的研究表明:大约3岁,黑孩子会意识到他们的种族身份,而且在这一年龄,开始出现一种消极的自我形象,这是因为"社会对他们消极的和排斥的界定"。另外,在纽约黑人住宅区Harlem,克拉克他们的Northside儿童发展中心(Northside Center for Child Development),批评那种脱离儿童所处的社会背景给予治疗的治疗模式。这一中心创新的"治疗"方式,包括读书治疗项目,它证明通过相对比较小的干涉,能使儿童学习成绩有相当大的提高。这一创新启动了该中心积极参与到公立中小学工作。虽然克拉克他们的工作在50年代中期很不寻常,但在十年之内,他们对学校教育、自我知觉和社会不平等之间的联系的兴趣,就会成为美国公共政策和社会科学研究的核心问题。[26]

631

20世纪的50年代后期,许多小的都市项目向智力是预先确定的观念发起挑战,并提出希望:由于各种各样的剥夺形成的弱智是能够逆转的。他们的发现与心理学者的研究相一致,后者驳斥智力是固定的观念,相反,却强调环境的因素。在60年代早期,社会学工作者与心理学工作者一道研究环境、贫困和教育等问题。这项工作指出,学

[25] John B. Thomas,《从全日制培训学院到教育系》(Day Training College to Department of Education),载于John B. Thomas编,《英国大学和教师教育:一个世纪的变化》(*British Universities and Teacher Education: A Century of Change*, London: Falmer Press, 1990),第30页～第32页;Brian Simon,《教育研究在英国是大学的科目》(The Study of Education as University Subject in Britain),载于《高等教育研究》(*Studies in Higher Education*),8(1983),第1页～第13页。

[26] Gerald Markowitz和David Rosner,《儿童、种族和权力:肯尼思·克拉克和玛米·克拉克的Northside中心》(*Children, Race, and Power: Kenneth and Mamie Clarks' Northside Center*, Charlottesville: University Press of Virginia, 1996),在第35页引述Clark兄妹的话。

前的条件作用会影响到儿童对就学动力不足和缺乏准备。这项工作也集中关注了学校以阶层和种族为基础,实行歧视性和永存不变的不平等方式。“文化剥夺”已成为用于解释“贫困循环”的关键概念之一。[27]

这一研究在肯尼迪政府和约翰逊政府中得到许多善于接受新事物的人的赞同,而且帮助制定它们的经济和教育政策。“领先”(Head Start)计划反映了社会科学工作者关注早期儿童经验和为文化剥夺赔偿的重要性。1965 年初等和中等教育法(Elementary and Secondary Education Act of 1965)的第一款认为:应该为贫穷儿童提供特殊的财源和计划,以逆转美国的公立中小学教育中的不公正。在约翰逊反贫穷计划中教育突出的角色,加强了社会科学工作者对教育的兴趣。的确,就是这受联邦政府委托的工作报告——评估对待学校一律平等和废除学校种族隔离制的成果,一直成为讨论最多的社会科学研究的一个问题。1966 年的《教育机会均等》报告中得出结论说,财源平等化并不能使黑人和白人学生的学业成绩相等。因为这个报告是在社会学者詹姆斯·S. 科尔曼(1926～1995)成为委员会领导之后公布的,它又被人们称为《科尔曼报告》。这一报告提出,学生的阶层背景、他们家庭和邻居的状况比各种财源更能说明学习成绩的差异。一些黑人教育家被某种言外之意惹恼了,即拥有大量黑人儿童的学校,决不会作出成绩。许多评论员认为这份报告是另一种“责备受害人”的手段,它减轻了政府应处理社会不公正问题的责任。其他人论证道,这一研究指明学校教育的界限,它不依赖其他经济和社会的改革而想战胜根深蒂固的不平等。这份报告鼓励了许多其他的对社会阶层、种族和学校教育的研究。[28]

632

社会科学研究在教育方面真正的复兴在已确立的学科内部开创了新领域。由于教育社会学直到 20 世纪最后十年同美国教育思想中心理学的影响相抗衡,它经历了最激动人心的发展。美国社会学学会(American Sociological Society)决定 1963 年赞助《教育社会学》(*Sociology of Education*)杂志,象征着学科内科目新的合理性。教育经济学在这个时期也作为一个新的分支学科出现。萨缪尔·鲍尔斯和赫伯特·金迪斯领导的激进经济学者,研究美国的教育和阶层构成的关系。在比较主流性的经济学领域里,人力资本理论吸引经济学家对教育和经济生产率关系的研究,于是学校财务管理变成一个富有兴趣的领域。1969 年创办的《人类学和教育季刊》(*Anthropology and Education Quarterly*)杂志,显示人类学者对学校文化有新的兴趣,以及教育研究者对民族志的方法有新兴趣。

社会科学家增强了对教育的兴趣,反映出他们逐渐赞同社会激进主义的态度。20 世纪 60 年代的社会运动,迫使大专院校中从事教学或研究的人员再检验他们对社会

[27] Harold Silver 和 Pamela Silver,《向贫穷开战的教育战争:美国和英国的决策方针(1960～1980)》(*An Educational War on Poverty: American and British Policy-Making, 1960—1980*, Cambridge: Cambridge University Press, 1991)。

[28] 例如,参见 Frederick Mosteller 和 Daniel P. Moynihan,《论教育机会均等:哈佛大学关于科尔曼报告的教师研讨会论文集》(*On Equality of Educational Opportunity: Papers Deriving from the Harvard University Faculty Seminar on the Coleman Report*, New York: Random House, 1972)。

的作用。大量的社会科学工作者得出结论,认为他们的责任不仅提供知识,而且还要确保提供有益知识。他们的兴趣也是通过许多制度上的因素而增强的。20 世纪 50 年代晚期,美国教育委员会建立一个合作研究项目,使联邦资金像经过漏斗似的流向教育学院以外的大学教师的研究工作。福特基金会也设法用它自己的钱促进社会科学工作者进行教育研究。同时,精英大学的教育学院,开始雇请更多的社会科学工作者工作。社会科学工作者看到,教育不但提供社会意义重大的研究课题,而且也提供一条大有希望的事业道路。[29]

对教育兴趣的迸发也不限于美国。在英国,教育社会学兴旺发展是在 20 世纪 50 年代晚期和 60 年代早期。社会学工作者开始研究 1944 年教育法(Education Act of 1944)的效果,教育法建立免费中学的三重体制,学生们的编班是由他们在标准测验中的成绩决定的。1956 年,在琼・弗拉德、A. H. 哈尔西和 F. M. 马丁合著的名著《社会阶级和教育机会》(*Social Class and Educational Opportunity*)中说明,教育法并没有值得注目地扩大工人阶级子女的教育机会,或者根据成绩而不是根据社会地位建立教育进步的制度。作者质疑智商测验的正确性,他们认为,那种测验测量的是环境影响而不是真正的智力。这项工作和巴兹尔・伯恩斯坦对工人阶级和中产阶级子女不同的"语言编码"的研究一起,加强了对经济和文化差异如何影响学校教育的兴趣。社会学工作者论证道,工人阶级子女学习的失败,应当看做是对教育系统规定的强迫接受中产阶级文化价值观念的反抗。1965 年在工党首相哈罗德・威尔逊领导下,安东尼・克罗斯兰特成为教育和科学大臣时,这些观念在政府内部得到赞同。克罗斯兰特提倡建立综合学校,作为在以阶级为基础的三重体制学校之外的另一选择。[30]

633

像在美国一样,公共政策和职业机会加强了英国社会科学工作者对教育的兴趣。《纽桑论我们未来的一半的报告》(*Newsom Report on Half Our Future*, 1963)和《卜劳顿论儿童和他们的小学的报告》(*Plowden Report on Children and Their Primary Schools*, 1967)都集中于全国注意的教育改革,而且对社会科学关于教育的研究提出的许多问题作出回应。20 世纪 60 年代期间,许多政策改变了,特别是建立教育中的学士学位以及把师资培训纳进大学教育。新的"校园大学"(建筑物集中于同一地区且常设在郊外——译注)用来容纳大学教育系的迅猛增加,以及雇请社会科学家进行教育研究的大学中心的增长。1965 年成立的英国社会科学研究理事会教育研究部(Educational Research Board of Britain's Social Science Research Council),为研究教育提供领导人员和金钱。随着 1973 年建立英国教育研究协会(British Educational Research Association),教育方面教师的增加标志着他们新的职业获得成功。

[29] Ellen Condiiffe Lagemann,《竞争地带:美国教育研究史(1890 ~ 1990)》(*Contested Terrain: A History of Education Research in the United States, 1890—1990*, Chicago: Spencer Foundation, 1996),第 13 页。

[30] Wooldridge,《智力的测量》,第 10 章~第 12 章;Silver 和 Silver,《向贫穷开战的教育战争》。

还继续结合吗？

对教育汹涌澎湃的兴趣在20世纪70年代中叶已经衰退。虽然尚有重要的余波（某些社会科学工作者继续从事20世纪60年代兴起的研究议程，而且社会学、人类学和经济学在那十年的发展，对教育学院的课程和研究兴趣起了重要影响），但教育再次降低到社会科学学科研究议程的末尾。部分原因是由于对曾引起极大教育兴趣的社会政策发生的一种反冲力。在美国和在其他国家一样，把教育作为变革社会的一种手段的尝试，开始被认为对教育本身不但无效，而且有害。这一变化在《全民危机》（*A Nation at Risk*, 1983）报告里很明显，它警告下降中的教育的“优质”所招致的后果。推动实现教育的优质，并没有激起像社会科学工作者中努力要结束社会不平等那样的兴趣。

634

另外，在进行教育研究“专业的”方法与社会科学更重视理论的研究之间的紧张关系再次出现。教育工作者感到，教育学院过分远离学校所关注的事，而且许多人把这个问题归因于社会科学工作者参加它们教师工作的影响。这种朝后转向应用研究的情况，适应于公立中小学的需要，这在《明日的教育学院》（*Tomorrow's Schools of Education*, 1995）的报告中说得很清楚，它呼吁教育学院要为专业发展投入更多的资源。

同时，教育学院和教育研究不断地与它们在大学中较低的地位斗争。1997年，芝加哥大学决定关掉它的教育系，认为它的研究不符合社会科学划分的标准。从约翰·杜威建立芝加哥教育系百年以来，在社会科学研究的性质、对教育研究的职业化以及大学与小学、中学教育的联系等方面的复杂变化，已经扩大了社会科学和教育间的距离。20世纪60年代出现的研究浪潮，证明它们之间紧密结合的可能性和期望，但同时也表明，持久的紧张状态使那些结合难以保持。

（孟繁红　译）

37

685

智力文化

约翰・卡森

在过去两个世纪中，人类心理能力的概念经历了三次重要的转变：从指称一种普遍的能力，转向主要指称一种个人的属性；从关注复数意义上的天才，转向关注单数意义上的智力；从一种文化意义相对有限的立场，转向一种在美国把文化意义看得非常重要的立场，以及在欧洲诸国把它看得较为重要的立场。[1] 这些在意义和强调方面的转变，已经使智力成为了一种对于政府、企业以及“辅助性专业”可以用来拣选、分类、诊断和证明的工具。从20世纪初期开始，在布置新兵招募、决定一个孩子应该接受哪种学校教育、雇用求职人员以及决定是否允许某个人合法移民入境等方面，智力水平的确定已经被用来作为一种辅助性手段。本章将探讨智力是怎样开始扮演这些不同的社会角色的。本章尤其要关注的是，人文科学的专家们是怎样一方面为智力概念创造新的含义，另一方面又发展出一些方法，它们使得这些含义相对于更广大的公众变得可以理解和可以利用。

从天才转向智力

在19世纪的大部分时间中，在科学界和思想界，有两种截然不同的语言在描述人类心理活动方面非常活跃。精神哲学家和其他人主要感兴趣的是，用某种论述性格的语言和论述天才的语言来说，什么现象会在后来被称为“正常”的？他们所强调的是心理能力的多样性和**个人的**心理活动。无论你是否同意苏格兰常识学派的实在论，是否同意颅相学理论或者维克多・库辛（1792～1867）的折中主义，心灵都会被描述为充满

636

〔1〕 关于智力及其利用的历史，请参见 John Carson，《天才、智力与法国和美国对人类差异的诠释（1750～1920）》（*Talents, Intelligence, and the Constructions of Human Difference in France and America, 1750—1920*, PhD dissertation, Princeton University, 1994）；Kurt Danziger，《界定心灵：心理学怎样建立它的语言？》（*Naming the Mind: How Psychology Found Its Language*, London: Sage, 1997）；Raymond E. Fancher，《智能人：智商争论的制造者》（*The Intelligence Men: Makers of the IQ Controversy*, New York: Norton, 1985）；Stephen Jay Gould，《人的误测》（*The Mismeasure of Man*, New York: Norton, 1981）；Nikolas Rose，《心理情结：英国的心理学、政治学与社会（1869～1939）》（*The Psychological Complex: Psychology, Politics and Society in England 1869—1939*, London: Routledge, 1985）；Roger Smith，《诺顿人类科学史》（*The Norton History of the Human Sciences*, New York: Norton, 1997），在英国，该书题为《丰塔纳人类科学史》（*The Fontana History of the Human Sciences*）。

了能动的能力亦即才能。每个人在其对外部的感觉使之触动时,都会按照从这些感觉中产生的一些观念相对独立地去行事,并且可能会给这些感觉增加一些原来没有的因素。有两个特点是特别显著的,其一,才能的绝对总量和多样性;其二,它们在应对外在影响时的可扩展性以及发展它们所要付出的努力的总量。[2] 因此,一个人具有什么样的天才以及他会变成什么样(成功还是失败、博学还是无知、品德高尚还是道德败坏等等),可能会被认为在很大程度上取决于早期的教育和道德选择。

对于心理能力的多样性以及个人应对培养这些能力负责的强调,使得这种论述天才的语言具有了许多政治意味。[3] 无论是那些通过强调秩序和品格而对后革命时期作出回应的人,抑或那些坚持权利和机会平等的人,谁使用这种论述天才的语言都会提供一种方法,凭借这种方法,人们可以通过求助有关人类本性的公认信念,来证明关于政治秩序和社会秩序的观念具有合理性。因此法国围绕着 concours(会考)、lycées(中学)和 grandes écoles(大学,法国教育金字塔顶部的精英机构)重建了他们的教育体制,其首要任务就是在法国公民中鉴别和培养天才,并招募他们为国家服务。[4] 美国人并没有在天才与人的长处之间建立起这种彻底的结构性联系。取而代之的是,美国的自由主义意识形态奉为神圣的观点则认为,个人在市场中的成功或失败,取决于他们自己是否努力工作,以及他们是否明智地培养了他们的特殊能力。论述天才的语言的作用在于,把机会均等和成功不等的观念结合在一起,并且证明它们都是合理的。[5]

与天才概念的可塑性形成对照的是,讨论种族和性别等概念的科学作者,发展出了便于确定和探索人类差异的智力概念。通过把理智从绝对属性转变为可以显示等级的特性,人们创造了智力概念及其同源概念,这些概念把单一的线性秩序强加给动物界和人类社会,并且暗示,由于这种秩序是符合自然的,因而人类的努力几乎无法将其改变。智力概念提供了一种方法,以说明究竟是什么似乎使一些人明显地处于卑微的地位。[6] 自然主义者们常常借用存在巨链(the great chain of being)的概念(这是一种线性的等级,从具有最低智力的生物到人再到上帝)来暗示,人类种族本身可能就是按照这一链条排列的,"低等的"非洲人处在更接近动物界的其余部分的位置,而"高等的"欧洲人更接近天使的世界。当把智力概念专门应用于人类时,智力被当做是一种分为不同等级的普遍的心理能力,并且与大脑的自然状态有关,这一概念承认,一些可

637

〔2〕 Francis Wayland,《智力哲学原理》(*The Elements of Intellectual Philosophy*, New York: Sheldon, 1864)。

〔3〕 Stefan Collini,《维多利亚女王时代政治思想中的"品格"观念》(The Idea of "Character" in Victorian Political Thought),载于《皇家史学学会学报》(*Transactions of the Royal Historical Society*),第5辑,35(1985),第29页~第50页。

〔4〕 Joseph N. Moody,《拿破仑以来的法国教育》(*French Education since Napoleon*, Syracuse, N. Y.: Syracuse University Press, 1978)。

〔5〕 Daniel Walker Howe,《美国辉格党人的政治文化》(*The Political Culture of the American Whigs*, Chicago: University of Chicago Press, 1979);Gordon S. Wood,《美国独立战争中的激进主义》(*The Radicalism of the American Revolution*, New York: Vintage, 1991)。

〔6〕 Carson,《天才、智力与对人类差异的诠释》;Gould,《人的误测》;William Stanton,《豹斑:对美国种族的科学态度(1815~1859)》(*The Leopard's Spots: Scientific Attitudes toward Race in America, 1815—1859*, Chicago: University of Chicago Press, 1960)。

测量的外部特性例如头颅的容量,标志着心理能力,亦即一个人在种族分层中的位置的标准。

19 世纪初叶,那时的种族人类学家用智力概念取代了天才概念,他们暗示,人类的差异也许从根本上讲源于血统的生物学差异,人类的努力无法使之改变,就像人无法改变猴子与老鼠在智力方面的差距一样。在 19 世纪中叶,这些思想与正统基督教和精神哲学理论都发生冲突,使得这个领域只有少数热心于种族科学的人留了下来。不过,在这个世纪末,以智力为基础的差异观念广泛地传播开了。支持这些思想的,不仅有影响式微的更具福音派或保守派色彩的基督教教派,有消除了人与其他动物之间的鸿沟而大获成功的进化论,以及接受了颅测量法思想和颅测量技术的新一代科学的心理学家;甚至工人阶级和女权主义者对平等的要求所激起的对民主的恐惧,以及帝国的扩张,也对这些思想起到了帮助作用。

智商:使智力成为一种实在

从最广泛的意义上讲,19 世纪末和 20 世纪初在英国、法国以及美国展开的对智力的各种概念化,是伴随着西方大多数工业化国家中所发生的变革而产生的,并且是对这些变革的一种反应。有三项发展值得特别注意。首先,社会生活的巨大改变(都市化、外来移民和殖民化)以及工作性质的巨大改变(工业化、科层化和流水线生产),瓦解了那些评价、组织和管理人类的传统方法,并且为理解社会和整顿社会秩序的新方法提供了机会以及需求。[7] 其次,19 世纪空前的技术革新(铁路、电报、电话和蒸汽机),以及用它们所证实的物质发展观念,使科学作为理解世界及其居住者的主要方法而获得的权威得到了增强。可以与实验、实验室和科学联系在一起的实践,一般都特别受欢迎。随之而来的是,尤其在管理阶层、官僚阶层和专业阶层中(例如在美国的进步党党员和法国第三共和国的实证主义者中),对用技术统治论的方法解决社会问题的承诺日益增加,他们把科学看做是他们自己的文化优势中的一个要素。[8]

638

第三,对于从生物学方面理解人类行为以及人的身体而言,赫伯特·斯宾塞(1820～1903)和查尔斯·达尔文(1808～1882)的进化理论的冲击,有关身体特征有可能预示着精神障碍和犯罪倾向的信念,以及科学种族主义的兴起等,都有助于使这种理解的似合理性得到加强。趋向生物学解释的这些发展,引起了许多对社会未来的

[7] James T. Kloppenberg,《不确定的胜利:欧洲和美国思想中的社会民主与进步主义(1870～1920)》(*Uncertain Victory: Social Democracy and Progressivism in European and American Thought, 1870—1920*, New York: Oxford University Press, 1986)。

[8] Theodore M. Porter,《相信数字:追求科学和公共生活中的客观性》(*Trust in Numbers: The Pursuit of Objectivity in Science and Public Life*, Princeton, N. J.: Princeton University Press, 1995); Dorothy Ross,《美国社会科学的起源》(*The Origins of American Social Science*, Cambridge: Cambridge University Press, 1991); Robert H. Wiebe,《寻找秩序(1877～1920)》(*The Search for Order, 1877—1920*, New York: Hill and Wang, 1967)。

关心，这些关心构成了这个时代对进步的迷念的另一方面。对19世纪下半叶遍布欧洲各地的衰退的担心，以及根据医学病理学对社会问题的重新解释，来源于这样一种思想，即不同的民族都有一些较好和较差的生物群体，而其中的弱者，由于许多原因，也许会取得胜利。[9] 忧虑与生物学的这种结合达到了顶峰，它在许多方面体现在世纪之交对优生学的阐述之中。优生学这个术语是弗朗西斯·高尔顿（1822～1911）创造出来的，用以描述对某个群体的繁育模式加以积极干预的必要性。优生学意味着，生物学决定了能力，而一个文明社会成功与否，一方面取决于增加对“最有价值的”成分的复制，另一方面取决于阻止对最不合意的成分的复制。优生学在英国和美国受到了普遍认可，它在整个欧洲和美洲产生了重要的影响，并且被许多人用来证明：寻求从生物学上划分优越与卑微是合理的。这些特性不再被看做是个人的特性，而被看做是某些特定的群体的特性，这些群体或者是社会精英，或者被认为是社会的边缘人。[10]

“智力”观念的兴起是与这些现代化过程分不开的。在英国，主要的推动力量来自于达尔文的表弟弗朗西斯·高尔顿。高尔顿完全相信对人类行为的生物学理解以及统计学的力量，他在《遗传天赋》（*Hereditary Genius*, 1869）中得出结论说，家族中突出的特点及其成因，例如身高或任何其他身体特征，肯定会遗传下来。[11] 高尔顿相信，某种差异的生物标志对生活中的成功与否是至关重要的；智力观念与这种信念之间存在着一定的联系，到了20世纪初，查尔斯·斯皮尔曼（1865～1945）的研究使这种联系得到了巩固。[12] 斯皮尔曼运用了他的因子分析这一新的统计学方法，对一些基础性的心理学测验的结果进行了分析，并且得出结论说，可以以两个因子为基础来说明测验的结果，即完成任务的特殊能力（s）和综合智力（g）。[13] 他对综合智力存在的数学“证明”，尽管是基于他后来很快就放弃的评价能力的方法，但却有助于使智力实实在在地成为一种具有整体性的、可以量化的生物学对象，这种智力被不同的个体在不同程度上拥有，并且可以用来把生物适应性观念与在世界上的成功联系在一起。

639

1904年，亦即斯皮尔曼提出他的 g 理论的那一年，法国心理学家阿尔弗雷德·比奈（1857～1911）应邀参与了一个政府委托的项目，对反常儿童进行研究。比奈已经花了许多年的时间，从不同角度对高级心理过程进行调查研究。使用病理学的方法处理

〔9〕 Mike Hawkins，《欧美思想中的社会达尔文主义（1860～1945）：大自然既是效法的榜样也是威胁》（*Social Darwinism in European and American Thought, 1860—1945: Nature as Model and Nature as Threat*, Cambridge: Cambridge University Press, 1997）。

〔10〕 Mark B. Adams 编，《优生的科学：德国、法国、巴西和俄国的优生学》（*The Wellborn Science: Eugenics in Germany, France, Brazil, and Russia*, New York: Oxford University Press, 1990）；Daniel J. Kevles，《借用优生学的名义：遗传学和遗传的利用价值》（*In the Name of Eugenics: Genetics and the Uses of Heredity*, Berkeley: University of California Press, 1985）。

〔11〕 Francis Galton，《遗传天赋：对其规律和结果的探索》（*Hereditary Genius: An Inquiry into Its Laws and Consequences*, 1869, Gloucester: Peter Smith, 1972）。

〔12〕 Fancher，《智能人》；Rose，《心理情结》；Gillian Sutherland，《能力、特长与测量》（*Ability, Merit and Measurement*, Oxford: Oxford University Press, 1984）；Adrian Wooldridge，《智力的测量：英国的教育与心理学（约1860～1990）》（*Measuring the Mind: Education and Psychology in England, c. 1860—1990*, Cambridge: Cambridge University Press, 1994）。

〔13〕 Charles Speacman，《客观决定和测量的“综合智力”》（“General Intelligence,” Objectively Determined and Measured），载于《美国心理学杂志》（*American Journal of Psychology*），15（1904），第201页～第293页。

心理学问题是法国科学心理学的特点，比奈和他的同事泰奥多尔·西蒙（1873～1961）都精于此道，他们寻求发展出一种方法，可以对具有较弱智力的人进行鉴别。[14] 其研究结果是比奈—西蒙智力量表（1905），这是一系列30个一组的测验，主要是一些从最简单到最难的口头测验，其目的是用来在心理病理学范畴内把智力划分为四大类：白痴、低能、弱智（débilité）以及正常。

与大多数其他心理学工具不同的是，比奈—西蒙量表有三个特点。第一，它要关注的是高级心理能力和对它们进行整体性的评价。第二，这个智力量表是关联性的和统计性的：它不直接测量心理能力，而是借用了一系列似乎任意的活动（例如识别苍蝇与蝴蝶的差异等），这些活动将允许对个人的表现进行相应的评分，以某个给定年龄的正常孩子可能完成的情况为标准进行调整。第三，比奈—西蒙智力量表的主要成果是一种可以划分为医学范畴/管理范畴的诊断，而不是对一般心理活动的洞察，更不是对某个人的特殊心理的洞察。比奈—西蒙智力量表，尤其是1908年和1911年进一步修改后的该表，把智力定义为某种独立的、可以量化的、相对的、有统计特点的、不断发展的和实践的能力，能够最清楚地说明它的是它的那些病理学表现。[15] 法国其他一些心理学家对它也有兴趣，但兴趣不大，这些人不太关注学校和精神病院的需求，他们几乎感觉不到对具有最少和最多的生物欲望的市民进行鉴别的压力。[16] 的确，只是在这种测验输出尤其是输出到美国以后，它以及"智力"才找到了真正的根据地。

640

瓦恩兰低能男女儿童培训学校（Vineland Training School for Feebleminded Girls and Boys）的一位心理学家亨利·赫伯特·戈达德（1866～1957）"发现"了比奈—西蒙智力量表，于是，该表于1908年传入美国。[17] 戈达德感兴趣的是，这种方法可以迅速而准确地确定住在或有可能住在学校的人的精神状态。20世纪第一个十年期的早期，在这个国家的各处，产生了比奈—西蒙量表的不同版本，每一个版本都是为了适应研究者的特殊需要和构想。1916年，随着刘易斯·M. 特曼（1877～1956）发表了他的比奈—西蒙智力量表的斯坦福修订和扩充本（亦即斯坦福—比奈量表），一个标准出现了，从技术上讲，这个版本几乎在每一个方面都具有优势，而且很快成为了发展中的心理测量学领域研究的规范。[18]

像比奈—西蒙量表一样，斯坦福—比奈量表也是针对个人的一种测验，在这一测

[14] Carson，《天才、智力与对人类差异的诠释》；Theta H. Wolf，《阿尔弗雷德·比奈》（*Alfred Binet*, Chicago: University of Chicago Press, 1973）。

[15] Alfred Binet 和 Théodore Simon，《儿童的智力发展》（*The Development of Intelligence in Children*, Baltimore: Williams and Wilkins, 1916），Elizabeth S. Kite 译。

[16] William H. Schneider，《比奈之后：法国的智力测验（1900～1950）》（After Binet: French Intelligence Testing, 1900—1950），载于《行为科学史杂志》（*Journal of the History of the Behavioral Sciences*），28（1992），第111页～第132页。

[17] Leila Zenderland，《智力测量：亨利·赫伯特·戈达德与美国智力测验的起源》（*Measuring Minds: Henry Herbert Goddard and the Origins of American Mental Testing*, Cambridge: Cambridge University Press, 1998）。

[18] Lorraine Daston，《自然化的女性智力》（The Naturalized Female Intellect），载于《科学的来龙去脉》（*Science in Context*），5（1992），第209页～第235页；Michael M. Sokal 编，《心理测验与美国社会（1890～1930）》（*Psychological Testing and American Society, 1890—1930*, New Brunswick, N. J.: Rutgers University Press, 1987）。

验中一个训练有素的心理学家会对被测验者提一些问题,并且会对其回答标出正确或错误,然后根据被测验者的同龄人的回答所确定的标准进行评估。结果可以根据对个人的智力商数(IQ)的计算来概括,智商这个参数是由德国心理学家威廉·斯登提出来的,它等于智力年龄除以实足年龄,再乘以100。智商是作为一个不随时间变化的常量被设计出来的,人们把它描述为是一种对被测验者由生物学决定的智能潜力的测量。鉴于智力表现的差异令人难以理解,以至无法转化为原始分数的差异,斯坦福—比奈量表按照相对聪明程度的线性比例把智力均匀地加以划分,这样,它不仅包括了那些其智力程度已经分类的人——白痴和天才,而且也包括了居于这二者之间的任何人,无论其年龄、背景或教育程度如何。在一定程度上,通过特曼提供的这种描述及其量表,智力开始被看做是某种生物学的、可以计量的和可遗传的能力,而且对行为和生活状况具有决定性的影响。[19]

641

第一次世界大战以前,这种从心理测量角度对智力的描述,其普及仍然是有限的。作为战争动员的一部分而成功地引入军队的智力测验,使这种情况有了决定性的改变。[20] 面临着要对数十万新兵进行筛选和分类的迫切需要,军队的指挥官们开始论证,智力测验也许能证明具有战时的实际价值。尽管军队本身对大规模测验的有效性依然存在着矛盾心理,但事实证明,它使美国心理学家受益匪浅。他们不得不设计一种新型的可以用于群体的智力测验,为此,他们成功地改良了一些方法,使得他们可以对将近175万名新兵进行评价。在这一过程中,智力本身变成了一个尽人皆知的概念,一种可以量化的特性,它证明不仅可以用于明显有智力障碍的人,而且也可以用于普通人,而且,它导致了对智力范围的明确划分。

作为工具的智力

第一次世界大战结束以后,智力及其测验在美国文化形态学中的地位似乎相当稳定了。许多心理学家都参与了对智力的研究,并且发明了一些新的评定智力的方法;一些专业化的智力测验公司兴旺发达;智力测验开始被大规模地应用于各种教育层次和企业。美国的心理测验师首先在学术界、公共教育和企业中得到聘用,他们构成了一个不断扩大的利益群体,其生计与宣传智力概念及其重要性联系在一起。他们在企业和教育这两个领域的成功值得特别注意。在企业中,智力测验在20世纪20年代初期变得尤其流行,经理们把智力评定当成了他们对各种白领职位的求职者进行评价的

〔19〕 Lewis M. Terman,《智力的测量:关于比奈—西蒙智力量表的斯坦福修订和扩充本之使用的说明和完备指导》(*The Measurement of Intelligence: An Explanation of and a Complete Guide for the Use of the Stanford Revision and Extension of the Binet—Simon Intelligence Scale*, Boston: Houghton Mifflin, 1916); Henry L. Minton,《刘易斯·M. 特曼:心理测验的先驱》(*Lewis M. Terman: Pioneer in Psychological Testing*, New York: New York University Press, 1988)。

〔20〕 John Carson,《军队的首领、高级将领与军事人才的寻找》(Army Alpha, Army Brass, and the Search for Army Intelligence),载于《爱西斯》(*Isis*),84(1993),第278页~第309页。

一个组成部分。然而,在这个十年期的晚期,人们对智力测验的热情消退了,取而代之的是另一种兴趣,即把个性当做是在企业获得成功的关键。[21]

642 相比之下,在教育界,在两次世界大战之间的整个这段时期,智力仍然是人们关注的中心。在20世纪20年代,教育心理学家职位的数量迅速增加,这是由于城市体系具有这样的特点,即各种学生团体不断增多,因而现代化的校区为了对这些团体进行组织和管理就要寻求指导。心理学家的一个重要任务就是诊断:对明显有教育问题的个别学生进行检查。而他们的另一个重要任务更具组织方面的特点,即对大规模的智力测验进行管理,这是把学生安排在适当的学术轨道的过程中的一部分。对于一些个人和群体而言,业已证明,这种测验有着很大的益处。由于各种形式的偏见,例如,反犹太主义,人的潜力过去可能被忽视,而现在,由于这类测验不受意志影响的客观性,这种潜力常常可以非常清晰地凸显出来。然而,对某些人敞开的门,也被证明是对另一些人关上的门,当一些个人和群体,例如非洲裔美国人和东欧人表现很差时,他们往往会丢失在其他评价模式中可能已经获得的机会。[22]

美国在20世纪20年代对智力的心理学探索的普及,在很大程度上基于测验者本人所持有的这样一种信念,即智力在决定个人在社会中的地位和在生活中的成功方面,扮演着一个关键的角色,而智力测验是智力的权威标准。对智力的研究借用了军方的数据——对此,卡尔·C.布林汉姆(1890～1943)在其《美国智力研究》(*A Study of American Intelligence*, 1923)中进行了广泛的宣传,而对战后测验结果的分析,则被用来证明美国中产阶级的乐观和忧虑都是合理的。[23] 有人"发现",有北欧血统的人比所有其他群体都具有更高的智力,而且美国职业等级在很大程度上与智商有关。对于已经对"赤色分子"、外来移民、工人和其他来自内部的似乎可能的威胁感到恐惧的美国中产阶级来说,这种"发现"使他们受到了鼓舞;但在同时,这样一个测量结果又使他们感到不安,即在美国成年男子中,有很大比例的人是低能甚至更糟。关于某个民族处于生物和文化危机的观念大量涌现了出来,这不仅反映在优生学的盛行上,而且也反映在最高法院法官奥利佛·温德尔·霍姆斯在《巴克诉贝尔案》(*Buck v. Bell*, 1927)中支持对低能者进行强制性绝育的著名观点上,还反映在1924年的《外来移民法》(Immigration Act)上,这一法案实质上试图排斥南欧人和东欧人的移民,其理由在一定程度上就是他们在生物学上有欠缺之处。

在所有这些争论中,更不用说在学校、监狱和其他管理不能自立或边缘化的人的643 机构中了,智力这个用语起着非常重要的作用,它被用来把某种被公认的社会问题与

[21] Loren Baritz,《权力的奴仆:社会科学在美国企业应用的历史》(*Servants of Power: A History of the Use of the Social Sciences in American Industry*, Middletown, Conn.: Wesleyan University Press, 1960)。

[22] Paul D. Chapman,《作为分选者的学校:刘易斯·M.特曼、应用心理学与智力测验运动(1890～1930)》(*Schools as Sorters: Lewis M. Terman, Applied Psychology, and the Intelligence Testing Movement, 1890—1930*, New York: New York University Press, 1988)。

[23] Carl C. Brigham,《美国智力研究》(*A Study of American Intelligence*, Princeton, N.J.: Princeton University Press, 1923)。

某种生物学上的身份联系在一起。不过,有人对这种评价个人的方式提出了挑战。哥伦比亚大学师范学院(Teacher's College, Columbia University)的心理学家威廉·C. 巴格莱(1874～1946)担心,由于假定智力水平是天生决定的,而且对个人未来的前途具有决定作用,因而这样的观念具有反民主的含义;沃尔特·李普曼(1889～1974)就军队测验项目的结果以及它们对美国人口智力水平的意义,与特曼展开了广泛的辩论。[24]更为实际的情况是,那些被测试者采取了一系列不同的态度,从默认到无所谓再到反对;而公共文化也往往是既讽刺通过测试确定人的先天潜力的观念,又支持这种观念。虽然如此,在美国文化中出现和一直持续的是这样一种信念:智力是某种实在的、可以测量的能力,它即使不一定能决定一个人的命运,也能够影响人的命运。

在英国,智力及智力测验引起的是一种更为模糊的反应。心理学家如西里尔·伯特(1883～1971)和戈佛雷·汤普森(1881～1955)等人,继承了高尔顿和斯皮尔曼的衣钵,积极从事建立心理测量学的工作以及智力测量实践,尤其是把它作为正在形成的教育心理学领域的一个组成部分。公众对智力的兴趣在战后有了实质性的增长,在推动采用苏格兰的教育管理机构的智力测验方面,汤普森特别成功。然而在英格兰和威尔士,结果显然是各式各样的。人们对大规模的智力测验和主要的智力评价,没有表现出多少兴趣,当进行这样的测验时,要么是出于诊断的理由,要么是地方教育管理机构在 11 + 考试过程中运用它,这种考试是一种旨在确定哪些学生应该开始大学预科课程的测验。许多支持者把标准化的智力测验看做是信奉特长而不是信奉特权的表现,是一种使等级体系开放,以便引入来自下层的天才的一种方式。因而他们认为,无论人的血统如何,要确保国家的发展,就要培养从生物学角度看最有能力的人,就此而言,智力测验是十分重要的。反对这种关于特长主张的,不仅有那些看到自己的特权受到了威胁的精英人士,而且有许多不同的群体,他们赞成用更复杂的计算法来确定个人特长的意义究竟是什么。[25] 这些争论在第二次世界大战后持续了很久,其结果是导致了在文化上对量化智力的广泛了解,以及对旨在使它更为显而易见的技术零星的应用。

环境决定论背景下的智力

644

在从 20 世纪 30 年代到 70 年代的这段时期,无论是在专业文献还是在日益增多的通俗文献中,有两个问题在关于智力的讨论中占据了主要地位:基本智力的数量和智力的遗传程度。智力是一种能力还是多种能力这个问题,在最初构想对这个术语的现

〔24〕 N. J. Block 和 Gerald Dworkin 编,《智商论战》(*The IQ Controversy*, New York: Pantheon, 1976)中转载了 Lippmann—Terman 争论;也可参见 William C. Bagley,《教育决定论或民主与智商》(Educational Determinism; or Democracy and the I. Q.),载于《学校与社会》(*School and Society*),15(1922),第 373 页～第 384 页。

〔25〕 Sutherland,《能力、特长与测量》;Wooldridge,《智力的测量》。

代理解时就出现了，而且一直持续到现在。伯特和特曼以及绝大部分智商的支持者接受了斯皮尔曼对智力统一性的证明，亦即他的 g 理论，而且无论对专业人士还是一般大众而言，它都成了一种理解智力的主导方式。不过，它也并非没有受到挑战。美国教育心理学家爱德华·L. 桑代克(1874～1949)的观点与它截然对立，桑代克论证说，智力是由一系列众多特别的和本来就独立的能力构成的，不存在根本的统一性。人们可以发现，在他们之间，有人尤其是路易斯·L. 瑟斯顿(1887～1955)和汤普森以因子分析基础得出结论说，基本智力虽然不止一种，但数量是很有限的。在战后时期，有人试图调和这种争执，特别是菲利普·E. 佛农(1905～1987)假设了一种智力金字塔，其基础是特出技能，其塔顶是综合智力。不过，他很快就遭到了来自乔伊·保罗·吉尔福特(1897～1987)的挑战，吉尔福特的心理模型最终包含了 150 种独立因子。

虽然在理论上有深刻的分歧，而且尤其是在 20 世纪 20 年代和 30 年代期间，这些学派之间的争论常常十分激烈，但是每一派都相信，智力是一种真实的、有着一些非常明显的特征的实体，这一信念从来没有动摇过。例如，戴维·韦克斯勒(1896～1981)，由于不满意斯坦福—比奈量表和统一智力概念，从 20 世纪 30 年代末就开始开发一种新的智力测验工具，亦即现在居主导地位的韦氏儿童智力量表(Wechsler Intelligence Scale for Children, 简称 WISC)以及韦氏成人智力量表(Wechsler Adult Intelligence Scale, 简称 WAIS)。可是，他也无法避开对全面的智力测量的实践要求，因而他也提供了一种智商评分法，并提出了对语言能力和非语言能力的各种评估。[26] 在那个时候，无论是作为一种单一的、可以测量的实体的智力概念本身，还是展示这种智力的技术，都已经沿用已久，而且完全与学校和精神病院的运行体系结合在一起了，以至它们有了自己的生命，与心理测量学家的忧虑无关了。

如果说把智力描述为一种统一的实体的做法主要是从 20 世纪 30 年代一直持续到战后，那么对于把智力表征为一种天生由遗传决定的生物潜力来说，情况并非如此。645 在 20 世纪第一个十年期的早期，关于用"天性"来解释智力的一些问题就已经提出来了，最值得注意的是，有些问题是在人类学家弗朗茨·博厄斯(1858～1942)研究北美西北部地区原住民的迁移和头盖骨尺寸的变化时提出来的。[27] 随着对完全用生物学尤其是优生学说明社会现象本身的热情的减弱(至少在美国是这样)，20 世纪 20 年代末，许多心理学家在种族和种族划分层次上，提出了一种对智商更为明显的环境决定论解释。[28] 1930 年，布林汉姆引人注目地放弃了他 1923 年的研究，该研究证明欧洲人

〔26〕 David Wechsler,《成人智力的测量》(*The Measurement of Adult Intelligence*, Baltimore: Williams and Wilkins, 1939)。

〔27〕 Franz Boas,《原始人的心灵》(*The Mind of Primitive Man*, New York: Macmillan, 1911); Carl N. Degler,《寻找人类的本性:美国社会思想中达尔文主义的衰落与复兴》(*In Search of Human Nature: The Decline and Revival of Darwinism in American Social Thought*, New York: Oxford University Press, 1991)。

〔28〕 Degler,《人类天性探索》。

群体(北欧型白种人、高山型白种人和地中海型白种人)存在着某种生物等级。[29] 大约在同一时期,博厄斯的学生奥托·克林堡(1899～1992)承担了一个有关欧洲人的平均智商的研究项目,并且证实布林汉姆原来的发现是特殊环境条件下的结果,而且它并非是关于根本的生物差异的发现。进而,克林堡对有关非洲裔美国人天生智力低下的一些断言提出了挑战,他指出,移民到北部的非洲裔美国人的智商得分,最好根据南北教育环境的差异来解释。[30] 在第二次世界大战后,这种用"教养"解释群体水平差异的转变得到了官方的认可,当时 UNESCO 为了回应纳粹的优生学政策,召开了一次关于种族的会议,会议的结论是,种族是一个在生物学上无意义的范畴,关于种族群体间的差异的假设是毫无根据的。[31]

不过,在 20 世纪 40 年代和 50 年代,对有关种族和群体差异的遗传说明,还没有出现近乎一致的拒绝,那时的研究者们转而去说明在测量结果例如智商方面的个体差异。对有关智力的生物学构想的信念依然非常强烈,但证据却十分模糊。在 20 世纪 30 年代和 40 年代期间,人们进行了大量研究,尤其是在爱荷华儿童福利研究所(Iowa Child Welfare Research Station),对争论中强调教养的一方提供了支持。例如,关于被收养儿童的安置的数据表明,当孩子们处在不同的社会和教育环境中时,智商可能会发生变化而且往往是戏剧性的变化。[32] 同时,尤其是伯特对同卵双胞胎的研究表明,一个人的智商中有很大一部分来自他或她的基因遗传。尽管现在已经很清楚了,伯特的结果是骗人的,但其他研究仍在继续证明,遗传因素对所测得的某个人的智力水平有重要影响。[33]

646

也许,这些争论最令人惊讶之处在于,它们并没有真正影响对智力这一概念的继续依赖或者对智力的测量技术的继续依赖。布林汉姆于 1926 年发明了学习能力倾向测验(Scholastic Aptitude Test, 简称 SAT),以作为基于内容的大学入学测验的备选方案;在第二次世界大战期间,这种测验被美国大学广泛采用,以作为加快为战争培养训练有素人员的程序的一部分。SAT 最终引起了敌意,不过,它没有被抛弃,而是变得制度化了;有人描述它是使所有有能力的人(无论其社会背景或学校教育如何)可以获得精英教育的一种方式。在 20 世纪 50 年代特别是 60 年代,一些人感兴趣的是把心理学直接应用于社会政策,例如应用于美国的大社会(American Great Society)计划和英国的

[29] Brigham,《外来移民群体智力测验》(Intelligence Tests of Immigrant Groups),载于《心理学评论》(*Psychological Review*),37(1930),第 158 页～第 165 页。

[30] Degler,《人类天性探索》;Kevles,《借用优生学的名义》;Otto Klineberg,《种族差异》(*Race Differences*, New York: Harper and Brothers, 1935)。

[31] Elazar Barkan,《科学种族主义的退却:两次世界大战期间英国和美国种族概念的变化》(*The Retreat of Scientific Racism: Changing Concepts of Race in Britain and the United States between the World Wars*, Cambridge: Cambridge University Press, 1992)。

[32] Hamilton Cravens,《"领先"以前:爱荷华研究所与美国儿童》(*Before Head Start: The Iowa Station and America's Children*, Chapel Hill: University of North Carolina Press, 1993)。

[33] Leslie S. Hearnshaw,《心理学家西里尔·伯特》(*Cyril Burt, Psychologist*, London: Hodder and Stoughton, 1979); Wooldridge,《智力的测量》。

福利国家计划，对于这些人来说，可以通过改变儿童的社会环境来提高智力这种可能性，可以被用来证明一系列社会计划具有合理性：从新生儿护理，到学校午餐，再到早期儿童教育。[34] 在寻常的诊断学习困难或为学生安排适当的教育方式等工作中，在决策时，智力仍然被作为一种既具有合理性又具有指导性的重要的原始资料。

结论：智商争论、社会政策及生物学的转向

1969 年爆发了有关智商的性质及其测量的新一轮争论，这轮争论是由伯克利的加利福尼亚大学教育学教授阿瑟·R. 詹森（1923～）的研究引起的。[35] 詹森对例如“领先”（Head Start）等计划的基础提出了质疑，他认为关于智力的环境决定论的主张被估计过高了，从天赋能力看，无论是个体之间还是群体之间都存在着差异，这些差异在社会和经济方面都有着重要的意义。他的观点引起了热烈的反应，有些来自他的朋友，有些则来自他的批评者。一种显而易见的转变是，有人在许多人文科学和生物科学中放弃了教养论解释——这些集中体现在 E. O. 威尔森对社会生物学的阐述中以及不久就取得了优势地位的分子遗传学中，也有人在政治领域中放弃了社会干预主义，詹森的观点与这种转变相一致，因而他在大西洋两岸既得到了像理查德·J. 赫恩斯坦（1930～1994）和汉斯·J. 爱森克（1916～1997）这样的心理学家的支持，也得到了这样一些政策制定者的支持，他们决心即使不废除积极的行动计划和福利制度，也要对它们进行调整。[36]

647

詹森的文章也是在 1968 年的社会剧变之后发表的，在那个时代，对越南战争和一般西方资本主义文化的幻想的破灭，导致了一种对专家以及他们声称所具有的权威的严重甚至是普遍的怀疑。詹森、赫恩斯坦和爱森克所设想的天生英才教育，尤其是赋予它很高的种族化成分，导致了汹涌而来的批评。包括理查德·C. 勒温廷（1929～）、斯蒂芬·杰·古尔德（1941～2002）和里昂·卡明（1927～）在内的生物学家和心理学家加入了新左派大学生和社会批评家的队伍，他们从技术和政策层次上对当时有人详尽阐述的智力的遗传论观念进行了有条理的反驳。[37] 有关智商和种族的数据以及同卵双胞胎研究的结果，受到了特别的关注，人们批评说，有关用以测量遗传可能性的技术的论证和有关群体间比较的有效性的论证，直接与种族主义偏见和反科学的偏见混在了一起。

其结果与其说是某一方取得了重大胜利，莫如说出现了某种制度化的僵局，其标

[34] Ellen Herman，《美国心理学传奇》（*The Romance of American Psychology*, Berkeley: University of California Press, 1995）。

[35] Arthur R. Jensen，《我们能把智商和学校教育的成绩抬多高?》（How Much Can We Boost IQ and Scholastic Achievement?），载于《哈佛教育评论》（*Harvard Educational Review*），39（1969），第 1 页～第 123 页。

[36] Block 和 Dworkin，《智商论战》；Degler，《人类天性探索》；Kevles，《借用优生学的名义》。

[37] Block 和 Dworkin，《智商论战》；Steven Rose, R. C. Lewontin 和 Leon J. Kamin，《并非包含在我们的基因中：生物学、意识形态和人类天性》（*Not in Our Genes: Biology, Ideology and Human Nature*, London: Penguin, 1984）。

志是在随即而来的 25 年之中不断出现周期性的小冲突。詹姆斯·Q. 威尔逊（1931～）在 20 世纪 80 年代中期出版了有关犯罪与智商之间的联系的著作；赫恩斯坦和查尔斯·默里（1943～）于 1994 年出版了《钟形曲线》（*The Bell Curve*），他们在书中论证说，美国的社会经济分层是英才教育的表现，它反映了天生智力水平的差异；这些著作无论是在通俗出版物还是在专业出版物中都引起了强烈的反响。[38] 对于种族之间或群体之间在智力方面存在着先天的生物不平等这一主张，公众很少有人公开表示支持。但是在 20 世纪 90 年代末，中产阶级和工人阶级中的某些部分对多元论政治的不满，可能使得例如《钟形曲线》这样的著作中固有的英才教育的个人主义论点，比对它已作的公开阐述更有吸引力。有一点是确定无疑的，即有关统一智力的思想无论在大众文化还是在科学文化中，仍然十分有活力而且继续引起了讨论，即使在它受到了哈沃德·加德纳（1943～）和罗伯特·J. 斯腾伯格（1949～）提出的多元智力论的挑战时，亦是如此。[39] 尽管有人怀疑智力测验的有效性以及后现代的断裂的自我的观念，但形形色色的智力观念已经形成了固定的模式，而且在文化尤其是英美文化中深深地扎下了根，成为了有关资源分配方式和讨论民主方式必不可少的一部分。

648

（鲁旭东　译）

[38] James Q. Wilson 和 Richard J. Herrnstein，《犯罪与人类的天性》（*Crime and Human Nature*, New York: Simon and Schuster, 1985）；Richard J. Herrnstein 和 Charles Murray，《钟形曲线：美国生活中的智力和阶级结构》（*The Bell Curve: Intelligence and Class Structure in American Life*, New York: Free Press, 1994）。

[39] Howard Gardner，《心理结构：多元智力论》（*Frames of Mind: The Theory of Multiple Intelligences*, New York: Basic Books, 1983）；Robert J. Sternberg，《智商以外：人类智力三元论》（*Beyond IQ: The Triarchic Theory of Human Intelligence*, Cambridge: Cambridge University Press, 1985）。

38

649

心理主义与儿童

埃伦·赫尔曼

心理主义在现代西方文化中是令人难以理解的一种现象，它无处不在，又哪儿都没有；意味一切而又什么都不是。它涉及一种推论实践，即用心理学的解释去理解个人和群体的经验，尤其还要把这两者联系到一起。因为这种解释源于学术性的社会科学、心理和医学的临床专业主义以及与大众文化之间的难以处理的地带，所以尽管心理主义不能准确地定位于科学的历史或者智力发展的历史中，它却常常能引出广泛的文化含义。[1]

在第一次世界大战前的"进步时代"改革运动中，心理主义起初受到心理专业人士和他们雄心勃勃的合作者的支持。在这一阶段的早期，它是与通过标准化的技术手段对主观性的管理联系在一起的，例如，学校或军队为个人进行的标准化测试。它不仅仅是大众社会中管理者方便的工具箱，实际上心理学推论实践还被引入到自我塑造的个人项目中去。到了 1945 年，它扩散到普通拥护者中，这些拥护者开始时作为学科知识和实践活动的对象，但很快成为了学科知识和实践活动的如饥似渴的消费者，因为它们激励个人把各种治疗法的经验作为通向精神健康和幸福的最有保证的途径。

650

在众多的推动心理学进入全球视野的美国著名人物中，有进步党人亨利·赫伯特·戈达德和威廉·赫利。在 20 世纪中期，从事此职业的专家玛格丽特·米德和本杰明·斯波克获得了文化偶像般的地位。在世纪末，欧法瑞·温夫利是心理主义最有

[1] Robert N. Bellah, Richard Madsen, William M. Sullivan, Ann Swidler 和 Steven M. Tipton,《心灵的习惯:个人主义和美国生活的承诺》(*Habits of the Heart: Individualism and Commitment in American Life*, New York: Harper and Row, 1985); Robert Castel, Francoise Castel 和 Anne Lovell,《精神病学学会》(*The Psychiatric Society*, New York: Columbia University Press, 1982), Arthur Goldhammer 译;Ellen Herman,《美国心理学的浪漫史:专家时代的政治文化》(*The Romance of American Psychology: Political Culture in the Age of Experts*, Berkeley: University of California Press, 1995); Philip Rieff,《治疗法的胜利:弗洛伊德之后信念的使用》(*The Triumph of the Therapeutic: Uses of Faith after Freud*, New York: Harper Torchbooks, 1966); Nikolas Rose,《管理心灵:私我的塑造》(*Governing the Soul: The Shaping of the Private Self*, London: Routledge, 1990); Peter N. Stearns,《欲望的战场:现代美国中自我控制的斗争》(*Battleground of Desire: The Struggle for Self-Control in Modern America*, New York: New York University Press, 1999); Eva S. Moskowitz,《我们信任的心理治疗:美国对于自我实现的执迷》(*In Therapy We Trust: America's Obsession with Self-Fulfillment*, Baltimore: Johns Hopkins University Press, 2001)。哲学家们更加严密地使用"心理主义"来表示与心理学陈述相关的逻辑替代物。在此讨论的这一更广泛的文化用法的实例是 Kingsley Davis,《心理卫生学与阶级结构》(Mental Hygiene and the Class Structure),《精神病学》(*Psychiatry*),1(1938 年 2 月),第 55 页~第 65 页。

名的倡导者。她的大批热情的拥护者可以表明心理治疗的敏感性是怎样彻底地渗透到大众之中的。尽管心理治疗学处理个人与社会的难题的方法,间歇性地被嘲弄为心理呓语,还被指责为造成道德相对主义和道德衰落的原因,但是,它们被证明在政治策略上很灵活,从而使其无处不在。从减少犯罪、提高孩子的自尊到治愈美国选民的冷漠、修补破碎的社区生活结构,心理学的论述被认为是务实而又意义深远的。

心理主义已经适应于现代性的科技的、科层的及民主的条件,成为一种意义生成体系。[2] 作为现代自我转换的一个重要组成部分,"心理学的知识和实践"描绘出个人内在的与公众外在的心理特征,它被作为个人发展和团体冲突的所有事件的原因和结果。社会在个人心灵内部内化从而占据了一定的心理空间,而心理学也从其中渗入到了社会空间中去。通过指出个人和群体在隔绝状态不能有效地发生改变,心理主义强调了在个人主观与社会现实之间的不稳定的平衡关系,进而断言它与未来公众生活的紧密联系。因为越来越多的迹象表明:非理性主义不断延伸,并因为一点点的预测性和控制就反对对社会秩序的需求,所以适当的调节就变成了必不可少的社会财富。而结果就是文化革命,有时被称为精神病治疗,心理学的知识和实践,或精神治疗的社会。

美国的气质

在 1957 年,《生活》(*Life*)杂志首先为"人类行为科学全面渗透到我们生活的方方面面"摇旗呐喊,并称之为一种"全新且典型"的美国式现象。[3] 这一现象在美国的大肆蔓延的原因何在?

其他国家早先就建立了必要的基础构架并以各种各样的指导和治疗性的目标为由使用心理学知识。在 1900 年,法国的温泉疗养地每年都要治疗几十万的神经系统疾病患者。[4] 20 世纪上半叶,德国心理学家记录了大量实验性数据,即使在纳粹横行的年代,心理学科依然在政府的支持下为军方发展做出了巨大贡献。[5] 第二次世界大战后,英国一家自嘲为"社会失衡门诊所"的机构——英国泰维斯托克研究所(Britain's Tavistock Institute),在心理分析家的实际指导下,组织了使工业管理、消费、儿童抚养以及教育有序化的活动。[6] 从威廉·冯特到西格蒙德·弗洛伊德再到让·皮亚杰,欧洲

651

〔2〕心理主义在美国尤其常见,但并不仅仅局限于美国,参见 Turdy Dehue,《改变规则:心理学在荷兰(1900 ~1985)》(*Changing the Rules: Psychology in the Netherlands, 1900—1985*, New York: Cambridge University Press, 1995)。

〔3〕Ernest Havemann,《美国的心理学时代》(The Age of Psychology in the U. S.),《生活》(*Life*),42(1957 年 1 月 7 日),第 68 页。

〔4〕Edward Shorter,《精神病学的历史:从精神病院时代到百忧解时代》(*A History of Psychiatry: From the Era of the Asylum to the Age of Prozac*, New York: Wiley, 1997)。

〔5〕Ulfried Geuter,《心理学在纳粹德国的职业化》(*The Professionalization of Psychology in Nazi Germany*, Cambridge: Cambridge University Press, 1992), Richard J. Holmes 译。

〔6〕Jaques Elliott,《社会治疗院所的一些组织原则》(Some Principles of Organization of a Social Therapeutic Institution),《社会问题杂志》(*The Journal of Social Issues*),3(1947 年春)。

一直是被美国人理想化，然后是引进和模仿的各种心理学的创造者。[7]

但恰恰是在美国，通过个人主义、新教徒的自我调节和科学的专业主义、消费者文化的契合，各种分立的新观点才被改造成为真正的世界观。美国与欧洲福利系统之间的差异（欧洲国家提供相对较早以及更全面的社会救助）也是必须要包含在内的因素。政府把疾病、失业和贫穷更多地看成结构性的分配问题，而较少把它们当成文化营养的心理主义缺失造成个人缺点的反映。适当的心理状态要求个人能经得住失败的折磨、成功的考验、以及愿意忍受使他们从失败中成长的焦虑。

在美国，执拗的个人主义并不足为奇。对于认为个人主义是杰克逊时期社会核心的托克维尔来说，个人主义是全面民主化的荒谬过程的典范。社会平等的条件允许美国人沉溺于不受干扰的自私自利中，从而放松了在公共道德上的警惕性。从短期看，个人主义使人们感到自由、乐观，而且自负地认为他们能够控制自己的命运。从长远角度看，托克维尔则预言个人主义将把崇尚民主的公民封闭在某种政治孤立的范围内，并将侵蚀个人与公共利益之间脆弱且必需的那一丝联系，与此同时，对形成一致的大众观点也造成越来越大的压力。作为一名对个人主义的批评家，托克维尔强调个人、政体和社会之间的联系，并认为对于所有关心美国未来的人而言，那是最主要的挑战。监督个人和社会之间的交流是提倡民主的人民与他们的政府共同的义务。

652

在美国，当新教来解释人们的生活时，就为心理主义提供了充满道德化的背景，甚至从事一系列有关从灵魂拯救到性格培养再到人格完善的工作。新英格兰的清教徒领袖告诫他们的追随者要进行自我规范，因为只有符合教规的信仰和服从的表现，才能使原本无法忍受的对他们永恒的命运的不可知性变得可以忍受。在 19 世纪至 20 世纪时期，当新教徒们不断与不同的信仰、不同种族的美国人分享文化建设和融合的任务时，神学的难题被削弱了，但是根深蒂固的习性依旧存在。正如马克斯·韦伯在《新教伦理与资本主义精神》（*The Protestant Ethic and the Spirit of Capitalism*, 1904；英译本，1930）一书中指出的那样，系统化有条理的操行与对神的敬畏较量的结果，开创了经济上革命性的积累和投资的循环，但在思想方面却是乏味的积累和投资的循环。随着市场从生产型到消费型的转变，自我改善从最初时的献身于某种宗教召唤让路于被类似购物等行为要求的和鼓励的自我专注。20 世纪早期，广告行业的商人推测并利用了对内省的宗教式的狂热崇拜将人格本身引导进入市场，使化妆品、汽车以及其他财产成为自我的标志，即使这个自我是贪婪的，它也一样迷人。[8]

从 19 世纪心理治疗的流行到 20 世纪早期的“上帝与我们同在”运动（Emmanuel movement），再到二战后的“灵魂的”记述，流行的新教教义极力主张个人改善的福音，

[7] 一项 1981 年 APA 的排名显示，只有一位美国人 B. F. Skinner 作为战后美国心理学的领导人物。见 Albert R. Gilgen，《自第二次世界大战后的美国心理学：学科概述》（*American Psychology since World War II: A Profile of the Discipline*, Westport, Conn. : Greenwood Press, 1982）。

[8] Jackson Lears，《富裕的传奇：美国广告的文化历史》（*Fables of Abundance: A Cultural History of Advertising in America*, New York: Basic Books, 1994）。

心理健康从来不与肉体健康分离，也从不离开个人的具体经济状况。“只要你认为你自己能行，就没有做不到的。”诺尔曼·文森特·琵尔牧师如此吟诵道，他早期对精神分析的尝试以及在大众心理学上的天赋的结果是：一系列等同于自我决定的畅销作品与“应用基督教”[9]取得的实质性的胜利。新教教义和心理学都在关注着人格。尽管在韦伯分析的中心中，瘫痪的神学就是心理学悖论，但由万能上帝决定的17世纪的自我却依然活跃。主要由个人的爱好和希望主宰的20世纪的自我却还是如此脆弱，尽管他们宣称的“赋权”(empowerment)的确可以作为现代觉醒的一种尺度。[10]

心理主义不能被降低到等同于心理学科的兴起，但是在精英领导阶层中对专业权威人士的特殊要求促进了美国对心理学专业技术的尊重。在美国，才智获得尊重是由于它代表了社会优越性的一条可信的基本原理：它能合法地产生等级制度。专业主义看起来似乎是建立于种种牢固的前提之上，这些前提包括教育资格认证、自我实践、内部监控和实际的结果。

653

19世纪晚期之后，大学成为专业地位的守护者，并且在学术环境中，心理学最终被科学的声望浸透。心理学专业人员的实验性方法和客观的描述使得有关人类及其行为的专业化知识似乎不只是看似可信，而且可以被政治权威所接受。19世纪末工业秩序的出现以及进步时代旨在克服工业秩序被极端地滥用的努力，也使得心理主义在社会中变得必不可少。一些改革者信奉科学的专业主义，他们的改革目标的范围由工厂劳动到纯净食品乃至市政管理，科学的专业主义在其诞生早期激励了心理主义的发展。这就为文化上的特立独行者创造了一个战略性的优势，他们抓住了每一个机会把社会变革的构思当做技术上中性的问题来进行探讨。

仅仅在越战期间和之后，一个由“出类拔萃之辈”操纵的灾难性冲突是，专业技术被重铸为某种东西，但绝不是合法的民主权力机构的乐善好施的工具。毕竟在权力的争夺中，它并非一个理性的绿洲，而只是政治活动和维持社会不平等的新道具。

从精英赞助到政府支持

1940年以前，类似洛克菲勒基金会等私人慈善机构资助了心理学的实践。1945年以后，社会心理管理似乎得到更多的联邦政府资助，标志就是“心理学的知识和实践”渗入到了政府的核心部门；它经历了公共和私人领域的不太愉快的融合。尽管心理治疗倾向于和人道主义目标以及管理上强制性的测试联系在一起，但其不同的侧重

[9] Donald Meyer,《积极的思考者：宗教作为大众心理学，从玛丽·贝克·埃迪到奥罗尔·罗伯茨》(*The Positive Thinkers: Religion as Pop Psychology from Mary Baker Eddy to Oral Roberts*, New York: Pantheon, 1980)。

[10] Thomas L. Haskell,《作为自存的原因的人：约翰·斯图尔特·密尔、资本主义的精神和形式主义的“发明”》(Persons as Uncaused Causes: John Stuart Mill, the Spirit of Capitalism, and the “Invention” of Formalism)，载于Thomas L. Haskell和Richard F. Teichgraeber编，《市场文化：历史性的论文》(*The Culture of the Market: Historical Essays*, Cambridge: Cambridge University Press, 1993)，第441页～第502页。

点却在实际操作中变得模糊起来。援助、监督和强制三者混合在一起。功效和启发相继发展，使得能力的训练成为个人经历的要素。这对心理学的伦理困境和历史重要性做出了部分解释。

心理调节在20世纪与战争和军方机构密不可分。在第一次世界大战期间，军方官员被说服通过大量心理测试来挑选士兵和做出分类。心理学家们长期致力于筛选、分辨不适合服役的和不同等级的士兵和军官的工作。罗伯特·耶克斯的新兵心理检查方法委员会(Committee on Methods of Psychological Examining of Recruits)制订出了新颖的群体智力测验方法，即众所周知的Alpha量表和Beta量表；一大批心理学工作者大约进行了200万次测验(尽管不久有人质疑他们最具戏剧性的发现是使士兵们士气低落：因为士兵的平均心理年龄仅为13岁，众多保家卫国的战士被归入低能者的级别)。尽管战争时期的测试在提升军队效率上是失败的，但它却成功地将士兵们的主体性(和心理学本身)转变成为一个关键的公共资源。[11] 士兵们想什么以及他们对军队环境、军事当局和军队职责的认识至关重要。根据这些感觉是潜在积极的或者是消极的，军方的管理者可采用人道主义的治疗方法来保持人力资源。

654

第二次世界大战是另一个分水岭。它开创了一个时期，在这期间被管理的抱负(无论是刑事司法工作还是军事行动)所激发的制度化的检测让路于一种普遍的信念：心理学有一种提升自我理解和制造快乐的潜力。战时动员产生了数以百万计的标准化测试，还有用于"提高士气"的临床策略作为补充。[12] 精神控制中易于学习的方法被用于治疗，精神病医师在战斗中工作。士兵们参与群体治疗，被施以催眠并服用药物。从保护人力资源及有效减少滋事者开始，个人和临床医师之间数量惊人的联系为将来的专业性治疗的道路奠定了基础。1946年的国家心理健康法案(National Mental Health Act)是对于士兵心理健康状况的焦虑的一次直接的产物——令人震惊的是，有多达180万名新兵被军队拒收，另有55万名士兵由于神经精神病的原因离开军队。战争岁月也为1949年成立的国家心理健康研究院(National Institute of Mental Health)奠定了基础，为巩固临床效用和心理科学之间的联系，它注入了数百万美元研究资金。

国家中政府的和专业的精英们打算帮助在战争中受到心理创伤的士兵，但是退伍军人以及他们的家属也需要帮助。他们对其日常生活中的问题(常被抱怨的婚姻紧张和子女教育等困难)存在可行的解决方法进行游说，使之成为一份可供选择的援助清单；战后，客户们也欢迎扩大的退伍军人管理局(Veterans Administration)的门诊病人服务。这一"迅速成长的行业"的不断壮大被列入了可靠的国家财政管理中。第一位成为准将的精神病医师威廉·曼宁格尔论证说，心理健康是"可购买"的商品，而且花的

[11] Franz Samelson,《第一次世界大战中智力测验和心理学的发展》(World War I Intelligence Testing and the Development of Psychology),《行为科学史杂志》(*Journal of the History of the Behavioral Sciences*),13(1977年7月),第274页～第282页。

[12] Edward A. Strecker和Kenneth E. Appel,《士气》(Morale),《美国精神病学杂志》(*American Journal of Psychiatry*),99(1942年9月),第159页～第163页。

钱较之国家已投入到患有精神疾病的退伍军人身上的钱要少得多。[13] 个人的幸福与社会调节应一同前进。

为了进一步说明，让我们对儿童领域进行思考。

儿童期成为心理学研究的对象

655

儿童的生活总是吸引那些关注孩子的人浓厚的兴趣。通过把人类发展转化为实验课并且使这一研究成为一门科学，对儿童生活的观察研究系统化已经将儿童期带入心理学轨道。这一计划需要特殊的训练和技术，因此有必要降低父母的权威，他们的直接的、经验性的知识无法使他们认识到常态的标志，或者在没有专家帮助的情况下指导他们孩子的成长。通过以专门的知识技能包围儿童期，心理学的推论实践标志着父母的无能为力，并使发展过程服从于新的政府形式。儿童期也是一项公共资源，极其需要科学的管理和政府的干预。那些外行们，尽管是好心的，通常会将这工作搞糟；靠他们简直是浪费社会的资源。

西格蒙德·弗洛伊德（1856～1939）是最著名的对儿童期进行心理学研究的创造者，他极受欢迎的美国之行宣传了他的许多理念：人的早期生活是十分重要的，在人的发展中的规律是可辨的，无意识的心理事件是至关重要的。在弗洛伊德的观点中，对受压抑的童年精神创伤的心理分析回顾，煞费苦心地将成长的经历与成年的结果联系了起来。一切都已在儿童期决定了，精神生活无任何意外。

但是美国的儿童期心理研究在弗洛伊德之前就已经存在了，并且事实上同时出现了一个心理学的学科。G. 斯坦利·霍尔（1844～1924），美国心理学的奠基人之一，他最广为人知的角色就是在 1909 年将弗洛伊德引介到克拉克大学（Clark University）。他列举了进化论的观点来阐明个人的发展过程，扼要重述了社会从野蛮到文明的蹒跚的脚步。尽管霍尔的理论要点已经被后人舍弃，但是他具有启迪作用的研究方法仍流传至今。儿童部分地体现了自然的天性，他们的发展呈现出自然的、模式化的现象。儿童成为可以操纵的个体，这并不奇怪，或并不出乎预料，因为儿童被善待还是被虐待将对他们整个生活起到决定性的作用。心理主义的两种原则（理解和改变，帮助和控制）在对儿童期研究的新历史中被联系在了一起。

处理儿童期的“本性”在方法上需要科学工具而不仅仅是情感的手段。对儿童期进行心理学研究与对儿童期进行感性的理解是完全不相同的，但是二者都是通过探寻人类情感世界，而假设能够超越维持生计的物质需要和童工的研究。[14] 霍尔的影响在

[13] William C. Menninger,《混乱世界中的精神病学：昨日的战争和今日的挑战》（*Psychiatry in a Troubled World: Yesterday's War and Today's Challenge*, New York: Macmillan, 1948），第 410 页。

[14] Viviana Z. Zelizer,《对无价的孩子估价：孩子的社会价值的改变》（*Pricing the Priceless Child: The Changing Social Value of Children*, New York: Basic Books, 1985）。

19 世纪 90 年代的儿童研究运动的发展中可见一斑。儿童天性研究协会(Society for the Study of Child Nature),不久后改名为美国儿童研究协会(Child Study Association of America,简称 CSAA),其成员装备了照相机、测量仪器,他们拥有有序的观察习惯,他们外出采访,他们保存文献记录。在心理学和教育学专家的指导下,这一运动被改革主义者的热情所激励,同样也被创造一门新科学的渴望所激励。将经验主义灌输给父母亲将会增加孩子们的幸福。"我们需要为这种专门技师拥有的知识寻找心理上的等价物。"一个改革者宣称,她同时努力地阐明父母教育的观点,"我们应该让所有的父母成为参与研究的合作者。"[15]

656

研究小组成员主要由母亲组成(父亲则极少),她们定期聚会分析她们的孩子来参与"研究"。作为能够散布儿童培养的权威意见的媒介,组员们被希望能把大众科学的福音传播开来。妈妈们并不总是扮演服从的角色,尤其当专家的意见与她们的经验明显地相矛盾时,但多数人仍遵从专家的意见。[16] 在为"父母亲与新心理学"[17]讨论而出的《儿童研究》(*Child Study*)杂志特刊中,CSAA 的主任西多妮·格伦伯格这样写道:"因为专家们对人际关系中的本体有至关重要的理解。"因为被当做假冒的专业人员,父母们被迫接受再教育,不久他们便意识到指导他们孩子成长的费用是相当高的。孩子们的结果如何起因于他们的父母亲。内疚感是心理上的父母对于心理上的孩子运用权力的遗产。

对儿童期进行心理分析重塑了适当的儿童抚养标准和有价值的父母身份标准。早期的以物质提供(食物、衣服、住房)为标志的负责任的培养观念已被抛弃,其后对待孩子的工具性的态度(如孩子的劳动力是合法的家庭资源,或者是肉体上的惩罚是作为父母的固有权利)的观念被描述为对孩子的幸福成长是有害的。

因此,对儿童期的心理学研究将强有力的阶级偏见融于亲属关系的理想之中。[18] 连出生于富有的德国犹太人家庭的西多妮·格伦伯格都感到在世纪之交的纽约儿童研究小组中的上层阶级趋向是令人不能容忍的。她试着向身为工人阶级的父母传播心理测量学的信息,但没多大功效。1913 年她尝试组织整片公立校区进入研究小组,这个实验使得许多老师感到兴奋,但是在吸引身为工人的父母参与方面却很失败,他们质疑这一学术性的方法对他们孩子的价值。

[15] Miriam Van Waters,被引用于 Roberta Lyn Wollons 的博士论文《教育母亲:西多妮·马茨纳·格伦伯格与美国儿童研究协会》(Educating Mothers: Sidonie Matsner Gruenberg and the Child Study Association of America, PhD dissertation, University of Chicago, 1983),第 231 页。

[16] Julia Grant,《看书育婴:美国母亲的教育》(*Raising Baby by the Book: The Education of American Mothers*, New Haven, Conn.: Yale University Press, 1998),第 5 章。

[17] Sidonie Matsner Gruenberg,《新心理学如何影响父母的习惯》(How New Psychologies Affect Parental Practices),《儿童研究》(*Child Study*),6(1928 年 10 月),第 11 页。

[18] Linda Gordon,《他们自己生活中的英雄:家庭暴力的历史和政治》(*Heroes of Their Own Lives: The Politics and History of Family Violence*, New York: Viking, 1988);Ellen Ross,《爱和辛劳:伦敦流浪者中的母亲(1870 ~1918)》(*Love and Toil: Motherhood in Outcast London, 1870—1918*, New York: Oxford University Press, 1993);Kathleen W. Jones,《制服麻烦儿童:美国家庭,儿童指导和精神病学权威的界限》(*Taming the Troublesome Child: American Families, Child Guidance, and the Limits of Psychiatric Authority*, Cambridge, Mass.: Harvard University Press, 1999)。

开始时，心理主义是中间阶层(middle strata)的意识形态，他们的生活水平使得他们能够无需为生计而奔波。有趣的是，这些社会起源不久被亚伯拉罕·马斯洛梳理成人格理论。他假定了动机的层次，其中生存的需要是较低层次和较少人性的，较高层次的则是爱的需要和自我实现的需要。[19] 在对儿童期进行心理学研究的时代，仅仅确保儿童的生理需要，而把儿童的心理发展留给运气或天命的父母很可能被看成是不合格的，如果不是疏忽或更糟的话。在过分拥挤的社区里，婴儿死亡率仍居高不下，社区居民常常缺衣少食。在这样的情况下，许多进步时代的改革者认识到，摆脱对物质的需求，对于这些温饱尚难以满足的人们而言完全是一种奢侈的想法，他们中大多数的人根本负担不起。尽管如此，中产阶级的医学方法处理者仍使他们的标准成为通用法令。保护婴幼儿身心健康意味着要对妈妈们进行教育训练，同时也要确保改善住房、公共卫生的条件和母乳的质量。[20]

657

组织严密的改革和心理主义力图揭示存在于社会问题表面背后的真正力量的保证，没有在任何其他地方比在青少年犯罪领域的结合更紧密了，改革的带头人早已信奉心理治疗的合理性。在简·亚当斯和约翰·杜威的影响下，针对在监禁中的青少年的新颖提议将儿童期与犯罪彻底分离，丢弃了一些原有的法律程序，重新定义了(青少年法庭的)法官可作为友善的帮助者而不仅仅是作为判决这些少年犯有罪或无罪的仲裁者的概念。这些方法首先在芝加哥少年法庭施行，在那里，1909 年精神病医师威廉·赫利引入了精神测试。据索福尼斯巴·布雷肯里奇和埃迪丝·阿博特(她们研究了这个法庭头十年中审理的每一个案件)所说，只有对少年犯罪者的社会系统有“更确切的了解”和“生物的和心理的实验室研究”，才预示对儿童们真正有所帮助。[21] 犯罪社会学在进步时代对城市生活进行了大量的统计学的社会研究。自 19 世纪 20 年代以来，改革者被吸引逐渐移向心理学的解释。研究个别青少年罪犯证明了专业化角色的正当性，即使令人吃惊的重复犯罪率大大抑制了改革者的乐观主义。[22]

芝加哥模式受到了许多青少年犯罪和儿童心理学权威们的拥护，他们大多数是妇女，相信其科学的承诺，并且在其中看到了促进慷慨的母性主义的福利制度的道路。他们共同发起号召在对青少年犯罪裁决时，要求考虑个别化而不是苛求，要体现出同情而不是武断。杰茜·泰伏特(1882～1960)1913 年在芝加哥大学(University of Chicago)获得了社会学博士学位，成为一位重要的社会福利工作的理论家和教育家，帮助协调专业援助与社会科学之间的交流。在 1919 年她在对儿童期进行心理学研究的

658

[19] Abraham Maslow,《动机和人格》(*Motivation and Personality*, New York: Harper and Row, 1954)。

[20] 美国儿童局,《拯救孩子运动》(*Baby-Saving Compaigns*, Infant Mortality Series No. 1, Bureau Publication No. 3, Washington, D. C.: U. S. Government Printing Office, 1913)。

[21] Sophonisba P. Breckinridge 和 Edith Abbott,《少年犯和家庭》(*The Delinquent Child and the Home*, New York: Russell Sage Foundation, 1912),第 11 页,第 173 页。

[22] Ellen Ryerson,《所制定的最好计划:美国青少年法庭的实验》(*The Best-Laid Plans: America's Juvenile Court Experiment*, New York: Hill and Wang, 1978)。

声明中，极力主张专业社会工作者仔细观察个体的人格，放弃对于坏孩子、不道德的家长以及他们不良行为的传统态度。“人的精神自我是很复杂的、难以捉摸的和不断变化着的现象，我们应该用谦逊的品格、开放的思想和不以过多的评判而以理解的想法来走近他们。”[23]米丽娅姆·范瓦特斯是20世纪中期美国最著名的监狱改革家之一，同样支持对儿童期进行心理学研究。在她身边聚集了一批与她有相同理念的专家，他们认为治疗总是更好于惩罚；如学校、少年感化院和法院之类的儿童照顾机构，应该成为以个人调节目标来规划蓝图的创造知识的实验室。

在两次大战期间，范瓦特斯、泰伏特以及其他对儿童期进行心理学研究的拥护者提出一个促进社会福利的方法，强调心理治疗工作是社会福利工作唯一有效的基础。改良后的数据收集和记录保存的技术揭示出，纯粹物质救助的秘方恰恰是致命的缺陷。泰伏特拒绝接受社会改良空想家的“不加区别的救济”，并呼吁改革要与内部变化相结合，以促使外部环境的改善。[24] 与心理学有关的家庭研究间接表明，纯理性的助人模式是过时的，贫困的家庭在遭遇经济危机的同时还受情感困扰的折磨。

范瓦特斯开始是在G.斯坦利·霍尔的指导下攻读她的博士学位，但由于霍尔的性别歧视和独裁方式，她转到了人类学研究，但她从未放弃对心理学建设性的应用的爱好。受到“兴奋于可用来解释所有儿童问题的新情结的发现”这一进步时代风气的影响，为了她希望拯救的青少年罪犯，范瓦特斯始终如一地雇用精神测试者和精神病学顾问。在那时，这就意味着要提高她私人的资金支出，因为这些服务还没有常规地由公共机构提供。[25] 她的第一本书，出版于1926年的有一定影响力的《冲突中的青少年》(*Youth in Conflict*)，针对青少年罪犯提出了带有强烈的心理学色彩的方法，可能部分原因是由于在她的书中关注较多的是女孩。在她的职业生涯中，范瓦特斯喜欢案例讨论会的形式，它可以完成密集的专业的协同工作，像有关要讨论的某个人的IQ分数、性行为史、家谱图、罗尔沙赫氏测验(Rorschach test)以及其他精神方面的数据。

659

泰伏特和范瓦特斯认为，任何一个因错误行为受到权威者关注的儿童或父母都是“不正常”的，以至于应该得到系统的心理观察和仔细推敲。但是心理学推论实践包括了所有的孩子，反而是“正常”的。反对已制定的标准，代之以定期地测量孩子发展成果的习惯是由如耶鲁大学(Yale University)的阿诺德·格塞尔等科学家推动的。格塞尔是霍尔的学生之一，他在19世纪二三十年代的实验研究成果中得出的孩子心理的等级标准广泛地被临床治疗师和儿童培养专家所采纳。弗洛伊德学说的思想的传播侵蚀了这样一种信念，即正常的心理状态应是固着的和不含糊的。1930年，一个随笔作者总结说：“家庭生活，当它不是一个可以感觉到的智力缺陷的研究对象时，就已经

[23] Jessie Taft,《人格研究和青少年导向的联系》(Relation of Personality Study to Child Placing),《社会福利工作全国会议记录》(*Proceedings of the National Conference of Social Work*),46(1919),第67页。

[24] Jessie Taft,《社会福利工作的精神》(The Spirit of Social Work),《家庭》(*The Family*),9(June 1928),第104页～第105页。

[25] Freedman,《母性正义》(*Maternal Justice*),第60页。

被认为明显是精神错乱的一项研究内容了。家庭生活真的使我们都成了傻子和疯子了。"[26]

这些观点在公共领域随处可见,从儿童指导心理门诊到"领先"计划(Head Start)。"我们开始认识到社会福利工作的一个全新概念的出现。"劳伦斯·K. 弗兰克在 1931 年预言性地写道,"我们社会生活中(如在经济事务、政治事务、家庭事件中)的困难和缺陷,被看做是心理失衡和人格扭曲的产物,而不是那些大的不牵涉个人感情的'系统'和'力量'的活动。"[27]到 20 世纪中叶,"非主观的"一词在所有儿童和其他依赖者的工作中都成为一个关键词,这个词用得如此之滥,以至于一名知识渊博的观察者竟发现它难以与想要帮助别人的冲动区分开来。[28] 从虐待儿童到贫穷再到糟糕的等级,通过完善专业社会工作者的技巧,这些社会问题能被阻挡,这些社会工作者承诺他们的实践依赖于合理的研究,并且确信他们的服务将被广泛应用,其世界性的观点也能被人们满意地接受。

运用相关知识的技巧调节儿童个性的发展需要决定智力水平的测试,判断发展历程的量表,探测情感组成的治疗方法,编撰生活历史的访谈以及判断家庭生活倾向的调查。这些实践被很大范围的机构所支持,从那些纠正教育失败和为孩子安置新家的机构到其他预防儿童疾病和改造青少年罪犯的机构等。

对家长们而言,有像本杰明·斯波克这样的弗洛伊德学说的推广者,他的《照顾婴幼儿》(*Baby and Child Care*)一书提供了与心理主义同步的建议。这本书自 1946 年出版以来,在后来的 30 年中印刷了 208 次,卖掉了2800万册,成为美国除《圣经》之外最为畅销的书。精神分析发展的叙述也使得儿童期的性特征和"对象关系"对成年生活显示出超出合理限度的含意。对性虐待的焦虑,幼儿日托的情绪后果,以及在 20 世纪后期浮出水面的"依恋失衡"奇怪的蔓延都可以松散地与弗洛伊德学说的思想联系起来。

660

1960 年后,对于对儿童期进行心理学研究的批评来自左右两个方面。对于家长作风体制的愤怒在于它牺牲孩子们正常成长的权利,激进分子控诉儿童福利专家将歪曲的学科强加于自由的国家权力机关的中心中,并呼吁程序上的预防措施。在政治领域的另一端是保守主义者们,他们质疑对儿童期进行心理学研究是对不良的行为睁一只眼闭一只眼,强化了道德的相对性,却弱化其应负的责任。对于这些批评家而言,在对与错方面严厉的教训就是答案。学校、家庭和法庭都应该成为美德的守护者,而不应是心理治疗借口的派发者。这就导致了在 20 世纪末不断增加的趋势:像对待成人罪

[26] Samuel D. Schmalhausen,《家庭生活:病理学的研究》(Family Life: A Study in Pathology),载于 V. F. Calverton 和 Samuel D. Schmalhausen 编,《新一代:现代父母和孩子最隐秘的问题》(*The New Generation: The Intimate Problems of Modern Parents and Children*, New York: Macaulay, 1930),第 275 页。

[27] Lawrence K. Frank,《美国社会学杂志》(*American Journal of Sociology*),36(1931 年 7 月),第 156 页。

[28] Dorothy Hutchinson,《有关非主观的一些思想》(Some Thoughts on Being Non-Judgmental),《美国儿童福利联盟公告》(*Child Welfare League of America Bulletin*),21(1942 年 2 月),第 3 页~第 4 页。

犯一样对待少年犯，认为他们应受到惩罚而不仅仅是咨询辅导。

甚至在受到攻击的情况下，心理主义仍不可避免地涉及有关儿童期的文化的讨论。心理主义改变了儿童期的经验和对孩子的管教方式，因为心理主义革命性地思考了人类是什么，应当怎样发展，处于困境中或脱离困境后其最需要的是什么。

从科学到援助：心理主义的社会性别

自1945年后"心理学社会"的出现，使得几乎在所有美国人的生活领域中都充满着心理工作人员。松散地组织在临床心理学、精神病学和其他援助专业周围，其成员涉及到社会福利工作、教育和神学，心理主义完全投入到以心理健康为目标的运动中去。正如心理学从20世纪初的由精英们改革转移到1945年以后的大众文化，它的职业类型也从最初的科学家转变成了援助者。

考虑以下的统计数据。1892年由26位先驱者建立的美国心理学协会（American Psychological Association，简称APA）在一个世纪之后已经发展到超过8.3万名会员。有53个部门，42本杂志以及有大量投身于立法、辩护和研究的工作人员，如今APA已成为世界上最大的心理学组织。[29] 到20世纪末，APA由临床医师统治着，然而在1940年以前，从事心理治疗工作的心理学家则为数不多。战后，在临床心理学和许多新型咨询领域（如以人为本的心理治疗和婚姻咨询）的医治者，凭借他们增长的才能和慷慨的政府资金，为心理治疗服务业开辟了市场，援助行业从此迅速扩张。

661 精神病学也同样在改变。传统上，精神病学是与神经错乱和精神病院联系在一起的；到了19世纪末和20世纪初，精神病学则开始关注对正常人群常见的痛苦的预防和治疗。[30] 20世纪末美国精神病学协会（American Psychiatric Association，简称APA）的成员达到了4.2万人，近几十年来它一直倾向于私人开业（决定性的改变发生在40年代），因为精神病院的医生成了被边缘化的少数人。[31]

相关的专业人员在精神病学家和心理学家的严密的监督下工作，促使他们的目标与实践技巧相契合。一些历史学家主张在第一次世界大战前后的十年中，社会福利工作为了建立其专业资质借鉴了心理学的理论和技巧，但是另一些人则把"精神病学的泛滥"的时间定在1940年。[32] 两种说法都显示，心理治疗理念的采纳在20世纪后50

[29] www.apa.org。

[30] Elizabeth Lunbeck，《精神病学的说服力：现代美国的知识，社会性别和权力》（*The Psychiatric Persuasion: Knowledge, Gender, and Power in Modern America*, Princeton, N. J.: Princeton University Press, 1994）。

[31] www.psych.org; Jack Pressman，《最后的手段：精神外科学和内科医学的界限》（*Last Resort: Psychosurgery and the Limits of Medicine*, Cambridge: Cambridge University Press, 1997），第363页。

[32] John H. Ehrenreich，《利他主义的想象：社会福利工作的历史和美国的社会政策》（*The Altruistic Imagination: A History of Social Work and Social Policy in the United States*, Ithaca, N. Y.: Cornell University Press, 1985）; Martha Heineman Field，《在"精神病学的泛滥"期间的社会个别调查实践》（Social Casework Practice during the "Psychiatric Deluge"），《社会公事公益服务评论》（*Social Service Review*），54（1980年12月），第482页～第507页。

年中对社会福利工作的成长有很大的帮助。从1975年到1990年,临床社会福利工作者的人数从2.5万名增加到了8万名,(美国)国家社会福利工作者协会(National Association of Social Workers)的成员也增加到了15.5万名。[33] 自1945年后,随着新的服务方式的推出和消费重塑了宗教与心理学的历史联结,牧师的辅导也爆炸性地增长了。

尽管社会福利工作总是妇女的工作,但是随着心理学向援助的转移,本由男性统治的心理学专业也不断地增加了更多女性的视角。第一代女性心理学家只有25名成员,其中19名获得博士学位,她们的学术贡献跨越了当时所有的专业。[34] 到1950年,女性心理学博士的比例达到了14.8%,到1987年为53.3%,上升的趋势与向临床工作的突然转变相符合。[35]

援助仅存在于情感和偏好的道德层面,而不是在理智、公平的层面,美国文化的发展水平低于其科学的发展水平,部分原因是由于援助和科学都在历史上被区分了性别。一段时期关于女性化说法的担忧不仅在于援助被定义为妇女的工作而且被认为是非科学的。具有讽刺意义的是,作为一门应用援助科学的心理主义的成功,却威胁到与心理主义的兴起相联系的经验主义和客观性。因此,教育中的社会性别化的呼吁既鼓励了心理主义在爱、家庭等文化上女性化的范围内的传播,也危及了心理主义的科学声望。毫不意外,大多数对心理主义直言不讳的批评者一直都是男性。 662

在那些败坏了心理主义的名誉的男性中,金斯利·戴维斯、C.赖特·米尔斯、克里斯托弗·莱欣和罗素·雅克比除了表达了对"社会病理学"语言的歧视之外,再没有别的什么。[36] 他们的观点不仅是性别歧视的反应。他们抱怨心理学推论实践将社会工程伪装成了科学,带给破坏社区精神的个人主义以新的生命力,促进了利己主义的退却,使得私人经验(如儿童期)服从于市场价值和政府权力的无情的秩序。这种强有力的批评提醒我们:人类科学经常为了不带感情色彩而牺牲了人道精神;把社会问题简化为阻碍积极变化的精神上的问题;虽然福利制度宣告了开明政府的出现,但它也带来了限制。

不管怎样,他们的主张都有一丝怀旧之情。批评家们未能意识到文化的改变是怎样使得现代生活的道德关系复杂化。美国人并没有简单地被说服接受心理主义。许多退伍士兵、父母以及其他人在其中发现了一种资源,它能从情感的和文化的角度理

[33] www.naswdc.org。

[34] Elizabeth Scarborough 和 Laurel Furumoto,《无言的生活:美国第一代女心理学家》(*Untold Lives: The First Generation of American Women Psychologists*, New York: Columbia University Press, 1987),第134页,第142页,第168页。

[35] 国家科学基金会,《数据图表——心理学:人力资源和资金》(*Profiles —Psychology: Human Resources and Funding*, Washington, D.C.: National Science Foundation, 1988),第33页,第34页。

[36] Davis,《心理卫生学和阶级结构》;Russell Jacoby,《社会健忘症:对从阿德勒到莱恩同时代心理学的批判》(*Social Amnesia: A Critique of Contemporary Psychology from Adler to Laing*, Boston: Beacon Press, 1975);Christopher Lasch,《冷漠世界中的天堂:被围困的家庭》(*Haven in a Heartless Word: The Family Besieged*, New York: Norton, 1977);C. Wright Mills,《社会病理学家的职业思想体系》(The Professinoal Ideology of Social Pathologists),《美国社会学杂志》,49(1943年9月),第165页~第180页。

解现代性，并且能帮助他们与现代社会的奸诈的交易进行谈判，这种交易存在于个人与群体之间、内在与外在之间、自我与社会之间、解放与统治之间。它不但要重申“社会问题”的首要位置，而且强调个人生活将保持着那种方式，好像它有可能将援助与权威分离，将知识与权力分离，将心理学的知识和实践与社会福利分离。观察者渴望一种比起在心理主义周围形成的道德图谱更清晰、更令人鼓舞的道德图谱。不过他们不太可能找到这样的标准。

（林侠　译）

39

精神病学

663

伊丽莎白·伦贝克

精神病学是医学的一个分支,它从历史上看是一门将严重的精神疾病作为研究对象的医学学科。在20世纪的历程中,它极大地扩展了自己的范围,将整个人类行为,无论正常的还是病理性的,全都纳入了其研究范围。到20世纪末,精神病学不仅要面对人们日常生活中的问题,而且还要研究精神分裂症和抑郁症等问题。它的研究范围开始变得"像生活本身一样宽泛",[1]就像有些心理医生所形容的那样。在这个扩展过程中,它进入了社会科学和行为科学的领域。本章将集中于美国精神病学,来考察其扩展历程。

精神病学不是很稳定地处于一个中间地带,一方面是遗传学和生物学,另一方面是行为科学(心理学、社会学、人类学),因此精神病学作为一个独特的桥梁将医学与上述各门学科联结起来。精神病学的从业者要全面考虑"包括从分子水平到最基本的社会问题的所有事情"。[2] 他们也会在精神病学的目标、实践以及一些基础性原理方面有争议,有时还会有激烈的争吵。与它的不稳定性同样重要的是,精神病学在20世纪经历了彻底性的重建。这种重建过程孕育了折中主义,它经常被理解为正常思想和行动的崩溃,因为精神病学家提倡范围广泛的行为和疾病相互冲突的模型。这种重建还孕育了精神病学家与其学科历史之间的一种奇特的关系,因为有些人为精神病学的这些历史渊源而感到骄傲,另外一些人却干脆摒弃这些历史渊源,声称精神病学是一个全新的学科。在整个20世纪里,"什么是精神病学"对许多人来讲都是一个紧迫的问题。从19世纪20年代和30年代产生之初,美国的精神病学就是一个相当有特点的专业,它与医学的其他专业差别相当大。它的从业者们,所谓的"精神病医生",在大型的监护的精神病院中努力地工作,远离国家人口的中心,远离医学的主流,主要关注机构

664

〔1〕 Roy R. Grinker, Sr.,《精神病学:范围》(Psychiatry: The Field), David L. Sills 编,《社会科学国际百科全书》(*International Encyclopedia of the Social Sciences*, New York: Macmillan, 1968),第12卷,第607页~第613页,这句话在第608页。

〔2〕 David R. Hawkins,《精神病学在社会中的角色:绪论》(The Role of Psychiatry in Society: Introduction),载于 George Kriegman, Robert D. Gardner 和 D. Wilfred Abse 编,《美国精神病学:过去、现在和未来》(*American Psychiatry: Past, Present, and Future*, Charlottesville: University Press of Virginia, 1975),第131页~第134页,这句话在第133页。

的管理问题;它的科学是道德和宗教思索的混合物,没有哪个医学院校设计了这样的教学内容;它的惩罚性的实践再三地受到愤慨的公众的仔细监督。在19世纪后期,医学开始拥抱科学时,精神病学的地位变得更加边缘化了。经过科学方法确认的神经病学专业的发展——它源于美国内战中内科医生对枪伤的医疗经验,强调了精神病医生在科学上的薄弱无能。1894年,杰出的神经病学专家S.维尔·米切尔在他们的专业组织机构——美国医生和心理学家联合会(American Medico-Psychological Association)中的一次演讲中,痛斥了他的精神病学同行们疏离医学主流机构和科学主流、缺乏探索的精神等等缺点。他特别提到:"我认为,缺乏令人满意的创造性的工作是精神病院现在展现的迟缓发展的最糟症状。"他还质问道:"哪里有你们谨慎的科学报告?"他的听众仅仅只是同意他的批评就表明了他们在一定程度的泄气。[3]

然而,在20年之内,很多对他们的学科在社会和科学范围中无足轻重的地位不满意的精神病学家经过自己的努力,彻底地改变了这种情况。19世纪的精神病学主要关注的是精神错乱。20世纪早期的精神病学家采用了度量的模式来考察症状和人群,来替代那种在精神病患者和其他人之间进行明显的区分的方法。这个新方法仅仅用一个在疾病和健康间宽松定义的界线把整个人群按从正常到非正常的等级排列。精神病学这个新的分支,把注意力转向正常人和日常的生活,从而对每个人都有适用性,从精神病患者到闷闷不乐的健康人。西格蒙德·弗洛伊德的新的精神分析科学,也是一个关于日常生活的学科,强调生活常规方面的重要性,它模糊了常态和变态之间的区别,也参与了精神病学的转变。1909年,弗洛伊德到克拉克大学(Clark University)的引人注意的访问也同时把他介绍给了美国精神病学界。从20世纪的20年代起,美国的精神病学的主流对精神分析热心起来,它把精神分析塑造成了一个特殊的美国式的动力精神病学,围绕着弗洛伊德定义的精神力量运作被组织起来。从长远来说,精神病学家们把他们的学科焦点放在正常行为上的这种策略获得了成功。在20世纪90年代期间,几乎有一半寻求精神治疗方案的人并不符合所界定的精神错乱的诊断标准,而且有一部分人仅仅遭遇了"生活中的一些问题"——讨论日常生活时的烦恼和焦虑。可以说,只要认为上述这些是治疗性的问题,而不是道德或宗教的有关的事情,那本身就是一个衡量精神病学影响的尺度。[4]

665

当动力精神病学形成了精神病学逐渐增大影响力的故事的这一部分的时候,生物精神病学的发展就成为了故事的另一部分。在整个20世纪期间,美国的精神病学专

[3] S. Weir Mitchell,《在美国医生和心理学家联合会第50届年会前的演讲》(Address before the Fiftieth Annual Meeting of the American Medico-Psychological Association),《神经及精神疾病杂志》(*Journal of Nervous and Mental Disease*),21(1894),第413页~第437页。

[4] William E. Narrow, Darrell A. Reiger, Donald S. Rae, Ronald Mander Schied 和 Ben Z. Locke,《对于精神失常和上瘾的人的诊断:国家心理健康研究所流行病学受托区计划的研究结果》(Use of Services by Persons with Mental and Addictive Disorders: Findings from the National Institute of Mental Health Epidemiologic Catchment Area Program),《普通精神病学档案》(*Archives of General Psychiatry*),50(1993),第95页~第107页。

家都在讨论他们的专业范围是否应该仅限于研究大脑的疾病或者是更模糊的，也更常见的“生活中的问题”。[5] 尽管一些人认为，大脑和心灵之间的绝对区分在实践中很难被坚持，然而绝大多数的精神病学专家还是把他们自己分为相互对抗的生物的与精神动力学的两个阵营。这篇文章的其余部分通过考察讲述它的增长中的影响的两个故事叙述，从而简要地记录了精神病学在20世纪的成功。其中一个故事叙述是围绕精神分析学和精神动力学的精神病学组织的，另一个故事叙述是围绕着生物精神病学组织的。生物精神病学是一个从19世纪后期发展至今的精神病学的分支，它试图将精神疾病的原因定位于大脑的结构和大脑的化学反应。前者叙述了精神分析学说的发明；20世纪的头十年首次在美国出现；在20世纪20年代至50年代不断流行和其机构化的表现形式，在整个精神病学界出现的精神分析学的霸权达到其最高点；随后则不断衰落，首先是因为生物精神病学似乎恰好提供了精神分析学所不能解答的行为之谜的答案，其次是因为精神病学实践的本质发生了改变，使得精神分析学变成一种昂贵的、自我放纵的和过时的实践形式。第二个故事叙述常被认为是不足为信的治疗方法（例如：电击和脑白质切断术）的历史。不信任不仅来自业内——精神病学家们对其治疗的有效性的怀疑，而且也来自外部——大众媒体及从60年代开始的反传统精神病学运动。然而，它也可以被更乐观地认为是对生物精神病学后期的较少引起争论的成就的预示，不论是通过对早期干预的解释，也不论它们似乎在历史反思中引起怎样的误解。一直到70年代和80年代，动力精神病学才是人文科学论说和实践的参与者。但从那时起，生物精神病学也逐渐进入了这些领域。

动力精神病学的兴起

20世纪的早期，一批进步的精神病学专家开始试图改变他们的专业并且重塑他们的专业自我。他们通过机构性的和概念性的创新来实现他们的目标，把精神病学从边缘带入了文化的主流，并从此一直保留在其中。在机构创新上，他们摈弃了精神病院而进入门诊和咨询治疗室，建立了位于市区的、以大学为基础的新兴机构，例如，位于安阿伯（1906）和波士顿（1912）的精神病医院，位于巴尔的摩（1913）的亨利·菲普斯精神病门诊（Henry Phipps Psychiatric Clinic）。这些机构的目的是快速地治疗病人，科学地研究病例，并尽快地使他们解脱出来。总之，让自己远离他们那些无所作为、以孤立的精神病院为基点的先辈们。锐意改革的精神病学专家还成功地游说通过了新的法律，让他们接受那些不是精神错乱，而近似正常的病人。如他们所预想的，病人不再被强制送到精神病院，在法律程序中被不情愿地剥夺自由；而相反地改为被医院接

666

[5] Leon Eisenberg,《精神病学中的盲目和愚蠢》(Mindlessness and Brainlessness in Psychiatry),《英国精神病学杂志》(*British Journal of Psychiatry*), 148(1986), 第497页～第509页, 这句话在第500页。

纳——自愿地,如果可能的话,短期地住院并且无需求助于法院。在全国范围内,有1/3的州采纳了新法律,简化了入院手续,并且使更宽泛的人群接受精神病学的仔细检查。通过这些手段,精神病学专家们提高了他们的专业权威性,既让精神病学与医学保持更紧密的一致,又在从家庭的到政治的一系列社会问题上获得了发言权。

他们的概念创新也很重要。最有意义的是,他们放弃了症状,而转向人格,以此作为精神病治疗感兴趣的单元。症状相对地很少见了(19 世纪的精神病学就是围绕其组织的),仅呈现了几个心理失常的症状——例如昭示了精神分裂症的幻想和错觉。这些精神病专家把"精神病变的人格"定为一种新的诊断说明的标题,它把一系列的近似正常的行为(不稳定、易冲动、暴躁等)都纳入精神病学的研究范围,并同时描绘出作为分析对象的人格。对精神病学专家来说,"人格"指代了完整的个体及他或她所有的特质。用 20 世纪杰出的实践者之一威廉·曼宁格尔(1899～1966)的话来说,它涵盖"一个人的过去、现在和将要成为的所有内容";[6]正如一本标准教科书所定义的,人格指的是"一个他的朋友所了解的所有特质"。[7] 与症状相比,它给精神病学专家们提出了广泛的调查空间,像他们所看到的那样,它既无所不在(每个人都有),又有与自我核心的可分离性(即人格的可塑性)可供他们进行干预和操作。随着 20 世纪前进的步伐,热情与日俱增的精神病学的领导者们提出这样一个观念:在采用"完整人格"作为精神疗法干预焦点的前提下,每个人都可以从这样的精神病治疗的帮助中获益。[8]

667

精神病学家转向人格的研究,被精神分析的观点既在精神病学界也在总体文化中的广泛流行所印证。在精神分析理论中,症状已变得无关紧要。用威廉·曼宁格尔的同样杰出的兄长卡尔·曼宁格尔(1893～1990)的话来说,焦点更应该集中于"人的动机和内在的精神资源,被部分掩盖的冲突的强度,未知也从未探索过的我们的本性的深度和高度"。[9] 很多人都在讨论的完整人格正变成"精神疗法尝试的合法对象"。[10] 精神分析学不仅是高度专业化的心理治疗实践,还是关于人类行为的通用理论。尤其在美国,它对内科医生和公众都很有吸引力。年轻的基于医院的精神病医生尤其对弗洛伊德的学说感兴趣;到 1918 年,有近 200 篇有关精神分析的论文(大都很受欢迎地)发表在医学刊物上;两个小型的专业组织成立了;而且精神分析成为了精神病学教科书中的治疗范式。尽管很多精神病学专家不满意于精神分析学者对性的过度关注,并给弗洛伊德打上颓废的、无神论的悲观主义者的烙印,但仍有些人把它引入美国文化。

[6] William C. Menninger,《精神病学:它的演化及现状》(*Psychiatry: Its Evolution and Prensent Status*, Ithaca, N. Y.: Cornell University Press, 1948),第 4 页。

[7] David Henderson 和 R. D. Gillespie,《学生和从业者使用的精神病学教科书》(*A Text-Book of Psychiatry for Students and Practitioners*, London: Oxford University Press, 1956),第 131 页。

[8] Elizabeth Lunbeck,《精神病学的说服力:现代美国的知识、社会性别和权力》(*The Psychiatric Persuasion: Knowledge, Gender, and Power in Modern America*, Princeton, N. J.: Princeton University Press, 1994)。

[9] Karl Menninger,《生死攸关的平衡:在心理健康和疾病中的生命过程》(*The Vital Balance: The Life Process in Mental Health and Illness*, 1963, New York: Penguin, 1979),第 399 页。

[10] F. J. Hacker,《常态的概念和它的实际意义》(The Concept of Normality and Its Practical Significance),《美国行为精神病学杂志》(*American Journal of Orthopsychiatry*),15(1945),第 47 页～第 64 页,这句话在第 49 页。

大众急切地接受了这门新科学，他们从大量发行的刊物《世界主义者》（*Cosmopolitan*）、《纽约时报》（*New York Times*）和《新共和》（*New Republic*）中体会到了弗洛伊德的独创灵感和勇气，还有他在性方面的激进立场。对潜意识、压抑、移情作用等弗洛伊德学说的概念的积极看法也进入了公众谈论的范围。到1921年，出现了40多本解释精神分析的普及著作，但只有为数很少的几个精神病学专家和心理学家开始为神经官能症和歇斯底里症提供精神分析的治疗。

从弗洛伊德这方面来看，他并不信任美国人的热情。正如他所理解的，美国的精神分析学处于被淡化的危险境地，掺杂着其他成分，成了"一种大杂烩"，反映了公众的"判断力的欠缺"和情感的理解的欠缺。[11] 他希望精神分析学能保持为一门独立的学科。在欧洲，外行人和内科医生都可以被训练成为分析者。在美国，精神分析变成了医学的一个分支专业，仅有精神病医生才允许接受培训。

第一次世界大战的经历表明，外伤可能导致的精神症状是能够接受心理治疗的，这一点很关键，它为精神分析和心理动力学的精神病学能在更广泛的范围内被接受铺平了道路。麻痹、抽搐、间歇性的颤抖、无意识的尖叫、失语和恐怖使数千士兵失去了战斗能力，而不得不退出战场。神经病学专家徒劳地寻找与他们症状相关的生物机体联系。很多人谴责士兵们是在装病。惩罚性的治疗（电击、单独监禁）都毫无效果。真正起作用的是由新成立的诊所和医院中的精神病学专家所实施的精神疗法。[12]

668

战后，于1920年在伦敦成立的泰维斯托克诊所（Tavistock Clinic）宣扬一种指向童年的心理疗法，强调家庭作为人格满足的源头的重要性，使它成为两次战争间英国的心理动力学的精神疗法的中心。在美国也和在英国一样，对所有给予它的承认中，泰维斯托克诊所并没有学术性的附属单位。[13] 据一个从业者评论说，在英国，精神分析不是学术性医学的组成部分，仅仅只是有联系的。[14] 例如，到20世纪50年代，在美国有整整一半大学的精神病学系的系主任则是由精神分析学家担任的，这些精神分析学家就是已受到多年精神分析专业训练的精神病学家。与其相对的是，极少的英国的精神分析学家拥有教育职位；例如在1963年，伦敦的曼德斯理医院的精神病研究所（Institute of Psychiatry at London's Maudsley Hospital）中仅有20%的教职员工是精神分析学家。[15] 另外，从波士顿到托皮卡到旧金山，有大量的精神分析研究所分布在整个

〔11〕 Nathan G. Hale, Jr.,《弗洛伊德与美国人：精神分析在美国的开始》（*Freud and the Americans: The Beginnings of Psychoanalysis in the United States*, New York: Oxford University Press, 1971），第397页～第400页；Hale,《精神分析在美国的兴起与危机：弗洛伊德与美国人（1917～1985）》（*The Rise and Crisis of Psychoanalysis in the United States: Freud and the Americans, 1917—1985*, New York: Oxford University Press, 1995），第6页。

〔12〕 Karl Menninger,《生死攸关的平衡》，第62页～第63页；Hale,《精神分析在美国的兴起与危机》，第13页～第24页。

〔13〕 Malcolm Pines,《精神动力运动的发展》（The Development of the Psychodynamic Movement），载于 German E. Berrios 和 Hugh Freeman 编，《英国精神病学的150年（1841～1991）》（*150 Years of British Psychiatry, 1841—1991*, London: Gaskell, 1991），第206页～第231页。

〔14〕 Michael Shepherd,《对美国精神病学在英国的观察》（An English View of American Psychiatry），《美国精神病学杂志》（*American Journal of Psychiatry*），114（1957），第417页～第420页。

〔15〕 Aubrey Lewis,《英国来信》（Letter from Britain），《美国精神病学杂志》，110（1953），第404页。

美国，而这时在英国仅有很少的精神分析学家在伦敦以外行医。[16]

美国的精神病学的注意力集中于常态的人群，而且从精神病院转向了个人办公室，这种转移提升了它的地位和可见性，也刺激了其他类似学科的形成。这样的学科也宣称近乎正常的病人也同样有权受到精神病学专家的关注。精神病社会福利工作，一个诞生于20世纪头十年中的基本上女性化的专业，一开始就清楚地说明了其宽泛的社会使命，注重于调节病人以适应于他们的社会环境。但到了20年代，社会福利工作的领导者们为了更有利于探索病人的内心世界，抛弃了社会改良论。人格成为她们的兴趣单元，精神疗法（精神病学专家的工作）也成了她们的主要技术。早期的合作被持续的冲突所代替了，因为精神病学和社会福利工作都声称有相同的专业知识领域。同样地，到了20年代，持有博士学位的心理学家与精神病学专家一样从事相同的心理治疗领域，这引起了精神病学专家的焦虑，认为前者会“占领整个领域”。一些精神病学专家坚持，临床心理医生应该在医学的监督指导下工作；另一些人建议两者合作。精神病学专家们想要越出精神病院和医院之外的野心，引发了对受到高度重视的常态领域的控制权之争。[17] 在美国，占统治地位的动力精神病学对精神分析的支持使其有了非同寻常的影响力，而动力精神病学本身在20世纪中期精神病学的个人实践背景下极为盛行。在20世纪三四十年代，办公室行医的精神病学戏剧性地发展了起来。在50年代早期，40%的美国精神病医生在私人行业里行医，有25%的精神病医生仅仅只运用精神治疗法。[18] 在办公室里进行的精神病治疗法大部分是属于动力学的，它的着重点在于病人的生活经历、精神冲突和社会环境。动力学家是对他们病人的“行为的主导模式”感兴趣，而不是针对特殊的疾病本体。他们认为，所有病人都只是在他们行为方式的“程度、持续性及相对的不适应性”上与正常状态有所区别。[19] 他们争辩道，疾病只是对人格的整体经济性原则中的一个干扰，而不是病人外部之物。他们建构出的人格是在内部和外部关系中的一系列的调整装置。

669

与20世纪早期的同行们一样，很多20世纪中期的美国精神病学最杰出的代表都非常倾向于，并且支持一种更积极、更具有社会作用的精神病学。他们的扩张主义的野心得到了第二次世界大战经验的支持。从1942年到1945年，180万名美国新兵因神经精神病的原因被拒入伍服役。战争的经历造成了100万以上的精神病病例——年轻人患上了战斗神经官能症和其他归属于动力学范畴的病症。精神分析医师的人

[16] 关于Freud和精神分析在剑桥和以大学为基地的科学家中引起的狂热，参见Laura Cameron和John Forrester，《坦斯利的精神分析网络：来自英国精神分析早期历史的一段插曲》（Tansley's Psychoanalytic Network: An Episode out of the Early History of Psychoanalysis in England），《精神分析与历史》（*Psychoanalysis and History*），2（2000），第189页～第256页。

[17] Gerald N. Grob，《心理疾病与美国社会（1875～1940）》（*Mental Illness and American Society, 1875—1940*, Princeton, N. J.: Princeton University Press, 1983），第235页～第236页，第260页～第264页，这句话在第263页。

[18] Shepherd，《对美国精神病学在英国的观察》，第418页。

[19] Jules H. Masserman，《动力精神病学的实践》（*The Practice of Dynamic Psychiatry*, Philadelphia: Saunders, 1955），第121页～第122页。

数实际上要比表现出来的在军中有职位的人数多很多。在整个国家的3000名精神病医师中只有 100 个是精神分析医师,而他们被指派到许多陆军和空军中的首要位置。例如,威廉·曼宁格尔在 1943 年被指定为陆军的首席精神病医师,他又任命了 4 名精神分析学家作为自己的下属。这些分析学家成功地把精神分析的、精神动力的精神病学塑造成一种医疗模式,运用医疗术语和类比来描绘他们治疗的病症之特征。此外,他们还为精神病学勾勒出一种新的、主要是精神分析性质的科学术语系统,这为 1952 年出版的首部《诊断和统计手册》(*Diagnostic and Statistical Manual*)打下了基础。[20] 在战后的 20 年中,研究精神动力的精神病学专家主宰了这个领域。正如罗伊·格芮克(老)悲伤地表示:“精神动力学被称作是精神病学的基础科学。”这种情况正是他和其他许多精神分析学家和生物学导向的精神病学家所强烈批评的。[21] 因为,精神分析是“医学化的”,从对立的观点看,精神病学是“非医学化的”。[22] 670

生物精神病学

即使精神分析和精神动力学导向在精神病学中占据了突出的位置,一些精神病学家仍然坚持认为,精神疾病实质上是一种脑部疾病。整个 20 世纪,他们努力摆脱文化的束缚,创立一种自然科学式的精神病学。他们改进了治疗手法,例如电休克以及脑白质切断术,它们曾经受到公众的热烈欢迎,但后来,几乎完全受到质疑和拒绝。然而,至少这样的疗法把精神病医生的注意力从心灵转移到了大脑,促进了更多成功性而较少争议的抗精神病药物的开发。他们使精神病学家们充满了希望,并且打破了周期性地对精神病学专业进行攻击的疗法虚无主义的枷锁。

精神病学家常声称(而且一些当代的历史学家也认同)那种绝望使得他们在 20 世纪的早期就采用了生物疗法。[23] 尽管有他们的日常计划的成功和他们对医院的偏爱超过精神病院的成功,但在 20 年代,大部分接受精神病治疗的人是收容所里的居住者而不是个人或门诊病人。1922 年到 1944 年间,全国范围内的入住州立医院(由精神病医院改名而来)的人数从 5.2 万人增加到 7.9 万人,增加到 67% 。这些病人几乎全部都严重地烦躁不安,都被诊断为精神病患者。此外,被划定为慢性病人的比例数从 1900 年到 20 年代都有所增加,收容所中多半的病人在那里待了 4 年以上,有 13% 的病人则待了 20 多年。到了 1933 年,不断增加的病人和住院期的延长使得 36.6 万个精神

[20] Hale,《精神分析在美国的兴起与危机》,第 188 页～第 190 页。

[21] Grinker,《精神病学:范围》,第 610 页。

[22] Melvin Sabshin,《20 世纪美国精神病学的转折点》(Turning Points in Twentieth-Century American Psychiatry),《美国精神病学杂志》,147(1990),第 1267 页～第 1274 页。

[23] 最著名的是,Jack Pressman,《最后的手段:精神外科学和内科医学的界限》(*Last Resort: Psychosurgery and the Limits of Medicine*, Cambridge: Cambridge University Press, 1998)。

病的床位被占满了。批评家们指责精神病医生的无能、粗心、冷酷无情,并且虐待病人。[24]

对梅毒的一种明显的治愈方法的发现促使精神病学家加快对生物课题的研究。后期神经性梅毒,被称为"普遍性的精神错乱型麻痹"或"普遍性麻痹",特征是运动能力和说话能力受损、局部麻痹、妄自尊大和痴呆,20 世纪 20 年代期间有大约 20% 的男性患者因此入住了精神病收容所。[25] 在 1905 年到 1913 年间,普遍性麻痹的梅毒的病因终于被确定,那时候,梅毒的致病介质(梅毒螺旋体)被发现,之后通过尸检在病人的脑部确认了梅毒螺旋体的存在。随着对梅毒感染的魏斯曼诊断试验在 1906 年被开发,以及药物"撒尔佛散"(Salvarsan)对这种疾病有效治疗的发现,精神病学家声称,最常见的精神痛苦之一就表现为器官医疗问题的形式。很快,他们就把这些发现归结为一种由可以被确定的介质引起,并且能够被一种特殊的化学疗法的制剂所治愈的精神疾病的范例——"普遍性麻痹的范例",而且他们确定,某些其他的精神错乱也符合这个范例。尽管在精神病学中复制这种疾病范例的尝试被证明是没有结果的,但它却继续支持这样的观念,即精神疾病是由某种脑部疾患所造成的,是由某种器官病变所引起的,它可以通过身体干预来治愈,这样就有可能廉价地、有效地治愈大量的病人。

20 世纪最有名的身体治疗是电休克和脑白质切断术,所有对这两种方法的介绍中都充满了溢美之词。[26] 电休克疗法是从胰岛素休克疗法的实验中发展而来的,这些实验是由奥地利犹太人曼斐尔德·萨科尔在 20 世纪 20 年代的柏林完成的。萨科尔注意到,在偶然给予过量的胰岛素时,对糖尿病药物的依赖者在他的护理下其症状会有所改善。因为过量的胰岛素会降低血液中的葡萄糖,导致低血糖昏迷或"休克"状态。在动物身上试验成功后,萨科尔在 1933 年将这种方法用于治疗精神分裂症的试验中,故意造成病人的昏迷,然后再给他们补充糖分使其从休克中恢复。萨科尔的报告称,经过他这种方法治疗的病人中,有 88% 其病情都得到了改善。这震惊了整个精神病学界。[27] 英国和美国的精神病学家们急切地接纳了胰岛素治疗法。因为这有望治愈很多最难对付的精神痛苦。100 多家美国医院设立了专门的胰岛素治疗室,很多有名望的英国医院也是如此,尽管治疗的过程很危险(1%~2% 的病人在治疗过程中会死亡),而且其操作也很难掌握。

与此同时,匈牙利医生约瑟夫·拉迪斯拉斯·冯·麦德纳开始考虑给精神分裂病人使用痉挛治疗。他认为癫痫症和精神分裂症具有生物上的相互颉颃性,就提出了假

〔24〕 Grob,《心理疾病与美国社会(1875 ~1940)》,第 187 页~第 198 页。

〔25〕 同上书,第 188 页。

〔26〕 Percival Bailey,《伟大的精神病学革命》(The Great Psychiatric Revolution),《美国精神病学杂志》,113(1956),第 387 页~第 406 页。

〔27〕 Eliot S. Valenstein,《伟大和孤注一掷的疗法:精神外科学和其他对心理疾病的极端治疗的兴起与衰落》(*Great and Desperate Cures: The Rise and Decline of Psychosurgery and Other Radical Treatments for Mental Illness*, New York: Basic Books, 1986),第 46 页~第 47 页;Edward Shorter,《精神病学的历史:从精神病院时代到百忧解时代》(*A History of Psychiatry: From the Era of the Asylum to the Age of Prozac*, New York: Wiley, 1997),第 208 页~第 214 页。

设，认为痉挛有可能是精神分裂症的一种治疗方法。1934 年，他给 26 个病人注射了“米特腊唑”（metrazol）——一种可以引起痉挛的特效心脏兴奋剂，并报告说，大部分病人的状况都得到明显的改善，其中 10 个人已完全康复。到了 30 年代后期，“米特腊唑”痉挛疗法在美国被很多主要的精神病收容所采用。没有人能够解释“痉挛”在改善精神分裂症上究竟是怎样发挥作用的，但这一点并没有降低专业人员及大众对这种新疗法的热情。身体治疗例证了精神病治疗法中的医学思想，它给绝望的人提供了希望。然而，就在精神病学家尽可能地促进这个疗法的使用时，病人却恐惧并抵制它，因为痉挛会带来令人苦恼的痛苦，而且有时还会造成骨折。但是与胰岛素休克疗法比较起来，它对病人来说更安全一些，对操作者来说也更容易并且其成本也较低。无论在当时的美国或欧洲，那都是一个重要的需要考虑的事情，因为那是一个收容所中存在着大量的病人的时代。[28]

672

然而，当精神病学家最终把胰岛素疗法和米特腊唑疗法丢弃到失败疗法的垃圾箱里的时候，电击疗法却仍在使用，主要用来治疗严重抑郁症。1938 年，两位意大利精神病学家乌格·色雷提和卢西奥·比尼经过努力，首次发现了电击疗法。在整个 30 年代，他们用狗做了很多试验，最终发现，把电极放在狗的太阳穴上，会使它们痉挛，但不会杀死它们。1938 年，当他们宣称在病人身上也取得了成功之后，关于这种最新的名为“电击疗法”的消息迅速在全世界传播开来，法国、英国、美国的精神病医生都开始将这种新疗法运用到自己的病人身上去。到 1941 年，超过 40% 的美国精神病医院使用了电击疗法；1935 年到 1941 年间，共有 7.5 万名病人使用了这三种休克疗法中的一种进行了治疗。在大众媒体《时代》（*Time*）周刊、《新闻周刊》（*Newsweek*）、《读者文摘》（*Reader's Digest*）的许多文章中，都对这些疗法的好处大加赞赏。很多精神分析导向的精神病学家表示反对的理由仅仅是它们不恰当的使用，但一些最杰出的精神病学家都认为这些治疗的方法值得关注。50 年代占优势的观点是，休克疗法似乎既有效又时髦，从而得到世界范围内主要大学和研究中心的支持。尽管还没有人宣称能够了解这些精神疾病的具体起因，但是这些疗法却有可能提高精神病学家的地位。就像一位精神病学家所写的那样：“某人可能会质疑休克疗法是否对病人有益，但这些疗法对精神病学却是大有益处，而这一点是毫无疑问的。”[29]

脑前额叶切断术，最早是由葡萄牙的神经专家埃加斯·莫尼斯在 1935 年采用的，它同样得到支持电击疗法的器质论者的乐观主义的支持。几年来，医生们观察到因为脑前额叶的伤害，会引发病人的智力障碍和剧烈的情绪变化。但对精神活动是否就分布在额叶前部区域，专家们的意见仍有分歧。尽管埃加斯·莫尼斯缺少一个一致的理论来支持自己所做的工作，但他在 1935 年和 1936 年一共做了 20 例脑白质切断术。他

673

〔28〕 Valenstein，《伟大和孤注一掷的疗法》，第 48 页～第 50 页；Shorter，《精神病学的历史》，第 214 页～第 217 页。

〔29〕 Valenstein，《伟大和孤注一掷的疗法》，第 52 页～第 61 页；Shorter，《精神病学的历史》，第 222 页，引用部分在第 224 页。

在病人的头部钻洞并切断脑前额叶与大脑其他部位的联系。依据他的评价,通过这些手术操作,35%的病人被治愈,35%的病人病情有了改善,剩下的没有变化。莫尼斯广泛地通报了他的结果。在几个月内,好几个国家——意大利、罗马尼亚、巴西和古巴都实施了这样的手术。然而,没有其他地方像美国那样热烈地接纳了它。在美国,神经科医生瓦尔特·弗里曼为了它而改变了宗教信仰,并且希望把它变成一个标准的手术程序。在1936年至1957年间,美国有1.8万多个病人接受了脑白质切断手术;到1954年,英国有1万多个病人也接受了脑白质切断手术。[30] 在这两个国家,主流和边缘性的研究院所都在实施这一外科手术。像电击疗法一样,精神外科学受到了大众媒体的大力赞扬,并且不加鉴别地夸大它的效果。

生物精神病学家梦想着把精神病学转变成为一种完整的医学的特定分支,前后20多年,这个梦想促使人们对精神外科手术抱有未经审查的极大热情。这种热情在20世纪50年代中期的几年中通过引入对精神起着显著作用的药物才得以逐渐降温。到了1970年,每年仅仅实施了300例手术,这仅仅只占从1948年到1952年这些操作的最繁荣兴盛时期的每年5000例手术中很小的一部分。精神外科手术极有可能给精神病学家带来他们梦寐以求的地位和极度追求的效果,从而给50万名在破旧的过分拥挤的收容所里的慢性病人提供了治愈的希望。像那些预见了精神病学的重要角色的20世纪早期的前辈一样,通过精神外科手术,他们彻底地再造了他们的整个学科。

文化与人格

精神动力学家们强调要在人的文化和环境中评估他或她,这首先就支持了精神病学家涉足社会科学的冒险。精神病学家关注的是个体,而社会学家关心的是更广泛的文化和社会过程,从20世纪30年代到50年代,优秀的精神病学家与社会学家共同努力在这两者之间搭建桥梁,在人格这个基点上会合。在动力精神病学中,精神症状并不被看做是分离的和有限的,而被看做是一个人全部人格的体现,是他或她对身边的社会、文化和人际环境作出调整的总和。因而,精神病学似乎可以合理地"成为人类的全面科学——普通人类学的基本部分"。[31]

674

这门关于人类的科学通常用人类学的"文化和人格"来定义,这个人类学的流派在20世纪30年代和40年代在美国很盛行。人类学家们认为是爱德华·萨皮尔为这一领域奠定了基础;精神病学家们也把同样的荣誉授予萨皮尔的合作者、折中主义的精神分析学家亨利·斯塔克·沙利文(1892～1949)。沙利文认为,精神病学是一门关于

[30] Valenstein,《伟大和孤注一掷的疗法》,第80页～第100页,第121页,第178页;Gerald N. Grob,《从精神病院到社区:现代美国的心理健康政策》(*From Asylum to Community: Mental Health Policy in Modern America*, Princeton, N. J.: Princeton University Press, 1991),第130页。

[31] Frances J. Braceland,《精神病学和人类科学》(Psychiatry and the Science of Man),《美国精神病学杂志》,114(1957),第1页～第9页,这句话在第3页。

精神的科学,同时也是一门社会科学。他在1936年参与创建了华盛顿精神病学研究院(Washington School of Psychiatry),这是一个旨在培养内科医师和社会学家的跨学科的项目,精神分析学家埃里希·弗洛姆和人类学家鲁思·贝内迪克特都是其中的教授。精神病学和人类学之间的作用在两个方面都有表现。从精神分析学那里,人类学家得知孩子早期经历的重要性,认识到成年人行为中的无意识的动机和机制。从人类学家那里,精神病学家得知,想当然地认为习俗是普遍的而又无历史根源,这样会是很危险的;例如,孩子的培养方式就可被看做是既具有文化的特殊性又是可变的。沙利文提出假设,精神失常是有其文化特殊性的,建议精神分裂症可以被认为是个体背离了某一群体的规范。相似地,对精神失常的非洲裔美国病人的研究显示,在他们的错觉的世界里也牵涉、隐含了种族歧视。[32]

在20世纪30年代和40年代期间,沙利文、弗洛姆和凯伦·赫内及其他人转而探索个体与社会现实间的关系,关注的主要是文化体验,而不是在经典的分析中的本能驱动。用弗洛姆的"社会特征"的概念,他们分析了人格结构的模式,他们认为,这具有典型的不同人群或阶层特性。[33] 例如,弗洛姆在《逃离自由》(*Escape from Freedom*)中认为,纳粹意识形态思想体系尤其会受到小资产阶级的德国人的欢迎;其特点是"喜爱强者,憎恨弱者",他们服从权威,易受强硬的领袖人物的影响。[34] 社会特征的概念在个体心理学与群体心理学之间架起了桥梁,然后被吸收到社会科学中。大卫·里斯曼和弗洛姆一起从事分析并受到弗洛姆的著作的深远的影响。在20世纪美国社会学著作中被引用最多的(也说明是最重要的)《孤独的人群》(*The Lonely Crowd*)一书中,里斯曼运用社会特征的概念描绘了一类新型的美国人,易受他人影响的人,这种人"由于对他人的期望和喜好非常敏感",而使得他或她的行为遵守了社会规范。他提出,在这里"特征"是受社会条件制约的,"在一生的社会化过程中习得的"。"一件限制行动的紧身衣",它限制个人的选择,但也使社会生活成为可能。[35]

675

大多数精神分析学家更喜欢接近心灵的、一种更个人主义的方法。精神分析的自我(ego)心理学,与经典的精神分析学不同,强调的不是自我的防御的方面,而是它那整合和适应性的作用。自我心理学代表了带有意识形态的意味、以群体为导向的"社会特征"的概念和正统精神分析对个体病理的关注之间的一个妥协。[36] 在战争刚结束

[32] Hale,《精神分析在美国的兴起与危机》,第177页;Charles S. Johnson,《社会科学对精神病学的影响》(The Influence of Social Science on Psychiatry),载于Roy R. Grinker编,《世纪中叶的精神病学:概观》(*Mid-Century Psychiatry: An Overview*, Springfield, Ill.: Thomas, 1953),第144页~第156页。

[33] Louise E. Hoffman,《从本能到身份:从弗洛伊德到艾里克森的变化的社会生活概念的含意》(From Instinct to Identity: Implications of Changing Psychoanalytic Concepts of Social Life from Freud to Erikson),《行为科学史杂志》(*Journal of History of the Behavioral Sciences*),18(1982),第130页~第146页。

[34] Erich Fromm,《逃离自由》(*Escape from Freedom*, 1941, New York: Holt, Rinehart and Winston, 1969),第210页。

[35] David Riesman与Reuel Denney和Nathan Glazer合著,《孤独的人群:对变化中的美国人性格的研究》(*The Lonely Crowd: A Study of the Changing American Character*, New Haven, Conn.: Yale University Press, 1950),第9页,第4页~第5页。

[36] Hoffman,《从本能到身份》,第138页~第139页;Erik H. Erikson,《儿童期与社会》(*Childhood and Society*, 1953, New York: Norton, 1978),第193页~第194页。

的几年里，艾里克·艾里克森（1902～1994），自我心理学最知名的代表人物，确切地阐述了社会心理身份的概念，一个极难理解的概念，它既包括个体特征又包括社会特征，更重要的是，它对每个人都有意义。他解释说，社会心理身份依赖于“个人内心（自我）的综合体与在他的群体中的角色融合的互补性”。他的“性格认同危机”的概念——一个假设的青春期和早期成年阶段，作为描述“成长、恢复和更多分化”时期的一个名称进入了大众语言。[37] 尽管艾里克森谴责用“我是谁”的问题等于身份认同这一时髦的等式，但当对身份认同的探索席卷了整个美国时，他也没有力量去阻止这样做。正统的精神分析学家报告说，他们的病人的痛苦并不是典型的神经官能症，而是感到自己无用和不满意的含糊的疾病，痛苦的不是压抑，而是不知道他们是谁或他们会变成什么样；各种各样以《寻求身份认同》（*The Search for Identity*）为书名的突如其来的大批大众读物，证实了同样的现象。到20世纪60年代末，身份认同危机成为了每天的事务，“寻找自己”则成了文化的责任。

精神病学家向社会科学和行为科学的转向，不仅产生了文化和个性流派，而且还产生了强调文化对行为的决定性影响的社会精神病学流派。在50年代期间，有关对医院环境及其对病人行为的影响的研究开始出现。1954年，精神病学家阿尔弗雷德·H. 斯坦顿和社会学家莫里斯·S. 斯瓦兹出版了一本《精神病院》（*The Mental Hospital*）；其他研究接着出现了，包括《一家州立精神病院的人文问题》（*Human Problems of a State Mental Hospital*）和《作为一个小社会的精神病院》（*The Psychiatric Hospital as a Small Society*）。[38] 这一类型最著名的作品是欧文·戈夫曼1961年出版的《精神病院》（*Asylums*），它把精神病院描绘成剥夺人性的“绝对机构”，因为它剥夺住院病人的尊严。其他的对特定社区内的精神疾病的发生及盛行的研究，以及这样的精神疾病是怎样与社会因素和环境因素相关的研究，都源自于同样的合作推动。这两种研究既吸引了大众，又吸引了专业的读者。

676

具有讽刺意味的是，这些对精神病院进行的批判性研究可能起到了削弱社会精神病学的作用。无论如何，到了60年代中期时，社会精神病学已经塑造成功，但是反对它的医学模式再一次占了上风，这是受到1952年发明的第一个抗精神病药物“氯丙嗪”（Chlorpromazine）的鼓舞。第一次，精神病学家有了一种方法可用来治疗令人虚弱的精神分裂症状——幻想、错觉和思绪紊乱。针对狂躁症和抑郁症的药理学治疗也很快随之出现，精神病学家再次欢迎一个新纪元的到来——这一次是“精神药理学”时代。处于精神病学中复兴的科学至上主义的时代，不仅社会精神病学而且精神分析学都易于受到攻击。精神病学家开始承认他们过高地许诺自己治疗“人们感到不幸的疾

[37] Erik Erikson，《身份，社会心理的》（Identity，Psychosocial），载于David L. Sills编，《社会科学国际百科全书》，第7卷，第61页～第65页，和他的《身份：青春期与危机》（*Identity: Youth and Crisis*, New York: Norton, 1968），第16页～第17页。

[38] Grob，《从精神病院到社区》，第142页～第146页，讨论了这些著作。

病”的能力。他们呼吁同行们把注意力紧紧聚集在精神疾病和对它的治疗上。[39] 从第二次世界大战末期到60年代,曾经在美国精神病学中占统治地位的社会心理模式变得名誉扫地;而精神病学专业也在思想体系上划分为相互冲突的生物精神病学和精神动力学阵营。只是随着1980年精神病学正式的《诊断和统计手册》第3版的出版,精神病学专业才又在一个描述性的、非动力学性质导向下联合了起来,那标志它的“重新医学化”(remedicalization)。[40]

精神病学通常被描述为精神动力学和生物精神病学之间的两个分立的阵营,每一阵营对精神疾病产生的根源都有完全不同的设想。然而,实际情况并非如此,精神动力学的精神治疗是针对“闷闷不乐的健康人”,而生物精神病学是针对严重的精神疾病患者。主要是在40年代和50年代期间,精神分析学导向的精神病学家在机构环境中治疗精神分裂症,在20世纪的大部分时间,特别是在50年代,精神分析疗法显示出了科学的印记,精神分析学家把自己看做(也被他人看做)是针对“无意识行为”和“非理性行为”的科学工作者。同样地,尽管生物精神病学的历史在很大程度上是治疗严重的精神病的历史,但是针对抑郁症的各种药理治疗也极其接近于“闷闷不乐的健康人”的范畴——最为著名的是“百忧解”(Prozac),就是用来治疗抑郁症和人格失调症的。另外,生物精神病学的拥护者和实践者们认为,他们的治疗方法(从胰岛素疗法到百忧解)从根本上改变了他们的病人的个性,治疗产生的结果不仅只是治愈了疾病,而且使他们变成了新人。[41] 在提出了这个论断时,他们也涉及了整个20世纪精神病学所创造的基础,这个基础则支撑了20世纪精神病学中的两个不同的阵营。

677

有多少的个体行为是可以追溯到个人的大脑异常和基因构成的,又有多少是可以追溯到他们的生活经历中去的,这样的问题仍然继续在专业圈内造成不同的专业分支。有人声称,已经在大脑中发现异常行为与身体间的联系,而且可以追溯到在精神病患者的亲属中易受精神困扰(但并非真正的精神疾病)的个体比例较高。这说明了精神疾病的遗传的因果关系。研究者还分离出一系列的基因,他们认为是与沉溺行为、强迫症、神经质及狂躁症都有关联。尽管仍有很多人不愿简单断言是基因造成了疾病,因为他们已经意识到大脑的结构与活动可能源自个人的生活经历。即使神经科学取得了很大的进步,也不可能在精神病与正常行为之间,在使生活活泼有趣的怪癖与使生活困苦的疾病之间画出界线。而且,在20世纪90年代期间,人们对弗洛伊德的伦理学与实践进行了一连串的抨击,但精神分析学与精神动力学的精神疗法仍保持了强劲的文化地位,而且又有无数的文章和著作对弗洛伊德对“真理”的断言及他所创

〔39〕 Betram S. Brown,《精神病学小传》(The Life of Psychiatry),《美国精神病学杂志》,133(1976),第489页~第495页,这句话在第495页。

〔40〕 Michael Wilson,《〈诊断和统计手册〉第3版和美国精神病学的转化:历史》(DSM-III and the Transformation of American Psychiatry: A History),《美国精神病学杂志》,150(1993),第399页~第410页,这句话在第399页。

〔41〕 Shorter,《精神病学的历史》,第209页。

造的科学的有效性进行了辩论。[42] 神经科学家们尝试性地介入到他们所谓的"影子症状"中,即曾经被认为是正常的而现在则被归为疾病之列的怪癖(轻微的注意力缺失症,轻微的强迫症)。这种介入似非而又可能是地帮同了上面那种倾向,因为他们描述的行为是整个20世纪一些个人都在寻求精神疗法帮助的行为。如果有什么区别的话,精神病学中复兴的生物学导向的治疗方法关注的是行为的中间地带。20世纪末,精神病学的文化资本以对常态的干预,同样也是以对变态的治疗为前提而继续存在。

(林侠 译)

[42] 例如,参见 Frederick Crews 编,《未经认可的弗洛伊德:怀疑者面对的传奇人物》(*Unauthorized Freud: Doubters Confront a Legend*, New York: Penguin, 1998); John Forrester,《来自弗洛伊德战争的快讯》(*Dispatches from the Freud Wars*, Cambridge, Mass.: Harvard University Press, 1997),第208页~第248页。

40

社会性别

678

罗莎琳德·罗森堡

作为一个社会科学的术语,社会性别(gender)只是在20世纪最后25年中才被广泛应用。不过这个概念的核心,即生物性别和其在文化表现上的分离,已经发展了100多年。19世纪末迅速的都市化培育了更加广大的性别自由,鼓舞了有活力的妇女运动。于是,不同群体的性别改革者、女性主义者和受过大学教育的研究者都开始质疑很多传统的信念。男人的娇气是生物学意义上变态的信号吗?从自然属性上看,政治只是男性的事业吗?天才在很大比例上都是男性吗?女性缺少性驱动力吗?在19世纪与20世纪之交,很多社会理论家对这些问题做了肯定的回答。不过到了20世纪70年代,当研究者已经能够绘出比以往任何时候都更加精确的人脑图谱的时候,学者们就停止把性别的文化表现当做生物学的直接的产品。这个戏剧性转变的象征是,在讨论人类行为的时候,社会科学家们抛弃了"生物性别(sex)"而赞同了"社会性别"。"gender"是专门在语法范畴内长期使用的一个词语,但它也引起了某些人的兴趣,因为他们发现"sex"这个词语具有太多生物联想的局限性。因而,这是一个能够解放调查者的词语,使得他们能够以新的强烈的动力去探究多样化的方式,在这些方式中各种文化如何区分男性和女性,如何构成性别经验,如何配置权力。[1]

进化的时代:19世纪晚期

科学对性别感兴趣已有很长的历史了,不过19世纪末繁荣起来的科学在其基本方法上与过去有很大的不同。它比先前的任何工作都更加精确并更加依赖于经验。因为能够看到科学与19世纪技术的巨大成就之间的联系,科学就开始享有前所未有的声望。最重要的是,它提到了类似种族和性别这样的热点问题。在19世纪之初,英

679

[1] Judith Butler,《社会性别困惑:女性主义和身份的颠覆》(*Gender Trouble: Feminism and the Subversion of Identity*, New York: Routledge, 1990),第7页,第30页～第31页。也可参见 Sandra Lipsitz Bem,《社会性别透视:转变性别不平等的讨论》(*The Lenses of Gender: Transforming the Debate on Sexual Inequality*, New Haven, Conn.: Yale University Press, 1993),第192页～第193页。

国和美国的废奴主义者运动提出了黑人的解放问题，而女性权利运动推动的关于女性在社会中地位问题的辩论，直到世纪末都在增强。这些辩论的蔓延也使得关于女性特质和男性特质的本质的争论更加如火如荼，从而使得人们开始针对性特质提出许多问题，特别是在西方工业国家急剧下降的出生率和从纽约到柏林等大城市一些同性恋者团体出现之后，这就触发了在性别感觉上的合法定位的争论。正是在这种氛围下，科学成了一种武器，无论是对那些试图使黑人、女性还有同性恋者享有社会和政治上的公平的要求合法化的人，或者是对那些试图对这一要求漠然置之的人。[2]

在19世纪最后30多年的大部分时间里，这些挥舞着科学武器去限制女性权利的扩张和限制性别自由的一派暂时占了上风。自然科学家和社会科学家们都同意女性与男性在身体、气质和智力上有着先天的不同。就像"原始人"在进化的过程上落后于欧洲人一样，很多女性落后于男性。两者更像孩子，没有完全进化。在1871年出版的《人类的由来》(*The Descent of Man*)一书中，查尔斯·达尔文(1809～1882)宣称男性在身体和智力的许多特征方面比女性天生地具有更多的可变性。通过进化，他们就成长得更加强壮和聪明，因为作为一个群体，在面对自然选择的压力时，他们比女性带有更多重要的特质。通过强迫她们依附于男人，母性本能加剧了女性在新陈代谢上的不利条件。因为离整体自然选择的压力较远，在渐进的演化趋势中她们在某些小的方面就得以免疫。[3] 社会学家赫伯特·斯宾塞(1820～1903)扩展了进化的思想，使其适用于整个社会。在他1874年的著作《社会学研究》(*The Study of Sociology*)*中，斯宾塞主张，在历史的过程中，以广泛的劳动分工为标志，社会已经从相对的同质状态转移到了异质状态。尽管男性和女性曾经从事过相同的自我保护的任务，但现代文明的成功则依赖于他们的高度分化的但又相互补充的角色。[4]

在整个进化的故事中，性特质扮演了一个重要的角色。在生命的最初期、最原始阶段，进化是通过单性生殖完成的，这是一种无性繁殖的形式。不过两性的出现与性别选择增加到自然选择中的多种可能性，在很大程度上促进了进化的速度。用进化的术语来讲，作为进化过程中的因素，以生殖为目的进行性活动的男人和女人具有科学上的优势。与此相比，同性恋者则代表了向生命早期发展的反转。德国的性学家理查德·冯·克拉福特-艾宾得出了他的在19世纪末期具有广泛影响的论点——同性恋代表了一种生物学上的退化。[5]

680

〔2〕 Cynthia Eagle Russett,《性别科学:维多利亚时代女性气质的建构》(*Sexual Science: The Victorian Construction of Womanhood*, Cambridge, Mass.: Harvard University Press, 1989),第2页;Jonathan Katz,《异性恋的创造》(*The Invention of Heterosexuality*, New York: Penguin, 1996),第10页。

〔3〕 Charles Darwin, 2卷本《人类的由来及性选择》(*The Descent of Man, and Selection in Relation to Sex*, 2 vols., London: John Murray, 1871),第1卷,第35页～第38页,第111页,第273页～第279页;第2卷,第326页～第329页,第368页～第375页。

* 严复译为《群学肄言》。——译者

〔4〕 Herbert Spencer,《社会学研究》(*The Study of Sociology*, New York: Appleton, 1874),第315页,第373页～第383页。

〔5〕 Richard von Krafft-Ebing,《精神变态性行为》(*Psychopathia Sexualis*, 1902, 12th ed., New York: Stein and Day, 1965), Franklin S. Klaf译,第222页～第368页。

在19世纪末的大学里创立了社会科学系的男性先驱者们在他们的著作里充满了类似的生物决定论。经济和政治学家们将男性描述为富有攻击性的生物,受利己主义的驱动占据市场,通过其进化上的优势控制整个国家。相对地,女性被认为是道德的生物,她们与家庭之间的自然联结使得她们远离经济和政治分析。人类学家和社会学家鄙视母权制在一些文化中出现的证据,通过推理,他们认为这些女性权力只能在进化的早期舞台上出现。心理学家解释道,大部分的科学发现是由男人作出的,他们以此来作为男人的大脑智力更优秀的证明。在所有的社会科学学科中,本能行动塑造了所要提出的问题,并且也塑造了在回答它们时所使用的调查方法。行政效率和商业生产率吸引了男性研究者持久性的注意力;家务劳动,婴儿死亡率,还有社会福利(对女性来说将是最感兴趣的题目)则不然。[6]

怀疑的种子

并不是所有接受了进化思想的人都得出了相同的结论。西格蒙德·弗洛伊德(1856～1939)就向进化论中认为男性对性非常有兴趣,而女性只有相对较少的对性的热情的设想发起了挑战,他认为女性和男性一样有性的需求,而且必须得到相应的满足才能确保健康,但这并不是说弗洛伊德抛弃了女性通常比男性更消极的意见。不过尽管医学认为心理状态仅是生理的直接表达,但弗洛伊德还是把心理状态视为孩子在家庭里的社会历史才使之成形。按照弗洛伊德的观点,婴儿生来是两性的,当他们遇到恋母情结(Oedipus complex)时,通过这个情结男孩克服了对阉割的恐惧,而女孩不得不面对阉割已经发生的事实,这时,他们的成熟人格才开始渐渐形成,也只有在那个时候,女性的被动性和男性的攻击性才获得了一个几乎是普遍的优势。[7]

681

弗洛伊德的关于被动性和攻击性的思想也促使他挑战传统的对同性恋的分类系统。很多早期的理论限制了性别倒错的含义,它只限于男人希望在性行为中扮演一个被动角色这种情况。扮演主动性角色的男性,无论其性对象是男人还是女人,则都被视为是异性恋的。然而,弗洛伊德和与他持共同意见的英国性学家哈维洛克·艾利斯(1859～1939)在给同性恋者的分类中,只从性欲出发来区别女性行为和男性行为。按照弗洛伊德的说法,"大部分完整心态的男性特质可以与男性倒错(同性性欲)共同存在"。艾利斯与弗洛伊德的思想着重点稍有不同,他倾向于谈论女性性倒错可转化成为男性气质,不过两位理论家都对医学研讨的发展趋势做出了贡献,这有助于明确定

[6] Helene Silverberg 编,《社会性别与美国社会科学:形成的年代》(*Gender and American Social Science: The Formative Years*, Princeton, N. J.: Princeton University Press, 1998),第3页～第32页。

[7] Sigmund Freud,《女性特质》(Femininity),载于 James Strachey 编译,《精神分析引论》(*The Complete Introductory Lectures on Psychoanalysis*, New York: Norton, 1966),第576页～第599页。

义同性恋只作为独特的同性性欲，而与男性行为和女性行为的毫无价值的惯例无关。[8]

1909 年，弗洛伊德在美国克拉克大学（Clark University）演讲时，首次向美国听众介绍了他有关性特质的观点。对于一个正致力于挑战清教戒律约束的思想团体来说，他的观点起到了催生各种创造性的成果爆发的作用。在这个实施地方分权的、现代化的、迅速扩大的美国大学里，很多具有改革观念的年轻学者（尤其是女性学者）开始既在总体上挑战生物决定论，又特别地挑战了传统的社会性别的观念。最早期的重要工作发生在心理学方面，这个崭新的领域为女性创造了许多可能性（至少为女性研究生创造了机会），而这在其他研究领域则几乎不可能存在。受女性运动发展的鼓舞和新统计学技术的帮助，芝加哥大学的女研究生海伦·辛普森·沃里（1874～1947）和哥伦比亚大学的女研究生列塔·赫林沃斯（1886～1939）在第一次世界大战前的数年中测验了男性和女性大学生在智力方面的能力。与得到普遍认同的男性智力较高的观点相反，沃里发现在男性组和女性组内部存在的智力差异要大于两组之间的智力差异。在哥伦比亚，赫林沃斯证实了沃里的发现，并继续挑战两个传统观念：女性在统计的意义上成为天才和白痴都比男性有较小的可能性；月经削弱了女性思维的敏捷性。[9]

在 20 世纪 20 年代，当女性大量地涌入学院和大学、进入新的职业、赢得投票的权利、享有更多的性自由时，一个新的一致形成的观念是认为男性和女性差别极小，即使是从根本上彼此的心理特征和性驱动力相比较来说。在 1927 年，一个男性评论者对关于生物性别差异的心理学文献总结道："即使真的存在的话，也只是有很少的所谓的'生物性别差异'被认为完全由于生物性别不同所引起的。个体之间的差异经常比在生物性别基础上决定的差异要大得多。"他补充道，男性和女性保留下来的不同也要从过去的生物决定论上分离出来，这仅是由于简单的社会原因："社会对两性的训练是并且一直是不同的，导致了不同的选择因素，像兴趣和标准等等。"[10]

682

针对社会学和人类学中遗传论的思想的批判与在心理学上的工作相类似。早在 19 世纪 90 年代，都市化、外来移民和改革的努力鼓舞了创新的工作，其中有很多是由在大学接受了教育但却在获得学位后被迫在非学术环境下工作的妇女们所做的。哥伦比亚大学训练出来的社会学家和人类学家艾尔茜·克卢斯·帕森斯（1875～1941）

〔8〕 Sigmund Freud，《关于性理论的三篇论文》（*Three Essays on the Theory of Sexuality*, 1905），被引用于 Charles Chauncey，《纽约的同性恋者：社会性别、城市文化和男性同性恋者的产生（1890 ～1940）》（*Gay New York: Gender, Urban Culture, and the Making of the Gay Male World, 1890—1940*, New York: Basic Books, 1994），第 124 页；Havelock Ellis，《女性的性冲动》（*The Sexual Impulse in Women*），第 191 页～第 196 页，被引用于 Paul Robinson，《性的现代化》（*The Modernization of Sex*, New York: Haper and Row, 1976），第 17 页。

〔9〕 Rosalind Rosenberg，《超越分离的层面：现代女性主义的智慧根源》（*Beyond Separate Spheres: Intellectual Roots of Moderd Feminism*, New Haven, Conn. : Yale University Press, 1982），第 54 页～第 113 页。

〔10〕 Chauncey N. Allen，《性差异的研究》（Studies in Sex Difference），《心理学通讯》（*Psychological Bulletin*），24（1927），第 299 页，被引用于 Carl Degler，《寻找人类的本性：美国社会思想中达尔文主义的衰落与复兴》（*In Search of Human Nature: The Decline and Revival of Darwinism in American Social Thought*, New York: Oxford University Press, 1991），第 132 页。

依靠家庭财富资助自己的研究工作，她对社会用生物性别进行分类的方式提出质疑。例如，在1916年出版的《社会规则：对权力意志的研究》(*Social Rule: A Study of the Will to Power*)中，她阐明这种分类法源于男性在社会上占有更强大的权力，而不是起源于男性和女性在生理上固有的分别。在一个培训社会福利工作者的学校中，曾在芝加哥受训的经济学家伊迪丝·阿博特(1876～1957)把奖学金支持和雇佣拼凑在一起进行了关于妇女的雇佣和工资的开拓性研究，以此挑战进化论者对于女性从市场中缺失的描述，并于1910年出版了《工业中的女性：对美国经济历史的研究》(*Women in Industry: A Study of American Economic History*)。曾在芝加哥受训的社会学家凯瑟琳·巴曼特·戴维斯(1860～1935)，依靠洛克菲勒基金会的资金支持进行了关于女性性行为的开创性的研究。在1929年出版的《2200个女性性生活的影响因素》(*Factors in the Sex Life of Twenty-Two Hundred Women*)一书中，她指出白种、中产阶级、受过教育的、异性恋的、成长于1900年以前的女性相对而言更喜欢积极的性生活(其中包括很多同性恋的经历)，这远比传统看法所推测的程度更甚。

20世纪早期，大部分男性的研究院院士(急切地保护他们新学徒的地位，害怕政治性的争论，因而在很大程度上对妇女调查者认为重要的事情并不感兴趣)在挑战传统的与社会性别有关的信念时就表现得很谨慎。只有很少数的专注于种族和民族划分的男性学者才这样做。临时就职于宾夕法尼亚大学(University of Pennsylvania)的非洲裔美国社会学家W. E. B. 杜波伊斯(1868～1963)1899年出版的《费城黑人》(*The Philadelphia Negro*)中，把在都市黑人中异乎寻常的以女性为主导的家庭的高发率追溯到贫穷和种族主义。在芝加哥大学，社会学家W. I. 托马斯(1863～1947)在1918～1920年出版的《在欧洲和美国的波兰农民》(*The Polish Peasant in Europe and America*)一书中指出：波兰裔女性移民的性欲抑制的缓解，是因为她们在芝加哥受到相对更大的自由的影响。在哥伦比亚大学，人类学家弗朗茨·博厄斯(1858～1942)，一个犹太裔移民，1911年出版的《原始人的心灵》(*The Mind of Primitive Man*)一书的作者，培养训练了鲁思·贝内迪克特(1887～1948)、左拉·尼勒·赫斯顿(1901?～1960)和玛格丽特·米德(1901～1978)。她们每一个人都在种族方面扩展了他的学说来挑战盛行的观念，即关于生物性别差异的自然性和男性统治的必然性。

683

在1934年，鲁思·贝内迪克特出版了她极负盛名的《文化的模式》(*Patterns of Culture*)一书，在题为《新墨西哥的普埃布洛族人》(*The Pueblos of New Mexico*)一章里，她不仅向政府提供了一个关于原住美洲人(Native Americans)的明确的描述，而且对一个由男性统治的美国文化提出了尖锐批评。孤立于保留地中，祖尼部落(属于普埃布洛族)生活在一个排斥了个人权力和暴力的母系文化中，在那里赐予女性在家庭生活中的权力，比白人中产阶级女性可能要求的还要多得多。贝内迪克特写道，我们邻近的人们能构建如此完全不一样的生活，充分说明“我们的文明社会中的统治特色……是强制性的，在人类行为中，它们并非是基础的和本质的；相反地，从某种程度上说，在我们自己的文化中,它们是局部的、畸形发展的”。[11]

在接下去的一年中,即1935年,贝内迪克特的被保护人玛格丽特·米德出版了《性别与气质》(*Sex and Temperament*)一书,这是一项关于三种广泛不同的南太平洋文化中女性和男性的研究。她坚称,他们的态度和行为是特定的文化习俗的产物,而不是在进化尺度下的某个阶段,达到了美国人理想中的女性无私奉献和男性喜欢竞争的顶点。她所研究的人们在很宽泛的范围形成他们自己的行为模式,而没有与西方文化所做出的任何预期相一致。事实上,按照她的见解,这些新几内亚的阿瑞贝斯山的男人似乎是最满足的,他们展示出来的性格特点在美国会被认为是女性气质的,因为他们会协作和帮助喂养孩子。[12]

两年以后,即1937年,左拉·尼勒·赫斯顿在她的小说《他们的眼睛注视着上帝》(*Their Eyes Were Watching God*)中强调了这种对“生物性别特征的自然性”不断增长的怀疑态度。基于她在博厄斯指导下在佛罗里达北部所做的民俗研究,她的小说描述了一种黑人文化,在这里幸福不是来自于对白人社会的模仿,在白人的社会里女人为了安全而不是为了爱才嫁给男人,而男人仅仅只以物质上的成功作为唯一的衡量标准;这里的幸福来自于对自己的心灵保持真诚的能力,乐于在工作上与他人合作的能力,并且可以平等地对待任何人的能力。贝内迪克特、米德和赫斯顿对美国文化和社会性别关系的批评,对美国社会增长中的对差异的理解和尊重做出了贡献,也对社会科学家们更多地倾向于将生物性别差异看做是文化和权力的作用而非生物学的作用做出了贡献。

684

受这些人类学著作的影响,精神病医生凯伦·赫内(1885～1952)和克拉拉·辛普森(1893～1958)从相信弗洛伊德学说的同事中脱颖而出,发展了从文化的角度着手研究与生物性别差异有关的精神病学。弗洛伊德论证了女性气质的演变是由童年的经历而来的。女性发展只存在于被“男女两性之间的解剖的区别”限制的界线内,最重要的是生殖器官的不同,弗洛伊德的这一论点使他描述的女性发展的特殊的过程似乎是在解剖学上已经决定的。[13] 没有任何继续扩大的教育、经济、政治等机会可以影响这一事实,那就是男性拥有阴茎而女性没有。在柏林,受社会学家格奥尔格·西美尔的影响,赫内首先在她的1926年的文章《女性气质的飞跃》(*The Flight from Womanhood*)中挑战了弗洛伊德。她同意男性和女性的心理差异来自于解剖学的先决条件。不过重要的器官不是阴茎而是子宫。男人具有男子气概是因为对子宫的妒嫉,那是因为子

[11] Ruth Benedict,《文化的模式》(*Patterns of Culture*, New York: Houghton Mifflin, 1934),第101页。

[12] Margaret Mead,《三种原始社会的性别与气质》(*Sex and Temperament in Three Primitive Societies*, New York: Morrow, 1935),第279页～第280页。

[13] Sigmund Freud,《两性在解剖学上的区别及其心理后果》(Some Psychical Consequences of the Anatomical Distinction Between the Sexes, 1993),载于24卷本《西格蒙德·弗洛伊德心理学著作全集标准版》(*The Standard Edition of the Complete Psychological Works of Sigmund Freud*, 24 vols., London: Hogarth Press and the Institute of Psychoanalysis, 1953—66),第22卷,第14页～第18页。

宫使女人有孕育孩子的能力。更甚之,她指出,现在已经是时候抛弃弗洛伊德所谓“阴道是成年女性有性感觉的唯一位置”的观点了,并且应当认识到阴蒂也是女性生殖器官天生的一部分。[14] 从移民到美国以后,赫内开始受美国20世纪30年代文化人类学家的影响;到40年代,她的一个同事,在美国出生的精神病学家克拉拉·辛普森彻底地抛弃了建立在解剖学上的生物性别差异的思想。女性妒嫉阴茎仅仅是因为它是男性权力的象征。征服了权力,妒嫉也会随之消失。[15]

遗传论者的反驳

由于广泛的大众力量鼓舞了社会科学家们从生物学中建立起他们的学科的独立性,因而遗传论学说在20世纪早期的舞台上开始渐渐失色,不过这些想法从来没有消失。确实,它们拥有了新的显著的地位,首先是在法西斯主义统治下的欧洲,然后是在对文化相对主义的保守反应中的美国,这种反对发生在伴随并紧跟着第二次世界大战而生的社会科学中。向遗传论学说的回归在美国从来不曾像其在欧洲一样明显,不过早先生物学思想的回声却依然显而易见,尤其是在对女性的研究上。大萧条时期,人们把目光集中在所谓“被遗忘的人”的艰难的经济工作中,因而,继续关注那些受到良好教育的、通常职业化的“新女性”就变得越来越困难了。而且,尽管女性受教育和参与政治的机会增多了,但男性气质和女性气质的区别却持续地存在着,就使得关于“生物性别差异仅仅是社会化的产物”这一理论丧失了影响力。

685

遗传论的回声也源于学术性机构的产生。到20世纪30年代,大学把它们自己确立为主要的研究机构,当这些机构为了争取支持而努力的时候,女性会偶尔为她们自己找到边缘性的位置;但在大萧条之中,当她们和男性一同竞争这些炙手可热的职位时,她们失败了。另外,当研究技术变得越来越复杂精密,而且慈善基金又使得实施更加详尽的研究计划成为可能时,女性却发现越来越难以争取到必要的资金或者被赋予运作大型研究项目所需要的权威。

当海伦·辛普森·沃里开辟了心理学上生物性别差异的研究领域时,她自己做一切工作。一代人之后,刘易斯·M.特曼(1877～1956)主导了这一领域,因为他有权使用研究资金和研究助理人员,其中很多是女性。一大笔来自国家研究理事会(National Research Council)的拨款和一个主要由心理学家组成的团队,使他在1936年写出《性别与人格》(*Sex and Personality*)一书成为可能。在他的研究中,特曼相当直率地承认了在社会科学家中“增长中的倾向”,那就是“基本认可了(男女两性)在综合智力和绝

〔14〕 Karen Horney,《女性气质的飞跃:男性和女性眼中的女人的男性化情节》(Flight From Womanhood: The Masculinity-Complex in Women as Viewed by Men and Women),《精神分析国际杂志》(*International Journal of Psychoanalysis*),7(1926),第324页～第339页;Mary Jo Buhle,《女性主义及其不满的原因:与精神分析一个世纪的斗争》(*Feminism and Its Discontents: A Century of Struggle with Psychoanalysis*, Cambridge, Mass.: Harvard University Press, 1998)。

〔15〕 Clara Thompson,《论女性》(*On Women*, New York: Mentor, 1964),第111页～第141页。

大多数特殊才能方面的平等或几乎平等”。不过他坚持认为他开发的人格测验证明，男女两性在他们各自的本能特征和情感特征上有着根本的不同。因此他强烈地反对一些社会科学家的研究成果，例如玛格丽特·米德的观点——她认为人性几乎具有无限的可塑性。[16]

社会学家们在他们的研究成果中差一点就结束了特曼的生物决定论，但是带有赫伯特·斯宾塞的社会达尔文主义特色的功能主义的回声却呈现出新的显著的地位。在第二次世界大战初期，塔尔科特·帕森斯（1902～1979）宣称在家庭生活中的角色分化和专门化是复杂工业社会发展的根本的部分。按照帕森斯的说法，在家庭中，女性通过提供情感上的支持，从而使男性在家庭之外的经济社会中可以自由地扮演一个“工具式的”角色，从整体上使生产率的增长和富裕成为可能。而没有扮演合适角色的女性不仅对她家庭的幸福造成威胁，而且会对西方世界的经济健康发展造成威胁。[17]

686 20世纪初，已经被理解的对女性从属地位的自然性的科学的挑战极大地鼓舞了那些关于人种差异的研究工作，反之亦然。然而经济大萧条和纳粹势力的兴起破坏了这两者的联系。瑞典经济学家冈纳·缪尔达尔（1898～1987）在1944年写出了他深具影响力的《美国的两难困境》（*An American Dilemma*）一书，其中运用了大学里主要的研究社会科学的专家的见解，他写了（也许是在他妻子艾尔玛的劝说下）关于种族歧视和性别歧视相似之处的一章。但是当弗雷德里克·凯泊尔（委托缪尔达尔为卡内基公司做研究的代理人）警告说阅读这些手稿之后，黑人和女人都会为这个比较结果震惊，因此缪尔达尔就不引人注目地把这一章放在附录中。[18]

大萧条和第二次世界大战的创伤和紧随而来的冷战的紧张状态，都给社会工程学有能力创造一个更美好的世界的大众信仰注入了冷静的现实主义成分。在这种背景下，强调人文环境限制的正统的精神分析学在美国和欧洲的声望都急剧地增长。1945年，海伦尼·多伊齐（1884～1982），众多受到法西斯主义迫害而在美国寻求庇护的精神分析学者中的一个，写道：一个正常的、具有女性特点的女人通常会接受她的独特的女性特质，为她的丈夫和孩子而生活。有些女人们，在她们的精神发展中由于一些不幸的机遇，就不能遵循这个模式反而发展出一种“男性特质情结”，其中男性气质的“冷酷、徒劳无益的思考”压制了女性气质的“温暖、直觉感知”。在费迪南德·伦德博格和玛丽娜·弗尔罕姆1947年的畅销书《现代女性：消失的性别》（*Modern Woman: The Lost Sex*）中，她们甚至于更加极端地把这种情况向自然的女性特质推进。她们将女性主义

[16] Lewis Terman，《性别和人格：男性和女性气质的研究》（*Sex and Personality: Studies in Masculinity and Femininity*, New York: McGraw-Hill, 1936），第461页。

[17] Talcott Parsons，《美国社会结构中的年龄和性别》（Age and Sex in the Social Structure of the United States），《美国社会学评论》（*American Sociological Review*），7（1942），第613页。

[18] Walter Jackson，《冈纳·缪尔达尔和美国的良知：社会工程和种族自由主义（1938～1987）》（*Gunnar Myrdal and America's Conscience: Social Engineering and Racial Liberalism, 1938—1987*, Chapel Hill: University of North Carolina Press, 1990），第168页。

追溯为一些女人的神经质冲动，她们童年时受过父亲的虐待，因而主张通过分享男性权力来寻求报复，伦德博格和弗尔罕姆劝说女性通过服从她们的丈夫并高兴地承担母亲的身份，来接受她们的女性特质。[19]

即使是玛格丽特·米德，在她1935年出版的《性别与气质》(*Sex and Temperament*)一书中，她比其他学者更倾向于认为生物性别差异根本上是由文化造成的，但到她1949年出版《男性与女性》(*Male and Female*)一书时，也开始转变观点了。在她的早期著作中，米德描述了母亲的身份在女人的一生中只是一个插曲，一种显性的体验，但是相对于整个文化的影响来说并非意义重大。到她写《男性与女性》一书时，正好是战后婴儿潮的顶峰时期，她也有了一个自己的孩子，受精神分析学的影响，她开始考虑生物学可能以何种方式与各种环境力量一起辩证地运作，从而使文化得以成型。母性成了这个辩证法的重要特色，也是所有的文化在组织社会性别角色时所必然要面对的一个重要的问题。[20] 687

这种新的对生物性别差异的自然性的强调，导致弗洛伊德的继承者们开始拒绝他关于异性恋和同性恋都被限定于是从早期的双性恋演化而来的猜想。即使像克拉拉·辛普森这样的把女性特质看做是文化影响力的产物的修正主义的精神分析医生，也开始把同性恋看做是不论性别的性关系，或是一种神经质的冲突。这种看待同性恋的方式首先在病理学上把它看做是一种精神疾病，所以就理论上来讲，它应当接受精神病学的治疗。1952年，同性恋被包括在由美国精神病学协会(American Psychiatric Association)公布的第一批精神错乱疾病的正式清单中，正如参议院议员约瑟夫·麦卡锡利用了人们对于冷战的恐惧将男同性恋者和女同性恋者从公职中驱逐出去一样，也把这些同性恋者从一些私人的职业中驱逐出去，理由是这些同性恋者对国家安全造成了威胁。[21]

女性主义的再生：去除了肤色和性别的20世纪50年代～60年代

即使冷战和麦卡锡主义强化了关于社会性别和性特质的保守的观点，社会科学家和一些生物学家开始扩展早期的工作以便向他们发出质疑。因为在高等教育领域内的一些重大的改变，这些持异议者获得了成功。战后数年经济的发展，导致了美国的大学的重新扩张和随之而来的高等教育民主化。具有讽刺意味的是，曾经强调了女性

[19] Helene Deutsch，2卷本《女性心理学》(*The Psychology of Women*, 2 vols., New York: Grune and Stratton, 1945)，第2卷，第1页～第55页；Ferdinand Lundberg和Marynia Farnham，《现代女性：消失的性别》(*Modern Woman: The Lost Sex*, New York: Harper and Brothers, 1947)，第140页～第167页。

[20] Margaret Mead，《男性与女性》(*Male and Female*, New York: Morrow, 1949)，第143页～第160页。

[21] Thompson，《论女性》，第98页～第110页；Hale，《精神分析在美国的兴起与危机》，第298页～第299页；Bem，《社会性别透视》，第92页～第93页。

从属地位和家庭角色的传统信念的同一个冷战，这时却引发了恐惧——害怕苏联在科学方面对女性能力更有效的利用有可能使其赢得“空间竞赛”。专家警告了在科学研究方面的“人力”的缺乏，并敦促政府鼓励女性去追求高级学位，特别是科学方面的，由此建立一个“女性人力的供给”。在受战争严重破坏的欧洲，教育的民主化进程更慢一些，但它也是确定无疑的，更多的女性努力获得高等教育，以此来支撑她们自己和她们的家庭。

伴随着社会科学从战前对生物性别差异的怀疑论中的退却，20 世纪 40 年代和 50 年代出现的两种最重要的对保守思想的攻击并不是来自社会科学，而是来自哲学和生物学。在法国，西蒙娜・德・波伏娃（1908～1986）于 1949 年出版了《第二性》（*The Second Sex*），是从存在主义角度对生物决定论的攻击。她宣称，女性是反对男性在一个精神压迫的行为中对他们自己进行定义的**他者**。在很长的题为《生物学的数据》（*The Data of Biology*）的一章里，波伏娃详述了生理特征对女性生活影响的多种方式。“女性比男性柔弱，拥有较小的肌肉力量，较少的红细胞，较小的肺活量……换句话说，她的生命不如男性值钱。”但是，她补充道，对女性自身而言，这些都“没有什么意义”。用来衡量的不是身体，而是心灵。对波伏娃而言，正如对克拉拉・辛普森一样，阴茎的重要意义并不在于它本身，而是在于它是一种权力的象征。[22]

688

虽然美国生物学家阿尔弗雷德・金赛（1894～1956）比波伏娃更认同肉体本质的重要性，但是在削弱关于性体验的固定特性的传统观点上，他甚至比她做得更多，一开始是在他于 1948 年出版的《男性的性行为》（*Sexual Behavior in the Human Male*）一书中，后来是在 1953 年出版的《女性的性行为》（*Sexual Behavior in the Human Female*）一书中。金赛这位彻底的经验论者宣称，随着时间的推移美国女性在性行为方面变得更加积极，而且在美国社会的同性恋关系的发生率都远远超过了以前的所有假设。他的研究引起了威廉・马斯特和弗吉尼亚・约翰逊后来的研究，他们在 1966 年出版的《人类的性反应》（*Human Sexual Response*）一书中指出女性的性反应是强于男性的，还指出弗洛伊德关于阴蒂高潮和阴道高潮的区分是未被证明其正确性的。

尽管鲜为人知，但对遗传论思想的批评在美国社会科学研究中继续存在，其结果就是女性的就业机会和获得研究生教育机会的增加。到 1965 年，所有女性中有超过 1/3 的人都有了工作职位，同时数量可观的女性在研究生院学习并取得学术性的职位。在 20 世纪 60 年代，安・阿那斯塔茜、海伦・海克尔和米拉・科摩罗弗斯基就是为数不多的批评遗传论思想的人，她们的工作为新一代的女性主义者提供了一种话语方式。

女记者贝蒂・弗里丹通过其 1963 年出版的《女性之谜》（*The Feminine Mystique*）开

[22] Simone de Beauvoir,《第二性》（*The Second Sex*, 1952, New York: Vintage, 1989），H. M. Parshley 译，第 32 页～第 37 页。

创了另一条道路。同年,关于美国女性地位总统委员会(Presidential Commission on the Status of Women)发布了一篇报告,呼吁通过联邦政府和各州的行动来提升美国妇女的地位。最重要的一步是,这个委员会建议律师们寻求扩大第十四修正案的公平保护条款的范围。提出这个想法的是一个名叫鲍丽·默里(1910～1986)的公民权利律师,她相信挑战生物性别差异的社会科学文献和那些挑战种族差异的文献是同样令人佩服的。因为法庭在1954年《布朗诉教育局案》(*Brown v. Board of Education*)中,愿意采纳社会科学的证据来判决,说明种族等级是专制的、因而也是非法的基础,在此基础上它拒绝给予所有的人以平等的公民待遇。因此,默里就主张,法庭也应当依赖并认可社会科学的证据来证明生物性别也是一个专制的等级区分形式。[23] 在1963年至1973年间,首先由研究者们在20世纪初形成的论点在世纪中期被他们的继承者所更新,从而为那些争取女性平等权利的女性主义者提供了理论武器。社会科学家的影响力的象征性事件是,鲁思·博尔德·金斯博格在1973年《弗龙蒂罗诉理查森案》(*Frontiero v. Richardson*)中历史性的胜利。在那个案件中,金斯博格在默里早期工作的基础上,成功地把生物性别与作为专制基础的种族等级相比较,因为给予女性雇员的报酬低于男性雇员。

689

社会科学与行为科学中从生物性别到社会性别的转变：20世纪70年代至今

在1970年,美国所有的博士中仅有13%为女性,比1930年的比例还要低。但在80年代的十年中,这个比例增长到两倍多,直至30%。这些新一代的女性学者经历了性革命运动,受到女性主义的鼓舞,她们的力量也因为不断增加的人数而得到加强,她们全体都转向以"社会性别"为术语的研究中。一场增加同性恋者权利的运动为她们的研究带来了额外的能量。1973年,仅仅只有12篇关于社会性别的文章出现在人类学、社会学、心理学、精神病学、政治学和历史学的杂志上。1983年,全年的这样的论文总量达到210篇;到了1993年,剧增至2607篇。[24] 在社会科学领域,从"生物性别"到"社会性别"的转变加强了对文化力量塑造了人的行为和思想这一观点的重新强调。社会性别的研究表明,男性和女性的差异是由于文化的原因引起的,是一种具有可塑性的表面现象,进而强调了在这种表面现象之下,男性和女性的本质上的同一性。这种强调相应于女性主义者们持续不断的努力,即力图根除将女性和男性区别对待的法律。到1980年,不仅大部分对女性不利的法律被废除,而且大部分目的在于帮助女性

[23] 关于女性地位总统委员会,《美国妇女:关于女性地位总统委员会的报告》(*American Women: The Report of the President's Commission on the Status of Women*, New York: Scribners, 1965),第149页。

[24] 参见《社会科学引用索引》(Social Sciences Citation Index),涉及到社会学、心理学、精神病学、政治科学、人类学和历史学的杂志。

的法律也被废除了。[25]

把女性当做男性一样来对待,是一个将生物性别与其文化表现区分开来的方法。但是这么做等于是把社会衡量男人特性的标准当做是衡量全社会的标准。因而很多学者反对这种方法。科学历史学家唐娜·哈拉维发出警告,女性主义学者"开始违背自然规律……这种方式将女性主义者需要的生命科学完全扔在一边"。女性主义学者厌恶对自然的研究及人类在其中所处位置的研究,就是对一些研究方式的视而不见,在这些方式中,同女性联系在一起的经验及原则被系统地从科学的观察中完全排除掉。例如,只是因为女性主义研究者进入了对灵长目类的研究,科学家们才开始观察母系氏族群体及其优势等级;长时期的社会合作和短时期的剧烈冲突;易变的进程及严格的结构。在现代社会中因为科学的力量被看做是合法的权威,科学家、历史学家伊夫琳·弗克斯·凯勒强烈要求学者们做出努力,"使那些因为它们被定义为女性的,因而才被否定的科学文化要素合法化"。[26]

690

在这个信念指引下,从历史学到经济学的全部社会科学领域的女性主义学者,通过细致的以经验为基础的研究,证明了人口出生率的变化和孩子的养育方式是如何改变了经济,女性社会改革者在政府之外的工作是如何塑造了现代的国家,以及社会科学领域内的偏见是怎样影响了社会思想。[27] 社会理论学家更加丰富了这种经验性的研究。南茜·恰德露在1978年出版的《母职的再生产》(*The Reproduction of Mothering*)一书里修正了弗洛伊德学说的理论,她强调产生社会性别差异的中心原因是先于恋母情结的母婴关系。恰德露主张,离开母亲这一问题对儿子提出的挑战要比女儿更大。为了成长为男子汉,儿子们不但要离开母亲,而且要变得和他们的母亲不一样,这个艰苦的过程导致男人们对分离、独立和理性的重视。相比之下,女儿们能够离开母亲却不必失去她们作为相同社会性别的联系,因此在她们的道德和精神生活中,她们有较少的理由去区分自我和他人。在恰德露之后,教育心理学家卡罗·吉琳绀提出论断,尽管男人专注于获得独立和避免依赖,但女人却认为"世界是由各种人际关系而不是由孤立的个人组成的,世界是通过人们的相互关系而不是通过各种规则系统紧密结合的"。[28]

在法国,后现代女性主义哲学家、文化批评家和精神分析学者更强烈地强调理解

[25] Barbara Allen Babcock, Ann E. Freedman, Suan Deller Ross, Wendy Webster Williams, Rhonda Copelan, Deborah L. Rhode 和 Nadine Taub,《性别歧视和法律》(*Sex Discrimination and the Law*, Boston: Little Brown, 1996),第2版,第489页。

[26] Donna Haraway,《动物社会学和政治统一体的自然经济,第一部分:统治的政治生理学》(Animal Sociology and a Natural Economy of the Body Politic, Part I: A Political Physiology of Dominance),和 Evelyn Fox Keller,《女性主义和科学》(Feminism and Science),载于 Elizabeth Abel 和 Emily Abel 编,《〈标志〉阅读者》(*The Signs Reader*, Chicago: University of Chicago Press, 1983),第125页,第137页,第113页～第114页。

[27] 例如,参见 Mary P. Ryan,《中产阶级的摇篮:奥奈达县的家庭(1790～1865)》(*Cradle of the Middle Class: The Family in Oneida County, 1790—1865*, New York: Cambridge University Press, 1981);Theda Skocpol,《保护士兵和母亲:美国社会政策的政治由来》(*Protecting Soldiers and Mothers: The Political Origins of Social Policy in the United States*, Cambridge, Mass.: Harvard University Press, 1992);Silverberg 编,《社会性别和美国社会科学》。

[28] Carol Gilligan,《不同的声音:心理学原理和女性的发展》(*In a Different Voice: Psychological Theory and Women's Development*, Cambridge, Mass.: Harvard University Press, 1982),第29页。

生物和文化的辩证的相互作用的重要性。受雅克·拉康的精神分析作品的影响,她们加之于话语方式和无意识对于女性特质的形成这一方式上的重要性远比其他女性主义者更甚。海伦·茜休斯沉浸于马克思主义文化,接受了辩证推理的训练,而且受到1968年学生起义的鼓舞,很多像她一样的作家都把注意力放在历史对女性的排斥上,并且致力于同一个由男性建构的话语方式作斗争,这种她们能体验到的话语方式与她们格格不入。[29] 通过唤起人们注意女性不同于男性的各种行为方式,女性主义学者,如美国的恰德露和法国的茜休斯,希望能削弱在她们的社会里看到的那种趋势:接受男性的特征,并将它作为所有人的标准。法国的女性主义者通过著作和理论攻击这个问题;而美国的女性主义者,则利用的是更广泛的基层女性主义者运动,寻求一种在制度层面上的改变。

691

对于强调社会性别差异的美国女性主义学者来说,社会性别同一性的理论和社会性别中性的法律实践,只帮助了那些与男性处在相似地位的女性,而对那些只具有妻子和母亲的社会性别经历的女性却帮助甚微,她们依然被禁锢在低报酬的工作中。她们主张,真正的平等要求对女性给以优惠待遇,包括带薪的产假和按可比价值理论确定的薪工标准,这些办法将会提高女性占大多数的职位的薪水。因为少数民族团体也加入进来,强调多元化的重要性以及对处于不利地位的人们应给予特别帮助的必要性,优惠待遇获得了支持。但是少数民族团体也对社会性别的普遍化趋势提出了反对意见,无论它表达的是同一性或差异性。少数民族女性也一再地提出,比起社会性别来说,种族、种族地位、宗教和贫穷对于她们生活的形成和限制扮演了更加显著的角色。

对流行的社会性别研究方法的其他形式的挑战紧随其后。男同性恋和女同性恋的学者对正统学者的倾向提出了质疑,因为他们以两分法看待世界。在这些同性恋学者中,首先是后现代主义者、法国哲学家米歇尔·福柯(1926～1984),他在1978年出版的《性的历史》(*History of Sexuality*)一书中提出对一些方式的新的关注,在这些方式中,权力塑造了生物性别的含义。在福柯看来,不能仅将性看成是一种生物学的实在,而是"一种特别密集的权力关系的转换点:存在于男性与女性、年轻人和老人、父母和子女、老师和学生、传道者和信徒、行政管理机关和人群之间"。[30] 接着,法国哲学家莫尼克·维梯格提出,相对于父权制,异性恋更是给女性造成压迫的根源。她断言,女同性恋者不是"女性",因为她们处于异性恋关系的象征界之外。[31]

当法国后现代主义开始影响美国的社会科学研究时,历史学家乔恩·司各特指出

[29] Elaine Marks 和 Isabelle de Courtivron 编,《新法国女性主义运动:选集》(*New French Feminisms: An Anthology*, New York: Schocken, 1981),第 ix 页～第 xiii 页。

[30] Michel Foucault,《性的历史(第2卷):绪论》(*The History of Sexuality*, vol. 2: *An Introduction*, New York: Random House, 1978),第103页。

[31] John Wallach Scott 编,《女性主义和历史》(*Feminism and History*, New York: Oxford University Press, 1996),第6页～第7页。

了一些方式，在这些方式中，社会性别不仅仅是在建立在可觉察到的两性差异的基础之上的社会关系中充当了一个基本元素，而且它还是越来越重要的权力关系中的基本方式。甚至于在女性缺席的地方，比如在许多政治理论的讨论中，作者们也经常使用性隐喻来表达统治者（男性/父亲）和被统治者（女性/女儿）之间的关系。[32] 在其他人中，法律学者凯瑟琳·麦克坎依依赖这种社会性别的含义的扩展，完成了许多方式的研究，在这些方式中，社会利用生物性别去建立权力关系。通过唤起大家对强奸、家庭暴力、性骚扰和色情作品的关注，这些都是男人利用生物性别来达到其控制优势的例子，她和其他的人一起为通过法律来保护女性免受这样的虐待做出了努力。[33]

692

关于社会性别的含义和价值的争论在20世纪末仍然在继续，但是强调的重点已完全不同于一个世纪之前。虽然生物决定论早在1890年实际上就已经形成了关于女性或男性是什么的各种思想，但到了1990年，社会性别（gender）则开始成为主流选择的术语，它以各种形式出现在关于生物性别差异、性别认同以及性特征的论述中，甚至于出现在日常的谈话中，这些都反映出关于社会建构的理论是怎样彻底地在社会科学和行为科学中占据了统治地位的。这个术语"社会性别"，被用作关于生物性别基础的范畴，是在1970年第一次公开出现在大众媒体上，在紧接着的十年里新闻记者们大约只用了这个术语36次。但到20世纪末，"社会性别"一词在出版物上的出现频率每周就超过了36次。[34] 在20世纪的前50年里，关注社会性别概念的只是一些边缘化人士——那些工作在社会科学的二级学科或完全在大学之外的少量女性和更少的男性。到20世纪的最后十年，对社会性别感兴趣的社会科学家更加牢固地占据了学术界。更重要的是，当社会性别研究既把重点放在男性气质的构建上也放在女性气质的构建上时，甚至那些并非主要关注女性经验或女性性特征的研究人员也在他们自己的研究工作中开始使用社会性别理论了。当研究福利制度的问题、探索对自然环境保护的努力失败的原因时，甚至在研究冷战的起源时，不再可能有人不把社会性别的问题考虑在内了。[35]

（林侠　译）

〔32〕 Scott，《社会性别，一个对历史分析有用的范畴》（Gender a Useful Category of Historical Analysis），《美国历史评论》（*American Historical Review*），91（1986年12月），第1053页～第1075页。

〔33〕 Catharine Mackinnon，《导向女性主义的国家理论》（*Towards a Feminist Theory of the State*, Cambridge, Mass.: Harvard University Press, 1989），第171页～第249页。

〔34〕 这些数据来自Lexis-Nexis对流通最广的50种英文报纸的检索研究。

〔35〕 Paul Kennedy，《为21世纪做准备》（*Preparing for the Twenty-First Century*, New York: Random House, 1993），第329页～第343页；Frank Costigliola，《"永不停止的穿透压力"：乔治·凯南的冷战形成中的社会性别、病理学与情绪》（"Unceasing Pressure for Penetration": Gender, Pathology, and Emotion in George Kennan's Formation of the Cold War），《美国历史杂志》（*Journal of American History*），83（1997年3月），第1309页～第1339页；又可参见Terrell Carver，《社会性别不是女性的同义词》（*Gender Is Not a Synonym for Women*, Boulder, Colo.: L. Rienner, 1996）。

41

种族与社会科学

埃拉扎尔·巴坎

在过去两个世纪，种族（race）问题对隶属于不同生物学意义的种族（racial groups）和文化意义上的种族（ethnic groups）*的成员来说一向具有彼此冲突的含义，甚至在这些群体内部它也传达着明显不同的象征意味。虽然人们在谈到"性"时总要对其社会学含义（如 gender，即性别）和生物学含义（如 sex，即性征）有所区分，但种族概念却同时含有这两类范畴含义。它意味着一种文化政治实体，该实体与某个群体对自己的原初特性的想象具有确定的（如果不是详细而精确的）联系。19 世纪中叶那种"种族就是一切"的信念十分宽泛且缺乏清晰界定，但它却提供了一种同时兼有自然的与文化的、科学的与通俗的等诸方面含义的包罗万象的概念。在很长时间中，种族概念在对社会和文化特性的阐释中极为流行，并且这种流行理解往往会披上科学术语的外衣。进而言之，种族问题上的混乱理解更由于以下这种经常影响到科学家的流行幻觉而得到强化：即在前现代时期，由于社会意义上的共同体与生物意义上的同一性彼此契合，种族区别是更加有序的和清晰的。这种浪漫性的观点假设出一种稳定的古代人种，它与现代那种动态的、混杂的人种失序状况形成鲜明对照。当种族理念意指着一种恒久不变的生物学实体时，历史性考察却表明种族的含义总是权宜性的，它随着政治和社会境况的不同而不断改变。与"种族"密切相关的概念是"种族主义"（racism），两者常常会被混淆。与那些详细而精确的并且内容不断变化的种族理论不同，种族主义是个贬义词，它代表着一种仇视**他者**的意识形态。racism 这个词在 1938 年从德语传入英语并取代了 racialism 这个词，后者虽然一向也表达着一种等级性的种族观念，但却尚未蒙上 racism 这个词所具有的恶名。[1]

* 本文中的 race 一词在不同语境下具有多重含义差别。首先，它在人类文明史范围内可被表述为"种族"，但在种族发生学意义上又常常意味着"人种"；此外，正如本文作者在"从生物学到文化"一节所指出的，20 世纪 30 年代以前的科学家们通常使用 race 一词来表达作为一种生物学实体的"种族"概念。但在 30 年代以后，为与体现着生物学种族主义倾向的研究相区别，相关科学家们越来越多地采用 ethnicity 一词来表达文化和社会批判意义上的"种族"概念。因此，本文在不同语境下分别将 race 译为"种族"或"人种"；同时又在对立的意义上将 race 译为"生物学意义上的种族（概念）"，将 ethnicity 译为"文化意义上的种族（概念）"。——译者

〔1〕 Elazar Barkan，《科学种族主义的退却：两次大战期间英国和美国种族概念的变迁》（*The Retreat of Scientific Racism: Changing Concepts of Race in Britain and the United States between the World Wars*, Cambridge: Cambridge University Press, 1992）。

694

种族概念的提出

对种族群体的现代分类主要是在19世纪发展起来的。这种分类在1800年以前具有几个重要思想来源，其中最值得关注的是约翰·弗里德里希·布鲁门巴赫（1752～1840）的论述。他的人种类型学是一个由高加索人种、蒙古人种、埃塞俄比亚人种、美洲人种和马来人种所构成的五角形结构。这种启蒙运动的观念尤其强调全部人类的统一性和合理性。而对于人种差异的重要性，他虽有所关注但却尽可能将其弱化。与19世纪的观点相比，他的相对宽容的人种分类观念是受到当时关于奴隶问题争论的影响而形成的。一方面，布鲁门巴赫强调人种之间并没有明确的界限，它们互有重合之处，而且他还强调了作为人类这一巨大统一体的组成部分的人种的不同变体之间的连续性。但另一方面，他又发明出“高加索人种”一词来指称欧洲人，并根据美的标准来安排人种的等级地位。[2] 到了下一个世纪（即19世纪），科学家们对抽象人种概念进行了具体化并将其刻画为一种独立的人种单位，从而超越了人种分类学的原初目的。[3]

19世纪上半叶，各人种理论的研究不仅限于人的体质性特征，而且涉及其文化特性，即把语言、地理和历史等理解为构成性的种族要素。种族与语言的关联在社会科学和政治理论中逐渐发挥着主要的作用。威廉·琼斯（1746～1794）是从语言史来追溯种族根源的早期研究的重要代表，他将欧洲语言的谱系追溯到印度。此外，弗里德里希·冯·施莱格尔（1772～1829）首先提出并发展了“印欧语系”观念。这种观念为由语言学家和历史学家所领导的浪漫主义运动中的种族理论化提供了特别受欢迎的资源。正是从那时开始，种族理论成为国家间角逐的一个重要手段。在德国，约翰·戈德弗里特·冯·赫尔德（1744～1803）是对种族特质进行描述的第一人。他承认布鲁门巴赫关于人种之间只具有一种模糊区别的看法，但在此之后却越来越多地将其注意力转移到“人类生物－地理史”上。[4] 这种转向极大地缩短了人种历史学研究的时间跨度，从而形成了我们今天所说的民族史（national histories）的研究。19世纪浪漫派关于种族问题的论述使这一转向成为可能，它的关注焦点是欧洲的种族构成问题。浪漫派理论家强调古希腊人的人种形态特征和罗马帝国的人种形态特征，特别强调现代欧洲各民族的详细的构成，这些民族主要是在他们的日耳曼部族的谱系基础上演化来的。这种对古代人种的追溯促成了关于条顿民族的体质人类学研究和关于雅利安人种（即印欧人种）的语言学研究。这两种研究虽然一向密切关联，但从来不是完全合一

695

[2] Johann Friedrich Blumenbach，《论人类的自然变种》（On the Natural Variety of Mankind，1775），参见他的《人类学文集》（*Anthropological Treatise*, London: Anthropological Society, 1865），T. Bendyshe 译，第98页～第99页，第100页。

[3] Ashley Montagu，《人类最危险的神话：种族观念的谬误》（*Man's Most Dangerous Myth: The Fallacy of Race*, Walnut Creek, Calif.: Altamira Press, 1998），第6版。

[4] Johann Herder，《关于人类历史的哲学概观》（*Outlines of a Philosophy of the History of Man*, London: J. Johnson, 1803），T. Churchill 译，第1卷，第298页。

的。在格奥尔格·巴托尔得·尼布尔(1776～1831)的引导下,欧洲部族谱系及古代人种研究构成了整个19世纪史学论述的主流。在法国,儒勒·米什莱(1798～1874)致力于寻找纯种法国人从而为这个国家提供一种种族统一性的说明。比他稍晚的埃内斯特·约瑟夫·勒南(1823～1892)则通过强调该民族的种族构成过程而对古代凯尔特人大加赞美,并将雅利安人与犹太人明确区分开来。在英国,沃尔特·司各特的小说和托马斯·卡莱尔的古怪的政治种族主义论述都是上述潮流的典范,它们代表着一种毫无节制地寻求纯粹英国人特质的浪漫主义倾向。例如,罗伯特·诺克斯在《人类种族》(*The Races of Man*,1850)一书中认为,人种是导致各非欧洲人种族必然灭绝的诸因素之一。而不列颠帝国主义者后来对不同土著民族的保护措施在他看来是反自然的。[5]

最彻底的种族区分观念是由在19世纪40年代特别流行的人种多元发生论(polygenism)所代表的。它假定人类具有分别不同的种族起源并认为只有人种差异才是最基本的。人种多元发生论以自己的方式倡导了一种革命性的观点,因为它直接挑战了《圣经》创世故事中将人类的共同祖先追溯到亚当和夏娃的传说。不过,随着进化论为人种分化提供了一种替代性的时间尺度和机制论,从而取代《圣经》而成为关于自然界的主流解释,人种多元发生论就失去了它的大部分的吸引力。但即使如此,对那些汲汲于强调人种差异的种族理论家来说,人种多元发生论依然保持着一定的吸引力。这些理论家有时甚至倾向于将人区别为不同的物种而不是种族。这里潜藏的看法是,如果种族具有各自不同的起源,它们就很少或完全不具备共同点,因此指望它们展示出某种同等的特性就是一种不切实际的想法。在现代种族思想的理论因素中,人种多元发生论的遗产是显而易见的。在过去的150年中,一个人关于古代人种的假说通常可能提示着此人相应的种族政治观点。从经验上来看,一个学者对人种差异的源头追溯得越久远,他的种族主义观念就可能越是极端。早期人种分离理论的代表人物通常(尽管并非完全如此)总会为那些旨在强化种族歧视或偏见的政策进行辩护,他们因此被其同时代人视为种族主义者。[6]

科学的种族主义

19世纪中期,种族问题唤起了一种令人痴迷的热情并尤其对正在发展着的社会科学产生了极大诱惑。这种种族思想的流行依据着这样一种实证性信念:种族理论表达 696

〔5〕 Ivan Hannaford,《种族:一个观念在西方的历史》(*Race: The History of an Idea in the West*, Baltimore: Johns Hopkins University Press, 1996)。

〔6〕 William Stanton,《豹斑:对美国种族的科学态度(1815～1859)》(*The Leopard's Spots: Scientific Attitudes toward Race in America, 1815—59*, Chicago: University of Chicago Press, 1982); Stephen Jay Gould,《人的误测》(*The Mismeasure of Man*, New York: Norton, 1996); Thomas F. Gossett,《种族:一个观念在美国的历史》(*Race: The History of an Idea in America*, New York: Oxford University Press, 1997)。

着事实,并且具有经验的可证实性。换句话说,种族理论被证明是科学性的。维多利亚时代的人们普遍相信,人种可以解释生活中的许多问题。他们的种族观念不仅是生物学的,而且还涉及个体和群体的社会、政治、文化和心理的境况。从政治角度来看,民族主义的发展与宗主国之间的角逐的扩大为种族分类研究这一激烈的战役提供了背景。在一个多世纪后,为了了解维多利亚时代的种族范畴,我们最好将它想象为一种身份认同标志,它涵盖了种族特性、宗教、民族主义与阶级等概念。“种族就是一切,除此之外别无真理”,迪斯雷利*这个断言表达了维多利亚时代的人们对种族问题的共同看法。他们尤其看重未受混杂的纯粹种族所具有的价值,尤其是盎格鲁-撒克逊人,他们注定要征服整个世界。[7] 从今天的事后观点来看,人们或许会感到奇怪,维多利亚时期的人们竟然没有意识到他们关于种族问题的多样性看法的自相矛盾的特性。今天具有支配性地位的看法是,维多利亚时代的社会就其种族定相而言完全可以被视为一个外国。但在长达一个多世纪的时间里,这些种族理论家的名字几乎就等同于欧洲的学者和作者的名人录。

19 世纪最后 30 多年中,随着一批人类学协会在巴黎、伦敦、纽约、莫斯科、佛罗伦萨、柏林和维也纳的相继建立,种族研究也开始体制化。这不仅印证着人们对种族问题进行科学研究的兴趣与日俱增,同时也为这种研究提供了平台。不同人种的等级、历史久远和不可变异等观念得到了强化。随着种族研究以及人种学资料的激增,人种分类研究日益表现出它的问题。其实,早在 19 世纪中叶以前,以肤色来确定种族差异的观念已不足以概括大量的种族变异现象,当把这种观念用于欧洲内部的人种差异研究时,情况更是如此。为此,科学家提供了大量变通性方案来描述甚至是极为细微的人种差异。当时人种类型学研究最青睐的是颅骨测量学。对颅骨进行测量对体质人类学家具有极大的诱惑力,这一方面是因为他们假定颅骨在人类的世代延续中最为稳定,另外也因为他们相信颅骨与人的智力存在着确定的关联。1842 年,瑞典解剖学家安德斯·莱查斯发明了所谓颅指数系统(cephalic index),它是根据颅骨的长度和宽度比例来对人种进行颅骨测量学分类。根据这种指数系统,将欧洲人种分为北欧人(包括条顿人和雅利安人)、阿尔卑斯人和地中海人的三分法成为人们普遍接受的规范。然而,以这种颅指数系统(即使在最理想的情况下它也只是基于统计学而作出的)来进行人种归类是否真正代表了人种的现实差异,这依然是一个问题。由此,人们开始尝试根据其他体质特征(如头发、眼球颜色、鼻骨的相关指标以及社会语言学特性)来确定相应的人种范畴。不过,颅指数系统虽然是进化论出现之前的测量方法,并在当时仅仅在欧洲得到使用,但后来却获得了更加广泛的意义,并被推广到整个世界。

697

* Benjamin Disraeli(1804 ～1881),英国作家,曾在 19 世纪 60 年代和 80 年代出任英国首相。——译者

[7] Nancy Stepan,《英国科学中的种族观念(1800 ～1960)》(*The Idea of Race in Science: Great Britain, 1800—1960*, London: Macmillan, 1982); George W. Stocking, Jr.,《维多利亚时代的人类学》(*Victorian Anthropology*, New York: Free Press, 1987)。

博物学为那些探询种族优越性的作者提供了一种共同语言,尽管他们的最终目标是将文化当做对种族特性的解释方案。这一点在达尔文于1859年发表了其进化论观点后表现得更为明显。达尔文的主要贡献在于实现了一种观念转向:从把自然视为一个(基于创世说的)静态实体转变为将其视为一种(进化论意义上的)活生生的有机体;从把世界视为多种本质上不变的类型的组合转变为将其视为一种互动的和不断变化的种群(物种)体系。他的进化论著作的标题全文,即《基于自然选择的物种起源,或在生存竞争中得到保存的优势物种》(*The Origin of Species by Means of Natural Selection, or the Preservation of Favored Races in the Struggle for Life*),展示了维多利亚时期的人们基于生存竞争理解而形成的种族中心观念。然而,达尔文本人对人类种族问题少有论述,这种忽略在他那个充斥着种族思维的时代是意味深长的。这种逃避态度在其1871年发表的《人类的由来》(*The Descent of Man*)一书中表现得更加明显。他在那里指出,即使在"具有判断力的人们"(他们的人种分类数目少则2个,多达63个)之间也存在着争论。由此他强调说,种族"是在相互影响中逐渐演化的,我们在不同种族之间难以发现那种泾渭分明的种族特性"。由此达尔文得出这样的结论,种族差异不具有重要的进化论含义。遗憾的是,这个观点几乎没有得到其同时代人的注意。达尔文在其论述中还间或提到,那些非欧洲的人种与他的同胞并无根本不同。但即使如此,种族理论家们还是从他的"自然选择"理论中找到了足够说法以支持种族类型恒久不变的想法,而对其进化论的理论框架本身则弃置不顾。

正是在这个时期,那种在后来组成现代种族主义的种族理论获得了其现代理论形态。被称为"种族主义意识形态之父"的约瑟夫·阿瑟·德·戈比诺伯爵(1816～1882)将贵族悲观主义、浪漫主义和圣经学的形而上学与生物学结合起来,从而把欧洲人的价值系统转换为一种种族主义思想体系。这项工作把前达尔文时期的种族观念发展到极致。戈比诺所关注的与其说是体质人类学,不如说是作为种族标志的文明。在他眼中,文明的兴起及其蜕变无非是种族杂交的结果。[8] 在他的描述中,恒久不变的种族类型史是一种具有明显时期区分的道德谱系,而区分这些时期的是那些巨大的灾难。在这个体系中,雅利安、日耳曼人种被视为一切现代文明以及大多数其他文明的先驱。戈比诺进而考察了作为人类神秘祖先的那个原初种族的消失,它体现着其种族理论的悲观主义倾向。到了19世纪末,休斯顿·斯图尔特·张伯伦(1855～1927)和乔治·瓦谢·德·拉普热(1854～1936)又分别推出了这种雅利安人种优越性理论的更新版本。它们在很大程度上成为纳粹种族理论的最直接的科学来源。[9]

698

[8] Arthur De Gobineau,《人类种族的不平等》(*The Inequality of Human Races*, New York: H. Fertig, 1967); Michael D. Biddiss,《种族主义意识形态之父:戈比诺伯爵的社会政治思想》(*Father of Racist Ideology: The Social and Political Thought of Count Gobineau*, London: Weidenfield and Nicolson, 1970); Michael Banton,《种族观念》(*The Idea of Race*, London: Tavistock, 1977),第41页～第46页。

[9] George L. Mosse,《通向最后解决之路:欧洲种族主义的历史》(*Toward the Final Solution: A History of European Racism*, New York: H. Fertig, 1985)。

就其反犹意识而言，欧洲种族思想与传统的基督教反犹主义同气相关。现代种族主义假定，高尚的雅利安人与邪恶的犹太人是水火不容的。与宗教神话的观点相联系，并凭借现代科学的帮助，反犹理论认定犹太人是一种绝对的**他者**。在诸多与血缘、民族主义和后来逐渐被称为社会达尔文主义的生存竞争观念有关的理论中，我们都可以看到反犹主义的影子。[10] 这种信念传播之广甚至到了如此地步：就连这种信念的受害者也会相信和接受它关于种族本质的断定。例如，犹太人便往往将他们自己视为一个与众不同的种族。在最极端的情形中，他们甚至会将犹太种族低劣的意识内化为一种自我仇恨意识（奥托·魏宁格就是一个著名的例证）。

在人们看来，进化论不仅是关于自然的解释，它还可以应用于社会和政治领域。因此，赫伯特·斯宾塞提出的“适者生存”理论逐渐成为被人们广泛引用的政治原则，它展示了进化论所具有的全新社会含义。在群体遗传学产生以前，自然选择的机制观念受到广泛误解。人们将“适者”（fittest）理解为当时的社会标准所确认的“最优越者”（best）。这个目标设置决定着相关种族的命运。那些征服其他人的种族由此显示出其优越性。成功不是被理解为一种与机遇有关的生存，而被当做一种努力和天赋的结果。反之，被灭绝则成为种族低劣的标志。许多作家都矢志不渝地坚信拉马克关于获得性种族特性遗传的学说，它对社会达尔文主义的传播尤其起到了推波助澜的作用。

在许多政治领袖和重要的理论思潮（如功利主义和马克思主义）那里，社会达尔文主义并不是以一种系统理论的形式得到表现的。毋宁说，“社会达尔文主义”这一标签只是表达不同种族优越论意识形态的类名词。这些理论的自相矛盾之处表现在，它们断言社会在其自然发展中是受优越种族支配的，但又处于低劣种族的人口数量不断扩大的危险之中。社会展现出丰富的生物等级结构；富人对穷人、男性对女性、欧洲人对非欧洲人、日耳曼人对犹太人、北部意大利人对南部意大利人、法兰西贵族对农民等都体现着其优越性。这些种族理论家中的领军人物包括英国的赫伯特·斯宾塞和本杰明·颉德，美国的约翰·费斯克和威廉·格雷厄姆·萨姆纳，意大利的塞萨雷·龙勃罗梭和德国的恩斯特·海克尔。此外还有许多论述种族衰落或式微的畅销著作，这类观点当以马克斯·诺道的《种族退化》（*Degeneration*）为主要代表。

699

然而，对社会达尔文主义者来说自相矛盾的是，这种成功的自然体系就处于崩溃的边缘。工业化、人口增长以及人和物的跨地域性流动一直使那种一度美妙的旧秩序处于危险之中。如果说在过去那些“适者”确实可以指望达到其统治的巅峰状态，那么今天他们就面临着那些低劣群体可能会颠覆这种“自然的”等级秩序的危险。

社会达尔文主义的种族理论家从来没有说明，他们用以描述种族变迁和适应的那

[10] Robert C. Bannister，《社会达尔文主义：英美社会思想中的科学与神话》（*Social Darwinism: Science and Myth in British—American Social Thought*, Philadelphia: Temple University Press, 1979）；Donald C. Bellomy，《再论“社会达尔文主义”》（“Social Darwinism” Revisited），载于《美国历史全景》（*Perspectives in American History*），新辑 1（1984），第 1 页～第 129 页。

种时间尺度究竟是历史学意义的还是动物种群意义的。种族理论家经常不加区分地利用经典考古学(旨在研究以千年为时间尺度的历史)和古生物学(旨在研究以万年到百万年为时间尺度的历史)来支持其在当下时代提出的社会学观点。同样含糊的情况还出现在另一种试图为种族等级秩序观念提供支持的复演论之中。这种理论认为,个体从胚胎期到成年期的发展(个体发生学)重演着物种早先的不同进化阶段(种族发展史)。越接近胚胎期,就越类似于人类早期的进化阶段。当这种观念应用于种族研究(尤其是在海克尔那里)时,它就断言那些较为低等的种族无非代表着欧洲人的早期进化阶段,或许可以大概说是欧洲人的儿童期发展阶段。毫不奇怪,方法论上的多元主义带来了许多在本质上完全不兼容的结论和复杂多变的种族描述,但它们都很少对文化与生物学这两个向度进行甄别。因此,当托马斯·亨利·赫胥黎在19世纪末大声疾呼要特别关注生物学研究(人种)和语言研究(文化)的潜在区别时,很少有人愿意听取他的这一建议。

一向致力于为生物优越性政策提供支持的种族理论或许在优生学(eugenics)中找到了最具影响力的表达形式。弗朗西斯·高尔顿发明了"eugenics"这个词,并由此开辟了一个新的科学学科和发起了具有广泛影响的社会运动。他试图揭示出遗传与天赋之间的相关联系,并在此过程中对统计学的发展做出了贡献。这个运动尤其在英国、德国和美国特别流行,并在其他国家的各个政治阶层中找到了大批追随者。优生学认为,一个社会如果想消除贫困和社会积弊,就必须改善其生物构成。它由此演化为一系列推行反外来移民、鼓励绝育和安乐死的政策取向。这些政策在纳粹主义统治下得到了令人发指的表现。在第一次世界大战之前和之后,这个运动产生了最为广泛的影响,它把科学研究与仇视外国人的流行文化结合在一起。从对人体形态测量学与智力之相关联系的回归分析,到乡村集市中的家庭竞赛和有关绝育的立法,优生学都被当做解决各种社会弊端的重要理论方案。从今天的观点来看,许多优生学政策实际上都是种族主义的。[11]

在把体现着种族仇视意识的遗传学应用于优生学研究方面,许多杰出的科学家,如美国的查尔斯·达文波特和德国的鲍尔和楞次,都发挥着领导的作用。与他们不相上下的科学家还包括英国著名人类遗传学家和统计学家罗纳德·费歇尔。而纳粹在将由它操纵的科学研究用于种族主义目的这方面是最臭名昭著的。至今历史学家仍在不停地争论,在纳粹意识形态中,哪些内容是源于传统流行的和基督教的反犹主义,哪些内容依据的是当时的科学理论。出现这种困境的部分原因是上述各种来源互补的结果。纳粹的意识形态宣称,在雅利安和犹太人之间存在着争夺全球控制权的斗争,而其核心信念则是,只有一个种族可以在这个斗争中幸存下来。种族主义意识形

700

[11] Daniel J. Kevles,《以优生学的名义:遗传学和对人类遗传特性的利用》(*In the Name of Eugenics: Genetics and the Uses of Human Heredity*, New York: Knopf, 1985)。

态包含着许多自相矛盾的内容（如声称建立在其优越感和低劣性基础上的全球性的犹太人的阴谋），尽管如此，但是许多科学性论断为纳粹政策提供了一种信誉担保。在这个背景下，纳粹得以将其为种族卫生所作的辩护转换为一种种族主义的雅利安人优越性的宣传。[12]

除了纳粹主义，那种从特定地域发端的主流性的种族分类研究在其全球化过程中一再走入迷途。人类学家发现，浩如烟海的相关资料可以让人们作出各种替代性的分类方案。在20世纪20年代，哈佛大学的罗兰·迪克森提出了一种或许是最违反人们直觉的种族分类理论。该理论依据诸如颅骨形状特征的研究，竟然认为澳大利亚土著和北欧人属于同一个种族群体。显然，各种种族主义理论的大潮以难以逆转的方式模糊了种族的科学定义。虽然在20年代人们已开始对这些种族理论进行批判，但只是在优生学开始为纳粹所利用并最终丧失了它的影响力之后，反种族理论才在科学中获得了广泛影响。正由于社会科学家对这些未经证实的种族理论赖以得到支持的种族仇视观念和罪恶政策的尖锐批判，这种种族科学才开始迅速走向灭亡。

从生物学到文化

反种族主义的崛起出现在编年史意义上相互衔接的三个阶段。第一阶段从19世纪和20世纪之交到20世纪20年代，它提供了一种替代性的研究取向。这包括对生物遗传机制的日益精细化研究。人类学家、心理学家和社会学家的关注点从人种生物类型研究转向文化和种族群体的社会属性研究。第二阶段发生在20年代和30年代。在这个时期，个别科学家开始公开拒绝那种种族主义的人种类型学研究，反种族主义的观念无论在理论研究和相关阐释领域都开始流行起来。第三阶段具有更明显的政治意味，其重要时期是从30年代到50年代。一群科学家把反对偏离了科学轨道的种族主义当做自己的职业责任，肩负起对种族主义的各个变种进行批判的任务。一些人由此成为政治活动家并随时准备对种族问题发表自己的看法。不过，科学家中的大多数种族理论家认为种族问题在政治层面上是充满争议的，因此他们尽量回避对这个问题的谈论。[13]

701

与所有其他科学家相比，弗朗茨·博厄斯（1858～1942）更明确地反对将种族生物学研究变成一种文化解释。从19世纪90年代开始，他就把生物学意义上的种族研究与语言和文化研究区别开来，并逐渐在那个时代的语言中减少加于“原始的”或“野蛮的”种族的低劣性的词语。博厄斯主张不同种族和不同性别在精神上基本是平等的，

〔12〕 Robert N. Proctor,《种族卫生：纳粹时代的医学》(*Racial Hygiene: Medicine under the Nazis*, Cambridge, Mass.: Harvard University Press, 1988); Paul Weindling,《健康、种族以及德国统一和纳粹时期的德国政治(1870～1945)》(*Health, Race, and German Politics between National Unification and Nazism, 1870—1945*, Cambridge: Cambridge University Press, 1989)。

〔13〕 Barkan,《科学种族主义的退却》。

这个看法在他那个时代是相当激进的。他的一项最重要研究表明,颅骨的形状随着时间的推移是可变的,这就从根本上瓦解了当时体质人类学的基本信念以及关于种族稳定性的观点。博厄斯在反对种族主义的斗争中还扮演着教师和活动家这两个重要角色。作为美国最杰出的人类学家,20 世纪上半叶美国最重要的那些人类学家基本出自他的门下,其中包括玛格丽特·米德和鲁思·贝内迪克特。此外,他引导着文化相对主义的发展,并在后来的 30 年代,积极组织科学家们反对美国国内的私刑现象和种族主义,反对欧洲的纳粹主义和法西斯主义。[14]

从根本上说,人种科学属于体质人类学范畴。这种人类学勃兴于 19 世纪中叶,在 19 世纪和 20 世纪之交达到鼎盛,又在第二次世界大战中跌入低谷。博厄斯及其同道以其研究表明,一旦超越地域性变化范围,关于种族的人类学的数据便不可能用于有意义的比较。随着体质人类学失去其立身之本,人种问题便在遗传学、社会和文化人类学、社会学和心理学等新兴学科中失去了其核心关注地位。当然,这些学科中许多继续谈论种族问题的科学家依然构成了优生学运动的重要力量,但被当做一种科学事业的种族研究在支配性的理论学科中开始归于沉寂。在 20 世纪上半叶,虽然遗传学日益获得良好的科学声誉,但人类遗传学没有为那种旨在进行种族分类的重要的体质差异研究提供多少相关性知识。

人们可以有把握地说,生命科学家和体质人类学家对种族研究的最大贡献就是放弃对生物学主义的信念并不再相信他们具有谈论这一主题的能力。那些在政治上十分活跃的反种族主义科学家们,包括兰斯洛特·霍格本、朱利安·S. 赫胥黎、J. B. S. 霍尔丹和理昂内·潘洛斯,以其研究指出对种族的生物学界定是靠不住的。他们使大部分科学家们相信,生物学意义上的种族无论在文化还是在社会领域内都没有明确的地位。随着生物科学对种族问题日益采取一种不可知论的立场,社会科学在研究和阐释那种作为文化和社会现象的种族问题方面日益产生着重要作用。出于专业上的原因,社会学家们比较早地从那种把社会差异归因于种族分类学的立场上抽身后退,但他们尚没有对这种立场的生物学基础进行批判。这种批判的任务将由生物学家和人类学家承担起来。一旦前进的道路被廓清,社会学家就可以大步前进。同样,心理学家们也较早地意识到种族理论的缺陷,他们在 20 年代中期便开始对种族的精神差异观念进行批判。1929 年,卡尔·C. 布林汉姆表示彻底放弃他在十年前发表的教科书中对种族精神差异问题的论述。奥托·克林堡在《种族差异》(*Race Differences*,1935)一书中则更加明确地提出,根本不存在具有真正生命力的种族科学。如果说种族问题在科学中仍可作为一个话题而继续存在的话,它也只具有次要的意义。

702

总的来说,对种族问题表示拒斥的那群科学家大都生活在一种象牙塔中的斯文氛

[14] George W. Stocking, Jr.,《种族、文化和进化:人类学史论文集》(*Race, Culture and Evolution: Essays in the History of Anthropology*, New York: Free Press, 1968)。

围之中。由于其所属族群的边缘性地位、性别、所处地域、政治态度或意识形态信念等等,他们中的多数人都在一定程度上成为这个社会的局外人。正是这种局外人的身份使他们对种族主义所带来的不平等有更加强烈的意识,并促使他们对那个时代的基本成见提出挑战。

在20世纪20年代到50年代期间科学领域内对种族问题的看法转变和以文化分析取代生物学阐释,在大学之外的世界中促成了一场种族关系的革命。赖以塑造这种转变的力量在今天关于种族问题的讨论中仍发挥着相当重要的作用。人们不再把种族与宗教或社会阶层问题混为一谈。由于纳粹的垮台,人们不再以种族的观点来看待欧洲人内部的差异问题。在第二次世界大战之前,种族问题研究主要盛行于欧洲。而在战后,对种族进行社会科学研究的重镇转移到了美国。在那里,种族理论的转变所表现出的最重要后果是它推动了美国民权运动的发展。凭借着科学的力量,这种表达着社会政治不满的运动终于有能力对种族主义传统所拥有的思想合法性提出挑战。

最先试图在较为广泛的社会意义上对上述种族思想的转变所产生的影响进行评估的机构是美国的卡内基公司。它在第二次世界大战爆发之初开始资助一项由瑞典经济学家冈纳·缪尔达尔牵头的研究项目,其结果是在1944年出版了文集《美国的两难困境》(*An American Dilemma*)。这项研究无论就其政治含义还是其研究内容来说都是十分重要的。缪尔达尔对美国来说是个局外人,但他组建了一个具有广泛代表性的作者联盟,其中的撰稿人既有美国南北方的白人,也有黑人社会科学家。该研究努力凸显出旨在改善种族关系的人类的良好愿望,并将过去那种僵化的科学种族主义向新观念的总体转变过程写成编年史。缪尔达尔最后得出结论说,美国面临着选择:如果它要实现自己的美好理想,就必须克服其种族主义偏见。在大战结束后的最初几年中,种族关系以及对种族问题的学术研究出现了巨大变化,缪尔达尔的研究为平等问题提供了最重要的科学陈述。[15]

703

在国际舞台上,UNESCO(联合国教科文组织)这一新的机构在传播平等理论方面担负起领导责任。它的第一个研究项目由"世界专家小组"完成,其成果发表于1950年。该研究宣称种族成见或偏见不具有任何科学基础。这项研究对科学领域和公共领域在对种族概念的理解上所出现的引人注目的转变给予高度评价。[16] UNESCO的宣言指出,一切种族具有相似的精神能力是人类平等的前提;没有任何证据表明种族之间的混杂可以导致生物学意义上的种族退化;在民族群体或宗教群体与种族之间没有相关性;种族"与其说是个生物学事实,毋宁说是个社会神话"。最为重要的是,它宣称四海之内皆兄弟是个科学事实。不过,这个宣言不是没有争议的,尤其是该陈述最

[15] Walter A. Jackson,《冈纳·缪尔达尔和美国的良知:社会工程和种族自由主义(1938～1987)》(*Gunnar Myrdal and America's Conscience: Social Engineering and Racial Liberalism, 1938—1987*, Chapel Hill: University of North Carolina Press, 1990)。

[16] 参见1950年7月18日《纽约时报》(*New York Times*); UNESCO,《种族概念:研究的结果》(*The Race Concept: Results of an Inquiry*, New York: UNESCO, 1952)。

后部分的那句话（“是个科学事实”）需要给予进一步澄清，因此，关于种族理论的地位问题，UNESCO 及时地出版了一系列反种族主义的出版物。尽管依然存在着某些顽固的反对意见，但 UNESCO 所发起的这一对种族理论的战役的确有助于在公众领域中传播积极的科学信念。

在 1954 年美国最高法院对《布朗诉教育局案》（*Brown v. Board of Education*）的审理中，*我们能够看到对种族问题的全新社会科学研究所产生的直接影响。法院最终宣布，种族隔离政策违宪。该判决使反种族主义从一种自由知识分子的值得尊敬的思想倾向转变为国家的法律。它在一定意义上正是当代社会科学研究的重要价值之所在，缪尔达尔在《美国的两难困境》中已对此有所刻画。1920 年到 1950 年出现的对种族理论之科学基础的驳斥使西方文化中的种族意识发生了彻底逆转。50 年代以后，那些主张以生物学意义上的因果关系来说明文化差异和种族（或其他群体）分类的学者普遍感到，他们已被排除在主流研究之外并会招致各种批判。[17]

在过去 80 年中，种族研究的话语已从一种“客观主义的”、等级秩序的表述转变为一种多元论的主观主义。20 世纪 30 年代以前，具有主宰地位的群体完全否定那些种族主义的受害者参与种族问题论述的合法性，而这种情况对形成他们的低等社会地位产生了决定性作用。只是在 30 年代到 60 年代之间，这些受害者才赢得了介入这些争论的机会。到了 60 年代和 70 年代，文化意义上的种族研究日见兴盛。取代了生物学意义上的种族（race），文化意义的种族（ethnicity）概念成为具有竞争力的术语。用“ethnic”这个字表达“racial”的意义，首先出现在朱利安 · S. 赫胥黎和 A. C. 哈登在 1935 年发表的《我们欧洲人》（*We Europeans*）一书。从一开始，ethnicity 就试图取代 race 一词，作为一个更加纯净的术语，它要努力摆脱种族歧视和种族论立场，尤其强调文化研究的重要性。尽管传统社会学和人类学研究提供了内容丰富的资料和叙述，但相对地，如何对这两个概念进行区分的理论却很少。当时在学者内部流行的看法认为，作为一种实体的 race 概念比 ethnicity 概念具有更多的稳定性内容或更明显的生物学含义。然而，一旦人们试图将种族分类的一般原则转换为具体研究时，就发现每一个体系都有许多例外情形。70 年代以后，随着对种族的社会科学研究进入第三个阶段，当代学者日益倾向于优先考虑种族研究的多元视角问题，并通过让不同种族代言人的参与获得合法性使种族多样性问题得到更富于成果的讨论。这样，种族问题论述的决定性因素就不仅是说了什么，而且是谁在说。人们一致认为，种族不再应当从认

704

* 1951 年，美国堪萨斯州三年级黑人女童 Linda Brown 的父亲 Oliver Brown 向住家附近的公立白人学校提出让 Linda 就近入学，这样可使该女童不必每天走过铁路到很远的黑人学校就学。这个要求遭到校方拒绝，其理由所依据的是种族隔离政策。Oliver Brown 于是在国家有色人种促进协会（NAACP）的支持下向堪萨斯地方法院起诉教育局，但地方法院作出了有利于校方的裁决。1952 年，Oliver Brown 向美国最高法院申诉，经过一系列听证会和辩论，最高法院遂在 1954 年裁决校方的决定违宪。该裁决对美国黑人民权运动产生了重要历史影响。——译者

[17] Richard Kluger，《简单的公正：布朗诉教育局一案的历史以及美国黑人争取平等的斗争》（*Simple Justice: The History of Brown v. Board of Education and Black America's Struggle for Equality*, New York: Knopf, 1975），第 706 页。

识论上被简化为某个一维的实体。反之,某一群体的主观性视角变成了一个构成性要素。

对在人的分类中的人种类型学的驳斥,甚至导致了从诸如动物学这类学科中对这一概念的清除。这就否认了许多人的直觉,他们仍旧相信种族差异是个生物学事实,并坚持认为种族问题在社会和政治领域具有中心地位。对种族问题的科学的和学术性的批判将它自己从政治上与外来移民问题和种族仇视问题搭上了关系,它还反映了科学家们的政治和意识形态承诺以及他们的宗教和种族亲缘关系。然而,只有当人种类型学不再享有由最先进的生物学知识支撑的那种客观科学事实的地位之后,种族因素才成为恢复中的重点,并在少数民族自我认同中发挥着应有的作用。

不过这里也存在着例外。诸如卡尔顿·库恩、查尔斯·默里以及理查德·J. 赫恩斯坦这些科学家仍然坚信种族差异提示着一种更加深层的生物学区别。[18] 这些深层种族差异的鼓吹者通常被人们视为右翼分子和种族主义者。他们虽不时地唤起公众的关注,但很快他们的观点便会招致强有力的批判,然后他们的地位就被降得无足轻重。但无论怎样,这些研究不断获得公众青睐的事实提醒我们,在公众之中存在着对深层种族区分理论和"真正的"生物学阐释的需求,而不单纯是文化的或社会的区分。然而在今天,只要种族"内部的"差异远远强于种族之间的差异,就不会存在令人信服的关于种族差异的生物学理论,我们就没有理由指望它的出现。

关于种族的生物学论述在历史上曾充当过种族主义理论的帮凶,但它并非天然就具有种族主义倾向。同样也可以说,那些文化的解释也不必然就是平等主义的。有些种族理论只有经过钩沉索隐的阐释才被视为种族主义的。一个种族之天赋/低劣毕竟只是一种镜像。在过去50年中,人们往往会恰当地给那些背离平等主义和反生物学共识的研究者们贴上"种族主义者"的标签。然而,近来有理论断言同性恋是由某种生物学原因决定的;在某些学术圈中,人们对社会生物学推崇有加;甚至在利奥纳德·杰弗利斯的"黑色素"理论中,我们还看到一种试图确立黑人种族优越性的取向。从以上这些事态中可以推知,这类标签的适用范围并不稳定。

705

从经济和政治的交叉点考虑可以使我们获得另一个看待种族问题的视角。自民权运动开展以来,种族变成了一个复杂的社会和经济范畴。如同许多其他政治热点问题一样,人们在是否可以把种族(race)理解为某一身份或利益同一体(identity)的问题上争论不休,这个争论在关于个体或群体权利和权利资格的强势论辩中得到了表达。因此,规模最大并且最具代表性的反种族主义联盟是围绕着经济问题建立起来的。不过,如同在美国国情调查中的情形,当个体认同的分类与群体认同发生冲突时,认同问题就显示出相当的复杂性。在这样的例子中,某一个体对她自己的界定可能与她所在

[18] Carlton S. Coon,《不同种族的起源》(*The Origins of Races*, New York: Knopf, 1963); Richard J. Herrnstein 和 Charles Murray,《钟形曲线:美国生活中的智力和阶级结构》(*The Bell Curve: Intelligence and Class Structure in American Life*, New York: Free Press, 1994)。

的群体的领导阶层的偏好并不相同。这样,国情调查就成为政府识别不同族群的要求并确定针对少数者的政治和经济对策的主要手段。这些调查涉及就业、教育、健康以及企业振兴区和投票权等诸方面。在竞争中的讨论(那种塑造了调查的政治的特点)都是有关政治权力、权利资格或分享国民财富方面的。在90年代,关于调查的争论揭示出这样一个现象,即人们在何种因素构成了一个种族以及计算方法上存在着深刻的分歧。每一社会群体都希望建立一个它们可以从这块馅饼中分得更大一块的社会制度,该制度应当"克服"造成群体内部出现认同差异的各种障碍。然而,在多民族现象的发展中,人们的种族分类意识明显表现出可塑性。2000年的国情调查使美国第一次公开承认,任何个体可能同时属于超过一个以上的种族。

作为一种社会构成的种族含义不断丰富并在许多方面塑造着现代生活。它已经被分裂成为不同的范畴。生物学意义上的种族认同与其他群体形态,如性别、文化意义上的种族、民族和社会阶层等,形成了一种竞争和互补的关系。此外,作为群体认同的他异性的群体牺牲观念已经得到普遍关注。群体牺牲观念(种族主义是与它有关的原型)已经作为许多个体的重要体验而得到承认。[19]

种族政治学

今天的社会科学家大多回避从生物学角度来谈论对种族问题的看法。他们的视点只限于被观察到的生物学特性对群体认同所产生的影响。这样,生物学意义上的种族实在(racial reality)比起文化或文化意义上的种族(ethnicity)来说,是既多又少,它的谈论对象可能更加显而易见(这依赖于具体定义),但也更加多样、破碎和扩散。在某些情况下,它相对于文化意义上的种族概念更具有"深层"含义,但从其他角度看它又是文化种族概念的一个部分。破碎化的种族概念(对不同人群来说意味着不同的东西)是一个非常当代的、后现代的概念构成物。种族在一个后种族(postracial)社会中是一种地域性的(地理性的和特殊性的)政治激进主义的主题,而不是普遍性的理论承诺。[20]

706

今天在种族与社会科学问题上存在着两种不同的理论取向。第一种取向是继续致力于谈论以传统方式存在的种族固有差异问题,从事这类研究的主要但并非全部是保守主义者。他们把种族看做生物学上稳定的单位,同时也大体观照到由于种族混合而产生的边际变化。第二种取向则更关注经济和社会条件以及社会底层与种族少数群体所面临的共同问题。它反对将贫困和犯罪归咎于特定种族群体,反对将社会底层问题与种族少数群体的特性混为一谈的理解,强调在黑人和拉丁民族中正在出现中产

〔19〕 Dominick LaCapra,《种族的界限》(*The Bounds of Race*, Ithaca, N. Y.: Cornell University Press, 1991)。

〔20〕 Paul Gilroy,《在联盟的旗帜上没有反对黑人的标志》(*There Ain't No Black in the Union Jack*, Chicago: University of Chicago Press, 1987);《黑人的大西洋》(*Black Atlantic*, Cambridge, Mass.: Harvard University Press, 1993)。

阶级这一事实。这种自由派的种族论述将其注意力集中在造成社会底层状况的经济与社会条件方面。反之,保守派则试图将贫困归咎于种族低劣性,以反对自由派的社会政策。这种状况使自由派和保守派形成了一个极不合理的政治联盟,种族问题在它们对社会福利方面的政治争论中依然具有中心的地位。作为后果,那种将经济和社会地位的低下与种族低劣性假定相混淆的理解仍在总体上影响着我们的公共话语。[21]

种族研究中的直接的伦理学分支研究带来了这样一个问题:对种族的科学研究怎样才能与传统的偏见和种族主义划清界限?种族科学所面临的一个困境在于,社会科学总要尽力发现社会结构背后的真理,但在这同时,它又不得不受到某种已观察到的社会"实在"的束缚。科学家们确信,他们的种族理论不是出于传统的种族恐惧心理,而是建立在理性和经验的审视基础之上。的确,尽管在过去两个世纪中,种族观点由于不同种族理论的兴替而经历着不断变化,但在1930年以前,几乎所有种族理论(仅有少数例外)都局限于在一个等级体系中来谈论种族地位问题。这些种族等级理论或者直接支撑着,或者大量蕴涵着种族歧视观念。然而,为这种理论进行辩护的科学家和作者相信,他们所阐述的理论,其有效性与伦理考量毫无关系。只是在20年代和30年代之中,这种种族理论才被人们当做错误的和种族主义的东西加以拒斥。尤其是在见证了纳粹主义的恐怖之后,科学家们才最终意识到他们的工作所可能产生的社会和政治后果。在这个背景下,种族平等才首次在科学上获得了想象的可能。

707 在21世纪,人们已广泛接受了种族是一个社会范畴的观念,并日益意识到个体具有多重的生物和文化种族认同方式,这种状况可能会导致社会科学家关于种族的意识出现进一步的转变。我们有理由期待,种族概念将变成更具有可塑性或可变性的范畴。个体将自己认同于两个或更多的种族范畴的情形将不再是特例。而种族也将继续成为给社会科学家带来巨大诱惑和困惑的问题。

(李河　译)

〔21〕 James Q. Wilson 和 Richard J. Herrnstein,《犯罪与人类的天性:关于犯罪原因的权威性研究》(*Crime and Human Nature: The Definitive Study of the Causes of Crime*, New York: Free Press, 1998)。

42

文化相对主义

708

戴维·A.霍林格尔

作为一个由于社会科学而变得可信和流行的著名概念,"文化相对主义"在社会科学家中却如此之少地得以澄清,是不寻常的。这一概念完全与一群活跃于20世纪20年代至40年代的美国人类学家相联系。他们主张,首先是文化而不是生物学,解释了人的行为的范围;其次,世界上随处可见的这种行为的纯粹差异,应该导致尊重和宽容,而不应该招致不满的判断。然而,这些人类学家只是短暂地确定了"文化相对主义"的含义,而他们的后继者对此却颇不耐烦,他们把它牵扯到后来的道德哲学、人权、多元文化主义和后现代主义的争论中。作为对自由的价值和世界主义的宽容之肯定而为人们所熟知的一个短语,文化相对主义逐渐变得和为准许虐待妇女的地域文化辩护、对普遍人性的观念不予考虑相联系了。在20世纪80年代和90年代,涉及"文化相对主义"的讨论比以往任何时候都要丰富,但是,这一术语的含义及其与人类学运动的关系,可以负责任地说,比以往任何时候都难以琢磨了。因此,"文化相对主义"是一个没有一致同意所指的主题。确实,仅仅什么是文化相对主义的争论,就构成了它的历史的一个至关重要的组成部分。

梅尔维尔·J.赫斯科维奇说,文化相对主义中的核心观念是:"**判断是基于经验的,而经验是每一个体根据他自己对某种文化的适应加以解释的**。"[1]1955年的这一重点陈述可能暗示着:正确与错误、真与假的问题,需要依据一个人的特殊文化背景而给予不同的回答。然而,无论是赫斯科维奇,还是他同时代的其他人类学家,都不热衷于如此苛刻地表达这个观点。的确,文化相对主义的脆弱的定义(它意味着"真和善是相对于你的文化的",或者,"一种文化与另一种文化一样好")一直是其批评家们的主要批评对象;反过来,这些批评家发现,他们自己因为不能完全理解它而受到了嘲弄。

709

在抱怨批评家们将文化相对主义的意思简化为"将希特勒仅仅视为一位具有非标准口味的家伙"时,1984年克利福德·吉尔兹揭露道,在文化相对主义的原意上,"在

[1] Melville J. Herskovits,《文化相对主义:关于文化多元论的观点》(*Cultural Relativism: Perspectives on Cultural Pluralism*, New York: Random House, 1973),第15页,原文中加了强调;也可参见I. C. Jarvie的评论,《再论文化相对主义》(Cultural Relativism Again),《社会科学哲学》(*Philosophy of Social Sciences*),5(1975),第343页。

一百位批评家中,没有一位”是“正确的”。相比肯定性地断言文化相对主义的明确的本质,吉尔兹(由于一直是世界上最有成就的人类学家之一,因而其观点很有意义)在解释文化相对主义不是什么方面,更为深刻。按照吉尔兹的观点,彻底搞清楚文化相对主义,不是一件使哲学学说的系统阐述更为犀利,或者提供一份更可靠的同义词表给词典作者的事。相反,它是一件这样的事情:认可一种在 19 世纪末和 20 世纪初已经发展起来的“思维方式”,它的存在依赖于与之相抗衡的形成竞争的种种思维方式。[2]

这种关于“文化相对主义”之含义的坚定的历史方法很值得推荐。文化差异的人类学探索,特别是对相距遥远的民族之间的探索,动摇了关于北大西洋范围内的西方(North Atlantic West)的遗传假定。欧洲文明产生的道德规范真的是最好的、值得强加于全球其他文明吗? 吉尔兹观察到,人类学家们是这样一些西方人:他们看到了“祖尼人(Zunis)和多霍米人(Dohomeys)”的悠久历史和艰难生活,并且通过这些种族如何安排生活、甚至繁荣发展,逐渐真正地把握到了他们所做的安排之间的纯粹差异。难怪,正是这些差异性考察者们最倾向于坚持这样一个观点:关于外国民族实践的“仓促判断”,“不只是一个错误,它是一种罪恶”。[3]

对人类生活之惊人的辽阔持保留判断的这种态度,是“相对主义的”思维方式的核心。吉尔兹敦促我们,要对揭示出来的如下内容表示感谢,即“世界并非分为虔诚的和迷信的;丛林里有雕塑,沙漠中也有绘画;没有中央集权,政治秩序是可能的,没有成文的法规,基本的公正也是可能的;推理的准则并非固定于希腊,道德进化也并非完成于英国”。这些民族志的先驱者做出的另一贡献,吉尔兹补充说,是他们坚持“我们透过我们自己打磨过的镜头去观察他人的生活,而他们正透过他们自己的镜头在观察我们的生活”。与这一系列艰难获得的、世界主义的见解相对比,吉尔兹不仅列举了旧的民族中心主义的地域性的自信:一个人自己的部落是人类的典范,而且还列举了常常培养出傲慢自大态度的古老信念:我们能够找出“超文化的”道德,并且不以有知者的道德和文化为媒介,我们也能够获得知识。据吉尔兹说,这种极端反相对主义者的信念鼓舞了文化相对主义的批评家们,正如拒绝这种信念是最大限度地限定它一样。[4]

710

在 20 世纪的社会科学界,以文化相对主义之名进行的历史运动有一个活跃的中心,这也是**一个原则性的悬案,即“我们的”人民是正确的,而与我们做事方式不同的群体则是错误的**。然而,在对标记这一运动的术语含义的争论之后,在这一争论中吉尔兹自己的干预之后,存在着对于这一原则性悬案的两种运用之间不稳定的关系。一种运用是方法论的,另一种则是意识形态的。只有认可二者,并且意识到二者之间动态

[2] Clifford Geertz,《反“反相对主义”》(Anti Anti-Relativism),《美国人类学家》(*American Anthropologist*),86(1984),第 263 页～第 264 页。
[3] 同上书,第 265 页。
[4] 同上书,第 275 页～第 276 页。

的相互作用，我们才能把握文化相对主义的如下历史进程：既避免犯吉尔兹警告的错误，又解释了其意义之争。

在方法论的意义上，文化相对主义一直是一套**社会科学**的方法，被设计用于使人类学家们面对、并获得**外国**文化方面的可靠的知识——这种外国文化是人类学家们可能难以准确掌握的，而他们又总是沉迷于判断他们研究的人民怎样才符合调查者本土文化的标准。正是这种方法，吉尔兹称赞说，把我们从大量褊狭的妄想中解放出来，而且，他努力于将可疑的、笼统的哲学论断（文化相对主义的恶意批评者所加诸的）从文化相对主义中分离出去。但是，文化相对主义从来就不仅仅是一种从内部审视他人文化的学术意愿。其次，从意识形态上对道德上的和认识上的谦逊的运用，已将文化相对主义直接导入了哲学和"文化战争"的领域。

在意识形态的意义上，文化相对主义一直是一种批评方法，它是为了削弱**本土**文化方面权威的目的而形成的。玛格丽特·米德（1901～1978）1928 年出版的有着意味深长的副标题的《萨摩亚群岛的时代正在到来：关于西方文明最初时代的一个心理学研究》（*Coming of Age in Samoa: A Psychological Study of Primitive Youth for Western Civilization*）一书的高潮是，关于美国和萨摩亚群岛风俗的一个轻松活泼而又具说教性质的评论，它建议，20 世纪 20 年代的美国中产阶级可以从南太平洋人在性方面宽松的生活中获得某种暗示，从而改善他们对处于青春期女孩子们的教育。[5] 对"西方文明"关于其他文化、特别是关于"原始"文化中的发现之可能含义的反省，在 20 世纪思想史中，使得人类学成为文化相对主义者方法中的一个主要部分，而不仅仅只是一门学科中的又一次运动。

伴随着更广大公众的注意，文化相对主义的科学优势更多的是被一些男性和女性在口头上提出的，这些男性和女性将注意力集中于作为社会批评家的角色上，不仅仅只是作为深奥的科学（Wissenschaft）的实践者。某些坚持相对化的人类学者，仍然企图将文化相对主义作为一种"哲学"。赫斯科维奇经常这样做，他还把这一观点写进了 1948 年出版的被广泛用作大学教科书的《男人及其著作》（*Man and His Works*）中，而这本书招致了针对这种观点的许多反驳。一代人之后，这一观点作为对人类学家们促成的认识上和道德上的谦逊之误解，给吉尔兹留下了深刻的印象。[6] 当文化相对主义的恶意批评者们把它解释为在北大西洋范围内的西方的价值争端的一种观点，并且将之评价为一种真理和价值理论之时，他们是在某些吉尔兹的前辈们创造的氛围中做这些事情的。

711

〔5〕 Margaret Mead,《萨摩亚群岛的时代正在到来：关于西方文明最初时代的一个心理学研究》（*Coming of Age in Samoa: A Psychological Study of Primitive Youth for Western Civilization*, New York: Morrow, 1928），第 195 页～第 248 页。

〔6〕 Melville J. Herskovits,《男人及其著作：文化人类学的科学》（*Man and His Works: The Science of Cultural Anthropology*, New York: Knopf , 1948），第 655 页。

弗朗茨·博厄斯与对进化论人类学的反动

文化相对主义在学者范围内的争论有其直接的起因,这些学者在19世纪最末和20世纪最初的几年中,面对着一幅巨大的人类差异性的全景图。在人类差异的科学研究中,多数先驱者是"进化论者",他们想象,人种是逐步地、渐进式地发展的。在这些早期人类学家中,英国的爱德华·B.泰勒和美国的刘易斯·亨利·摩尔根是最富创见的,他们将与他们同时代的世界上的"原始"人视为生活在进化过程早期阶段的人,而北大西洋范围内的西方"文明"社会则是进化过程的顶峰。即使是对人类多样性持相对宽容的看法,并且发现了这种限定人类生命范围的不道德性的学者,也采用了这种划分等级的观点,用以在许多情形下消除对西方优越性假定的威胁,而这种威胁已经潜在地由亚马逊盆地(Amazon basin)、非洲以及其他地方越来越多民族的发现提出来了。仅仅当代世界上大量这类民族的存在就证明,在曾经生存过的人种中,遵照流行于现代欧洲的规则和品味生活的只占多么小的一个百分比。社会进化的概念使西方人将过去和现代社会的每一次新发现加以归类,使之占据人类总的发展进程中的某一阶段。正如托马斯·特劳特曼所解释的,这些19世纪的思想家实质上将"存在的巨链"放在一边,从而将为古老构想(按照这种构想,生命形式被区分为从低到高的一个上升的、垂直的等级序列)所支持的传统的等级结构宣布为暂时性的,而采用了在同一水平上以时间线索进行区分的形式。[7] 人类差异的这种分等级的、进化论的分析经历了巨大的变化,在人们反感它前夕,它从威廉·格雷厄姆·萨姆纳的《民间习俗》(*Folkways*,1906)所表现出的保守主义,变化为托尔斯坦·凡勃伦的《有闲阶级的理论》(*Theory of the Leisure Class*,1899)中对阻碍进步的精英们的猛烈攻击。

712

直到弗朗茨·博厄斯(1858～1942)的《原始人的心灵》(*The Mind of Primitive Man*)于1911年出版之前,进化论者的标准假说一直没有受到系统的、有效的挑战。这本书强化并详细阐述了20多年来博厄斯在科学杂志上逐步形成的论点,认为"原始"民族与"文明"民族之间的差距远非过去猜想的那么巨大,不应该以进化过程中的阶段来理解人类行为的模式,而是应该以共存的、自治的、独特的文化来理解。博厄斯对进化论人类学的批评,尤其直指它对与文化相对的生物学和种族的强调;然而,当博厄斯解释文化的运作方式时,他又强调了文化条件作用(cultural conditioning)的能力,以建立行为和理性的标准。从1911年北大西洋范围内的西方的观点看,原始民族的头脑似乎是非理性的;但据博厄斯研究,这些头脑,包括太平洋西北的印度人的头脑,是按照他们自己的理性方式进行工作的。"博厄斯的论点的总体作用",乔治·W.斯托金

[7] Thomas R. Trautmann,《刘易斯·亨利·摩尔根与亲属关系的发明》(*Lewis Henry Morgan and the Invention of Kinship*, Berkeley: University of California Press, 1987),第20页,第222页。

(小)评论道,“是表明”全部人类的“行为”,“无论是何种族或处于什么文化阶段,都是由一个由各种习惯行为模式组成的传统的主体决定的”,而且会世代相传。一旦“**文化的多样性取代了野蛮、未开化和文明的种种文化阶段**”,斯托金继续写道,文化的变迁“在一种评价标准之中,不会比它们在一种解释系统之中更容易产生”。[8] 博厄斯关于每种文化价值系统的完整性和自主权的强调,与一个世纪前德国理论家约翰·戈德弗里特·冯·赫尔德概略勾画的未成熟的哲学人类学有许多共同之处。

然而,要是没有如下推论:没有什么标准能受到保护而凌驾于其他标准之上,那么,博厄斯停下来就恰到好处。斯托金指出,如果一个西方人重视文化经历而甚于他和他同类的西方人自身的成长经历的话,博厄斯提倡宽容与尊重文化差异,与能够开发出更多可辩护的人类行为标准的希望是相称的。甚至于在博厄斯的《关于进化论的相对主义的、多元论的批评》(*relativistic, pluralistic critique of evolutionism*)的上下文中可以发现,斯托金警告说:“在人类文化的总体发展中,博厄斯仍然恢复了对一些特殊价值观的至少是有保留的肯定,那是最接近于他个人世界观的理智、自由和人类友谊。”[9]

博厄斯知道,这些价值观在他生活的社会中没有充分地加以制度化。他反驳了移民限制的提倡者关于犹太人、亚洲人、斯拉夫人以及其他群体的种族主义者的特征描述。在20世纪20年代中期之前,博厄斯是设法揭露如下事实的唯一著名的美国科学家:许多这类种族主义主张都是缺乏科学性的。博厄斯除了以实际行动设法减少公共生活中的种族主义之外,他的科学研究工作也确实直接反对他所批评的他的本土文化的某些方面。暗示在博厄斯的动机中,有一种抵制种族主义和不公平的等级制度的愿望,并不会有损他作为一位科学家的成就,而只会认可他的工作的意识形态功能和方法论功能。

713

对于人类差异研究的相对主义方法的意识形态的和方法论的要求,在博厄斯的追随者中可以看得很清楚。博厄斯通过他出版的著作、通过他从世纪交替时期到整个20世纪20年代在纽约市哥伦比亚大学的教学,吸引了众多的弟子。当时的哥伦比亚具有重要的位置,信仰英国新教的学生与具有犹太血统的教师们相互影响,他们都来自于东欧和德国。在这种环境中,从事美国国情分析的评论员对外来移民群体逐步表达了一种不歧视的、有礼貌的态度,这一态度类似于博厄斯和他的学生支持的关于外国民族的观点。关于美国这类世界主义的观点的提倡者中,没有一位比伦道夫·博恩更

[8] George W. Stocking, Jr.,《种族、文化与进化:关于人类学历史的论文》(*Race, Culture, and Evolution: Essays in the History of Anthropology*, New York: Free Press, 1968),第222页,第229页;原文中加了强调。也可参见Julia Liss,《奇妙的模式:弗朗茨·博厄斯、现代主义和人类学的起源》(Patterns of Strangeness: Franz Boas, Modernism, and the Origins of Anthropology),载于Elazar Barkan和Ronald Bush编,《未来的史前史:原始主义者的计划和现代主义文化》(*Prehistories of the Future: The Primitivist Project and the Culture of Modernism*, Stanford: Stanford University Press, 1995),第114页～第130页。

[9] George W. Stocking, Jr.,《种族、文化与进化:关于人类学历史的论文》,第231页。

为雄辩，最后，也没有任何人比伦道夫·博恩获得了更为衷心的纪念。伦道夫·博恩的灵感来自于博厄斯在哥伦比亚的演讲，他赞赏性地评论了《原始人的心灵》一书。[10]许多赞美博厄斯的人，或者是犹太血统的外来移民（像博厄斯自己，他29岁时自德国移民），或者是像博恩和米德一样的英国新教徒，他们察觉到了其祖传文化的狭隘，他们要抗争。

博厄斯的学生和拥护者除了米德和赫斯科维奇，还包括鲁思·贝内迪克特（1887～1948）、亚历山大·戈登威泽（1883～1953）、阿尔弗雷德·克罗伯（1876～1960）、罗伯特·路威（1883～1957）、艾尔茜·克卢斯·帕森斯（1875～1941）、保罗·拉丁（1883～1959）、爱德华·萨皮尔（1884～1939）和莱斯利·史比尔（1893～1961）。在这个由10位重要的人类学家组成的群体中，有一半是犹太人，4位出生在欧洲，3位是女性。在那个时代美国的社会科学或人文学科中，没有任何其他的领导层出现了这样的人员组合。在大学教师这一职业中，美国出生的男性英国新教徒占据着统治地位，但极少有人成为博厄斯主义模式的人类学家。文化相对主义的早期支持者因而将可信性赋予以下普遍推论：边缘（marginality）有益于文化相对主义观点的发展。

714

博厄斯的学生与文化相对主义的发展

路威于1929年出版的《我们是文明的吗？》（*Are We Civilized?*）*的标题，是经过精心选择的。其涉及的要点是“我们”，而所问的问题是，文明与未开化之间的区分是否经得起人类学家们的详细审查。在这里，全部的精华是如下原则性的悬案：我们的方式是人种进步性发展的顶峰。而且，这是最可信的将读者的准则与别的地方起作用的准则相并列的典型技术。路威在书的开头写道：“如果你看见一个人对着另一个人吐唾沫，你可能就会推测，他在表达他的轻蔑”，但是，“在东非的加戈族黑人（Jagga Negroes）中”，吐唾沫“是表示祝福的一种方式”。没有什么是“天生的”，路威解释道，在我们的传统常识中，吐唾沫是“为了表示厌恶”。而人类学研究告诉我们，吐唾沫表示亲善的民族与吐唾沫表示相反意思的民族相比，其文明程度一点也不逊色。然而，路威的相对主义观点并没有避免进行判断，或排除进步的意识。他赞成一种宽容的世界大同主义和一种“一致的人性”，以与他的同道们树立的无尽系列的宗派和地域性的樊篱进行斗争。[11]

路威的《我们是文明的吗？》，最为能言善道地描绘了文化相对主义运动。米德则

[10] Bourne 关于 Boas 的评论发表在《哥伦比亚月刊》（*Columbia Monthly*），9（1911），第27页～第28页。参见 David A. Hollinger，《科学、犹太人与世俗文化：20世纪中叶美国思想史研究》（*Science, Jews, and Secular Culture: Studies in Mid-Twentieth-Century American Intellectual History*, Princeton, N. J.: Princeton University Press, 1996）。

* 吕叔湘先生于1935年将此书译为《文明与野蛮》出版。——责编

[11] Robert Lowie，《我们是文明的吗？》（*Are We Civilized?*, New York: Harcourt Brace, 1929），第3页，第296页。

不仅在《萨摩亚群岛的时代正在到来》中，而且在《新几内亚的崛起：一种比较教育研究》(*Growing Up in New Guinea: A Study in Comparative Education*)中，同时也在她的其他32本书中，表现得更为热心真诚。除了文化相对主义之外，路威、米德、赫斯科维奇以及其他博厄斯主义者，在民族志方面做出了实质性的、特殊性的贡献，都在科学史上取得了一席之地。文化相对主义推进了民族志的研究，反过来，民族志为文化相对主义的阐述提供了原始材料。但是，博厄斯的学生以公共知识分子的身份发展了文化相对主义，才是主要的。理查德·汉德勒总结道，20世纪20年代、30年代和40年代的博厄斯主义的人类学家们，"认真地承担了学者和科学家使得专业知识易于为现代社会的公民所理解的义务"。[12]

在一般读者的心目中，有一本书在详细说明文化相对主义方面做得最好，而且对人类学家们自己来说，这种评价也是恰当的。这本书是由一位并不从事实地调查的理论家和天才的作家写的。贝内迪克特于1934年出版的名著《文化的模式》(*Patterns of Culture*)，明确地支持作为一种理论学说的"文化相对论"。在20世纪末期，在任何学科的社会科学家的著作中，它被认为是被最广泛阅读的著作之一。它是文化相对主义历史上的核心文献。

《文化的模式》的核心章节提供了关于多布族(Dobu)、瓜基乌图族(Kwakiutl)和祖尼族(Zuni)的生活方式的描述。从一个社会到另一个社会的习俗变迁表明，世界上的各民族所选择的文化特性，与贝内迪克特理想化描绘的"文化巨弧"(great arc of culture)相比，是多么不同。从实质上无限的人类可能性中进行的每一次选择，都导致创造出一种有特色的文化，好比是每一个个体都有自己的个性，这样我们就能更好地理解这一点。每种文化因而是一个连贯的整体，一个以其各自的术语运作的系统，当然值得可敬的人们给予他们各自的邻人以尊敬。在试图传达世界上各种文化的完整性与尊严时，贝内迪克特援引了一个有力的、罗曼蒂克的比喻，它成为文化相对主义关于人类差异的美好预期的象征：她引用了一个加利福尼亚印第安老人的话说，上帝"在开始的时候"，给每个民族提供了"一杯黏土，他们从这个杯里吸取他们的生活"。说到自己的民族，这个印第安人补充道："我们的杯子现在破碎了。"[13]这里，正如《文化的模式》中经常谈到的，恰恰是贝内迪克特的文学技巧，而不是她的从事实地调查的同事的科学发现，最为有力地推进了文化相对主义的目标。

715

对于贝内迪克特来说，那一目标密不可分地与一种愿望捆绑在一起。这一愿望就是通过减少褊狭、偏见、暴力和贪婪，从而革新她的本土文化。虽然贝内迪克特表明了一种总体上非判断性的态度，但她关于多布族、瓜基乌图族和祖尼族社会的描绘就是

〔12〕 Richard Handler，《博厄斯主义的人类学和对美国文化的批评》(Boasian Anthropology and the Critique of American Culture)，《美国季刊》(*American Quarterly*)，42(1990)，第253页。

〔13〕 Ruth Benedict，《文化的模式》(*Patterns of Culture*, Boston: Houghton Mifflin, 1934)，第21页～第22页。Benedict还使用了这一引用语，作为这本书的题词。Benedict在第24页介绍了"弧"(arc)这一概念。

精巧的说教,并且穿插着关于她的读者自身文化的悲哀的评述。贝内迪克特强调了新几内亚岛的多布族社会日常生活中的残酷,通过注意到其他社会已经极大地消除了多布族社会中仍能见到的"仇恨和恶意的极端形式",推导出了她的解释。正如斯托金所评述的,贝内迪克特几乎将外国文化展现为对她自己社会的"清教徒的最坏的方面和强盗式贵族传统的病态和拙劣的模仿"。学习文化差异的要义,终于成了一个熟悉的判断:贝内迪克特写道,"我们可以训练我们自己,放弃关于我们自己的文明的支配性特性的判断",其中,她清算了"资本主义"和"战争"。贝内迪克特没有详细说明,"我们客观评价"我们"西方文明"的这些和其他特性的标准,但是,贯穿于《文化的模式》之中的主要参考点,是她自己生活的社会。在"理性选择的目标"引导下,她明确地规定了约翰·杜威的"社会工程"(social engineering)概念。一旦从人类学研究的结果中搜集到人类生活方式的所有可能性,这些目标就可以被选定。[14] 贝内迪克特对宽容的呼吁,获得了读者们强烈的共鸣,他们看到,全球充斥着褊狭的实例(纳粹主义、帝国主义、斯大林主义和种族主义),并正对自由和人类尊严等自由主义思想发起攻击。贝内迪克特用自由主义的希望,以与一个挑战民族中心主义和镇压的世界相抗衡。尽管贝内迪克特没有回避判断,但《文化的模式》最令人信服地传达的意思是,关于人类行为的否定性判断很可能是错误的。

716

一个人应该对他们自己的、褊狭的文化持什么观点?即使一些其他文化形成的价值基础与《文化的模式》中支持的自由主义的世界主义相对立,难道文化相对主义的逻辑不要求"我们"尊重它们吗?贝内迪克特和她的支持者几乎没有表现出如同20世纪80年代和90年代期间的文化相对主义的讨论者所表现出的那种急切的担忧。那时候,许多北大西洋范围内的西方内外的学术和政治变革(本章稍后将予以关注)给予了这些问题以紧迫性,而对于贝内迪克特、赫斯科维奇及其盟友来说,这却是一些吹毛求疵、以让人从大的议题分心的问题。然而,正统的文化相对主义者有时也确实回应了这些"小"议题,例如,1942年,赫斯科维奇在一份武装反抗轴心国*的号召中,就曾试探性地建议:"自由的概念应该实际地重新定义为依据一个人自己的文化模式加以使用的权利。"[15]

作为一种窃窃私语,赫斯科维奇提出了这一引起争议的想法。他暗示,善意的欧洲为结束"奴隶制"和"以人献祭"的努力,对非洲的自治权造成了损害;但是,赫斯科维奇看似随意地在为针对纳粹分子的战争的辩护中插入的这一评论,却揭示了文化相

〔14〕 同上书,第172页,第249页,第271页~第272页;George W. Stocking, Jr.,《美国人类学的理想与制度:关于两次世界大战之间的历史的思想》(Ideas and Institutions in American Anthropology: Thoughts toward a History of the Interwar Years),载于《美国人类学家论文选(1921~1945)》(*Selected Papers from the American Anthropologist, 1921—1945*, Washington, D. C.: American Anthropological Association, 1976),第33页。

* 第二次世界大战期间,德、意、日法西斯组成的轴心国。——译者

〔15〕 Herskovits,《文化相对主义》(*Cultural Relativism*),第9页。这一意见出现的一章,首先是作为论文发表的,《论文化中的价值观念》(On the Values in Culture),《科学月刊》(*Scientific Monthly*),54(1942年6月),第557页~第560页。

对主义者的作品中经常发现的两个假定的详尽细节。首先,文化之间的边界是明显而清晰的。其次,内在于某种既定文化的外表上的邪恶,可以与一种文化的代理人对另一种文化发动攻击的真正邪恶区分开来。赫斯科维奇毫不怀疑,他的文化正在遭受攻击,但在促成其防御方面,他却是极其谨慎的。为文化相对主义所影响的一些反轴心国的西方人,可能确实想知道,他们自己的文化是否有足够的正当理由证明战争的正当性,在一份包含以上内容的系统陈述中,赫斯科维奇说,我们必须"清楚地懂得,用肯定性的术语重申我们赖以生活的基本原则,是可能的"。[16] 然而,有人可能会问,德国是"我们的"文化的一部分,但德国人一直都待在他们自己的而且是国际认可的国界之内,它允许我们对它国内的事务持有异议吗?或者,德国属于一种不同的文化,应该得到赫斯科维奇为非洲人所要求的同样的——虐待他们自己的成员的自由吗?

这不是一个传统的文化相对主义者渴望探究的问题。他们自己的文化有时如同"西方文化"一样宽泛,有时又加以限制,以把纳粹排除在外。赫斯科维奇经常抱怨讨论者在纳粹案例上喋喋不休的倾向,他似乎认为,这是一个威胁分裂文化相对主义者的楔子,这些文化相对主义者除了最极端、最困难的特例之外,是能够达成一致的。赫斯科维奇于 1956 年不耐烦地写道,这个问题被问得"太频繁了,它承认每个民族的生活方式的合法性,一致尊重价值观不同的民族的这种生活方式,那么,当我们面对纳粹灭绝德国犹太人的政策时,让我们说,我们应该怎么办呢?"他说,这样的问题是"不容易回答的",但是,他很快继续指出了两点。首先,"一种建立在跨文化研究的科学发现基础上的哲学,并不意味对与我们自己不同的观念单方面的宽容";其次,"因为自身存在于现代世界中,文化相对主义并不能为这个世界提供所有规则或所有答案"。[17]

717

在赫斯科维奇的同事路威的《移情,或"从内部审视"》(*Empathy, or "Seeing from Within"*)一文中,他处理纳粹问题的方法更直接,这是一篇赫斯科维奇钦佩的、并称其"意志坚强"的论文。在 1957 年路威去世之前简洁的著述中,他宣称:"纳粹主义提供了一个民族学成熟性的重要试验。"路威解释道,这一方法值得称道的特质,是具有避免忽视"道德判断"的能力,这种道德判断以迥然相异于某种既定文化的标准为基础。他相信赫尔德的合理的直觉,"对每个民族和每个时代进行判断,都必须依照当地和当时的情况,而不是通过任何外部的标准"。但是,路威的这种"民族学成熟性"的范例,结果并没有对那些实施暴行的过于相异的人,显示出"移情"作用。路威解释说,"德国人中",有一些"好",有一些"坏",他给出了大量好德国人的例证。路威说,"雅利安朋友冒着生命危险,帮助罗森菲尔德夫人逃过了瑞士边境",他引用了他常常用来表明认为所有德国人都是残暴的和反犹太人的是多么错误的众多例证之一。他还补充道:"假定任何可观数目的"德国人"赞成 1938 年和以后对犹太人的大屠杀,都是荒谬

〔16〕 Herskovits,《文化相对主义》,第 9 页~第 10 页。

〔17〕 同上书,第 93 页~第 94 页。这些引语摘自题为《文化差异和世界和平》(*Cultural Diversity and World Peace*)的一章,编者的说明写作于 1956 年。

的”。因为使得他的读者们“像当地人看待它们一样”去理解一种真正外国文化的行为模式,所以看起来像是纳粹主义的民族志的东西很快就替换成了如下一个论据:20 世纪 30 年代和 40 年代的德国人的文化是极度反复无常的,它证实,行为如同路威的读者的许多“好”德国人,愿意认为他们自己的行为如同第三帝国(the Third Reich)期间的德国人一样。[18]

718 路威和赫斯科维奇很难认真地接受这种可能性:世界上存在着太多的宽容。然而,随着宽容运动在很大的范围内取得成功,随着传统文化相对主义者所反对的世界的许多显著特征发生转变,这种可能性增加了可信度。

文化相对主义的不确定遗产

四个主要的转变影响了文化相对主义在 20 世纪最后几十年间进行讨论的背景。第一,地理政治学方面的因素,改变了文化深嵌于其中的权力关系。紧随第二次世界大战后的 20 年中,欧洲殖民帝国被许多新的民族国家取代了。人类学家们研究的许多民族位于亚洲和非洲的部分地区,那里的政治权力从法国、英国和荷兰转移到了多种本土的和混血的精英手中。新政府在文化上极其接近于人类学知识中的“土著人”,这带给他们某种文化相对主义者的观点所赋予的合法性,他们常常又继承了由旧殖民势力所画定的政治边界。结果,新的国家包含着几个不同的民族。一种文化在哪里结束?另一种文化又在哪里开始?这些文化是如何部分地由民事当局(表面上是“他们的”,但许多情况下不过是国外同种同文化之民族的工具)结合于他们自己的模式所构成?这些复杂因素后来被世界资本主义经济联合体混合在一起,这个联合体由跨国公司管理,并且由在多个生产地的国际劳动力服务。这种经济将它触及到的文化同时普遍化与特殊化了。虽然对特定消费商品的特别市场定位增强了一些传统文化模式,但商品交换机制和快速发展的信息技术促进了英语的使用和美国通俗文化在全世界的传播。而这时,为了反抗全球化经济传播北大西洋范围内的西方文化的能量,许多群体,特别是高度穆斯林化的国家,推动了以宗教的和种族的特殊论为代表的“褊狭的”文化种类的产生,它们以公开的方式明确表示反对西方的世界大同主义。文化很难再视为从远古继承下来的“黏土杯”了。

第二个转变是继北大西洋范围内的西方的学术和文艺精英的学说发展趋势的转变而产生的。自 20 世纪 60 年代始,文化相对主义者曾与之战斗过的傲慢自大和不公,被一群强调科学和伦理判断的“境遇”(situated)特征的思想家,更明显地置于防御

[18] Robert Lowie,《移情,或“从内部审视”》(Empathy, or “Seeing from Within”),载于 Stanley Diamond 编,《文化与历史:纪念保罗·拉丁论文集》(*Culture and History: Essays in Honor of Paul Radin*, New York: Columbia University Press, 1960),第 145 页~第 146 页,第 152 页~第 156 页。关于 Herskovits 欣赏 Lowie 的论文的内容,可参见 James W. Fernandez,《不一致世界中的宽容和梅尔维尔·J. 赫斯科维奇的文化相对主义的其他两难困境》(Tolerance in a Repugnant World and Other Dilemmas in the Cultural Relativism of Melville J. Herskovits),《伊索斯》(*Ethos*),18(1990),第 162 页。

性的地位。在这些新"相对主义的"著作中,第一部、也是迄今为止最有影响的一部,是托马斯·S.库恩(1922～1996)于1962年出版的《科学革命的结构》(*The Structure of Scientific Revolutions*)。库恩坚持,在最发达的科学中的最无可辩驳的真理性断言,也依赖于不可确定的、历史上特殊人类社群的工作。虽然库恩没有采用"相对主义者"这一标签,但他被习惯性地称为其中一员,并且他的著作激发了大量的关于"认知相对主义"(cognitive relativism)的争论。自称属于"库恩主义者"的理查德·罗蒂在《哲学与自然之镜》(*Philosophy and the Mirror of Nature*, 1979)中,沿着否定有关知识的非推导式约束作用的方向走得更远,在后来的著作中,他更是为民族中心主义辩护,将之作为认知进步和政治联邦的一个基础。吉尔兹的两部受到最广泛赞赏的著作,《文化的解释》(*The Interpretation of Cultures*, 1973),特别是1984年出版的《地方知识》(*Local Knowledge*),对造成认识上和道德上的谦逊倾向做出了有价值的贡献。从此,知识界经历了一个"从人类种族到同种同文化之民族"的转变,其中,老一代为了一种更适当的世界性观点而克服地方主义的斗争,为新一代的如下怀疑所取代了:任何世界主义者的观点,都不过是这种或那种同种同文化之民族特殊性的一种骗人的外表。尽管20世纪随后几十年来的这些思想家们很少援用"文化相对主义",但新旧相对主义之间的连贯性,足以赢得一位拥护者,不论是将它们整合在一起的注释者,甚至是那些根本不在乎传统的文化相对主义者的人,他们只是为了辩论的目的才挪用这一术语。在"文化相对主义"的招牌下,英国哲学家克里斯托弗·诺里斯于1996年写下了一个有力的批评,他针对的是库恩、罗蒂、沃尔泽和吉尔兹(还有路德维希·维特根斯坦、米歇尔·福柯、雅克·德里达、弗朗索瓦·利奥塔以及许多新近的法国理论家),却没有提到甚至任何一位博厄斯主义的人类学家。[19] "文化相对主义"进入了这样一个阶段:它的历史与它的起源、它的早期发展、甚至它的最流行的表达完全相分离。 719

第三个转变是最后被称为"多元文化主义"的运动在美国的发展,这种"多元文化主义"对"本土"文化的单一的、整体的、有界限的特质提出了质疑。作为承认和赏识一个国家共同体的文化差异的努力,多元文化主义始于20世纪60年代末和70年代初。国家共同体被描述得比由社会科学家和人文学家们的经验性工作所证明的更具有整体性。在一个多种民族－种族群体,特别是非洲裔美国人抗议英国新教徒事实上抹杀他们对美国文化生活的贡献的时代,单一的"美国文化"概念在政治上也是令人怀疑的。[20] 自20世纪70年代后期始,非白种人的联盟(伴随着积极的行动计划)给予了多元文化主义越来越多的阐释,导致更加强调与非洲裔美国人、亚裔美国人、拉美人以及原住美洲人这些区别于欧洲裔美国人的人们相联系的文化。尽管"文化"同时存在于 720

[19] Christopher Norris,《再生的真理:对一种文化相对主义的批评的贡献》(*Reclaiming Truth: Contributions to a Critique of Cultural Relativism*, Durham, N. C.: Duke University Press, 1996)。

[20] 关于20世纪末多元文化主义运动的历史与评论,参见 David A. Hollinger,《后种族的美国:超越多元文化主义》(*Postethnic America: Beyond Multiculturalism*, New York: Basic Books, 1995)。

每一个这样的人口统计意义上的集团中，然而，相比黑、黄、棕、红、白等肤色，这些集团却很少通过文化模式加以识别。因此，一场由文化相对主义者导向的运动以如下方式广泛地开展起来：深入地削弱博厄斯主义者强调文化不同于以遗传的方式进行传递的体质特性的影响。

第四个转变是国际女性主义运动的发展，它用一种人权普遍主义的新看法，向某些特殊文化的民族自治权提出了挑战。尽管在穆斯林控制的国家中，年轻女性的外阴部割除风俗只是受到最广泛讨论的一个实例——它在妇女的权利和文化的权力之间制造了紧张关系，但是，在20世纪80年代和90年代期间，女性主义者在世界的许多地方确定的范围极广的实践，的确给改革引来了外部压力。中国的女婴贬值是另一个例子。在美国国内，女性主义者批评了针对例如殴打妻子和虐待孩子等刑事诉讼案件的“文化防御措施”。由于急切地想与本土文化中的帝国主义的和传教士的干涉拉开距离，这些女性主义者常常试图尽可能近地对社会中的妇女群体开展工作，在那里侵犯人权的事件被认为经常发生。在20世纪80年代和90年代，只要提及“文化相对主义”一词，经常都与女性的人权相关。

这四个主要的转变对传统的文化相对主义者提出的几个观点，很少给予辩护。确定和维持组成最初的文化相对主义者的纲领的清晰边界，是越来越困难了。关于文化差异的谈话技巧已经太发达了，以至于不允许一个人做出哲学论断，然后又拒绝用论据支持它们。与褊狭和民族中心主义作斗争的社会科学家和其他知识分子，现在需要比传统的文化相对主义者遗留下来的更为锐利的工具。然而，在20世纪末，“我们的”人民是正确的，而与我们做事方式不同的群体则是错误的，这一原则性的悬案却在北大西洋范围内的西方的知识界，比有文字记载以来的以往任何时候都更广泛、深入地确立起来。如果这一事实使得传统的文化相对主义者的理论重点和表达方式都过时了，那么，它也标志着他们胜利的程度。

（孙伟平 译）

43

现代化

迈克尔·E.莱瑟姆

721

1979年,伊曼纽尔·沃勒斯坦宣布了现代化理论的死亡。他论证说,现代化这一概念最终被公认为是一个"死胡同",是一种数十年来使社会科学探索受到限制的思想障碍。它使学者们离开了有关资本主义世界体系的本质、历史进程以及持续能力等问题,花言巧语地鼓励人们去"对非可比的和非自主的实体进行比较性衡量"。当社会科学家求助于客观性,运用结构-功能标准,根据相对"进步"来为民族国家排序时,他们忽略了这种构成了全球资源流动的力量。也许,这一概念曾经是它那个时代的一种"非常有价值的寓言"。通过发明"发展"和"第三世界"等概念,那些有善良意愿的自由主义社会科学家使人们有了一种"新的希望":贫穷的民族也许会在20世纪迎来光明。如果"不发达的民族聪明得足以发明一种本土化的加尔文主义……或者,如果把晶体管收音机放在遥远的乡村,抑或,如果有远见的精英用无私的局外人的帮助把愚昧的大众动员起来",那么,"不发达的民族也能够跨越约旦河,来到流淌着牛奶和蜂蜜的土地上"。* 无论如何,现在是时候了,应该拒绝现代化,"抛开那些幼稚的东西,正视现实"。[1]

也许最令人惊讶的是,沃勒斯坦的观点并非是唯一直言不讳的对现代化的盖棺定论。从20世纪60年代中期开始,而且贯穿整个70年代,许多学科的学者发表了大量文献,批评了这样一种思想,即世界上所有国家都要遵循同样一种必经的发展路线,亦即一种在西方成就史中最清晰可见的模式。他们从不同角度出发,开始抛弃共同发展

722

* 典故出自《圣经》,耶和华对摩西说,他看到了自己的百姓在埃及受苦,因此从天上下来解救他们,要把他们带到流淌着牛奶与蜂蜜的地方。参见《旧约全书·出埃及记》,第3章,第7节~第8节。——译者

[1] 关于现代化理论的总的论述,请参见 Michael E. Latham,《作为意识形态的现代化:美国社会科学与肯尼迪时代的"国家建设"》(*Modernization as Ideology: American Social Science and "Nation Building" in Kennedy Era*, Chapel Hill: University of North Carolina Press, 2000),第2章。另可参见 Daniel Lerner, James S. Coleman 和 Ronald P. Dore,《现代化》(Modernization),载于 David L. Sills 主编,《国际社会科学百科全书》(*The International Encyclopedia of the Social Sciences*, New York: Macmillan, 1968),第10卷,第386页~第409页,该文对一些倡导者的观点进行了非常有价值的概述。Wallerstein 的批评见于他的《资本主义世界的经济》(*The Capitalist World Economy*, Cambridge: Cambridge University Press, 1979),第132页~第137页。

途径的理论——这种理论是以来自西方经验的要素为标志的。[2] 到了70年代中期，几乎没有什么人再为显然已经过去的现代化感到悲哀了。

然而，这些评价遗留了一大堆尚未加以考察的问题——这些问题在20年以后，值得予以认真的关注。除了这种模型的思想的有效性问题之外，还存在着一些有深远意义的问题，它们涉及到有关现代化的强大和非常有影响的叙述的作用和历史背景，等等。在现代化理论出现的时候，它为什么会出现？现代化理论是像某些人主张的那样，实际上是一种新的探讨和概念突破，抑或它仅仅是对旧的分析模式的一种重组？是什么使它在20世纪50年代以及60年代初期富有那么引人入胜的诗意？为什么它在达到顶峰之后就迅速衰退了？最后，在转向一个新世纪之际，关于现代化终结的传闻是否被过分夸大了？

社会理论与冷战背景

我认为，现代化理论明确和详尽阐述了一系列文化假定，这些假定被人们广泛共享，它们既源于自由主义的、国际主义的信心，也源于社会变迁的早期启蒙模型；而现代化理论概念的许多影响，正是来自于以上的方式。第一次世界大战的血腥屠杀、法西斯主义的兴起以及第二次全球冲突导致的令人震惊的破坏，使欧洲自由主义的社会思想家的希望破灭了。然而在美国，社会科学家们精心设计了一项分析，解释了他们的国家在第二次世界大战中的显著成功，并概述了管理"非殖民化"世界的一系列实践。不过，现代化这一观念的形成是由正在扩大的冷战斗争的经验、要求和忧虑导致的。现代化无论是作为一种学术理论还是作为一种政治实践，都限定在一条自由主义的线性"进步"道路上，而与辩证的和革命性的框架形成了对照。它把美国的过去描述为世界未来的蓝图，使历史站在了美国一边。

1945年，法西斯德国和日本帝国的战败，给美国留下了一个具有空前财富和地理政治学优势的地位。不过，即使在那个胜利的时刻，也有许多人察觉到了即将来临的危机。正如哈里·杜鲁门在1947年美国国会上警告的那样，苏联的行动已经把战后的世界分成了两种"不同的生活方式"。[3] 斯大林拒绝了国际经济协议，并且粗暴地违背了允许在与苏联相邻的地区有独立的民主政体的承诺。在美国信奉全球性的遏制政策时，对自由、民主的世界起促进作用的动力，很快使"发展"成为了一个人们十分关注的话题。欧洲帝国主义的式微，尽管受到了某些观察者的欢迎，但似乎也在贫困的"新国家"中加速了一种"日趋增加期望的革命"。许多人担心，贫穷、暴力和政治上的

723

[2] 《编者前言》(Editorial Foreword)，载于《社会与历史中的比较研究》(*Comparative Studies in Society and History*)，20(1978)，第175页～第176页。

[3] Thomas G. Paterson 和 Dennis Merrill 编，《美国外交关系的主要问题》(*Major Problems in American Foreign Relations*, Lexington, Mass.: Heath, 1995)，第2卷，第260页～第261页。

动荡,恰好为共产主义开展的进攻敞开了一扇门。正如杜鲁门的战略专家保罗·尼兹(1907～2004)在颇有影响的国家安全委员会 68 号文件(NSC-68)中说明的那样,美国所面对的决定性的斗争和问题是“至关重要的,它们所涉及的不仅仅是这个共和国而且也是文明本身的胜败兴衰”。[4]

在那种紧张的气氛中,许多美国社会科学家把注意力转向了创造一些有助于理解甚至有可能指导全球变迁进程的模型上了。在第二次世界大战结束后的 15 年中,大约有 40 个国家奋起反抗以前的殖民统治者,联合国也由最初的 51 个成员国增加到 100 个。[5] 好几个学科的理论家们对这些国家的迅速“出现”产生了兴趣,并且很关心它们的战略意义,他们开始了一项最雄心勃勃的事业。他们根据一些综合性体系进行思考,认为“发展”远非只是一个增加国民生产总值(GNP)的问题。为了分析变迁问题,他们论证说,社会科学需要对所有的历史模式进行一种更具整体性的比较评价。当“现代化”这个概念在 20 世纪 50 年代中期开始使用时,它涉及到一系列密切相关而且相互增强的转变,它们表现为经济组织、政治制度以及核心价值观等的转变,正是这些组织、制度和价值观使社会凝聚在一起。一个处在现代化进程中的社会从一个平衡点走向了另一个平衡点,使有序的程度更进一步,达到标志着诸如美国等国特点的理性经济、参与民主制和自由社会的水平。尽管几乎没有理论家会对以下所列的四个重要的假设一字不改地全盘接受,但大部分人对它们的论证日渐增多,这四个假设即:(1)“传统”和“现代性”标记着一种共同的历史进程的两个端点;(2)政治的、社会的和经济的变迁是一体化的;(3)走向“现代”国家的发展要沿着一条渐进的线性道路;(4)“发展中”社会通过接触现代社会的知识和资源有可能会大大加快其转变。

大量关于现代化的最有影响的思考,首先出现在美国的功能主义社会学中,它们很快就成为了一种跨学科关注的问题。后来担任了哈佛大学战后新成立的社会关系系主任的塔尔科特·帕森斯(1902～1979),早在 1937 年就指出,人类在所有社会中的行为,都是通过某种功能化的社会结构来调节和平衡的。价值观和文化规范是在不同的制度中传播的,它们要调节行为和确保个人的行动与社会秩序相一致,因而所起的作用是至关重要的。[6] 在冷战背景下,帕森斯和芝加哥大学社会学家爱德华·希尔斯使那项早期的工作达到了较高的分析水平。他们两个人问道:如果社会价值观是个人行为的前提,它们对保持所有稳定和秩序会起到怎样的作用呢?它们会怎样被纳入到社会系统本身的某个更大的体系之中呢?帕森斯和希尔斯把社会看做是一个经过整合的功能化的整体,他们论证说,如果制度和文化理想适用于分配资源和解决争端,并且与个人的需要协调一致,社会系统就会达到某种完美的与合意的程度,就像美国看

724

〔4〕 美国国务院历史司,《美国的外交关系(1950)》(*Foreign Relations of the United States, 1950*),第 1 卷,《国家安全事务;对外经济政策》(*National Security Affairs; Foreign Economic Policy*, Washington, D. C.: U.S. Government Printing Office, 1977),第 237 页～第 238 页。

〔5〕 Walter LaFeber,《美国时代》(*The American Age*, New York: Norton, 1994),第 563 页。

〔6〕 Talcott Parsons,《社会行动的结构》(*The Structure of Social Action*, New York: McGraw-Hill, 1937)。

上去的那样。可是,如果它由于煽动、意识形态和压制等的作用而失去了平衡,例如像两次大战之间的德国那样,秩序和理性就会被混沌、残忍的社会控制和毁灭性的暴力所取代。[7]

帕森斯和希尔斯也指出,他们的结构分析可以把某种动态成分包含进去。在界定了一组"模式变量"后,他们二人概述了"原始"社会与"先进"社会的两分法。前者是以先赋地位、特殊主义、角色不限定和集体取向等特性为基础的,后者所显示的则是成就价值观、普遍主义、角色专门化和自我取向。他们的框架所基于的是处在现世秩序中的两个静态平衡点,还无法详细说明变迁的原因。不过,它确实指出了,人口统计或科技方面的快速变化,也许会对功能化的社会系统提出一些新的要求,并且需要创造出一些新的价值观和结构以适应它们。如果一个社会处在相当紧张的状态下,那么它就可能从这种两分的一端戏剧性地转向另一端。[8]

对于那些对规划某种一体化和共同的"现代化"过程感兴趣的学者们来说,那种影响广泛的结构-功能方法被证明是最有吸引力的。马里恩·J. 利维,帕森斯的门徒、哈佛大学的博士生,于1949年发表了他的博士论文《现代中国的家庭革命》(*The Family Revolution in Modern China*)。利维深受其导师的模型的影响,他指出,"过渡中的"中国,正处在与"现代工业社会"的冲击所带来的新生力量相对抗的过程之中。他论证说,大众传播、制造业以及资本主义的需求,可能会战胜旧的特殊主义而支持"普遍性标准",并且会打破"传统的制度模式"。当人们吸收了一组新的价值观并且进入了与完全陌生的人的契约关系中时,家庭关系以及子女认同势必会削弱。他解释说:"现代工业并不关心一个人是谁。"它的主要兴趣是,"他是否能够在某种专业技能的水平上实现一定的专业技术功能。"尽管某些"传统的"生活方式还会延续,但对中国社会提出的新的要求,可能需要通过新的教育制度和科层结构,使家庭实现分配功能和社会化功能。他论证说,这个国家变为现代国家的过程可能是很缓慢的。[9] 虽然毛的农民革命使中国走上了一条利维未曾预料到的道路,但是在20世纪50年代后期,对现代化的结构-功能分析已经被牢固地确立了下来。社会学家丹尼尔·勒纳(1917～1980)证明,现代化是一种真正全球化的现象:"无论世界在种族、肤色或信仰方面有什么不同,同样的基本模式在世界的各个大陆再现了。"大众传播、地区流动、不断提高的文化素养,尤其是村民进入城市并想象他们自己将有更优越的社会经济地位时所产生的"移情作用",所有这一切导致了人们的期望不断提高,削弱了"传统的"宿命论,形

725

[7] Talcott Parsons 和 Edward Shils 编,《关于一般行动理论》(*Towards a General Theory of Action*, Cambridge, Mass.: Harvard University Press, 1951); Talcott Parsons,《社会系统》(*The Social System*, New York: Free Press, 1951)。

[8] 参见 Talcott Parsons,《现代社会的结构与过程》(*Structure and Process in Modern Societies*, New York: Free Press, 1960); 以及他的《社会:进化观和比较观》(*Societies: Evolutionary and Comparative Perspectives*, Englewood Cliffs, N. J.: Prentice Hall, 1966)。

[9] Marion J. Levy,《现代中国的家庭革命》(*The Family Revolution in Modern China*, Cambridge, Mass.: Harvard University Press, 1949),第281页以及其他许多地方。

成了一种新的“参与者”的社会。而且,“这种在西方发展起来的模型”并非是民族中心主义的产物。它完全是“一种历史的事实”。[10] 到20世纪60年代中期,许多美国社会学家已经达成了共识。现代化理论使他们对外国亲近了起来,它使他们了解了发生在他们眼前的那些戏剧性变化的意义。

有些人在寻找一种普遍理论,以适应战后时期的重大政治变化,业已证明,对于这些人来说现代化观念也同样具有吸引力。社会科学研究理事会(Social Science Research Council,简称SSRC)的比较政治学委员会(Committee on Comparative Politics),是一个由社会学家、经济学家和政治学家组成的很有影响的团体,简略地考察一下这个团体是非常有启发意义的。在一篇为1955年的SSRC准备的重要文章中,乔治·卡欣、盖伊·包克以及白鲁恂(1921～)论证说:“当传统的社会受到西方的思想和方式的影响时,就会发生深刻的社会和文化变迁”,这些变迁使得时机成熟了,人们可以提出一些有关“经验研究而不仅仅是沉思”的问题了。[11] 委员会成员加布里埃尔·阿尔蒙和迈隆·维那对此表示一致同意,并且建议,各个地理地区的专家们的研究,应该集中在一些共同的跨学科的问题上,包括“政治过程、文化过程和社会过程的功能和相互联系”等。[12] 正如后来白鲁恂回顾的那样,系统的探讨导致了“这个委员会思想史上的一个新的发展阶段”。这位帕森斯的追随者接受了帕森斯的功能主义假设,他得出结论说:“要获得秩序并达到某种比较的基础,就必须假定,所有政治过程都具有一定的普遍性功能,其中有一些功能必须由某一种或另一种结构来完成。”[13]在这个委员会为普林斯顿大学出版社(Princeton University Press)编纂的一套系列丛书的第1卷中,阿尔蒙欢呼说,那一步“宣告作为科学的政治学向前迈出了一大步”。他坚持认为,在探索“原始的”和“非西方的体系”时应允许学者们去“突破文化和语言的障碍,并且说明:乍看上去可能觉得奇怪的事物,可能是由于其外表或名称,而不是由于其功能令人觉得奇怪”。这就为对“作为一个整体的政治体系”的分析,“尤其是为比较现代西方体系与过渡的和传统的体系”的分析,留下了余地。一种“现代化的形式理论”,可能会穿透一些历史和文化的不透明层,梳理普遍的变迁过程,当收集到足够的资料时,就会提供一种真正的预见能力。[14]

726

在许多美国经济学家看来,现代化已经不再具有其最初的那种魅力了。宏观经济学理论似乎已经提供了一种大规模和一体化的变迁模型。艾伯特·赫希曼回顾说,正

〔10〕 Daniel Lerner,《传统社会的消逝:现代化与中东》(*The Passing of Traditional Society: Modernizing the Middle East*, New York: Free Press, 1964),第viii页,以及第45页～第48页。

〔11〕 George Kahin, Guy Pauker 和 Lucian Pye,《非西方国家的比较政治学》(Comparative Politics of Non-Western Countries),载于《美国政治学评论》(*American Political Science Review*),49(1955),第1022页。

〔12〕 Gabriel Almond,《1956年6月比较政治学研讨会》(The Seminar on Comparative Politics, June 1956),载于《社会科学研究理事会动态》(*Social Science Research Council Items*),10(1956年10月),第47页。

〔13〕 Lucian Pye,《政治现代化与关于政治社会化过程的研究》(Political Modernization and Research on the Process of Political Socialization),载于《社会科学研究理事会动态》,13(1959年9月),第26页。

〔14〕 Gabriel Almond 和 James Coleman 编,《发展中地区的政治学》(*The Politics of Developing Areas*, Princeton, N. J.: Princeton University Press, 1960),第4页,第10页,第16页,第22页和第63页。

统的思想家认为："经济学是由许多非常简单但却'很有效的'具有普遍正确性的定理构成的：只有一种经济学（就像只有一种物理学一样）。"[15]然而，到了20世纪60年代初，渐渐地有越来越多关注"发展"的学者开始证明，由于"新兴"国家基础设施匮乏、劳动力稀缺、通讯缓慢和人口增长迅速，使得它们与"先进"国家的差距如此之大，以至必须对标准模型加以修改。尽管"不发达"国家的人们仍然参与自愿的经济交流，但他们的所作所为并不总能使利益最大化。而且，严重的结构方面的障碍，阻碍了资源和财产的自由流通。在"传统"与"现代"之间，的确出现了一道很深的鸿沟，这在很大程度上是由技术因素、教育因素和文化因素造成的。

对于像W. W. 罗斯托（1916～）这样雄心勃勃的学者来说，他们的任务就是解释变迁，决定怎样跨越这道鸿沟。罗斯托明确拒绝了马克思主义关于基础与上层建筑的分析，他的划时代的著作《经济发展诸阶段：非共产党宣言》（*The Stages of Economic Growth: A Non-Communist Manifesto*, 1960）把社会描述为是"相互作用的有机体"。作为教育和运输得到改进、一种新的对待自然界的积极态度出现的结果，各个国家经历了某种戏剧性的"起飞"，离开了以"前牛顿科学"和"长期的宿命论"为特点的"传统的"起点。正如在主流经济学中那样，储蓄与投资的复利和不断增长的速度仍然是经济增长的动力，但是，成功也依赖于"习惯和体制结构"的根本性变化。一旦"旧的障碍和抵制"被克服，社会可能就会"趋向成熟"，并且会进入一个"超大规模消费的时代"。像许多美国社会科学家一样，罗斯托也把这一过程描述为是很典型地通过接触比较"先进的"民族来推动的。从一开始就在美国出现的积极的思考，有可能激励外国的精英们去"使那些前提条件得到满足，并且使他们自己实现自我持续发展"。[16]

借助不同的学科，现代化似乎在预示一种社会科学的"统一场论"。当SSRC把不同学科的学者召集在一起讨论比较政治学问题时，其他机构很快把那个计划扩大为考虑更大范围的社会变迁。以卡内基公司（Carnegie Corporation）1959年授权的一项计划作为起点，芝加哥大学的新兴国家比较研究委员会（Committee on the Comparative Study of New Nations）聚集了一批社会学家、政治学家、经济学家、法学教授以及教育学专家。帕森斯的社会关系系的另一个研究生克利福德·吉尔兹，特别强调人类学也具有重要的作用。虽然在他那个领域，对于只根据有助于或有碍于社会平衡的思想和价值观来分析文化这一模式，一些著名的人物感到悲哀，但吉尔兹热情地接受了这种方法，并且在使美国的文化人类学向这种方式转变方面起到了促进作用。他研究了亚洲、非洲以及中东地区包括亲缘关系、种族、语言、地域以及宗教在内的共同的"原始感情"，把它们作为现代化所要求的"一体化革命"的障碍。从这种意义上讲，对文化模式的研究，

[15] Albert O. Hirschman，《发展经济学的兴衰》（The Rise and Decline of Development Economics），载于 Mark Gersovitz 和 W. Arthur Lewis 编，《经济发展的理论与经验：W. 阿瑟·刘易斯爵士纪念文集》（*The Theory and Experience of Economic Development: Essays in Honor of Sir W. Arthur Lewis*, London: Allen and Unwin, 1982），第374页。

[16] Walt W. Rostow，《经济发展诸阶段：非共产党宣言》（*The Stages of Economic Growth: A Non-Communist Manifesto*, Cambridge: Cambridge University Press, 1960），第2页，第4页～第11页，第26页～第27页，以及第144页。

并不是在讲述一个有关已经被西方毁掉的世界反启蒙运动的故事。相反,要进行更大规模的尝试,"更深入地探索那些尽管出现在新兴国家但却与我们所有人的命运息息相关的人类经验",文化则是这种尝试应该考虑的另一个因素。[17]

到了20世纪60年代初期,现代化已经使一个伟大的新世界有了鲜明的轮廓——这是一个自由主义和国际主义的时代,在这个时代,变迁的普遍过程可以规划、界定,甚至可以加速。理论家们为严格的和科学的分析而欢呼,他们声称取得了概念突破和关键性的成就。然而,更严密的考察则揭示了一种更为复杂的情况。帕森斯、白鲁恂、罗斯托以及他们的跨学科的支持者们,的确建立了一个与他们那个时代相适应的模型,但是他们所问的都是一些旧的问题,而且他们没有给出多少有新意的回答。现代化并非是一种概念突破,也许更应该理解为是一种对旧的论述的重新阐述,通过这一过程,旧的社会变迁模型被重新利用,并且与某种整体化模式结合在一起。 728

在美国世纪*之前很久,德国、法国和苏格兰的社会理论家就已经对发展阶段进行了设想,并且选择了一些不同的因素来解释欧洲的成就与世界其他地方明显的停滞之间的差距。19世纪,奥古斯特·孔德根据从"神学"世界观向"实证"世界观的自愿和渐进的转变,来解释进步。亚当·斯密把注意力集中在政治经济学上,他认为,由于劳动分工而使得英国最贫穷的工人的生活标准高于非洲君主的生活标准。马克斯·韦伯指出,加尔文主义者的禁欲主义以及对神的感召的追求,解释了一些长期且合理的行为的出现,正是这些行为促进了西欧新教国家资本主义的发展。美国理论家把从"传统"向"现代"的转变,描述为是一种综合了经济实践与社会价值观的复杂过程,他们对这些解释的反应,就是要开辟一条他们自己的从 Gemeinschaft(社区)到 Gesellschaft(非个人的现代社会)的费迪南德·滕尼斯之路。

理论家们对早期的那些论点的赞誉也更多了,矛盾心理减少了。韦伯认为,工具理性铸造了一个"铁笼子",斯密评论说,对财富的追求可能会增加忧虑、恐惧和不幸,而美国的现代化的支持者们并没有表现出这样的保留态度。当滕尼斯为失去热情而亲密的社区关系感到悲伤时,绝大部分现代化的追随者却在描述无限制的进步。虽然他们担心需要对"满足"和"软弱"提高警惕,但他们仍然确信美国是一个确定无疑的成功事例。他们当中的许多人推测,现在美国所面临的危险,来自于共产主义对美国成就的可能的破坏,他们认为,共产主义既是一种"过渡时期的病症",也是一种"特别残忍的政治组织形式",它虽然会导致经济的增长和不断壮大的国家,但却否认"渐进的和民主的发展的可能性"。[18]

〔17〕 Clifford Geertz,《一体化革命:新国家中的原始情感和公民政治》(The Integrative Revolution: Primordial Sentiments and Civil Politics in the New States),载于《旧社会与新国家:亚洲与非洲的现代性探讨》(*Old Societies and New States: The Quest for Modernity in Asia and Africa*, London: Free Press, 1963),第105页～第157页;David E. Apter,《前言》(Preface),同前,第viii页。

* 指20世纪。——译者

〔18〕 Rostow,《经济发展诸阶段:非共产党宣言》,第162页和第164页。

现代化的倡导者与国家

现代化理论是在冷战的忧虑达到高峰时明确地提出来的，它在是进行思想探索还是为国家发挥政治功能的十字路口上犹豫不决。作为一种意识形态、一种思考世界的方式，以及这个世界中的美国的立场，现代化以某些令人惊讶的、强有力的方式把理论与实践结合在一起了。自第一次世界大战结束以来，威尔逊*主义者们就梦想在自由贸易、资本主义发展和国际政治合作的基础上建立一种新的世界秩序。在第二次全球冲突之后，自由国际主义者最终守住了阵地。他们一致同意，全球经济应当以金本位制为基础，他们创建了一个新的国际货币基金组织(International Monetary Fund)来发放贷款，这样各国也许就不会采用贸易保护主义或使货币贬值的策略了。国际开发银行(International Bank for Reconstruction and Development)，亦即后来所说的世界银行(World Bank)，旨在通过提供资金以鼓励投资、建立市场并且使被战争分裂的欧洲国家和比较贫穷的"非西方"国家都进入国际市场，来促进稳定。最后，联合国成立了，以便于为解决争端、反对侵略采取集体行动，并且可以充当一个进行争论和讨论的论坛。国际合作以及美国强有力的领导，意在开创一个完全民主和自由的时代。[19]

在那种背景下，现代化变得与这个国家管理和指挥这个动荡的世界的努力密切相关。除了解释全球变迁的过程外，许多理论家还寻求创造"与政策相关的"知识，以便确定那些关键的社会和政治的杠杆，美国也许会利用这些杠杆在敌对的意识形态使"发展"进程停顿下来以前，加速这一进程。谈到具有科学客观性的论述，现代化的支持者们把他们在美国的历史中所发现的非常有价值的"教训"加以引申，并且用自然法则对其进行了阐述。他们当中的许多人受到了新政、第二次世界大战以及欧洲经济重建时期全面规划的结果的鼓舞，并在冷战斗争期间学术界得到的大力赞助中获益匪浅。1948 年中央情报局(Central Intelligence Agency，简称 CIA)和卡内基公司为哈佛大学的俄国研究中心(Russian Research Center)提供了资金赞助，这个组织远在其对苏联社会体制的分析报告出版之前，就先把它送交给美国国务院(State Department)。在 1951 年和 1954 年之间，福特基金会(Ford Foundation)耗资 5400 万美元用以支持有关人类行为方面的研究，并且启动了一些研究项目，旨在回答有关美国怎样才能促进民主以及怎样改善世界经济的稳定等问题。在苏联于 1957 年发射第一颗人造地球卫星以后，美国公布的《国防教育法》(*National Defense Education Act*)也规定了联邦政府对大学的区域研究和语言计划的支持。在麻省理工学院，福特基金会和 CIA 甚至帮助建立了国际研究中心(Center for International Studies)，在这里，诸如罗斯托、勒纳和白鲁恂

* 威尔逊，美国第 28 任总统。——译者

[19] Akira Iriye，《美国的全球化》(*The Globalizing of America*, Cambridge: Cambridge University Press, 1993)，第 208 页～第 210 页。

这样的学者希望他们所创造出来的知识,也许会“促进这样一个世界的发展,在这个世界中,不太可能出现对我们的安全的威胁,而且从更广泛的意义上讲,不太可能出现对我们的生活方式的威胁”。[20]

现代化也被作为一种政策目标稳固地确立下来了。由于一方面对利用外援促进经济增长过程感兴趣,另一方面又担心在共产主义的发展面前可能会失去信誉,因而艾森豪威尔于 1955 年创办了国际合作总署(International Cooperation Administration, 简称 ICA),为发展提供贷款。肯尼迪和约翰逊寻求对共产主义作出一种“灵活的反应”,因而也要求要有长期贷款管理机构以及其他“自由的工业化国家”的捐款,并且要求特别关注那些准备趋向“自我持续发展阶段”的国家。1961 年,肯尼迪成立了国际开发总署(Agency for International Development, 简称 AID),这是一个旨在推动技术援助、贷款项目以及发展计划的组织。许多理论家从学术界走进政府机构,直接参与了国际性的社会工程。罗斯托成为了白宫的国家安全顾问和国务院政策规划委员会(State Department Policy Planning Council)的主席。哈佛大学的经济学家林肯·戈登参加了肯尼迪的拉丁美洲特别工作组(Latin American Task Force),后来出任驻巴西大使。白鲁恂为 AID 当了顾问,斯坦福研究所(Stanford Research Institute)的经济学家尤金·斯坦利率领一个发展使团去了越南。作为那部分最有信心也最自信的支持者,他们热切地在为改造世界制定规划,而这个世界将要学习美国可能会讲授的课程。

730

世界上那些贫困国家的领导者们,常常会对那些建议作出积极的回应,并且会提出他们自己对现代化的要求。印度的贾瓦哈拉尔·尼赫鲁为了他的 5 年工业计划而寻求美国的援助和支持,他使华盛顿的政策制订者们相信,他的国家是美国对外援助的一个理想的候选者。1957 年末,印度面临着外汇危机、进口钢材成本的提高以及食品生产不足。尼赫鲁论证说,美国对这个人口最多的民主国家的实质性援助,将会扭转这种局面,并且会向其他发展中国家和“不结盟”国家作出有力的证明:沿着自由主义的路线可以实现生产力和工业化的迅速发展。正如尼赫鲁指出的那样,借用罗斯托的表述就是,美国可以帮助把印度从“贫穷的沼泽”推出来,进入“所谓的开始持续增长的起飞阶段”。[21] 拉丁美洲的改革者和民主领导人也作出了类似的呼吁。1958 年,在

[20] Sigmund Diamond,《妥协的校园:大学与情报界的合作(1945 ～1955)》(*Compromised Campus: The Collaboration of Universities with the Intelligence Community, 1945—1955*, New York: Oxford University Press, 1992),第 50 页～第 110 页;Roger L. Geiger,《研究与相关的知识:第二次世界大战以后的美国研究型大学》(*Research and Relevant Knowledge: American Research Universities since World War II*, New York: Oxford University Press, 1993),第 50 页～第 52 页,以及第 165 页;William Buxton,《塔尔科特·帕森斯与资本主义的民族国家:作为一种战略性行业的政治社会学》(*Talcott Parsons and the Capitalist Nation-State: Political Sociology as a Strategic Vocation*, Toronto: University of Toronto Press, 1985),第 168 页～第 169 页,以及第 175 页;Alan Needell,《“真理就是我们的武器”:特洛伊计划、政治冲突和国家安全状态中政府与学术界的关系》(“Truth Is Our Weapon”: Project TROY, Political Warfare, and Government-Academic Relations in the National Security State),载于《外交史》(*Diplomatic History*),17(1993),第 399 页～第 420 页;Max Millikan 和 Walt W. Rostow,《建议:有效的外交政策的关键》(*A Proposal: Key to an Effective Foreign Policy*, New York: Harper and Brothers, 1957),第 3 页。

[21] Dennis Merrill,《面包与选票:美国与印度的经济发展(1947 ～1963)》(*Bread and the Ballot: The United States and India's Economic Development, 1947—1963*, Chapel Hill: University of North Carolina Press, 1990),第 161 页～第 162 页。

被告知美国最高的战略和经济重点在于欧洲数十年之后，巴西总统朱赛里诺·库柏契克提出了“泛美合作（Operation Pan America）”计划，该计划呼吁美国、西欧诸国和国际性的贷款机构在未来20年为拉丁美洲国家政府提供400亿美元的援助。尽管对外援助从未达到过那样的水平，库柏契克和诸如哥伦比亚以及委内瑞拉这些国家的民主领导人，不仅在游说增加援助方面取得了成功，而且支持了肯尼迪政府的“进步联盟（Alliance for Progress）”计划，这项计划旨在推动工业化，改善生活水平，并且为拉丁美洲登上全面发展的阶梯制定规划。[22]

731

受到抨击的现代化理论

到了20世纪60年代初期，美国以外的许多社会科学家以及日渐增多的美国国内的社会科学家，开始对现代化理论进行更多各式各样的评论。对于某些理论家例如阿根廷社会学家吉诺·赫尔马尼来说，塔尔科特·帕森斯和爱德华·希尔斯界定的“模式变量”提供了一个有用的框架。虽然赫尔马尼承认，“传统”和“现代”只不过是一些“理想的类型”，但他仍然发现，对于他考察“变迁的制度化”、更为专业化的职业的出现以及转向忠于更大的国营实体而背弃较小的地方性团体来说，它们依然是有用的参照点。社会科学家如萨米尔·阿明也发现，现代化概念是有用的。虽然这位埃及经济学家对北非的发展潜力的评价令人沮丧，并且就殖民化的影响提出了比W. W. 罗斯托深刻得多的问题，他的分析仍然是以实现“加速增长”和“工业发展的‘起飞’”问题为中心的。[23]

然而，其他社会科学家开始觉察到了现代化模式中的严重问题。以色列社会学家S. N. 艾森施塔特虽然原来在一个趋同的框架内进行研究，但是他论证说，现代化常常会遇到严重的冲突而不是一致。他警告说，对“传统的”忠诚的式微，有可能会导致“广大群体与中央社会政治体制的疏远”。与和谐的平衡不同的是，突然的变迁往往会使人们“产生不可名状的感觉和反常的疏远”。诸如安德烈·冈德·弗兰克等依附理论的专家们，借助马克思去揭示现代化已使之模糊的东西，开展了另一场批评战。他们说明，“发达世界”的“过去”看起来与贫困地区的“现在”一点都不相像。因为那些工业化中心都是以南半球的依附国为代价而使它们自己富裕起来的，像拉丁美洲这样的

[22] Stephen G. Robe,《艾森豪威尔与拉丁美洲：反共的外交政策》(*Eisenhower and Latin America: The Foreign Policy of Anticommunism*, Chapel Hill: University of North Carolina Press, 1988)；Michael E. Latham,《意识形态、社会科学与命运：现代化与肯尼迪时代的进步联盟》(Ideology, Social Science, and Destiny: Modernization and the Kennedy-Era Alliance for Progress)，载于《外交史》,22(1998年春)，第199页～第229页。

[23] Joseph A. Kahl,《拉丁美洲的三位社会学家：吉诺·赫尔马尼、巴勃罗·冈萨雷斯·卡萨诺瓦和费尔南多·恩里克·卡多索》(*Three Latin American Sociologists: Gino Germani, Pablo Gonzales Casanova, Fernando Henrique Cardoso*, New Brunswick, N. J.: Transaction, 1988)，第23页～第73页；Samir Amin,《现代世界中的马格里布地区：阿尔及利亚、突尼斯和摩洛哥》(*The Maghreb in the Modern World: Algeria, Tunisia, Morocco*, Middlesex: Penguin, 1970)，第233页～第234页。

地区的历史所反映出的,是一贯的镇压而不是沿着某种改革的路线前进。肯尼亚政治学家阿里·马兹鲁伊提出了他自己的批评见解:他一方面对现代化的浓厚的民族中心主义论调感到悲哀,另一方面抨击了它对所谓"合乎理性的"思想的传播的强调。现代化理论更类似于旧的帝国思想,它反映了这样一些假设,即虽然"更为落后的那些民族"缺少他们自己的创造潜能,但他们至少能够模仿那些比他们具有社会优势的民族。在美国,哥伦比亚大学的社会学家 C. 赖特·米尔斯指责帕森斯及其追随者们,因为他们假定一体化的价值观提供了必要的社会平衡和令人满意的和谐的共识。他认为,他们的方法完全是保守的。这种方法使现有的秩序合法化,而没有给探讨阶级冲突、剥削以及权力关系等现实问题留下余地。[24]

732

有些思想家甚至对"传统"这个概念本身,重新进行了概念解释。印度学者如 M. N. 斯瑞尼瓦斯和拉杰尼·柯达里论证说,他们国家的发展过程表明,很难把"传统"与"现代"作为不连续的和两个对立的事物来考虑。西方的印刷技术、电影和无线电广播,既促进了科学知识和西方企业伦理的传播,也促进了印度的诗史、神话和经典的传播。印度的种姓制度和宗教本来就从未停滞或完全僵化,它们持续的体系并不是现代化社会组织的障碍。它们提供了一种必要的凝聚因素,通过允许把新的可能会引起混乱的思想和职业吸收到一组明确的个人角色和社会关系之中,它们实际上可以适应和促进大规模的变迁。这些学者把现代化理论为己所用,并对它的主要原则进行了检验,他们把传统与现代重新解释为是相互改变的,而不是完全对立的。他们论证说,发展中的世界并不趋向于某个单一的乌托邦式的终点。相反,它的变迁方式将表现为一系列不同的轨道,表现为文化、宗教、技术以及科学之间的复杂的互动。[25]

在 20 世纪 70 年代初期,这些批评严重地削弱了现代化理论的某些主要原则的基础。不过,对现代化理想已经造成的最大伤害可能来自实践领域。业已证明,贫穷远比现代化的支持者们想象的难以对付,无论是美国的对外援助还是世界银行的贷款,在 20 世纪 60 年代这个"发展的十年"中,都没有促成具有决定性意义的社会、政治和经济的"起飞"。尽管有时候在非洲或拉丁美洲逐渐递增的经济活动总量的发展和援助计划,的确起到了一点微薄的作用,以避免军事政变,削弱独裁统治,或者确保财富使贫穷的人们受益;但是,国际市场的发展并非必然是与趋向民主和社会改革的一体化发展同步而行的。

733

[24] S. N. Eisenstadt,《现代化:抗拒与变迁》(*Modernization: Protest and Change*, Englewood Cliffs, N. J.: Prentice Hall, 1966),第 21 页~第 22 页;André Frank,《拉丁美洲:不发达或革命》(*Latin America: Underdevelopment or Revolution*, New York: Monthly Review Press, 1969);Ali Mazrui,《从社会达尔文主义到流行的现代化理论:一种分析传统》(From Social Darwinism to Current Theories of Modernization: A Tradition of Analysis),载于《世界政治学》(*World Politics*),21(1968),第 82 页,第 76 页;C. Wright Mills,《社会学的想象力》(*The Sociological Imagination*, New York: Oxford University Press, 1959),第 35 页~第 42 页。

[25] M. N. Srinivas,《现代印度的社会变迁》(*Social Change in Modern India*, Berkeley: University of California Press, 1966);Rajni Kothari,《印度的政治学》(*Politics in India*, Boston: Little Brown, 1970)。也可参见 S. N. Eisenstadt,《现代化研究与社会学理论》(Studies of Modernization and Sociological Theory),载于《历史与理论》(*History and Theory*),13(1974),第 252 页。

不过,在现代化方面,最为人所知的、长期和痛苦的失败发生在东南亚。从 20 世纪 50 年代中期决定支持吴庭艳政府开始到美国最终撤退,美国的许多规划者都把南越理解为是一个迫切而且必然要实现现代化的目标。美国的战略家们把南越定义为一个"新兴的"国家,它将通过摇摆不定但不可避免的道路从"传统"走向"现代",这些战略家们希望,加速经济增长、自由主义改革和社会进步,必然会赢得一个在其古老的过去和未来的竞争前景之间左右为难的民族的忠诚。利用密歇根州立大学的专家去西贡培训一个新的文职行政管理机构,派遣 AID 的工作人员为乡村的"自助"计划提供基金,甚至允诺要在湄公河三角洲建立一个林登·约翰逊所说的类似 TVA* 的机构,美国使现代化成了它在越南战争期间的战略的一个主要部分。肯尼迪、约翰逊以及其他人主张,通过军事手段消灭敌人只是一项更大的任务的一部分,而这个更大的任务就是:有效地证明美国能够满足新近唤起的希望,并且能指导一个混乱的社会进入自由的资本主义的发展进程之中。

这一允诺并未实现。南越领导人对美国的压力感到不愉快,事实证明,他们更感兴趣的是社会控制而不是大众的要求。美国顾问们把权威与安全相等同,他们往往会维持压力。离开了祖先的土地并且重新组成战略村的乡下农民,对美国人干预的悲哀,远远超过了对为他们所提供的家畜、肥料和医疗服务的赞赏。南越的现代化没有赢得多少"人心"。民族解放阵线(National Liberation Front)所提出的统一和独立国家的观点,在历史上深入人心,业已证明,这种观点远比美国支持的任何计划都更有吸引力,美国这样一种外国势力,无论它怎样花言巧语,似乎更像是它以前的那些帝国主义侵略者。没过多久,毁灭性的轰炸、对柬埔寨的入侵、米莱大屠杀**以及急剧上升的越南人和美国人的死亡人数,使得美国的"国家建设"计划的荒谬和十足的自大等问题,成为了公开辩论的中心。

到了 20 世纪 70 年代初期,现代化无论是作为一种理论还是作为一种实践,都受到了重创。学者们检查了它的假设,发现它的线性计划和它把"传统"与"现代"根本对立起来的做法越来越令人怀疑。在一个"发展着"的世界中,美国并非是理性主义、民主以及具有改革意义的积极的价值观传播者,它虽然提倡自我决定,但却往往是对这种自我决定予以否认的压制力量。美国城市疯狂的放荡生活、种族暴力以及东南亚战争期间的极端野蛮的行为,也使得许多人得出结论说,美国难以成为所有国家效仿的榜样。

734

不过,沃勒斯坦的挽歌也许唱得早了点。虽然有些理论家拒绝了他们早期的趋同信念,但苏联令人震惊的解体和国家社会主义在世界各地的衰退,使得其他人会发表

* 即美国的田纳西流域管理局(Tennessee Valley Authority),该局主要负责对地跨 7 个州的田纳西流域的自然资源进行全面的综合开发和管理。——译者

** 1968 年越南战争期间,美军怀疑米莱村的村民掩护北越军队,动用了 3 个排的兵力对该村包括妇孺在内的所有居民进行了屠杀,史称米莱大屠杀。——译者

一些人们非常熟悉的难以忘怀的评论。作为一种与持久启蒙运动的进步观密切相关的意识形态,现代化也从对自由国际主义之救世作用的持续信念中获得了力量。的确,甚至在其具体的社会科学形式中,现代化理论也反映了一组关于美国,关于它通过开放的贸易、民主政策、金融改革和教育能够改变世界的潜力的信念,这些信念被人们坚定地持有并且得到了广泛的分享。从威尔逊的世界秩序观,通过布雷顿森林协定(Bretton Woods agreements)、马歇尔计划(Marshall Plan)以及 20 世纪末的国际援助体制,那些渴望一直在延续。现在仍有人希望有一场趋向民主、市场化和乌托邦式的终点的普遍运动,这些希望似乎还非常有活力。

(鲁旭东 译)

索　引*

* 条目后的页码为原书页码，即本书旁码。

J

K

L

N

S

人名译名索引*

*　人名后的页码为原书页码,即本书旁码。

C

D

G

H

J

K

L

M

Q

R

S

译 后 记

全部八卷《剑桥科学史》就其内容可分为两大类：知识类（或称技术类）和思想类。知识类泛指对各门类的或具体时代和地区的科学历史的阐发，有它具体的史实内容可鉴，一般原书作者所阐发的是“史实”，难以有歧义，只是有详尽或简单之分；思想类则是对于“史实”的理解从解释学原理作诠释，与理解和诠释的可能及限度是相关联的，往往“理喻”上的大相径庭是司空见惯的事。因此，两者在翻译技巧的“信、达、雅”角度说，存在相当意义上的差别。大多数知识类的翻译者，在处理知识类科学史翻译中的“信、达、雅”这三者之间的关系时，情况会简单得多，他们只需忠实于原作者所阐述的内容（知识的“史料”的内容是确定的），如实地向读者传达（或转达、转述）原作者的“史实”观就行了。思想类科学史的翻译，会更多地涉及到“意义”的问题：首先是涉及对于原作者的观点立场（会可能与译者的思想观点和立场相左）的“把握”——这与“思维”方式相关；之后是涉及到对于这个原“意”的转述——这是与“语言”的表达方式相关的。这样，这里的“信”就是思想的“再建构”——就是将原作中所表达的思想，在如实把握的基础上，进行“再思考（反思）”后所表达出来的思想；“达”则是在语言的释述上尽可能如实地表达原作的意义；“雅”则是在译文中复制原著的风格，无论它是雅是俗，是晦是明。整个地说，思想类的翻译，由于包含着诠释和理解的因素，一方面是“书不尽言，言不尽意”，另一方面诚如 L. 莱纳斯所说：“两种不同的语言是两种不同的世界观。可以说，每一个真正的翻译都必须首先是将思想剥离开陌生的语词，然后用本己的语词来重新装扮它。”因此，以这种思想类著作为主导的翻译者，就面临着一仆（译者）侍候二主（原作者和读者）的问题。

由我们主持翻译的《剑桥科学史》第七卷属于思想类科学史。本书内容相当庞杂，具有“多维度”性：全书介绍了 18 世纪以来关于社会科学（包括行为科学和经济科学）的概念、实践、制度和意识形态的历史知识的发展，包括它的哲学假设；它的社会和学术组织以及它与哲学、科学、政治、官僚机构、宗教、医学和各种专业知识领域的关系；作者们进行了深入的分析，提供了新颖的和综合性的说明。全书共 43 章，从不同角度、不同层次探讨了塑造社会科学的各种流派和传统；论述了社会科学主要学科（心理学、经济学、社会学、人类学、政治学、地理学、史学和统计学）的成就；以及对欧美世界、东欧、亚洲、非洲和拉丁美洲各地区性社会科学作了历史性的分析和比较；并对社会科学进入政府、企业、教育、文化、医疗事业以及社会政策等领域作了研究和评论。总之，这是一部关于社会科学的浩瀚的文化史，更涉及到它对于社会科学诸学科所参与的开创现代世界的活动，也成了本卷论述的特点之一。各章节的撰稿人也都是剑桥出版社所认为的各自领域中世界一流的学者，他们参与过现代编史学和方法论的论战，而且都提出了他们自己独到的见解。面对本卷的这种情况，我们所邀请翻译的译者，也尽量是在这方面、或相应的在相关领域有过研究的、或对其感兴趣的研究人员，目的就是为了在翻译中真正正确地理解和诠释原著。

需要指出的是，对于马克思和马克思主义的分析和评价。世界各国不同社会的不同学者，其观点、态度和立场是形形色色、色色形形的，见仁见智，有天壤之别。本卷中特雷尔·卡弗在第12章《马克思与马克思主义》中认为，马克思的社会科学概念具有鲜明的政治色彩，这与马克思作为社会科学家的活动是一致的。因此，从马克思所生活的那个时代起，马克思和马克思主义就被看做是一个社会科学研究中的特定的“马克思主义的”领域，就曾被视为构成社会科学的各种各样的规则中的一种替代，而且在20世纪特定的“社会主义阵营”和某些民族地区和国家的语境中，这些地区的社会科学在很大程度上就是以马克思主义为参考框架来建构的。这样，无论就实在论而言、还是就方法论而言，马克思主义的社会科学都曾深刻地影响了20世纪一般的社会科学（social sciences generally）和总体的科学哲学（philosophies of science overall），从而使得“我们现在都是马克思主义者了”这样的话语简直是不言而喻的。因此，对特雷尔·卡弗一文，也只能说是代表了部分研究者的一种观点。

另外，特别要指出，柯兰君的第28章《中国的社会科学》（*Geschichte der chinesischen Soziologie*）出版于1992年。她的这一研究虽比较客观地介绍和概括了中国近现代社会学发展的曲折历程，以及中国式的社会评价方法论，但必须指出的是，作者在概念上混淆了“社会科学”和“社会学”。她的文章的内容主要谈的是“中国的社会学”，但却冠以了“中国的社会科学”，更错误地认为“从1952年到20世纪80年代社会科学在中华人民共和国遭到了‘取缔’”。这是与史实不符的，“社会科学”在新中国成立后并没有被取缔——在中国科学院下设的“哲学社会科学部”中有语言、文学、史学、哲学和经济等研究所，从国家一级到地方对于“社会科学”的研究也是十分重视的，研究成果也是卓著的。当然，中国对于“社会学”方面的研究却在某种程度上受到了限制。我们知道，中国的社会学的发展，至20世纪30年代曾经是继欧洲和北美之后的世界上第三个活跃的中心，但在1949年后的一个较长的历史时期内，这一研究却在世界社会学史上成了一个被忽视、被遗忘的部分，直到改革开放之后，社会学的研究才再度中兴。作者高度赞扬了中国的社会学研究工作者们始终保持着的热情、反思和献身的精神，并认为属于中国特殊社会层面的中国社会学的研究，不能仅仅化约为一个不断西化的过程，希冀中国的社会科学工作者们在创建社会学研究的中国化方面和更精确的社会学分析工具论、方法论等方面，能为世界社会科学作出新的成就。这同时也成为了我们将《剑桥科学史》第七卷的中译本呈献于中国学者们的一个初衷。

整个《剑桥科学史》第七卷洋洋近百万余言，是一个巨大的翻译工程，承蒙各位译者作了严肃认真的文字翻译，也感谢大象出版社的王卫先生，责任编辑刘东蓬先生、李光洁女士的严谨工作；王晔先生、王毅和李楠楠女士等在人名译名统一方面，张伯霖先生在文章注释的法文内容的翻译方面，也都付出了大量的工作；中国社会科学院荣誉学部委员陆学艺研究员也审核了部分译文，在此谨表示真诚的谢意。但由于时间的仓促、主编的水平有限，难免存在不当和出现错误，还望大雅君子不吝赐教为是。

译者谨识。

2007 年 8 月